Instandhaltung mit SAP®

SAP PRESS ist eine gemeinschaftliche Initiative von SAP SE und der Rheinwerk Verlag GmbH. Unser Ziel ist es, Ihnen als Anwendern qualifiziertes SAP-Wissen zur Verfügung zu stellen. SAP PRESS vereint das Know-how der SAP und die verlegerische Kompetenz von Rheinwerk. Die Bücher bieten Ihnen Expertenwissen zu technischen wie auch zu betriebswirtschaftlichen SAP-Themen.

Damit Sie nach weiteren Büchern Ihres Interessengebiets nicht lange suchen müssen, haben wir eine kleine Auswahl zusammengestellt:

Karl Liebstückel

Instandhaltung mit SAP®

Das Praxishandbuch

Liebe Leserin, lieber Leser,

fast genau drei Jahre nach dem Erscheinen der 4. Auflage unseres Standardwerks zur SAP-Instandhaltung ist es mal wieder an der Zeit für eine Aktualisierung. Denn genauso, wie Maschinen und Anlagen regelmäßig überprüft und gewartet werden müssen, damit sie zuverlässig ihren Dienst tun, unterziehen wir regelmäßig unsere Bücher einer kritischen Prüfung: Sind alle Informationen auf dem neuesten Stand? Sind neue Werkzeuge entwickelt worden, die für Sie nützlich sein können?

Sie halten deshalb die 5., aktualisierte und erweiterte Auflage von »Instandhaltung mit SAP« in den Händen. Dr. Karl Liebstückel hat das Werk für diese Neuauflage umfassend geprüft, aktualisiert und erweitert. Das Resultat: Einerseits Wissen, das sich in der Praxis bewährt hat, andererseits Informationen zu aktuellen Trends und Strategien. Umfassendste Neuerung ist dabei sicherlich SAP S/4HANA, das folgerichtig in diesem Buch eine Hauptrolle spielt.

Eines hat sich in dieser Neuauflage aber nicht geändert: Sie werden in verständlicher Sprache durch die Geschäftsprozesse geführt und finden dabei viele Tricks und Kniffe, die sich in der Praxis vielfach bewährt haben.

Wir freuen uns stets über Lob, aber auch über konstruktive kritische Anmerkungen, die uns helfen, unsere Bücher zu verbessern. Scheuen Sie sich nicht, mich zu kontaktieren. Ihre Fragen und Anmerkungen sind jederzeit willkommen.

Ihre Eva Tripp
Lektorat SAP PRESS

eva.tripp@rheinwerk-verlag.de
www.rheinwerk-verlag.de
Rheinwerk Verlag · Rheinwerkallee 4 · 53227 Bonn

Auf einen Blick

1 Über dieses Buch ... 15
2 Instandhaltung und SAP: Geht das? ... 25
3 Organisationsstrukturen ... 59
4 Anlagenstrukturierung ... 73
5 Geschäftsprozesse ... 169
6 Integration der Anwendungen anderer Fachbereiche ... 421
7 Instandhaltungscontrolling ... 493
8 Neue Informationstechnologien für die Instandhaltung ... 559
9 Die Benutzerfreundlichkeit ... 637

Wir hoffen, dass Sie Freude an diesem Buch haben und sich Ihre Erwartungen erfüllen. Ihre Anregungen und Kommentare sind uns jederzeit willkommen. Bitte bewerten Sie doch das Buch auf unserer Website unter **www.rheinwerk-verlag.de/feedback**.

An diesem Buch haben viele mitgewirkt, insbesondere:

Lektorat Eva Tripp
Korrektorat Monika Klarl, Köln
Herstellung Janina Brönner
Typografie und Layout Vera Brauner
Einbandgestaltung Bastian Illerhaus
Coverbild iStock: 1059971802 © Halfpoint; Shutterstock: 275768504 © FabrikaSimf
Satz SatzPro, Krefeld
Druck Beltz Grafische Betriebe, Bad Langensalza

Dieses Buch wurde gesetzt aus der TheAntiquaB (9,35/13,7 pt) in FrameMaker. Gedruckt wurde es auf chlorfrei gebleichtem Offsetpapier (90 g/m²). Hergestellt in Deutschland.

Bibliografische Information der Deutschen Nationalbibliothek:
Die Deutsche Nationalbibliothek verzeichnet diese Publikation in der Deutschen Nationalbibliografie; detaillierte bibliografische Daten sind im Internet über *http://dnb.d-nb.de* abrufbar.

ISBN 978-3-8362-7254-4

5., aktualisierte Auflage 2020

Informationen zu unserem Verlag und Kontaktmöglichkeiten finden Sie auf unserer Verlagswebsite **www.rheinwerk-verlag.de**. Dort können Sie sich auch umfassend über unser aktuelles Programm informieren und unsere Bücher und E-Books bestellen.

Inhalt

Geleitwort zur 5. Auflage 13

1 Über dieses Buch 15

1.1 An wen sich das Buch wendet und an wen nicht 18
1.2 Was das Buch leisten kann und was nicht 19
1.3 Wie das Buch aufgebaut ist 20
1.4 Was ist neu in der 5. Auflage? 22

2 Instandhaltung und SAP: Geht das? 25

2.1 Instandhaltung heute: Neue Ziele braucht das Land 26
2.2 Der neue Instandhaltungsbegriff 28
2.3 Instandhaltungsstrategien im Wandel der Zeit 32
2.4 Die SAP-Instandhaltung im Wandel der Zeit 35
2.5 Das Anwendungssystem SAP S/4HANA 36
2.6 Die Datenbank SAP HANA 41
2.7 Benutzeroberflächen von SAP S/4HANA 43
2.7.1 SAP GUI 45
2.7.2 SAP Business Client 46
2.7.3 SAP Fiori 51

3 Organisationsstrukturen 59

3.1 SAP-Organisationseinheiten 59
3.1.1 Das Werk aus Instandhaltungssicht 59
3.1.2 Instandhaltungsspezifische Organisationseinheiten 60
3.1.3 Weitere allgemeine Organisationseinheiten 62
3.1.4 Werksbezogene und werksübergreifende Instandhaltung 63
3.2 Arbeitsplätze 65

4 Anlagenstrukturierung 73

4.1 Was Sie tun sollten, bevor Sie Ihre Anlagen im SAP-System abbilden 74

4.2 SAP-Hilfsmittel zur Anlagenstrukturierung und wie Sie sie einsetzen sollten 88

4.2.1 Technische Plätze und Referenzplätze 88
4.2.2 Equipments und Serialnummern 100
4.2.3 Verbindungen und Objektnetze 110
4.2.4 Linear Asset Management 112
4.2.5 Material und IH-Baugruppen 120
4.2.6 Stücklisten 126
4.2.7 Klassifizierung 131
4.2.8 Produktstrukturbrowser 137
4.2.9 Asset Viewer 139
4.2.10 Spezielle Funktionen 140

5 Geschäftsprozesse 169

5.1 Was Sie tun sollten, bevor Sie Ihre Geschäftsprozesse im SAP-System abbilden 170

5.2 Der Geschäftsprozess »Geplante Instandsetzung« 177

5.2.1 Meldung 179
5.2.2 Planung 197
5.2.3 Steuerung 230
5.2.4 Abwicklung 248
5.2.5 Abschluss 250

5.3 Der Geschäftsprozess »Sofortinstandsetzung« 261

5.4 Schichtnotizen und Schichtberichte 270

5.5 Der Geschäftsprozess »Fremdvergabe« 277

5.5.1 Grundlagen der Fremdvergabe 277
5.5.2 Fremdleistungen als Einzelbestellung 280
5.5.3 Fremdleistungen mit Fremdarbeitsplätzen 285
5.5.4 Fremdleistungen mit Leistungsverzeichnissen 289

5.6 Der Geschäftsprozess »Aufarbeitung« 294

5.7 Der Geschäftsprozess »Subcontracting« 307

5.8 Der Geschäftsprozess »Vorbeugende Instandhaltung« 314

5.8.1 Grundlagen der vorbeugenden Instandhaltung 315
5.8.2 Objekte der vorbeugenden Instandhaltung 317
5.8.3 Arbeitspläne 321
5.8.4 Vorbeugende Instandhaltung, zeitbasiert 330
5.8.5 Vorbeugende Instandhaltung, leistungsbasiert 358
5.8.6 Vorbeugende Instandhaltung, zeit- und leistungsbasiert 368
5.8.7 Rundgangsplanung 376

5.9 Der Geschäftsprozess »Zustandsabhängige Instandhaltung« 384

5.10 Der Geschäftsprozess »Kalibrierung von Prüf- und Messmitteln« 388

5.11 Der Geschäftsprozess »Folgeauftrag« 400

5.12 Der Geschäftsprozess »Pool Asset Management« 403

5.13 Der Geschäftsprozess »Projektorientierte Instandhaltung« 410

5.13.1 SAP Projektsystem 411
5.13.2 Der Maintenance Event Builder 417

6 Integration der Anwendungen anderer Fachbereiche 421

6.1 Wie andere Fachbereiche berührt werden 421

6.2 Integration innerhalb von SAP S/4HANA 422

6.2.1 Materialwirtschaft 423
6.2.2 Produktionsplanung und -steuerung 432
6.2.3 Exkurs: Eigenfertigung von Ersatzteilen auf Lager 438
6.2.4 Qualitätsmanagement 443
6.2.5 Umwelt, Gesundheit und Sicherheit 443
6.2.6 Finanzbuchhaltung 446
6.2.7 Anlagenbuchhaltung 448
6.2.8 Controlling 452
6.2.9 Immobilienmanagement 462
6.2.10 Personalwesen 465
6.2.11 Service und Vertrieb 470

6.3 Die Integration mit anderen SAP-Systemen 473

6.3.1 SAP Master Data Management 474

6.3.2 SAP Master Data Governance 476
6.3.3 SAP Supplier Relationship Management (SAP SRM) 480

6.4 Die Integration mit Nicht-SAP-Systemen 483
6.4.1 Betriebsüberwachungssysteme 483
6.4.2 Betriebsinformationssysteme 486
6.4.3 Leistungsverzeichnisse und Leistungserfassungen 489

7 Instandhaltungscontrolling 493

7.1 Was Instandhaltungscontrolling ist 493

7.2 SAP-Hilfsmittel zur Informationsgewinnung und wie Sie sie einsetzen sollten 497
7.2.1 SAP List Viewer 498
7.2.2 QuickViewer 507
7.2.3 Logistikinformationssystem 512
7.2.4 SAP Business Warehouse 521
7.2.5 SAP Lumira 532

7.3 SAP-Hilfsmittel zur Budgetierung und wie Sie sie nutzen sollten 539
7.3.1 Auftragsbudgetierung 539
7.3.2 Kostenstellenbudgetierung 541
7.3.3 Budgetierung über IM-Programme 543
7.3.4 Budgetierung über PSP-Elemente 547
7.3.5 Maintenance Cost Budgeting 551

8 Neue Informationstechnologien für die Instandhaltung 559

8.1 Neue Technologien im User Interface 559
8.1.1 SAP 3D Visual Enterprise Viewer 560
8.1.2 SAP-Fiori-Apps für die Instandhaltung 562
8.1.3 Quick Views 576

8.2 Mobile Instandhaltung 579
8.2.1 Grundlagen der mobilen Instandhaltung 579
8.2.2 SAP Work Manager 585

8.2.3 SAP Asset Manager ... 594
8.2.4 RFID ... 601

8.3 SAP Intelligent Asset Management ... 605
8.3.1 Asset Central Foundation ... 606
8.3.2 SAP Asset Intelligence Network ... 608
8.3.3 SAP Asset Strategy and Performance Management ... 619
8.3.4 SAP Predictive Maintenance and Service ... 628

9 Die Benutzerfreundlichkeit 637

9.1 Was ist eigentlich Benutzerfreundlichkeit? ... 638
9.2 Wie Benutzerfreundlichkeit beurteilt werden kann ... 643
9.3 Warum Benutzerfreundlichkeit nicht gleich Benutzerakzeptanz ist ... 644
9.4 Warum die Benutzerakzeptanz gerade in der Instandhaltung so wichtig ist ... 647
9.5 Möglichkeiten des SAP-Systems zur Verbesserung der Benutzerfreundlichkeit ... 650
9.5.1 Allgemeine Benutzerparameter ... 651
9.5.2 Instandhaltungsspezifische Benutzerparameter ... 653
9.5.3 Rollen und Favoriten ... 655
9.5.4 Listvarianten ... 657
9.5.5 Eingabehilfen personalisieren ... 657
9.5.6 Buttons und Tastenkombinationen ... 658
9.5.7 Table Controls ... 659
9.5.8 Transaktionsvarianten ... 662
9.5.9 Customizing ... 664
9.5.10 Aktivitätenleiste ... 666
9.5.11 GuiXT ... 667
9.5.12 SAP Screen Personas ... 668
9.5.13 Vorschalttransaktionen ... 673
9.5.14 Weboberfläche ... 675
9.5.15 Customer-Exits ... 677
9.5.16 Weitere Techniken der Programmierung ... 679

9.6 Die Usability-Studie ... 681
9.6.1 Vorbereitung und Durchführung ... 682

9.6.2 Ergebnisse 686
9.6.3 Schlussfolgerungen 692

Anhang 695

A Literaturverzeichnis 697
B Übersichten 703
C Der Autor 717
D Danksagung 719

Index 721

Geleitwort zur 5. Auflage

Die Instandhaltung muss sich in einer Welt, die immer dynamischer, komplexer und datenorientierter wird, den veränderten wirtschaftlichen und technischen Herausforderungen stellen. Alle anlagenintensiven Branchen stehen im Grunde vor umwälzenden Herausforderungen – von neuen Geschäftsmodellen bis hin zu höherem Kostendruck. Doch was bedeutet das für die Instandhaltung?

Die wichtigsten Aufgaben bleiben unverändert: Es gilt immer noch, Kosten, Risiken und Leistung miteinander in Einklang zu bringen, und das in Übereinstimmung mit der ISO 55001 und anderen Managementstandards. Unverändert bleiben auch die Anforderungen, Kosten zu reduzieren, die Effizienz zu steigern, Investitionen zu optimieren, Störungen zu vermeiden, Umsatzziele zu erreichen und die stets neuen behördlichen Vorgaben und Compliance-Anforderungen zu erfüllen.

Neu sind die riesigen Datenmengen, die von den Anlagen erzeugt werden und die für ein effektiveres Anlagenmanagement genutzt werden können. Die generierten Daten können im Netzwerk in Echtzeit geteilt werden und ermöglichen neue kooperative Geschäftsmodelle, die die Betriebseffizienz steigern. Mithilfe künstlicher Intelligenz und maschinellen Lernens verfügen wir über die Möglichkeit, riesige Datenmengen schneller zu verarbeiten als jemals zuvor.

Diese Daten bilden die Grundlage für eine Vielfalt von Erkenntnissen, die das Anlagenmanagement transformieren und somit Unternehmen ermöglichen können, ihre Anlagen effektiver zu nutzen. Betreiber von Anlagen müssen in der Lage sein, diese Informationen über den gesamten Lebenszyklus der Anlage hinweg transparent zu machen und im Netzwerk von Betreibern, Herstellern und Dienstleistern bereitzustellen. Cloudbasierte Netzwerke ermöglichen die Zusammenarbeit aller am Anlagenlebenszyklus beteiligten Akteure.

Dafür ist eine nahtlose, digitale Abbildung der physischen Anlagen erforderlich, die eine Digitalisierung von Kernprozessen ermöglicht – ein sogenannter digitaler Zwilling. Sowohl Anwender als auch Entscheidungsträger können mithilfe dieser digitalen Zwillinge der Anlagen mühelos auf alle relevanten Informationen in einem leicht zugänglichen Format zugreifen und so ihre Geschäftsmodelle, ihre Geschäftsprozesse und ihre Arbeitsweise neu gestalten.

Wir bei SAP bezeichnen dies als »Intelligentes Anlagenmanagement« – die Zukunft des Anlagenmanagements. SAP kann Ihnen helfen, eine Umgebung zu entwickeln, in der Sie anlagenbezogene Informationen und Prozesse über den kompletten Lebenszyklus der Anlage hinweg verwalten können.

SAP Intelligent Asset Management kombiniert Lösungen auf Basis von SAP S/4HANA mit Anwendungen, die auf Basis der SAP Cloud Platform bereitgestellt werden.

Inzwischen haben weltweit viele Kunden aus unterschiedlichsten Branchen SAP-Software für das Anlagenmanagement im Einsatz. Sie können damit ein umfassendes Anlagenmanagement unterstützen, das mit den Prozessen der Logistik, dem Personalwesen, dem Einkauf, der Produktion und der Anlagen- und Arbeitssicherheit integriert ist und die Verwaltung des gesamten Lebenszyklus Ihrer physischen Anlagen ermöglicht.

Im dem vorliegenden Buch lesen Sie, wie Sie ein intelligentes Anlagenmanagement mit Lösungen von SAP realisieren können. Ich bin mir sicher, dass Sie mithilfe dieses Buches die für Sie wesentlichen Anregungen und Informationen finden und für eine erfolgreiche Anwendung in Ihrem Unternehmen nutzen können.

Boris Mohr
Director, Intelligent Asset Management, SAP SE

Kapitel 1
Über dieses Buch

Genius is one percent inspiration and ninety-nine percent perspiration. (Genie ist ein Prozent Inspiration und neunundneunzig Prozent Transpiration.) – Thomas A. Edison

Instandhaltung – nur Kostenverursacher?

Zwar langsam, aber doch stetig setzt sich in den Köpfen von Entscheidungsträgern eine neue Sichtweise der Rolle der Instandhaltung innerhalb des Unternehmens durch: weg von der Auffassung der Instandhaltung als reinem Kostentreiber hin zur Erkenntnis, dass eine zielgerichtete und modern aufgestellte Instandhaltung zu einem Erfolgsfaktor und Wettbewerbsvorteil für das eigene Unternehmen werden kann – weg von einem Kostenverursacher hin zu einem Maschinenverfügbarkeitssicherer oder Produktionsausstoßerhöher oder Anlagensicherheitsgewährleister usw. So werden immerhin in vielen Branchen mehr als 40 % der Unternehmenskosten direkt oder indirekt durch die Instandhaltung beeinflusst.[1] Selbst der Verkauf der eigenen Instandhaltungsleistungen an nachfragende Firmen scheint für kein Unternehmen mehr ausgeschlossen zu sein. Damit kann der Instandhaltungsbereich einen Beitrag zur Umsatzsteigerung leisten.

Instandhaltung und IT

In vielen Unternehmen setzt sich im Hinblick auf den Instandhaltungsbereich erst allmählich die Erkenntnis durch, dass der Weg vom Kostentreiber zum Erfolgsfaktor nur beschritten werden kann, wenn er durch eine moderne Kommunikations- und Informationstechnologie unterstützt und begleitet wird. In den meisten anderen Unternehmensbereichen ist diese Auffassung bereits zu einer Selbstverständlichkeit geworden. Die gewählte IT-Lösung sollte idealerweise die folgenden Fähigkeiten haben:

- Sie sollte in das heterogene Geflecht der Unternehmensprozesse eingebettet sein.
- Sie sollte flexibel alle instandhaltungsspezifischen Geschäftsprozesse unterstützen – von der Störungsbehebung über vorbeugende Instandhaltung bis hin zu neuen Instandhaltungsstrategien wie der zustandsbasierten Instandhaltung (Condition-based Maintenance, CBM) oder der

1 laut einer Pressemitteilung des Forums Vision Instandhaltung (FVI) vom 24.08.2007

zuverlässigkeitsorientierten Instandhaltung (Reliability-based Maintenance, RCM).

- Sie sollte auf zukünftige Herausforderungen des Unternehmens und des Marktes ausgerichtet sein.
- Sie sollte moderne Technologien wie Cloud Computing, Internet oder mobile Geräte integrieren können.
- Sie sollte anwenderfreundlich sein, denn im Unterschied zu anderen Unternehmensbereichen wie Einkauf oder Buchhaltung trifft man in der Instandhaltung auf Anwender, für die die IT nicht zum täglichen Handwerkszeug gehört.

Instandhaltung und Industrie 4.0

Darüber hinaus setzt sich im Bewusstsein der Entscheidungsträger auch immer mehr die Bedeutung der Instandhaltung bei der Umsetzung von Konzepten im Rahmen von Industrie 4.0 durch. Egal welches Themenfeld im Zusammenhang mit Industrie 4.0 diskutiert wird, immer wird sofort die Bedeutung der Instandhaltung im Zusammenhang mit diesen Themenfeldern – und hier insbesondere die datentechnische Einbindung der Instandhaltung – herausgestellt und unterstrichen.[2] Dies betrifft z. B.:

- die Maschine-Maschine-Kommunikation
- autonome Produktionssysteme
- die Mensch-Maschine-Kommunikation
- Augmented Reality
- Cyber-Physical Systems
- Smart Factory
- Ersatzteilbeschaffung über 3D-Druck
- die digitale Fabrik

Instandhaltung und SAP

Eine Antwort von SAP auf diese Anforderungen lautet: SAP S/4HANA, Version 1809, mit der Applikation Asset Management. Dieses Buch baut auf diesem aktuellen Releasestand auf. Es vermittelt Ihnen in dieser 5., aktualisierten und erweiterten Auflage nicht nur einen Überblick über den aktu-

2 Siehe beispielsweise Kleinhempel, Karla; Satzer, Angelika; Steinberger, Viktor (2015): »Industrie 4.0 im Aufbruch? Ein beispielhafter Ausschnitt aus dem betrieblichen Stand«, Mitbestimmungsförderung Report, No. 5, oder Pfeiffer, Sabine; Suphan, Anne: »Der AV-Index: Lebendiges Arbeitsvermögen und Erfahrung als Ressourcen auf dem Weg zu Industrie 4.0«, Working Paper 2015, Gorecky, Dominic; Schmitt, Mathias; Dr. Loskyll, Matthias (2014): »Mensch-Maschine-Interaktion im Industrie 4.0-Zeitalter«, Scheer , A. W. (2016): »Industrie 4.0 – Wie sehen Produktionsprozesse 2020 aus?«, oder Schenk, Michael (2016): »Industrie 4.0 – Wege und Lösungsbeispiele«.

ellen Funktionsumfang, sondern auch über völlig unterschiedliche Nutzungsmöglichkeiten von SAP S/4HANA Asset Management. Setzt Ihr Unternehmen noch SAP ERP 6.0 ein? Keine Bange: Dort, wo sich Unterschiede zwischen den beiden Systemen ergeben, weise ich Sie explizit darauf hin.

Flexibilität und SAP

Jedes Unternehmen muss seinen eigenen Lösungsweg in der Instandhaltung mit SAP finden; eine reine Beschreibung der Funktionen reicht hier also nicht aus. SAP gestaltet sich als sehr flexibles Tool. Deshalb zeige ich Ihnen auf der Basis meiner mehr als 30-jährigen Erfahrung in der Instandhaltung mit SAP und auf der Basis von mehr als 90 Kundenprojekten auf, wie Sie in Ihrem Unternehmen diese Funktionen nutzen können, aber auch, wie Sie sie nicht nutzen sollten.

Die Praxis steht im Mittelpunkt

Sie werden anhand von Kundenbeispielen sehen, wie es andere Firmen gemacht haben, und ich gebe Ihnen viele nützliche Praxistipps – egal, ob Sie noch vor der Einführung von SAP in der Instandhaltung stehen oder ob Sie als Fortgeschrittener das System bereits länger im Einsatz haben.

SAP benutzerfreundlich – geht das?

Es ist ein weit verbreitetes Vorurteil, dass SAP-Applikationen nicht gerade anwenderfreundlich seien. Dieses Vorurteil nicht zu einem Urteil werden zu lassen, war mir schon immer ein besonderes Anliegen. Gerade in der Instandhaltung ist dieses Thema von großer Bedeutung. Deshalb stelle ich Ihnen in einem separaten Kapitel ein ganzes Bündel von Maßnahmen vor, wie Sie in Ihrem Unternehmen die Benutzerfreundlichkeit und damit die Benutzerakzeptanz des SAP-Systems steigern können. Darüber hinaus stelle ich Ihnen die Ergebnisse von verschiedenen, bei uns an der Hochschule durchgeführten Studien vor, die eindeutig nachweisen, dass und in welchem Ausmaß solche Maßnahmen zur Verbesserung der Benutzerfreundlichkeit einen effektiven Vorteil in der Bearbeitung von Geschäftsprozessen bringen.

Weitere Highlights in diesem Buch

Darüber hinaus warten weitere Highlights auf Sie: Sie finden viele Tipps und Tricks für den laufenden Betrieb und erfahren, was Sie in Ihrer täglichen Arbeit tun und was Sie lieber lassen sollten.

Zusätzlich zu den in diesem Buch vermittelten Informationen können Sie Ihr Wissen über den folgenden Weg vertiefen: Auf der Trainingsseite der Hochschule für angewandte Wissenschaften Würzburg-Schweinfurt (*http://saptraining.fh-wuerzburg.de*) können Sie sich mehr als 60 ausgewählte Geschäftsprozesse mit dem dazu notwendigen Customizing live ansehen und auch ausprobieren.

1.1 An wen sich das Buch wendet und an wen nicht

Wer sind Sie?

Ich spreche Sie in diesem Buch immer ganz direkt an. Wen meine ich mit *Sie*? Was können Sie von diesem Buch erwarten?

- Sie sind ein *Projektleiter*, der das Projekt zur SAP-Instandhaltung verantwortet. In Ihrem eigentlichen beruflichen Tätigkeitsfeld sind Sie Technischer Verantwortlicher, Instandhaltungsplaner, Werkstattmeister, IT-Mitarbeiter, Mitarbeiter der Organisationsabteilung o. Ä. Sie erhalten viele Hinweise zum Projektmanagement, zur IT-Strategie usw.
- Sie sind ein *Projektmitarbeiter*, der die SAP-Instandhaltung ausprägen möchte. In Ihrem eigentlichen beruflichen Tätigkeitsfeld sind Sie deshalb Instandhaltungsplaner, Werkstattmeister, IT-Mitarbeiter, Betriebsingenieur, verantwortlicher Techniker, Gruppenleiter, Mitarbeiter der Organisationsabteilung o. Ä. Sie erhalten viele Tipps und Hinweise zu Geschäftsprozessen und Verfahren.
- Sie sind ein *Manager*, der vor der Entscheidung steht, ob er SAP in der Instandhaltung einführen soll oder nicht. In Ihrem eigentlichen beruflichen Tätigkeitsfeld haben Sie deshalb die Funktion eines Technischen Leiters, eines Instandhaltungsleiters, eines Facility Managers, eines IT-Leiters, eines Organizational Managers o. Ä. inne. Sie erfahren, wozu sich das SAP-System eignet und wozu nicht.
- Sie sind ein *Key-User*, der seinen Kollegen im Tagesgeschäft bei der Bearbeitung von Geschäftsprozessen weiterhelfen soll und deshalb etwas mehr über die Hintergründe des Systems wissen muss als seine Endanwender. Sie finden in diesem Buch viele Hinweise dazu, warum sich etwas so oder anders verhält, was Sie machen können und was Sie lassen sollten.
- Sie sind *Berater*. Egal, ob Sie in der Managementberatung tätig sind und strategische Hinweise benötigen oder ob Sie Fachberater sind und Applikationsinformationen suchen: Hier bekommen Sie sie.
- Sie interessieren sich ganz *allgemein* für die SAP-Instandhaltung. Sie erhalten einen Überblick, ein Grundverständnis und lernen einige Details kennen.

Wer sind Sie nicht?

Wen meine ich in diesem Buch nicht mit *Sie*? Was finden Sie nicht in diesem Buch?

- Sie sind ein *Entwickler*, der sich von diesem Buch Hinweise zur Programmierung (z. B. von Schnittstellen oder Add-ons) erhofft: Sie werden in diesem Buch nicht fündig.
- Sie sind *Endanwender* und erwarten von dem Buch eine Benutzerführung für Ihr SAP-System in Ihrem Unternehmen. Dann werden Sie hier

nur ansatzweise fündig, denn die Ausprägung der Systeme ist zu vielschichtig, als dass in einem Buch alle denkbaren Variationen berücksichtigt werden könnten.

- Sie sind (*interner* oder *externer*) *Berater*, *Key-User* oder *Projektmitarbeiter* und erhoffen sich von diesem Buch tiefer gehende Erläuterungen und Tipps zum Customizing. Diese werden Sie in diesem Buch nicht finden. Zu diesem Thema verweise ich auf ein eigenes Buch »Instandhaltung mit SAP – Customizing«, das ebenfalls bei SAP PRESS erschienen ist.

1.2 Was das Buch leisten kann und was nicht

Es gibt in diesem Buch also keine Customizing- und keine Programmierhinweise, und es ist auch keine Endbenutzerdokumentation (wie es übrigens auch die SAP-Dokumentation nicht ist). Aber das Buch leistet für Sie die folgenden Beiträge:

- Es vermittelt Ihnen ein *Grundverständnis* für die Philosophie von SAP in Bezug auf die Instandhaltung.
- Es zeigt Ihnen anhand des Funktionsumfangs die *Möglichkeiten* auf, die Ihnen das SAP-System bietet, aber auch die *Grenzen*, an die Sie mit dem vorhandenen Funktionsumfang stoßen.
- Es zeigt Ihnen anhand von Referenzprozessen und typischen Beispielen (z. B. zur Anlagenstrukturierung) Verfahrensweisen auf, mit deren Hilfe Sie *Ihre Instandhaltung* im SAP-System abbilden können.
- Es gibt Ihnen anhand von Querverweisen auf das Customizing Hinweise dazu, ob und an welchen Stellen Sie das SAP-System an Ihre eigenen Bedürfnisse anpassen können. Die eigentlichen Customizing-Einstellungen finden Sie im zuvor erwähnten Buch »Instandhaltung mit SAP – Customizing«.
- Es gibt Ihnen Argumente zur *Entscheidungsfindung* hinsichtlich dessen an die Hand, ob Sie die SAP-Instandhaltung einführen möchten oder ob Sie es lieber lassen sollten.
- Es zeigt Ihnen Hilfsmittel dazu auf, wie Sie Ihr SAP-System *benutzerfreundlich* gestalten können.
- Es gibt Ihnen viele Tipps und Tricks für Ihre SAP-Instandhaltung.

Die Erfahrungen aus meinen bisherigen Projekten haben eines gezeigt: Jedes Unternehmen entwickelt seine eigenen Vorstellungen davon, wie das SAP-System genutzt werden soll. Das heißt z. B., dass jedes Unternehmen seine technischen Anlagen anders abbildet, jedes Unternehmen seine Geschäftsprozesse individuell einrichtet, jedes Unternehmen andere anzubindende Systeme hat u. v. m. Verstehen Sie deshalb die Ausführungen in diesem Buch als Denkanstoß, als Idee oder als Ausgangspunkt, um das System für sich auszuprägen und so zu »Ihrer« Instandhaltung mit SAP zu kommen.

1.3 Wie das Buch aufgebaut ist

Dieses Buch ist in neun Kapitel gegliedert:

SAP und die Instandhaltung

Kapitel 2, »Instandhaltung und SAP: Geht das?«, soll die betriebswirtschaftlichen Grundlagen schaffen und bei Ihnen ein Grundverständnis für das Engagement von SAP im Bereich der Instandhaltung wecken. Hierzu erläutere ich Ihnen unter anderem, wie sich die Instandhaltungsstrategien im Laufe der Zeit entwickelt haben, welche Entwicklungsstufen SAP im Bereich der Instandhaltung durchlaufen hat und wo SAP mittlerweile angekommen ist.

Organisationsstrukturen

Den Ausgangspunkt für sämtliche weiteren Überlegungen bilden in einem SAP-System die Organisationsstrukturen. In **Kapitel 3**, »Organisationsstrukturen«, erläutere ich daher die allgemeinen SAP-Organisationseinheiten und zeige Ihnen darüber hinaus auf, welche instandhaltungsspezifischen Organisationseinheiten für die weitere Vorgehensweise notwendig sind.

Anlagenstrukturierung

Die Basis, um im SAP-System Geschäftsprozesse in der Instandhaltung abwickeln zu können, bildet eine anforderungsgerechte Anlagenstrukturierung. SAP bietet diverse Elemente zur Abbildung der eigenen Anlagenstruktur an, und Sie müssen wie jedes Unternehmen zu einer Entscheidung hinsichtlich dessen kommen, welche Hilfsmittel für welchen Verwendungszweck wie eingesetzt werden sollen. In **Kapitel 4**, »Anlagenstrukturierung«, zeige ich Ihnen Möglichkeiten und Grenzen auf, gebe Ihnen Hilfestellungen und spreche Empfehlungen aus. Auch gebe ich Ihnen Hinweise dazu, welche Überlegungen Sie anstellen sollten, bevor Sie mit der eigentlichen Systemarbeit beginnen können.

Geschäftsprozesse

Kapitel 5, »Geschäftsprozesse«, bildet das Herzstück des Buches. Auch hier steht die Individualität der Geschäftsprozesse jedes Unternehmens als Kernaussage im Mittelpunkt: SAP bietet Hilfsmittel an, die Sie individuell ausprägen werden. Anhand typischer Referenzprozesse zeige ich Ihnen die

Möglichkeiten und Grenzen des SAP-Systems auf. Auch hier erhalten Sie Empfehlungen, wie Sie das System für sich nutzen können und welche Vorarbeiten Sie leisten sollten, bevor die eigentliche Systemarbeit beginnt.

Integration mit anderen Fachbereichen

Ihre Instandhaltung steht in einer ständigen Interaktion und in der Folge in einem permanenten Datenaustausch mit den anderen Fachbereichen Ihres Unternehmens. Dies spiegelt sich im System in einer breiten und tiefen Integration der Instandhaltung mit den Applikationen wider, die in den anderen Fachbereichen zum Einsatz kommen. Dies können Applikationen aus SAP S/4HANA, andere SAP-Systeme oder Fremdsysteme sein. In **Kapitel 6**, »Integration der Anwendungen anderer Fachbereiche«, zeige ich Ihnen die Möglichkeiten der Zusammenarbeit auf, analysiere mit Ihnen die Schnittstellen und gebe wieder entsprechende Empfehlungen und Hinweise.

Instandhaltungscontrolling

Controlling heißt nicht »kontrollieren«, sondern »steuern«. Controlling gibt es als operatives Controlling zur Steuerung der laufenden Geschäftsprozesse und als analytisches Controlling zur Vorbereitung von Entscheidungen. Deshalb zeige ich Ihnen in **Kapitel 7**, »Instandhaltungscontrolling«, zum einen die Möglichkeiten zur Budgetierung von Instandhaltungsmaßnahmen und zum anderen die Möglichkeiten und Grenzen der Hilfsmittel auf, die SAP für den analytischen Bereich zur Verfügung stellt.

Moderne Technologien

Moderne Informations- und Kommunikationstechnologien wie Cloud Computing, Internet sowie mobile Architekturen haben mittlerweile auch die Instandhaltung erreicht. In **Kapitel 8**, »Neue Informationstechnologien für die Instandhaltung«, stelle ich den jeweiligen Stand der Technik dar. Dabei zeige ich insbesondere die Voraussetzungen, Möglichkeiten und Grenzen dieser Technologien bei ihrem Einsatz in der Instandhaltung auf. Ich wage darüber hinaus einen Blick in die Zukunft und prognostiziere, was von diesen Technologien noch zu erwarten ist.

Benutzerfreundlichkeit

In **Kapitel 9**, »Die Benutzerfreundlichkeit«, stelle ich zunächst die Möglichkeiten vor, die das SAP-System zur Verbesserung der Benutzerfreundlichkeit anbietet. Im Anschluss daran und als Abschluss des Buches stelle ich Ihnen die Ergebnisse empirischer Labortests vor: Im SAP-Labor der Hochschule für angewandte Wissenschaften Würzburg-Schweinfurt haben wir unter praxisnahen Bedingungen überprüft, wie lange die Bearbeitung von Geschäftsprozessen dauert, wenn alle Register zur Steigerung der Benutzerfreundlichkeit gezogen werden bzw. wenn solche Maßnahmen nicht ergriffen werden. Die Ergebnisse haben selbst mich überrascht.

Anhang

Im **Anhang** finden Sie nützliche Zusatzinformationen, wie tabellarische Übersichten, Literaturhinweise u. v. m.

Spezielle Symbole im Buch

Um Ihnen die Arbeit mit diesem Buch zu erleichtern, sind besondere Informationen mit speziellen Symbolen hervorgehoben:

Achtung
Kästen mit diesem Icon bieten Ihnen besonders wichtige Hinweise zur besprochenen Thematik. Außerdem warne ich Sie hier vor möglichen Fehlerquellen oder Stolpersteinen.

Praxistipp
In diesem Buch gebe ich Ihnen zahlreiche Tipps und Empfehlungen, die sich in meiner Berufspraxis bewährt haben. Sie finden sie in den Kästen mit diesem Icon.

Hinweise auf das Internet
An vielen Stellen dieses Buches verweise ich auf die bereits erwähnte Trainingsplattform unter *http://saptraining.fh-wuerzburg.de*. Dort ist über viele Jahre hinweg im Rahmen von Projektarbeiten eine Datenbank entstanden, mit der Sie sich Geschäftsprozesse quasi live ansehen und das Gelernte weiter vertiefen können.

Online-Material zum Buch

Sie finden unter *www.sap-press.de/4967* eine Reihe von Dokumenten zum Download z. B. die *Übersichten* aus Anhang B und eine Übersicht über die *Transaktionscodes* der Instandhaltung sowie die dem Buch beiliegende Referenzkarte als PDF-Dokument.

1.4 Was ist neu in der 5. Auflage?

Die vorliegende 5. Auflage wurde komplett auf SAP S/4HANA aktualisiert. Unter anderem wurden alle Screenshots neu mit dem Belize-Thema erstellt, die Menüpfade wurden angepasst sowie die Begrifflichkeiten auf den neuesten Stand gebracht.

Im Hinblick auf die Funktionen des Core-Systems gibt es nur marginale Unterschiede zwischen SAP S/4HANA und SAP ERP. Auf nennenswerte Unterschiede – wie z. B. bei der Wartungsplanterminierung – wird explizit hingewiesen, und die Unterschiede werden beschrieben. An allen anderen Stellen ist die Beschreibung sowohl für SAP S/4HANA als auch für SAP ERP gültig.

Kapitel 8 wurde völlig neu geschrieben und geht auf die aktuellsten Informationstechnologien für die Instandhaltung ein. Als Neuerungen finden Sie dort u. a. die 10 wichtigsten SAP-Fiori-Apps für die Instandhaltung, den

SAP Asset Manager als neue mobile SAP-Lösung für die Instandhaltung sowie die cloudbasierten Erweiterungen zum SAP-S/4HANA-Core, das sogenannte *SAP Intelligent Asset Management* mit seinen vier Komponenten.

Ich wünsche Ihnen, dass Sie in diesem Buch für Ihr eigenes Unternehmensumfeld zahlreiche Anregungen und Ideen finden.

Und gemäß dem Zitat von Thomas A. Edison – für mich das Zitat aller Zitate – wünsche ich Ihnen, dass Sie die Energie, Geduld und Ausdauer aufbringen werden, um diese Ideen in Ihrem Unternehmen umzusetzen.

Kapitel 2
Instandhaltung und SAP: Geht das?

Dieses Kapitel befasst sich zunächst mit der zunehmenden Bedeutung und dem Wandel der Sicht auf die Instandhaltung, die sich auch in einer neuen Begriffsbildung ausdrückt. Das Kapitel umreißt darüber hinaus das Umfeld, in dem die SAP-Komponente Instandhaltung agiert.

Die Instandhaltung hat aus den im Folgenden aufgelisteten betriebswirtschaftlichen, volkswirtschaftlichen und technologischen Gründen in den letzten Jahren und Jahrzehnten an Bedeutung gewonnen:

- **Betriebswirtschaftliche Einflussgrößen**
  - steigende Anschaffungswerte für technische Anlagen
  - überproportionales Ansteigen der Schadensfolgekosten
  - höheres und verändertes Anforderungsprofil an Instandhaltungstätigkeiten
  - termingenaue Zusammenarbeit mit Kunden und Lieferanten
  - reduzierte Fertigungstiefe
- **Volkswirtschaftliche Einflussgrößen**
  - zunehmender Anteil der Instandhaltungskosten am Bruttosozialprodukt
  - stetiger Zuwachs der Erwerbstätigen im Instandhaltungsbereich
  - verschärfte Umwelt- und Arbeitsschutzvorschriften
  - Globalisierung der Produktmärkte
  - Ausbau des Dienstleistungssektors
- **Technologische Einflussgrößen**
  - erhöhte Innovationsgeschwindigkeit[1]
  - zunehmende Automatisierung
  - steigende Anlagenverkettung und -komplexität

1 Siehe Matyas, K.: »Instandhaltungslogistik – Qualität und Produktivität steigern«, 7. Auflage, München: Hanser Verlag 2018.

Auf diese Einflussgrößen, die miteinander in Wechselwirkung stehen, und die damit verbundenen Veränderungen im Hinblick auf die Instandhaltung werde ich in diesem Kapitel näher eingehen. Darüber hinaus stelle ich Ihnen die Veränderungen der Instandhaltungskomponente im SAP-System über die Releases hinweg vor.

2.1 Instandhaltung heute: Neue Ziele braucht das Land

Kostentreiber?

Immer mehr Unternehmen kommen von der veralteten Ansicht ab, dass die Instandhaltung nur ein notwendiges Übel oder lediglich ein Kostenverursacher sei. Der ständig wachsende Druck im Wettbewerb um Qualität und Produktivität zwingt die Unternehmen zu einer Instandhaltung, die in der unternehmerischen Prioritätenliste der Zielsetzungen viel weiter oben angesiedelt ist als früher. Dies reicht bis hin zu der Erkenntnis, dass man seine Instandhaltungsleistungen auch am Markt verkaufen kann und damit neben einem Beitrag zur Kostenreduzierung auch einen Beitrag zur Umsatzsteigerung leisten kann.

Zusammenarbeit mit Kunden und Lieferanten

Die Globalisierung der Märkte führt zunehmend zu einer engen Zusammenarbeit mit Kunden und Lieferanten. Die Fertigungstiefen werden immer geringer. So ist z. B. in der Automobilindustrie im Jahre 2015 die Fertigungstiefe auf gerade einmal 23 % gefallen[2], in Einzelfällen wie z. B. beim Porsche Cayenne sogar auf 10 %[3]. Das heißt, dass die Automobilindustrie gerade einmal 10–25 % des Endproduktes selbst produziert, alles andere kommt von vorgelagerten Produktionsstufen, den Zulieferern.[4] Damit wird die Abhängigkeit von der Anlagenverfügbarkeit in vorgelagerten Produktionsstufen umso größer.

Anlagenverfügbarkeit

Konnte man früher in tief strukturierten Produktionsverfahren Störungen im Produktionsablauf noch hausintern entgegenwirken, ist dies bei globalisierten Produktionsabläufen gänzlich undenkbar. Somit treten heute die Ziele *Vermeidung von Störungen* und *Erhöhung* bzw. *Gewährleistung der Anlagenverfügbarkeit* zunehmend in den Mittelpunkt der instandhalterischen Zielsetzungen.

2 Siehe Automotive Netzwerk Südwestfalen: »Die Marktsituation der Automotive-Zulieferer«, *http://www.automotive-sw.de/webseite.asp?ID=126*.

3 Dalan, Marco: »Porsche ist ein Modellfall für den deutschen Arbeitnehmer«, *https://www.welt.de/print-welt/article220867/Porsche-ist-ein-Modellfall-fuer-die-deutschen-Arbeitnehmer.html*.

4 Institut für Wirtschaftsforschung (IFO): Pressemitteilung vom 21.11.2005. Ähnliches kommt auch im IKB-Report »Automobilindustrie – Neue Chancen, zunehmender Investitions- und Finanzierungsbedarf« aus dem Jahr 2003 zum Ausdruck.

Instandsetzungsvermeidung

Ein weiteres Ziel in der heutigen Instandhaltung ist die Instandsetzungsvermeidung. Diese kann durch die Änderung der Konstruktion einer Anlage oder Maschine erreicht werden. Ebenso ist ein Einbeziehen der Produktionsmitarbeiter in die Verantwortlichkeit (Stichwort: TPM[5]), möglichst keine ungeplanten Ausfälle zu bekommen, ein weiterer wichtiger Aspekt zur Instandsetzungsvermeidung. Maßnahmen zur First Line Maintenance (Rufbereitschaften zur Störungsbeseitigung) können den Prozess ebenfalls unterstützen.

Neue Konstruktionen

Maschinen und technische Anlagen haben sich in den letzten Jahren in Aufbau und Technik enorm weiterentwickelt. Dies bedeutet aber auch, dass es immer schwieriger wird, den Zustand einzelner Bauteile oder Baugruppen zu erfassen, da an modernen Anlagen wesentlich mehr Schwachstellen zu finden sind, als es noch bei den ursprünglichen Maschinen der Fall war. Hinzu kommt, dass Konstrukteure nicht mehr zur Überdimensionierung neigen, sondern eher platzsparende und leichtere Anlagen entwickeln. Hierdurch reagiert allerdings auch eine Vielzahl von Bauteilen sensibler auf Verschleißerscheinungen und Defekte.

Komponenteninstandhaltung

Maschinen und Anlagen sind heute viel modularer als früher aufgebaut. Dies hat zur Folge, dass die Instandhaltung sehr differenziert auf einzelne Bauteile einer Anlage angewandt wird (Komponenteninstandhaltung) und sich nicht mehr auf die komplette Anlage bezieht.

Weitere Ziele

Weitere Ziele können sein:

- Erhöhung und optimale Nutzung der Lebensdauer von Anlagen und Geräten
- Verbesserung der Qualität der Endprodukte
- Verbesserung der Betriebssicherheit
- Optimierung von Betriebsabläufen
- vorausschauende Planung von Kosten
- Senkung der Wiederanlaufkosten
- Einhaltung von Gesetzesauflagen, insbesondere von Umweltschutzvorschriften
- Einhaltung von Herstellervorschriften, z. B. zum Erhalt von Gewährleistungsansprüchen

5 TPM: *Total Productive Management* oder *Total Productive Manufacturing*. Zu den acht TPM-Säulen gehören die autonome Instandhaltung (Inspektionen und Kleinreparaturen durch den Anlagenbediener) und die geplante Instandhaltung.

Je nach Branche, instandzuhaltenden Objekten, Unternehmensgröße, Unternehmensorganisation und anderen Einflussfaktoren können noch weitere Zielsetzungen hinzukommen oder in den Mittelpunkt des Interesses rücken. Sind Sie z. B. als Instandhaltungsdienstleister tätig, wird es Ihnen hauptsächlich um die Kundenzufriedenheit gehen. Betreiben Sie z. B. eine Immobilie, können Instandhaltungsmaßnahmen zur Stärkung der Verhandlungsposition bei Immobilienverkäufen beitragen. So sollte jedes Unternehmen klare Zielsetzungen für seine Instandhaltung entwickeln und diese den beteiligten Personen (z. B. Mitarbeitern, Kunden) kommunizieren.

Die unweigerliche Konsequenz aus dem beschriebenen Wandel der Instandhaltung sind ein neuer Instandhaltungsbegriff der national und international verantwortlichen Organisationen und die Reaktion der Unternehmen auf diese Herausforderungen in Form von veränderten Instandhaltungsstrategien.

2.2 Der neue Instandhaltungsbegriff

DIN 31051

Im Juni 2003 wurde vom Deutschen Institut für Normung die DIN 31051 – Grundlagen der Instandhaltung – neu veröffentlicht, die die bisherige Version aus dem Jahre 1985 ersetzt. Die Überarbeitung war notwendig, da mit der 2001 veröffentlichten EN-Norm 13306 (aktuelle Version EN 13306: 2018-02) neue Begriffe für die Instandhaltung erarbeitet worden sind. Die Instandhaltung wird dementsprechend in der aktuellen Version der DIN 31051: 2019-06 in vier Grundmaßnahmen unterteilt[6] (siehe Abbildung 2.1)

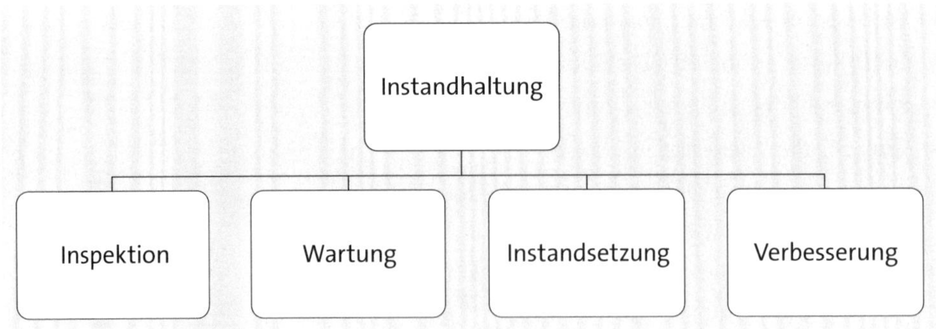

Abbildung 2.1 Neuer Instandhaltungsbegriff

6 Siehe hierzu DIN 31051: 2019-06: »Grundlagen der Instandhaltung«, herausgegeben vom Deutschen Institut für Normung (DIN), Berlin/Wien/Zürich: 2019.

Instandhaltung – Definition

Die Instandhaltung beinhaltet »Kombinationen aller technischen und administrativen Maßnahmen sowie Maßnahmen des Managements während des Lebenszyklus einer Einheit, die dem Erhalt oder der Wiederherstellung ihres funktionsfähigen Zustands dienen, sodass sie die geforderte Funktion erfüllen kann«. Dies umfasst im Einzelnen die vier Aufgaben *Inspektion, Wartung, Instandsetzung* und *Verbesserung*, die ich im Folgenden näher beschreibe.

Inspektion

Um eine hohe Verfügbarkeit und Betriebssicherheit der Maschinen, Anlagen und Ausrüstungen zu gewährleisten, sind regelmäßige Inspektionen zur Ermittlung des technischen Zustands und zur Fixierung erforderlicher Maßnahmen notwendig. Als Inspektion bezeichnet deshalb die neue DIN 31051 »alle Maßnahmen zur Feststellung und Beurteilung des Ist-Zustands einer Einheit einschließlich der Bestimmung der Ursachen der Abnutzung und dem Ableiten der notwendigen Konsequenzen für eine künftige Nutzung«. Demgegenüber definierte die alte DIN 31051 die Inspektion lediglich als Maßnahmen zur Beurteilung und Feststellung des Ist-Zustands. Die Inspektion beinhaltet vor allem die folgenden Maßnahmen:

- Prüfen
- Messen
- Beobachten
- Beurteilen
- Ableiten von Konsequenzen

Wartung

Während die alte DIN 31051 die Wartung als »Maßnahmen zur Bewahrung des Soll-Zustands« definierte, bezeichnet die neue DIN 31051 »alle Maßnahmen zur Verzögerung des Abbaus des vorhandenen Abnutzungsvorrats«. Wartungsmaßnahmen beinhalten demzufolge vor allem die folgenden Maßnahmen:

- Sichtprüfung
- Nachstellen
- Auswechseln
- Ergänzen
- Schmieren
- Konservieren
- Reinigen
- Funktionsprüfung

Um die geforderte Funktionstüchtigkeit und Verfügbarkeit von Maschinen, Anlagen und Ausrüstungen zu erhalten, sind regelmäßig auf der Basis von Herstellervorschriften, Wartungsplänen und Kundenwünschen – unter Beachtung der wechselnden betriebsspezifischen Prozesse und Bedingungen – Wartungsmaßnahmen durchzuführen.

Instandsetzung

Die alte DIN 31051 definierte als Instandsetzung »alle Maßnahmen zur Wiederherstellung des Soll-Zustands«. Demgegenüber definiert die neue DIN 31051 als Instandsetzung »alle physischen Maßnahmen, die ausgeführt werden, um die Funktion einer fehlerhaften Einheit wiederherzustellen«.

Durch Instandsetzungsmaßnahmen werden nicht funktionstüchtige Bauteile, Baugruppen usw. in Maschinen, Anlagen und Ausrüstungen sowohl unplanmäßig (Störbeseitigung) als auch planmäßig (geplante Stillstände) ausgetauscht und damit die volle Funktionalität wiederhergestellt. Instandsetzung umfasst demzufolge vor allem die folgenden Tätigkeiten:

- Austausch
- Wiederherstellung von Funktionen
- Beseitigung von Störungen

Verbesserung

Neu in der DIN 31051 ist die Verbesserung. Diese wird definiert als »Kombination aller technischen und administrativen Maßnahmen sowie Maßnahmen des Managements zur Steigerung der Zuverlässigkeit und/oder Instandhaltbarkeit und/oder Sicherheit einer Einheit, ohne ihre ursprüngliche Funktion zu ändern«.

Die ständige Anlagenverbesserung dient der Erhöhung der Betriebs- und Funktionssicherheit von Maschinen, Anlagen und Ausrüstungen. Dabei werden ein entsprechendes Verbesserungspotenzial ermittelt, Lösungsvorschläge konzipiert und festgelegte Maßnahmen umgesetzt. Die Verbesserung umfasst vor allem die folgenden Maßnahmen:

- Beseitigung von Schwachstellen
- Verbesserung der Maschinen- und Anlagenkonstruktion
- Optimierung der Geschäftsprozesse
- Beschleunigung des Informationsaustauschs

Tabelle 2.1 zeigt eine zusammenfassende Gegenüberstellung.

	DIN 31051:1985-01	DIN 31051: 2019-06
Inspektion	Maßnahmen zur Feststellung und Beurteilung des Ist-Zustands	Maßnahmen zur Feststellung und Beurteilung des Funktionszustands mit Bestimmung der Abnutzungsursachen und Ableitung der notwendigen Maßnahmen
Wartung	Maßnahmen zur Wahrung des Soll-Zustands	Maßnahmen zur Verzögerung des Abbaus des vorhandenen Abnutzungsvorrats
Instandsetzung	Maßnahmen zur Wiederherstellung des Soll-Zustands	Maßnahmen, die ausgeführt werden, um die Funktion einer fehlerhaften Einheit wiederherzustellen
Verbesserung		Maßnahmen zur Steigerung der Zuverlässigkeit und/oder Instandhaltbarkeit und/oder Sicherheit einer Einheit, ohne ihre ursprüngliche Funktion zu ändern

Tabelle 2.1 Alte und neue DIN 31051

ISO 55000 ff.

Im Jahr 2014 veröffentlichte die Internationale Organisation für Normung (ISO) eine Serie von Normen für das Asset Management. Dabei handelt es sich um eine Folge von drei Normen:

- ISO 55000 führt in die Welt des Asset Managements ein. Dazu gehören neben grundlegenden Definitionen auch der Nutzen für den Anwender sowie eine Einführung in das Asset-Management-System. Die Relation zwischen Asset Management und Asset-Management-System wird ebenfalls definiert.
- ISO 55001 bildet das Herzstück der ISO-Reihe und liefert alle wichtigen Anforderungen an ein Asset-Management-System. Es bildet die Grundlage für eine Zertifizierung und ist damit vergleichbar mit ISO 9001 im Qualitätsmanagement.

- ISO 55002 enthält Anleitungen für die Umsetzung eines Asset-Management-Systems.

Die ISO-Normen versuchen also im Gegensatz zur deutschen Normung den Begriff des Asset Managements umfassend zu definieren und beschränken sich dabei nicht nur die auf die Instandhaltung.

Tabelle 2.2 gibt einen Überblick über die Themenfelder von ISO 55000 ff.

Bereich	Tätigkeit
Unternehmens-organisation	■ Unternehmensorganisation und ihr Kontext ■ Erwartungen der Stakeholder ■ Ziel des Asset-Management-Systems
Führung	■ Führung und Verantwortung ■ Strategie und Vorgaben
Planung	■ Chancen und Risiken ■ Ziele und Zielerreichung
Unterstützung	■ Ressourcen, Kompetenzen, Kommunikation, Information, Dokumentation
operative Tätigkeiten	■ operationale Planung und Steuerung ■ Change Management ■ Fremdvergabe
Leistungsmessung	■ Überwachung, Messung, Analyse und Bewertung ■ interne Audits ■ Management Review
Verbesserung	■ korrektive Maßnahmen ■ vorbeugende Maßnahmen ■ kontinuierliche Verbesserung

Tabelle 2.2 Handlungsfelder von ISO 55000

2.3 Instandhaltungsstrategien im Wandel der Zeit

Nicht nur die verantwortlichen Organisationen haben also auf die veränderten Unternehmensbedingungen reagiert, sondern auch die Unternehmen selbst haben die neuen Herausforderungen durch die Änderung ihrer Instandhaltungsstrategien angenommen (siehe Abbildung 2.2).

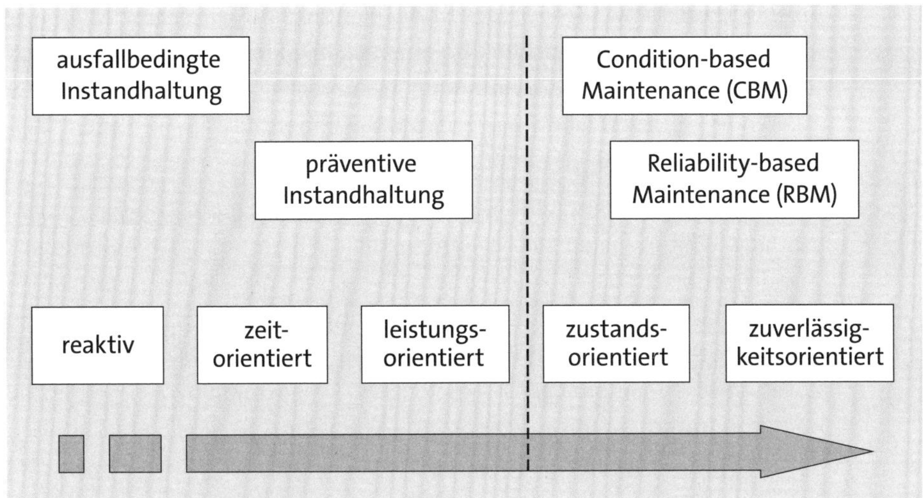

Abbildung 2.2 Strategien im Wandel der Zeit

Von der reaktiven zur präventiven Instandhaltung

Die neuen Herausforderungen des Marktes und der Technik zeigen sich in der Weiterentwicklung von Instandhaltungsstrategien und -konzepten. Die klassische reaktive Instandhaltung, die die Reparatur der Anlage nach deren Ausfall vorsieht, wurde durch die präventive Instandhaltung sukzessive abgelöst, deren Schwerpunkt auf der vorausschauenden Wartung und auf Inspektionsmaßnahmen liegt. Spätestens mit der zunehmenden Verkettung von Anlagen musste eine Ablösung der »Feuerwehrstrategie« vollzogen werden, da der Ausfall einer Maschine den Stillstand der gesamten Fertigungslinie und damit sehr hohe Stillstandskosten zur Folge hätte.

Die präventive Instandhaltung kann zeit- (d. h. kalenderbasiert) oder leistungsabhängig (d. h. zählerbasiert) durchgeführt werden.

Zeitabhängig oder leistungsabhängig?

Warum ist diese Unterscheidung vor allem vor dem Hintergrund eines möglichen IT-Einsatzes so wichtig? Weil eine leistungsabhängige Instandhaltung deutlich mehr administrativen Aufwand erfordert als eine zeitbasierte Instandhaltung.

Bei einer zeitabhängigen Instandhaltung definieren Sie lediglich die Wartungspläne mit festen oder aufeinander aufbauenden Zyklen. Das SAP-System kann damit alle Wartungstermine errechnen und erzeugt automatisch zum errechneten Termin einen Auftrag.

Voraussetzung für die leistungsabhängige Instandhaltung ist allerdings zunächst ein Zähler (Kilometer, Betriebsstunden, Stückzahlen usw.), und sie funktioniert auch nur dann richtig, wenn in regelmäßigen Abständen Zählerstände erfasst werden. Organisation, Planung, Aufnahme und Erfassung der Zählerstände verursachen also einen nicht zu unterschätzenden administrativen Aufwand. Denn nur dann, wenn regelmäßig die aktuellen Zählerstände vorliegen, kann das SAP-System Ihnen die aktualisierten Wartungstermine richtig errechnen.

Wie sieht die Realität aus?

Das Verhältnis von ausgeführten und geplanten Instandhaltungsaufträgen lag lange Zeit in vielen Unternehmen, die nach der »Feuerwehrstrategie« handelten, bei 90:10. Für viele Unternehmen mag diese Relation wohl noch immer gelten; doch zahlreiche Unternehmen haben sich schon auf den Weg zu mehr und besserer Planung gemacht und mögen deshalb bei einer Relation von 70:30 oder gar schon von 50:50 angekommen sein. Sollten Sie in Ihrem Unternehmen eine noch bessere Relation erreicht haben, können Sie auf Ihren Organisationsgrad stolz sein.

Condition-based Maintenance

Bei Condition-based Maintenance (CBM), im Deutschen etwa *zustandsorientierte Instandhaltung*, werden Wartungstätigkeiten ausgeführt, wenn ein Messpunkt an einem technischen Objekt einen bestimmten Zustand erreicht hat. Voraussetzung ist also das regelmäßige Inspizieren einer Anlage, inklusive der Erfassung von Inspektionsergebnissen, oder das Vorhandensein von vorgelagerten Systemen, die permanent den Zustand einer Anlage überwachen und bei einem Ausnahmezustand (z. B. Über- oder Unterschreiten von vorher festgelegten Wertgrenzen) eine Meldung an das SAP-System auslösen. Als mögliche vorgelagerte Systeme kommen z. B. infrage:

- mobile Datenerfassungssysteme
- Prozessleitsysteme (Process Control Systems, PCS)
- Gebäudeleittechniksysteme
- SCADA-Systeme (Supervisory Control and Data Acquisition)

Reliability-based Maintenance

Reliability-based Maintenance (RBM), im Deutschen etwa *zuverlässigkeitsorientierte Instandhaltung*, ermittelt die Instandhaltungsmaßnahmen, Bedienungsregeln und konstruktiven Anpassungen, die für die gewünschte Zuverlässigkeit einer technischen Anlage notwendig sind. RBM ist eine Analysemethode, die Regeln für die Entscheidungen enthält und auf der Analyse der Funktionen einer Maschine basiert. Hieraus werden die möglichen Funktionsstörungen abgeleitet und deren Ursachen ermittelt. Für jede Störungsursache erfolgt eine Bewertung der Störungsauswirkungen. Diese Sammlung von Informationen wird *Informationsarbeitsblatt* genannt und entspricht in wesentlichen Teilen einer FMEA (Fehlermöglichkeits- und Einflussanalyse). Für jede Störungsursache im Informationsarbeitsblatt wird anschließend mithilfe eines Entscheidungsdiagramms geprüft, ob eine zustandsbedingte, vorbeugende oder reaktive Maßnahme empfehlenswert ist. Wenn keine dieser Maßnahmen sinnvoll ist, werden Konstruktionsänderungen oder geänderte Bedienungsregeln betrachtet.

2.4 Die SAP-Instandhaltung im Wandel der Zeit

Von RM-INST ...

Die Geschichte der SAP-Instandhaltung reicht bis ins Jahr 1986 zurück. In diesem Jahr wurde innerhalb des SAP-R/2-Systems mit RM-INST die erste Version der SAP-Instandhaltung auf den Markt gebracht. Weitere Releasestände von RM-INST erschienen 1988 (4.3) und 1991 (5.0).

... über R/3 PM ...

1994 kam die erste Version der Komponente PM (Plant Maintenance) von SAP R/3 auf den Markt. Die SAP-R/3-Releasestände durchlebten eine abwechslungsreiche Namensgebung: von SAP R/3 über SAP R/3 Enjoy und mySAP.com bis hin zu SAP R/3 Enterprise. Konstant blieb bis zum mySAP.com-Release die Bezeichnung für die Instandhaltung: PM. Im Release SAP R/3 Enterprise sprach SAP von einem Asset Lifecycle Management (ALM). Abbildung 2.3 zeigt die Geschichte der SAP-Instandhaltung im Überblick.

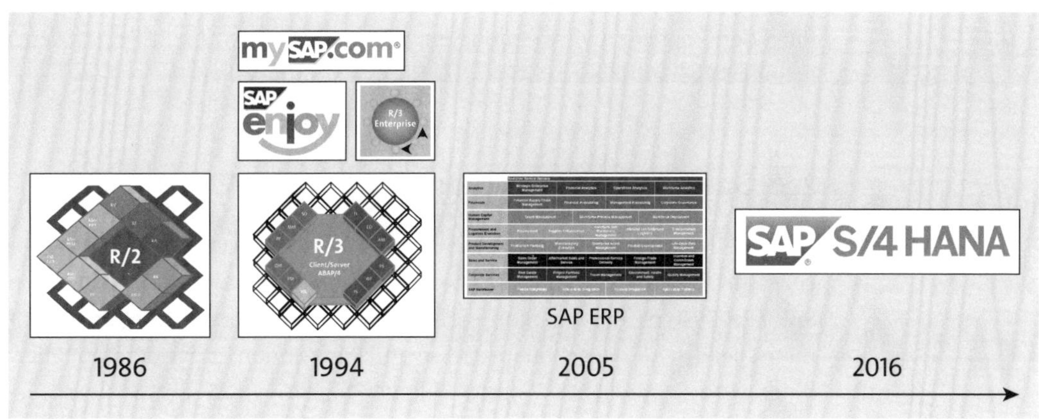

Abbildung 2.3 Historie der Instandhaltung mit SAP

... und SAP EAM ...

Als SAP 2005 das erste ERP-Release auf den Markt brachte, musste man sich wieder an einen neuen Begriff für die Instandhaltung gewöhnen: SAP Enterprise Asset Management (SAP EAM). Häufig wechselten seitdem die Releasebezeichnungen: Hieß es zunächst mySAP ERP 2005, verschwand zuerst das *my*, und das Release wurde in SAP ERP 2005 umbenannt. Kurze Zeit später ersetzte SAP die Jahreszahl durch die fortlaufende Releasenummer; seitdem heißt es SAP ERP 6.0.

... bis hin zu SAP S/4HANA Asset Management

Als SAP im Jahre 2016 die erste SAP-S/4HANA-Version mit logistischen Funktionen am Markt veröffentlichte, hatte man sich wieder einen neuen Begriff für die Applikation in der Instandhaltung ausgedacht: Asset Management. Aber bitte verwechseln Sie dies nicht mit dem Asset Accounting, der Anlagenbuchhaltung!

Verwirrende Begriffsbildung

Die Begriffsbildung für die Instandhaltungsapplikation ist nicht so eindeutig, wie es zunächst klingt. Denn je nachdem, an welcher Stelle Sie schauen, finden Sie die folgenden Begriffe und Abkürzungen:

- SAP Asset Management
- SAP Enterprise Asset Management (SAP EAM)
- SAP Maintenance Management
- SAP Maintenance and Service Management
- SAP Plant Maintenance (PM)

Und alles wird synonym verwendet, nämlich für die SAP-Lösung für die Instandhaltung. Für einen Buchautor ist diese synonyme Verwendung von verschiedenen Begriffen für die gleiche Sache etwas verwirrend, und er muss sich für einen Begriff entscheiden, um nicht auch noch seine Leser, also Sie, zu verwirren. Deshalb habe ich mich entschieden im vorliegenden Buch den Begriff zu verwenden, der am häufigsten in den SAP-Veröffentlichungen genannt wird: *SAP S/4HANA Asset Management*.

2.5 Das Anwendungssystem SAP S/4HANA

SAP S/4HANA wurde 2015 als Nachfolger für SAP ERP 6.0 für den Markt freigegeben. Bei SAP S/4HANA handelt es sich genauso wie beim bisherigen SAP-ERP-System um ein komplettes ERP-System, in das alle unternehmensspezifischen Geschäftsprozesse und Funktionen integriert sind. Allerdings wird SAP S/4HANA anders als das bisherige SAP-ERP-System ausschließlich auf einer SAP-HANA-Datenbank angeboten – Versionen für andere Datenbanken sind nicht erhältlich.

Welche Betriebsmodelle gibt es?

SAP S/4HANA wird als *On-Premise-Version* und als *Cloud-Version* angeboten. Vorstellbar ist auch die Nutzung als Hybrid-Cloud. In diesem Fall werden bestimmte Applikationen als On-Premise-Versionen, andere wiederum in der Cloud genutzt. Die On-Premise-Version wird einmal jährlich ausgeliefert, während die Cloud-Version alle drei Monate aktualisiert wird (siehe Abbildung 2.4). Alle nachfolgenden Beschreibungen beziehen sich auf die On-Premise-Version.

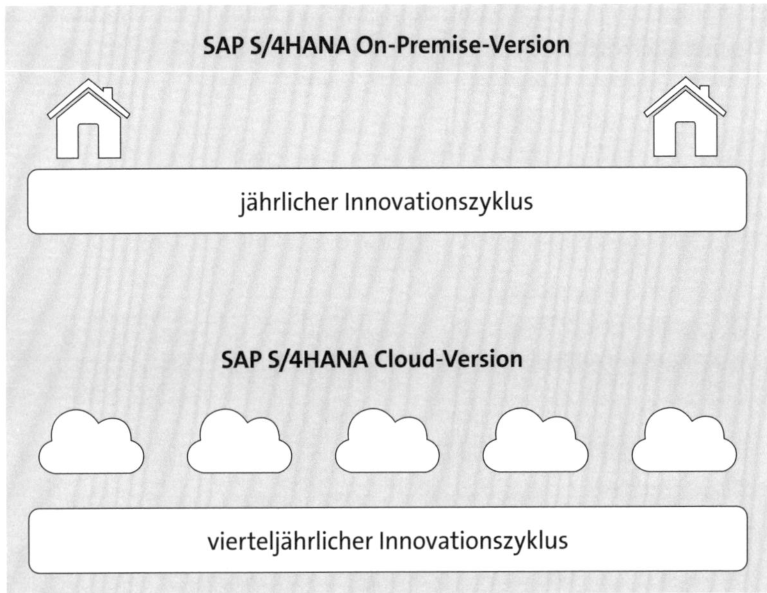

Abbildung 2.4 Versionen und Innovationszyklen in SAP S/4HANA

Funktionsumfang der On-Premise-Version

Die On-Premise-Version bietet aktuell (Stand: November 2019) folgenden Funktionsumfang:

- SAP S/4HANA Finance (mit Finanzbuchhaltung, Jahresabschluss, Kostenstellenrechnung und Ergebnisrechnung)
- SAP S/4HANA Human Resources (mit Zeiterfassung)
- SAP S/4HANA Sourcing & Procurement (mit Beschaffungsabwicklung, Kontraktverwaltung und Rechnungsprüfung)
- SAP S/4HANA Supply Chain (mit Produktionsplanung, Bestandsführung und Lagerverwaltung)
- SAP S/4HANA Manufacturing (mit Produktionsaufträgen und Qualitätsmanagement)
- SAP S/4HANA Marketing
- SAP S/4HANA Sales (mit Kundenauftragsabwicklung und Vertragsverwaltung)
- SAP S/4HANA Service (mit Serviceabwicklung, Serviceverträgen und Ersatzteilverwaltung)
- SAP S/4HANA Asset Management (mit Instandhaltung)
- SAP S/4HANA Research & Development (mit Produktentwicklung und Projektabwicklung)

Diese Applikationen entsprechen dem inneren Bereich in Abbildung 2.5 und werden auch oft als *SAP S/4HANA Core* bezeichnet.

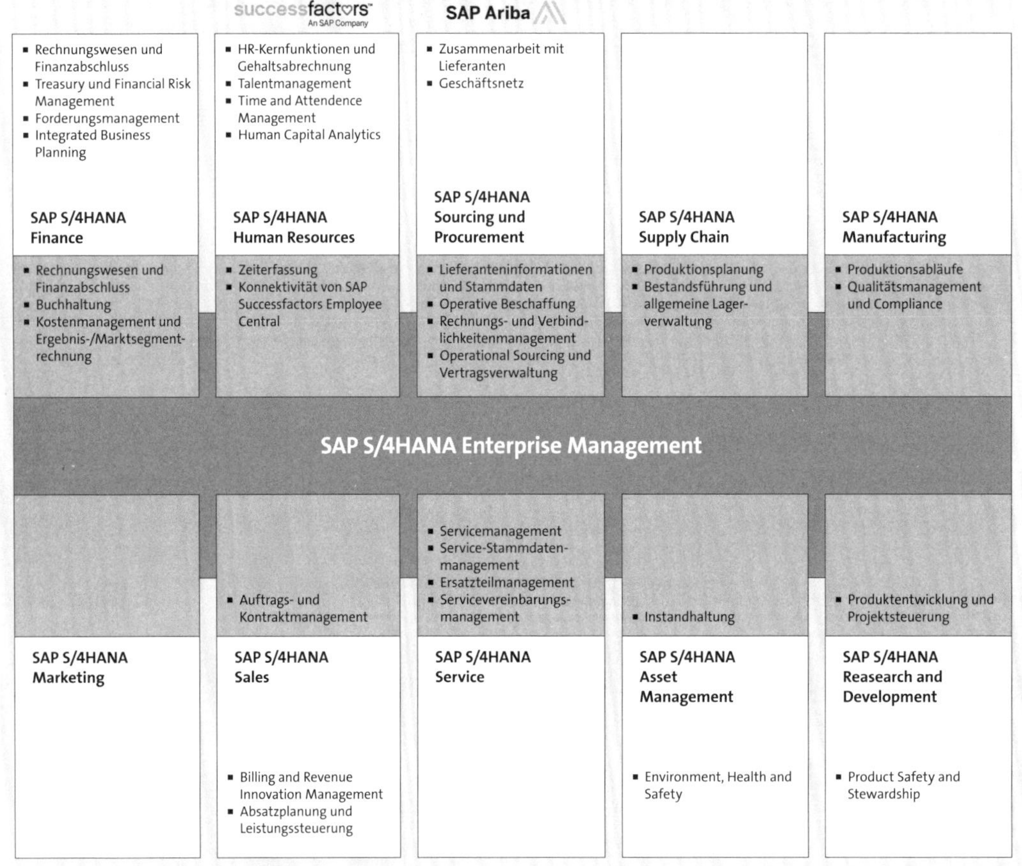

Abbildung 2.5 SAP S/4HANA – Überblick (Quelle: SAP)

Dieser Funktionsumfang kann an verschiedenen Stellen über Schnittstellen mit anderen Produkten ergänzt werden – man spricht dann von der *SAP S/4HANA Suite*:

- SAP SuccessFactors im Bereich Personalwesen
- SAP Ariba im Bereich Einkauf
- SAP C/4HANA (ehemals SAP Hybris) im Bereich Vertrieb und Service

Enhancement Packages

SAP liefert für die On-Premise-Version im Durchschnitt einmal pro Jahr sogenannte Enhancement Packages aus. In der Vergangenheit wurden Weiterentwicklungen ausschließlich im Rahmen von neuen Releaseständen ausgeliefert, die bei Kunden nur mithilfe von Migrationsprojekten zu bewältigen waren und damit sehr viel Aufwand verursacht haben.

Im Gegensatz zu neuen Releaseständen sorgen *Enhancement Packages* für eine kontinuierliche, aber auch behutsame funktionale Weiterentwicklung des SAP-Systems, ohne dabei den Aufwand eines Migrationsprojektes zu verursachen. Jedes Enhancement Package enthält sogenannte *Enterprise Extensions* oder *Enterprise Business Functions*, die Sie bei Bedarf einzeln mit der Transaktion SFW5 aktivieren (siehe Abbildung 2.6). Manche der Funktionen sind reversibel (d. h., sie können rückgängig gemacht werden), manche nicht.

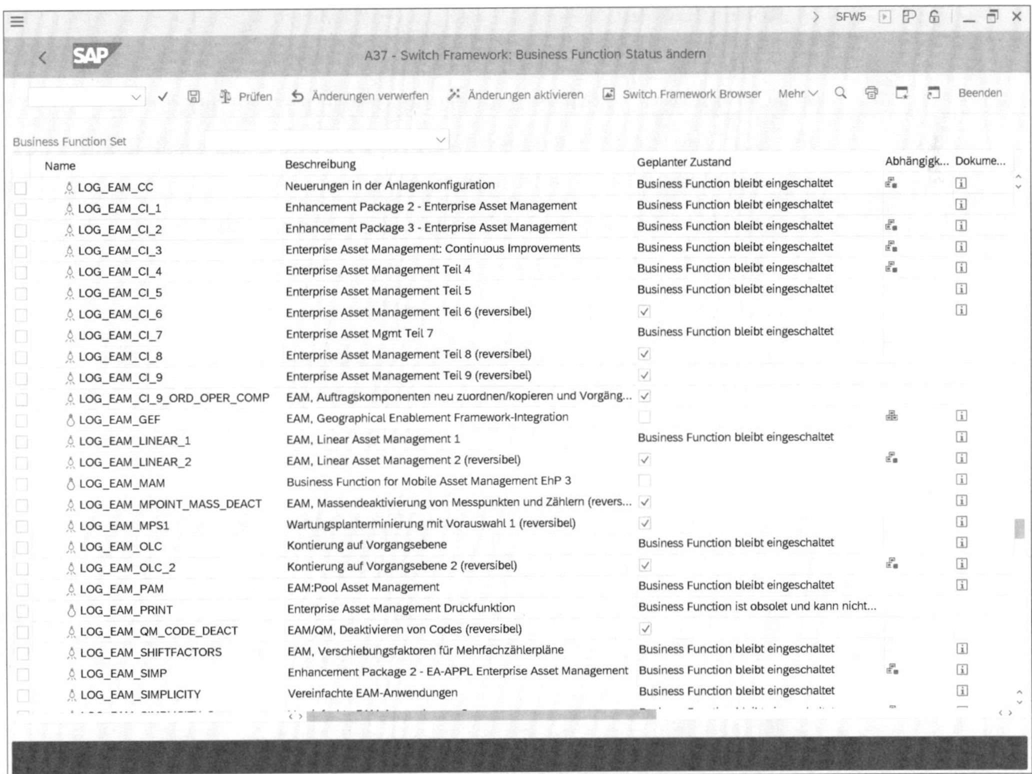

Name	Beschreibung	Geplanter Zustand	Abhängigk...	Dokume...
LOG_EAM_CC	Neuerungen in der Anlagenkonfiguration	Business Function bleibt eingeschaltet		
LOG_EAM_CI_1	Enhancement Package 2 - Enterprise Asset Management	Business Function bleibt eingeschaltet		
LOG_EAM_CI_2	Enhancement Package 3 - Enterprise Asset Management	Business Function bleibt eingeschaltet		
LOG_EAM_CI_3	Enterprise Asset Management: Continuous Improvements	Business Function bleibt eingeschaltet		
LOG_EAM_CI_4	Enterprise Asset Management Teil 4	Business Function bleibt eingeschaltet		
LOG_EAM_CI_5	Enterprise Asset Management Teil 5	Business Function bleibt eingeschaltet		
LOG_EAM_CI_6	Enterprise Asset Management Teil 6 (reversibel)	✓		
LOG_EAM_CI_7	Enterprise Asset Mgmt Teil 7	Business Function bleibt eingeschaltet		
LOG_EAM_CI_8	Enterprise Asset Management Teil 8 (reversibel)	✓		
LOG_EAM_CI_9	Enterprise Asset Management Teil 9 (reversibel)	✓		
LOG_EAM_CI_9_ORD_OPER_COMP	EAM, Auftragskomponenten neu zuordnen/kopieren und Vorgäng...	✓		
LOG_EAM_GEF	EAM, Geographical Enablement Framework-Integration			
LOG_EAM_LINEAR_1	EAM, Linear Asset Management 1	Business Function bleibt eingeschaltet		
LOG_EAM_LINEAR_2	EAM, Linear Asset Management 2 (reversibel)	✓		
LOG_EAM_MAM	Business Function for Mobile Asset Management EhP 3			
LOG_EAM_MPOINT_MASS_DEACT	EAM, Massendeaktivierung von Messpunkten und Zählern (revers...	✓		
LOG_EAM_MPS1	Wartungsplanterminierung mit Vorauswahl 1 (reversibel)	✓		
LOG_EAM_OLC	Kontierung auf Vorgangsebene	Business Function bleibt eingeschaltet		
LOG_EAM_OLC_2	Kontierung auf Vorgangsebene 2 (reversibel)	✓		
LOG_EAM_PAM	EAM:Pool Asset Management	Business Function bleibt eingeschaltet		
LOG_EAM_PRINT	Enterprise Asset Management Druckfunktion	Business Function ist obsolet und kann nicht...		
LOG_EAM_QM_CODE_DEACT	EAM/QM, Deaktivieren von Codes (reversibel)	✓		
LOG_EAM_SHIFTFACTORS	EAM, Verschiebungsfaktoren für Mehrfachzählerpläne	Business Function bleibt eingeschaltet		
LOG_EAM_SIMP	Enhancement Package 2 - EA-APPL Enterprise Asset Management	Business Function bleibt eingeschaltet		
LOG_EAM_SIMPLICITY	Vereinfachte EAM-Anwendungen	Business Function bleibt eingeschaltet		

Abbildung 2.6 Transaktion SFW5 – Switch Framework

Aus Sicht der Instandhaltung kommen hauptsächlich folgende Funktionen infrage:

- /EAMPLM/LOG_EAM_WS (Arbeitssicherheit in der Instandhaltung)
- LOG_EAM_CC (Neuerungen in der Anlagenkonfiguration)
- LOG_EAM_CI_1 (z. B. digitale Signatur der Arbeitsvorgänge)

- LOG_EAM_CI_2 (z. B. neue BAPIs und BAdIs)
- LOG_EAM_CI_3 (z. B. Rundgangsplanung)
- LOG_EAM_CI_4 (z. B. Erweiterungen zur Rundgangsplanung)
- LOG_EAM_CI_5 (z. B. Massenänderung von Vorgängen)
- LOG_EAM_CI_6 (z. B. Eröffnungshorizont in Tagen)
- LOG_EAM_CI_7 (z. B. Folgeauftrag)
- LOG_EAM_CI_8 (z. B. Massenmaterial-Verfügbarkeitsprüfung)
- LOG_EAM_CI_9 (Berechtigungsgruppen für Wartungsstrategien)
- LOG_EAM_CI_9_ORD_OPER_COMP (Kopieren von Vorgängen und Komponenten)
- LOG_EAM_CI_10 (z. B. Wartungsplan kopieren)
- LOG_EAM_CI_11 (Massenänderung Meldung kundeneigene Felder)
- LOG_EAM_CI_12 (z. B. Klassifizierung Wartungsplan, zusätzliche Langtexte für Bestellanforderungen)
- LOG_EAM_CI_13 (z. B. Gültigkeitsende Wartungsplan)
- LOG_EAM_LINEAR_1 (Linear Asset Management)
- LOG_EAM_LINEAR_2 (Linear Asset Management, Teil 2)
- LOG_EAM_MPOINT_MASS_DEACT (Massendeaktivierung von Messpunkten und Zählern)
- LOG_EAM_MPS1 (Wartungsplanterminierung mit Vorauswahl)
- LOG_EAM_OLC (Kontierung auf Vorgangsebene)
- LOG_EAM_OLC_2 (Kontierung auf Vorgangsebene, Teil 2)
- LOG_EAM_PAM (Pool Asset Management)
- LOG_EAM_PRINT (Druckfunktionen)
- LOG_EAM_QM_CODE_DEACT (Deaktivieren von Codes)
- LOG_EAM_SHIFTFACTORS (Verschiebungsfaktoren für Mehrfachzählerpläne)
- LOG_EAM_SIMP (z. B. flexibles Auftragslayout)
- LOG_EAM_SIMPLICITY (1–8, vereinfachte EAM-Anwendungen)
- LOG_EAM_VE_INT (Integration mit SAP 3D Visual Enterprise)
- EA-PLM (Elektronische Teilekataloge)
- LOG_EAM_POM (Projektorientierte Instandhaltung)

- LOG_EAM_POM_2 (Projektorientierte Instandhaltung, Teil 2)
- LOG_EAM_ROTSUB (Lohnbearbeitung)
- LOG_EAM_ROTSUB_2 (Lohnbearbeitung, Teil 2)
- LOG_MM_SERNO (Serialnummern in Einkaufsbelegen)
- LOG_PP_SRN_CONF (Schichtnotizen und Schichtbericht)
- LOG_PP_SRN_02 (Schichtnotizen und Schichtbericht, Teil 2)

[!]

CI Business Functions aktivieren

Die Enterprise Business Function LOG_EAM_CI sollten Sie aktivieren. Denn diese enthalten kleine Abrundungen, die dem Anwender den Umgang mit dem SAP-System im Tagesgeschäft vereinfachen. Dies können Sie auch bedenkenlos tun, da sie in keiner Abhängigkeit zu anderen Applikationen stehen.

2.6 Die Datenbank SAP HANA

Vor SAP S/4HANA wurde noch nie zuvor ein Produkt von SAP so intensiv vermarktet wie SAP HANA (HANA steht für *High-Performance Analytic Appliance*), eine Datenbanktechnologie, die SAP im Jahr 2010 vorgestellt hat.[7] Es handelt sich dabei um eine Kombination aus Hardware und Software, die mithilfe der *In-Memory-Technologie* eine höhere Performance gegenüber den herkömmlichen Anwendungen ermöglicht.

In-Memory-Technologie bedeutet, dass die Daten nicht auf der Festplatte, sondern im Arbeitsspeicher des Computers gespeichert werden, sodass der Zugriff erheblich beschleunigt wird. SAP HANA wurde von SAP entwickelt, um auch sehr große Datenbestände (Big Data) effizienter durchsuchen zu können.

Wie funktioniert SAP HANA?

SAP HANA kombiniert dabei Techniken aus dem Hardware- und Softwarebereich. Softwareseitig stellt SAP HANA einen Hybrid aus der spaltenorientierten Arbeitsweise der In-Memory-Datenbanken und der zeilenorientierten Arbeitsweise der relationalen Datenbanken dar (siehe Abbildung 2.7).

7 Zum Beispiel Neumann, A.: »SAP liefert Appliance für In-Memory Computing aus«, *http://www.heise.de/developer/meldung/SAP-liefert-Appliance-fuer-In-Memory-Computing-aus-1145612.html*, heise.de, 1.12.2010.

Land	Werk	Planergruppe	Anzahl Aufträge
USA	Dallas	100	485
USA	Dallas	101	590
Deutschland	Hamburg	200	635
Deutschland	Hamburg	201	345

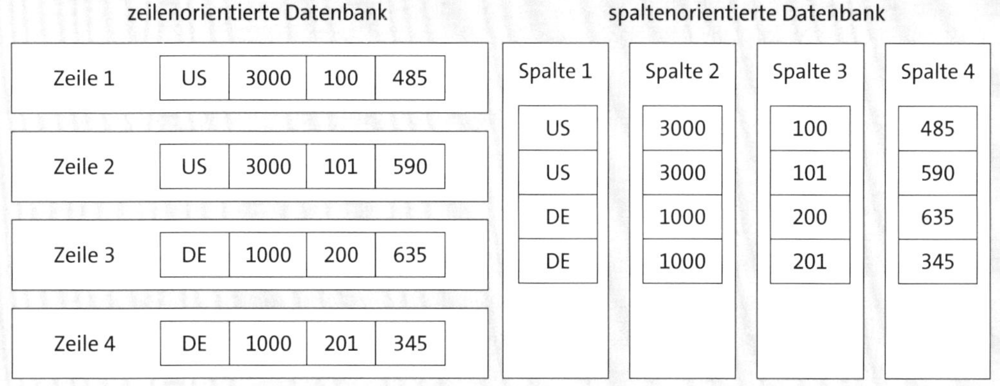

Abbildung 2.7 Zeilen- vs. spaltenorientierte Datenbanktabelle

Durch die direkte Zugriffsmöglichkeit auf die Merkmals- oder Kennzahlenwerte in den Spalten wird die Zugriffszeit auf die Felder erheblich beschleunigt, denn es müssen nicht mehr wie beim zeilenorientierten Zugriff ganze Datensätze gelesen werden, sondern nur noch einzelne Zellen.

Hardwareseitig versucht man möglichst viel vom Hardwarespeicher in den CPU-Cache und vom Plattenspeicher in den Hauptspeicher zu verlagern, um die jeweils schnellere Zugriffsgeschwindigkeit auszunutzen (siehe Abbildung 2.8).

Anwendungen auf SAP HANA

Anfangs wurde SAP HANA für die analytischen Anwendungen (wie CO-PA Ergebnis- und Marktsegmentrechnung, SAP Business Warehouse oder SAP BusinessObjects) ausgelegt. Im Laufe der Zeit wurde SAP HANA sukzessive für alle Anwendungsapplikationen verfügbar gemacht. Entscheidend dürfte dabei wohl die Freigabe von SAP HANA für SAP ERP im Jahre 2013 gewesen sein. Im Gegensatz zum SAP-ERP-System, das auch auf anderen Datenbanken betrieben werden kann (*anyDB*), läuft SAP S/4HANA ausschließlich auf einer SAP-HANA-Datenbank.

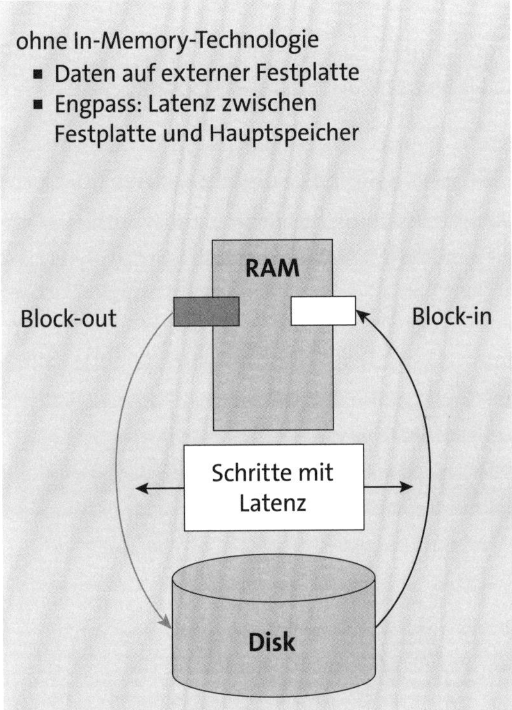

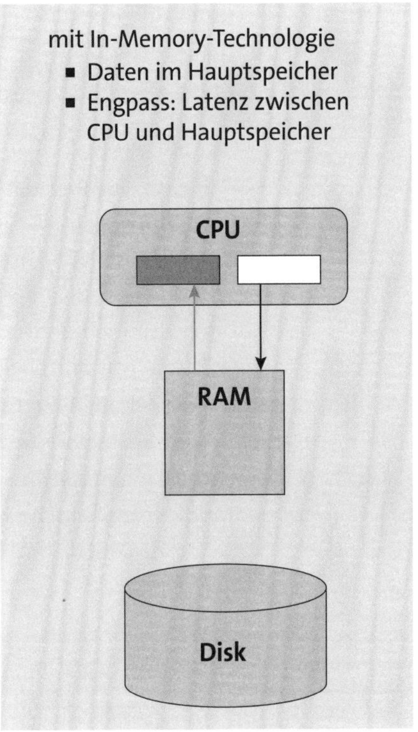

Abbildung 2.8 In-Memory-Technologie[8]

2.7 Benutzeroberflächen von SAP S/4HANA

Mit welchen Benutzeroberflächen kann der Anwender nun auf SAP S/4HANA zugreifen? Die Aussage von SAP hierzu lautet: »Alle Innovationen von SAP S/4HANA sollen mit der Benutzeroberfläche von SAP Fiori bereitgestellt werden, sodass eine einheitliche Oberfläche auf allen Geräten gewährleistet ist. Ein Kunde mit der On-Premise-Version von SAP S/4HANA ist aber immer noch in der Lage, die herkömmlichen Benutzeroberflächen zu nutzen.«[9]

8 In Anlehnung an Morrison, A. (2012): »The art and science of new analytics technology«, in: PwC Technology Forecast, 1, 31–43, gefunden in: http://www.pwc.com/en_US/us/technology-forecast/2012/issue1/features/feature-art-science-analytics-technology.jhtml

9 SAP SE (Hrsg.): »SAP S/4HANA – Fragen und Antworten (FAQ)«, 2015, S. 25.

Dahinter stecken zwei wichtige Aussagen:

- Auf die Cloud-Version können Sie nur mit einer SAP-Fiori-Oberfläche zugreifen.
- Bei der On-Premise-Version können Sie auf SAP S/4HANA wie auf SAP ERP auch mit dem SAP GUI oder dem SAP Business Client zugreifen.

Wenn Sie das SAP GUI nutzen, unterscheidet sich SAP S/4HANA an der Oberfläche kaum von SAP ERP. Wenn Sie z. B. auf die Instandhaltung zugreifen, finden Sie dort dieselben Menüpfade, Ordner und Transaktionen wie in SAP ERP (siehe Abbildung 2.9). Das ist eine gute Nachricht für alle, die aus diesem Grund Bedenken haben, auf SAP S/4HANA umzusteigen. Lassen Sie sich also nicht irritieren: SAP S/4HANA ist ein »normales« ERP-System. Sie können mit dem bekannten SAP GUI auf die komplette Funktionalität von SAP S/4HANA zugreifen.

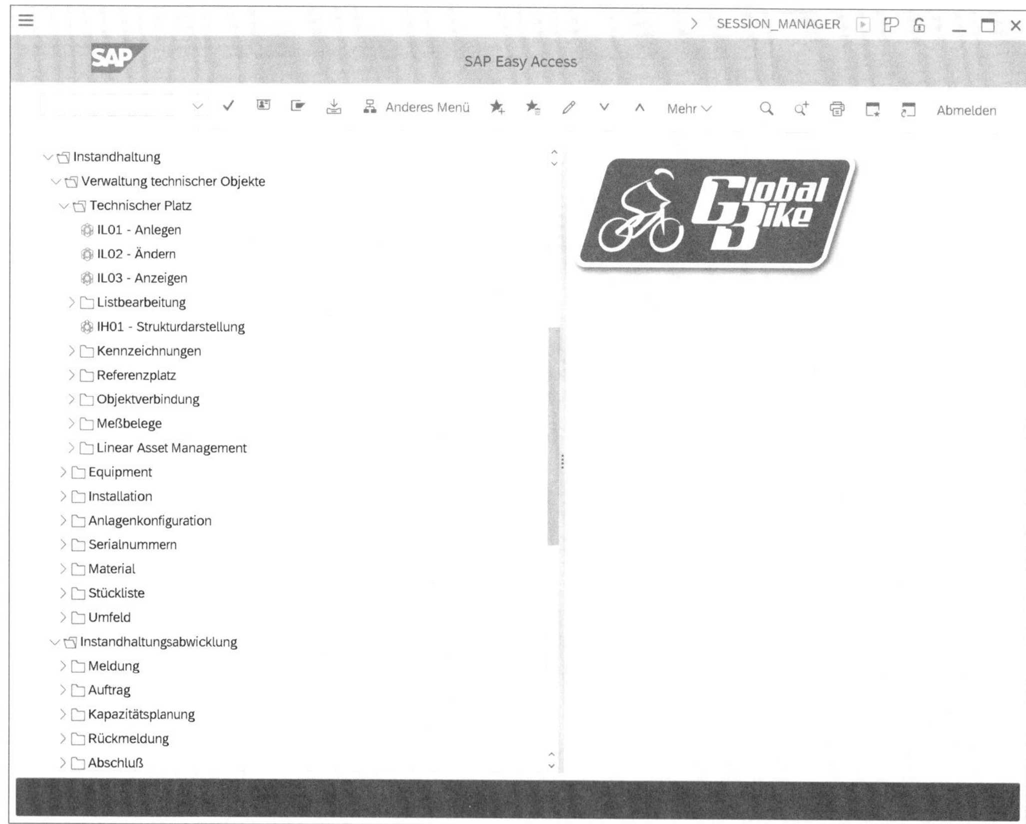

Abbildung 2.9 SAP S/4HANA – Zugriff über das SAP GUI

2.7.1 SAP GUI

Ich gehe davon aus, dass Sie weitestgehend mit der Oberfläche und Funktionsweise des SAP GUI vertraut sind. Ich möchte Sie nur auf einige Besonderheiten beim Zugriff auf SAP S/4HANA hinweisen (siehe Abbildung 2.10).

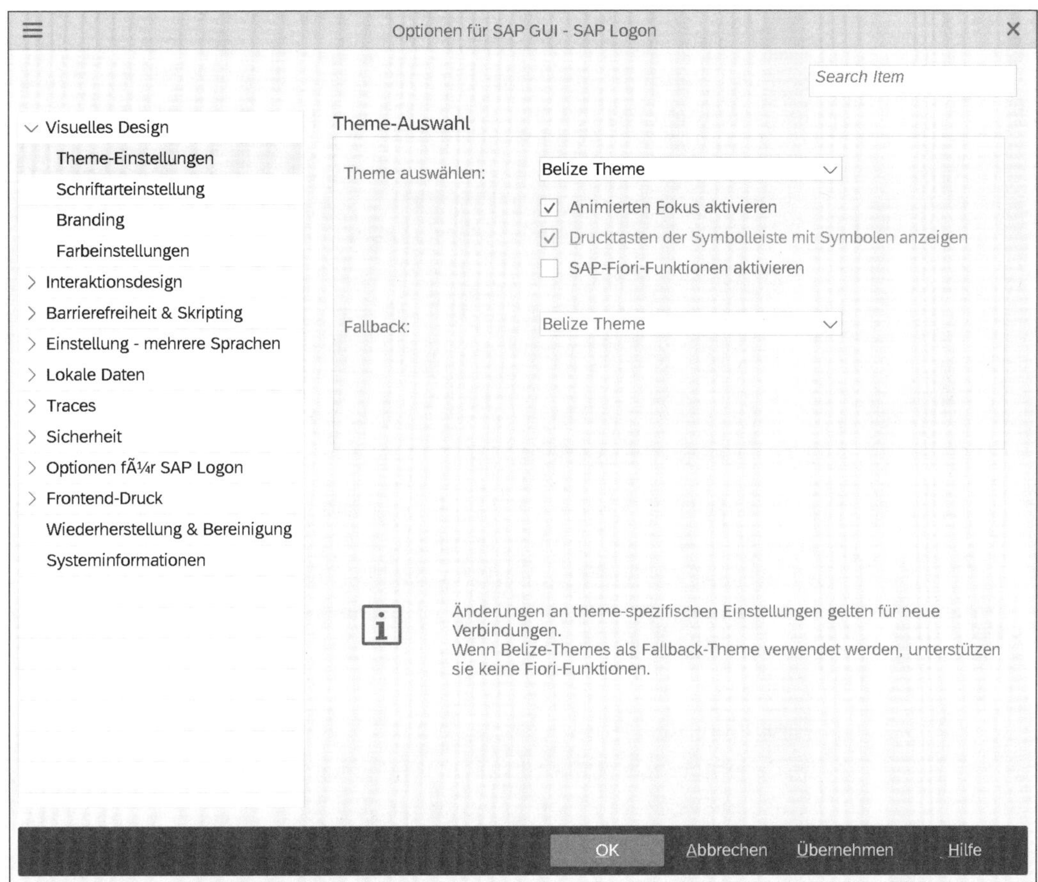

Abbildung 2.10 Optionen für das SAP GUI

Belize-Theme

Ab SAP GUI 7.50 bietet SAP das sogenannte Theme *Belize* an. Dieses ähnelt sehr stark einer SAP-Fiori-Oberfläche und verleiht dem SAP-System ein modernes Aussehen. Sie können aber auch mit jedem anderen Thema (z. B. das häufig genutzte Signature) auf SAP S/4HANA zugreifen.

Allerdings hat SAP GUI 7.50 mit dem Theme *Belize* den Nachteil, dass Ihnen keine grafischen Icons zur Verfügung stehen, sondern nur textbeschriftete Icons, was aufgrund der Breite der Icons das Arbeiten etwas umständlich macht. Ab SAP GUI 7.60 stehen Ihnen dann wieder grafische Icons zur Verfügung, weshalb ich Ihnen empfehlen würde, diese Version zu installieren.

Auch würde ich Ihnen empfehlen, den Schalter **SAP-FIORI-Funktionen aktivieren** nicht zu setzen. Denn dieser platziert die wichtigen Funktionen **Ausführen** und **Sichern** rechts unten, was das Arbeiten etwas umständlich gestaltet, weil sich alle anderen Funktionen oben auf dem Bildschirm befinden. Wenn Sie den Schalter nicht setzen, werden die Funktionen an der gewohnten Stelle oben auf dem Bildschirm bei allen anderen Funktionen platziert.

SAP GUI 7.60 ohne SAP-Fiori-Funktionen

Um sich das Arbeiten mit dem SAP-System so angenehm wie möglich zu gestalten, sollten Sie SAP GUI 7.60 mit dem Theme *Belize* nutzen, allerdings ohne die SAP-Fiori-Funktionen zu aktivieren.

2.7.2 SAP Business Client

Als Alternative bietet SAP seit einigen Jahren den SAP Business Client an. Hierbei handelt es sich um einen Rich Client, der als Desktop-Applikation wie das SAP GUI auf dem Desktop installiert werden muss. Er erlaubt den Gebrauch von Portal-Services, Applikations-Content und Aufgaben direkt aus dem Backend.

Verbindungsoptionen

Im Gegensatz zum SAP GUI stehen Ihnen nicht nur eine, sondern drei verschiedene Verbindungsoptionen zur Verfügung.

SAP-Logon-Verbindung

Erstens können Sie eine ganz normale *SAP-Logon-Verbindung* einrichten. Wenn Sie sich darüber anmelden, erhalten Sie fast denselben Systemzugang wie bei einer SAP-GUI-Verbindung (siehe Abbildung 2.11).

SAP-Business-Client-Verbindung

Zweitens haben Sie die Möglichkeit einer originären *SAP-Business-Client-Verbindung*. Wenn Sie sich darüber anmelden, erhalten Sie zum Einstieg verschiedene Auswahlmöglichkeiten (z. B. **Zuletzt geöffnet** oder zugeordnete **Arbeitsplätze** siehe Abbildung 2.12).

Entsprechend Ihrer Auswahl gelangen Sie dann auf die zugeordneten Funktionen: Entscheiden Sie sich z. B. für einen Arbeitsplatz, gelangen Sie auf dessen Aufgabenliste.

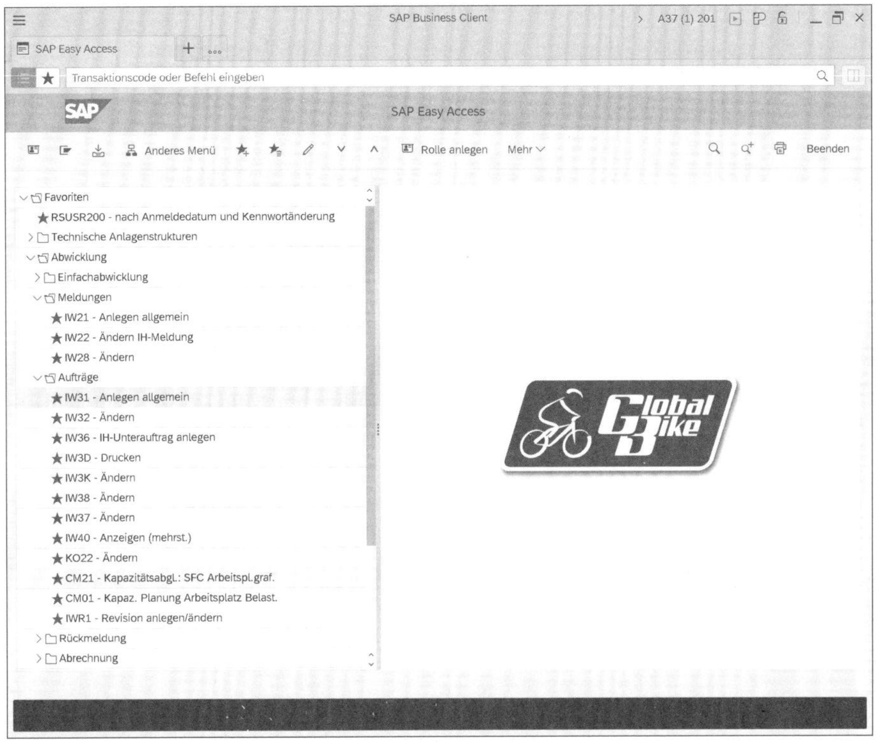

Abbildung 2.11 SAP Business Client mit SAP-Logon-Verbindung

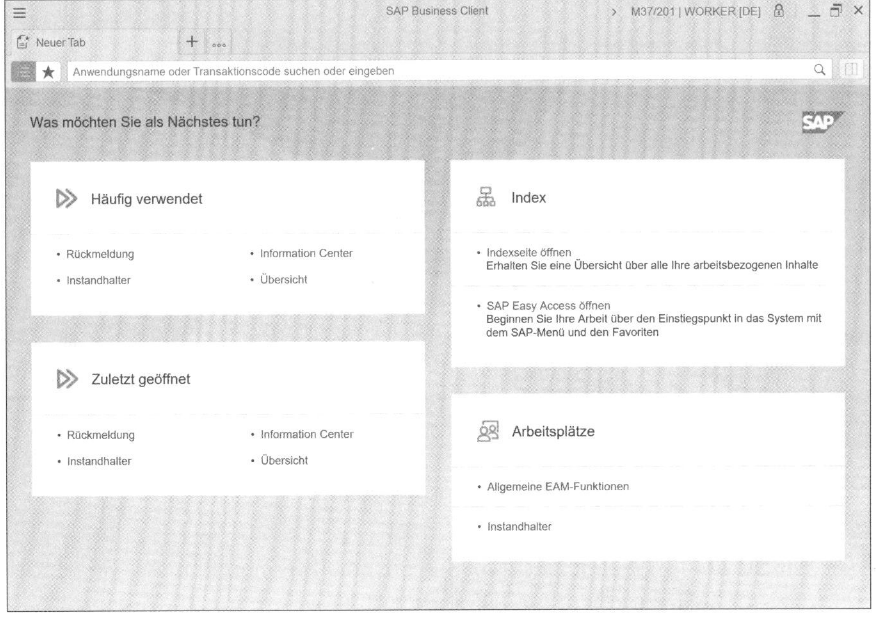

Abbildung 2.12 SAP-Business-Client-Verbindung

SAP-Fiori-Apps aufrufen

Drittens haben Sie die Möglichkeit, die Seite mit den Ihnen zugeordneten SAP-Fiori-Apps aufzurufen. Dies sieht dann im Prinzip genauso aus, als würden Sie mit dem Browser auf Ihr SAP Fiori Launchpad zugreifen (siehe Abbildung 2.16 weiter hinten im Buch).

Allgemeine Funktionen

Auf den folgenden Seiten stelle ich Ihnen die wichtigsten Funktionen des SAP Business Clients sowie die zentralen Unterschiede gegenüber dem SAP GUI vor.

Nutzung der SAP-Standardtransaktionen

Sie können im SAP Business Client alle SAP-Standardtransaktionen aufrufen und ausführen. Abbildung 2.13 zeigt Ihnen beispielhaft die Transaktion IW32 (Ändern eines Instandhaltungsauftrags).

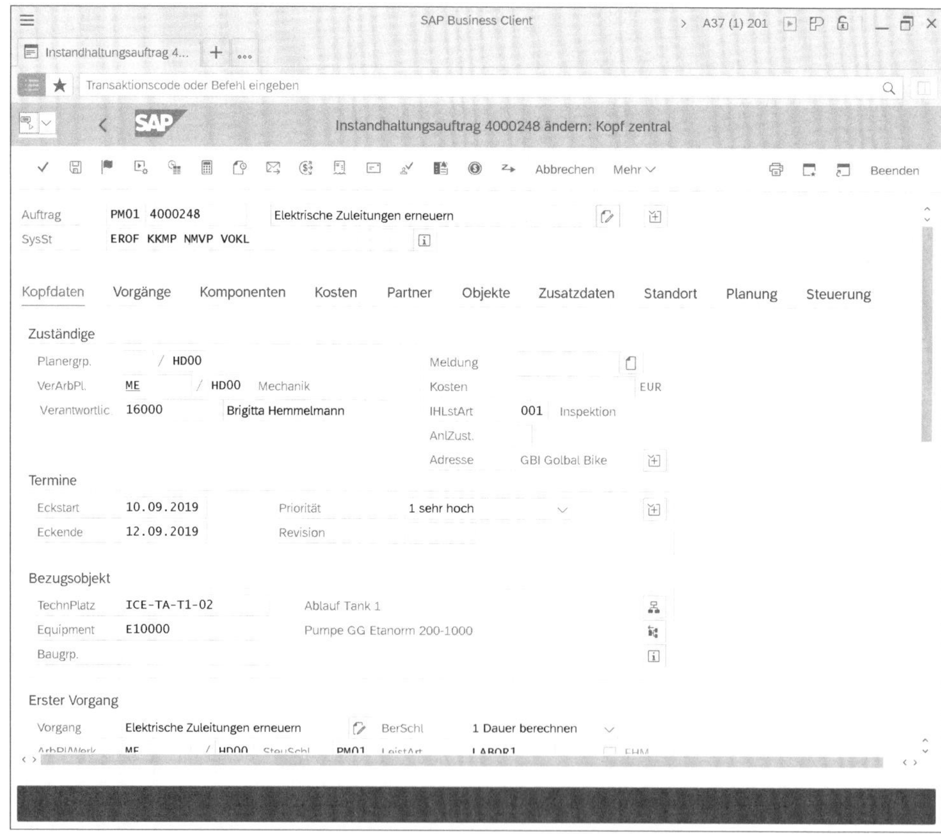

Abbildung 2.13 Transaktion IW32 im SAP Business Client

Registerkarten

Wie Sie an der oberen Leiste im Screenshot erkennen können, verwendet der SAP Business Client eine Registerkartentechnik, um alle aufgerufenen Funktionen in nur einem Fenster zu zeigen. Dies bedeutet, dass Sie parallel auf mehrere Funktionen zugreifen können, ohne jeweils ein eigenes Fenster öffnen zu müssen.

Der SAP Business Client verfügt über drei verschiedene Suchmöglichkeiten (Leiste gleich unterhalb der Registerkarten):

Suche

- **Enterprise Search**
  Suche in Unternehmensdaten
- **Externe Suchmaschinen und Enzyklopädien**
  Suche über externe Suchmaschinen (wie Google oder Yahoo) und Enzyklopädien (wie Wikipedia)
- **Desktop-Suche**
  Suche in den Desktop-Dokumenten

Rollen, Aufgabenlisten, Übersichten und Berichte

Auch der SAP Business Client hat Zugriff auf die Portalrollen. Deshalb bilden Aufgabenlisten und Übersichten den Einstieg; diese beinhalten eine menüartige Zusammenstellung der Funktionen, die einer Einzel- oder Sammelrolle zugeordnet sind. Abbildung 2.14 zeigt exemplarisch die Übersicht zur Rolle *Instandhalter*.

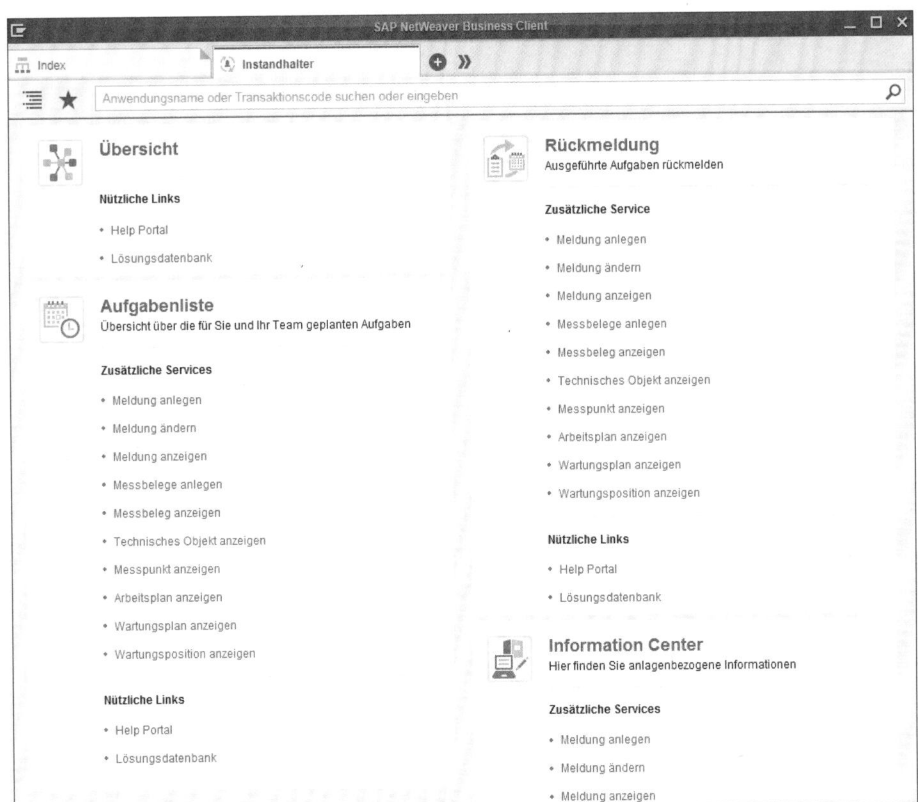

Abbildung 2.14 Rollenmenü im SAP Business Client

Side Panels Eine wichtige Erweiterung des SAP Business Clients gegenüber dem SAP GUI ist die Verwendung von *Side Panels*. Side Panels dienen dazu, Zusatzinformationen zu einer Anwendung in einem Seitenbereich anzuzeigen. Solche Informationen können z. B. sein:

- Kennzahlen (wie z. B. Meantime to Repair, MTTR, oder Meantime between Repair, MTBR)
- Analysen aus dem SAP Business Warehouse (z. B. Schadens- oder Kostenanalysen)
- Berichte aus dem Controlling (z. B. Kostenstellen- oder Innenauftragsberichte)
- Grafiken aus SAP 3D Visual Enterprise
- Dienste zum Objekt

Abbildung 2.15 zeigt exemplarisch einen Equipmentstammsatz mit der dazugehörigen Schadensanalyse in Bezug auf Schadenscodes.

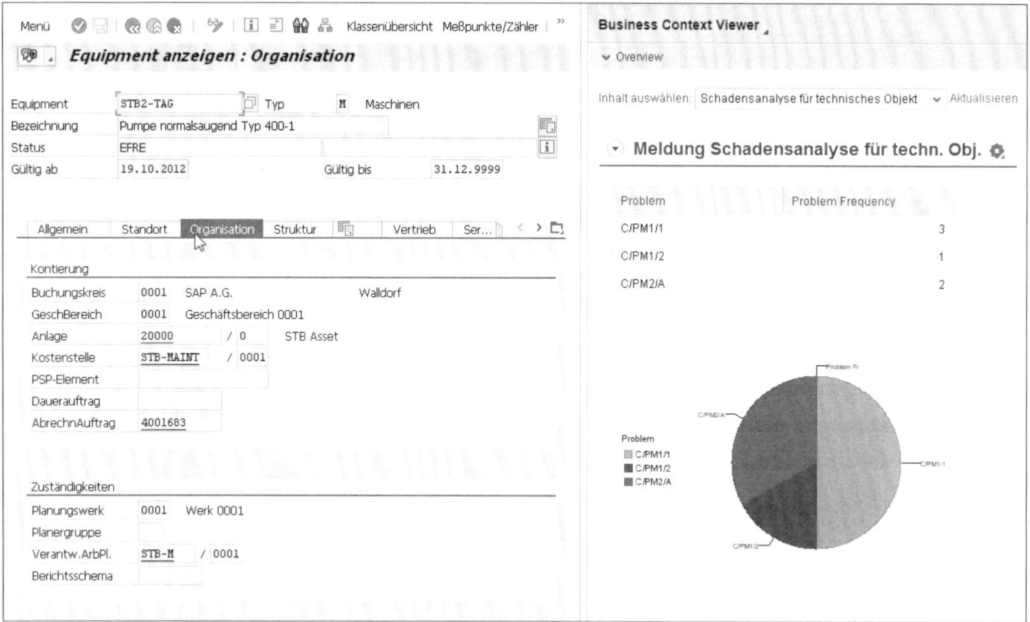

Abbildung 2.15 Side Panel im SAP Business Client

Business Functions Damit Sie die Funktionalität des SAP Business Clients umfassend nutzen können, sollten Sie die Business Functions LOG_EAM_SIMP und LOG_EAM_SIMPLICITY 1 bis 9 aktivieren.

[!]

Nützliche Zusatzinformationen im Side Panel des SAP Business Clients

Über das Side Panel im SAP Business Client können Sie sich nützliche Zusatzinformationen zum technischen Objekt (z. B. Schadenanalysen oder Kennzahlen) anzeigen lassen.

Weitere instandhaltungsspezifische Funktionen des SAP Business Clients (z. B. Asset Viewer oder Rückmeldung ungeplanter Aufgaben) zeige ich Ihnen in den entsprechenden Kapiteln.

2.7.3 SAP Fiori

Was ist SAP Fiori?

SAP Fiori ist die neueste User-Interface-Technologie von SAP, mit der ein Benutzer auf SAP-Systeme zugreifen kann. SAP Fiori ist geräteübergreifend nutzbar, d. h., Sie können nicht nur mit dem Desktop, sondern auch mit mobilen Geräten wie Smartphone oder Tablet auf SAP-Systeme zugreifen. SAP Fiori ist somit eine weitere Alternative zu SAP GUI, SAP Business Client oder zu den mobilen Lösungen von SAP.

Design von SAP Fiori

SAP Fiori bietet Ihnen zunächst zur Auswahl der Funktionen (Apps) eine Oberfläche in Kacheltechnik (das sogenannte SAP Fiori Launchpad (siehe Abbildung 2.16).

Abbildung 2.16 SAP Fiori Launchpad

Jeder Anwender kann sich aus den verfügbaren Kacheln, zu deren Nutzung er berechtigt ist, seine eigene Oberfläche zusammenstellen – ähnlich der Favoriten im SAP GUI.

Rufen Sie eine der Funktionen auf, erhalten Sie unter einer HTML5- bzw. SAPUI5-Oberfläche (SAPUI5 basiert auf HTML5) die entsprechenden Eingabe- oder Anzeigefelder.

Arten von SAP-Fiori-Apps

SAP-Fiori-Apps lassen sich in die folgenden drei Kategorien einteilen (siehe Abbildung 2.17):

- nach dem Inhalt in transaktionale Apps, analytische Apps und Fact-Sheets (dies ist die Einteilung, die von SAP am häufigsten publiziert wird)
- nach der Dynamik in statische Apps und dynamische Apps (betrifft nur Listen-Apps)
- nach der Ergebnis in echte Apps mit Mehrwert, echte Apps ohne Mehrwert und unechte SAP-Fiori-Apps

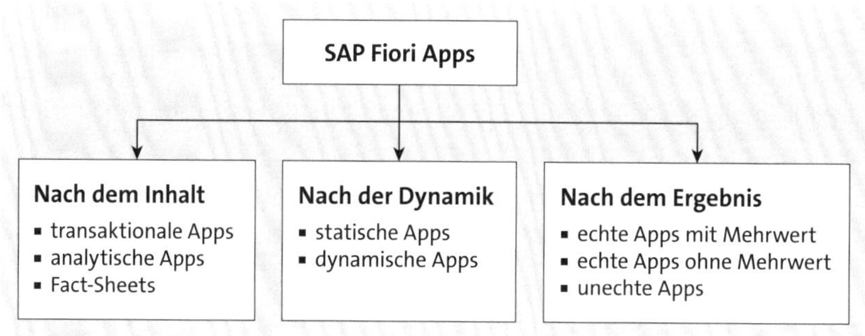

Abbildung 2.17 Arten von SAP-Fiori-Apps

SAP-Fiori-Apps nach dem Inhalt

Es gibt drei Arten von SAP-Fiori-Apps (siehe Abbildung 2.18):

- **Transaktionale Apps**
  Mit transaktionalen Apps führen Sie einen bestimmten Geschäftsprozess aus (z. B. Bestellung anlegen, Rückmeldung erfassen). Diese Apps können 1:1 einer Transaktion im SAP GUI entsprechen. Es können auch verschiedene Funktionen zu einer einzigen App zusammengefasst sein.
- **Fact-Sheets**
  Fact-Sheets liefern Ihnen die wichtigsten Informationen zu einem Objekt (z. B. Lieferant, Materialstamm, Kunde) auf einem einzigen Bildschirmbild.

- **Analytische Apps**
  Mit analytischen Apps können Sie Auswertungen, Statistiken und Grafiken zu Ihren Geschäftsprozessen erstellen.

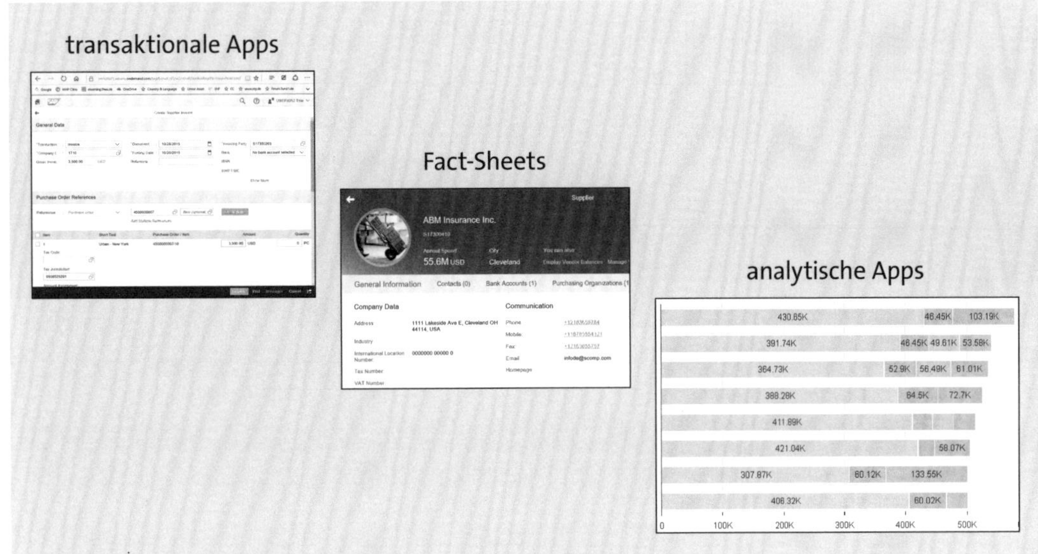

Abbildung 2.18 Unterschiedliche SAP-Fiori-Apps – inhaltliche Unterscheidung

SAP-Fiori-Apps nach der Dynamik

SAP-Fiori-Apps, die eine Liste erzeugen, können unterteilt werden in statische und dynamische Apps:

- **Statische Apps**
  Statische Apps agieren so, wie Sie es von Listtransaktionen mit dem SAP GUI her gewohnt sind: Sie haben eine vorgeschaltete Selektionsmaske, in der Sie Ihre Selektionskriterien eintragen (z. B. Werk), und die Liste zeigt Ihnen das Ergebnis in Bezug auf die angegebenen Selektionskriterien. Möchten Sie andere Selektionskriterien verwenden (z. B. anderes oder zusätzliches Werk), gehen Sie zurück auf die Selektionsmaske und erweitern Ihre Selektionen. Nach deren Ausführung erscheint das neue (statische) Ergebnis.
- **Dynamische Apps**
  Dynamische Apps zeigen die Selektionsleiste und das Ergebnis auf einer Maske. Wenn Sie die Selektion ändern, passt sich das Ergebnis dynamisch an. Abbildung 2.19 zeigt Ihnen exemplarisch die App *Meine Einkaufsbelegpositionen*.

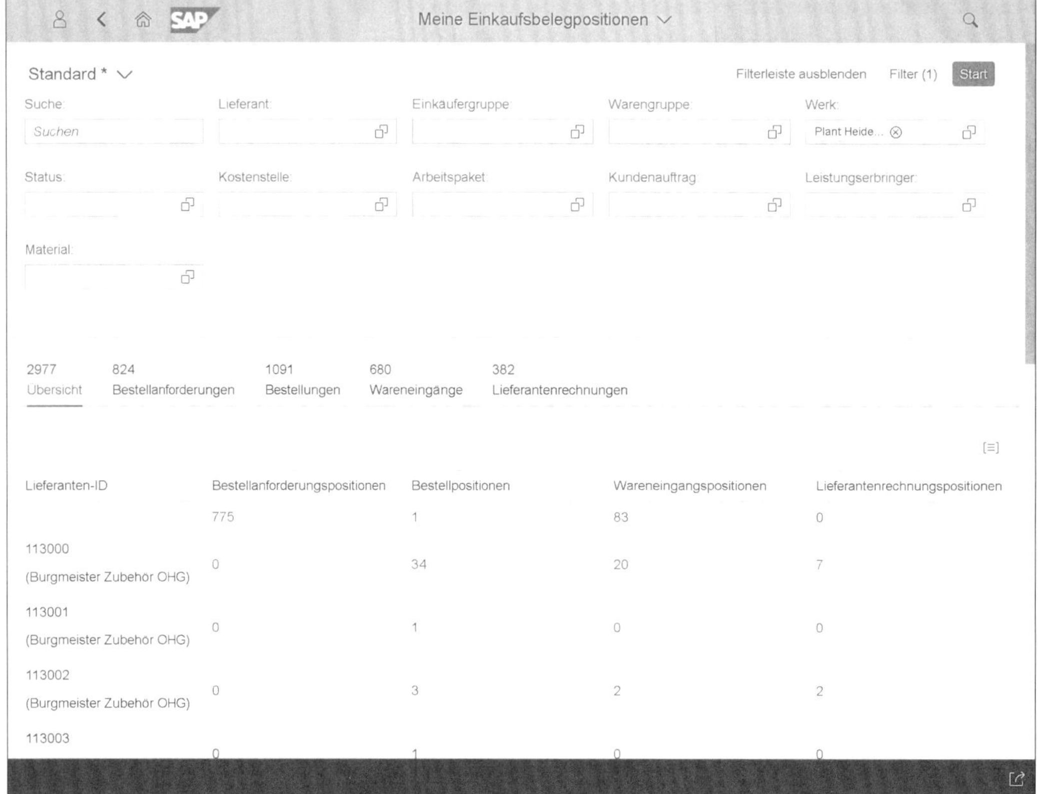

Abbildung 2.19 Dynamische SAP-Fiori-App

SAP-Fiori-Apps nach dem Ergebnis

Schließlich kann man die SAP-Fiori-Apps nach dem Ergebnis in echte SAP-Fiori-Apps mit Mehrwert, echte SAP-Fiori-Apps ohne Mehrwert und unechte SAP-Fiori-Apps einteilen.

Von *echten SAP-Fiori-Apps mit Mehrwert* spreche ich, wenn SAP-Fiori-Apps zum einen die SAPUI5-Technologie verwenden und zum anderen dem Anwender einen Mehrwert gegenüber dem SAP GUI bringen. Ein Mehrwert kann beispielsweise im Folgenden bestehen:

- Eine einzelne Funktion wurde aus einer komplexen Transaktion extrahiert (z. B. Freigabe von Aufträgen, Genehmigen von Bestellungen)
- Mehrere Transaktionen wurden zu einer Transaktion zusammengefasst (z. B. Rechnung mit manuellem Zahlvorgang einbuchen)
- Es sind Funktionen vorhanden, die es im SAP GUI nicht gibt (z. B. dynamische Apps).

- Statistiken werden in grafischer Form aufbereitet.
- Ergebnisse werden schon auf dem SAP Fiori Launchpad angezeigt

Von *echten SAP-Fiori-Apps* ohne Mehrwert spreche ich, wenn die App zwar die SAPUI5-Technologie nutzt, aber dem Anwender keinen zusätzlichen Mehrwert bietet. Abbildung 2.20 zeigt Ihnen als Beispiel die SAP-Fiori-App zum Anlegen einer Bestellanforderung; diese verwendet zwar die SAP-Fiori-Technologie, bringt aber im Vergleich zur Transaktion ME51N keinen Mehrwert.

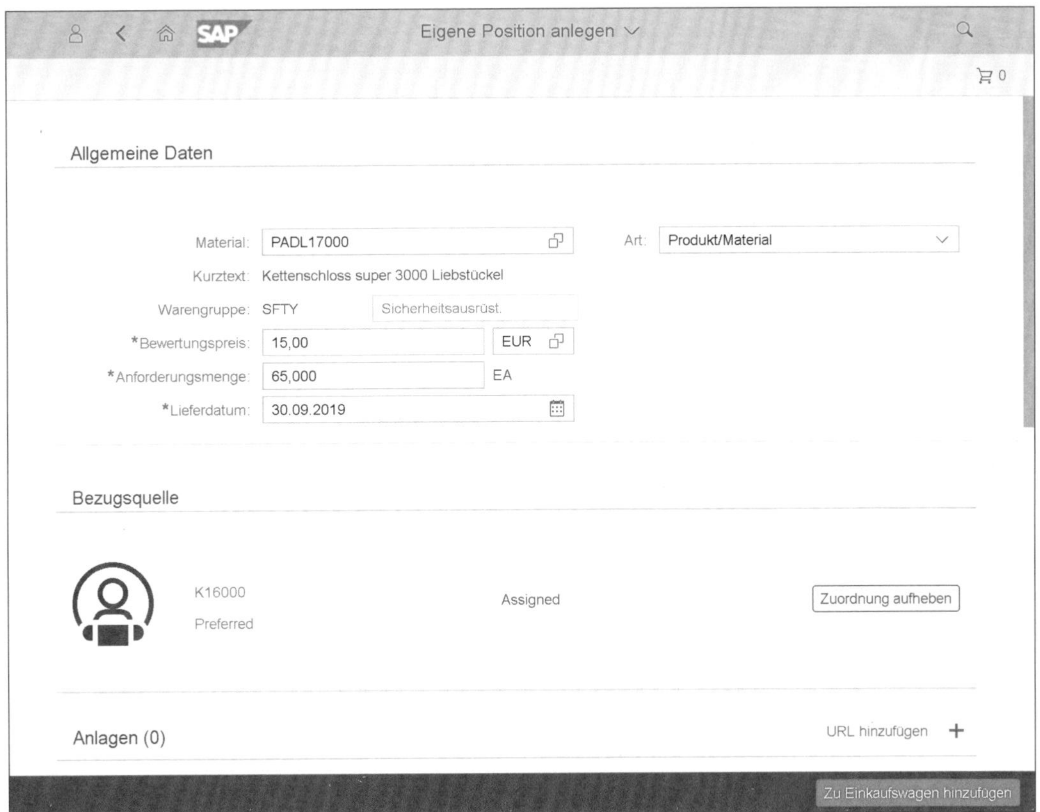

Abbildung 2.20 SAP-Fiori-App »Bestellanforderung anlegen«

Von *unechten SAP-Fiori-Apps* spreche ich, wenn die SAP-Fiori-App weder die SAPUI5-Technologie verwendet noch einen Mehrwert für den Anwender bringt. Abbildung 2.21 zeigt als Beispiel hierfür die App *Eingangsrechnung hinzufügen*. Diese App verwendet keine SAPUI5-Technologie, sondern ruft in einem zweiten Fenster einfach die Transaktion MIRO mit einer Web-Dynpro-Oberfläche auf – also auch kein Mehrwert für den Anwender!

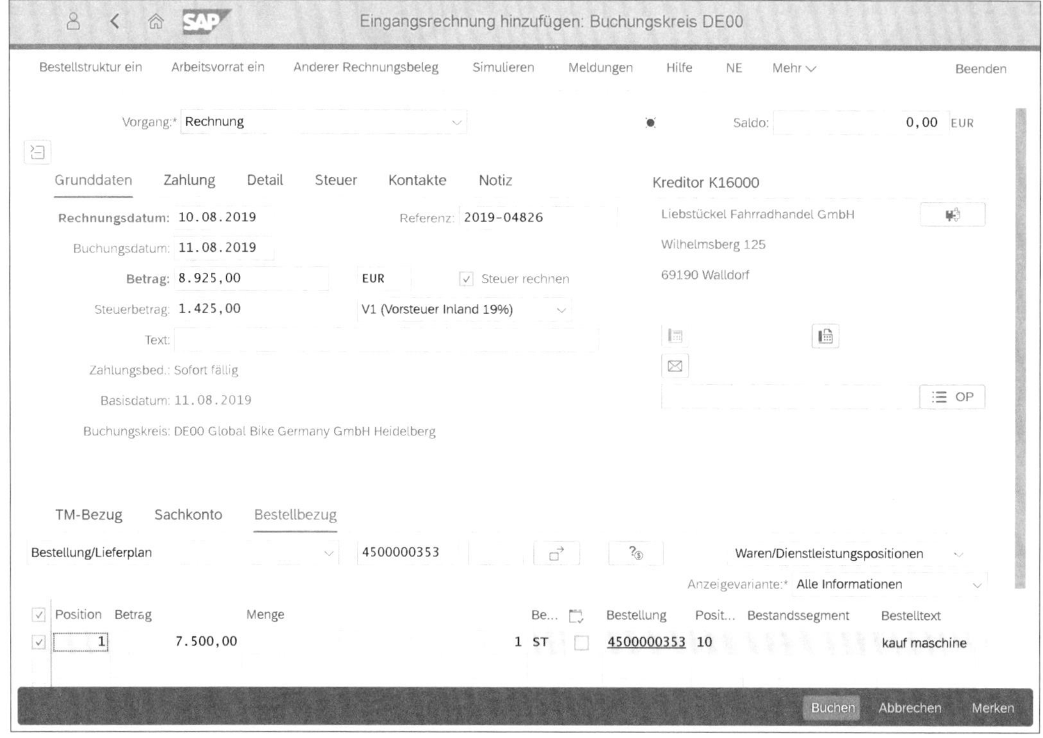

Abbildung 2.21 SAP-Fiori-App »Eingangsrechnung hinzufügen«

Eigenschaften von SAP Fiori

Wenn es sich um echte, auf SAPUI5 basierende Apps handelt, sollten die folgenden Eigenschaften Anwendern das Arbeiten mit dem SAP-System erleichtern:

- Die Oberfläche ist *responsiv*. Das heißt, sie erkennt, mit welchem Endgerät (Smartphone, Tablet, PC) Sie auf das System zugreifen, und passt die App automatisch dem Gerät an.
- Die Bedienung ist *kohärent*. Das heißt, sie ist in allen Apps, für alle Funktionen und für alle Endgeräte vereinheitlicht und folgt einem gemeinsamen Bedien- und Designkonzept.
- Genauso wie im SAP GUI ist die Zuordnung der Apps *rollenbasiert*, sodass jeder Anwender nur die für ihn notwendigen Funktionen auf seinem Arbeitsplatz, dem sogenannten SAP Fiori Launchpad vorfindet.
- Genauso wie im SAP GUI stehen jedem Benutzer vielfältige Möglichkeiten der *Personalisierung* zur Verfügung (z. B. Selektionsvarianten oder Feldauswahl bei Listen).
- Jede SAP-Fiori-App ist *mobil* nutzbar. Das heißt, Sie können von überall auf Ihre Daten oder Aufgaben zugreifen.

- Es ist möglich, *kundenspezifische Entwicklungen* vorzunehmen. Das heißt, dass Sie neben den von SAP selbst entwickelten SAP-Fiori-Apps über die von SAP bereitgestellte Entwicklungsumgebung (z. B. das SAP Web IDE Toolkit) eigene Apps integrieren können.

Die folgenden Eigenschaften von SAP Fiori sind darüber hinaus im Tagesgeschäft nützlich:

- Wo es notwendig oder angebracht ist, zeigen die Apps gleich im SAP Fiori Launchpad wichtige Kennzahlen an (siehe Abbildung 2.22).

Abbildung 2.22 Kennzahl auf dem SAP Fiori Launchpad

- Aus jeder App heraus können Sie eine E-Mail versenden (z. B. um eine Liste oder einen Link zu einem Beleg zu verschicken).
- Alle Listen können Sie in Microsoft Office exportieren.

In der Handhabung fallen jedoch auch einige Aspekte störend auf:

- SAPUI5-Oberflächen enthalten viele Leerflächen und sind nur wenig kompakt; die Bildschirmbilder sind deshalb unnötig groß und unübersichtlich.
- Weil keine Registerkarten verwendet werden, sind die Informationen, die im SAP GUI thematisch geordnet und verteilt dargestellt werden, in SAP Fiori untereinander dargestellt. In vielen Fällen entstehen auf diese Weise sehr lange Bildschirmbilder, die viel Scrollen erforderlich machen, um an die gewünschten Informationen zu gelangen.
- Die Positionierung der Buttons ist noch nicht einheitlich.

Welche konkreten SAP-Fiori-Apps für die Instandhaltung zur Verfügung stehen, zeigt Ihnen Abschnitt 8.1.2.

Kapitel 3

Organisationsstrukturen

3

Dieses Kapitel informiert Sie über die Elemente, ohne die eine Instandhaltungsabwicklung im SAP-System nicht auskommt: die allgemeinen Organisationseinheiten, die instandhaltungsspezifischen Organisationseinheiten und den Arbeitsplatz.

Die Festlegung der Organisationsstrukturen umfasst die folgenden Bereiche: die allgemeinen SAP-Organisationseinheiten (z. B. Kostenrechnungskreis, Buchungskreis, Werk, Lagerort), die Definition der instandhaltungsspezifischen Organisationseinheiten (z. B. Standort oder Betriebsbereich) und schließlich die Definition der Instandhaltungsarbeitsplätze (z. B. Mechanik, Elektrik, Mess- und Regeltechnik).

3.1 SAP-Organisationseinheiten

Die Grundlage für alle Stammdaten und Geschäftsprozesse sind in SAP ERP die Organisationseinheiten. In den folgenden Abschnitten lernen Sie die wichtigsten Organisationseinheiten aus Sicht der Instandhaltung kennen.

[!]

Organisationseinheiten im SAP-Projekt

Um eines vorwegzunehmen: In der Regel sind die allgemeinen Organisationseinheiten im SAP-System, wie z. B. Buchungskreis, Kostenrechnungskreis und Werk, bereits definiert, wenn Sie sich an die Einführung von SAP in der Instandhaltung begeben. Denn die Definition erfolgt bereits bei der Einführung anderer Applikationen (wie CO, MM usw.). Nur wenn die Instandhaltung in der ersten Welle dabei ist oder wenn Sie aus einer reinen Instandhaltungsperspektive eigene Organisationseinheiten definieren, haben Sie Einfluss auf die Ausgestaltung.

3.1.1 Das Werk aus Instandhaltungssicht

Funktionen des Werks

Die für die Instandhaltung wichtigste Organisationseinheit ist zweifelsfrei das Werk. Dieses erfüllt für die Instandhaltung mehrere Funktionen:

- Ein Werk ist für die Planung der Instandhaltungsaktivitäten verantwortlich. Man spricht in diesem Zusammenhang von einem Planungswerk. Ein Werk wird über die Customizing-Funktion **Planungswerk pflegen** zu einem Planungswerk.
- Alle instand zu haltenden technischen Objekte befinden sich physisch in einem Werk (Technischer Platz, Equipment, Serialnummer). Man spricht dabei von einem Standortwerk. Ein Werk wird zu einem Standortwerk, wenn Sie dort ein technisches Objekt anlegen. Die Zuordnung, welches Planungswerk für welches Standortwerk zuständig ist, nehmen Sie über die Customizing-Funktion **Instandhaltungsplanungswerk zuordnen** vor.
- Ein Werk in Kombination mit einem Lagerort wird benötigt, um Ersatzteile zu lagern.
- Auch können manche technischen Objekte (Serialnummern) in einem Werk in Verbindung mit einem Lagerort eingelagert werden.

3.1.2 Instandhaltungsspezifische Organisationseinheiten

Standortwerk- oder planungswerkbezogen?

Im Zusammenhang mit dem Werk spielen weitere instandhaltungsspezifische Organisationseinheiten, die entweder standortwerk- oder planungswerkbezogen sind, eine Rolle (siehe Abbildung 3.1).

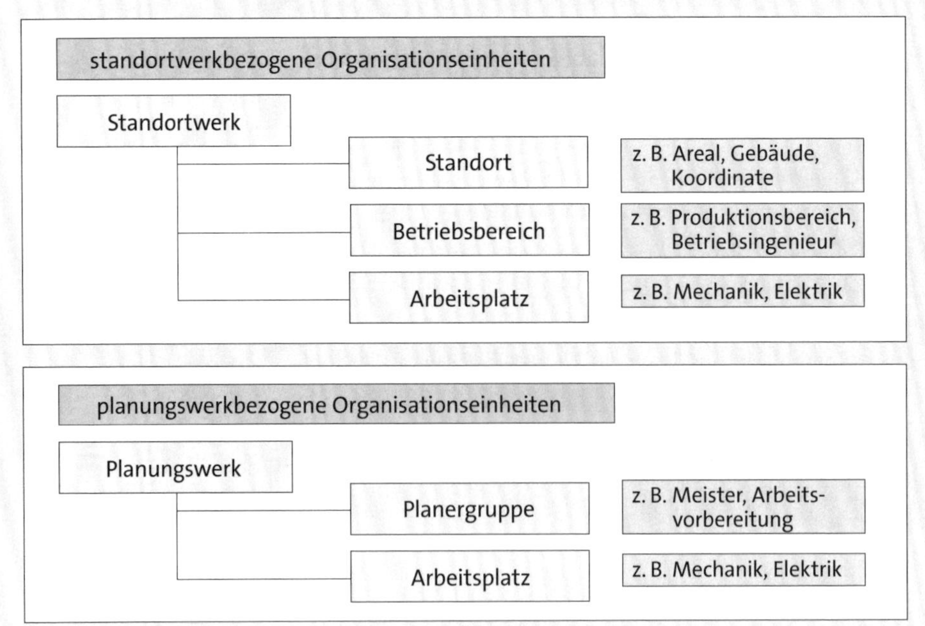

Abbildung 3.1 Standortwerk und Planungswerk

Die standortwerk- und planungswerkbezogenen Daten finden sich allesamt in technischen Objekten (Technischer Platz, Equipment) wieder und werden von dort in Meldung und Auftrag kopiert. Im Folgenden werden diese Daten näher erläutert.

Arbeitsplatz

Arbeitsplätze führen Instandhaltungsmaßnahmen durch oder sind für diese verantwortlich. Arbeitsplätze haben entweder einen Bezug zum Planungswerk oder zum Standortwerk (siehe Abschnitt 3.2, »Arbeitsplätze«).

Planergruppe

Eine Planergruppe ist für die Planung der Instandhaltungsmaßnahmen zuständig und hat ebenfalls einen Bezug zu einem Planungswerk. Sie pflegen Planergruppen mithilfe der Customizing-Funktion **Planergruppen festlegen**.

[!]

Die Nutzung von Planergruppen

Planergruppen richten Sie z. B. ein, wenn Sie eine Arbeitsvorbereitung oder einzelne, namentlich benannte Instandhaltungsplaner abbilden möchten.

Standort

Als Standort verwenden Sie eine Kennzeichnung, die besagt, wo sich das technische Objekt physisch befindet. Ein Standort wird immer mit Bezug zu einem Standortwerk definiert; Standorte pflegen Sie mithilfe der Customizing-Funktion **Standort festlegen**.

Benennung von Standorten

In der Praxis haben sich als Standorte entweder Gebäudenummern (z. B. F141 oder WDF21) oder – falls vorhanden – die Werkskoordinaten (z. B. A01 oder K15) durchgesetzt.

Betriebsbereich

Als Betriebsbereich definieren Sie die Zuständigkeiten für den Betrieb der (Produktions-)anlage; Betriebsbereiche pflegen Sie mithilfe der Customizing-Funktion **Betriebsbereiche festlegen**.

Zuständigkeiten für den Betriebsbereich

In der Praxis haben sich als Betriebsbereiche entweder der für die Anlage zuständige Betriebsingenieur oder der zur Anlage gehörende Produktionsbereich bewährt.

3.1.3 Weitere allgemeine Organisationseinheiten

Neben den instandhaltungsspezifischen Organisationseinheiten gibt es weitere allgemeine Organisationseinheiten, die auch für die Instandhaltung relevant sind.

Buchungskreis

Das Werk ordnen Sie einem Buchungskreis zu (siehe Abbildung 3.2). Der Buchungskreis ist die kleinste organisatorische Einheit des externen Rechnungswesens, für die eine vollständige, in sich abgeschlossene Buchhaltung abgebildet werden kann (die Firma). Dies beinhaltet die Erfassung aller buchungspflichtigen Ereignisse und die Erstellung von Bilanzen sowie Gewinn- und Verlustrechnungen.

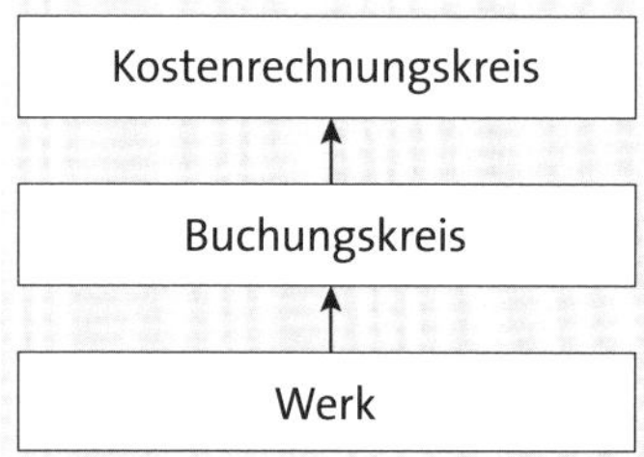

Abbildung 3.2 Allgemeine Organisationseinheiten

Mit der Zuordnung eines technischen Objekts zu einem Standortwerk ordnen Sie es im Hintergrund auch automatisch dessen Buchungskreis zu.

Kostenrechnungskreis

Der Kostenrechnungskreis ist eine Organisationseinheit innerhalb eines Unternehmens, für die eine in sich geschlossene Kostenrechnung durchgeführt werden kann. Ein Kostenrechnungskreis kann einen oder mehrere Buchungskreise umfassen.

Mit der Zuordnung eines technischen Objekts zu einem Standortwerk legen Sie nicht nur seinen Buchungskreis, sondern auch seinen Kostenrechnungskreis fest, ebenso wie Sie mit der Zuordnung eines Arbeitsplatzes zu einem Werk dessen Kostenrechnungskreis festlegen.

Beteiligte Kostenrechnungskreise

Aus Sicht der Instandhaltung ist es immer von Vorteil, wenn der Kostenrechnungskreis des technischen Objekts und der Kostenrechnungskreis des Arbeitsplatzes identisch sind.

Sie fragen sich jetzt vielleicht, warum das so wichtig ist. Die Begründung liefert Ihnen der nächste Abschnitt.

3.1.4 Werksbezogene und werksübergreifende Instandhaltung

Bei den Geschäftsprozessen in der Instandhaltung ist zu differenzieren, ob die Planung und die Ausführung der Aufträge in nur einem Werk oder in unterschiedlichen Werken stattfinden.

Werksbezogene Instandhaltung

Bedarf, Planung und Ausführung in einem Werk

In der Praxis trifft man am häufigsten auf die Situation, dass der Instandhaltungsbedarf in dem Werk geplant wird, in dem er entsteht, dass also die Aufträge von Werkstätten aus dem gleichen Werk ausgeführt werden und dass sich auch das Ersatzteillager im gleichen Werk befindet. In Abbildung 3.3 wäre dies das Werk 1000. Hier gilt: Standortwerk = Planungswerk = Werk des Ersatzteillagers.

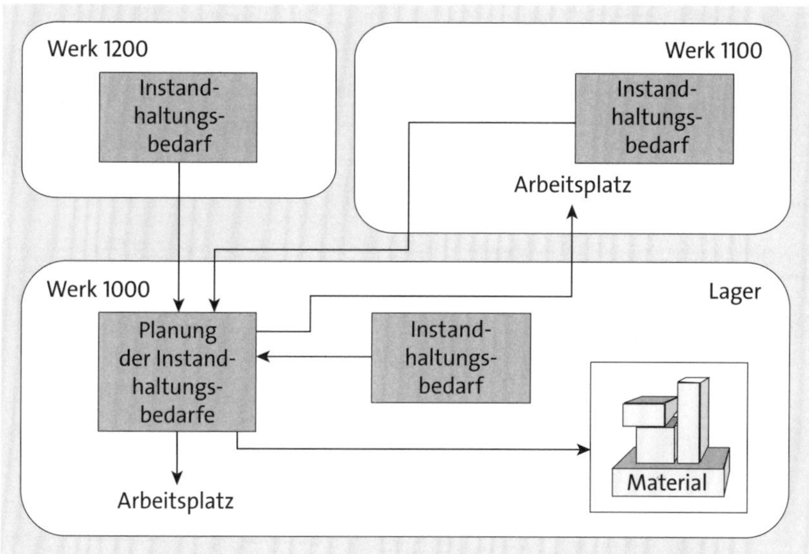

Abbildung 3.3 Werk und Instandhaltung

Werksübergreifende Instandhaltung

Bedarf und Ausführung in verschiedenen Werken

Neben der werksbezogenen Instandhaltung sind noch weitere Konstellationen anzutreffen:

- In einem Werk (hier z. B. 1200) entsteht ein Bedarf, da dort eine technische Anlage instand zu halten ist (= Standortwerk), aber alle weiteren Funktionen (Planung, Auftragsausführung, Ersatzteillager) werden von einem anderen Werk (hier z. B. 1000) übernommen.

- In einem Werk (hier z. B. 1100) entsteht ein Bedarf, und es werden hier weitere Teilfunktionen (Auftragsausführung) wahrgenommen; andere Teilfunktionen (Auftragsplanung, Ersatzteilbevorratung) finden hingegen in anderen Werken (hier z. B. 1000) statt.

Eine werksübergreifende Instandhaltung ist unproblematisch, wenn das Standortwerk des technischen Objekts und das Werk des ausführenden Arbeitsplatzes in demselben Buchungskreis liegen.

Dasselbe gilt, wenn die Werke zu unterschiedlichen Buchungskreisen, aber zu demselben Kostenrechnungskreis gehören. Auch hier handelt es sich um ein Standardszenario.

Unterschiedliche Kostenrechnungskreise

Problematisch wird es, wenn die Werke zu unterschiedlichen Kostenrechnungskreisen gehören. Hier gibt es kein Standardszenario, sondern es entsteht eine Kunden-Lieferanten-Beziehung. Das Standortwerk (Kunde) müsste in diesem Fall also Bestellungen auslösen. Beim Werk des Arbeitsplatzes (Lieferant) wird ein Kundenauftrag ausgelöst, zu dem dann eine Faktura erstellt wird. Die Faktura wird wiederum im Standortwerk als Eingangsrechnung erfasst, insgesamt also ein sehr umständliches Verfahren. Wie können Sie dies nun vereinfachen?

Werke in unterschiedlichen Kostenrechnungskreisen

Wenn Sie eine werksübergreifende Instandhaltung nutzen und sich die Werke in unterschiedlichen Kostenrechnungskreisen befinden, ist die folgende Vorgehensweise empfehlenswert:

- Legen Sie im Arbeitsplatzwerk eine Kostenstelle für das eigentliche Standortwerk an.
- Ordnen Sie alle technischen Objekte dem Arbeitsplatzwerk als Standortwerk und dessen Kostenstelle zu.
- Wickeln Sie alle Instandhaltungsaufträge im Arbeitsplatzwerk ab.
- Führen Sie manuell periodische Fakturen (z. B. monatlich) vom Arbeitsplatzwerk zulasten des Kundenstandortwerks und zugunsten der Kostenstelle durch.

Diese Vorgehensweise erspart Ihnen das Erstellen von Bestellungen und Kundenaufträgen, das Erstellen einzelner Fakturierungen und das Buchen einzelner Eingangsrechnungen.

3.2 Arbeitsplätze

Definition und Grundlagen

Aus Sicht der Instandhaltung repräsentiert ein Arbeitsplatz entweder eine einzelne Person (z. B. den Techniker M. Huber) oder eine Werkstatt, also eine Gruppe von Personen. Die folgenden Werkstätten sind in der Praxis häufig anzutreffen:

- Mechanik
- Elektrik
- Mess- und Regeltechnik
- Schlosserei
- Schweißerei
- Lackiererei
- Reinigungskolonne
- Haus- und Gebäudetechnik

[+]

Keine Einzelpersonen als Arbeitsplatz

Vermeiden Sie die Verwendung von Einzelpersonen als Arbeitsplatz. Denn Sie verbauen sich hierdurch unter Umständen Möglichkeiten der Kapazitätsplanung, und Sie haben einen enormen Pflegebedarf bei den Arbeitsplatzdaten. Verwenden Sie für personenscharfe Verantwortlichkeiten bevorzugt Partnerrollen (siehe Abschnitt 4.2.10, »Spezielle Funktionen«).

Wenn Sie dennoch Arbeitsplätze pro Person erfassen, beachten Sie die jeweiligen Landesgesetze. In Deutschland etwa dürfen Sie dies nur tun, wenn Sie mit den Arbeitnehmervertretern eine schriftliche Betriebsvereinbarung getroffen haben, aus der unter anderem hervorgeht, dass die Informationen nicht für einen Leistungsvergleich verwendet werden.

Arbeitsplätze werden in der Instandhaltung folgendermaßen an folgenden Stellen verwendet:

- als verantwortlicher Arbeitsplatz im Stammsatz des Equipments und Technischen Platzes
- als verantwortlicher Arbeitsplatz in einer Wartungsposition
- als verantwortlicher Arbeitsplatz im Kopf eines Arbeitsplans
- als ausführender Arbeitsplatz in den Vorgängen eines Arbeitsplans
- als verantwortlicher Arbeitsplatz in der Meldung
- als verantwortlicher Arbeitsplatz im Auftragskopf
- als ausführender Arbeitsplatz in den Vorgängen eines Auftrags
- als ausführender Arbeitsplatz in der Rückmeldung

[!]

Notwendigkeit von Arbeitsplätzen

Arbeitsplätze sind die einzigen Stammsätze, die Sie für die Nutzung von SAP in der Instandhaltung wirklich anlegen müssen. Sie können die Geschäftsprozesse z. B. ohne technische Objekte (Technische Plätze, Equipment usw.) durchführen, aber nicht ohne Arbeitsplätze.

Arbeitsplatz anlegen

Arbeitsplätze pflegen Sie mithilfe der Transaktion IR01. Dabei vergeben Sie eine Nummer des Arbeitsplatzes und ordnen ihn einem Werk zu.

Wahl der Arbeitsplatznummern

Der Arbeitsplatz ist im Rahmen der Auftragsabwicklung häufig einzugeben. Deshalb sollten Sie die Arbeitsplatznummern so kurz wie möglich halten (z. B. M für Mechanische Werkstatt, E für Elektrische Werkstatt).

Grunddaten

Der Arbeitsplatz enthält Informationen, die für eine Auftragsabwicklung zwingend notwendig sind (siehe Abbildung 3.4). Arbeitsplätze enthalten Grunddaten. Diese pflegen Sie auf der Registerkarte **Grunddaten**.

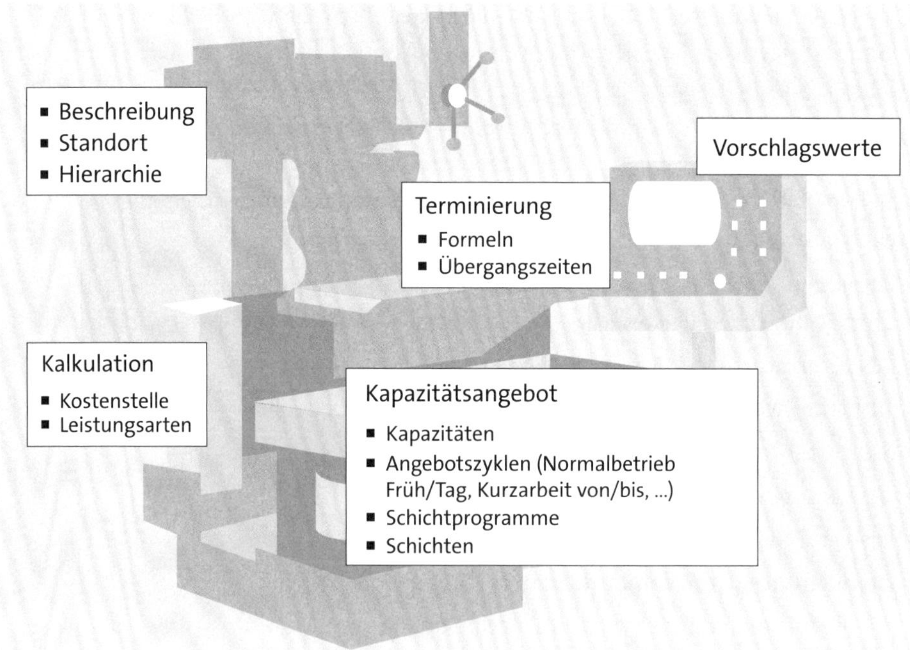

Abbildung 3.4 Inhalte eines Arbeitsplatzes

[!]

Ausprägung der Planverwendung

Achten Sie bei den Grunddaten eines Arbeitsplatzes darauf, dass Sie die Planverwendung entweder auf 004 (= Instandhaltungspläne) oder auf 009 (= alle Plantypen) setzen, damit der Arbeitsplatz in der EAM-Abwicklung verwendet werden darf.

Ferner muss der Vorgabewertschlüssel auf SAP0 stehen, damit später keine Vorgaben wie Rüstzeiten oder Maschinenzeiten notwendig werden.

Vorschlagswerte

Arbeitsplätze enthalten Vorschlagswerte, die beim Anlegen von Arbeitsplänen und Aufträgen in die Vorgänge kopiert oder referenziert werden. Referenziert bedeutet, dass die Daten im Arbeitsplan nicht abgeändert werden können. Vorschlagswerte pflegen Sie auf der Registerkarte **Vorschlagswerte**. Der wichtigste Vorschlagswert ist der Steuerschlüssel, über den Sie später im Auftrag Folgendes steuern:

- ob der Vorgang in die Kalkulation einfließen soll
- ob der Vorgang terminiert werden soll
- ob der Vorgang Kapazitätsbedarfe erzeugen soll
- ob zu dem Vorgang eine Rückmeldung erwartet wird
- ob der Vorgang fremdbearbeitet werden soll
- ob im Vorgang Leistungsverzeichnisse aufgebaut werden sollen

Sie pflegen die Steuerschlüssel im Customizing mithilfe der Funktion **Steuerschlüssel pflegen**.

[!]

Nutzung des Steuerschlüssels

Mithilfe des Steuerschlüssels können Sie sehr fein aussteuern, welche betriebswirtschaftlichen Funktionen ein Vorgang haben soll (Kalkulieren, Drucken, Rückmelden, Fremdvergeben, Terminieren usw.)

Sie benötigen mindestens zwei Steuerschlüssel: einen Schlüssel für die Eigenbearbeitung und einen Schlüssel für die Fremdbearbeitung; die Verwendung weiterer Steuerschlüssel richtet sich nach dem jeweiligen Bedarf.

Den Steuerschlüssel sollten Sie im Arbeitsplatz auf jeden Fall als Vorschlagswert hinterlegen, damit Sie ihn in Arbeitsplan und Auftrag nicht immer manuell eingeben müssen.

Terminierungsdaten

Arbeitsplätze enthalten Terminierungsdaten, die für die Durchlaufterminierung benötigt werden. Die Terminierungsdaten pflegen Sie auf der Registerkarte **Terminierung** (siehe Abbildung 3.5).

Formeln zur Berechnung der Durchführungszeit

Dauer Rüsten

Dauer Bearbeiten

Dauer Abrüsten

Dauer Eigenbearb. SAP004 Proj.: Dauer EigenB.

Abbildung 3.5 Arbeitsplatz – Terminierung

[!]

Formel für die Dauer der Eigenbearbeitung

Wenn Sie später die Aufträge terminieren möchten, benötigt Ihr Arbeitsplatz zwingend eine Formel im Feld **Dauer Eigenbearb**. Diese muss auf das Feld DAUNO, also auf die Dauer aus dem Vorgang zeigen. Im SAP-Standard ist die Formel SAP004 hinterlegt.

Die Formel für die Dauer der Eigenbearbeitung können Sie mithilfe der Customizing-Funktion **Formelparameter Arbeitsplatz einstellen** überprüfen bzw. definieren.

Kapazitätsangebot

Arbeitsplätze enthalten Kapazitätsangebotsdaten, die für die Kapazitätsplanung benötigt werden. Das Kapazitätsangebot gibt an, welche Leistung eine Kapazität je Arbeitstag erbringt. Eine Kapazität ist immer einem Arbeitsplatz zugeordnet und wird in der Instandhaltung in der Regel in Stunden pro Woche ausgedrückt. Die Kapazitätsdaten werden auf der Registerkarte **Kapazitäten** gepflegt (siehe Abbildung 3.6).

Abbildung 3.6 Arbeitsplatz – Kapazitäten

[!]

Formel für den Bedarf der Eigenbearbeitung

Wenn Sie später für Ihren Arbeitsplatz eine Kapazitätsplanung durchführen möchten, benötigt Ihr Arbeitsplatz zwingend eine Formel im Feld **Bedarf Eigenb.** Diese muss auf das Feld ARBEI, also die Arbeit aus dem Vorgang, zeigen. Im Standard ist dies die Formel SAP008.

Überprüfen bzw. definieren können Sie dies mithilfe der Customizing-Funktion **Formelparameter Arbeitsplatz einstellen**.

Das Kapazitätsangebot wird im Arbeitsplatz auf der Registerkarte **Kapazitäten** über den Button [Kapazität] zeigt, welche Angaben Sie zu einem Kapazitätsangebot vornehmen können (siehe Abbildung 3.7).

Standardangebot

Beginnzeit	07:30:00			
Endezeit	16:30:00	Nutzungsgrad	75	
Pausendauer	01:00:00	Anzahl Einzelkapaz.	10	
Einsatzzeit	6,00	Kapazität	60,00	H

Abbildung 3.7 Arbeitsplatz – Kapazitätsangebot

Die meisten Angaben, die Sie z. B. in den Feldern **Beginnzeit**, **Endezeit**, **Pausendauer**, **Anzahl Einzelkapaz.** (= Anzahl der Handwerker) vornehmen müssen, sind unkritisch und gut zu ermitteln.

Wenn Sie in unterschiedlichen Perioden mit unterschiedlichen Besetzungen arbeiten, können Sie sogenannte Intervalle pflegen. Auch können Sie Mehrschichtenmodelle hinterlegen.

Kritisch ist der Nutzungsgrad: Dieser gibt in % an, welcher Anteil der Bruttokapazität den Handwerkern netto für geplante Aufträge zur Verfügung steht. Was muss von den 100 % abgezogen werden?

- persönlich bedingte Verteilzeiten (Toilette, ungeplante Pause, Betriebsversammlung usw.)
- Krankheit
- Urlaub
- ungeplante Aufträge

Der Anteil der ungeplanten Aufträge ist nur sehr ungenau abzuschätzen und gilt daher in der Instandhaltung als kritischer Faktor.

[!]

Nutzungsgrade in der Praxis

Ohne Berücksichtigung der ungeplanten Aufträge hat sich in der Praxis ein Nutzungsgrad von 65 % bis 75 % herauskristallisiert.

Zur Berücksichtigung der ungeplanten Aufträge haben Sie zwei Möglichkeiten:

- Sie berücksichtigen die ungeplanten Aufträge im Nutzungsgrad; dann reduziert sich der Nutzungsgrad entsprechend dem Anteil Ihrer ungeplanten Aufträge auf einen Wert zwischen 30 % und 50 %.
- Sie halten über die Anzahl der im Kapazitätsangebot angegebenen Einzelkapazitäten (= Anzahl der Handwerker) hinaus Personal vor, das Sie ausschließlich für ungeplante Aufträge einsetzen, sodass die im Kapazitätsangebot angegebenen Daten ausschließlich für geplante Aufträge zur Verfügung stehen.

Kalkulation Arbeitsplätze enthalten Kalkulationsdaten, die die Kalkulation von Vorgängen ermöglichen; Sie werden auf der Registerkarte **Kalkulation** gepflegt (siehe Abbildung 3.8). Überprüfen bzw. definieren können Sie dies mithilfe der Customizing-Funktion **Formelparameter Arbeitsplatz einstellen**.

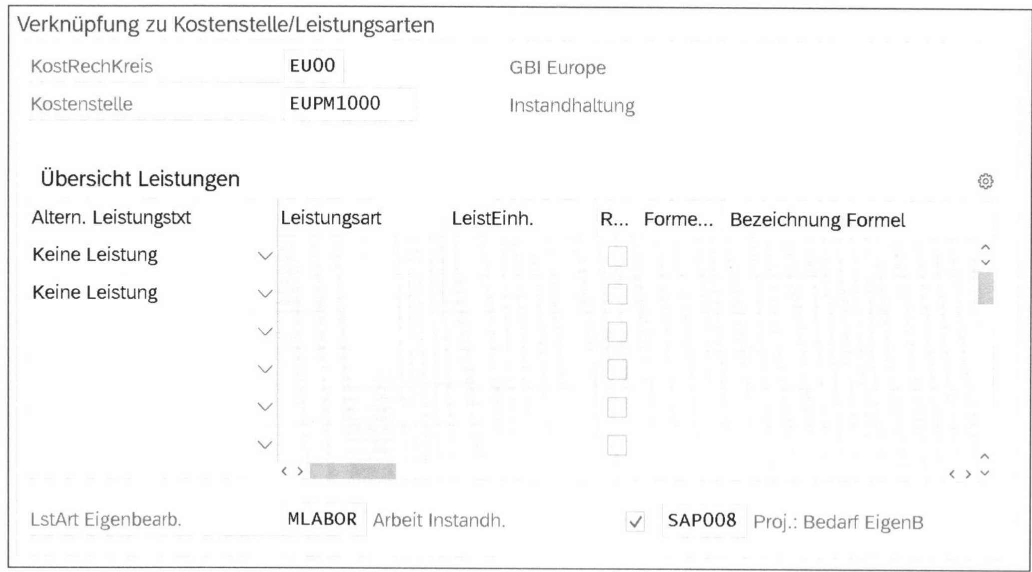

Abbildung 3.8 Arbeitsplatz – Kalkulation

Voraussetzungen für die Kalkulation

Wenn Sie später für Ihren Arbeitsplatz eine Kalkulation durchführen möchten, benötigt Ihr Arbeitsplatz zwingend:

- eine Kostenstelle
- eine Leistungsart
- eine Formel im Feld **Proj.: Bedarf EigenB**. Diese muss auf das Feld ARBEI, also die Arbeit aus dem Vorgang zeigen. Im Standard ist dies die Formel SAP008.

Wie Sie den dazugehörigen Verrechnungssatz im Controlling definieren, erfahren Sie in Abschnitt 6.2.8, »Controlling«.

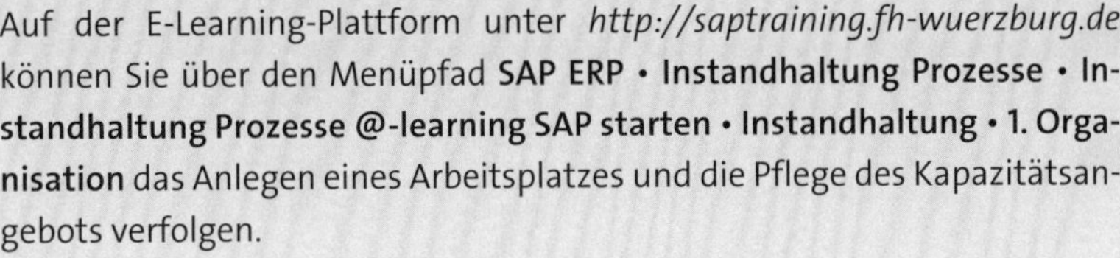

Beispielprozesse im Web

Auf der E-Learning-Plattform unter *http://saptraining.fh-wuerzburg.de* können Sie über den Menüpfad **SAP ERP • Instandhaltung Prozesse • Instandhaltung Prozesse @-learning SAP starten • Instandhaltung • 1. Organisation** das Anlegen eines Arbeitsplatzes und die Pflege des Kapazitätsangebots verfolgen.

Kapitel 4
Anlagenstrukturierung

4

Dieses Kapitel macht Sie mit den Strukturierungshilfsmitteln von EAM vertraut. Ich zeige Ihnen, für welchen Zweck Sie das jeweilige Hilfsmittel einsetzen können und für welchen nicht, und gebe Ihnen zahlreiche Hinweise dazu, worauf Sie bei der Anlagenstrukturierung achten sollten.

Die Basis, um mit SAP S/4HANA die Geschäftsprozesse in der Instandhaltung abbilden und anschließend abwickeln zu können, bildet eine anforderungsgerechte Anlagenstrukturierung. Und wenn die Erfahrungen aus meinen bisherigen Projekten eines gezeigt haben, dann ist es, dass jedes Unternehmen seine eigenen Vorstellungen davon hat, wie es seine technischen Anlagen in SAP S/4HANA Asset Management abbilden möchte; und jeder macht es daher anders – nicht einmal zwei der Unternehmen, die ich bislang kennengelernt habe, bedienten sich der gleichen Herangehensweise bei der Anlagenstrukturierung. Im Detail heißt das, dass jedes Unternehmen im Rahmen des Einführungsprojekts vor allem in Bezug auf die folgenden Fragen eigene Anforderungen entwickelt:

- Welche Strukturierungshilfsmittel sollen eingesetzt werden?
- Wie tief soll strukturiert werden?
- Ab welcher Strukturstufe soll welches Hilfsmittel zum Einsatz kommen?
- Welche Informationen sollen hinterlegt werden?
- Welche Funktionen sollen genutzt werden?
- In welchen Stufen sollen die Anlagen abgebildet werden?

Wenn Sie also vor der Einführung von SAP S/4HANA in der Instandhaltung stehen und Ihre technischen Anlagen dort abbilden möchten, sollten Sie sich zuvor unbedingt mit einigen Fragen auseinandersetzen und sie so gut, wie es Ihnen zu diesem Zeitpunkt möglich ist, für sich beantworten.

4.1 Was Sie tun sollten, bevor Sie Ihre Anlagen im SAP-System abbilden

Ich zeige Ihnen in diesem Abschnitt zunächst, welche Fragen Sie sich stellen und auch beantworten sollten, bevor Sie mit der Anlagenstrukturierung beginnen, und gebe Ihnen anschließend Hinweise zur Beantwortung dieser Fragen.

Grundsatz

Bei der Suche nach den Antworten sollte der Grundsatz gelten: so viel wie nötig, aber so wenig wie möglich.

Dies bedeutet für Sie: Finden Sie heraus, welche betriebswirtschaftlichen und technischen Anforderungen Sie haben, und suchen Sie nach dem einfachsten Weg, um diese in SAP S/4HANA abzubilden. Im weiteren Verlauf der Ausführungen werde ich Ihnen anhand vieler Beispiele aufzeigen, wie Sie diesen Grundsatz umsetzen können.

Frage 1: Welche Strukturierungshilfsmittel sollen überhaupt eingesetzt werden?

SAP S/4HANA Asset Management bietet Ihnen ein breites Spektrum an potenziellen Strukturierungshilfsmitteln: Technische Plätze, Referenzplätze, Equipments, Objektverbindungen, Serialnummern, Instandhaltungsbaugruppen, Materialien und verschiedene Arten von Stücklisten.

Technischer Platz

Technische Plätze repräsentieren eine komplexe, in der Regel mehrstufige Anlagenstruktur, wobei Sie jedes Element der Anlagenstruktur als Technischen Platz anlegen. Technische Plätze dienen also dazu, eine vertikale Anlagenstruktur aufzubauen. Sie stellen in der Regel funktionale Einheiten dar und haben eher immobilen Charakter. Beispiele sind Prozessanlagen in der Chemie und Pharmazie, Kraftwerke, Fließstraßen, Gebäude, Rohrleitungssysteme, Infrastruktur und Rechnernetzwerke.

Referenzplatz

Referenzplätze dienen ausschließlich als Vorlage, um daraus »echte« Strukturen für Technische Plätze generieren oder um später Daten auf »echte« Technische Plätze vererben zu können. Referenzplätze können nicht Gegenstand von Geschäftsprozessen (z. B. Störmeldungen) sein, sondern dienen lediglich als Referenzvorlage.

Equipment

Equipments repräsentieren einzelne Aggregate (Inventare) und haben eher mobilen Charakter. Beispiele sind Maschinen, Pumpen, Motoren, Fertigungshilfsmittel (FHM), Fahrzeuge (Pkws, Lkws, Stapler, Flurförderzeuge) und IT-Inventare (PCs, Drucker, Monitore, Notebooks, Beamer). Equipmenttypen, die nur selten bewegt werden (z. B. Pumpen), sind darauf ausgelegt, auf Technischen Plätzen eingebaut zu werden; andere Equipmenttypen (z. B. Fahrzeuge) werden aufgrund ihrer permanenten Beweglichkeit nicht auf Technischen Plätzen installiert.

Objektverbindung

Objektverbindungen bauen Sie zwischen verschiedenen technischen Objekten (Equipments oder Technischen Plätzen) auf. Solche Verbindungen gibt es z. B. zwischen Produktionseinheiten untereinander, zwischen Produktionsanlagen und Versorgungssystemen sowie zwischen Ver- und Entsorgungssystemen. Mit den Objektverbindungen bilden Sie ein sogenanntes Objektnetz ab. Somit können Sie Ihre Anlagen horizontal strukturieren. Objektverbindungen können nicht Gegenstand von Geschäftsprozessen (z. B. Störmeldungen) sein, sondern dienen lediglich der Information und Visualisierung.

Lineare Anlagen

Lineare Anlagen (Linear Asset Management) sind technische Systeme mit einer linearen Infrastruktur, deren Eigenschaften und Zustände sich von Abschnitt zu Abschnitt ändern können (dynamische Segmentierung). Beispiele für lineare Anlagen sind Pipelines, Straßennetze, Schienennetze, Überlandleitungen, Rohrleitungen usw. Sie können lineare Anlagen als technische Objekte (z. B. Technische Plätze, Equipments) anlegen und dort lineare Daten hinterlegen.

Material

Ein Material repräsentiert im Gegensatz zum Equipment kein Einzelstück, sondern einen Objekttyp, also z. B. den Typ *Pumpe normalsaugend 400–100* oder den Typ *Drehstrom-Normmotor SM/I, 220/380V, 50Hz, 0.18kW*. Hinter einem Material verbirgt sich eine gewisse Anzahl von Objekten des jeweiligen Typs; Materialien benötigen Sie für Ersatzteile, für lagerfähige Equipments und Instandhaltungsbaugruppen (IH-Baugruppen).

IH-Baugruppe

Eine IH-Baugruppe dient als Element, um einen Technischen Platz oder ein Equipment tiefer zu strukturieren. So könnte beispielsweise ein Stapler aus den IH-Baugruppen *Hubgerüst*, *Chassis*, *Bremsanlage* und *Antriebsaggregat* bestehen. Eine IH-Baugruppe können Sie einer Meldung, einem Auftrag oder einem Wartungsplan zur Spezifizierung des Schadensortes zuordnen.

Serialnummer

Serialnummern legen Sie zu einer Materialnummer an, wobei es zu einer Materialnummer beliebig viele Serialnummern geben kann. Eine Serialnummer ist ein Einzelstück und entspricht somit einem Equipment. Die Serialnummernfunktion erlaubt es Ihnen, das Equipment auf Lager zu legen. Im Hinblick auf die Verwendungsweise entspricht eine Materialserialnummer einem Equipment.

Equipmentstückliste

Eine Equipmentstückliste beinhaltet in der Regel eine Liste von Ersatzteilen und ist einem Equipment direkt zugeordnet. Dies bedeutet, dass diese Stückliste nur von diesem einen Equipment verwendet werden kann.

Technische Platzstückliste

Eine Technische Platzstückliste beinhaltet in der Regel eine Liste von Ersatzteilen und ist einem Technischen Platz direkt zugeordnet. Das heißt, dass diese Stückliste nur von diesem einen Technischen Platz verwendet werden kann.

Materialstückliste

Eine Materialstückliste beinhaltet ebenfalls eine Liste von Ersatzteilen. Sie können die Materialstückliste aber über eine sogenannte indirekte Zuordnung für beliebig viele Equipments und/oder Technische Plätze verfügbar machen.

Sie könnten nun alle Hilfsmittel zum Einsatz bringen. Vermeiden Sie dies aber nach Möglichkeit, und beachten Sie vielmehr den folgenden Grundsatz:

[!]

So wenige Hilfsmittel für die Strukturierung wie möglich

Setzen Sie so wenige verschiedene Strukturierungshilfsmittel wie möglich ein. Je mehr Strukturierungshilfsmittel Sie verwenden, desto schwerer fällt Ihnen im Einzelfall die Entscheidung, in welche Kategorie Sie ein spezielles Objekt einordnen, und desto mehr Fehler werden Ihnen unterlaufen: Ist dies ein Equipment oder vielleicht doch eine Baugruppe oder doch eher ein Material?

Wenn Sie diesem Grundsatz folgen, tun Sie sich nicht nur bei der Definition und Erfassung Ihrer technischen Anlagen leichter, sondern es wird sich auch positiv auf die Abbildung und Durchführung Ihrer Geschäftsprozesse auswirken. Abschnitt 4.2, »SAP-Hilfsmittel zur Anlagenstrukturierung und wie Sie sie einsetzen sollten«, macht Sie mit den Strukturierungshilfsmitteln vertraut und zeigt Ihnen, welche Möglichkeiten sie bieten und welche Funktionen sie haben. Ich gebe Ihnen in Abschnitt 4.2 nicht nur Hinweise dazu, wozu Sie welches Hilfsmittel einsetzen können, sondern vor allem auch dazu, an welcher Stelle Sie kein Hilfsmittel einsetzen sollten. Entscheiden Sie dann, welche der angebotenen Hilfsmittel Ihnen sinnvoll erscheinen.

Frage 2: Wie tief soll strukturiert werden?

Wie viele Ebenen?

Die Frage nach der Tiefe der Struktur heißt konkret: Wie viele Strukturebenen Ihrer technischen Anlagen bilden Sie im SAP-System ab? Bevorzugen Sie eine feine Anlagenstruktur, und strukturieren Sie bis auf das letzte Ersatzteil? Oder bevorzugen Sie eine grobe Struktur, und bilden Sie nur die ersten drei bis vier Ebenen Ihrer technischen Anlagen ab? Auch hierauf muss jeder seine individuelle Antwort finden.

Ich kann Ihnen in diesem Buch leider kein allgemeingültiges Erfolgsrezept an die Hand geben, sondern Sie nur auf die jeweiligen Vor- und Nachteile hinweisen (siehe Tabelle 4.1).

Feine Anlagenstruktur	Grobe Anlagenstruktur
besseres Erkennen von Schwachstellen	weniger Aufwand für die Erfassung und Pflege der Anlagendaten
besseres Erkennen von Kostentreibern	weniger Wartungspläne
exaktere Hinterlegung von Vorschlagswerten	leichtere Zuordnung bei Meldungen und Aufträgen

Tabelle 4.1 Feine vs. grobe Anlagenstruktur

Feine Struktur

Für eine möglichst feine Struktur spricht, dass Sie sich damit in die Lage versetzen, später möglichst genaue und gezielte Auswertungen durchzuführen, um z. B. Schwachstellen oder Kostentreiber ausfindig zu machen. Detaillierte Strukturen ermöglichen Ihnen andererseits die exakte Hinterlegung von Vorschlagswerten, wie z. B. Kostenstelle, Adresse, Planergruppe oder verantwortlichem Arbeitsplatz. Exakte Vorschlagswerte erhöhen die Benutzerakzeptanz und beschleunigen die Geschäftsprozesse.

Dies erkaufen Sie sich jedoch mit einigen Nachteilen: hoher Aufwand bei der Erfassung und Pflege der Stammdaten, mehr Wartungspläne, höheres Auftragsvolumen, Probleme beim Zuordnen der Meldungen und Aufträge.

Grobe Struktur

Aus den Nachteilen der feinen Anlagenstruktur ergeben sich die folgenden Vorteile der groben Anlagenstruktur: weniger Aufwand bei der Erfassung und Pflege der Anlagendaten, weniger zu erfassende Wartungspläne, einfaches Zuordnen der Meldungen und Aufträge, weniger Aufträge und Meldungen.

Zahlenbeispiel

Lassen Sie mich die Problematik des Mengengerüsts anhand eines Zahlenbeispiels verdeutlichen: Normalerweise ergibt sich von Ebene zu Ebene ein Multiplikator von 4–6. Strukturiert man also einen Technischen Platz in eine untergeordnete Ebene, hängen dann durchschnittlich vier bis sechs Technische Plätze darunter.

Was bedeutet das für Sie? Angenommen, Sie hätten 50 Anlagen und im Mittel fünf Positionen in der nächsten Strukturstufe, dann ergäbe sich die in Tabelle 4.2 gezeigte Anzahl an technischen Objekten. Sie sehen dort, wie viele technische Objekte Sie insgesamt bei welcher Anzahl von Strukturstufen hätten – unabhängig davon, ob es sich um Equipments, Technische Plätze oder etwas anderes handelt.

Wenn Sie sich für ... Strukturstufen entscheiden würden, ...	... ergäbe dies folgende Anzahl an technischen Objekten
1	50
2	300
3	1.500
4	7.500
5	37.500
6	187.500
7	937.500
8	4.687.500

Tabelle 4.2 Anzahl der technischen Objekte

Die Anzahl der technischen Objekte wächst also nicht linear, sondern exponentiell in Abhängigkeit der Anzahl der Strukturstufen. An diesem einfachen Beispiel wird deutlich, was exponentielles Wachstum in Zahlen ausgedrückt bedeutet.

Breit oder tief strukturieren?

Aufgrund meiner Erfahrungen aus verschiedenen Projekten kann ich Ihnen im Hinblick auf die Anlagenstrukturierung die folgende Empfehlung geben – und diese Strategie hat sich bei vielen Anwendern schon bewährt:

1. Bilden Sie zunächst Ihre Anlagen flächendeckend mit einer groben Struktur ab.
2. Brechen Sie diese Struktur später gezielt (nicht flächendeckend!) dort herunter, wo es Ihnen notwendig erscheint.

Zum Beispiel könnten Sie die Struktur an den Stellen verfeinern, an denen Ihnen die Aussagekraft der Schwachstellenanalyse als zu gering erscheint oder an denen Sie kostenintensive Anlagen ausgemacht haben.

Die Vorgehensweise, von Anfang an flächendeckend tief zu strukturieren, birgt das Problem, dass Sie möglicherweise wieder Strukturebenen zurücknehmen müssen. Dies ist wiederum – wenn überhaupt möglich – mit sehr viel Aufwand und Nachteilen verbunden.

Frage 3: Nach welchen Kriterien sollen die Anlagen strukturiert werden?

Auch auf die Frage, nach welchen Kriterien die Anlagen strukturiert werden sollen, gibt es keine eindeutige Antwort. Dies hängt vielmehr von Ihren Anforderungen, vor allem bezüglich Handhabbarkeit, Berichtswesen usw. ab. Grundsätzlich können Sie nach den folgenden Kriterien strukturieren:

- räumliche Kriterien (z. B. Anlagen in Gebäude A, Gebäude B usw.)
- funktionale Kriterien (z. B. alle Pumpen bekommen eine gemeinsame übergeordnete Struktur)
- produktions-, verfahrens- oder prozessorientierte Kriterien (z. B. Produktionsstraße C, chemische Anlage D, Energieversorgung E, Klimatechnik F usw.)

Frage 4: Ab welcher Strukturstufe soll welches Hilfsmittel zum Einsatz kommen?

Die in der Praxis am häufigsten anzutreffende Strukturierungsreihenfolge ist Technischer Platz → Equipment → Stückliste (siehe Abbildung 4.1).

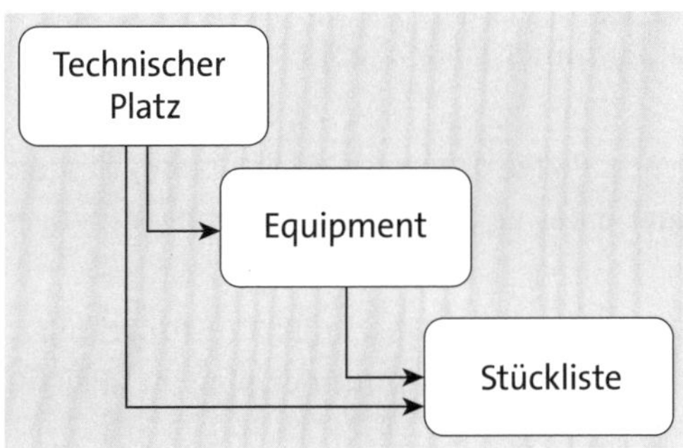

Abbildung 4.1 Strukturierungsreihenfolge

Die Frage, ab welcher Ebene welches Strukturierungshilfsmittel zum Einsatz kommt, lässt sich also in drei Teilfragen zerlegen:

Frage 4.1: Wo liegt die Grenze zwischen Technischem Platz und Equipment?

Die Antwort auf diese Frage ergibt sich daraus, welche Funktionen Sie im System abbilden möchten und ob diese Funktionen mit Technischen Plätzen oder mit Equipments besser erfüllt werden können. Waren anfangs Technische Plätze und Equipments funktional noch sehr verschieden, haben sich die Funktionen über die verschiedenen Releasestände hinweg immer mehr angenähert, sodass heute beide technischen Objekte über nahezu dieselben Funktionen verfügen. Geblieben sind die folgenden wesentlichen Unterschiede zwischen Technischen Plätzen und Equipments:

- Der grundsätzliche Unterschied zwischen Technischen Plätzen und Equipments ist darin zu sehen, dass Technische Plätze darauf ausgelegt sind, mehrstufige, komplexe Anlagenstrukturen abzubilden, während Equipments einzelne Aggregate abbilden sollen. Im Umkehrschluss heißt dies, dass mehrstufige Anlagenstrukturen zwar grundsätzlich auch mit Equipments abgebildet werden können, diese Vorgehensweise aber schnell an ihre Grenzen stößt. Genauso ist die Abbildung von einzelnen Geräten mit Technischen Plätzen nur bedingt möglich.
- Technische Plätze können nicht gelagert werden, während Equipments mithilfe der Serialnummer lagerfähig sind.
- Equipments repräsentieren bewegliche Inventare, d. h., sie werden im Laufe der Zeit in unterschiedlichen Anlagen eingebaut und können damit eine sogenannte Einsatzhistorie dokumentieren.
- Spezielle Fahrzeugdaten können nur für Equipments gepflegt werden.
- Das Equipment hat eine interne und eine externe Nummernvergabe, während die Technische Platznummer ausschließlich extern zu vergeben ist.
- Die Nummer eines Technischen Platzes kann im Nachhinein geändert werden, während die Nummer eines Equipments für immer fest zugeordnet ist.
- Der Geschäftsprozess *Aufarbeitung* (siehe Abschnitt 5.6) funktioniert nur mit Equipments (genauer: Materialserialnummern), nicht aber für Technische Plätze.
- Der Geschäftsprozess *Subcontracting* (siehe Abschnitt 5.7) funktioniert nur mit Equipments (genauer: Materialserialnummern), nicht aber für Technische Plätze.
- Der Geschäftsprozess *Kalibrierung von Prüf- und Messmitteln* (siehe Abschnitt 5.10) funktioniert nur mit Equipments, nicht aber für Technische Plätze.
- Der Geschäftsprozess *Pool Asset Management* (siehe Abschnitt 5.12) funktioniert nur, wenn der Pool als Technischer Platz und die auszuleihenden Geräte als Equipments angelegt sind.

In Tabelle 4.3 finden Sie einen übersichtlichen Vergleich zwischen den verschiedenen Eigenschaften von Equipments und Technischen Plätzen.

	Equipment	Technischer Platz
Abbildung komplexer Strukturen	bedingt	ja
Abbildung von Einzelgeräten	ja	bedingt
Interne Nummernvergabe	ja	nein
Externe Nummernvergabe	ja	ja
Änderung von Nummern	nein	ja
Lagerfähigkeit	ja	nein
Einsatzhistorie	ja	ja
Aufarbeitung	ja	nein
Subcontracting	ja	nein
Kalibrierung	ja	nein
Pool Asset Management	ja	ja

Tabelle 4.3 Übersicht über die Unterschiede zwischen Equipments und Technischen Plätzen

[!]

Komplexe Strukturen und Einzelgeräte

Bilden Sie mehrstufige Anlagenstrukturen über eine Hierarchie der Technischen Plätze und einzelne Geräte wie Maschinen oder Fahrzeuge als Equipments ab.

Frage 4.2: Wo liegt die Grenze zwischen Technischem Platz und Stückliste?

Auch diese Frage lässt sich am besten beantworten, indem man die jeweiligen Funktionen betrachtet:

- Technische Plätze repräsentieren individuelle Aggregate und lassen somit eine Einzelhistorie zu. Die Positionen einer Stückliste werden hingegen durch eine Materialnummer gebildet, repräsentieren somit einen Aggregatstyp und erlauben deshalb keine Einzelhistorie, keine Kostenverfolgung usw.

- Technische Plätze können als Bezugsobjekte in Meldungen, Aufträgen und Wartungsplänen fungieren, Stücklisten hingegen nicht.
- Technische Plätze sind nicht lagerfähig, während die Stücklistenpositionen lagerfähig sind.

Tabelle 4.4 stellt die Merkmale von Stückliste und Technischem Platz gegenüber.

	Stücklistenposition	Technischer Platz
Individuelle Aggregate	nein	ja
Bezugsobjekt von Meldungen, Aufträgen und Wartungsplänen	bedingt	ja
Lagerfähig	ja	nein

Tabelle 4.4 Übersicht über die Unterschiede zwischen Stücklistenpositionen und Technischen Plätzen

[!]

Technischer Platz oder Stücklistenposition?

Die funktionalen Einheiten, für die eine Einzelhistorie notwendig ist, bilden Sie als Technische Plätze ab. Die Teile, die im Lager liegen und für die Sie keine gesonderte Einzelhistorie benötigen, bilden Sie als Materialnummer in der Stückliste ab.

Frage 4.3: Wo liegt die Grenze zwischen Equipment und Stückliste?

Da – wie Sie mittlerweile wissen – Equipments mithilfe der Serialnummer lagerfähig sind, verbleiben zwischen Equipments und Stücklisten nur die beiden folgenden Funktionsunterschiede:

- Equipments repräsentieren individuelle Inventare und lassen somit eine Einzelhistorie und Kostenverfolgung zu. Die Positionen einer Stückliste werden hingegen durch eine Materialnummer gebildet, repräsentieren somit einen Aggregatstyp und erlauben deshalb keine Einzelhistorie.
- Equipments können Bezugsobjekte in Meldungen, Aufträgen und Wartungsplänen sein, Stücklisten hingegen nicht.

Tabelle 4.5 stellt die Merkmale von Equipment und Stückliste einander gegenüber.

	Stücklistenposition	Equipment
Einzelhistorie	nein	ja
Bezugsobjekt von Meldungen, Aufträgen und Wartungsplänen	bedingt	ja
Lagerfähig	ja	ja

Tabelle 4.5 Übersicht über die Unterschiede zwischen Equipments und Stücklisten

[!]

Equipment oder Stücklistenposition?

Inventare, für die eine Einzelhistorie notwendig ist, bilden Sie als Equipments ab; Inventare, bei denen dies nicht notwendig ist, bilden Sie als Materialnummer bzw. in der Stückliste ab.

Frage 5: Wie erfolgt die Nummernvergabe?

In IT-Systemen gibt es grundsätzlich zwei Arten der Nummernvergabe:

- **Interne Nummernvergabe**
  Sie legen ein Nummernkreisintervall fest, und das SAP-System vergibt beim Anlegen die nächste freie Nummer.
- **Externe Nummernvergabe**
  Sie vergeben beim Anlegen die Nummer des technischen Objekts manuell.

Frage 5.1: Wie erfolgt die Nummernvergabe bei Technischen Plätzen?

Strukturkennzeichen

Bei einem Technischen Platz vergeben Sie immer eine externe Nummer nach dem sogenannten Strukturkennzeichen. Diese Nummer des Technischen Platzes vergeben Sie manuell – nach Vorgabe durch das Strukturkennzeichen.

Das Strukturkennzeichen definieren Sie im Customizing und legen darüber Folgendes fest (siehe Abbildung 4.2):

- aus wie vielen Stufen die Anlagenstruktur bestehen soll
- wie viele Stellen die Nummer in den einzelnen Stufen haben soll und nach welcher Regel die Nummer des Technischen Platzes aufgebaut sein soll:

- A: Buchstaben
- N: numerische Zeichen
- X: alphanumerische Zeichen

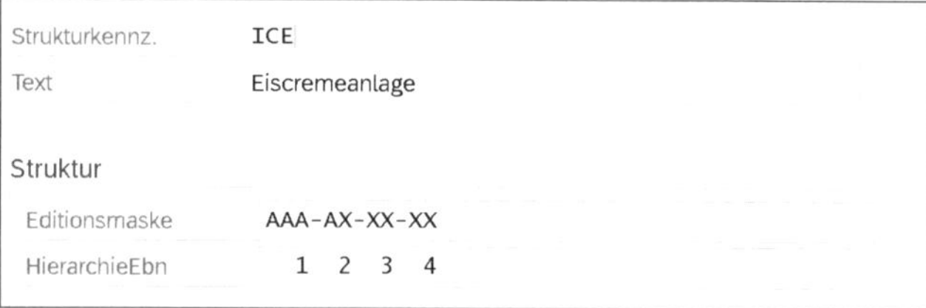

Abbildung 4.2 Strukturkennzeichen

Generische Nummernvergabe oder nicht? Eine weit verbreitete Fehleinschätzung ist, dass das SAP-System nur generische Nummern zulässt, also z. B.:

- 1. Stufe: ICE
- 2. Stufe: ICE-M1
- 3. Stufe: ICE-M1-01

Dies ist nicht korrekt, denn das SAP-System erlaubt es, die Namensgenerik zu durchbrechen, also z. B.:

- 1. Stufe: ICE
- 2. Stufe: ICE-M1
- 3. Stufe: P1001

[!]

Nummer des Technischen Platzes

Wenn Sie bereits andere Systeme (wie z. B. CAD oder DMS) im Einsatz haben, die die Nummer des Technischen Platzes verwenden, können Sie die bestehende Nummer auch im SAP-System verwenden und nichtgenerische Nummern vergeben.

Überlegen Sie sich Ihre Nummerierung im Vorfeld genau, und stimmen Sie die Handhabbarkeit mit Anwendern und Fachleuten ab.

Eine nachträgliche Änderung der Nummer des Technischen Platzes ist zwar unter bestimmten Voraussetzungen möglich (z. B. bei eingeschalteter alternativer Kennzeichnung), wird unter Umständen aber sehr aufwendig.

Vermeiden Sie die Verwendung von Organisationsabkürzungen in der Technischen Platznummer (z. B. Buchungskreis, Werk, Kostenstelle). Denn bei einer Umorganisation bestünde so auf jeden Fall die Notwendigkeit, die Technischen Plätze umzubenennen.

Frage 5.2: Wie erfolgt die Nummernvergabe bei Equipments?

Sie haben die Wahl, ob Sie die Equipmentnummern intern oder extern vergeben möchten. Tabelle 4.6 gibt Ihnen einen Überblick über die Vor- und Nachteile der beiden möglichen Verfahren. Entscheiden Sie selbst, welches Verfahren Ihnen für Ihr Unternehmen als geeignet erscheint.

Vorteile	Nachteile
▪ leichte Merkbarkeit ▪ gute Aussagekraft bei manueller Bearbeitung von Unterlagen ▪ leichte Synchronisation verschiedener Systeme ▪ Rückschlüsse anhand der Nummer	▪ lange Vorbereitungszeit ▪ Abstimmungsaufwand mit anderen Werken ▪ Platzen der Schlüssel ▪ Zuordnung in Grenzfällen oft schwierig bzw. nicht möglich ▪ Nummer kann nicht geändert werden

Tabelle 4.6 Externe Equipmentnummer – Vor- und Nachteile

Frage 6: Welche Informationen sollen hinterlegt werden?

Die Stammsätze der technischen Objekte verfügen über ein vordefiniertes Kontingent an Daten. Hierbei sind die folgenden Datenarten zu unterscheiden:

- Daten, die Sie auf der Basis Ihrer Anforderungen hinterlegen wollen oder müssen
- Daten, die sinnvollerweise aufgrund der Abbildung im SAP-System hinterlegt werden sollten (z. B. die Kostenstelle)

Doch auch hier muss der Grundsatz gelten: so viel wie nötig, aber so wenig wie möglich. Ein Datenfriedhof, der nur um seiner selbst willen aufgebaut wird, der niemanden interessiert, den sich niemand ansieht und der nur Aufwand bei der Erfassung und bei der Pflege bedeutet, ist nicht sinnvoll.

[!]

Daten und Informationen

Erfassen Sie nur Daten, die für Sie auch Informationen sind.

Darüber hinaus bietet SAP flexible Möglichkeiten, um die Stammdaten zu konfigurieren:

- Sie können das Layout des Stammsatzes selbst definieren (Anzahl, Reihenfolge, Name und Inhalt der Registerkarten).

- Die Definition des Layouts kann getrennt nach Objekttypen (Fahrzeuge, Anlagen, Pumpen, PCs usw.) erfolgen.
- Die Möglichkeit der Feldauswahl erlaubt es Ihnen, wichtige von unwichtigen Informationen zu unterscheiden und Felder, die nicht benötigt werden, auszublenden.

[!]

Eigene Layouts definieren

Machen Sie regen Gebrauch von der Möglichkeit, das Aussehen der Stammdaten selbst festzulegen, und entwerfen Sie eigene Layouts für Ihre Stammdaten: Bringen Sie z. B. die wichtigsten Informationen auf die erste Registerkarte, und blenden Sie unwichtige Felder aus (siehe Abschnitt 4.2, »SAP-Hilfsmittel zur Anlagenstrukturierung und wie Sie sie einsetzen sollten«).

Frage 7: Wie kommen die Stammdaten in das SAP-System?

Es gibt immer zwei Möglichkeiten, um Stammdaten in das SAP-System zu bringen: manuell oder automatisch.

Wenn Sie von einem anderen Instandhaltungsplanungs- und -steuerungssystem (IPS-System) zu SAP S/4HANA Asset Management wechseln oder wenn die Anlagendaten in sonstiger elektronischer Form vorliegen, sollten Sie grundsätzlich versuchen, diese Daten automatisch in das SAP-System zu bringen. Hierzu bietet SAP als Standard-Tool entweder die Transaktion IBIP oder die Datenübernahme-Workbench (Transaktion LSMW) an.

Wenn die Daten nicht in elektronischer Form vorliegen, benötigen Sie einen Plan für die Datenerhebung. Details zu diesen Aspekten finden Sie im Buch »Instandhaltung mit SAP – Customizing«, das ebenfalls bei SAP PRESS erschienen ist.

Frage 8: Können Datensätze einfach wieder gelöscht werden?

Einmal eingerichtete Technische Plätze oder Equipments können nur mithilfe der SAP-Archivierung aus dem System entfernt werden. Für das Löschen wären kaum realisierbare Voraussetzungen zu erfüllen. Denn beim Löschen werden unter anderem die folgenden Abhängigkeiten geprüft:

- ob noch Meldungen vorhanden sind
- ob noch Aufträge existieren
- wenn noch Aufträge vorhanden sind, ob es zu den Aufträgen noch Bestellanforderungen, Bestellungen, Rechnungen oder Materialentnahmebelege gibt

- ob Messbelege erfasst wurden
- ob noch Rückmeldebelege existieren

[!]

Löschen von Stammsätzen: geht nicht

Ein Equipment oder einen Technischen Platz, der schon eine gewisse Zeit im Einsatz war, können Sie so gut wie nicht mehr löschen.

Welche Alternative bietet sich Ihnen nun? Nicht benötigte Technische Plätze und Equipments sollten auf einen »Schrottplatz« umgehängt werden (siehe Abschnitt 4.2.1, »Technische Plätze und Referenzplätze«).

Frage 9: Welche der angebotenen Funktionen sollen genutzt werden?

Das SAP-System bietet Ihnen für die jeweiligen Strukturierungshilfsmittel eine Vielfalt an Funktionen an, die in dieser Breite und Tiefe in keinem anderen IPS-System anzutreffen ist. Die genaue Beschreibung der Funktionen erfolgt in Abschnitt 4.2, »SAP-Hilfsmittel zur Anlagenstrukturierung und wie Sie sie einsetzen sollten«, und einen tabellarischen Vergleich finden Sie in Abschnitt 4.2.

Diese Funktionsvielfalt eröffnet Ihnen viele Möglichkeiten, birgt aber gleichzeitig die Gefahr der Überfrachtung des Systems und der Überforderung der Anwender.

[!]

Funktionen streichen

Nehmen Sie die Liste aller Funktionen für die Stammdaten, und streichen Sie die Funktionen – auf dem Papier und aus Ihrem Hinterkopf –, die Sie nicht nutzen wollen.

Frage 10: Welche Strategie soll bei der Stammdatenerfassung verfolgt werden?

Die zehnte und letzte Frage gilt der Strategie für die Stammdatenerfassung, also in welchen Schritten bzw. in welchem Umfang die Stammdaten in das System übernommen werden sollen: Alle Stammdaten aller Werke auf einmal? Oder für ein Werk komplett? Oder nur für einen Bereich?

Diese letzte Frage kann nicht allgemeingültig beantwortet werden. Hier muss jedes Unternehmen aufgrund seiner Rahmenbedingungen (Größe, Struktur, Kompetenzen, Organisation, Anlagentypen usw.) seinen eigenen Weg finden. Nähere Ausführungen und Hinweise zur Einführungsstrategie finden Sie im bereits erwähnten Buch »Instandhaltung mit SAP – Customizing«.

Nach diesen Vorarbeiten und Vorüberlegungen sollte Ihnen nun nichts mehr dabei im Wege stehen, sich an die Anlagenstrukturierung in SAP S/4HANA Asset Management zu machen.

4.2 SAP-Hilfsmittel zur Anlagenstrukturierung und wie Sie sie einsetzen sollten

Die folgenden Abschnitte erläutern Ihnen nun die einzelnen technischen Objekte. Dabei werde ich die einzelnen Objektarten gegeneinander abgrenzen, den Funktionsumfang beschreiben und mögliche Einsatzgebiete umreißen.

4.2.1 Technische Plätze und Referenzplätze

Definition

Im letzten Abschnitt habe ich Ihnen schon die allgemeine Definition von Technischen Plätzen gegeben: Technische Plätze repräsentieren eine komplexe, in der Regel mehrstufige Anlagenstruktur und haben immobilen Charakter. Technische Plätze dienen also dazu, eine vertikale Anlagenstruktur aufzubauen.

Beispiele

Beispiele aus der Praxis sind:

- Prozessanlagen in Chemie-, Pharma- und Lebensmittelindustrie
- Kraftwerke wie Kohle-, Wasser- oder Kernkraftwerke
- Fließstraßen in der diskreten Fertigung
- komplexe Maschinen wie Automaten oder flexible Fertigungszellen
- Immobilien
- Strom-, Gas-, Wasser- und Wärmeversorgungsanlagen
- Rohrleitungssysteme
- Infrastruktureinrichtungen wie Straßen, Plätze, Gleise, Tunnel und Brücken
- Rechnernetzwerke
- komplexe Fahrzeuge wie z. B. Lokomotiven, ICE, Zugmaschinen
- Flugzeuge

Abbildung 4.3 zeigt Ihnen beispielhaft, wie eine prozessorientierte Anlagenstruktur aussehen könnte.

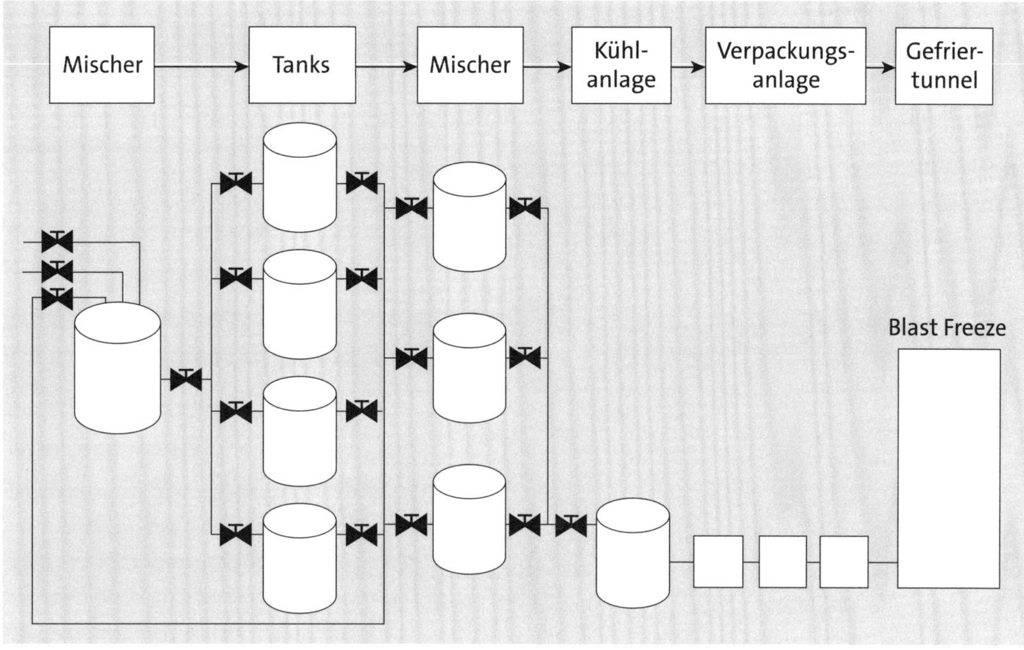

Abbildung 4.3 Anlagenstruktur einer Eiscremeanlage

Kriterien

Für welche Positionen der Anlagenstruktur legen Sie nun im SAP-System einen Technischen Platz an? Sie legen einen Technischen Platz in den folgenden Fällen an:

- Sie möchten aus der Instandhaltungssicht individuelle Daten, technische Daten (wie z. B. Leistungsdaten) oder organisatorische Daten (wie z. B. den Arbeitsplatz) verwalten.
- Sie möchten Meldungen, Aufträge oder Wartungspläne eröffnen.
- Sie möchten einen Asset Pool verwalten.
- Sie sind dokumentationspflichtig und müssen Nachweise über die durchgeführten Instandhaltungsmaßnahmen erbringen.
- Sie möchten technische Daten (wie Schadensursachen, Messwerte oder Zählerstände) sammeln und auswerten.
- Sie möchten einen Kostennachweis führen.
- Sie benötigen verschiedene Sichten auf die Anlagen (z. B. eine Sicht für die Elektrotechnik und eine Sicht für die Mess- und Regeltechnik).

Die Anlage aus Abbildung 4.3 könnten Sie, wie in Abbildung 4.4 dargestellt, im SAP-System hinterlegen (aufgerufen über die Transaktion IH01).

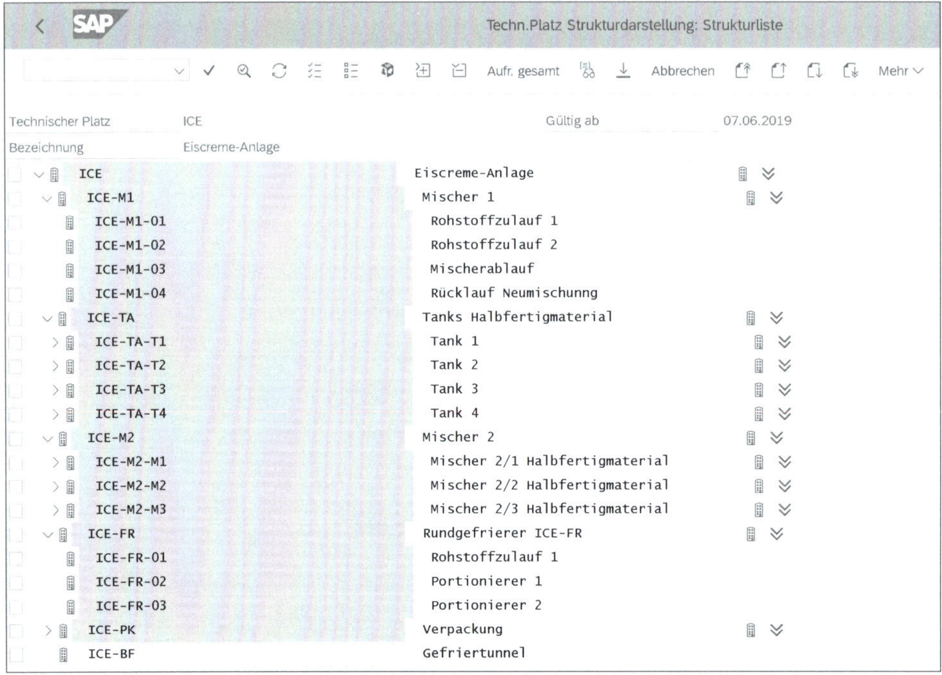

Abbildung 4.4 Strukturdarstellung der Eiscremeanlage

Anlegen von Technischen Plätzen – Einzelerfassung

Wenn Sie einen einzelnen neuen Technischen Platz anlegen möchten, starten Sie die Transaktion IL01. Anschließend wählen Sie das passende Strukturkennzeichen aus und vergeben die neue Nummer.

Die Nummer des Technischen Platzes kann maximal 30 Zeichen lang sein, bei eingeschalteter alternativer Kennzeichnung (siehe den noch folgenden Abschnitt »Alternative Kennzeichnungen«) beträgt die maximale Länge 40 Zeichen.

[!]

Oberster Technischer Platz: Werk

Wenn Sie das SAP-System in mehreren Werken nutzen, ist es in der Regel empfehlenswert, als erste Ebene das Werk selbst als Technischen Platz anzulegen. Vermeiden Sie aber die Verwendung der SAP-Werksnummer.

Begründung: Die Technische Platznummer vergeben Sie auf der Mandantenebene; das System kann deshalb nicht gleichzeitig einen Technischen Platz ICE im Werk 01 und im Werk 02 verwalten. Es empfiehlt sich also, die Technischen Plätze 01 bzw. 02 für die Werke anzulegen und für die eigentliche Anlage die Nummern 01-ICE und 02-ICE zu vergeben.

Bei allen weiteren Ebenen gilt: Aufgrund der vergebenen Nummer versucht das System, den neuen Technischen Platz in eine bestehende Anlagenstruktur einzuordnen.

Übergeordneten Technischen Platz setzen

Wenn das System den neuen Technischen Platz nicht automatisch einem übergeordneten Technischen Platz zuordnen kann, geben Sie auf dem Einstiegsbild der Transaktion IL01 unbedingt einen beliebigen übergeordneten Technischen Platz manuell ein, um Probleme bei der späteren Datenpflege zu vermeiden.

Abbildung 4.5 zeigt Ihnen das Einstiegsbild in die Einzelerfassung von Technischen Plätzen.

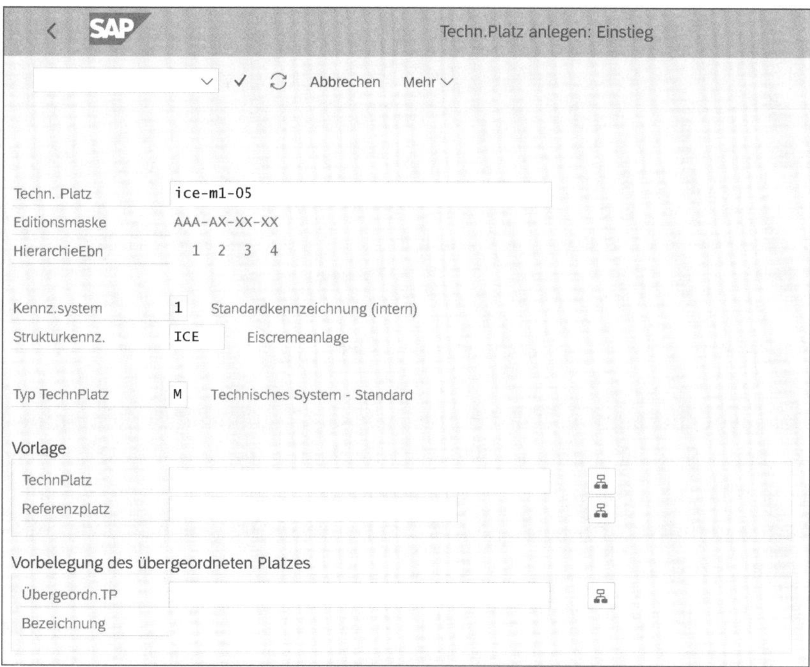

Abbildung 4.5 Transaktion IL01 – Anlegen eines Technischen Platzes

Schrottplatz einrichten

Da es sehr schwierig, wenn nicht sogar unmöglich ist, Stammdaten aus dem SAP-System zu löschen, sollten Sie neben den »echten« Technischen Plätzen zusätzlich einen »Schrottplatz« anlegen und alle nicht mehr benötigten Technischen Plätze und Equipments dorthin umhängen.

Layout Das Layout eines Technischen Platzes könnte z. B. wie in Abbildung 4.6 aussehen.

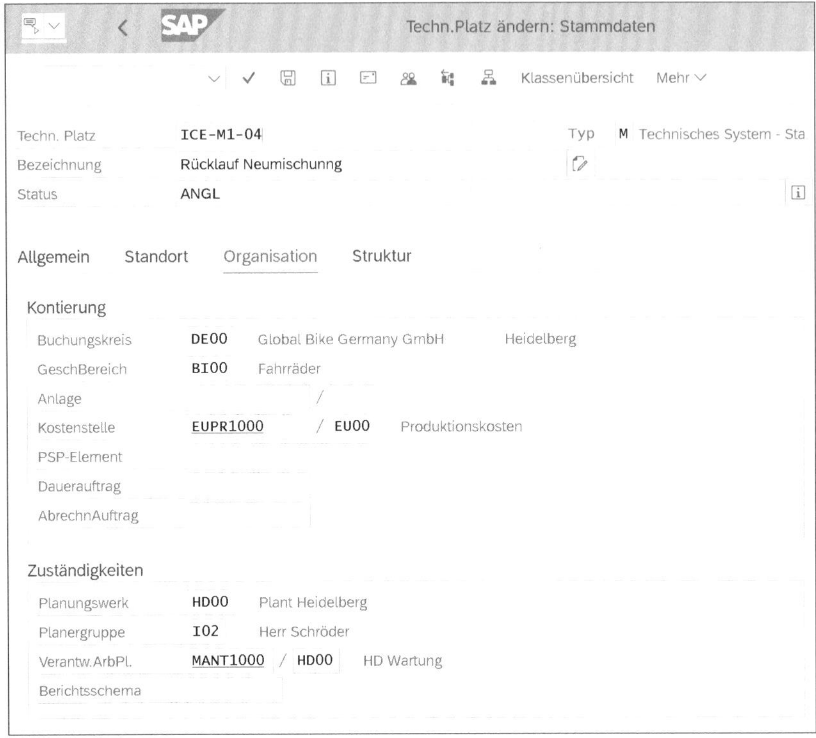

Abbildung 4.6 Layout von Technischen Plätzen

Das Layout der Stammsätze (Technischer Platz, Equipment, Serialnummer) ist relativ flexibel konfigurierbar. Mithilfe der Customizing-Funktion **Sichtenprofile für technische Objekte einstellen** können Sie mehrere Registerkarten definieren, und auf jeder Registerkarte können Sie bis zu vier Bildgruppen zuordnen.

Es stehen Ihnen die folgenden Bildgruppen zur Verfügung:

- allgemeine Daten (z. B. Größe, Gewicht, Inventarnummer)
- Bezugsdaten (z. B. Lieferant, Anschaffungswert, Anschaffungsdatum)
- Herstelldaten (z. B. Hersteller, Baujahr, Baumonat)
- Standortdaten (z. B. Standortwerk, Standort, Raum)
- Adresse (z. B. PLZ, Ort, Telefonnummer, Faxnummer)
- Kontierung (z. B. Kostenstelle, Anlage, Buchungskreis)
- Zuständigkeiten (z. B. Planergruppe, verantwortlicher Arbeitsplatz)
- Strukturierung (z. B. übergeordneter Technischer Platz, Position)

- Equipments (eingebaute Equipments)
- Kunden-/Lieferantendaten
- Standardklasse (Vollbild oder Teilbild)
- Partner (z. B. Partnerrolle, Name, Adresse)
- Langtext
- Garantie (Kundengarantie, Lieferantengarantie)
- Dokumente (Vollbild oder Teilbild)
- Benutzerdaten mit eigenen Feldern
- Logbuchdaten
- lineare Daten für Technische Plätze und Merkmale

[!]

Blenden Sie Felder aus

Die einzelnen Felder können Sie über die Bildsteuerung anpassen, d. h., Sie können unnötige Felder ausblenden oder wichtige Felder als Muss-Felder deklarieren. Nutzen Sie hierzu die Customizing-Funktion **Feldauswahl für Technische Plätze festlegen**.

Position

In vielen Anwendungsfällen ist es gewünscht, die Anzeige der Technischen Plätze und Equipments in der Reihenfolge der Produktionsschritte anzuzeigen. Verwenden Sie nun ausschließlich numerische Technische Platznummern, können Sie dies durch die Nummernvergabe erreichen. Verwenden Sie allerdings alphabetische oder alphanumerische Zeichen, sortiert das SAP-System die Technischen Plätze und Equipments in alphabetischer Reihenfolge und nicht in der Reihenfolge der Prozessschritte.

So finden Sie beispielsweise in der zweiten Ebene der Eiscremeanlage in Abbildung 4.4 die Reihenfolge M1 → TA → M2 → FR → PK → BF vor; dies erreichen Sie, indem Sie an die Technischen Plätze und Equipments aufsteigende Positionsnummern vergeben, in diesem Fall 10 → 20 → 30 → 40 → 50 → 60. Das Feld **Position** selbst ist vierstellig-alphanumerisch (siehe Abbildung 4.7).

[!]

Verwenden Sie die Position

Verwenden Sie das Feld **Position** in der Bildgruppe **Strukturierung**, um Ihre Technischen Plätze und Equipments zu ordnen. Achten Sie dabei auf einheitliche Konventionen, da z. B. der Wert 20 vor 3 einsortiert wird. Am besten verwenden Sie grundsätzlich vierstellige Positionsnummern (z. B. 0001 anstatt 1 oder 0030 anstatt 30).

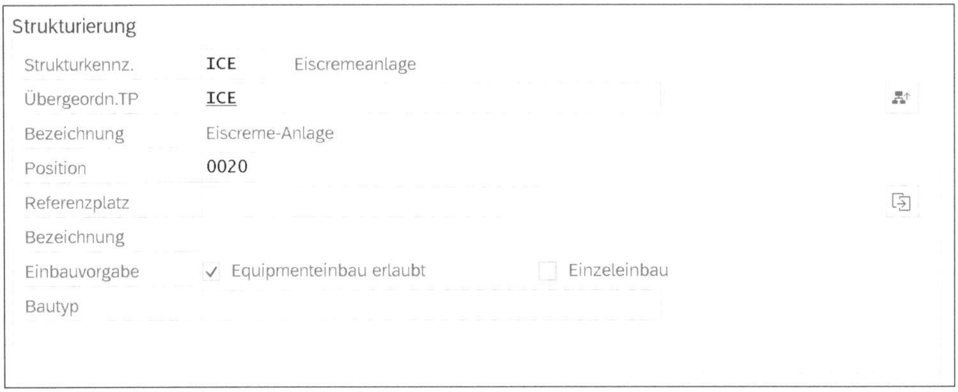

Strukturierung
Strukturkennz. ICE Eiscremeanlage
Übergeordn.TP ICE
Bezeichnung Eiscreme-Anlage
Position 0020
Referenzplatz
Bezeichnung
Einbauvorgabe ✓ Equipmenteinbau erlaubt ☐ Einzeleinbau
Bautyp

Abbildung 4.7 Positionsnummer

Arbeitsplatz und verantwortlicher Arbeitsplatz

Häufig werden die beiden Felder **Arbeitsplatz** in der Bildgruppe **Standortdaten** (siehe Abbildung 4.8) und **Verantwortlicher Arbeitsplatz** (**Verantw. Arb.Pl.**) in der Bildgruppe **Zuständigkeiten** (siehe Abbildung 4.9) verwechselt.

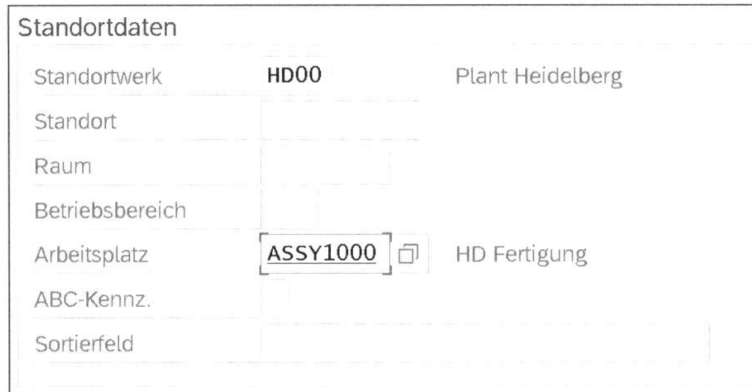

Abbildung 4.8 Arbeitsplatz

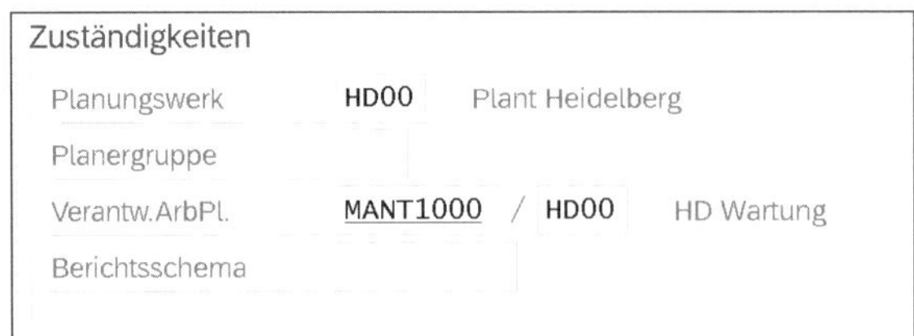

Abbildung 4.9 Verantwortlicher Arbeitsplatz

Ordnen Sie dem Technischen Platz einen Arbeitsplatz zu, wenn Sie möchten, dass später die geplanten Instandhaltungsaufträge in der Plantafel des Produktionsdisponenten (Transaktion CM21) erscheinen, um z. B. die Nichtverfügbarkeiten der Maschine sichtbar zu machen.

Ordnen Sie dem Technischen Platz einen verantwortlichen Arbeitsplatz zu, wenn Sie möchten, dass dieser Arbeitsplatz in der Instandhaltungsabwicklung in der Meldung und/oder dem Auftrag als ausführende Instandhaltungswerkstatt vorgeschlagen werden soll.

[!]

Arbeitsplatz vs. verantwortlicher Arbeitsplatz

Der *Arbeitsplatz* repräsentiert den Technischen Platz als Ressource in der Produktion (Produktionsarbeitsplatz in der SAP-Komponente Produktionsplanung und -steuerung, PP). Der *verantwortliche Arbeitsplatz* entspricht einer Instandhaltungswerkstatt.

Bautyp

Im Feld **Bautyp** in der Bildgruppe **Strukturierung** wird eine Materialnummer eingetragen, mit der alle gleichartigen Objekte zusammengefasst werden (siehe Abbildung 4.10). Damit sind Sie dann z. B. in der Lage, auf gleiche Stücklisten und Anleitungen zuzugreifen. Näheres finden Sie in Abschnitt 4.2.5, »Material und IH-Baugruppen«, Abschnitt 4.2.6, »Stücklisten«, und Abschnitt 5.2.5, »Abschluss«.

Strukturierung

Strukturkennz.	ICE	Eiscremeanlage
Übergeordn.TP	ICE-M2	
Bezeichnung	Mischer 2	
Position		
Referenzplatz		
Bezeichnung		
Einbauvorgabe	☑ Equipmenteinbau erlaubt	☐ Einzeleinbau
Bautyp	IPMP1000	
	Pumpe GG Etanorm 200-1000	

Abbildung 4.10 Bautyp

[!]

Bautyp als Klammer

Sie verwenden das Feld **Bautyp**, wenn Sie eine Verbindung zu einer Materialnummer, zur Stückliste dieses Materials oder zu Anleitungen herstellen möchten.

Anlegen von Technischen Plätzen – Sammelerfassung

Wenn Sie mehrere Technische Plätze auf einmal erfassen oder eine bereits angelegte Technische Platzstruktur kopieren möchten, verwenden Sie die

Transaktion IL04. Abbildung 4.11 zeigt Ihnen, wie Sie eine vorhandene Struktur ICE als Kopiervorlage auf eine Struktur ICB kopieren können. Sie nutzen hierzu den Button [Kopiervorlage] und bestimmen, welche Objekte von der Vorlage kopiert werden sollen.

Das System generiert nun eine vollständig neue Technische Platzstruktur ICB mit allen Technischen Plätzen und zeigt Ihnen für eventuelle Korrekturen die komplette Liste vor dem Sichern an.

Abbildung 4.11 Transaktion IL04 – Technischen Platz kopieren

Referenzplätze

Technische Referenzplätze stellen keine tatsächlich existierenden Anlagen dar, sondern dienen einzig und allein als Vorlage für echte Technische Plätze. Das heißt, Sie können aus Referenzstrukturen Technische Platzstrukturen kopieren. Im Unterschied zu einer Kopie mit einer Technischen Platzstruktur als Vorlage werden Änderungen an der Referenzstruktur an die daraus hervorgegangenen Technischen Platzstrukturen weitergegeben.

Allerdings enthält der Referenzplatz weitaus weniger Informationen als ein Technischer Platz. Ein Referenzplatz enthält die folgenden Informationen:

- Zuständigkeiten (z. B. Planergruppe, verantwortlicher Arbeitsplatz)
- Strukturierung (z. B. übergeordneter Referenzplatz, Position)
- Standardklasse
- Texte
- Dokumente

Alternative Kennzeichnungen

Alternative Kennzeichnungssysteme können für verschiedene Verwendungszwecke eingesetzt werden.

Nummern für unterschiedliche Sichtweisen

Zum einen können Sie einer Technischen Platzstruktur bzw. jedem einzelnen Platz innerhalb der Struktur für unterschiedliche Sichtweisen (wie in Abbildung 4.12 z. B. eigene Nomenklatur vs. Kundennomenklatur) mehrere Nummern zuweisen.

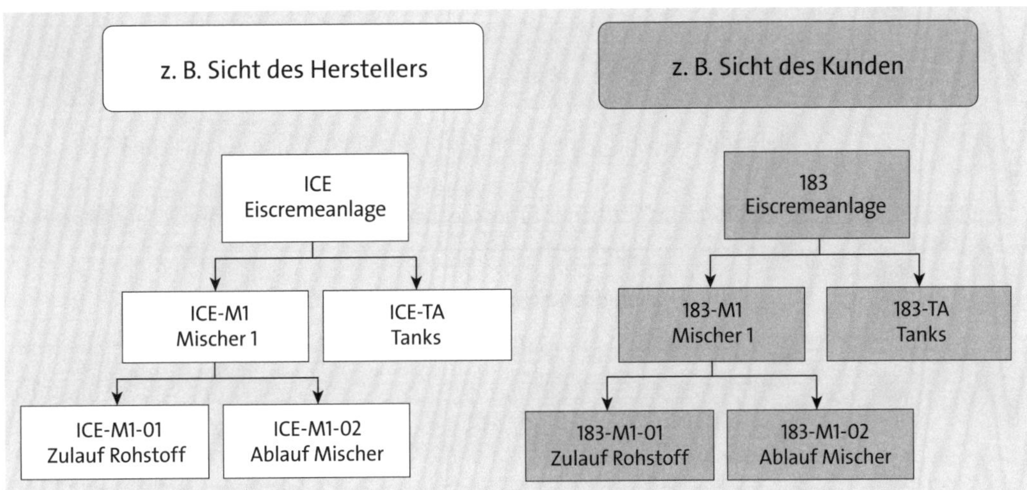

Abbildung 4.12 Alternative Kennzeichnung für die komplette Anlagenstruktur

Primäre und sekundäre Strukturen

Zum anderen können Sie primäre und sekundäre Technische Platzstrukturen (wie z. B. in Abbildung 4.13 eine primäre Struktur für die Energieversorgung und eine sekundäre Struktur für die Haustechnik) anlegen.

Auf der untersten Ebene, also dort, wo es sich um denselben physischen Platz handelt, vergeben Sie mehrere Nummern, und der Technische Platz erscheint in mehreren Auflistungen (Transaktion IL05). In der Strukturdarstellung (Transaktion IH01) wird immer die primäre Technische Platzstruktur dargestellt.

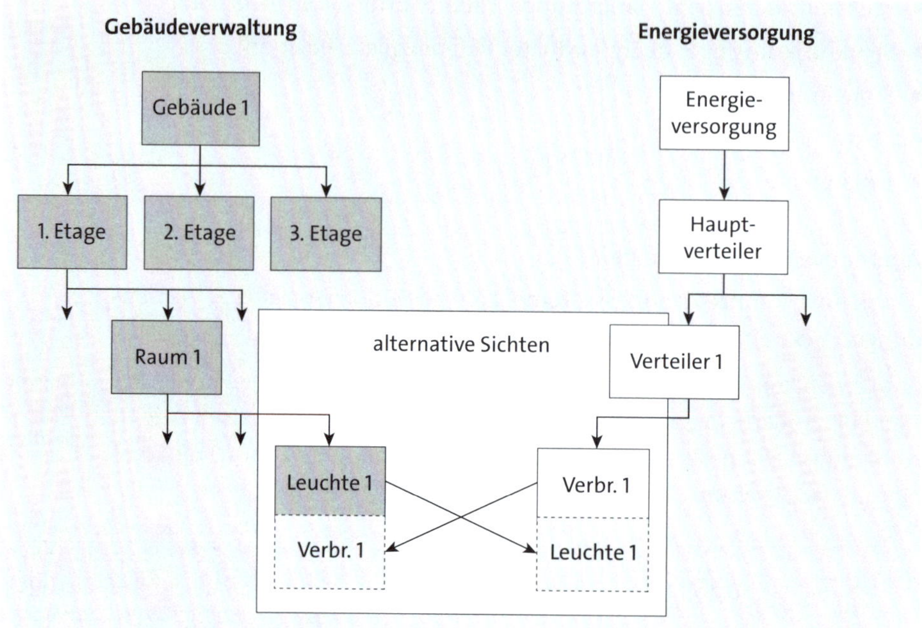

Abbildung 4.13 Alternative Kennzeichnung für einzelne Technische Plätze

Umbenennen von Technischen Plätzen

Sie können die Nummer eines Technischen Platzes ändern. Dies ist z. B. in den folgenden Fällen notwendig:

- Sie haben eine falsche Nummer vergeben.
- Sie verschrotten eine Anlage, aber verbauen Teile davon in eine andere Anlage.
- Ein Anlagenteil von einer Anlage wird in eine andere Anlage verbaut (siehe Abbildung 4.14).

[!]

Aktivieren Sie die alternative Kennzeichnung

Über die Customizing-Funktion **Alternative Kennzeichnung aktivieren** schalten Sie die alternative Kennzeichnung ein und können dann die Nummer des Technischen Platzes ändern. Die Aktivierung der alternativen Kennzeichnung kann allerdings nicht zurückgenommen werden.

Über die Customizing-Funktion **Kennzeichnungssysteme für Technische Plätze festlegen** legen Sie die verschiedenen Sichten fest, die Sie auf Technischen Plätze verwalten möchten.

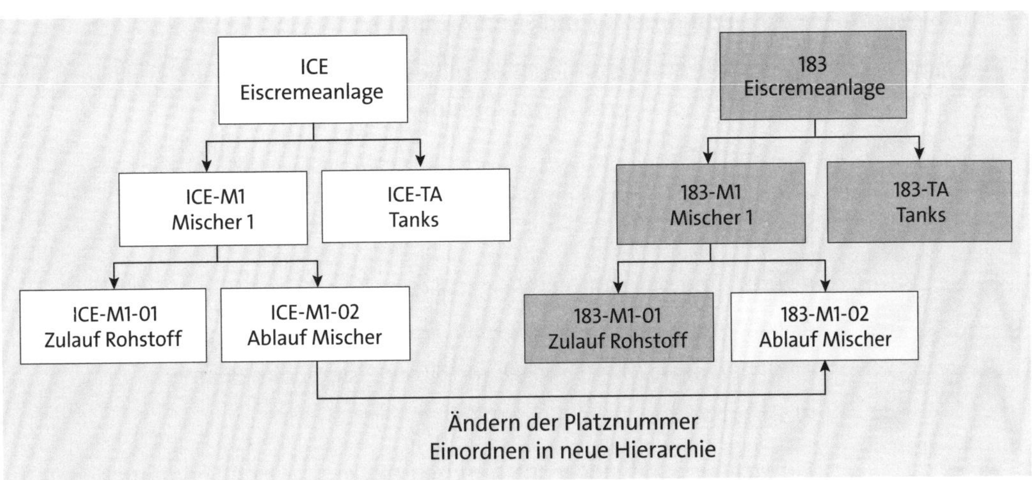

Abbildung 4.14 Alternative Kennzeichnung zur Änderung der Technischen Platznummer

Innerhalb eines Technischen Platzes können Sie nun über **Mehr • Zusätze • Alternative Kennzeichnungen • Übersicht** die Nummer des Technischen Platzes einsehen bzw. ändern (siehe Abbildung 4.15).

Technischer Platz: Kennzeichnung ändern

Kennzeichnungssystem	1	Standardkennzeichnung (intern)
Alte Kennzeichnung	ICB-TA-T4-02	
Neue Kennzeichnung	ICB-TA-T5-02	
Editionsmaske	AAA-AX-XX-XX	
Hierarchieebenen	1 2 3 4	
Strukturkennzeichen	ICE	Eiscremeanlage

Abbildung 4.15 Nummer des Technischen Platzes ändern

Beispielprozesse im Web

Auf der E-Learning-Plattform unter *http://saptraining.fh-wuerzburg.de* finden Sie über den Menüpfad **SAP ERP • Instandhaltung Prozesse • Instandhaltung Prozesse @-learning SAP starten • Instandhaltung • 2. Technische Anlagenstrukturen • 2.1 Verwalten von Technischen Plätzen** die Geschäftsprozesse zum Anlegen und Pflegen von Technischen Plätzen.

4.2.2 Equipments und Serialnummern

Definition und Beispiele

Equipments repräsentieren einzelne Aggregate (Inventare) und haben eher mobilen Charakter. Equipments könnten z. B. sein:

- Maschinen
- Produktionsmittel (Pumpen, Motoren)
- FHM (Werkzeuge)
- Prüf- und Messmittel (Waagen, Lehren)
- Fahrzeuge (Pkws, Lkws, Stapler, Flurförderzeuge)
- IT-Inventare (PCs, Drucker, Monitore, Notebooks, Beamer)
- Roboter

Für welche Geräte legen Sie nun im SAP-System einen Equipmentstammsatz an? Sie legen ein Equipment in den folgenden Fällen an:

- Sie bauen die Geräte auf Technischen Plätzen ein und möchten hierüber eine Einsatzhistorie nachweisen.
- Sie möchten die Geräte lagern.
- Sie möchten aus der Instandhaltungssicht individuelle Daten verwalten, technische Daten (wie z. B. Leistungsdaten) oder organisatorische Daten (wie z. B. den Arbeitsplatz).
- Sie möchten Meldungen, Aufträge oder Wartungspläne eröffnen.
- Sie sind dokumentationspflichtig und müssen Nachweise der durchgeführten Instandhaltungsmaßnahmen erbringen.
- Sie sammeln technische Daten (wie Schadensursachen, Messwerte oder Zählerstände) und möchten diese auswerten.
- Sie möchten einen Kostennachweis führen.
- Sie möchten an einem Gerät Aufarbeitungen durchführen.
- Sie möchten eine Lohnbearbeitung von einem externen Lieferanten durchführen lassen (Subcontracting).
- Sie verwalten Geräte in einem Pool und möchten den Ausleihprozess unterstützen.
- Sie möchten/müssen Kalibrierungen und Prüfungen durchführen.

Ein Equipment ist genauso wie ein Technischer Platz konfigurierbar. Ein Equipmentstammsatz könnte demzufolge wie in Abbildung 4.16 aussehen.

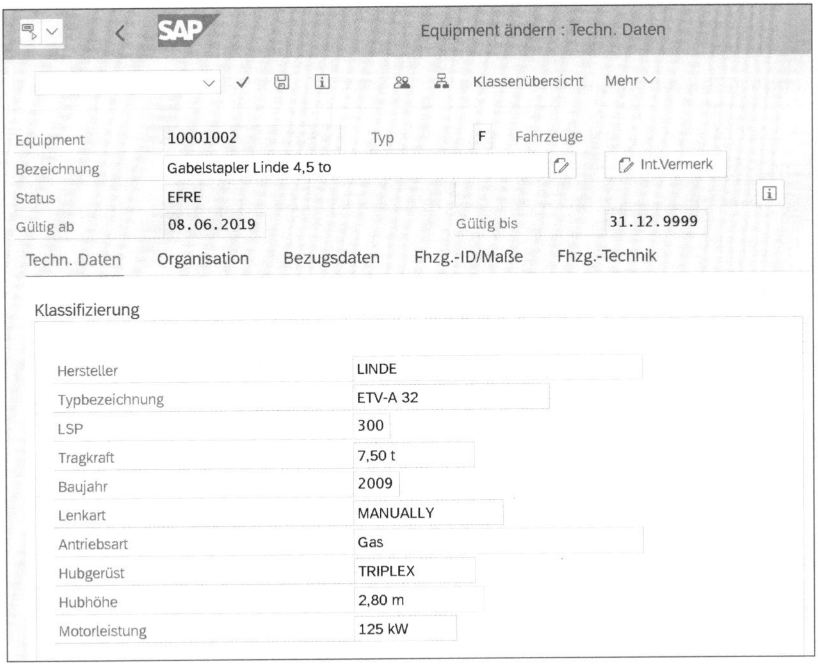

Equipment ändern : Techn. Daten

Klassenübersicht Mehr

Equipment	10001002	Typ	F Fahrzeuge
Bezeichnung	Gabelstapler Linde 4,5 to		Int.Vermerk
Status	EFRE		
Gültig ab	08.06.2019	Gültig bis	31.12.9999

Techn. Daten | Organisation | Bezugsdaten | Fhzg.-ID/Maße | Fhzg.-Technik

Klassifizierung

Hersteller	LINDE
Typbezeichnung	ETV-A 32
LSP	300
Tragkraft	7,50 t
Baujahr	2009
Lenkart	MANUALLY
Antriebsart	Gas
Hubgerüst	TRIPLEX
Hubhöhe	2,80 m
Motorleistung	125 kW

Abbildung 4.16 Equipmentstammsatz

Equipments auf Technischen Plätzen ein-/ausbauen

Auf der einen Seite gibt es Equipmenttypen, die von ihrer Konstruktion her so ausgelegt sind, dass sie auf Technischen Plätzen eingebaut werden; dies trifft z. B. auf Pumpen, Motoren oder Roboter zu. Bei anderen Equipmenttypen, wie z. B. Fahrzeugen, Werkzeugen usw., ist dies nicht der Fall.

Auf der anderen Seite gibt es auch Technische Plätze, bei denen man verhindern möchte, dass dort ein Equipment eingebaut wird, z. B. wenn Sie das Werk als Technischen Platz angelegt haben. Und es gibt Technische Plätze, die Einbaupositionen darstellen und deshalb für den Einbau von Equipments gedacht sind.

Voraussetzungen

Dementsprechend müssen bestimmte Voraussetzungen erfüllt sein, damit Sie ein Equipment auf einem Technischen Platz einbauen können.

Im Stammsatz des Technischen Platzes müssen Sie bei der Bildgruppe **Strukturierung** den Schalter **Equipmenteinbau erlaubt** setzen (siehe Abbildung 4.17).

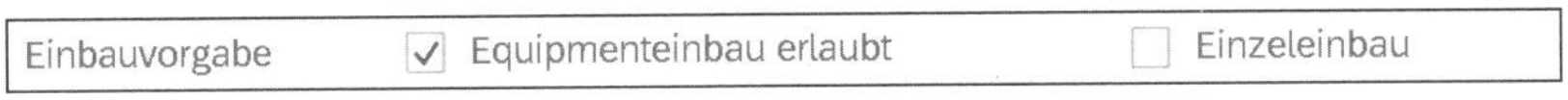

Einbauvorgabe ☑ Equipmenteinbau erlaubt ☐ Einzeleinbau

Abbildung 4.17 Einbauvorgabe am Technischen Platz

Wenn Sie darüber hinaus erreichen möchten, dass zu einem bestimmten Zeitpunkt nur ein Equipment eingebaut ist, aktivieren Sie zusätzlich den Schalter **Einzeleinbau**.

Aus Sicht des Equipments müssen Sie im Customizing mithilfe der Funktion **Einbau am Technischen Platz definieren** (**Einbau am T. Platz**) pro Equipmenttyp festlegen, ob er eingebaut werden darf oder nicht (siehe Abbildung 4.18).

Typ	Bezeichnung des Equipmenttyps	RefTyp	Einbau am T. Platz
F	Fahrzeuge	M	☐
G	Equipment/Anlagen	M	☑
M	Maschinen	M	☑
P	Fertigungshilfsmittel	P	☐
Q	Prüf- und Meßmittel	M	☐
S	Kundenequipment	S	☐

Abbildung 4.18 Einbauvorgabe des Equipmenttyps

Equipmenteinbau

Wenn diese Voraussetzungen erfüllt sind, können Sie den Einbau entweder aus Sicht des Equipments (Transaktion IE02) oder aus Sicht des Technischen Platzes (Transaktion IL02) vornehmen.

Führen Sie den Umbau aus Sicht des Equipments durch; verwenden Sie hierzu die Funktion **Einbauort ändern**. Dort bauen Sie das Equipment im ersten Schritt aus dem alten Einbauort aus und im zweiten Schritt in den neuen Einbauort ein (siehe Abbildung 4.19).

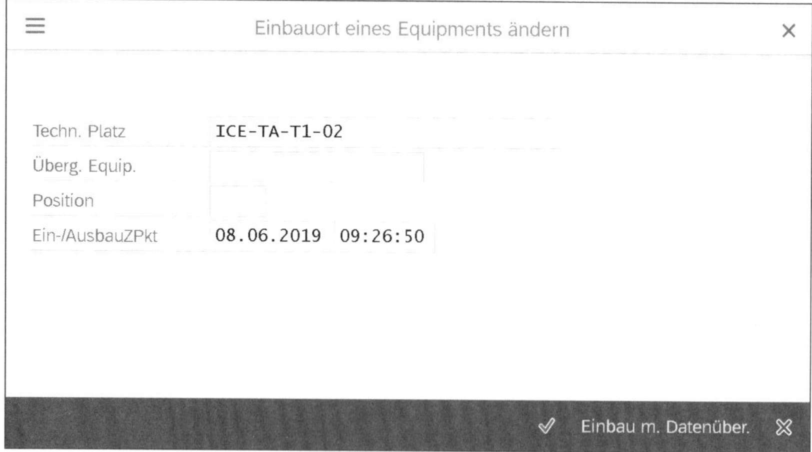

Abbildung 4.19 Ein-/Umbau eines Equipments

Einsatzhistorie

Wenn Sie darüber hinaus mithilfe der Customizing-Funktion **Fortschreibung Einsatzhistorie** die Einsatzhistorie pro Equipmenttyp aktiviert haben, wird automatisch die Historie fortgeschrieben. In der Historie ist verzeichnet, auf welchen Technischen Plätzen ein Equipment in welchen Zeitabschnitten eingebaut war. Diese Historie können Sie sich zum einen aus Sicht des Equipments über die Funktion **Mehr • Zusätze • Einsatzliste** (Transaktion IE02/03) oder aus Sicht des Technischen Platzes über die mehrstufige Technische Platzliste (Transaktion IL07) ansehen. Abbildung 4.20 zeigt die Einsatzliste aus Sicht eines Equipments.

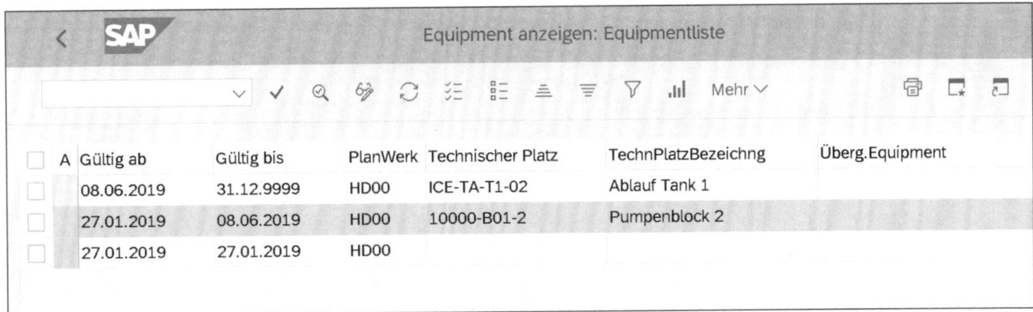

Abbildung 4.20 Einsatzliste eines Equipments

Equipment im Lager ein-/auslagern

Voraussetzungen

Wenn Sie die Funktion der Ein-/Auslagerung eines Equipments nutzen möchten, müssen zuvor einige Voraussetzungen erfüllt sein.

Sie müssen den Equipmentstamm um das Material-/Serialnummernsegment erweitern. Dies tun Sie, indem Sie im Equipmentstamm über **Mehr • Bearbeiten • Sichtenauswahl** das Segment **Serialnummer** aktivieren und das Equipment einer Materialnummer zuordnen (siehe Abbildung 4.21).

Sie weisen dem Materialstamm in der Bildgruppe **Allg. Werksparameter** ein sogenanntes **Serialnummernprofil** zu (siehe Abbildung 4.22).

Über den Schalter **SerEbene** legen Sie fest, ob die Serialnummer und die Equipmentnummer synchron gehalten werden sollen.

Das Serialnummernprofil pflegen Sie mithilfe der Customizing-Funktion **Serialnummernprofile festlegen**. Darin legen Sie unter anderem fest, ob die Angabe einer Serialnummer bei Warenbewegungen Pflicht ist, ob nur bestehende Serialnummern bewegt werden dürfen oder ob bei der Ein-/Auslagerung auch neue Serialnummern angelegt werden können.

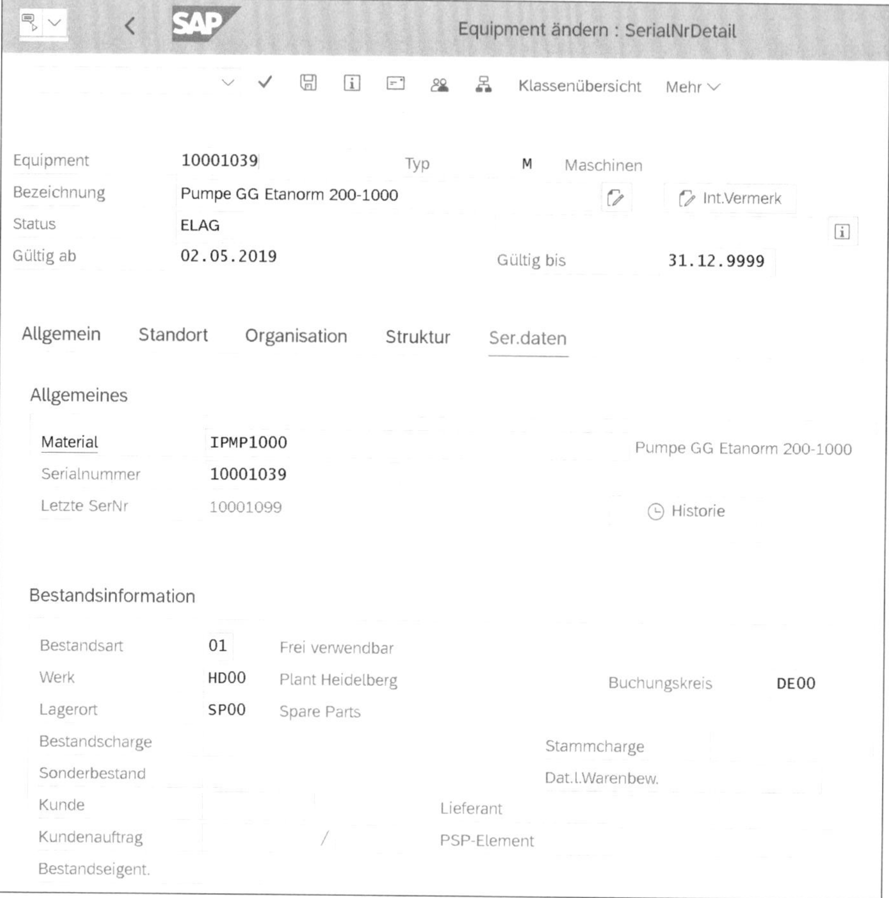

Abbildung 4.21 Equipment mit Serialdaten

Allg.Werksparameter
Neg.Bestände Werk
Logist. Aufw.gruppe
Serialnummernprofil 0001 SerEbene 1
Verteilungsprofil
Profitcenter
Bestandsfindungsgrup

Abbildung 4.22 Serialnummernprofil im Materialstamm

Ein-/Auslagern

Wenn diese Voraussetzungen erfüllt sind, können Sie das Equipment bzw. die Material-/Serialnummer einlagern. Sie tun dies entweder mithilfe der allgemeinen Transaktionen der Bestandsführung (z. B. MIGO), oder Sie verwenden die Transaktion IE4N, eine spezielle Instandhaltungstransaktion (siehe Abbildung 4.23).

Abbildung 4.23 Equipmenteinbau mit Auslagerung

Diese erlaubt die beiden folgenden Vorgänge:

- Einlagerung mit gleichzeitigem Ausbau aus dem Technischen Platz
- Auslagerung mit gleichzeitigem Einbau auf einem Technischen Platz

Bestandsübersicht

Die eingelagerten Equipments werden in der Bestandsführung ausgewiesen, z. B. in der Transaktion MMBE (siehe Abbildung 4.24).

Rufen Sie die Bestandsübersicht über **Mehr • Umfeld • Equipment/SerialNr** auf, sehen Sie die Liste der eingelagerten Equipments (siehe Abbildung 4.25).

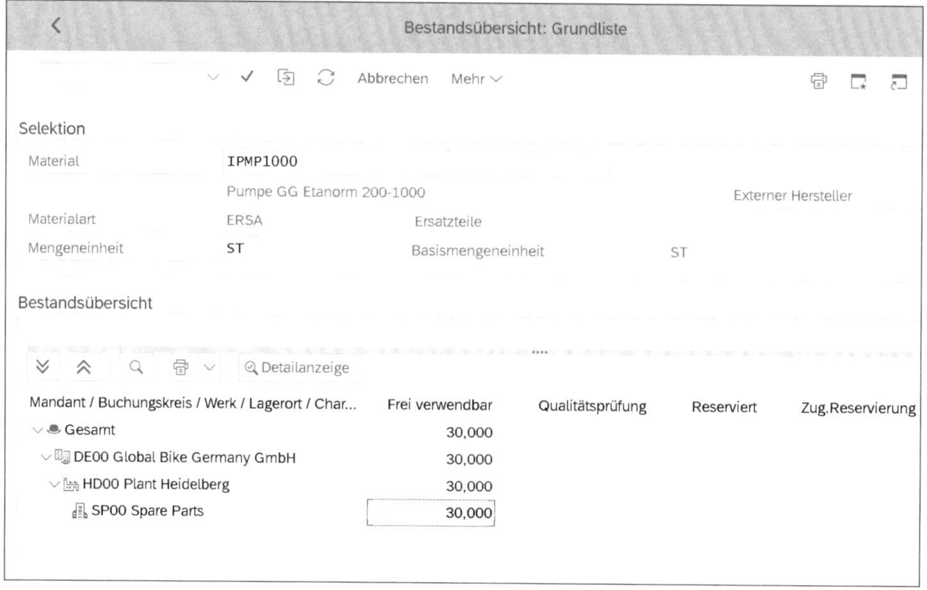

Abbildung 4.24 Bestandsübersicht

Bestandsübersicht: Serialnummernliste

Mehr

Anzahl der Einträge (ohne Filterung): 30

A	Material	Serialnummer	Werk	Lagerort	Bezeichnung technisches Objekt	Systemstatus
	IPMP1000	10001040	HD00	SP00	Pumpe GG Etanorm 200-1000	ELAG
	IPMP1000	10001041	HD00	SP00	Pumpe GG Etanorm 200-1000	ELAG
	IPMP1000	10001042	HD00	SP00	Pumpe GG Etanorm 200-1000	ELAG
	IPMP1000	10001043	HD00	SP00	Pumpe GG Etanorm 200-1000	ELAG
	IPMP1000	10001044	HD00	SP00	Pumpe GG Etanorm 200-1000	ELAG
	IPMP1000	10001045	HD00	SP00	Pumpe GG Etanorm 200-1000	ELAG
	IPMP1000	10001046	HD00	SP00	Pumpe GG Etanorm 200-1000	ELAG
	IPMP1000	10001047	HD00	SP00	Pumpe GG Etanorm 200-1000	ELAG
	IPMP1000	10001048	HD00	SP00	Pumpe GG Etanorm 200-1000	ELAG
	IPMP1000	10001049	HD00	SP00	Pumpe GG Etanorm 200-1000	ELAG
	IPMP1000	10001050	HD00	SP00	Pumpe GG Etanorm 200-1000	ELAG
	IPMP1000	10001051	HD00	SP00	Pumpe GG Etanorm 200-1000	ELAG
	IPMP1000	10001052	HD00	SP00	Pumpe GG Etanorm 200-1000	ELAG
	IPMP1000	10001053	HD00	SP00	Pumpe GG Etanorm 200-1000	ELAG
	IPMP1000	10001054	HD00	SP00	Pumpe GG Etanorm 200-1000	ELAG
	IPMP1000	10001055	HD00	SP00	Pumpe GG Etanorm 200-1000	ELAG
	IPMP1000	10001056	HD00	SP00	Pumpe GG Etanorm 200-1000	ELAG
	IPMP1000	10001057	HD00	SP00	Pumpe GG Etanorm 200-1000	ELAG
	IPMP1000	10001058	HD00	SP00	Pumpe GG Etanorm 200-1000	ELAG
	IPMP1000	10001059	HD00	SP00	Pumpe GG Etanorm 200-1000	ELAG
	IPMP1000	10001060	HD00	SP00	Pumpe GG Etanorm 200-1000	ELAG

Abbildung 4.25 Bestandsübersicht der Equipments/Serialnummern

Equipmenthierarchien

Definition

In der Praxis sind neben den Fällen, in denen ein einzelnes Equipment auf einem Technischen Platz ein-/ausgebaut wird, auch Fälle anzutreffen, bei denen nicht ein einzelnes Equipment, sondern ein ganzer Verbund von mehreren Equipments ausgetauscht wird. Typische Beispiele sind:

- Rollengänge, die aus mehreren Equipments bestehen, z. B. Gestell, Rollen und Antriebsmotoren
- (Trieb-)Drehgestelle von Schienenfahrzeugen, die aus mehreren Equipments bestehen, z. B. Federung, Laufradsatz, Fahrmotor und Getrieberadsatz
- Lackierstationen, die mehrere Equipments beinhalten, z. B. die Lackierstation selbst, eine Umwälzpumpe und ein Rührwerk
- Roboter, die aus mehreren Unterequipments bestehen, z. B. Konstruktion, Greifarm und Werkzeug

Wenn nun beispielsweise bei einem Drehgestell ein Laufrad einen Fehler aufweist, wird in der Regel nicht das einzelne Laufrad, sondern das komplette Drehgestell ausgetauscht. Für solche Konstellationen bieten sich Equipmenthierarchien an, deren komplettes Equipment (Drehgestell) sich aus Unterequipments (Fahrmotor, Laufrad usw.) zusammensetzt (siehe Abbildung 4.26).

Abbildung 4.26 Drehgestell

Dieses Drehgestell könnten Sie, wie in Abbildung 4.27 gezeigt, als Equipmenthierarchie abbilden.

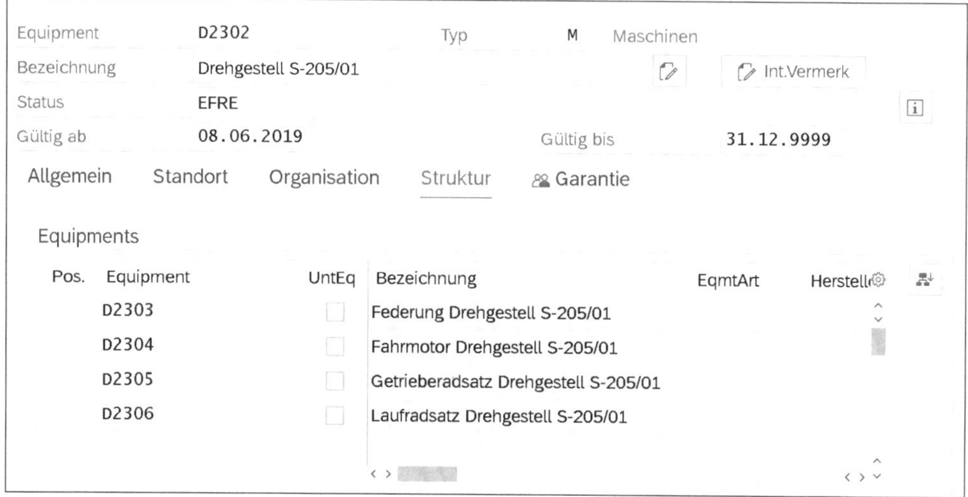

Abbildung 4.27 Equipmenthierarchie

[!]

Equipmentverbund als Equipmenthierarchie

Wenn Sie immer einen kompletten Equipmentverbund betrachten, sollten Sie mit Equipmenthierarchien arbeiten.

Eine Auftrags- und Meldungshistorie wird immer auf dem Equipment fortgeschrieben, das in Auftrag oder Meldung angegeben ist. Sie wird nicht direkt zum übergeordneten Equipment fortgeschrieben. Deshalb sollten Sie prüfen, ob die Equipmenthierarchien Ihre Anforderungen an Reporting und Analyse erfüllen.

Beispielprozesse im Web

Auf der E-Learning-Plattform unter *http://saptraining.fh-wuerzburg.de* finden Sie über den Menüpfad **SAP ERP • Instandhaltung Prozesse • Instandhaltung Prozesse @-learning SAP starten • Instandhaltung • 2. Technische Anlagenstrukturen • 2.2 Verwalten von Equipment** und **2.3 Equipments ein- und ausbauen** die Geschäftsprozesse zum Anlegen und Pflegen von Equipments.

Funktionsvergleich Equipment und Technischer Platz

In diesem Abschnitt fasse ich noch einmal die Unterschiede zwischen Equipment und Technischem Platz zusammen.

Was kann das Equipment?

Das Equipment bietet Ihnen die folgenden Möglichkeiten:

- Sie können ein Equipment serialisieren, indem Sie ihm ein Material und eine Serialnummer zuordnen. Hierdurch wird die Bestandsführung für das Equipment möglich.
- Sie können Equipments auf Technischen Plätzen oder in andere Equipments einbauen.
- Ein Equipment kann ein Fahrzeug im Rahmen der Fahrzeugverwaltung sein; es besitzt dann spezielle Fahrzeugdaten.
- Ein Equipment, das in einem Technischen Platz eingebaut ist, kann die Einsatzhistorie speichern. Zu jedem Einbauort schreibt das System ein Zeitsegment, sodass Sie die gesamte Einbauhistorie verfolgen können.
- Zusätzlich zu den Standardregisterkarten des Equipmentstammsatzes können Sie bei Bedarf jederzeit über das Menü weitere Registerkarten (Vertriebsdaten, FHM-Daten, Konfigurationsdaten) aufrufen, ohne dass dies im Customizing eingestellt werden müsste.

Worauf sollten Sie beim Equipment achten?

Bei der Verwendung von Equipments ist auf die folgenden Besonderheiten zu achten:

- Beim Anlegen von Strukturen finden Equipments ihren Platz in der Struktur nicht automatisch, sondern müssen je Stammsatz manuell zugeordnet werden.
- Die Equipmentnummer ist nach dem Anlegen nicht mehr änderbar.
- Bei Equipmenthierarchien können Sie keine Auswertungen auf der Basis des übergeordneten Equipments vornehmen.

Was kann der Technische Platz?

Der Technische Platz bietet Ihnen dic folgenden Möglichkeiten:

- Die Kennzeichnung des Technischen Platzes ist nach dem Anlegen änderbar, sofern Sie die Funktion der alternativen Kennzeichnung aktiviert haben.
- Zusätzliche Kennzeichnungen für Technische Plätze sind möglich.
- Aufgrund des Strukturkennzeichens finden Technische Plätze beim Anlegen (nach dem Top-down-Prinzip) automatisch ihren Platz in der Struktur.
- Durch die streng hierarchische Struktur ist die Verdichtung von Daten (z. B. Kosten) auf jeder Hierarchieebene möglich.

- Ein Technischer Platz kann eine Immobilie im Rahmen der Applikation Immobilienverwaltung sein (Real Estate Management, RE-FX; nähere Angaben hierzu finden Sie in Abschnitt 6.2.9, »Immobilienmanagement«).
- Im Investitionsmanagement (SAP-Komponente IM) können Sie einen Technischen Platz hinterlegen. Damit können Aufträge automatisch einem Investmentprogramm zugeordnet werden (Details hierzu finden Sie in Abschnitt 7.3.3, »Budgetierung über IM-Programme«).

Worauf sollten Sie beim Technischen Platz achten?

Auch beim Technischen Platz gilt es, einige Besonderheiten zu beachten:

- Sie müssen im Customizing mindestens ein, in der Regel aber mehrere Strukturkennzeichen anlegen.
- Technische Plätze werden in der Regel in übergeordnete Technische Plätze eingebaut. Sie können aber auch als individuelle Objekte existieren.
- Ein Technischer Platz, der in einem anderen Technischen Platz eingebaut ist, kann die Historie seiner Einbauorte nicht speichern, sondern er zeigt nur den aktuellen Einbauort.
- Beim Umbau von Technischen Platzstrukturen, die verschiedene Strukturkennzeichen haben, funktioniert die automatische Zuordnung nicht mehr. Wie beim Equipment müssen Sie dann den übergeordneten Technischen Platz manuell zuordnen.

4.2.3 Verbindungen und Objektnetze

Der Vollständigkeit halber sei erwähnt, dass SAP Funktionen zur Verfügung stellt, mit deren Hilfe Sie Verbindungen abbilden können, die zwischen verschiedenen technischen Objekten oder Systemen (Equipments oder Technischen Plätzen) bestehen. Solche Verbindungen gibt es:

- zwischen Produktionseinheiten untereinander
- zwischen Produktionsanlagen und Versorgungssystemen
- zwischen Versorgungs- und Entsorgungssystemen

Mit den Objektverbindungen bilden Sie ein sogenanntes Objektnetz ab und können somit Ihre Anlagen horizontal strukturieren.

Sie können nur Verbindungen zwischen zwei Equipments (Transaktion IN07) oder zwischen zwei Technischen Plätzen (Transaktion IN04, siehe Abbildung 4.28) definieren, wobei die Verbindung selbst wieder ein Equipment oder ein Technischer Platz sein kann, aber nicht sein muss. Eine Verbindung zwischen einem Equipment und einem Technischen Platz ist also nicht möglich.

Abbildung 4.28 Objektverbindung

Ein Objektnetz bauen Sie auf, indem Sie mehrere einzelne logisch aufeinanderfolgende Objektverbindungen anlegen. Ein Objektnetz können Sie sich anzeigen lassen, indem Sie sich die Grafik zu einer Liste von Verbindungen von Technischen Plätzen (Transaktionen IN15/16) oder zu einer Liste von Equipmentverbindungen (Transaktionen IN18/19) ansehen (siehe Abbildung 4.29).

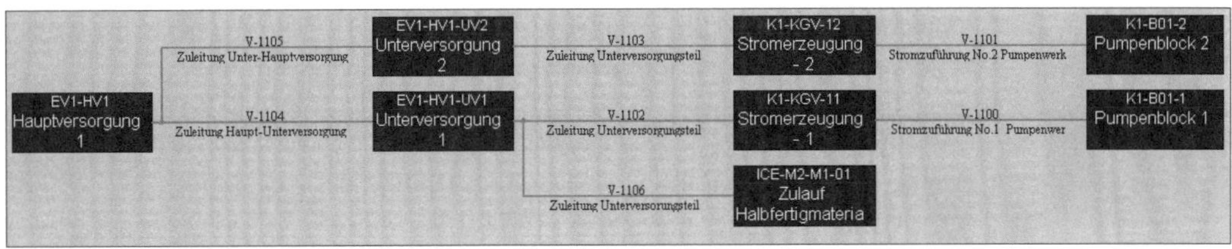

Abbildung 4.29 Objektnetz

[!]

Sollten Sie die Objektverbindungen nutzen?

In der Praxis spielt die Abbildung von Verbindungen und Netzen im SAP-System aus den folgenden Gründen eine eher untergeordnete Rolle:

- Objektverbindungen können nicht in die Geschäftsprozesse eingebunden werden, d. h., dass Sie keine Meldungen, Aufträge, Wartungspläne usw. auf eine Objektverbindung schreiben können.
- In der Regel werden geeignete, branchenspezifische Systeme eingesetzt (wie z. B. geografische Informationssysteme (GIS), Netzüberwachungssysteme, Mess-/Regeltechniksysteme (MSR)) und mit dem SAP-System gekoppelt (siehe Abschnitt 6.4, »Die Integration mit Nicht-SAP-Systemen«).

4.2.4 Linear Asset Management

Definition

Lineare Anlagen (*Linear Asset Management*) sind technische Systeme mit einer linearen Infrastruktur, deren Zustand und Eigenschaften sich von Abschnitt zu Abschnitt ändern können (dynamische Segmentierung). Beispiele für lineare Anlagen sind:

- Pipelines
- Straßennetze
- Schienennetze
- Überlandleitungen
- Rohrleitungen

Anhand der genannten Beispiele erkennen Sie, dass diese Funktionalität unter anderem besonders interessant für die Öl- und Gasindustrie, für Versorgungsunternehmen (Strom, Gas, Wasser), Straßenunterhaltsfirmen, die öffentliche Hand oder Eisenbahnbetreiber ist.

Konzept

Bevor wir zu den Details kommen, erläutere ich zunächst anhand des Praxisbeispiels »Autobahn« (siehe Abbildung 4.30) einige Aspekte des Linear Asset Managements und die dahintersteckende Problematik:

Die folgenden Informationen werden zugrunde gelegt:

- Von Interesse ist zunächst die Gesamtlänge der Autobahn (z. B. die A81 mit einer Länge von 293 km).
- Die Autobahn soll in mehrere Streckenabschnitte unterteilt werden, z. B. von Autobahnkreuz zu Autobahnkreuz oder von Anschlussstelle zu Anschlussstelle (z. B. die Anschlussstellen 002 und 003, deren Abstand voneinander 13 km beträgt).

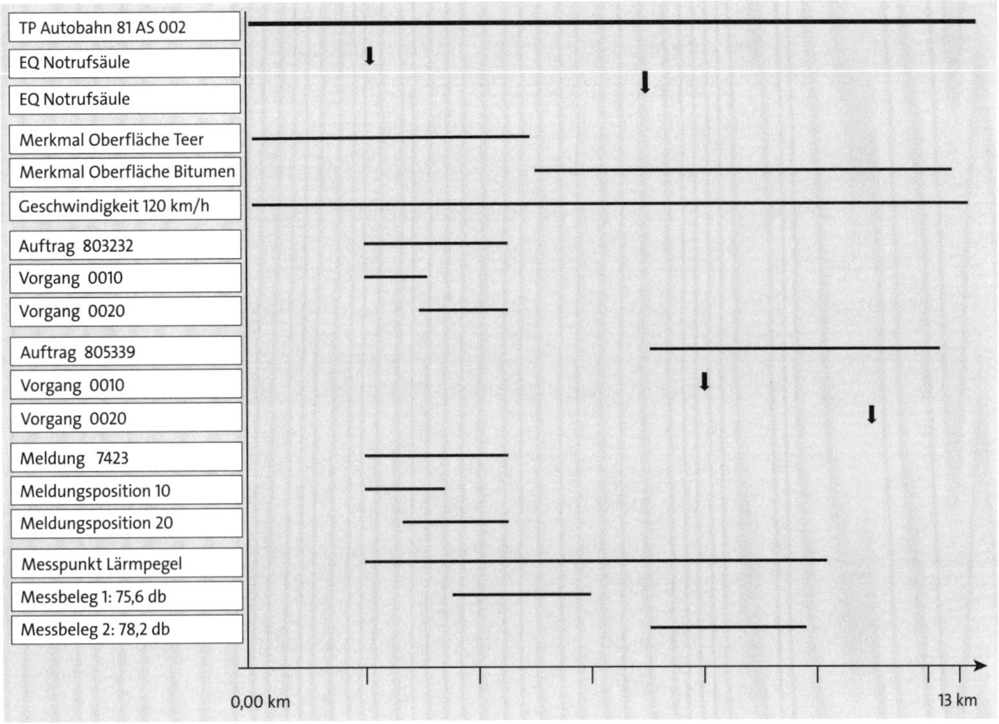

Abbildung 4.30 Beispiel – Autobahn

- Die Autobahn verfügt über bestimmte Eigenschaften, die sich im Streckenverlauf ändern können, z. B. Wechsel des Fahrbahnbelags (z. B. bei km 11,5 von Teer auf Asphalt), streckenweise Geschwindigkeitsbeschränkungen (z. B. auf 120 km/h), variierende Anzahl der Fahrspuren (zwischen zwei und vier).
- Auf der Strecke befinden sich stationäre Anlagen wie Notrufsäulen, Toll-Collect-Messstationen, Brücken, Parkplätze oder Rastanlagen (Notrufsäulen bei km 3 und km 7).
- Am 30.11. muss ein Wartungsauftrag im Streckenabschnitt *2 km bis 4,5 km* durchgeführt werden.
- Der Vorgang 0010 betrifft den vierteljährlichen Grünschnitt im Abschnitt *2,1 km bis 2,7 km*.
- Der Vorgang 0020 betrifft die halbjährliche Reinigung der Seitenbegrenzungsanzeiger im Streckenabschnitt *2,7 km bis 4,5 km*.
- In einer am 15.11. aufgegebenen Meldung werden diverse notwendige Reparaturmaßnahmen beschrieben, die den Streckenabschnitt *2,5 km bis 5 km* betreffen.

- Die Meldungsposition 10 beschreibt für den Streckenabschnitt *2,0 km bis 2,6 km* diverse Löcher im Fahrbahnbelag.
- Die Meldungsposition 20 beschreibt für den Streckenabschnitt *2,3 km bis 4,8 km* korrodierte Oberflächen in der Mittelleitplanke.
- Im Streckenabschnitt *2,0 km bis 10,0 km* wird der Lärmpegel gemessen.
- Am 23.11. wurde im Streckenabschnitt *3,5 km bis 5,0 km* ein Lärmpegel von 75,6 Dezibel gemessen.

Lineare Daten

Die folgenden linearen Daten können Sie für Ihre technischen Objekte hinterlegen:

- allgemeine lineare Daten wie Startpunkt, Endpunkt, Länge und Maßeinheit
- Versatzdaten wie horizontaler oder vertikaler Versatz gegenüber einem Ausgangpunkt und die Maßeinheit
- Markerdaten wie Markertyp, Abstand zwischen zwei Markern und die Maßeinheit

Objekte

Lineare Daten können Sie den folgenden Objekten zuordnen:

- Equipments
- Technische Plätze
- Messpunkte
- Messbelege
- Meldung
- Meldungsposition
- Auftrag
- Rückmeldung
- Wartungsposition

[!]

Voll integriert in die Abwicklung

Im Gegensatz zu den Verbindungen ist das Linear Asset Management durchgängig in die Geschäftsprozesse der Instandhaltung integriert. Sie können somit nicht nur in den Stammdaten, sondern auch in der Planung (Wartungspläne, Meldungen, Aufträge) und in der Rückmeldung lineare Daten erfassen.

Voraussetzungen

Damit Sie das Linear Asset Management in vollem Umfang nutzen können, müssen Sie zuvor die folgenden Voraussetzungen geschaffen haben:

- Im Customizing des Klassensystems haben Sie mithilfe der Funktion **Objekttypen und Klassenarten Pflegen** einen Organisationsbereich angelegt, z. B. den Organisationsbereich L für lineare Objekte.
- Im Customizing für das Linear Asset Management haben Sie mithilfe der Funktion **Versatzarten definieren** Versatzarten definiert, z. B. den horizontalen Versatz und den vertikalen Versatz.
- Im Customizing für das Linear Asset Management haben Sie mithilfe der Funktion **Organisationsbereich für Merkmale mit linearen Daten** den Equipments und Technischen Plätzen einen Organisationsbereich zugeordnet, z. B. den Organisationsbereich L für die lineare Daten.
- Um lineare Daten bei Messpunkten und Messbelegen erfassen zu können, haben Sie mithilfe der Funktion **Messpunkttypen definieren** einen Messpunkttyp definiert und dort das Kennzeichen **Lineare Anlage** gesetzt.
- Mithilfe der Funktion **Sichtenprofile für technische Objekte einstellen** haben Sie ein Sichtenprofil für Technische Plätze und eines für Equipments definiert und dort die Feldgruppen für lineare Daten zugeordnet.
- Um lineare Daten für Technische Plätze hinterlegen zu können, haben Sie mithilfe der Funktion **Typ Technische Plätze festlegen** einen Technischen Platztyp definiert, dort insbesondere das Sichtenprofil zugeordnet und das Kennzeichen **Lineare Anlage** gesetzt.
- Um lineare Daten für Equipments hinterlegen zu können, haben Sie mithilfe der Funktion **Equipmenttyp pflegen** einen Equipmenttyp definiert, dort insbesondere das Sichtenprofil zugeordnet und das Kennzeichen **Lineare Anlage** gesetzt.

Anlegen von linearen Objekten

Wenn Sie nun einen linearen Technischen Platz anlegen möchten, rufen Sie zunächst die Transaktion IL01 auf. Wählen Sie das passende Strukturkennzeichen aus, und vergeben Sie die neue Nummer.

Wenn Sie ein lineares Equipment anlegen möchten, starten Sie die Transaktion IE01. Vergeben Sie eine Equipmentnummer, oder Sie lassen eine Nummer von System vergeben.

Achten Sie in beiden Fällen darauf, dass Sie den Equipmenttyp oder Technischen Platztyp auswählen, der als lineares Objekt definiert ist.

Lineare Daten

Wenn die Sichtenprofile nun richtig eingestellt und zugeordnet sind, beginnen Sie mit der Pflege der linearen Daten (siehe Abbildung 4.31).

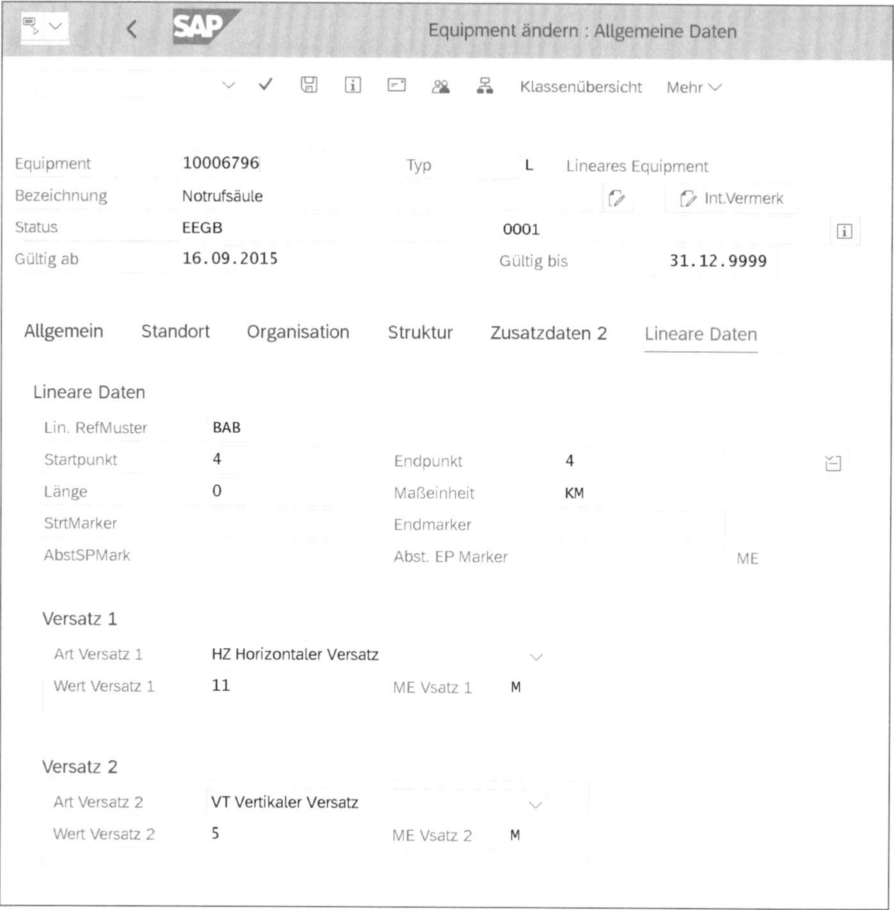

Abbildung 4.31 Lineare Daten

- **Startpunkt**
  In das Feld **Startpunkt**, das den Beginn eines Streckenabschnitts bestimmt, tragen Sie in unserem Beispiel den Wert 4 ein.
- **Endpunkt**
  Im Feld **Endpunkt** geben Sie ebenfalls den Wert 4 ein und legen somit fest, dass das Ende des Streckenabschnitts identisch mit dem Startpunkt sein soll, da es sich in unserem Beispiel um eine stationäre Anlage handelt.
- **Länge und Maßeinheit**
  Wenn es sich nicht um eine stationäre Anlage, sondern um ein richtiges lineares Objekt wie beispielsweise einen Streckenabschnitt handelt, können Sie hier die Länge mit der Maßeinheit angeben.

- **Versatzdaten**
  Im Aufklappmenü des Feldes **Art Versatz 1** im Bereich **Versatz 1** wählen Sie die Option **Horizontaler Versatz**, und in das Feld **Wert Versatz 1** tragen Sie den Wert 11 ein. Bei **Art Versatz 2** im Bereich **Versatz 2** wählen Sie **Vertikaler Versatz** und tragen in das Feld **Wert Versatz 2** den Wert 5 ein. Das Gerät befindet sich also 11 m versetzt vom Streckenrand (horizontaler Versatz) auf einer Höhe von 5 m (vertikaler Versatz).

Haben Sie darüber hinaus eine geeignete Klasse zugeordnet, können Sie nun auch die hinterlegten Merkmalsausprägungen pflegen (siehe Abbildung 4.32).

Merkmalwerte LFE Daten

Merkmalbezeichnung	Merkmalwert	Startpunkt	Endpunkt	Länge	ME
Anzahl Spuren	2	3,000	7,000	4,000	KM
Anzahl Spuren	2	14,000	25,000	11,000	KM
Anzahl Spuren	3	7,000	14,000	7,000	KM
Oberfläche	Bitumen	3,000	20,000	17,000	KM
Oberfläche	Teer	20,000	25,000	5,000	KM
Höchstgeschwindigkeit	100 km/h	8,000	12,000	4,000	KM

Abbildung 4.32 Lineare Merkmale

[!]

Dynamische Segmentierung

Das Besondere bei der Pflege von linearen Merkmalen ist, dass Sie dasselbe Merkmal mit gleichen oder unterschiedlichen Ausprägungen mit einer Längenangabe zuordnen können. So wechselt im gezeigten Beispiel die Oberflächenbeschaffenheit (auf dem Streckenabschnitt *3 km bis 12 km* Bitumen, auf dem Streckenabschnitt *12 km bis 17 km* Teer und auf dem Streckenabschnitt *17 km bis 21 km* Bitumen), während nur auf dem Streckenabschnitt *5 km bis 10 km* eine Geschwindigkeitsbeschränkung von 120 km/h gilt. Diese Funktionalität bezeichnet man als dynamische Segmentierung.

Abbildung 4.33 zeigt eine fertige lineare Anlagenstruktur, die über Transaktion IH01 (Strukturdarstellung) aufgerufen worden ist.

Sie können sich eine solche lineare Anlagenstruktur auch grafisch im Streckenverlauf anzeigen lassen. Starten Sie hierzu die Transaktion IL07 (mehrstufige Technische Platzliste). Treffen Sie auf dem Einstiegsbild die richtige Filterauswahl (siehe Abbildung 4.34).

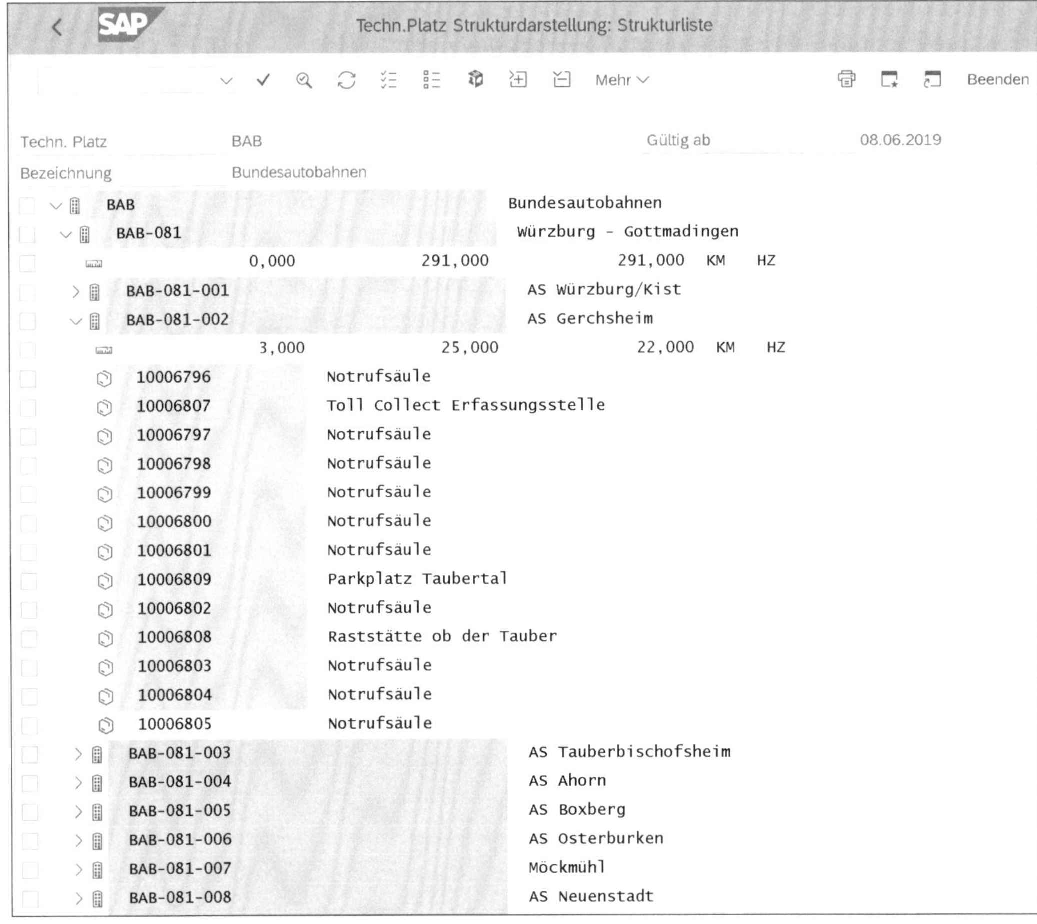

Abbildung 4.33 Lineare Anlagenstruktur

Filter

☑ Techn. Platz	☐ Partner	☐ Genehmigung
☐ Equipmenteinsatz	☑ Equipment	☐ Meldung
☐ Auftrag	☐ Klasse	☑ Merkmal
☐ Dokument	☐ Objektverbindung	☑ Meßpunkt
☐ Meßbeleg	☐ Wartungsposition	☐ Wartungstermin
☐ Wartungspakete	☐ Arbeitsvorgänge	
☑ Lineare Daten	☑ Lineare Daten Merkm.	

Abbildung 4.34 Filter für mehrstufige Technische Platzliste

Rufen Sie nun innerhalb der Liste mithilfe des Buttons Lineare Daten die grafische lineare Anlagenstruktur auf (siehe Abbildung 4.35).

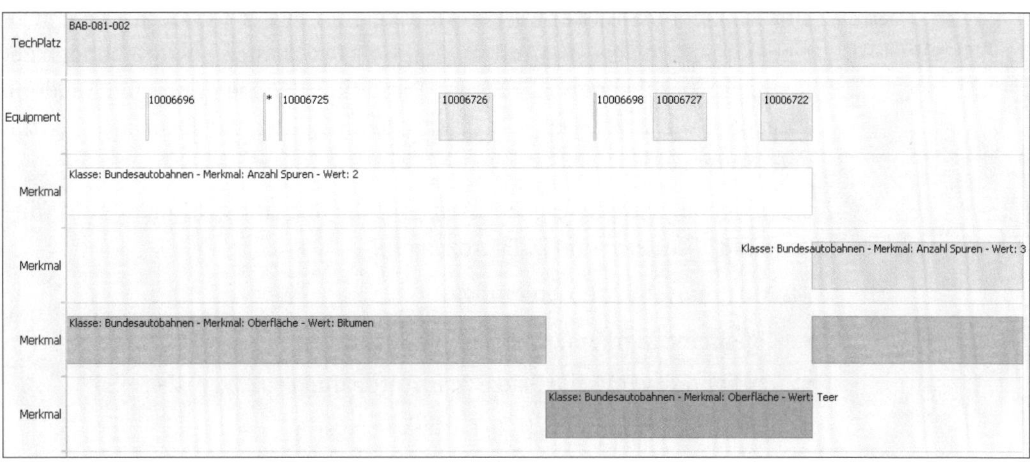

Abbildung 4.35 Grafische lineare Anlagenstruktur

Massenpflege von linearen Daten

Anstelle der Einzeltransaktionen können Sie auch die Listtransaktionen nutzen, um gleich für mehrere Objekte die linearen Daten zu pflegen. Gehen Sie hierzu wie folgt vor:

1. Starten Sie zunächst die Transaktion IL05 für die Pflege von Technischen Plätzen oder die Transaktion IE05 für die Pflege von Equipments.
2. Grenzen Sie nun die Selektion ein, und starten Sie anschließend die Liste.
3. Rufen Sie über den Button Lineare Daten die linearen Daten auf.
4. In der nun erscheinenden Liste können Sie alle linearen Daten pflegen (siehe Abbildung 4.36).

Einträge MassÄnderungen

Techn. Platz	TechnPlatzBezeichng	StartP	EndPkt	Länge	ME	SMarkAbstnd	EMarkAbstnd	ME	LRM	Art Vsatz1	Vsatz1	ME	Art Vsatz2	Vsatz2	ME
BAB-081	Würzburg - Gottmadingen	0	291	291	KM					HZ		M	VT		M
BAB-081-001	AS Würzburg/Kist	0	3	3	KM					HZ		M	VT		M
BAB-081-002	AS Gerchsheim	3	25	22	KM					HZ		M	VT		M
BAB-081-003	AS Tauberbischofsheim	25	40	15	KM					HZ		M	VT		M
BAB-081-004	AS Ahorn	40	48	8	KM					HZ		M	VT		M
BAB-081-005	AS Boxberg	48	59	11	KM					HZ		M	VT		M
BAB-081-006	AS Osterburken	59	70	11	KM					HZ		M	VT		M
BAB-081-007	Möckmühl	70	75	5	KM					HZ		M	VT		M
BAB-081-008	AS Neuenstadt	75	85	10	KM					HZ		M	VT		M
BAB-081-009	AK Weinsberg	85	92	7	KM					HZ		M	VT		M
BAB-081-010	AS Weinsberg/Ellhofen	92	95	3	KM					HZ		M	VT		M
BAB-081-012	AS Heilbronn/Untergruppenbach	95	102	7	KM					HZ		M	VT		M
BAB-081-013	AS Ilsfeld	102	109	7	KM					HZ		M	VT		M
BAB-081-014	AS Mundelsheim	109	118	9	KM					HZ		M	VT		M
BAB-081-015	AS Pleidelsheim	118	125	7	KM					HZ		M	VT		M

Abbildung 4.36 Massenpflege von linearen Daten

Lineare Referenzmuster

Lineare Referenzmuster werden angelegt, um den echten technischen Objekten oder den Belegen (Auftrag, Meldung usw.) einen beschreibenden Referenzpunkt zuordnen zu können. Damit können Sie dann eine Meldung aufgeben, wie z. B.: »Der Schaden ist 10 km hinter der Raststätte Jagsttal entstanden.«

Sie pflegen lineare Referenzmuster mithilfe der Transaktionen IK81 (Anlegen), IK82 (Ändern) und IK83 (Anzeigen).

Als Musterarten kommen infrage:

- allgemeine Marker (z. B. 10, 20, 30, ... km)
- markante Technische Plätze (z. B. Autobahnkreuz Weinsberg)
- markante Equipments (z. B. Raststätte Jagsttal)

4.2.5 Material und IH-Baugruppen

Definition

Der Materialstamm enthält Informationen über die Materialien, die ein Unternehmen konstruiert, beschafft, fertigt, lagert und verkauft, und integriert Daten aus den verschiedenen Bereichen eines Unternehmens, z. B. Einkauf oder Buchhaltung. Im Gegensatz zu einem Equipment oder Technischen Platz beschreibt ein Materialstammsatz nicht ein Individuum, sondern gleichartige Artikel. Das heißt, hinter einem Materialstammsatz verbergen sich in der Regel mehrere gleichartige Ersatzteile, Baugruppen, Rohstoffe usw.

Materialstammsätze in der Instandhaltung

Aus Sicht der Instandhaltung werden Materialstammsätze für die folgenden Zwecke eingesetzt:

- Es gibt Materialstammsätze, die als Ersatzteile gekauft und gelagert werden.
- Es gibt Materialstammsätze, die als Equipments gekauft und als Material-/Serialnummer eingelagert werden.
- Es gibt Materialstammsätze, die als Bautyp lediglich eine Klammer um eine Gruppe von gleichartigen Equipments oder Technischen Plätzen bilden, um gemeinsame Funktionen ausführen zu können, wie z. B. die Verwaltung gemeinsamer Stücklisten oder Anleitungen.
- Es gibt Materialstammsätze, die als IH-Baugruppen zur Unterstrukturierung von Equipments oder Technischen Plätzen dienen.
- Es gibt Materialstammsätze, die die gleiche Funktion wie Ersatzteile erfüllen, aber nicht auf Lager gelegt werden, sondern als Nichtlagerteile in jedem Bedarfsfall neu beschafft werden, z. B. weil diese Teile zu teuer oder zu groß sind oder weil sie zu selten gebraucht werden.

- Es gibt Materialstammsätze, die als Betriebsmittel für Instandhaltungsmaßnahmen eingesetzt, aber nicht wie Ersatzteile verbaut werden, z. B. Werkzeuge oder Schutzkleidungen.

Struktur des Materialstamms

Der Materialstammsatz ist hierarchisch aufgebaut (siehe Abbildung 4.37) und ähnelt in seiner Struktur der Organisationsstruktur Ihres Unternehmens. Manche Materialdaten sind auf allen Organisationsebenen gültig, andere hingegen nur auf bestimmten Ebenen.

Abbildung 4.37 Aufbau eines Materialstammes

- Auf der Mandantenebene gilt: Allgemeine Materialdaten, die für das gesamte Unternehmen gelten, werden auf dieser Ebene gespeichert. Hierzu gehören unter anderem die Warengruppe, die Basismengeneinheit, die Materialkurztexte und Umrechnungsfaktoren für Alternativmengeneinheiten.
- Alle Daten, die in einem bestimmten Werk sowie in den zugehörigen Lagerorten gültig sind, werden auf Werksebene gespeichert. Hierzu gehören z. B. Buchhaltungs-, Einkaufs-, Dispositions- und Prognosedaten.
- Alle Daten, die sich auf einen bestimmten Lagerort beziehen, sind auf Lagerortebene gespeichert. Dabei geht es hauptsächlich um Lagerortbestände.

Materialnummer Für jedes Material, das Ihr Unternehmen verwendet, müssen Sie einen Materialstammsatz anlegen, der durch eine Materialnummer eindeutig gekennzeichnet ist. Wie beim Equipment kann diese Nummer entweder extern oder intern vergeben werden.

Materialart Materialien mit denselben Grundeigenschaften fassen Sie durch Zuordnung zu einer gemeinsamen Materialart zusammen. Dies ermöglicht es Ihnen, verschiedene Materialien nach den Erfordernissen Ihres Unternehmens einheitlich zu verwalten.

Durch die Materialart legen Sie Folgendes fest:

- welche Fachabteilungen den Materialstammsatz pflegen können (Einkauf, Produktion, Vertrieb, Buchhaltung usw.)
- ob die Materialnummer intern oder extern vergeben werden kann
- aus welchem Nummernkreisintervall die Materialnummer stammt
- welche Bildschirmbilder erscheinen und in welcher Reihenfolge
- welche fachbereichsspezifischen Daten zum Erfassen angeboten werden
- ob Mengen- und Wertveränderungen fortgeschrieben werden
- die Beschaffungsart eines Materials, d. h., ob das Material eigengefertigt oder fremdbezogen wird
- welche Konten bebucht werden, wenn ein Material ins Lager geht oder das Lager verlässt

Einen Überblick über potenzielle Materialarten gibt Ihnen Abbildung 4.38.

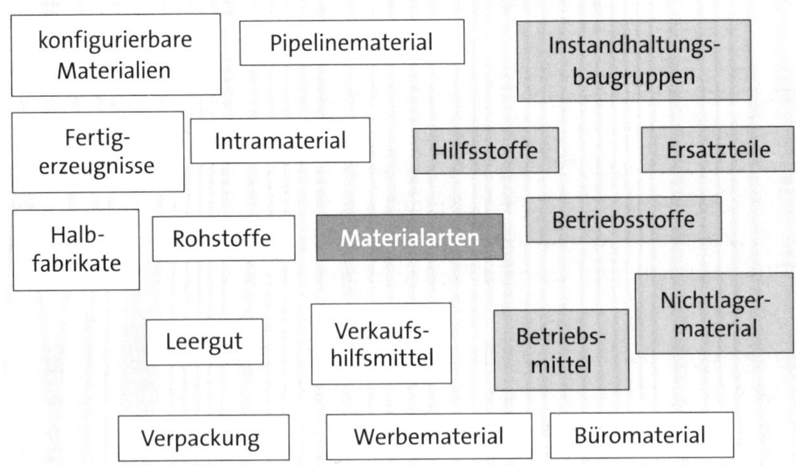

Abbildung 4.38 Überblick über die Materialarten

Aus Sicht der Instandhaltung haben die folgenden Materialarten praktische Relevanz (in der Abbildung dunkler gekennzeichnet):

- **Hilfsstoffe**
  Hilfsstoffe sind Materialien, die in ein Endprodukt eingehen, aber nur einen unwesentlichen, kaum sichtbaren Anteil am Endprodukt ausmachen (z. B. Schrauben, Kleber, Schweißnaht).
- **Betriebsstoffe**
  Betriebsstoffe gehen nicht in das Endprodukt ein, sondern werden für den Produktionsprozess benötigt (wie z. B. Schmierstoffe, Energie, Fette, Öle usw.).
- **Ersatzteile**
  Ersatzteile dienen als Ersatz für defekte Teile. Sie können eingekauft und gelagert werden.
- **IH-Baugruppen**
  IH-Baugruppen sind keine eigenständigen Objekte, sondern logische Elemente, die technische Objekte in der Instandhaltung in klarer definierte Einheiten unterteilen. Ein Gabelstapler kann z. B. ein technisches Objekt sein; Hubanlage, Schaltung, Chassis usw. können die dazugehörigen Instandhaltungsbaugruppen sein.
- **Betriebsmittel**
  Betriebsmittel werden für Instandhaltungsmaßnahmen benötigt (z. B. Werkzeuge und Vorrichtungen, Mess- und Prüfmittel, Schutzkleidung und Schutzvorrichtungen), gehen aber im Unterschied zu den Betriebsstoffen nicht unter, sondern nutzen sich lediglich ab.
- **Nichtlagermaterialien**
  Nichtlagermaterialien werden nicht auf Lager gehalten, sondern für den einzelnen Bedarfsfall beschafft und sofort verbraucht. Gründe hierfür könnten z. B. sein, dass diese Teile zu teuer sind, dass sie zu selten benötigt werden oder dass ihre Lagerung zu große Schwierigkeiten bereiten würde (zu groß, zu schwer, zu sperrig). Der Stammsatz von Nichtlagermaterialien besteht lediglich aus Einkaufsdaten.

[!]

Legen Sie Ihre eigenen Materialarten fest

Welche Materialarten Sie mit welchen Steuerungen für Ihr Unternehmen benötigen, können Sie im Customizing mithilfe der Funktion **Eigenschaften der Materialarten festlegen** selbst bestimmen.

Fachbereiche, Sichten und Daten

Da in unserem Beispiel mehrere Abteilungen des Unternehmens mit demselben Material arbeiten und jede Abteilung unterschiedliche Informationen zu dem Material verwendet, sind die Daten in einem Materialstammsatz nach Fachbereichen gegliedert (siehe Abbildung 4.39).

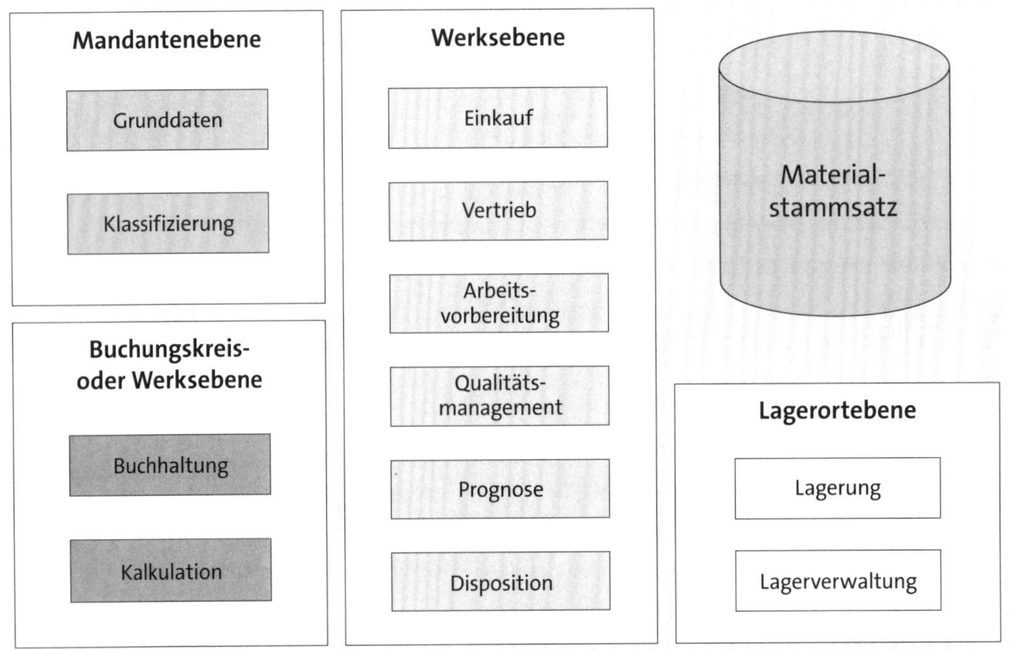

Abbildung 4.39 Sichten des Materialstammsatzes

Dabei befinden sich die Sichten **Grunddaten** und **Klassifizierung** auf der Mandantenebene, d. h., sie gelten für alle Werke und Lagerorte.

In der Sicht **Buchhaltung** haben Sie die Wahl, ob Sie die Daten auf Buchungskreisebene für alle Werke, die einem Buchungskreis zugeordnet sind, gemeinsam oder auf Werksebene für jedes Werk getrennt verwalten möchten.

Die Sichten **Einkauf**, **Disposition Vertrieb**, **Arbeitsvorbereitung**, **Qualitätsmanagement** und **Prognose** liegen auf Werksebene, d. h., sie gelten für alle Lagerorte, die dem Werk zugeordnet sind.

Die Sichten **Lager** und **Lagerverwaltung** befinden sich auf der Ebene der Lagerorte.

In der Maximalausprägung besteht der Materialstamm aus über 30 Bildschirmbildern. Da diese aus Sicht der Instandhaltung in der Regel allerdings nur rudimentär zu pflegen sind, sollten Sie das Layout des Materialstammsatzes anpassen. Denn hierdurch wird die Auswahl der Sichten eingeschränkt (siehe Abbildung 4.40).

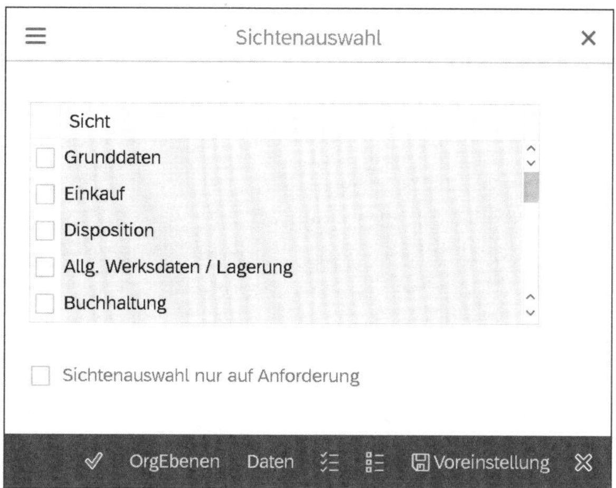

Abbildung 4.40 Sichtenauswahl eines angepassten Materialstammsatzes

Außerdem enthalten die Bildschirmmasken dann nur noch Felder, die Sie tatsächlich nutzen können und die Ihnen Informationen liefern (siehe Abbildung 4.41).

Material IAD-400010 ändern (Ersatzteile)

OrgEbenen | Bilddaten prüfen | Mehr

Grunddaten 1 | Einkauf | Disposition 1 | Werksdaten/Lagerung1 | Buchhaltung 1

Material IAD-400010 Ansaugrohr für Hydraulikpumpe

Allgemeine Daten

Basismengeneinheit	ST Stück	Warengruppe	300
Alte Materialnummer	F8531030900063	Ext.Warengrp.	
Sparte	30	Labor/Büro	
KontingentSchema			
Werksüb. MatStatus		Gültig ab	
Gültigkeit bewerten		allg.Postypengr	

Abmessungen/EAN

Bruttogewicht	5	Gewichtseinheit	KG
Nettogewicht	4,800		
Volumen		Volumeneinheit	
Größe/Abmessung			
EAN/UPC-Code		EAN-Typ	

Abbildung 4.41 Layout eines angepassten Materialstammsatzes

Layout des Materialstammsatzes anpassen

Sie sollten nicht das von SAP im Standard ausgelieferte Layout des Materialstammsatzes nutzen, denn es beinhaltet zu viele Sichten, zu viele Bildgruppen und zu viele Daten.

Vielmehr sollten Sie ein eigenes Layout mit ausgewählten Sichten, ausgewählten Bildgruppen und ausgewählten Daten definieren. Dieses legen Sie über die Customizing-Funktionen fest, die Sie unter **Konfigurieren des Materialstamms** finden.

Auf eine noch detailliertere Beschreibung des Materialstamms soll an dieser Stelle verzichtet werden. Stattdessen verweise ich Sie auf geeignete Literatur.[1]

4.2.6 Stücklisten

Definition

Grundsätzlich ist eine Stückliste ein vollständiges, formal aufgebautes Verzeichnis aller Komponenten, die zu einem Produkt oder einer Baugruppe gehören. Sie enthält die Materialnummern der einzelnen Komponenten sowie ihre Menge und die Mengeneinheit (siehe Abbildung 4.42). Es kann sich bei den Komponenten um lagerhaltige oder nichtlagerhaltige Teile oder Baugruppen handeln. Zu den Baugruppen kann es wiederum Stücklisten geben, die sie näher beschreiben. So entsteht eine sogenannte mehrstufige Stücklistenstruktur.

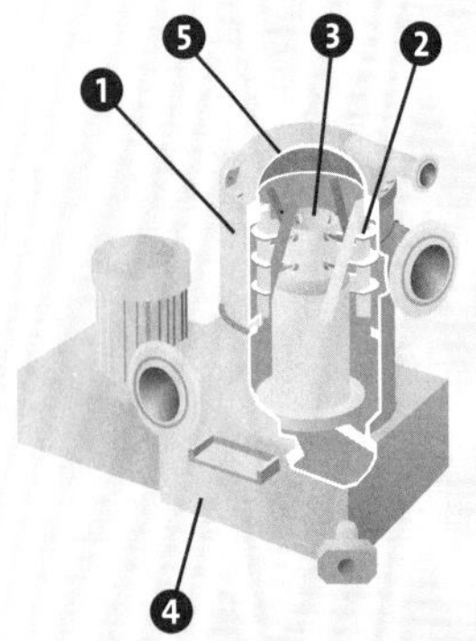

Pos. Nummer	Bezeichnung	Materialnummer	Menge	Mengeneinheit
1	Spiralgehäuse	T-B00	1	ST
2	Laufrad	100-200	1	ST
3	Welle	100-300	1	ST
4	Stützfuß	100-600	2	ST
5	Druckdeckel	100-400	1	ST

Abbildung 4.42 Konstruktionszeichnung und abgeleitete Stückliste

1 Siehe z. B. Liebstückel, K.: »Anwendungssysteme in Produktentstehung und Logistik, Modul: Beschaffung und Lagerhaltung«, Stuttgart: AKAD-Verlag 2005, oder Liebstückel, K.: »Anwendungssysteme in Produktentstehung und Logistik, Modul: Produktion und Fertigung«, Stuttgart: AKAD-Verlag 2005.

Stücklisten werden im SAP-System nicht nur in der Instandhaltung, sondern auch noch in anderen Bereichen eingesetzt:

- in der Produktion als Fertigungsstücklisten
- im Controlling als Kalkulationsstücklisten
- im Vertrieb als Kundenauftragsstücklisten

Verwendung in der Instandhaltung

In der Instandhaltung können Sie Stücklisten hauptsächlich für die beiden folgenden Verwendungszwecke einsetzen:

- **Strukturbeschreibung**
  Mithilfe der Stückliste beschreiben Sie die Struktur eines technischen Objekts oder eines Materials. Auch können Sie mithilfe der Stückliste den Schadensort bzw. Durchführungsort von Instandhaltungsmaßnahmen an einem technischen Objekt näher lokalisieren.
- **Ersatzteilzuordnung**
  Mithilfe der Stückliste beschreiben Sie die Zuordnung von Ersatzteilen für ein technisches Objekt oder Material.

Ersatzteilstücklisten

In der Praxis werden Instandhaltungsstücklisten hauptsächlich als Ersatzteilstücklisten eingesetzt.

Stücklistentypen

Aus Sicht der Instandhaltung sind drei verschiedene Typen von Stücklisten zu unterscheiden (siehe Abbildung 4.43).

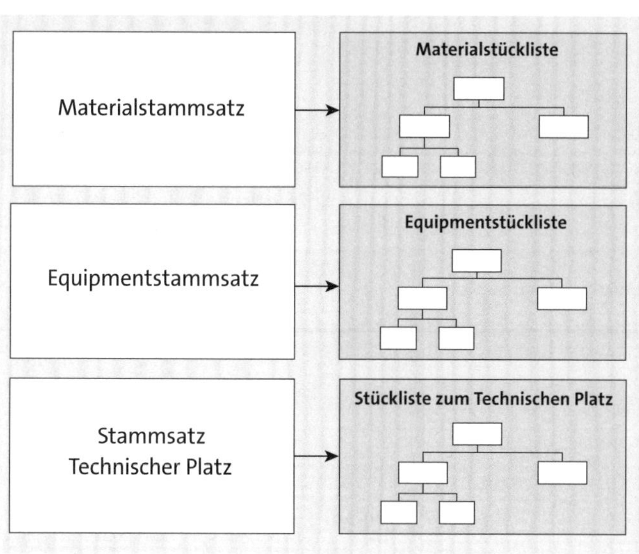

Abbildung 4.43 Stücklistentypen in der Instandhaltung

- **Equipmentstückliste**
  Eine Equipmentstückliste legen Sie für genau ein Equipment an (Transaktion IB01), und deshalb können Sie die Stückliste auch nur im Zusammenhang mit diesem einen Equipment verwenden.
- **Stückliste zum Technischen Platz**
  Dasselbe wie für die Equipmentstückliste gilt analog für eine Technische Platzstückliste (Transaktion IB11).
- **Materialstückliste**
  Eine Materialstückliste (Transaktion CS01) können Sie indirekt für mehrere Equipments und/oder Technische Plätze verfügbar machen. Hierzu verwenden Sie das Feld **Bautyp** im Stammsatz des Equipments oder Technischen Platzes in der Bildgruppe **Strukturierung**. Das heißt, dass alle Equipments und Technischen Plätze, bei denen im Feld **Bautyp** eine Materialnummer eingetragen ist, Zugriff auf die Materialstückliste haben (siehe Abbildung 4.44).

Strukturierung

Techn. Platz	16000-BR2-22
Bezeichnung	Mittelbauwerk - Spülwasserpumpe 2
Überg. Equip.	
Bezeichnung	
Position	
Tech.Identnr.	
Bautyp	IPMP1000
	Pumpe GG Etanorm 200-1000

Abbildung 4.44 Bautyp

Dementsprechend werden diese beiden Zuordnungsverfahren als *direkte* und *indirekte Zuordnung* bezeichnet (siehe Abbildung 4.45).

[!]

Verwendung von Stücklisten

Wenn Sie Stücklisten in der Instandhaltung einsetzen, müssen Sie Folgendes beachten:

- Equipments und Technische Plätze können sowohl direkt als auch indirekt zugeordnete Stücklisten haben.
- Stücklisten zu Equipments und Technischen Plätzen werden in der Instandhaltungsabwicklung gleichzeitig aufgelöst.

- Wenn Sie Stücklisten einsetzen, sollten Sie, soweit das möglich ist, Materialstücklisten anlegen und sie als Bautypen den Equipments und Technischen Plätzen zuordnen.
- Erfassen Sie die Teile, die für den betreffenden Equipmenttyp oder Technischen Platztyp gleich sind, als Materialstückliste. Erfassen Sie die Teile, in denen sich der Typ eines Equipments oder Technischen Platzes unterscheidet, als Equipment- oder Technische Platzstückliste.

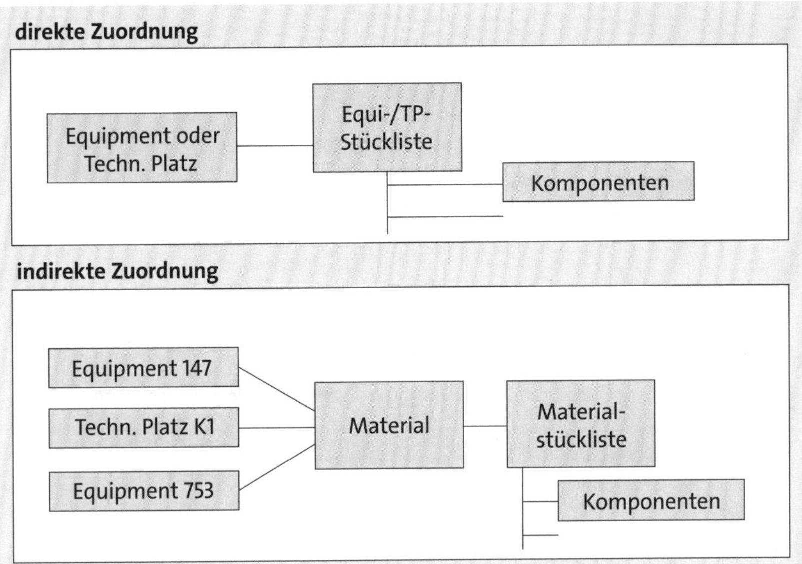

Abbildung 4.45 Direkte und indirekte Zuordnung von Stücklisten

Im oberen Teil von Abbildung 4.46 sehen Sie eine Strukturliste zu einem Equipment (Transaktion IH04) in Form einer mehrstufigen Ersatzteilstückliste, die durch den Bautyp IPMP1000 dem Equipment E16000 indirekt zugeordnet wurde. Die letzten vier Positionen sind Ersatzteile aus der direkt zugeordneten Equipmentstückliste.

Keine Verwendung anderer Stücklistentypen

Die in anderen Anwendungen üblichen Stücklistentypen wie Variantenstücklisten oder Mehrfachstücklisten, die z. B. in der Produktion genutzt werden, spielen in der Instandhaltung so gut wie keine Rolle.

Die spiegelbildliche Darstellung einer Stückliste ist der Verwendungsnachweis (Transaktion CS15) – also nicht wie bei einer Stückliste von oben nach unten, sondern von unten nach oben: Der Verwendungsnachweis zeigt Ihnen, in welchen Stücklisten ein bestimmtes Ersatzteil oder eine bestimmte Baugruppe vorkommt.

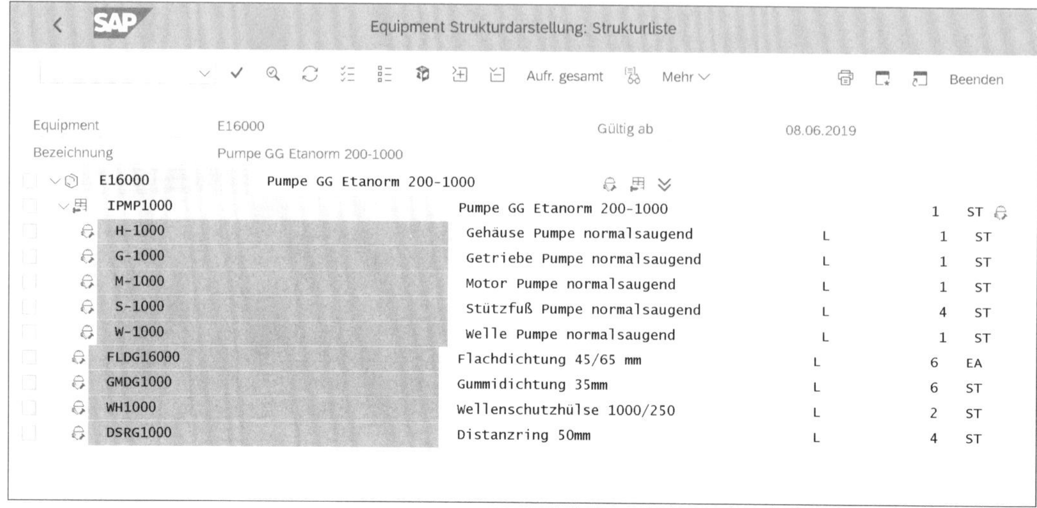

Abbildung 4.46 Stücklistenstruktur

Sie sehen in Abbildung 4.47, dass das Material FLDG16000 Flachdichtung 45/65 mm in Equipmentstücklisten (Stücklistentyp E), in Materialstücklisten (Stücklistentyp M) und in Technischen Platzstücklisten (Stücklistentyp T) vorkommt.

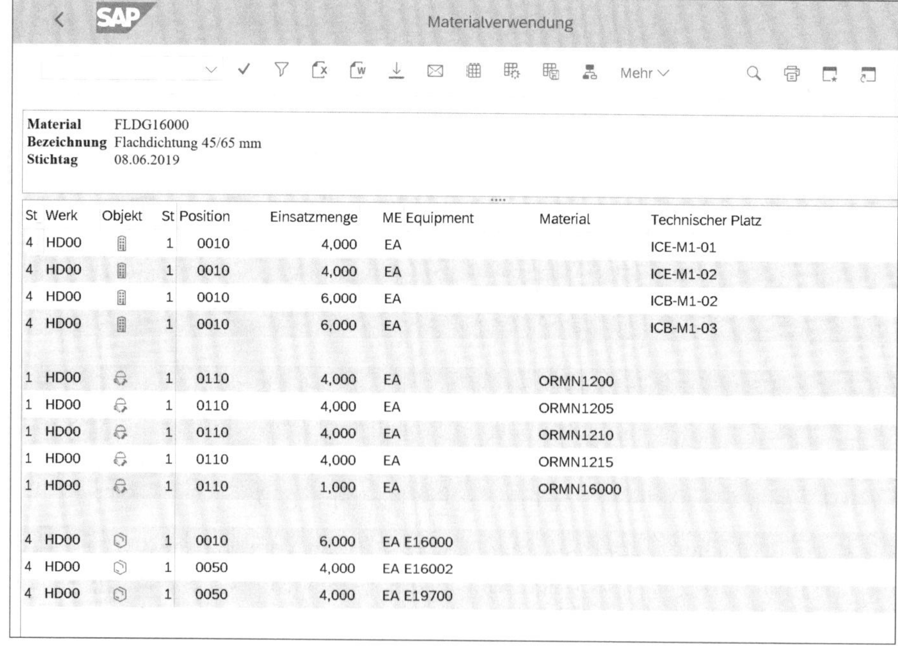

St	Werk	Objekt	St	Position	Einsatzmenge	ME	Equipment	Material	Technischer Platz
4	HD00		1	0010	4,000	EA			ICE-M1-01
4	HD00		1	0010	4,000	EA			ICE-M1-02
4	HD00		1	0010	6,000	EA			ICB-M1-02
4	HD00		1	0010	6,000	EA			ICB-M1-03
1	HD00		1	0110	4,000	EA		ORMN1200	
1	HD00		1	0110	4,000	EA		ORMN1205	
1	HD00		1	0110	4,000	EA		ORMN1210	
1	HD00		1	0110	4,000	EA		ORMN1215	
1	HD00		1	0110	1,000	EA		ORMN16000	
4	HD00		1	0010	6,000	EA	E16000		
4	HD00		1	0050	4,000	EA	E16002		
4	HD00		1	0050	4,000	EA	E19700		

Abbildung 4.47 Materialverwendung

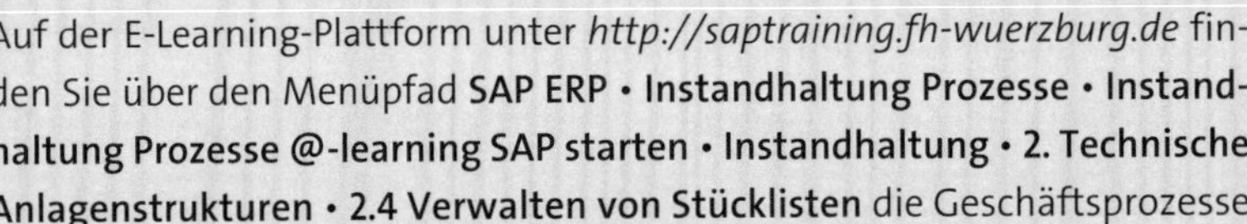

Beispielprozesse im Web

Auf der E-Learning-Plattform unter *http://saptraining.fh-wuerzburg.de* finden Sie über den Menüpfad **SAP ERP • Instandhaltung Prozesse • Instandhaltung Prozesse @-learning SAP starten • Instandhaltung • 2. Technische Anlagenstrukturen • 2.4 Verwalten von Stücklisten** die Geschäftsprozesse zum Anlegen und Pflegen von Stücklisten.

4.2.7 Klassifizierung

Aufgaben von Klassen

Eine Klasse im SAP-System repräsentiert die Zusammenfassung ähnlicher Objekte, die durch gemeinsame Merkmale beschrieben werden. Aus Sicht der Instandhaltung bietet Ihnen ein Klassensystem die folgenden Möglichkeiten:

- Sie können mit der Verwendung von Klassen beliebige Objekte (z. B. Equipments, Technische Plätze, Material) mithilfe von Merkmalen über die Felder der Stammsätze hinaus technisch beschreiben.
- Sie können ähnliche Objekte nach technischen Gesichtspunkten in Klassen gruppieren.
- Das SAP-System bietet Ihnen an verschiedenen Stellen Suchfunktionen, um die Objekte mithilfe der Klassen und Merkmale leichter finden zu können.
- Sie können mithilfe der Klassen die dynamische Segmentierung in den Objekten des Linear Asset Managements beschreiben (siehe Abschnitt 4.2.4, »Linear Asset Management«).

Der Aufbau eines Klassensystems besteht aus den folgenden drei Schritten:

1. Schritt: Definition von Merkmalen

Im ersten Schritt beschreiben Sie in der Transaktion CT04 die Eigenschaften eines Objekts, die über Merkmale abgebildet werden. Die einzelnen Merkmale werden zentral im SAP-System angelegt.

In einem Merkmal definieren Sie z. B. die folgenden Eigenschaften (siehe Abbildung 4.48):

- die Bezeichnung und die Schlagwörter (mehrsprachig)
- den Status (freigegeben, gesperrt usw.)
- die Ein- oder Mehrwertigkeit
- die Zulässigkeit von Intervallen
- den Datentyp (Charakter, Datum, numerisch)
- die Anzahl der Stellen

- ob negative Werte erlaubt sein sollen
- eine Tabelle zulässiger Werte
- die Verbindung zu einem Datenbankfeld
- ob das Merkmal auf bestimmte Klassenarten beschränkt werden soll

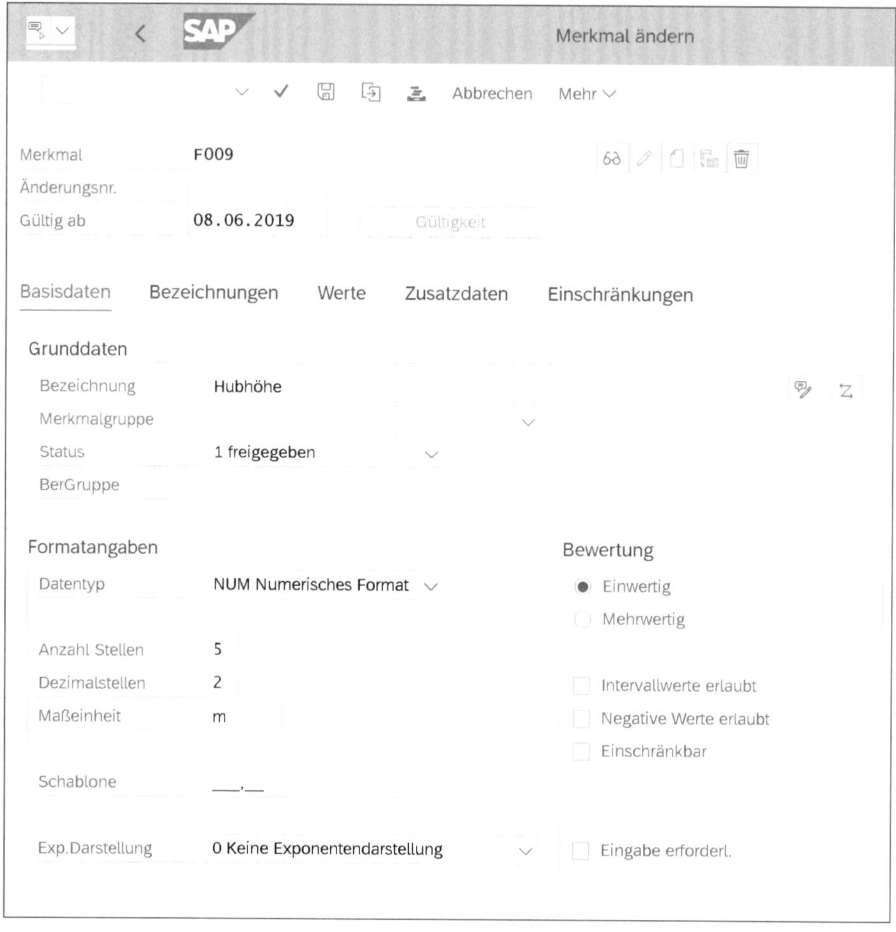

Abbildung 4.48 Transaktion CT04 – Merkmal pflegen

2. Schritt: Definition von Klassen

Im zweiten Schritt definieren Sie in der Transaktion CL02 die Klassen und legen dort die zu klassifizierenden Objekte ab. Anschließend weisen Sie den angelegten Klassen Merkmale zu (siehe Abbildung 4.49).

Die Klassenarten sind von SAP vorgegeben und definieren die Objektart, für die eine Klasse gelten soll (z. B. 001 Material, 002 Equipment, 003 Technischer Platz usw.).

Den Klassennamen können Sie alphanumerisch frei vergeben.

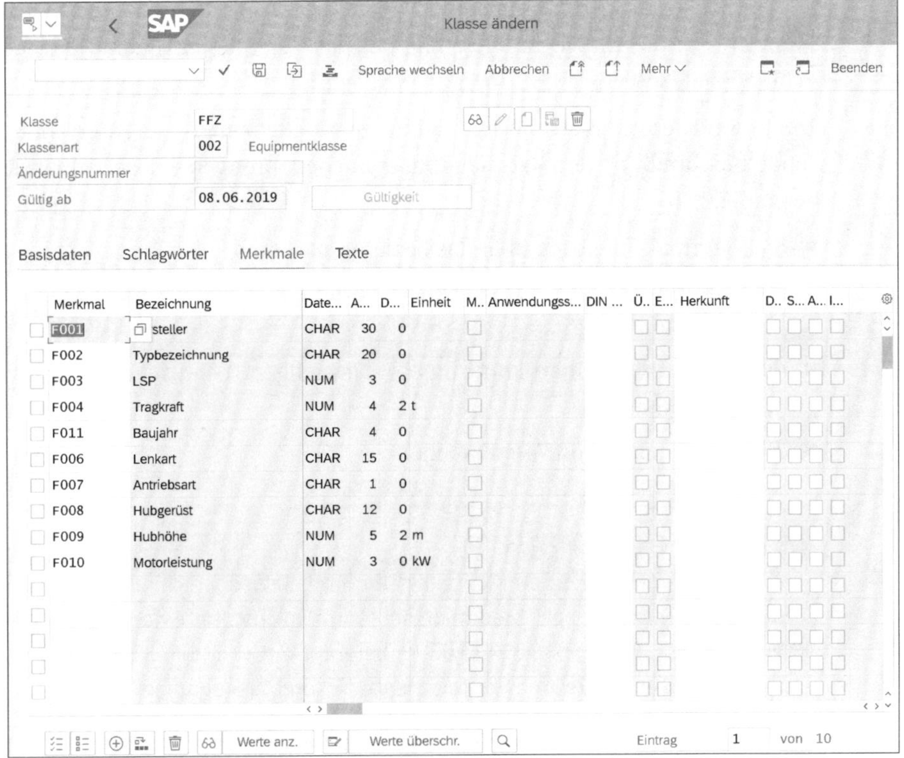

Abbildung 4.49 Transaktion CL02 – Klasse pflegen

Vorsicht beim Parameter »Gleiche Klassifizierung«

Der Parameter **Gleiche Klassifizierung** prüft, ob innerhalb einer Klasse Objekte mit gleichen Merkmalsausprägungen vorhanden sind (siehe Abbildung 4.50). Setzen Sie diesen Parameter auf **Nicht prüfen**, denn ansonsten entstehen bei der Klassifizierung ungewollt lange Laufzeiten bzw. Performanceprobleme.

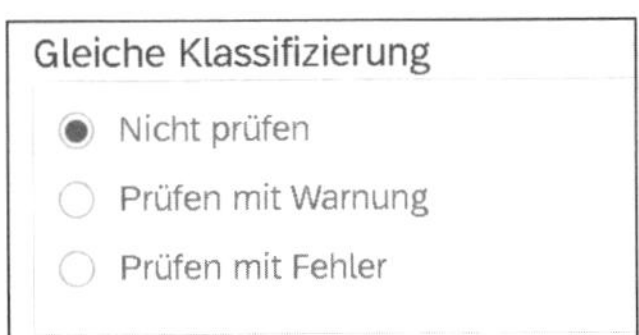

Abbildung 4.50 Klassifizierung prüfen

Die wichtigsten Elemente innerhalb einer Klasse sind die Merkmale, die die technischen Eigenschaften der Klasse definieren. Im gezeigten Beispiel beinhaltet die Klasse FFZ (Flurförderzeuge) technische Eigenschaften wie die Hubhöhe oder die Tragkraft.

In den Schlagwörtern können Sie Objekte dieser Klasse spezifizieren. So könnten Sie die Klasse in unserem Beispiel für Stapler, Radlader oder Schlepper einsetzen.

Möglichkeiten Die Klassifizierung bietet Ihnen vielfältige Möglichkeiten, deren erschöpfende Beschreibung den Rahmen dieses Buches sprengen würde. Genannt seien hier z. B.:

- die Merkmalsableitung über das Beziehungswissen
- die Hinterlegung von kompletten Merkmalswerttabellen über die Variantenkonfiguration
- die Merkmalswertübernahme aus dem jeweiligen Technischen Platz bzw. Equipment
- die Hinterlegung von Wertetabellen

[!]

Nutzen eines Klassensystems

Mit einem wohlüberlegten Klassensystem und einer überschaubaren Anzahl von Merkmalen (die Merkmale sollten möglichst auf eine Seite passen) erzielen Sie eine hohe Akzeptanz bei Ihren Anwendern. Ihr SAP-System wird zu einer Betriebsmitteldatenbank, und Nebenaufzeichnungen oder Parallelsysteme erübrigen sich.

Der Aufbau eines Klassen- und Merkmalssystems ist sehr aufwendig; er erfordert sowohl organisatorischen Aufwand für die Erstellung eines Konzepts als auch systemseitigen Aufwand für die Erfassung der Daten. Diesen Aufwand können Sie erheblich reduzieren, indem Sie auf ein vorgefertigtes Klassensystem, wie z. B. *eCl@ss*, zurückgreifen.

[!]

Vorlage für ein Klassensystem

Unter *http://www.eclass.de* finden Sie eine Vorlage für ein ganzheitliches Klassensystem inklusive aller Merkmale und Schlagworte. eCl@ss ist ein hierarchisches System zur Gruppierung von Materialien, Produkten und Dienstleistungen entsprechend den produktspezifischen Eigenarten, die sich über Merkmale beschreiben lassen. eCl@ss umfasst in der Version 11.0 (Stand 2019) >42.000 Klassen in vier hierarchischen Ebenen, ~17.000 Merkmale und >52.000 Schlagworte. Dies ist wahrscheinlich weit mehr, als Sie je benötigen werden, aber es dürfte einfacher sein, die notwendigen Elemente aus einer Vorlage auszuwählen, als selbst von vorne anzufangen.

Darüber hinaus können Sie für die Klassifizierung und Merkmalsübernahme auch die entsprechenden Datenübernahmeprogramme von SAP verwenden, um die Klassifizierung von eCl@ss zu übernehmen. Diese stehen Ihnen in der Transaktion SXDA mit den Busobjekten BUS3060, BUS1003 und BUS1088 bzw. in der Transaktion LSMW unter den Datenübernahmeobjekten 0130, 0140 und 0150 zur Verfügung.

An der Entwicklung von eCl@ss sind nicht nur namhafte Firmen und Verbände aus allen Branchen beteiligt (z. B. Audi, BASF, Cognis, DB, E.ON), sondern auch SAP selbst ist als ordentliches Mitglied im Lenkungsausschuss vertreten.

3. Schritt: Klassifizierung

Der dritte Schritt ist dann das Zuordnen von Objekten, das eigentliche Klassifizieren: Nachdem Sie die für die Klassifizierung erforderlichen Klassen angelegt haben, können Sie nun diesen Klassen die einzelnen Objekte zuordnen. Die Objekte werden mittels der in der Klasse enthaltenen Merkmale beschrieben.

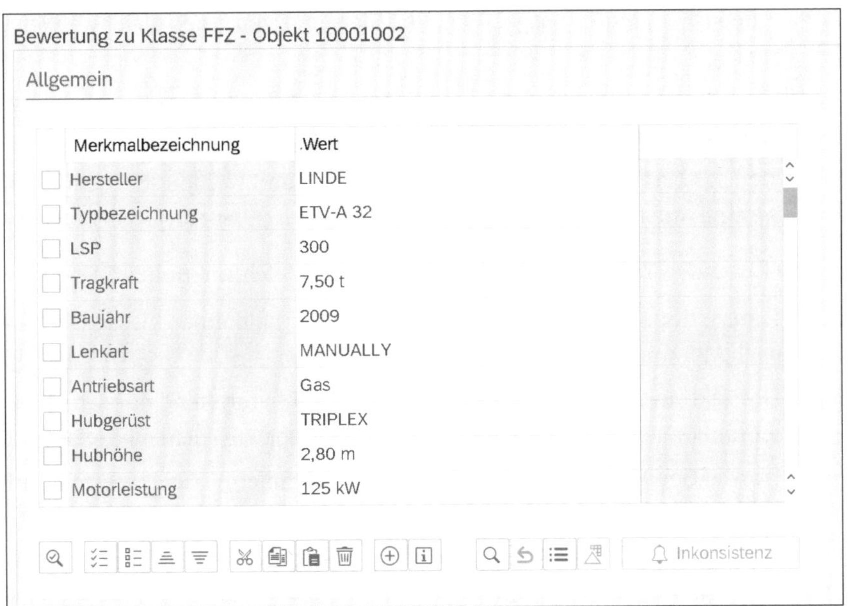

Abbildung 4.51 Klassifizierung eines Equipments

Die Objekte ordnen Sie nun entweder über eine zentrale Transaktion CL20N zu, oder – und das ist der Normalfall – Sie klassifizieren die Objekte direkt im Stammsatz selbst, also z. B. über die Transaktion IE02 die Equipments (siehe Abbildung 4.51), über die Transaktion MM02 die Materialien oder über die Transaktion IL02 die Technischen Plätze.

[!]

Setzen Sie eine Standardklasse

Setzen Sie bei der Zuordnung einer Klasse zu einem Technischen Platz oder Equipment immer den Haken bei der Standardklasse. Nur so stellen Sie sicher, dass die klassenbezogenen Objektstatistiken des Instandhaltungsinformationssystems PM-IS fortgeschrieben werden.

Näheres zu PM-IS finden Sie in Abschnitt 7.2.3, »Logistikinformationssystem«.

Suchfunktionen

Das SAP-System stellt Ihnen an vielen Stellen Suchfunktionen zur Verfügung, um Objekte mit bestimmten technischen Ausprägungen wiederzufinden. Die folgenden Einsatzbereiche sind typisch für diese Suchfunktionen:

- Sie benötigen eine Liste aller Pumpen, die bestimmte Leistungsgrenzen überschreiten.
- Ihnen ist ein Motor ausgefallen, und Sie benötigen einen gleichwertigen Ersatz.
- Ein Ersatzteil einer Anlage ist defekt; das Originalersatzteil ist jedoch nicht mehr auf Lager, und Sie suchen eine Alternative.
- Weil das Zustellverfahren aus dem Lager geändert werden soll, benötigen Sie eine Aufstellung über die maximale Nutzlast aller Flurförderzeuge.

Die folgenden Transaktionen können Sie für die Suchfunktionalität nutzen:

- Transaktion CL30N, mit deren Hilfe Sie innerhalb einer Klasse Objekte nach Merkmalseingrenzungen suchen können.
- Transaktion CL20, mit deren Hilfe Sie klassenübergreifend durch die Einschränkung eines oder mehrerer Merkmale Objekte suchen können.
- Transaktion CL6B, mit deren Hilfe Sie ein komplettes Objektverzeichnis einer Klasse erstellen können.
- Die Transaktionen IE05 und IH08, mit deren Hilfe Sie eine Liste von Equipments mit organisatorischen (z. B. Kostenstelle, Werk) und technischen Eingrenzungen (eine Klasse mit Merkmalsbewertungen) erstellen können (siehe Abbildung 4.52).
- Die Transaktionen IL05 und IH06, die dasselbe für Technische Plätze leisten.
- Transaktion IQ08, die dasselbe für Serialnummern leistet.
- Transaktion IE20, mit deren Hilfe Sie ein Ersatzequipment suchen können, das über dieselben Leistungsdaten verfügt wie das Original.

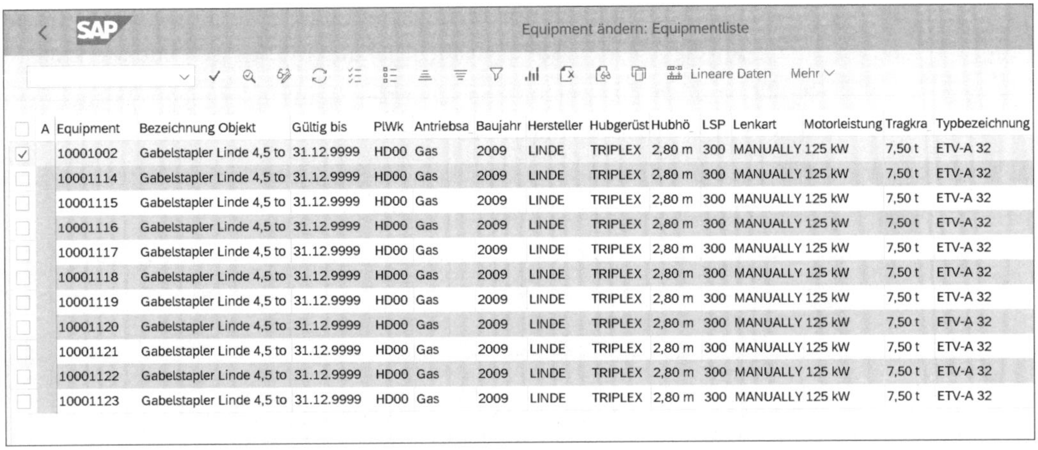

Equipment ändern: Equipmentliste

Lineare Daten Mehr

A	Equipment	Bezeichnung Objekt	Gültig bis	PlWk	Antriebsa	Baujahr	Hersteller	Hubgerüst	Hubhö	LSP	Lenkart	Motorleistung	Tragkra	Typbezeichnung
✓	10001002	Gabelstapler Linde 4,5 to	31.12.9999	HD00	Gas	2009	LINDE	TRIPLEX	2,80 m	300	MANUALLY	125 kW	7,50 t	ETV-A 32
	10001114	Gabelstapler Linde 4,5 to	31.12.9999	HD00	Gas	2009	LINDE	TRIPLEX	2,80 m	300	MANUALLY	125 kW	7,50 t	ETV-A 32
	10001115	Gabelstapler Linde 4,5 to	31.12.9999	HD00	Gas	2009	LINDE	TRIPLEX	2,80 m	300	MANUALLY	125 kW	7,50 t	ETV-A 32
	10001116	Gabelstapler Linde 4,5 to	31.12.9999	HD00	Gas	2009	LINDE	TRIPLEX	2,80 m	300	MANUALLY	125 kW	7,50 t	ETV-A 32
	10001117	Gabelstapler Linde 4,5 to	31.12.9999	HD00	Gas	2009	LINDE	TRIPLEX	2,80 m	300	MANUALLY	125 kW	7,50 t	ETV-A 32
	10001118	Gabelstapler Linde 4,5 to	31.12.9999	HD00	Gas	2009	LINDE	TRIPLEX	2,80 m	300	MANUALLY	125 kW	7,50 t	ETV-A 32
	10001119	Gabelstapler Linde 4,5 to	31.12.9999	HD00	Gas	2009	LINDE	TRIPLEX	2,80 m	300	MANUALLY	125 kW	7,50 t	ETV-A 32
	10001120	Gabelstapler Linde 4,5 to	31.12.9999	HD00	Gas	2009	LINDE	TRIPLEX	2,80 m	300	MANUALLY	125 kW	7,50 t	ETV-A 32
	10001121	Gabelstapler Linde 4,5 to	31.12.9999	HD00	Gas	2009	LINDE	TRIPLEX	2,80 m	300	MANUALLY	125 kW	7,50 t	ETV-A 32
	10001122	Gabelstapler Linde 4,5 to	31.12.9999	HD00	Gas	2009	LINDE	TRIPLEX	2,80 m	300	MANUALLY	125 kW	7,50 t	ETV-A 32
	10001123	Gabelstapler Linde 4,5 to	31.12.9999	HD00	Gas	2009	LINDE	TRIPLEX	2,80 m	300	MANUALLY	125 kW	7,50 t	ETV-A 32

Abbildung 4.52 Equipmentliste mit Merkmalsbewertungen

4.2.8 Produktstrukturbrowser

Definition

Eine Funktion möchte ich Ihnen nicht vorenthalten, die selbst erfahrenen Anwendern häufig unbekannt ist: den Produktstrukturbrowser (Transaktion CC04). Der Produktstrukturbrowser ist ein allgemeines Werkzeug aus dem Produktdatenmanagement der Logistik, mit dessen Hilfe Sie komplexe Produktstrukturen aufbauen, verwalten und anzeigen können. Da Sie mithilfe des Produktstrukturbrowsers nicht nur Technische Plätze und Equipments, sondern so gut wie alle Objekte der Logistik verwalten können (Dokumente, Stücklisten, Arbeitspläne, Klassifizierungen usw.), ist er nicht nur in der Instandhaltung, sondern auch in der Konstruktion, Produktion usw. einsetzbar.

Aus Sicht der Instandhaltung ist der Produktstrukturbrowser (siehe Abbildung 4.53) in der Darstellungsweise der Strukturdarstellung (Transaktionen IH01, IH03) sehr ähnlich.

Produktstrukturbrowser vs. Strukturdarstellung

Dennoch gibt es einige wesentliche Unterschiede zwischen den beiden Darstellungsformen. Im Folgenden finden Sie die Vorteile des Produktstrukturbrowsers im Vergleich zur Strukturdarstellung:

- Sie können technische Objekte per Drag & Drop verschieben (z. B. ein Equipment auf einem anderen Technischen Platz einbauen).
- Sie können neue technische Objekte anlegen oder vorhandene technische Objekte in die Struktur einbauen.
- Sie können in der Struktur vorhandene Objekte verändern (z. B. einen Technischen Platz umnummerieren).

- Sie können sich nicht nur Technische Plätze, Equipments und Stücklisten anzeigen lassen, sondern auch Dokumente, Klassen und Merkmale.
- Sie können für technische Objekte Statusänderungen vornehmen (Löschvormerkung, inaktiv/aktiv).
- Sie können zu einem technischen Objekt eine Workflow-Aufgabe erzeugen und technische Objekte versenden.

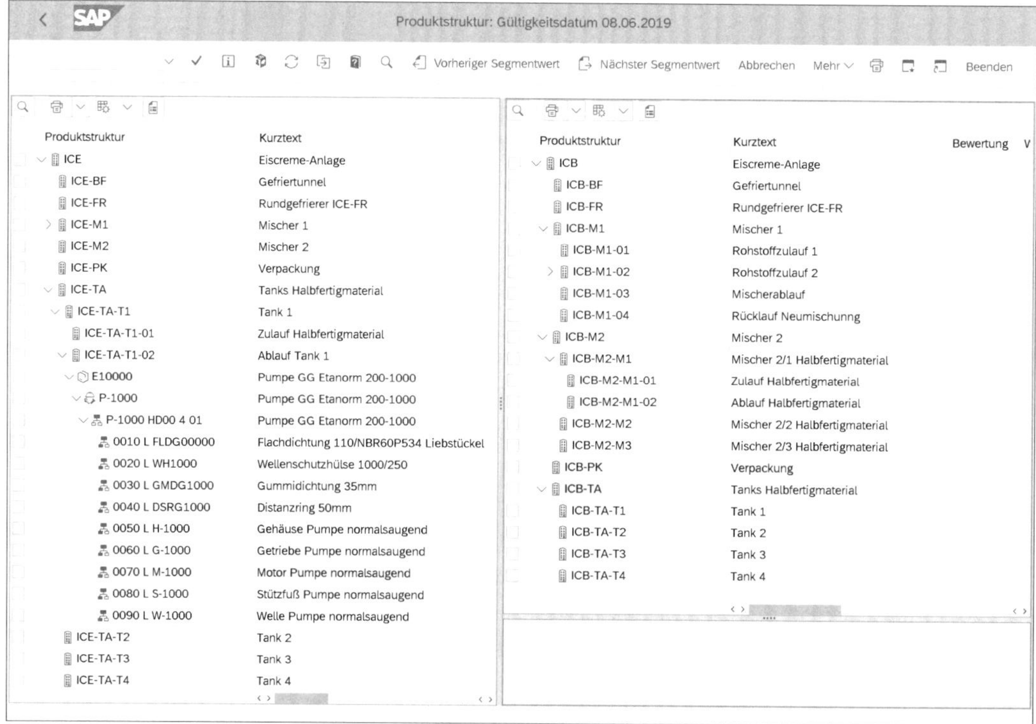

Abbildung 4.53 Transaktion CC04 – Produktstrukturbrowser

[!]

Nutzen Sie den Produktstrukturbrowser

Der Produktstrukturbrowser ist ein geeignetes Hilfsmittel, um Objektstrukturen nicht nur anzeigen, sondern auch verändern zu können. Aber Achtung: Die Änderungen werden sofort auf der Datenbank verbucht.

Beispielprozesse im Web

Auf der E-Learning-Plattform unter *http://saptraining.fh-wuerzburg.de* finden Sie über den Menüpfad **SAP ERP • Instandhaltung Prozesse • Instand-**

haltung Prozesse @-learning SAP starten • Instandhaltung • 2. Technische Anlagenstrukturen• 2.5 Produktstrukturbrowser die Geschäftsprozesse zum Umgang mit dem Produktstrukturbrowser.

4

4.2.9 Asset Viewer

Eine ähnliche Funktion wie die Strukturdarstellung oder der Produktstrukturbrowser stellt Ihnen der SAP Business Client mit dem Asset Viewer zur Verfügung (siehe Abbildung 4.54). Über diesen können Sie sich zusätzlich zur reinen Anlagenstruktur weitere Informationen anzeigen lassen, wie z. B.:

- ob Verknüpfungen zu Dokumenten vorhanden sind
- welche Meldungen vorliegen
- welche Aufträge existieren
- welche Arbeitspläne, Wartungspositionen und Wartungspläne angelegt wurden
- welche Klassen und Merkmale hinterlegt sind
- ob Messpunkte und Zähler vorhanden sind

Aus dem Asset Viewer heraus können Sie zu einem technischen Objekt interaktiv bestimme Funktionen ausführen:

- Sie können eine Meldung oder einen Auftrag anlegen.
- Sie können sich die Objektinformation anzeigen lassen.
- Sie können ein Equipment ein-, aus- oder umbauen.

Business Functions

Damit Sie den Asset Viewer umfassend nutzen können, müssen Sie die Business Functions LOG_EAM_SIMP, LOG_EAM_SIMPLICITY und LOG_EAM_SIMPLICITY_2 aktivieren.

Der Asset Viewer im Business Client zeigt nützliche Zusatzinformationen

Über den Asset Viewer im SAP Business Client können Sie nicht nur die Anlagenstruktur, sondern auch Zusatzinformationen (wie z. B. Wartungspläne, Aufträge usw.) sehen. Aus dem Asset Viewer heraus können Sie auch neue Stammdaten (z. B. Arbeitspläne oder Wartungspläne) und neue Bewegungsdaten (z. B. Meldungen und Aufträge) anlegen.

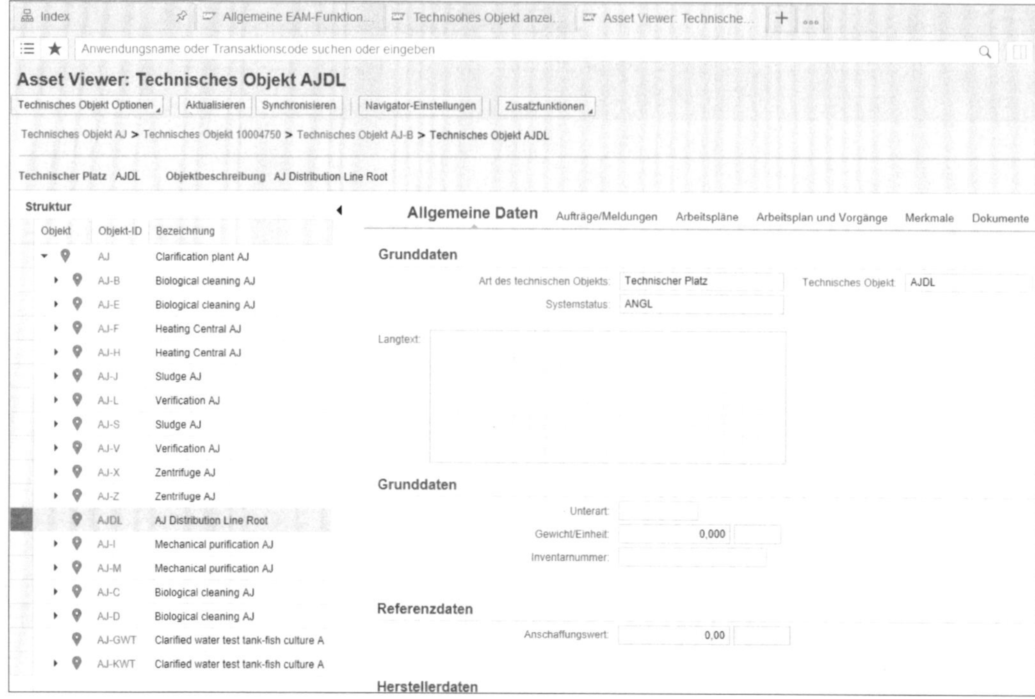

Abbildung 4.54 Asset Viewer

4.2.10 Spezielle Funktionen

Im Folgenden möchte ich Ihnen noch einige weitere Funktionen vorstellen, die Ihnen bei den technischen Objekten zur Verfügung stehen; beginnen wir mit der Datenweitergabe.

Datenweitergabe

Definition Daten werden automatisch innerhalb von Strukturen oder objektübergreifend weitergegeben. Wenn Sie Ihre Anlagen mithilfe von Referenzplätzen, Technischen Plätzen und Equipments strukturieren, beinhalten die hierarchischen Strukturen, die Sie anlegen, oftmals die gleichen Stammsatzdaten. Um die Pflege beim Anlegen und beim Änderungsdienst übersichtlicher und einfacher zu gestalten, steht Ihnen die Funktion der Datenweitergabe zur Verfügung, mit deren Hilfe Sie die folgenden Aktionen ausführen können:

- **Hierarchische Datenweitergabe**
  Daten von übergeordneten Objekten an hierarchisch tiefer liegende Objekte weitergeben

- **Horizontale Datenweitergabe**
  Daten objektübergreifend (Referenzplatz an Technischen Platz und Technischen Platz an Equipment) weitergeben

Hierarchische Datenweitergabe

Wenn Sie innerhalb einer Objektstruktur (Referenzplatzstruktur, Technische Platzstruktur, Equipmenthierarchie) Daten verändern, wird diese Veränderung automatisch an die darunterliegenden Objekte weitergegeben (siehe Abbildung 4.55).

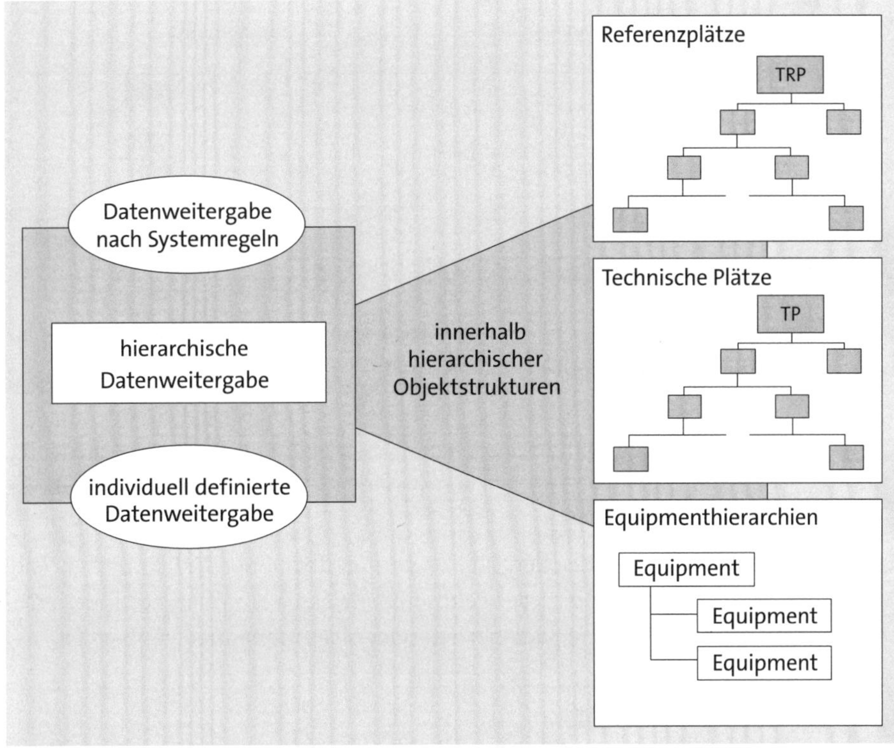

Abbildung 4.55 Hierarchische Datenweitergabe

Horizontale Datenweitergabe

Bei der horizontalen Datenweitergabe (siehe Abbildung 4.56) werden die Daten zwischen zwei verschiedenen Objekttypen automatisch weitergegeben. Hierzu gibt es wiederum zwei Möglichkeiten:

- Sie ändern Daten an den Referenzplätzen. Dann werden diese Änderungen automatisch an alle Technischen Plätze weitergegeben, die aus diesen Referenzplätzen hervorgegangen sind.
- Sie ändern Daten an Technischen Plätzen, auf denen Equipments eingebaut sind. Dann werden die Datenänderungen automatisch an die Equipments weitergegeben.

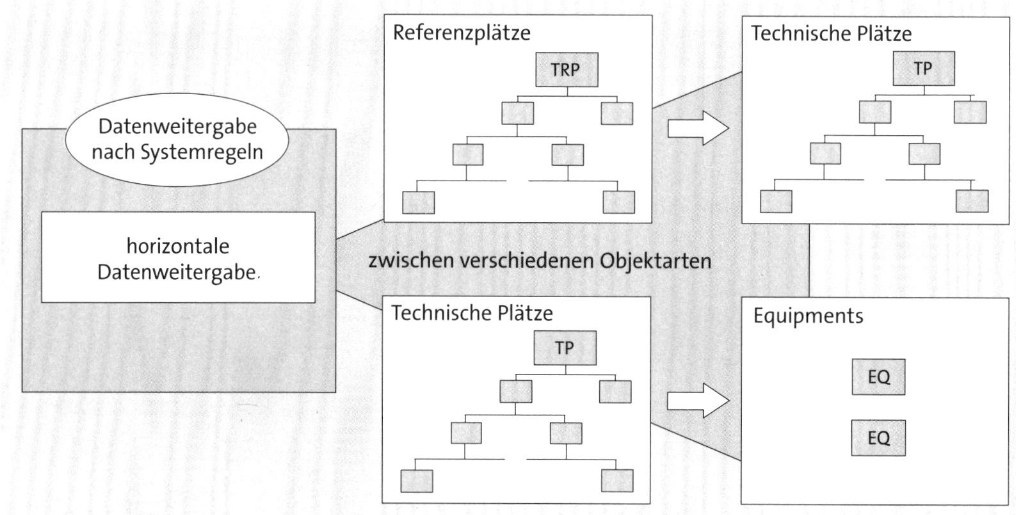

Abbildung 4.56 Horizontale Datenweitergabe

[!]

Achten Sie auf die Kennzeichen bei der Datenherkunft

Durch eine geschickte Strukturierung der Technischen Plätze und Equipments können umfangreiche Datenpflegearbeiten – z. B. Kostenstellenänderungen oder Änderungen in den Zuständigkeiten – vermieden werden.

Wie funktioniert die Datenweitergabe?

Jedes Feld eines technischen Objekts verfügt über einen Indikator dazu (siehe Abbildung 4.57), ob dieses Feld seinen Inhalt vom übergeordneten Objekt oder vom Referenzplatz bezieht oder ob es individuell gepflegt ist.

[!]

Datenherkunft ändern

Bei hierarchisch weitergegebenen Daten können Sie den Indikator für jedes Feld jederzeit manuell ändern. Bei horizontal weitergegebenen Daten können Sie dies nur zum Zeitpunkt der Datenweitergabe festlegen – also z. B. nur zu dem Zeitpunkt, zu dem das Equipment auf dem Technischen Platz eingebaut wird.

[!]

Datenherkunft und individuelle Pflege

Wenn Sie ein Feld auf einer untergeordneten Ebene manuell pflegen, erhält es den Indikator **Individuelle Pflege**, mit der Konsequenz, dass bei einer Datenänderung auf der übergeordneten Ebene das Objekt selbst und auch seine untergeordneten Objekte unverändert bleiben.

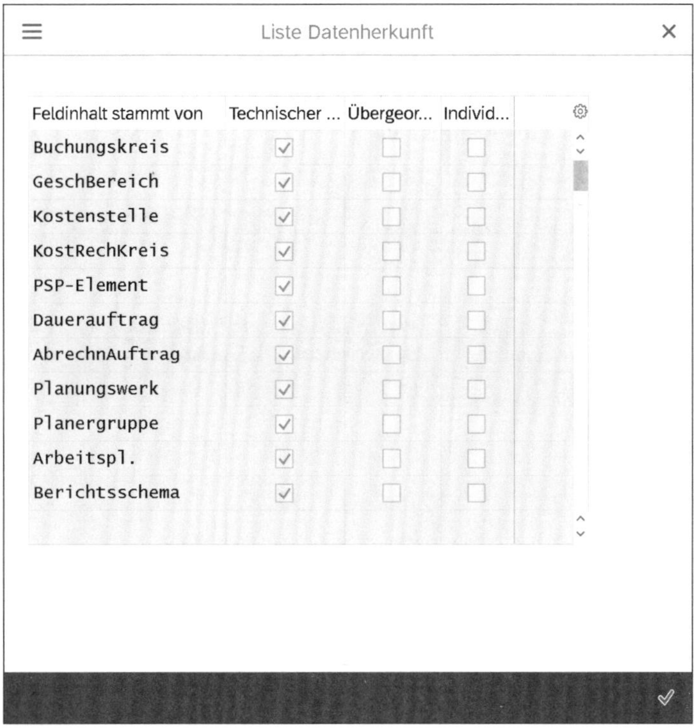

Liste Datenherkunft

Feldinhalt stammt von	Technischer ...	Übergeor...	Individ...
Buchungskreis	☑	☐	☐
GeschBereich	☑	☐	☐
Kostenstelle	☑	☐	☐
KostRechKreis	☑	☐	☐
PSP-Element	☑	☐	☐
Dauerauftrag	☑	☐	☐
AbrechnAuftrag	☑	☐	☐
Planungswerk	☑	☐	☐
Planergruppe	☑	☐	☐
Arbeitspl.	☑	☐	☐
Berichtsschema	☑	☐	☐

Abbildung 4.57 Datenherkunft

Massenänderung von Equipments und Technischen Plätzen

Neben der Datenweitergabe können Sie auch Feldinhalte gezielt in mehreren Equipments oder Technischen Plätzen ändern. Nutzen Sie hierzu die jeweilige Liständerungstransaktion (Transaktion IE05: Liständerung Equipments, Transaktion IL05: Liständerung Technische Plätze), und markieren Sie die zu ändernden Stammsätze. Die eigentliche Massenänderungsfunktion erreichen Sie dann über **Mehr • Springen • Massenänderung durchführen**. Es erscheint nun ein Pop-up-Fenster, in dem Sie die zu ändernden Felder und die neuen Feldinhalte angeben (siehe Abbildung 4.58).

Über die Option **Ausführen** bzw. **Ausführen im Hintergrund** werden die Feldinhalte in allen markierten Objekten durchgeführt. Die Voraussetzung hierzu ist, dass der Vererbungsindikator auf **Individuell gepflegt** steht. Im Umkehrschluss heißt dies, dass ein Vererbungsindikator **Übergeordneter Technischer Platz** oder **Übergeordnetes Equipment** richtigerweise Vorrang vor der Massenbearbeitungsfunktion hat.

Leider stehen Ihnen nicht alle Felder für die Massenbearbeitungsfunktion zur Verfügung. Felder wie beispielweise **Berechtigungsgruppe**, **Kostenstelle** oder **Betriebsbereich** können Sie ändern; die Felder **technische Identnummer** oder **Bautyp** hingegen nicht.

Business Function

Damit Sie die Massenänderung von Technischen Plätzen und Equipments nutzen können, muss die Business Function LOG_EAM_SIMP aktiviert sein.

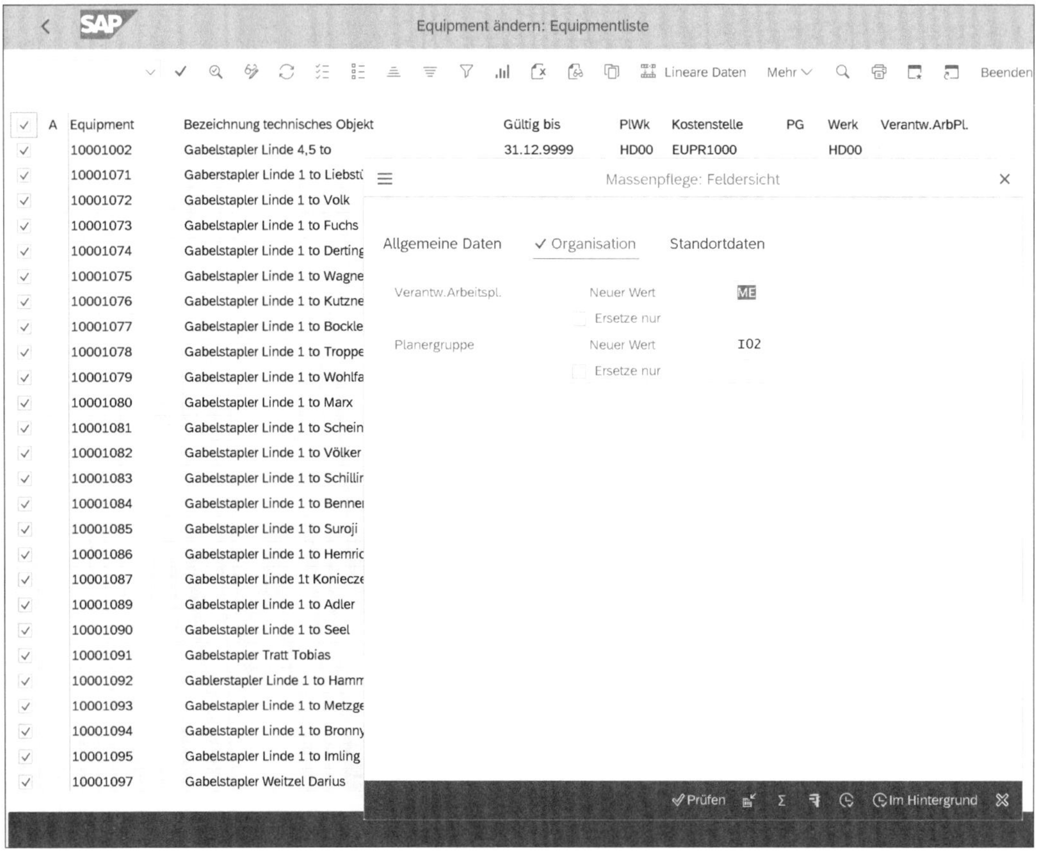

A	Equipment	Bezeichnung technisches Objekt	Gültig bis	PlWk	Kostenstelle	PG	Werk	Verantw.ArbPl.
	10001002	Gabelstapler Linde 4,5 to	31.12.9999	HD00	EUPR1000		HD00	
	10001071	Gaberstapler Linde 1 to Liebstü						
	10001072	Gabelstapler Linde 1 to Volk						
	10001073	Gabelstapler Linde 1 to Fuchs						
	10001074	Gabelstapler Linde 1 to Derting						
	10001075	Gabelstapler Linde 1 to Wagne						
	10001076	Gabelstapler Linde 1 to Kutzne						
	10001077	Gabelstapler Linde 1 to Bockle						
	10001078	Gabelstapler Linde 1 to Troppe						
	10001079	Gabelstapler Linde 1 to Wohlfa						
	10001080	Gabelstapler Linde 1 to Marx						
	10001081	Gabelstapler Linde 1 to Schein						
	10001082	Gabelstapler Linde 1 to Völker						
	10001083	Gabelstapler Linde 1 to Schillir						
	10001084	Gabelstapler Linde 1 to Benne						
	10001085	Gabelstapler Linde 1 to Suroji						
	10001086	Gabelstapler Linde 1 to Hemric						
	10001087	Gabelstapler Linde 1t Koniecze						
	10001089	Gabelstapler Linde 1 to Adler						
	10001090	Gabelstapler Linde 1 to Seel						
	10001091	Gabelstapler Tratt Tobias						
	10001092	Gablerstapler Linde 1 to Hamm						
	10001093	Gabelstapler Linde 1 to Metzge						
	10001094	Gabelstapler Linde 1 to Bronny						
	10001095	Gabelstapler Linde 1 to Imling						
	10001097	Gabelstapler Weitzel Darius						

Abbildung 4.58 Massenänderung von technischen Objekten

Massenbearbeitung von Equipments und Technischen Plätzen

Mithilfe der Massenbearbeitungsfunktion können Sie einfach und schnell in mehreren technischen Objekten mehrere Feldinhalte gleichzeitig abändern. Beachten Sie jedoch, dass hierarchisch vererbte Feldinhalte nicht verändert werden und dass nicht alle Felder zur Verfügung stehen.

Messpunkte und Zähler

Anwendungsfälle für Messpunkte und Zähler

In den folgenden drei Fällen wäre es sinnvoll, Messbelege und Zählerstände zu erfassen:

- **Zustand eines technischen Objekts**
  Hier geht es darum, den Zustand eines technischen Objekts zu einem bestimmten Zeitpunkt zu dokumentieren. Dies ist wichtig, wenn der Gesetzgeber vorsieht, dass detaillierte Nachweise über den korrekten Zustand eines technischen Objekts erbracht werden müssen. Solche Nachweise können kritische Werte im Umweltschutz betreffen, gefährdete Arbeitsbereiche im Arbeitsschutz, Geräte in Kliniken sowie Emissions- und Immissionsmessungen an Objekten aller Art.
- **Leistungsabhängige Wartung**
  Oder möchten Sie eine leistungsabhängige Wartung betreiben? Bei zählerstandabhängiger Wartung werden Wartungstätigkeiten immer dann ausgeführt, wenn der Zähler an einem technischen Objekt einen bestimmten Stand erreicht hat. (Näheres zu dieser Thematik erfahren Sie in Abschnitt 5.8, »Der Geschäftsprozess ›Vorbeugende Instandhaltung‹«.)
- **Zustandsabhängige Wartung**
  Oder möchten Sie eine zustandsabhängige Wartung betreiben? Bei der zustandsabhängigen Wartung werden die Wartungstätigkeiten immer dann ausgeführt, wenn bei einem Messpunkt an einem technischen Objekt ein Schwellenwert über- oder unterschritten wird. (Näheres zu dieser Thematik erfahren Sie in Abschnitt 5.9, Der »Der Geschäftsprozess ›Zustandsabhängige Instandhaltung‹«.)

Messpunkte

Als Messpunkte werden Stellen bezeichnet, mit deren Hilfe der aktuelle Zustand einer Anlage beschrieben wird, wie z. B.:

- Temperatur
- Umdrehungszahl
- Druckzustand
- Verschmutzungsgrad
- Viskosität

An den einzelnen Messpunkten können Sie die Soll-Werte und die Ober-/Untergrenzen angeben. Abbildung 4.59 zeigt Ihnen einen Messpunkt für eine Stelle, an der die Betriebstemperatur gemessen wird.

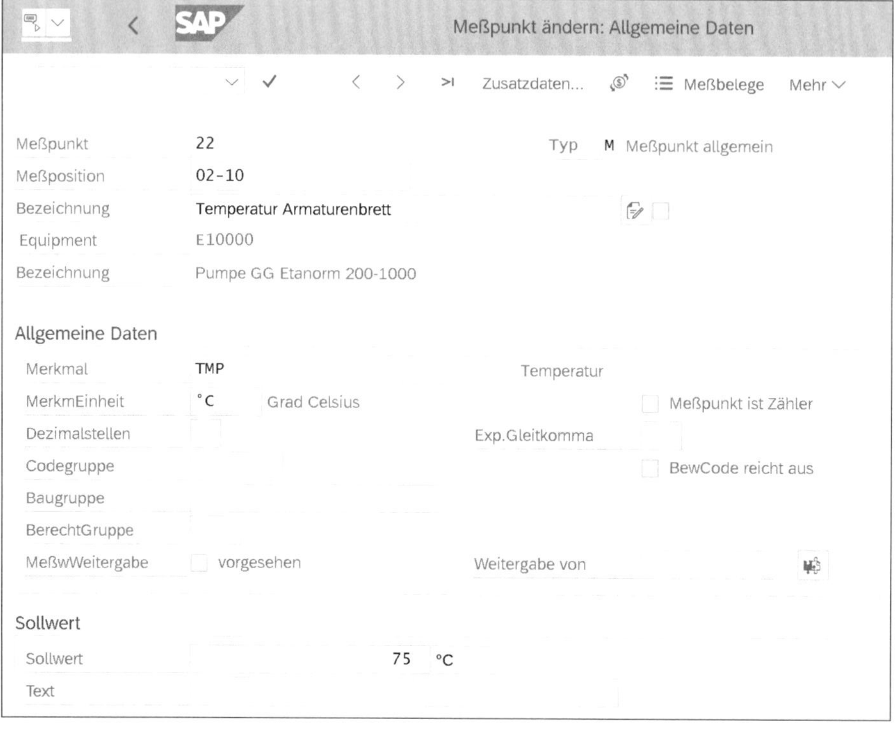

Abbildung 4.59 Messpunkt

Handelt es sich um einen Messpunkt, der einem linearen Objekt zugeordnet ist, erscheinen zusätzlich die linearen Daten (siehe Abbildung 4.60).

Abbildung 4.60 Messpunkt mit linearen Daten

Messwerte

An den Messpunkten werden Messbelege erfasst, die diskontinuierliche Werte beinhalten, also z. B. ein Messbeleg um 10:25 Uhr zur Motorinnentemperatur von 95 °C, ein Messbeleg um 11:05 Uhr zur Temperatur von 98 °C, ein Messbeleg um 12:10 Uhr, der eine Temperatur von 89 °C ausweist usw.

Messpunkte befinden sich immer an technischen Objekten, d. h. an Equipments oder Technischen Plätzen. Abbildung 4.61 zeigt Ihnen die schwankenden Messwerte.

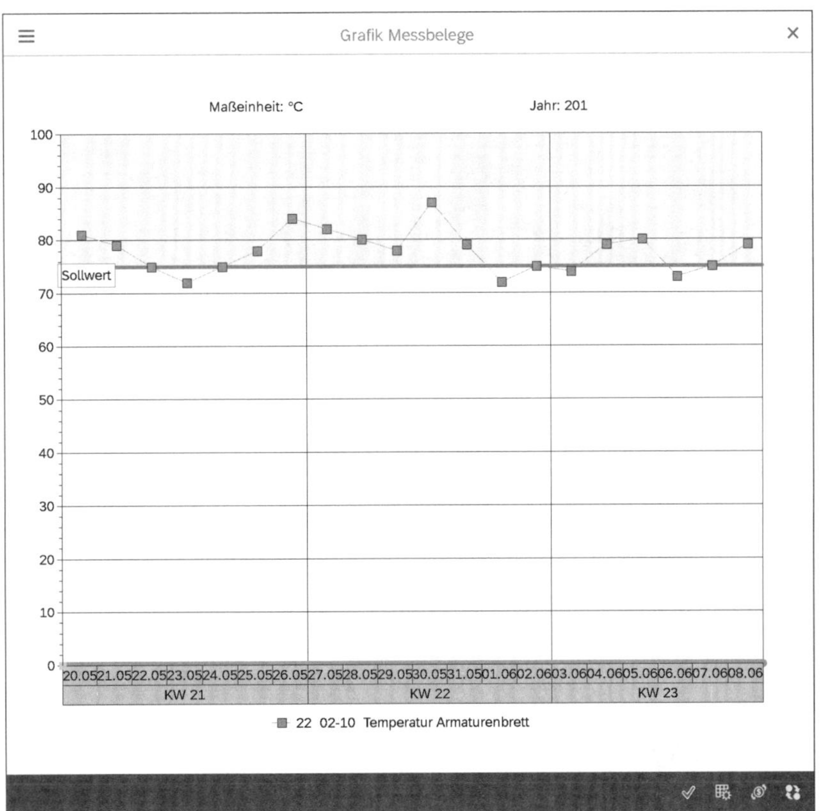

Abbildung 4.61 Messwerte im Zeitablauf

Zähler

Als Zähler werden im SAP-System die Stellen bezeichnet, mit deren Hilfe Sie die Abnutzung eines Objekts, einen Verbrauch oder den Abbau eines Nutzungsvorrats darstellen können, z. B. Kilometerzähler, Betriebsstundenzähler, Stückzahlen, Ausbringung in Tonnen usw. Abbildung 4.62 zeigt Ihnen, wie ein Zähler zur Messung von Betriebsstunden aussieht.

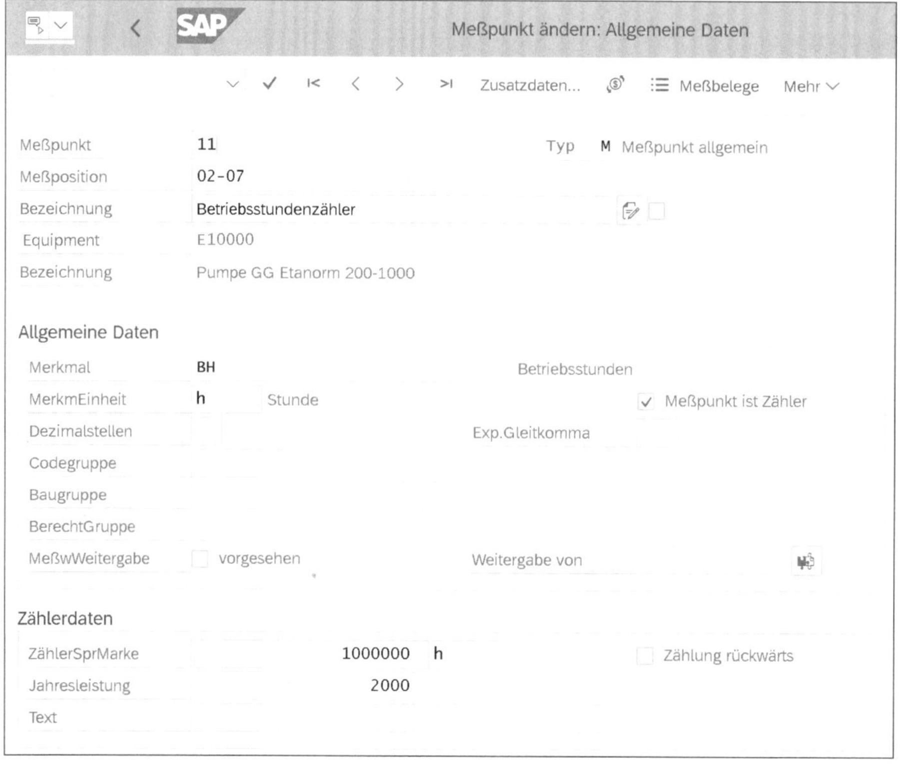

Abbildung 4.62 Zähler

Die beiden folgenden Werte spielen bei einem Zähler für eine leistungsabhängige Wartung eine besondere Rolle:

- **Zählersprungmarke**
  Die Zählersprungmarke im Feld **ZählerSprMarke** ist der erste auf dem Zähler nicht mehr darstellbare Wert. Bei einem vierstelligen Zähler wäre dies z. B. der Wert 10.000.
- **Geschätzte Jahresleistung**
  Die geschätzte Jahresleistung im Feld **Jahresleistung** wird benötigt, damit das System auf der Basis des aktuellen Zählerstands eine Vorausberechnung des nächsten Wartungstermins durchführen kann.

Detaillierte Erläuterungen hierzu finden Sie in Abschnitt 5.8, »Der Geschäftsprozess ›Vorbeugende Instandhaltung‹«.

Zählerstände

Mithilfe von Zählern werden Zählerstände erfasst, die entweder kontinuierlich steigen oder kontinuierlich fallen. So wird beispielsweise an einem Gabelstapler am 20.01. ein Betriebsstundenstand in Höhe von 1.250 Stunden, am 25.01. in Höhe von 1.274 Stunden und am 01.02. in Höhe von 1.295 Stunden erfasst. Zähler befinden sich immer an technischen Objekten, d. h. an Equipments oder Technischen Plätzen. Abbildung 4.63 zeigt ein Beispiel für eine Zählerstandsentwicklung.

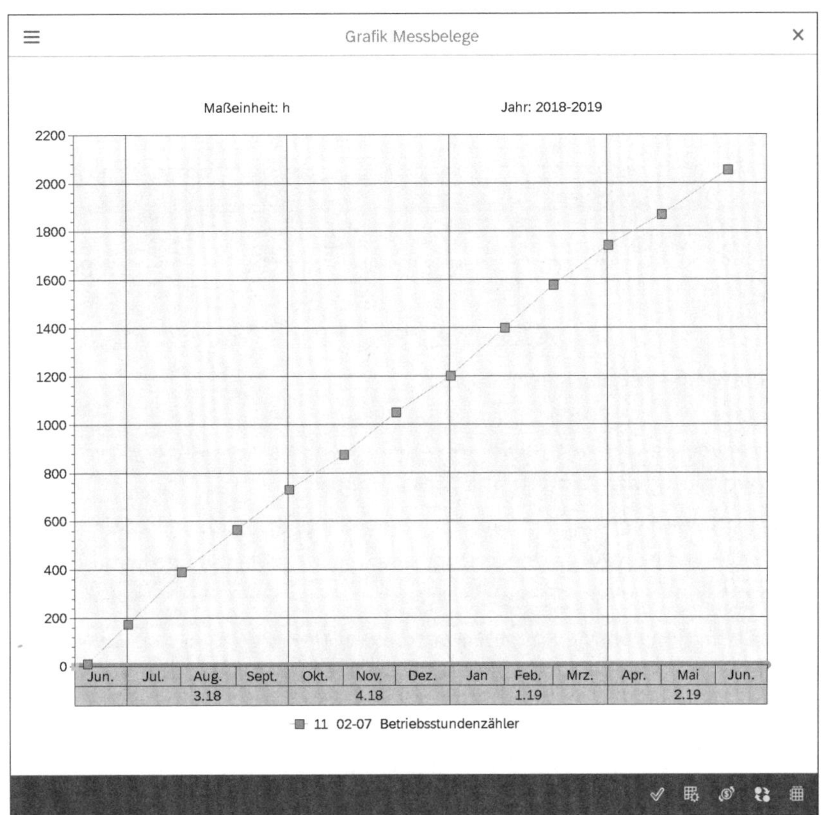

Abbildung 4.63 Zählerstandsentwicklung

Messbeleg-weitergabe

Auch können Sie Messbelege von einem Messpunkt zu einem anderen Messpunkt weitergeben. Die beiden Messpunkte können, aber müssen sich nicht in derselben Anlagenhierarchie (Technische Platzstruktur, eingebaute Equipments) befinden; Sie können auch eine eigene Messpunkthierarchie aufbauen. Abbildung 4.64 zeigt Ihnen eine an der Technischen Platzstruktur orientierte Messbelegweitergabe.

Handelt es sich bei den Messbelegen um Messwerte, werden die absoluten Werte weitergegeben. Handelt es sich bei den Messbelegen hingegen um Zählerstände, werden die Zählerstandsdifferenzen weitergegeben.

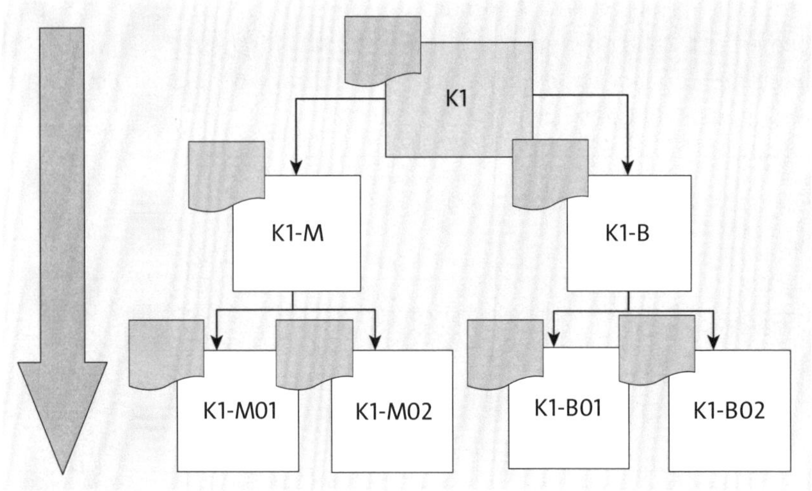

Abbildung 4.64 Messbelegweitergabe

[!]

Verwendung von Zählern und Messpunkten

Die Definition von Zählern und das regelmäßige Erfassen von Zählerständen bilden die Basis für eine leistungsabhängige, vorbeugende Instandhaltung.

Die Definition von Messpunkten und das regelmäßige Erfassen von Messwerten bilden die Basis für eine zustandsabhängige Instandhaltung.

Dokumente

Beispiele für Dokumente

In vielen Unternehmen ist es wünschenswert, die technischen Objekte mit Dokumenten zu verknüpfen, wie z. B.:

- Konstruktionszeichnungen
- Arbeitsanweisungen
- Checklisten
- Bilder
- Prüfanweisungen
- Explosionszeichnungen
- MSR-Schemata
- 3D-Modelle

In Abbildung 4.65 sehen Sie z. B. ein 3D-Modell.

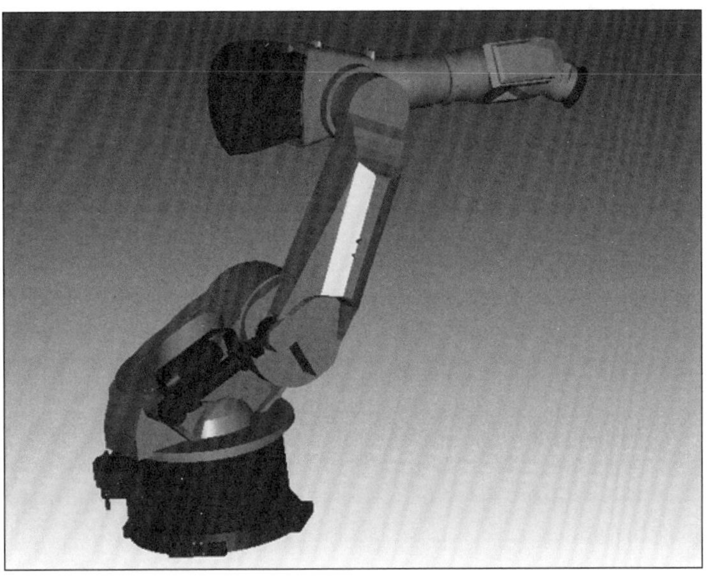

Abbildung 4.65 3D-Modell

Zum Verknüpfen von Objekten mit Dokumenten gibt es zwei Möglichkeiten: den Weg über Dokumentenstammsätze oder über Objektverknüpfungen.

Dokumentenstammsätze

Ihre Zeichnungen können Sie im SAP-System als Dokumentenstammsätze verwalten (Transaktionen CV01N bis CV04N). Die Verlinkung zum Original stellen Sie dann im Dokumentenstammsatz her. Damit Sie das Dokument nun einem technischen Objekt zuordnen können, müssen Sie im Sichtenprofil (Customizing-Funktion **Sichtenprofile für technische Objekte einstellen**), das Sie Ihrem Technischen Platztyp oder Equipmenttyp zugeordnet haben, die Bildgruppe **Verknüpfte Dokumente** einbetten oder die Verknüpfung im Dokumentenstammsatz herstellen (siehe Abbildung 4.66).

Verknüpfte Dokumente

aktuelle Version

alle Versionen

Art	Dokument	TlD	Vs	Beschreibung
DRM	10000001343	000	00	Basis-Zertifikat CO2
DRM	T-D01	000	00	Pumpeninformationen
DRW	P-1000	001	00	Gesamtzeichnung Pumpe

Abbildung 4.66 Verknüpfung mit Dokumentenstammsätzen

Wenn Sie mit Dokumentenstammsätzen arbeiten, können Sie dasselbe Dokument mehreren technischen Objekten zuordnen, bzw. für ein technisches Objekt kann es mehrere Dokumentenverknüpfungen geben.

SAP Easy Document Management

Mit SAP Easy Document Management bietet sich Ihnen eine einfache Möglichkeit, um Dokumente im SAP-System einzuchecken und sie den technischen Objekten zuzuordnen.

Hierzu müssen die folgenden Voraussetzungen erfüllt sein:

- Sie haben SAP Easy Document Management auf einer lokalen oder virtuellen Maschine installiert. Diese Installation legt Ihnen ein Start-Icon auf den Desktop und generiert zwei Ordner (**private Dokumente** und **öffentliche Dokumente**), die Sie sich in Ihrem Explorer anzeigen lassen können.
- Sie haben das Customizing zum SAP Easy Document Management[2] erfolgreich erledigt.

Um nun ein Dokument einem technischen Objekt zuzuordnen, gehen Sie wie folgt vor:

1. Starten Sie SAP Easy Document Management über einen Klick auf den Button **Desktop**, und melden Sie sich an dem System an, in dem die Dokumente verwaltet werden sollen (siehe Abbildung 4.67).

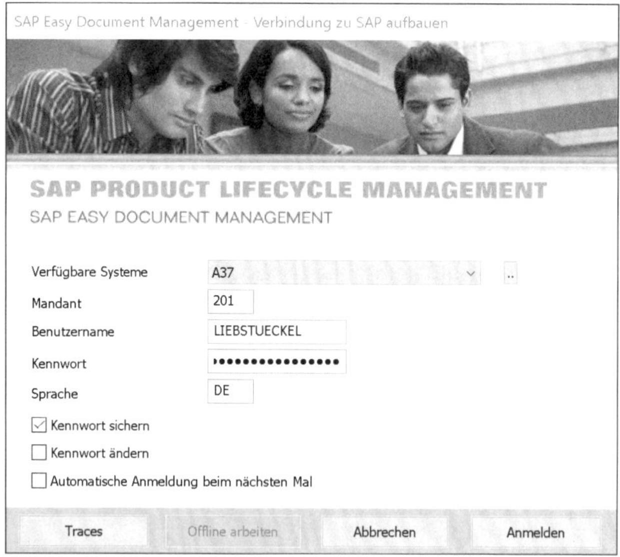

Abbildung 4.67 Anmeldung am SAP-System

2 Hierzu sei auf die einschlägige Literatur verwiesen, beispielsweise Heck, R.: »Geschäftsprozessorientiertes Dokumentenmanagement mit SAP«, Bonn: SAP PRESS 2009.

2. Es erscheinen nun die bereits angelegten Ordner und Dokumente (siehe Abbildung 4.68).

Dokumentbeschreibung	Dateiname	Statusbezei...	Art	Dokumentnummer	Version	Ablage	Zuletzt geä...	Benutzer	Teil
Hi-Tech		Arbeitsanf.	FOL	10000000384	00			IPD_PARTN...	000
Laptop Technical Documents		Arbeitsanf.	Z99	10000000250	00			PLM_TEST	000
Navigator documents		Arbeitsanf.	FOL	IPD-NAV	00			I060342	000
Robot Project RX		Arbeitsanf.	FOL	10000000197	00			TOEWEU	000

Abbildung 4.68 Dokumentenverzeichnis im Microsoft Windows Explorer

3. Ziehen Sie nun ein Dokument aus einem anderen Verzeichnis per Drag & Drop in ein SAP-Easy-Document-Management-Verzeichnis.
4. Es öffnet sich ein Pop-up-Fenster, in dem Sie vom System unter anderem gefragt werden, welchem Objekt (Equipment, Technischer Platz) das betreffende Dokument zugeordnet werden soll. Sie können das Dokument auch gleich mehreren Objekten zuordnen (siehe Abbildung 4.69).

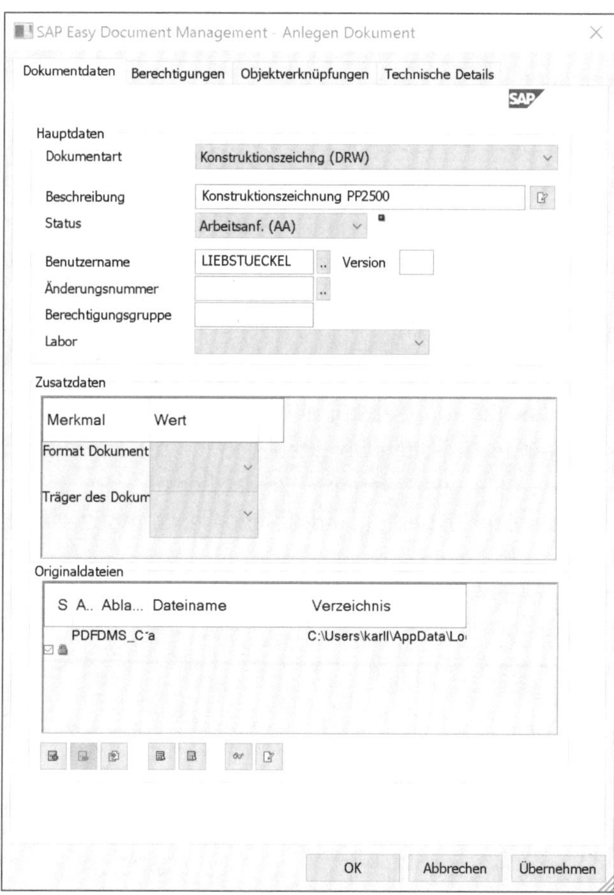

Abbildung 4.69 Dokumentendaten

5. Im Hintergrund wird nun ein Dokumentenstammsatz angelegt, der sofort den ausgewählten Objekten zugeordnet wird. Sie sehen dann das neue Dokument im Stammsatz des technischen Objekts (siehe Abbildung 4.70).

Abbildung 4.70 Verknüpfte Dokumente

[!]

SAP Easy Document Management

SAP Easy Document Management bietet Ihnen eine einfache Möglichkeit, um Dokumentenstammsätze im SAP-System anzulegen und zu verwalten. Dabei können Sie die Dokumentenstammsätze direkt mehreren technischen Objekten zuordnen.

Objektdienst

Neben den Dokumentenstammsätzen können Sie auch über die sogenannten Objektdienste Ihren technischen Objekten Dokumente zuordnen. Die Objektdienste erreichen Sie über **System • Objektdienste** oder über den Button (**Objektdienste**). In der nun eingeblendeten Symbolleiste wählen Sie den Button (**Anlegen • Anlage**). Als Anlage können Sie nun die folgenden Informationen hinterlegen:

- PC-Dateien, wie z. B. PDF-Dokumente, Bilder oder Office-Dateien
- interne Notizen
- externe URL-Adressen

Es entsteht somit eine Anlagenliste (siehe Abbildung 4.71), von der aus Sie die Originale jederzeit wieder aufrufen können.

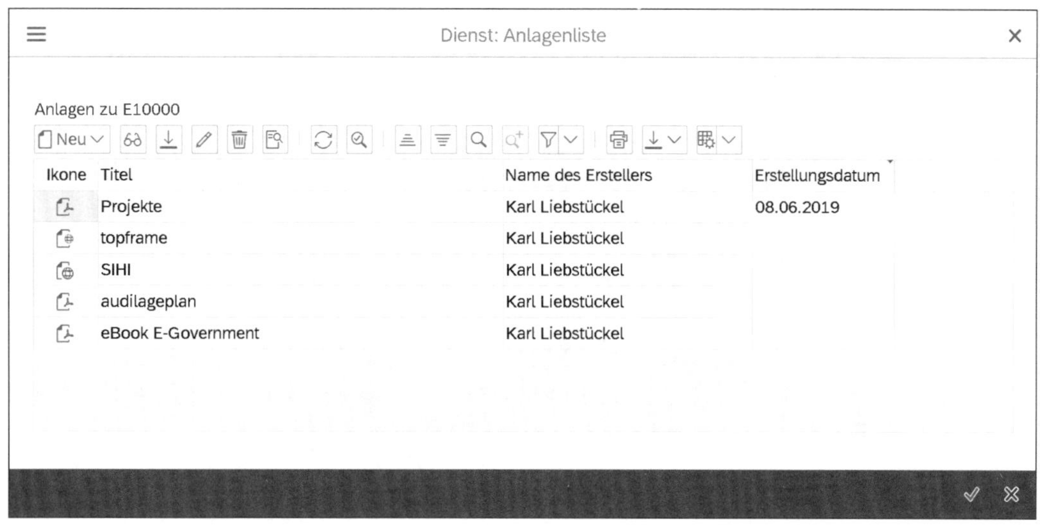

Abbildung 4.71 Dienste zum Objekt – Anlagenliste

Entscheidungskriterien

In der Praxis ist eine Entscheidung für Dokumentenstammsätze und/oder Objektdienste oft nicht ganz einfach zu treffen. Tabelle 4.7 stellt die wichtigsten Gemeinsamkeiten und Unterschiede gegenüber.

Dokumentenstammsätze	Objektverknüpfungen
Dokumentenstammsätze notwendig	keine Dokumentenstammsätze notwendig
aufwendiges Handling	einfaches Handling
Original wird verlinkt	Original wird in SAP-Datenbank kopiert
N:M-Verknüpfung möglich (d. h. ein Objekt mit mehreren Dokumenten und ein Dokument mit mehreren Objekten)	1:M-Verknüpfung möglich (d. h. ein Objekt mit mehreren Dokumenten, aber nicht ein Dokument mit mehreren Objekten)

Tabelle 4.7 Unterschiede zwischen Dokumentenstammsatz und Objektdienst

[!]

Dokumentenstammsatz oder Objektdienst?

Je mehr N:M-Verknüpfungen Sie benötigen, desto eher lohnt sich für Sie der Aufwand der Dokumentenstammsatzpflege. Wenn es bei Ihnen überwiegend 1:M-Verknüpfungen gibt, ist für Sie die Verwendung der einfachen Verfahrensweise der Objektverknüpfungen ratsam.

Adressverwaltung

Das SAP-System besitzt eine vereinheitlichte Adressverwaltung, an die auch die Objekte der Instandhaltung angeschlossen sind (siehe Abbildung 4.72).

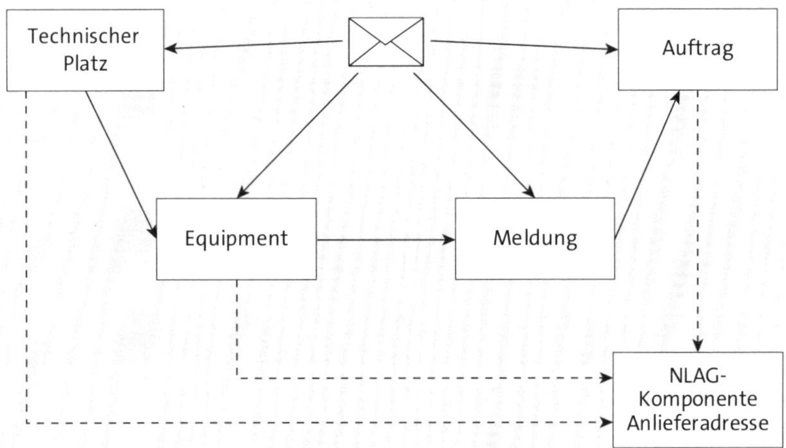

Abbildung 4.72 Zentrale Adressverwaltung

- Technische Plätze
- Equipments
- Meldungen
- Aufträge
- Bestellanforderungen für Nichtlagermaterial

Wenn Sie in einem technischen Objekt eine Adresse hinterlegen, wird diese in die Meldung übernommen. Auch wird die Adresse in den Auftrag übernommen; dort können Sie dann eine eigene Auftragsadresse hinterlegen, falls diese von der Objektadresse abweicht. Im Customizing können Sie noch mithilfe der Funktion **Zugriffsfolge für die Ermittlung von Adressdaten festlegen** definieren, welche Adresse als Anlieferadresse für Nichtlagermaterialien (in der Abbildung NLAG) übernommen werden soll; Sie können aber auch hier für jede Position eine eigene Anlieferadresse hinterlegen.

In Abbildung 4.73 sehen Sie ein Fenster mit einer gepflegten Adresse an einem Equipment.

Abbildung 4.73 Adresse an einem technischen Objekt

[!]

Verwendung der Adressverwaltung

Wenn Sie eine typische Werksinstandhaltung betreiben und die postalischen Adressen der Objekte identisch mit der Werksadresse sind, brauchen Sie keine Objektadressen zu hinterlegen.

Wenn Ihre Objekte aber regional oder überregional verstreut sind (z. B. Energie-, Wasser-, Gasversorger, Telekommunikation, Infrastruktur), ist es empfehlenswert, Adressinformationen an die beteiligten Techniker und Fremdfirmen weiterzugeben.

Garantien

Definition

Eine Garantie ist eine Zusage des Herstellers, Lieferanten oder Verkäufers an einen Kunden, für einen bestimmten Zeitraum Serviceleistungen ganz oder teilweise ohne Berechnung zu gewähren. Eine Garantie bezieht sich immer auf ein technisches Objekt (Technischer Platz, Equipment, Serialnummer). Die folgenden Garantien können Sie abdecken (siehe Abbildung 4.74):

- Hersteller- und Lieferantengarantie (Garantienehmer, Inbound)
- Kundengarantie (Garantiegeber, Outbound)

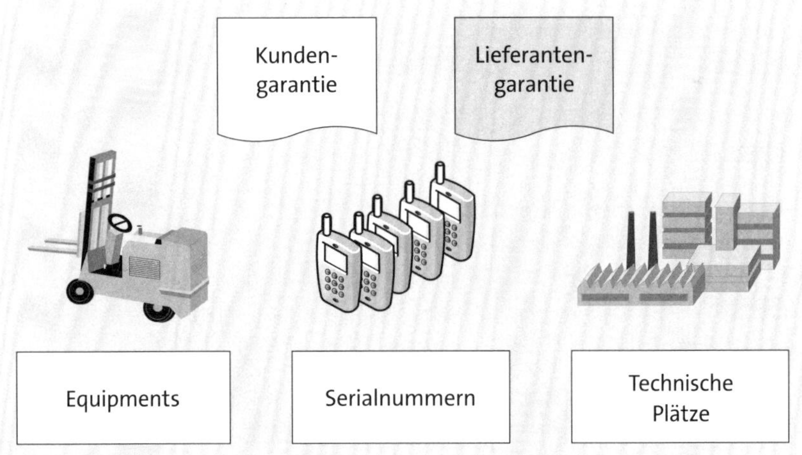

Abbildung 4.74 Garantien

[!]

> **Benötigen Sie nur eine Lieferantengarantie?**
>
> Wenn Sie selbst kein Garantiegeber sind und deshalb nur eine Lieferantengarantie benötigen, was ja in der Instandhaltung meistens der Fall ist, blenden Sie die Kundengarantie aus, indem Sie in der Customizing-Funktion **Garantiearten ändern** den Eintrag **Garantieart 1 = Kundengarantie** löschen.

Voraussetzung für Garantien

Damit Sie nun für ein technisches Objekt Garantien verwalten können, müssen Sie im Sichtenprofil die Bildgruppe **Garantien** zuordnen (Customizing-Funktion **Sichtenprofile für technische Objekte einstellen**).

Zeitabhängige Garantie

In der Regel liegen zeitabhängige Garantien vor (siehe Abbildung 4.75). Der Prüfungsstatus zeigt, dass noch ein Garantieanspruch besteht.

Lieferanten-/Herstellergarantie
Garantiebeginn 01.01.2019 GewährlEnde 31.12.2020
Mustergarantie
Garantie erben Garantievererb. Prüfungsstatus ✓

Abbildung 4.75 Zeitabhängige Garantie

Zählerabhängige Garantie

Es kann aber auch sein, dass Ihre Garantie von einem gewissen Leistungsstand (z. B. km, Betriebsstunden) abhängt. Dabei gibt es zeitabhängige und leistungsabhängige Garantiezähler, die in sogenannten Mustergarantien hinterlegt werden. Mustergarantien pflegen Sie mithilfe der Transaktionen BGM1 bis BGM3 (siehe Abbildung 4.76).

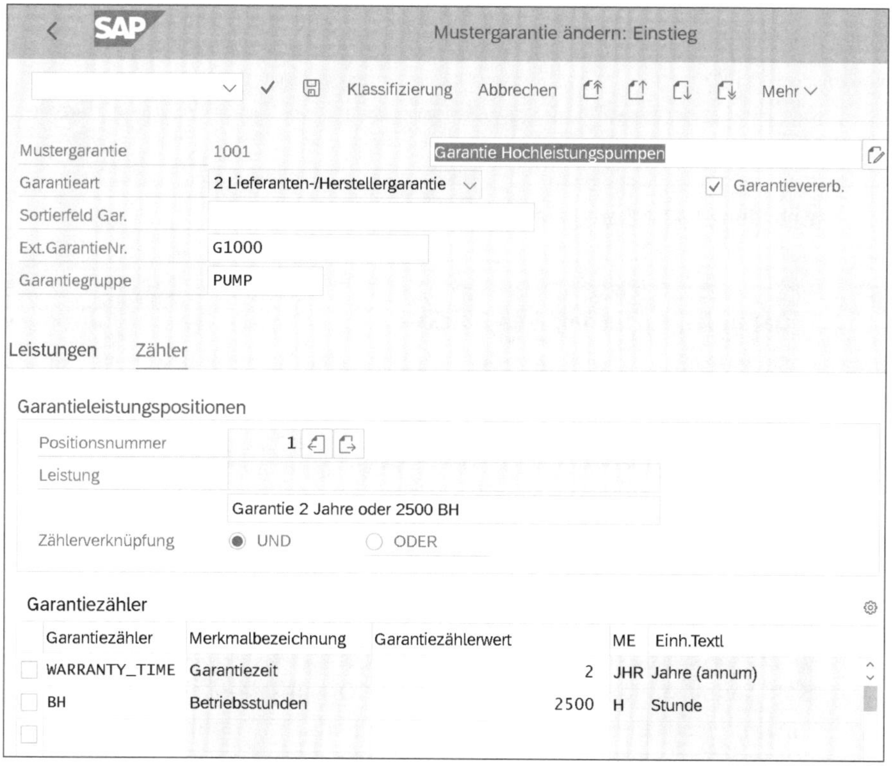

SAP Mustergarantie ändern: Einstieg
Klassifizierung Abbrechen Mehr
Mustergarantie 1001 Garantie Hochleistungspumpen
Garantieart 2 Lieferanten-/Herstellergarantie Garantievererb.
Sortierfeld Gar.
Ext.GarantieNr. G1000
Garantiegruppe PUMP
Leistungen Zähler
Garantieleistungspositionen
Positionsnummer 1
Leistung
Garantie 2 Jahre oder 2500 BH
Zählerverknüpfung UND ODER
Garantiezähler

Garantiezähler	Merkmalbezeichnung	Garantiezählerwert	ME	Einh.Textl
WARRANTY_TIME	Garantiezeit	2	JHR	Jahre (annum)
BH	Betriebsstunden	2500	H	Stunde

Abbildung 4.76 Garantiezähler

Zeit- und leistungsabhängige Garantiezähler unterscheiden sich folgendermaßen:

- **Zeitabhängige Garantiezähler**
  Für einen zeitabhängigen Garantiezähler müssen Sie ein Merkmal im Klassensystem anlegen, das eine Einheit der Dimension *Zeit* hat. Hier-

durch kann das System aus dem Garantiestartdatum ermitteln, ob der Zähler zum Stichtag der Prüfung noch gültig ist.

- **Leistungsabhängige Garantiezähler**
  Bei der Verwendung eines leistungsabhängigen Garantiezählers muss das betreffende technische Objekt über einen Zähler (z. B. Kilometerzähler oder Betriebsstundenzähler) verfügen. Außerdem muss der Zählerstand zum Garantiestart erfasst worden sein.

Abbildung 4.77 zeigt Ihnen eine am technischen Objekt definierte Lieferantengarantie mit Bezug auf eine Mustergarantie. Der Prüfungsstatus zeigt, dass kein Garantieanspruch mehr besteht.

Abbildung 4.77 Mustergarantie am technischen Objekt

[!]

Garantien am technischen Objekt

Sie können an einem technischen Objekt eine Garantie hinterlegen und auf deren Basis eine Garantieprüfung durchführen. Mithilfe der Garantieprüfung können Sie feststellen, ob für ein technisches Objekt noch Garantie besteht. Außerdem haben Sie die Möglichkeit, aufgrund der Garantievererbung die Garantiedaten der übergeordneten technischen Objekte zu sehen.

Partner

SAP kennt standardmäßig nur wenige Organisationseinheiten, die Sie einem technischen Objekt zuordnen können – im Wesentlichen sind dies die Planergruppe und der verantwortliche Arbeitsplatz.

Definition

Mit der Definition von Partnern können Sie diese Zuständigkeiten und Verantwortlichkeiten deutlich ausweiten und auch näher spezifizieren. Einem technischen Objekt können Sie beliebig viele Partner zuordnen. Ein Partner (Geschäftspartner) ist entweder eine interne oder externe Organisationseinheit:

- **Interne Partner**
  Interne Partner können z. B. Abteilungen, Kostenstellen oder Personen sein, die an der Abwicklung von Instandhaltungsmaßnahmen beteiligt sind.
- **Externe Partner**
  Externe Partner können z. B. Lieferanten, Hersteller oder Servicefirmen sein, die im Zusammenhang mit dem technischen Objekt eine Rolle spielen.

Bei einem Partner kann es sich um eine natürliche oder um eine juristische Person handeln.

Folgende Begriffe müssen Sie auseinanderhalten (siehe Abbildung 4.78):

- **Partnerart**
  Die Partnerart ist von SAP fest vordefiniert und beinhaltet immer eine Datenbanktabelle (Kunde, Ansprechpartner, Lieferant, Benutzer, Personalnummer, Organisationseinheit, Stelle).

Abbildung 4.78 Begriffsverwendung im Zusammenhang mit dem Partner

- **Partnerrolle**
  Partnerrollen können Sie im Customizing (**Partnerschema und Partnerrolle definieren**) mit Bezug auf eine Partnerart frei definieren. Zum Beispiel können Sie Partnerrollen wie Hersteller, Anlagenlieferant und Servicefirma definieren und alle Rollen auf die Datenbanktabelle *Lieferant* verweisen lassen.
- **Partnerschema**
  Ein Partnerschema können Sie frei definieren. Es ist eine Gruppierung von Partnerrollen und gibt an, welche Partnerrollen erlaubt sind bzw. zwingend angegeben sein müssen. Sie können also z. B. festlegen, dass zu einem Equipment immer der Hersteller und Lieferant angegeben werden müssen, aber die Angabe einer Servicefirma optional ist.

Die Zuordnung zum technischen Objekt erfolgt im Customizing über die Funktionen **Partnerschema Equipmenttyp zuordnen** bzw. **Typ Technische Plätze festlegen**.

Abbildung 4.79 zeigt Ihnen potenzielle Rollen, die einem technischen Objekt zugeordnet sein können.

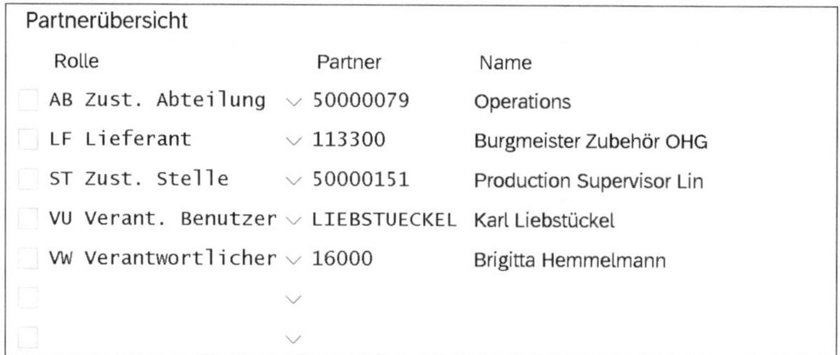

Partnerübersicht

Rolle	Partner	Name
AB Zust. Abteilung	50000079	Operations
LF Lieferant	113300	Burgmeister Zubehör OHG
ST Zust. Stelle	50000151	Production Supervisor Lin
VU Verant. Benutzer	LIEBSTUECKEL	Karl Liebstückel
VW Verantwortlicher	16000	Brigitta Hemmelmann

Abbildung 4.79 Partner am technischen Objekt

Genehmigung

Definition

Für manche technischen Objekte gelten bestimmte Vorschriften oder Auflagen bei der Bedienung oder auch bei der Durchführung von Instandhaltungsarbeiten. Diese Vorschriften können Sie am technischen Objekt als Genehmigungen hinterlegen. Genehmigungen, die im Instandhaltungsumfeld eine Rolle spielen, sind z. B.:

- Feuererlaubnisscheine
- Umweltschutzscheine
- Schweißgenehmigungen

- Führerscheine
- Brandschutzscheine
- Kesselbefahrscheine
- Freischaltscheine
- TÜV-Berechtigungsscheine
- Explosionsschutzzonen

Genehmigungen definieren

Die Genehmigungen selbst definieren Sie mit der Transaktion IPMD und ordnen sie dem technischen Objekt anschließend über **Mehr • Springen • Genehmigungen** zu (siehe Abbildung 4.80).

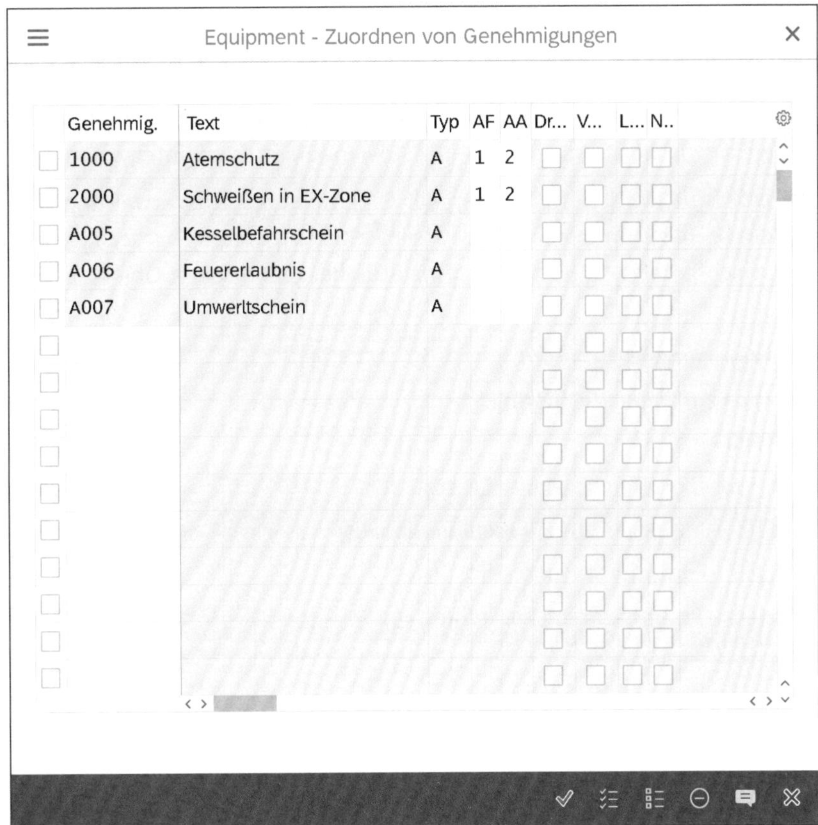

Abbildung 4.80 Genehmigungen am technischen Objekt

Bei der Zuordnung der Genehmigungen zu den technischen Objekten definieren Sie auch, ob eine Freigabe zum Zeitpunkt der Auftragsfreigabe (Spalte **AF**) oder zum Zeitpunkt des technischen Abschlusses (Spalte **AA**) erteilt werden soll, erteilt werden muss oder nicht erteilt werden muss.

Darüber hinaus können Sie festlegen, ob die betreffende Genehmigung mit auf die Auftragspapiere gedruckt werden soll (Spalte **Druck**) und ob die Genehmigung in die Abwicklungsdaten (wie z. B. Auftrag und Meldung) übernommen werden soll (Spalte **Vorschlag**).

[!]

Genehmigungen als Option

Über Genehmigungen können Sie erreichen, dass ein Auftrag erst dann freigegeben oder technisch abgeschlossen werden kann, wenn die Berechtigten ihre elektronische Unterschrift geleistet haben.

Systemstatus und Anwenderstatus

Die technischen Objekte sowie die komplette Abwicklung mit Meldung und Auftrag sind an die allgemeine SAP-Statusverwaltung angeschlossen. Dabei ist zwischen Systemstatus und Anwenderstatus zu unterscheiden.

Systemstatus

Systemstatus werden im Rahmen der allgemeinen Statusverwaltung vom System bei bestimmten betriebswirtschaftlichen Vorgängen intern und automatisch gesetzt. Typische Systemstatus bei technischen Objekten sind z. B.:

- ANGL – angelegt
- FREI – zur freien Verfügung
- INAK – inaktiv
- LÖVM – Löschvormerkung gesetzt
- EFRE – Equipment frei (= nicht eingebaut)
- EEGB – Equipment eingebaut
- EHEQ – Equipment in Hierarchie
- ELAG – eingelagert

Darüber hinaus ist in der Statusverwaltung definiert, welche betriebswirtschaftlichen Vorgänge Sie aufgrund des Status für das Objekt ausführen dürfen. Wenn Sie z. B. ein Equipment inaktiv setzen, informieren Sie über die betriebswirtschaftlichen Vorgänge, die noch erlaubt sind (grüne Ampel), zu denen eine Warnmeldung erscheint (gelbe Ampel) und die verboten sind (rote Ampel), siehe Abbildung 4.81.

Da die Systemstatus nicht direkt von Ihnen geändert werden können, sondern vom System automatisch gesetzt werden, können Sie sie nur anzeigen lassen.

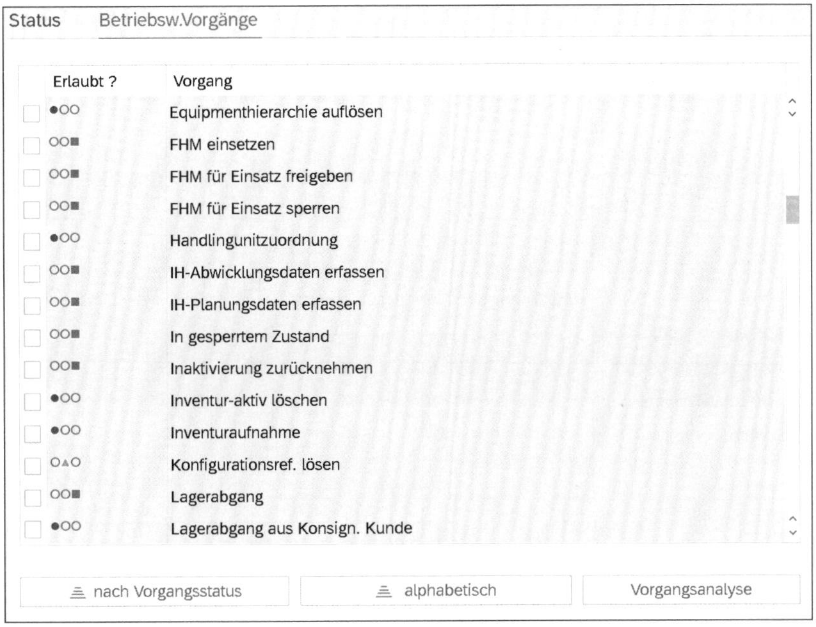

Status | Betriebsw.Vorgänge

Erlaubt ?	Vorgang
●○○	Equipmenthierarchie auflösen
○○■	FHM einsetzen
○○■	FHM für Einsatz freigeben
○○■	FHM für Einsatz sperren
●○○	Handlingunitzuordnung
○○■	IH-Abwicklungsdaten erfassen
○○■	IH-Planungsdaten erfassen
○○■	In gesperrtem Zustand
○○■	Inaktivierung zurücknehmen
●○○	Inventur-aktiv löschen
●○○	Inventuraufnahme
○▲○	Konfigurationsref. lösen
○○■	Lagerabgang
●○○	Lagerabgang aus Konsign. Kunde

nach Vorgangsstatus | alphabetisch | Vorgangsanalyse

Abbildung 4.81 Betriebswirtschaftliche Vorgänge

Anwenderstatus

Neben den vorgegebenen Systemstatus können Sie davon völlig unabhängig und ausschließlich nach Ihren eigenen Bedürfnissen sogenannte Anwenderstatus definieren.

Voraussetzungen

Damit Sie einem technischen Objekt einen Anwenderstatus zuordnen können, müssen die folgenden Voraussetzungen erfüllt sein:

- Sie definieren ein Statusschema mit den benötigten Status.
- Sie ordnen das Statusschema dem Equipmenttyp bzw. dem Typ des Technischen Platzes zu.

Ein Statusschema mit den benötigten Status definieren Sie über die Customizing-Funktion **Anwenderstatus definieren**. Innerhalb des Statusschemas können Sie beliebig viele Status definieren (siehe Abbildung 4.82).

Über die Customizing-Funktionen **Anwenderstatusschema Equipmenttyp zuordnen** bzw. **Typ Technische Plätze festlegen** ordnen Sie nun Ihr Statusschema einem Equipmenttyp bzw. einem Technischen Platztyp zu.

[!]

Anwenderstatus sinnvoll einsetzen

Mithilfe von Anwenderstatus können Sie detailliert aussteuern, welche betriebswirtschaftlichen Vorgänge an Ihren technischen Objekten erlaubt oder verboten sein sollen.

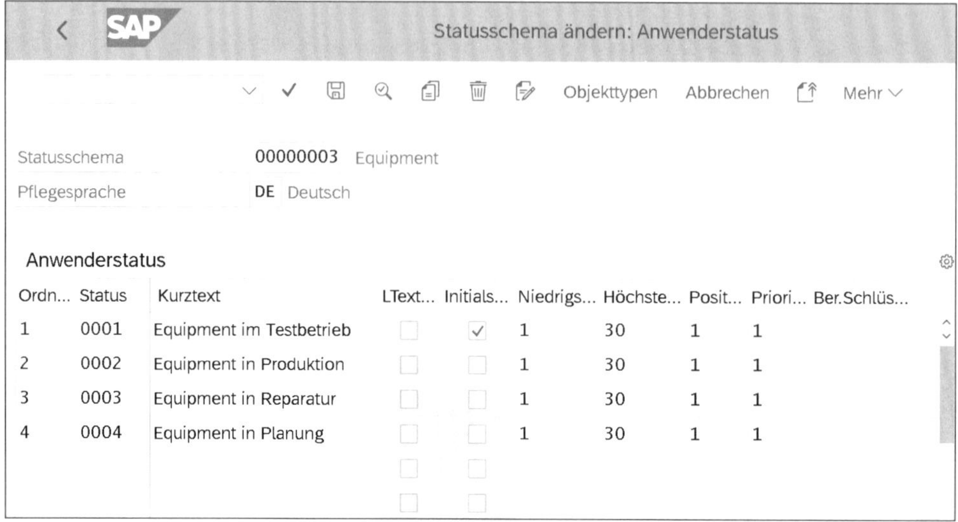

Abbildung 4.82 Anwenderstatusschema

Status zuordnen

Wenn diese Voraussetzungen erfüllt sind, können Sie innerhalb der technischen Objekte über den Button in die Status verzweigen und dort den gewünschten Status setzen (siehe Abbildung 4.83).

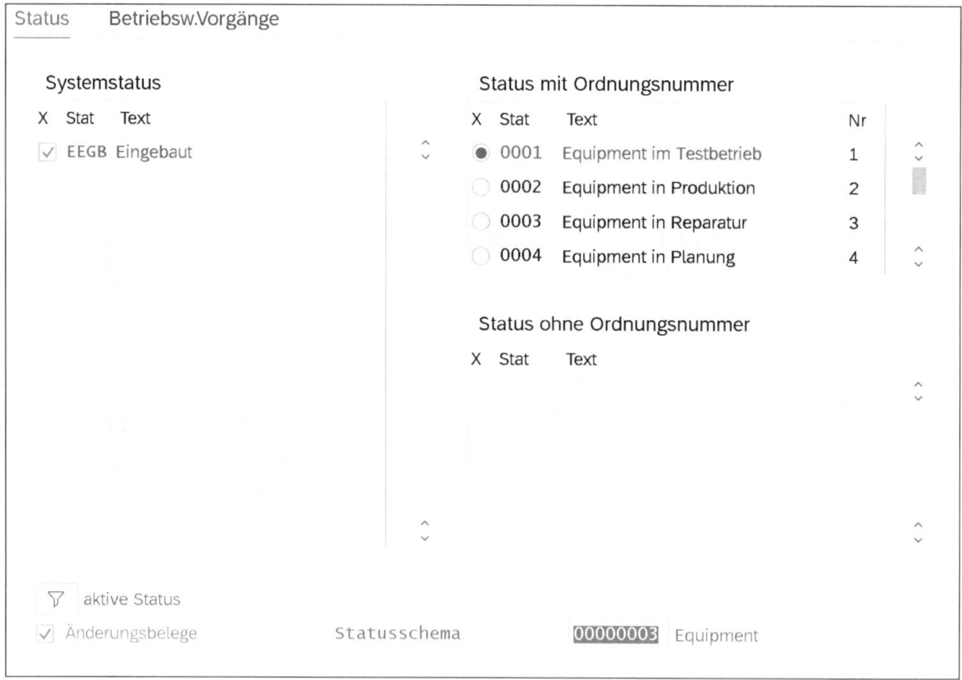

Abbildung 4.83 System- und Anwenderstatus

Mehrere Status

Treffen nun mehrere Systemstatus und Anwenderstatus aufeinander, gilt in Bezug auf die Ermittlung der Zulässigkeit der betriebswirtschaftlichen Vorgänge die folgende Reihenfolge:

- Wenn nur ein einziger Status einen betriebswirtschaftlichen Vorgang verbietet, ist er verboten.
- Wenn kein Status den betriebswirtschaftlichen Vorgang verbietet, aber mindestens einer den Vorgang mit Warnung zulässt, ist er mit Warnung zugelassen.
- Nur wenn alle Status den betriebswirtschaftlichen Vorgang erlauben, ist er erlaubt.

Dies können Sie mithilfe der sogenannten Vorgangsanalyse überprüfen (siehe Abbildung 4.84).

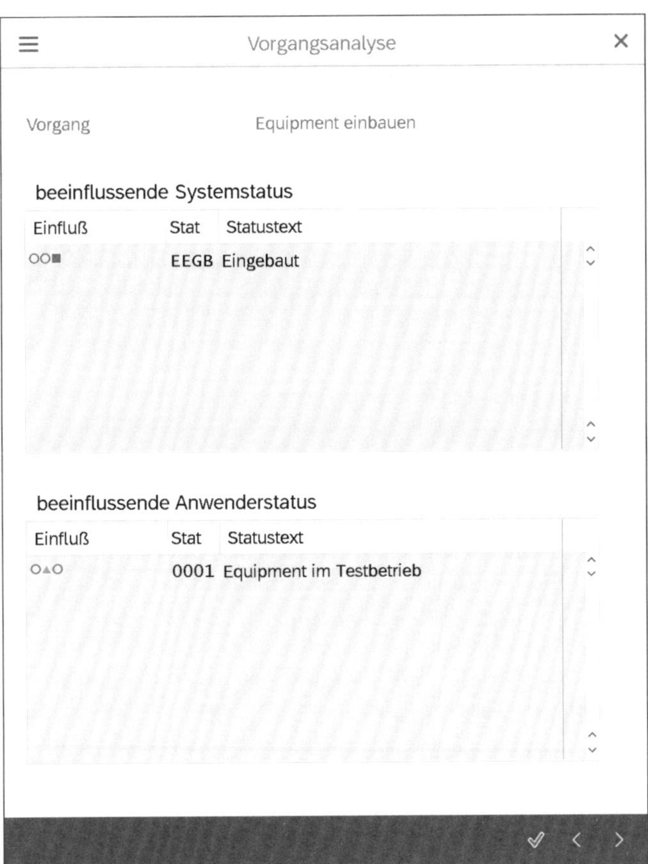

Abbildung 4.84 Vorgangsanalyse

[!]

Statusvergabe automatisieren

Sie können im Customizing die Anwenderstatus so einrichten, dass sie bei der Veränderung eines Systemstatus automatisch gesetzt bzw. gelöscht werden. Auf diese Weise können Sie die erlaubten betriebswirtschaftlichen Vorgänge eines Systemstatus auf elegante Weise weiter einschränken, ohne dass der Anwender eine zusätzliche Datenpflege betreiben müsste.

Kapitel 5
Geschäftsprozesse

Dieses Kapitel bildet das Herzstück dieses Buches: Es zeigt Ihnen, wie Sie typische Geschäftsprozesse in der Instandhaltung abbilden und durchführen können. Da sich gerade die Geschäftsprozesse in jedem Unternehmen unterscheiden, müssen Sie einen eigenen Weg finden, um sie zu gestalten – und dabei gibt Ihnen dieses Kapitel Hilfestellung.

In diesem Kapitel geht es um das Kerngeschäft der Instandhaltung: die Geschäftsprozesse. Nachdem ich schon viele Unternehmen von innen gesehen habe, kann ich guten Gewissens behaupten, dass jedes Unternehmen seine eigene Vorstellung davon hat, wie die Geschäftsprozesse in der Instandhaltung auszusehen haben und wie sie im SAP-System abzubilden sind. Für Sie bedeutet das, dass Sie sich – wie schon alle anderen Anwenderfirmen vorher – Gedanken darüber machen müssen, wie Sie Ihr Tagesgeschäft in SAP S/4HANA Asset Management abbilden können und das SAP-System Sie bei der Bewältigung Ihrer Aufgaben unterstützen soll. Kein Buch der Welt kann Ihnen diese Arbeit abnehmen – dennoch glaube ich, dass dieses Kapitel Ihnen dabei eine Hilfe sein wird.

Referenzprozesse

Wie kommen Sie nun zu Ihren Geschäftsprozessen? Ich werde Ihnen im Folgenden anhand von Referenzprozessen die Nutzungsmöglichkeiten von SAP S/4HANA Asset Management aufzeigen und Ihnen dabei viele Hinweise geben, wie Sie es für Ihre eigenen Bedürfnisse anpassen können. Die folgenden Referenzprozesse habe ich für Sie ausgewählt:

- Abwicklung von geplanten Instandsetzungsmaßnahmen
- Abwicklung von Sofortinstandsetzungsmaßnahmen wie Störungsbehebungen
- Erfassung bereits durchgeführter Instandhaltungstätigkeiten (Nacherfassung)
- Schichtnotizen und Schichtberichte
- Fremdvergabe von Instandhaltungsmaßnahmen
- Subcontracting, d. h. Lohnbearbeitung für Wartung und Instandsetzung durch externe Dienstleister mit Versand des defekten Gerätes

- Abwicklung von vorbeugenden Instandhaltungsmaßnahmen, und zwar zeit- und leistungsbasiert
- Abwicklung einer zustandsorientierten Instandhaltung
- Abwicklung von Aufarbeitungsmaßnahmen
- Abwicklung von Prüf- und Messmittelkalibrierungen
- Durchführung von Instandhaltungsprojekten

Bevor wir uns diese Prozesse im Detail ansehen, möchte ich Ihnen einige Hinweise dazu geben, was Sie tun sollten, bevor Sie die Prozesse in SAP S/4HANA Asset Management abbilden.

5.1 Was Sie tun sollten, bevor Sie Ihre Geschäftsprozesse im SAP-System abbilden

Ebenso wie bei der Anlagenstrukturierung sollte auch bei den Geschäftsprozessen bei der Suche nach allen Antworten der Grundsatz »So viel wie nötig, aber so wenig wie möglich« gelten.

Sie werden schnell bemerken, dass SAP S/4HANA Asset Management sehr viele Funktionen kennt, die Sie innerhalb der Geschäftsprozesse nutzen können. Finden Sie heraus, welche betriebswirtschaftlichen und technischen Anforderungen Sie haben, und suchen Sie nach dem einfachsten Weg, um diese Anforderungen SAP-System abzubilden. In diesem Kapitel zeige ich Ihnen anhand zahlreicher Beispiele, wie Sie diesen Grundsatz umsetzen können.

Mut zur Lücke: Lassen Sie Unnötiges weg

Das SAP-System muss nicht und sollte auch nicht auf einmal mit voller Funktionalität eingeführt werden.

Frage 1: Welche Funktionen sollen genutzt werden?

In Abschnitt B.2 habe ich Ihnen eine Übersicht über die Funktionen des SAP-Systems zur Abwicklung Ihrer Geschäftsprozesse zusammengestellt. Was sich im Detail hinter den Stichworten verbirgt, werde ich Ihnen im weiteren Verlauf des Kapitels näher erläutern. In Abschnitt B.2 finden Sie eine Tabelle mit drei Spalten zur Kennzeichnung der Priorität. Entscheiden Sie selbst, und beurteilen Sie die jeweiligen Funktionen nach ihrer Wichtigkeit in Ihrem Hause.

[+]

Priorisieren Sie die Funktionen

Lösungen sollten den Anwendern zuerst da angeboten werden, wo der Schuh am meisten drückt. Empfehlenswert ist eine dreistufige Priorisierung:

- Priorität A: absolut notwendig, muss gleich in der ersten Ausbaustufe realisiert werden
- Priorität B: könnte einen Zusatznutzen haben, könnte in einer späteren Ausbaustufe eingeführt werden
- Priorität C: wird nach jetzigem Kenntnisstand nicht benötigt und deshalb nicht eingeführt

Kümmern Sie sich in erster Linie um die Funktionen mit Priorität A. Streichen Sie hingegen die Funktionen mit Priorität C von der Liste – und aus Ihren Gedanken.

Frage 2: Sollen Meldung und/oder Auftrag genutzt werden?

Sie können bzw. müssen sich entscheiden, welche der folgenden Objekte Sie zur Unterstützung Ihrer Geschäftsprozesse einsetzen möchten:

- nur die Meldung
- nur den Auftrag
- beides

Die Beantwortung dieser Frage hängt hauptsächlich von den Funktionen und Informationen ab, die die einzelnen Objekte zu bieten haben und davon, wie wichtig Ihnen diese Funktionen sind.

Meldung

Meldung vs. Auftrag

Worin bestehen die grundsätzlichen Unterschiede zwischen einer Meldung und einem Auftrag?

- **Einsatzzweck**
  Eine Meldung dient der Anforderung und Dokumentation einer Instandhaltungsleistung, während ein Auftrag zur Planung und Durchführung einer Instandhaltungsmaßnahme genutzt wird.
- **Enthaltene Informationen**
  Eine Meldung beinhaltet also überwiegend technische Informationen, während in einem Auftrag hauptsächlich Abwicklungsinformationen vorliegen.

- **Integrationspunkte**
  Eine Meldung hat so gut wie keine Integrationspunkte mit anderen SAP-Anwendungen und kennt deshalb z. B. keine Kosten, während der Auftrag als hochintegratives Objekt viele Verbindungen zu Applikationen wie Lager, Einkauf und Controlling hat.

Diese grundsätzlich unterschiedliche Ausrichtung schlägt sich in unterschiedlichen Funktionen (siehe Abschnitt B.2) und unterschiedlichen Informationen der beiden Objekte nieder.

Merkmale einer Meldung

Eine Meldung beinhaltet die folgenden Merkmale:

- **Kopfdaten**
  Jede Meldung beinhaltet Kopfdaten, deren Informationen zur Identifizierung und Verwaltung der Meldung dienen, wie z. B. das betreffende technische Objekt oder den verantwortlichen Arbeitsplatz. Die Kopfdaten gelten für die komplette Meldung.
- **Meldungsposition**
  In einer Meldungsposition erfassen und pflegen Sie die Daten zur näheren Bestimmung des aufgetretenen Problems oder Schadens oder die Daten zur ausgeführten Aktion. Eine Meldung kann mehrere Positionen beinhalten. Die meisten Meldungen bestehen in der Praxis jedoch nur aus einer Position, die automatisch angelegt wird, wenn Sie z. B. einen Schadenscode oder eine Schadensursache erfassen.
- **Aktionen**
  Aktionen dokumentieren die für eine Meldung durchgeführten Arbeiten. Sie sind vor allem bei Inspektionen von Bedeutung, um den Nachweis über die Durchführung und dabei festgestellte Ergebnisse zu führen (z. B. Füllstand kontrolliert oder Geräuschpegel überprüft). Aktionen können sich entweder auf den Kopf oder auf eine Position der Meldung beziehen.
- **Maßnahmen**
  Die Maßnahmen beschreiben Aktivitäten, die noch durchgeführt werden sollen und sich möglicherweise aus der Durchführung der Instandhaltungstätigkeit erst ergeben haben (z. B. Bericht erstellen). Maßnahmen können sich entweder auf den Kopf oder auf eine Position der Meldung beziehen.

In Abbildung 5.1 sehen Sie die Struktur einer Meldung mit den jeweiligen Informationen im Überblick.

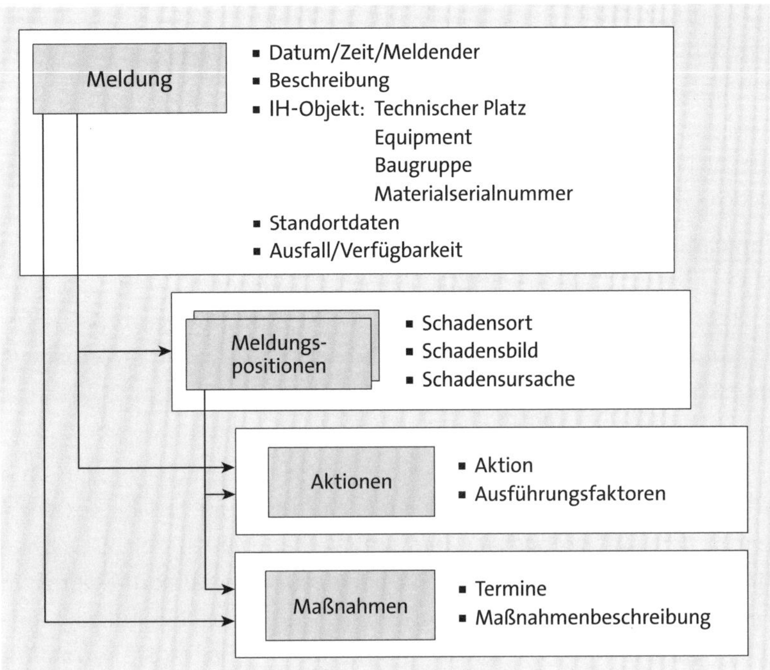

Abbildung 5.1 Struktur und Inhalt einer Meldung

Auftrag

Struktur eines Auftrags

Der Auftrag hat eine andere Struktur als die Meldung:

- **Kopfdaten**
  Kopfdaten sind Informationen, die der Identifizierung und Verwaltung des Auftrags dienen; sie gelten für den kompletten Auftrag, wie z. B. das betreffende technische Objekt oder der verantwortliche Arbeitsplatz.
- **Objektliste**
  Wenn der Auftrag mehrere Objekte betrifft (z. B. bei einem Inspektionsrundgang), können Sie die Objekte in die Objektliste eintragen. Die Objektliste beinhaltet alle Objekte, an denen der Auftrag ausgeführt wird (Technische Plätze, Equipments, Baugruppen, Meldungen).
- **Vorgänge**
  Mithilfe von Vorgängen beschreiben Sie die Arbeiten, die bei der Durchführung eines Auftrags ausgeführt werden sollen (z. B. Anlage freischalten oder Motoröl wechseln). Vorgänge werden entweder von eigenen Mitarbeitern oder von Fremdfirmen durchgeführt.
- **Materialliste**
  Die Materialliste beinhaltet Ersatzteile, die bei der Durchführung eines Auftrags benötigt und verbraucht werden. Dabei handelt es sich entwe-

der um Lagermaterialien, für die eine Reservierung generiert wird, oder um Nichtlagermaterialien, für die eine Bestellanforderung erzeugt wird.

- **Fertigungshilfsmittel**
  Zur Durchführung eines Auftrags werden Fertigungshilfsmittel (FHM), z. B. Werkzeuge, Schutzkleidung, Handhubwagen, benötigt, die im Gegensatz zu einem Material nicht verbraucht werden.
- **Abrechnungsvorschrift**
  In der Abrechnungsvorschrift geben Sie an, welchem Kostenträger (z. B. Kostenstelle) die Kosten zu belasten sind. Die Abrechnungsvorschrift betrifft entweder den kompletten Auftrag, oder Sie ordnen den Vorgängen unterschiedliche Kontierungen zu.
- **Kostendaten**
  Kostendaten informieren Sie darüber, wie hoch die Schätz-, Plan- und Ist-Kosten in den Wertkategorien eines Auftrags sind, welche Kostenarten für den Auftrag relevant sind, welche Kennzahlen des Instandhaltungsinformationssystems mithilfe der Wertkategorien fortgeschrieben werden und wie diese Kennzahlen durch die Ist-Kosten des Auftrags fortgeschrieben werden. Die Kosteninformationen erhalten Sie sowohl für die einzelnen Vorgänge als auch als Summe für den kompletten Auftrag.

In Abbildung 5.2 sehen Sie die Struktur eines Auftrags mit den jeweiligen Informationen im Überblick.

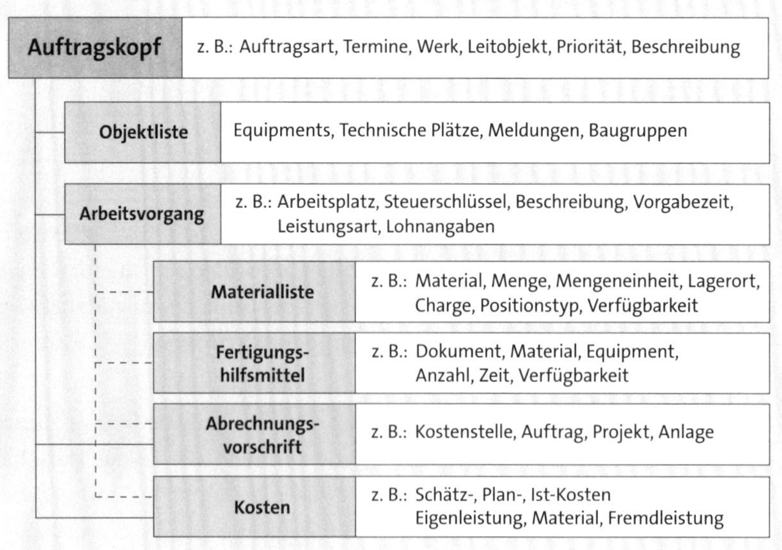

Abbildung 5.2 Struktur und Inhalt eines Auftrags

[!]

Entscheidung für Auftrag oder Meldung

Treffen Sie möglichst frühzeitig eine Entscheidung darüber, ob Sie eine Meldung und/oder einen Auftrag einsetzen möchten. Wenn Sie sich wie die Mehrheit von ca. 80 % der SAP-Anwenderfirmen entscheiden, nutzen Sie sowohl die Meldung als auch den Auftrag. Der Rest nutzt ausschließlich den Auftrag. Vereinzelt – vor allem in der Anfangsphase – gibt es Firmen, die ausschließlich auf die Meldung setzen.

Frage 3: Welche Informationen sollen hinterlegt werden?

Die dritte Frage gilt den folgenden betriebswirtschaftlichen Informationsarten, die im System hinterlegt werden:

- Informationen, die Sie unbedingt hinterlegen müssen, damit Sie überhaupt eine Meldung oder einen Auftrag bearbeiten können (z. B. Bezugsobjekt)
- Informationen, die Sie sinnvollerweise im SAP-System hinterlegen möchten (z. B. die Kostenstelle)

[!]

So viel wie nötig, aber so wenig wie möglich

Auch bei den hinterlegten Informationen muss der Grundsatz »So viel wie nötig, aber so wenig wie möglich« gelten. Ein Datenfriedhof, der nur um seiner selbst willen aufgebaut wird, der niemanden interessiert, den sich niemand ansieht, den niemand auswertet und der nur Aufwand bei der Datenerfassung und Datenpflege bedeutet, ist nicht sinnvoll. Erfassen Sie also nur Daten, die für Sie auch Informationen sind.

Darüber hinaus bietet das SAP-System Möglichkeiten, um Meldungen und Aufträge flexibel zu konfigurieren:

- Sie können das Layout der Bildschirmmasken in Abhängigkeit von der Meldungs- bzw. Auftragsart selbst definieren (Anzahl, Reihenfolge, Name und Inhalt der Registerkarten).
- Die Möglichkeit der Feldauswahl erlaubt es Ihnen, wichtige von unwichtigen Informationen zu unterscheiden oder Felder, die nicht benötigt werden, auszublenden.

Damit Sie das flexible Bildschirmlayout von Aufträgen nutzen können, muss die Business Function LOG_EAM_SIMP aktiviert sein. **Business Function**

Entwerfen Sie Ihre eigenen Layouts

Machen Sie regen Gebrauch von der Möglichkeit, das Aussehen von Meldung und Auftrag selbst festzulegen, und entwerfen Sie eigene Layouts: Bringen Sie z. B. die wichtigsten Informationen auf die erste Registerkarte, und blenden Sie unwichtige Felder aus. Die Erläuterungen dazu, wie Sie dabei vorgehen können, finden Sie in Abschnitt 5.2.1, »Meldung«, und in Abschnitt 5.2.2, »Planung«.

Frage 4: Wie können Sie sicherstellen, dass das System von den Anwendern akzeptiert wird?

Diese Frage trifft zwar grundsätzlich auch auf die Anlagenstrukturierung zu, jedoch sind die Themen *Benutzerakzeptanz* und *Benutzerfreundlichkeit* im Zusammenhang mit der Instandhaltungsabwicklung deutlich wichtiger, da in diesen Bereichen tagtäglich gearbeitet wird.

Es gibt keine Garantie dafür, dass das System von den Anwendern akzeptiert bzw. als benutzerfreundlich angesehen wird. Sie können jedoch die Akzeptanzwahrscheinlichkeit steigern, wenn Sie Kapitel 9, »Die Benutzerfreundlichkeit«, lesen und die dortigen Vorschläge in die Tat umsetzen.

Frage 5: Welche Rolle spielt eine Geschäftsprozessmodellierung?

Ist- und Soll-Prozesse

Die Geschäftsprozessmodellierung (GPM) oder Business Process Modeling (BPM) spielt bei der Einführung von SAP-Systemen eine sehr wichtige Rolle – ganz egal, um welche Anwendung es sich handelt. Eine saubere Analyse und Dokumentation der bisherigen Instandhaltungsabläufe (Ist-Analyse) und ein detailliertes Soll-Konzept der Geschäftsprozesse, wie sie dann mit Unterstützung des SAP-Systems durchgeführt werden sollen, sind Grundvoraussetzungen für die Einführung und Basis für das Customizing von SAP S/4HANA Asset Management.

Der Aufwand für eine vollständige und richtige GPM zahlt sich auf jeden Fall aus. Weitergehende Informationen zu diesem Thema finden Sie im Buch »Instandhaltung mit SAP – Customizing«, das im Rheinwerk Verlag erschienen ist.

Frage 6: Wann sollen die anderen Fachbereiche eingebunden werden?

Andere Fachbereiche im Unternehmen sollten möglichst frühzeitig eingebunden werden. Wenn Sie sich für eine Auftragsabwicklung entscheiden, entstehen zahlreiche Fragen, die die Geschäftsprozesse beeinflussen und die einer Abstimmung bedürfen. Dies gilt insbesondere, wenn Sie Lager, Einkauf und Controlling anbinden möchten. Die folgenden Fragen müssen Sie z. B. in diesem Zusammenhang beantworten:

- Welche Informationen müssen die automatisch generierten Bestellanforderungen tragen?
- Wer erzeugt die Bestellung?
- Wo wird die Leistungsabnahme erfasst?
- Wie erfolgt die Benachrichtigung bei Wareneingängen?
- Wird das Material aus dem Lager zugestellt oder geholt?
- Wer führt wann Nachkalkulationen durch?
- Werden die Aufträge automatisch abgerechnet?
- Wie sieht das Kalkulationsschema für Instandhaltungsaufträge aus?

Erfahrungsgemäß dauern solche Abstimmungsprozesse mit den betreffenden Fachabteilungen länger, als Sie zunächst glauben.

[+]

Verdoppeln Sie die geplante Zeit

Faustregel: Verdoppeln Sie die geplante Zeit für die Abstimmung mit den betreffenden Fachbereichen – und Sie liegen in etwa richtig. Gehen Sie den Abstimmungsprozess so früh wie möglich an. Legen Sie dabei genau fest, wer sich wann um welchen Aspekt zu kümmern und welche Festlegungen zu treffen hat, und kontrollieren Sie schließlich im Sinne der Nachhaltigkeit die »Hausaufgaben«.

Doch schauen wir uns nun die Geschäftsprozesse im Detail an. Ich beginne mit dem Prozess einer geplanten Instandsetzungsmaßnahme, weil dies der umfangreichste Geschäftsprozess ist. Darauf aufbauend, lassen sich dann andere Geschäftsprozesse (z. B. eine störungsbedingte Instandhaltung oder eine Nacherfassung) durch Abstrahieren leichter beschreiben.

5.2 Der Geschäftsprozess »Geplante Instandsetzung«

Planbar, aber nicht vorhersehbar

Der Geschäftsprozess einer geplanten Instandsetzungsmaßnahme zeichnet sich dadurch aus, dass die benötigten Ressourcen (Arbeitsplätze, Materialien, Fremdfirmen usw.) planbar, aber erst bekannt sind, wenn der Bedarfsfall eintritt. Dieser Geschäftsprozess tritt z. B. in den folgenden Fällen ein:

- An einer Pumpe muss das Gehäuse neu abgedichtet werden.
- An einem Gabelstapler ist die Hubkette zu erneuern.
- In einem Gebäude muss eine Tür ausgetauscht werden.
- An der Prozessanlage ist ein Überdruckventil zu wechseln.
- Ein Messmittel muss neu geschliffen werden.

Der Prozess einer geplanten Instandsetzung unterscheidet sich somit von einer Sofortinstandsetzung (siehe Abschnitt 5.3, »Der Geschäftsprozess ›Sofortinstandsetzung‹«) durch die Planbarkeit – bei Störungen kann in der Sofortinstandhaltung nur reagiert, aber nicht geplant werden – und von einer vorbeugenden Instandhaltung (siehe Abschnitt 5.8, »Der Geschäftsprozess ›Vorbeugende Instandhaltung‹«) durch die terminliche Vorbestimmtheit – Wartungs- und Inspektionsmaßnahmen haben regelmäßige Zyklen und demzufolge wiederkehrende Termine.

Der Prozess einer geplanten Instandsetzung könnte in den folgenden fünf Schritten ablaufen (siehe Abbildung 5.3):

1. **Meldung**
   Sie erfassen zunächst die Meldung eines bestimmten Schadens oder eine sonstige Anforderung (wie z. B. die Anforderung einer Umbaumaßnahme) ❶.
2. **Planung**
   Aus der Meldung heraus wird der Auftrag eröffnet und geplant ❷. Typische Planungsmaßnahmen sind die Bildung von Arbeitsvorgängen, das Reservieren von Ersatzteilen, die Beauftragung von Fremdfirmen oder die Planung der Einsatzzeiten. Auch die Festlegung der Kontierungsvorschriften fällt in diesen Schritt.
3. **Steuerung**
   Sie übergeben den Auftrag an die Steuerung ❸. Dort prüfen Sie die entsprechenden Verfügbarkeiten (insbesondere die Materialverfügbarkeit), stellen die benötigten Kapazitäten bereit und drucken die Auftragspapiere aus.
4. **Durchführung**
   Die Abwicklungsphase ❹ beinhaltet die Entnahme der Ersatzteile aus dem Lager und die eigentliche Abarbeitung des Auftrags.
5. **Abschluss**
   Nach Beendigung der Arbeiten werden zum Abschluss ❺ die gebrauchten Ist-Zeiten zurückgemeldet; daneben werden über die Abarbeitung

des Schadens und den Zustand der Anlage technische Rückmeldungen erfasst. Vom Controlling wird der Auftrag schließlich abgerechnet. Die Informationen werden in der Historie fortgeschrieben.

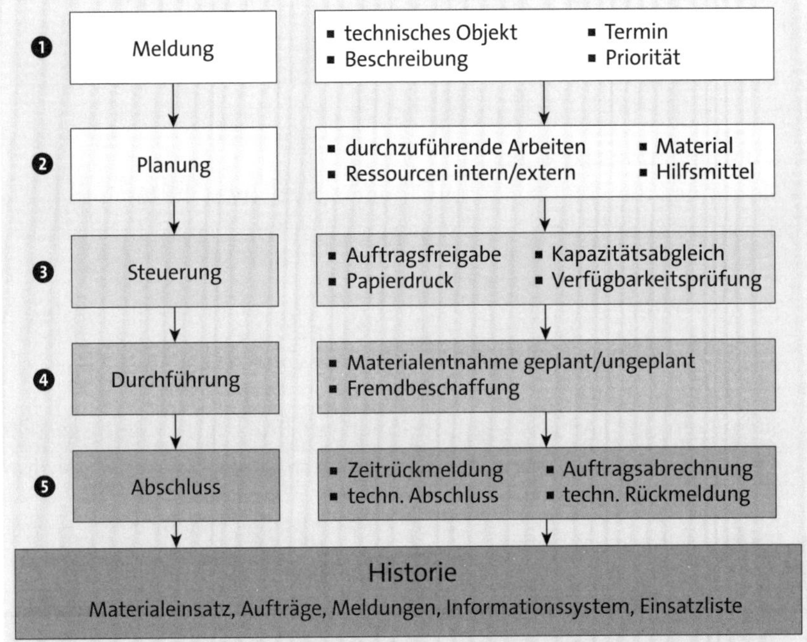

Abbildung 5.3 Der Geschäftsprozess der geplanten Instandsetzung

Die fünf genannten Schritte möchte ich im Folgenden mit Ihnen durchgehen und dabei die Funktionen erläutern, die Ihnen das SAP-System bietet.

5.2.1 Meldung

Wozu Meldungen?

Meldungen sind in der Instandhaltungsabwicklung das Mittel, mit dem Sie in betrieblichen Ausnahmesituationen die folgenden Aktivitäten durchführen:

- den technischen Ausnahmezustand an einem Objekt beschreiben
- von der Instandhaltungsabteilung eine erforderliche Instandsetzung anfordern
- durchgeführte Arbeiten dokumentieren

Meldungen dokumentieren also Instandhaltungsmaßnahmen und machen sie langfristig auswertbar.

Eröffnung von Meldungen

Wer erfasst Meldungen?

Die Meldungen werden entweder direkt vom jeweiligen Anforderer (z. B. einem Produktionsmitarbeiter) erfasst oder in die Instandhaltung mit herkömmlichen Kommunikationsmitteln (z. B. per Telefon oder per Formular) übermittelt und dort erfasst.

Wie werden die Meldungen erfasst?

Es gibt verschiedene Möglichkeiten, um Meldungen im SAP-System anzulegen:

- **SAP-Dialogtransaktionen**
  Sie können die SAP-Dialogtransaktionen (IW21, IW24–IW26) nutzen, die direkt in SAP S/4HANA Asset Management zur Verfügung stehen.
- **Easy Web Transaction**
  Sie nutzen die Easy Web Transaction, d. h. eine Webtransaktion, die ein einfaches HTML-Formular beinhaltet.
- **SAP-Fiori-App**
  Sie nutzen eine SAP-Fiori-App, die Ihnen von SAP zur Verfügung gestellt wird oder die Sie selbst entwickelt haben (siehe Abschnitt 8.1.2, die Fiori App Request Maintenance).
- **Eigene Webtransaktionen**
  Daneben können Sie natürlich auch eigene Webtransaktionen entwickeln, deren Daten mithilfe von BAPIs an das SAP-System übergeben werden (siehe Abschnitt 9.5.14, »Weboberfläche«).
- **Mobile Systeme**
  Sie nutzen im Rahmen der mobilen Instandhaltung z. B. den SAP Work Manager (siehe Abschnitt 8.2.2) und den SAP Asset Manager (siehe Abschnitt 8.2.3). Dann können Sie dezentral Meldungen anlegen, die an das Backend-System übergeben werden.
- **Vorgelagerte Systeme**
  Es kommen Verfahren zum Einsatz, in denen in vorgelagerten Systemen (wie geografischen Informationssystemen (GIS), Prozessleitsystemen, Diagnostiksystemen) die Meldungsdaten anfallen. Diese werden dann über eine Schnittstelle (z. B. PM-PCS-Schnittstelle) nach SAP S/4HANA Asset Management übertragen und erzeugen dort die Meldung (siehe Abschnitt 6.4.1, »Betriebsüberwachungssysteme«).

In diesem Abschnitt konzentriere ich mich zunächst auf die Erfassung der Meldungen in SAP S/4HANA Asset Management selbst.

Meldungsarten

In früheren Releaseständen wurden von SAP drei Meldungsarten im Standard vordefiniert:

- **Tätigkeitsmeldung**
  zur Dokumentation durchgeführter Aktionen
- **Störmeldung**
  zur Mitteilung von aufgetretenen Störungen und Problemen
- **Instandhaltungsanforderung**
  zur Anforderung durchzuführender Maßnahmen

Meldungsarten frei definieren

Mittlerweile können Sie nach eigenen Anforderungen Meldungsarten frei definieren. Die Definition von Meldungsarten sollten Sie von den Funktionen abhängig machen, in denen sich die Meldungsarten im Customizing unterscheiden. Pro Meldungsart können Sie z. B. die folgenden Customizing-Einstellungen vornehmen:

- Nummernkreis
- Partnerschema
- Drucksteuerung
- Statusschema

Bildschirmlayout

Eine der wichtigsten Funktionen ist jedoch die Möglichkeit, pro Meldungsart ein eigenes Bildschirmlayout festzulegen. Die in Abbildung 5.1 gezeigte Struktur mit allen Daten einer Meldung schlägt sich im Layout der von SAP ausgelieferten Meldungsart M1 nieder (siehe Abbildung 5.4).

Diese Meldungsart besteht aus acht Registerkarten, wobei es zu einzelnen Registerkarten noch Unterregisterkarten gibt. So beinhaltet z. B. die Registerkarte **Positionen** noch Unterregisterkarten für Positionen, Schadensursachen, Maßnahmen und Aktionen. Auf jeder Registerkarte finden Sie bis zu fünf Feldgruppen.

Mit einem solchen Bildschirmlayout ist jedoch z. B. ein Produktionsmitarbeiter, der lediglich einen Schaden melden möchte, völlig überfordert.

Entwerfen Sie eigene Layouts für Meldungen

Entwerfen Sie für Ihre Meldungsarten geeignete Bildschirmlayouts. Denn angepasste und vereinfachte Bildschirmlayouts steigern die Benutzerakzeptanz. Hierzu nutzen Sie die Customizing-Funktion **Bildschirmaufbau für erweiterte Sicht oder Bildschirmaufbau für einfache Sicht.**

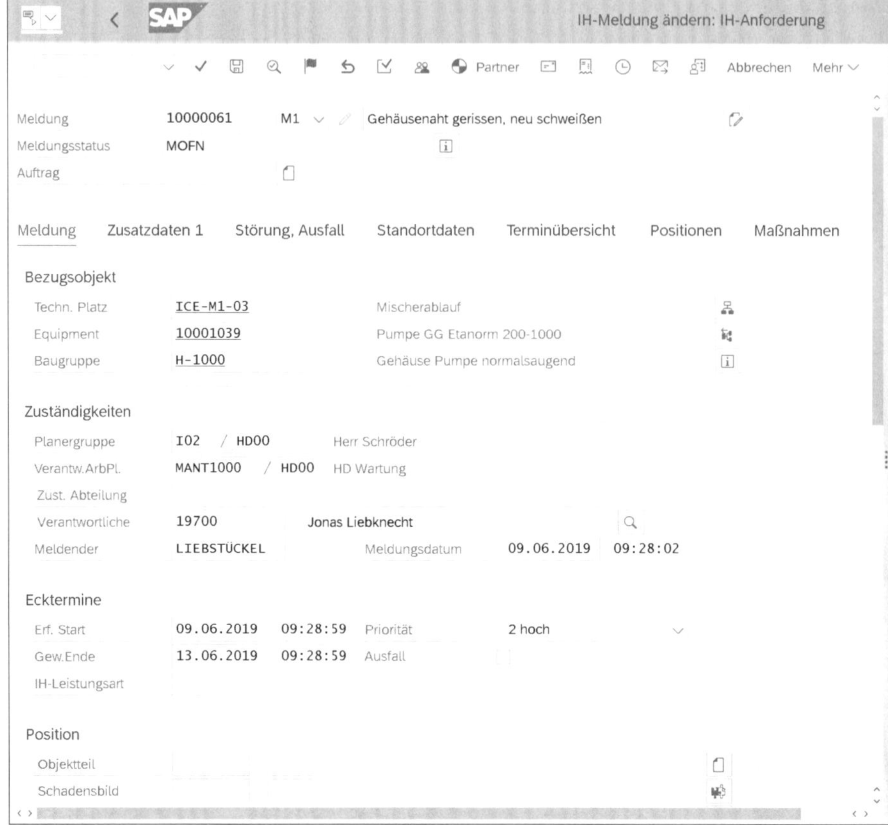

Abbildung 5.4 Standardmeldungsart M1

Eine Erfassungsmaske könnte z. B. so aussehen, wie ich Sie Ihnen als Meldungsart M0 konfiguriert habe (siehe Abbildung 5.5).

[!]

Unterschiedliche Layouts für das Hinzufügen und Ändern

Sie können die Bildschirmlayouts sogar so einstellen, dass beim Verändern ein anderes Layout erscheint als beim Hinzufügen. Nutzen Sie hierzu in der Customizing-Funktion zum Bildschirmaufbau den Aktivitätstyp.

Wann brauchen Sie diese Möglichkeit? Zum Beispiel wenn Sie einem Produktionsmitarbeiter eine möglichst einfache Maske zum Erfassen einer Meldung zur Verfügung stellen möchten. Wenn der Instandhaltungsmitarbeiter zu einem späteren Zeitpunkt dieselbe Meldung aufruft, soll er sie allerdings um weitere benötigte Informationen ergänzen können.

Dieselbe Meldung im Veränderungsmodus aufgerufen, könnte dann z. B. Registerkarten und Feldgruppen wie in Abbildung 5.6 beinhalten.

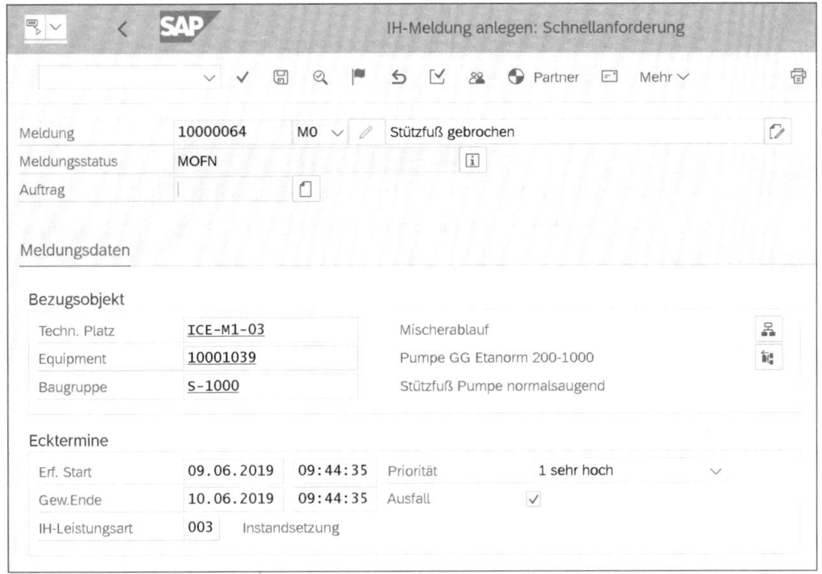

Abbildung 5.5 Angepasstes Meldungslayout hinzufügen

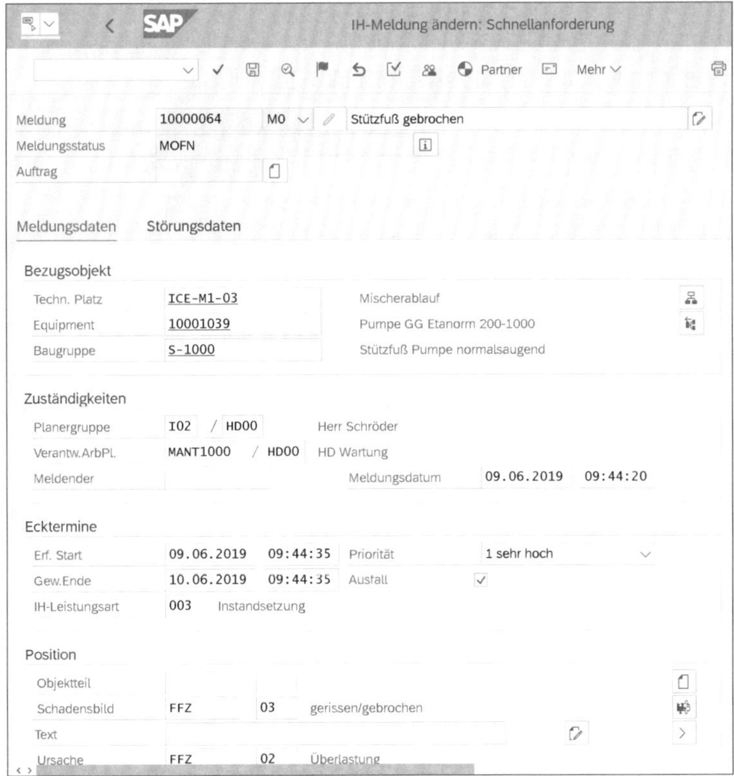

Abbildung 5.6 Angepasstes Meldungslayout – Änderungsmodus

Meldungsart wechseln

Lange Zeit war es im SAP-System nicht möglich, die Meldungsart im Nachhinein zu ändern. Wenn Sie sich also beim Anlegen der Meldung in der Meldungsart vertan hatten – Sie wollten z. B. eine normale Instandhaltungsanforderung mit der Meldungsart M1 anlegen und haben aus Versehen die Meldungsart M2 für Störmeldungen ausgewählt –, blieb Ihnen nichts anderes übrig, als die Meldung mit der falschen Meldungsart wieder abzuschließen und eine neue Meldung mit der richtigen Meldungsart neu anzulegen.

Mittlerweile kann die Meldungsart im Nachhinein geändert werden (siehe Abbildung 5.7). Rufen Sie hierzu die Meldung im Änderungsmodus auf (z. B. Transaktion IW22 oder IW28), und klicken Sie auf das Änderungssymbol zur Meldungsart. Schon können Sie in der Drop-down-Liste eine der Meldungsarten auswählen, in die Sie wechseln können.

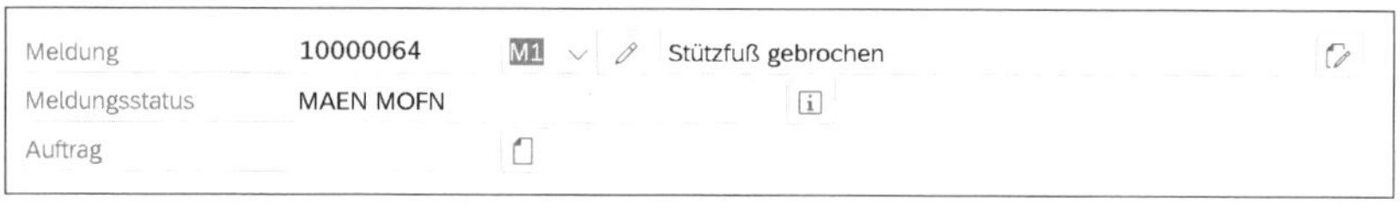

Meldung	10000064	M1	Stützfuß gebrochen
Meldungsstatus	MAEN MOFN		
Auftrag			

Abbildung 5.7 Wechsel der Meldungsart

Das setzt jedoch voraus, dass in der Customizing-Funktion **Erlaubte Wechsel der Meldungsart** für den Wechsel **Meldungsart von** und **Meldungsart bis** der Wechsel der Meldungsart als **erweitert** aktiviert wurde.

Wurde die Meldungsart geändert, wird dies in der Meldung durch den Systemstatus MAEN dokumentiert, d. h., Sie können später gezielt nach Meldungen suchen, deren Meldungsart geändert wurde.

Meldungsinhalt

Bildgruppen

Die folgenden Bildgruppen bzw. Registerkarten stehen Ihnen als potenzielle Meldungsinhalte zur Verfügung:

- Bezugsobjekt (Equipment, Technischer Platz, Baugruppe, Materialserialnummer)
- Zuständigkeiten (z. B. Planergruppe, verantwortlicher Arbeitsplatz)
- Position und Ursache (z. B. Schadensbild, Schadensursache, Objektteil)
- Anlagenverfügbarkeit (z. B. Anlagenverfügbarkeit vor, nach)
- Störungsdaten (z. B. Ausfallbeginn, -ende, -dauer)
- Ecktermine (z. B. Priorität, gewünschter Beginn und gewünschtes Ende)
- Positionsübersicht (z. B. Baugruppe, Text)
- Aktionen zu Meldungskopf und Meldungsposition
- Maßnahmen zu Meldungskopf und Meldungsposition

- Ursachen zu Meldungskopf und Meldungsposition
- Meldungs- und Objektadresse
- Partnerübersicht (z. B. Partnerrolle, Partner, Adresse)
- Garantie (z. B. Garantiebeginn, -ende)
- Standort (z. B. Standortwerk, Kostenstelle, Geschäftsbereich)
- Terminübersicht (z. B. Meldungs-, Abschluss-, technisches Kontrolldatum)
- Wartungsplan (z. B. Arbeitsplan, Wartungsplan)

Eine wesentliche Information in der Meldung ist das von ihr betroffene Objekt, das sogenannte Bezugsobjekt.

Flexibles Bezugsobjekt

Sie können Meldungen für alle technischen Objekte als Bezugsobjekte erfassen, also für Technische Plätze, Equipments, Baugruppen oder Materialserialnummern. Ordnen Sie einer Meldung ein untergeordnetes Objekt zu, werden die übergeordneten Objekte automatisch mit eingetragen. Wenn Sie also z. B. eine Baugruppe eintragen, werden das Equipment und der Technische Platz automatisch in die Meldung übernommen.

Ebenso ist es möglich, Meldungen ohne die Angabe eines technischen Objekts zu erfassen, z. B. in den folgenden Fällen:

- Eine Störmeldung bezieht sich auf ein Objekt, das nicht unter einer Nummer im System geführt wird.
- Das schadhafte Objekt kann noch nicht präzise lokalisiert werden.
- Eine Meldung bezieht sich auf ein neu bereitzustellendes Objekt im Rahmen einer Investitionsmaßnahme.

Art des technischen Objekts

Die folgenden Möglichkeiten gibt es, um die Art des zu erfassenden technischen Objekts festzulegen:

- für eine Meldungsart: im Customizing über die Funktion **Bildbereiche im Meldungskopf**
- für einen Benutzer: innerhalb der Meldung über **Zusätze • Einstellung • Vorschlagswerte**
- für eine einzelne Meldung: innerhalb der Meldung über **Zusätze • Einstellung • Bezugsobjekt**

Wenn vom Anforderer eine neue Meldung eingeht und Sie eine Entscheidung zu treffen haben, ob die Instandhaltungsmaßnahme durchgeführt werden soll oder nicht, ist es hilfreich, sich in kompakter Form über das Objekt zu informieren. Hierzu dient die sogenannte Objektinformation, die Sie im folgenden Abschnitt kennenlernen.

Objektinformation

Kompakte Informationen, die das Bezugsobjekt betreffen, sogenannte Objektinformationen, können Sie sich in einem Dialogfenster anzeigen lassen (siehe Abbildung 5.8).

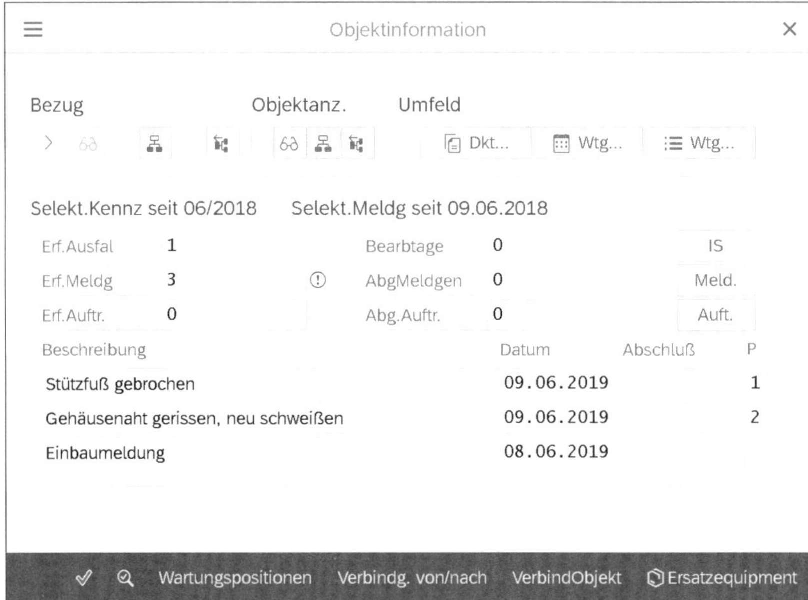

Abbildung 5.8 Objektinformation

Es handelt sich dabei um die folgenden Informationen:

- Strukturdaten (z. B. Objekthierarchie)
- technische Merkmale der Klassifizierung
- frühere Schadensfälle und Anzahl der Bearbeitungstage
- noch offene und frühere Meldungen und/oder Aufträge, die für das Objekt angelegt oder erledigt wurden
- Wartungspläne und Dokumente
- Warnungen, wenn Grenzwerte überschritten sind

Aus dem Dialogfenster heraus können Sie zu jeder Information noch detaillierte Daten aufrufen, z. B. eine einzelne Meldung. Auch können Sie in das Informationssystem verzweigen, um Statistiken und Auswertungen durchzuführen.

[!]

Objektinformationen geben einen kompakten Überblick

Objektinformationen liefern Ihnen kompakte Informationen zum Bezugsobjekt und tragen zur Entscheidungsfindung bei, ob und wann eine Maßnahme durchgeführt werden soll. Den Inhalt der Objektinformationen legen Sie im Customizing über die Funktion **Objektinformationsschlüssel definieren** fest, und über die Customizing-Funktion **Objektinformationsschlüssel Meldungsarten zuordnen** ordnen Sie sie Ihrer Meldungsart zu.

Meldungsposition

Grundsätzlich wäre es möglich, mithilfe von Meldungspositionen die Angaben des Meldungskopfes näher zu spezifizieren, also bei einem Schaden z. B. mehrere Schadensorte anzugeben (Meldungskopf: Gabelstapler; Meldungspositionen: Hubgerüst, Bremsanlage und Fahrerstand, siehe Abbildung 5.8).

Da jedoch die Positionen später bei der Erzeugung eines Auftrags nicht übernommen werden, nutzen die Anwenderfirmen diese Möglichkeit kaum. Dies kommt auch in empirischen Untersuchungen zum Ausdruck: Eine Umfrage unter den Mitgliedern des DSAG-Arbeitskreises »Instandhaltung und Servicemanagement« ergab, dass die durchschnittliche Anzahl von Positionen unter 1,1 liegt. Wenn man nun bedenkt, dass eine Position automatisch generiert wird, wenn Sie z. B. einen Schadenscode oder eine Schadensursache zuordnen, bedeutet dies im Umkehrschluss, dass nicht einmal jede zehnte Meldung über manuell angelegte Positionen verfügt.

[!]

Meldungspositionen werden kaum genutzt

Meldungspositionen werden in der Praxis kaum genutzt. Die Spezifizierung von Schäden und Anforderungen erfolgt in der Regel über den Langtext oder über Kataloge.

Kataloge und Berichtsschemata

Neben organisatorischen Informationen (wie Terminen, Zuständigkeiten oder Kostenstellen) können Sie in einer Meldung auch technische Informationen über Probleme, Störungen, Schäden, Ursachen und Problemlösungen bzw. über die Schadensbehebung hinterlegen. Diese Informationen sind Teil der Meldung und gehen in die Historie ein. Die Besonderheit gegenüber allen anderen Informationen ist hierbei die Tatsache, dass Sie diese Informationen in Katalogen formalisieren und damit auswertbar machen können.

Kataloge In der Regel werden in der Instandhaltung maximal fünf Kataloge eingesetzt (siehe Abbildung 5.9):

- Schadensbilder
- Schadensursachen
- Objektteile
- Maßnahmen
- Aktionen

Jeder Katalog hat dabei eine dreistufige Struktur: Katalog → Codegruppe → Codes.

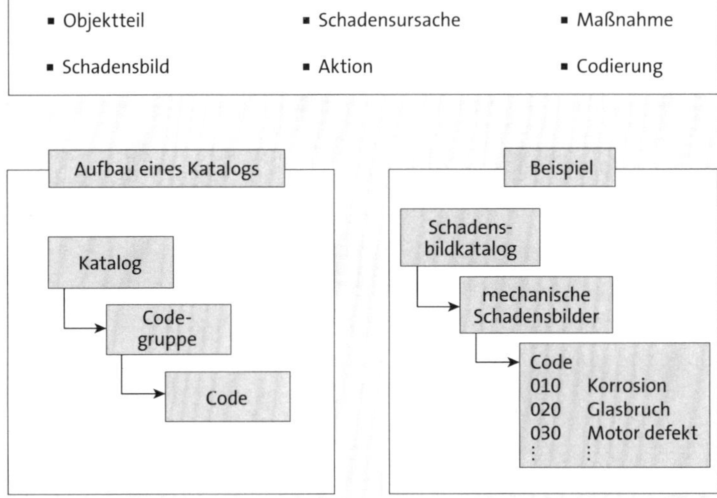

Abbildung 5.9 Kataloge

Code und Codegruppen Für jeden Befund gibt es einen Code, und die Codes werden wiederum nach bestimmten Gesichtspunkten zu Codegruppen zusammengefasst.

[!]

Gliederungskriterien für Kataloge

Als Gliederungskriterien für Codegruppen in Katalogen werden bei den Anwenderfirmen in der Regel genutzt:

- funktionale Kriterien (z. B. mechanische Schadensbilder, elektrische Schadensursachen oder hydraulische Objektteile)
- objektbezogene Kriterien (z. B. Schadensbilder an Motoren, Schadensursachen an Pumpen oder Objektteile für Stapler)

Kataloge pflegen Sie im Customizing mithilfe der Funktion **Kataloge pflegen** oder über die Transaktion QS41.

In Abbildung 5.10 sehen Sie, wie z. B. in den Katalogen *Schadensbilder*, *Schadensursachen* und *Objektteile* die Codes für Flurförderzeuge aussehen könnten.

Ursache	Ursachen
FFZ	Flurförderzeuge
01	Abnutzung
02	Überlastung
03	Bedienungsfehler
04	Gewaltuschaden
05	Rost, Korrosion, Schmutz
06	Schmierstoffmangen
07	Kurzschluss
08	Verpolung
09	Elektrik
10	verätzt
11	Materialfehler

Objektteil	Objektteile
FFZ	Flurförderzeuge
01	Rahmen, Aufbau
02	Fanrantrieb Elektrik
03	Fahrantrieb Mechanik
04	Bremsen
05	Lenkanlage
06	Hubgerüst
07	Rahmen
08	Hydraulik
09	Batterie
10	Systemkomponenten
11	Zubehör
12	Finish
13	Räder, Achsen

Schadensbild	Schadensbilder
FFZ	Flurförderzeuge
01	lose
02	verformt
03	gerissen/gebrochen
04	verschlissen
05	zu großes Spiel
06	Nachstellung erforderlich
07	klemmt
08	undicht
09	keine Funktion
10	Geräusche
11	Riefen
12	verbrannt
13	Ölverlust
14	Oberflächenfehler
15	Riefen

Abbildung 5.10 Codes für Flurförderzeuge

In Kataloggruppen sollte es maximal 25 Einträge geben

Gestalten Sie die Schadens-, Ursachen- und Objektteilcodes übersichtlich. So sollten dem Anwender nicht mehr als ca. 25 Codierungen zur Auswahl stehen, da sonst die Codierungssuche für die Mitarbeiter zu aufwendig wird und die Datenqualität und die Systemakzeptanz darunter leiden. Daher gilt also auch hier der Grundsatz »So viel wie nötig, aber so wenig wie möglich«.

Codes deaktivieren

Codes, die bereits verwendet werden, können Sie nicht mehr löschen. Die Business Function LOG_EAM_QM_CODE_DEACT ermöglicht es Ihnen, solche Codes zu deaktivieren und damit für die weitere Verwendung zu sperren. Hierzu steht Ihnen im Customizing in der Sicht **Code ändern** das Ankreuzfeld **Deaktiviert** zur Verfügung.

Für Codes, die Sie deaktiviert haben, gilt Folgendes:

- Deaktivierte Codes können Sie einer Meldung nicht mehr zuordnen. Sie sind in der Eingabehilfe nicht mehr sichtbar. Sofern Sie einen deaktivierten Code manuell eintragen, gibt das System eine Fehlermeldung aus.

- Codes stehen aber auch nach der Deaktivierung als Selektionskriterien in den Reports zur Verfügung. In den Eingabehilfen der Reports sind die entsprechenden Codes als deaktiviert gekennzeichnet.

Berichtsschema

In den sogenannten Berichtsschemata (siehe Abbildung 5.11) können Sie aufgrund von funktionalen Gesichtspunkten angeben, welche Codegruppen für ein bestimmtes Bezugsobjekt bzw. für eine bestimmte Meldungsart verwendet werden sollen.

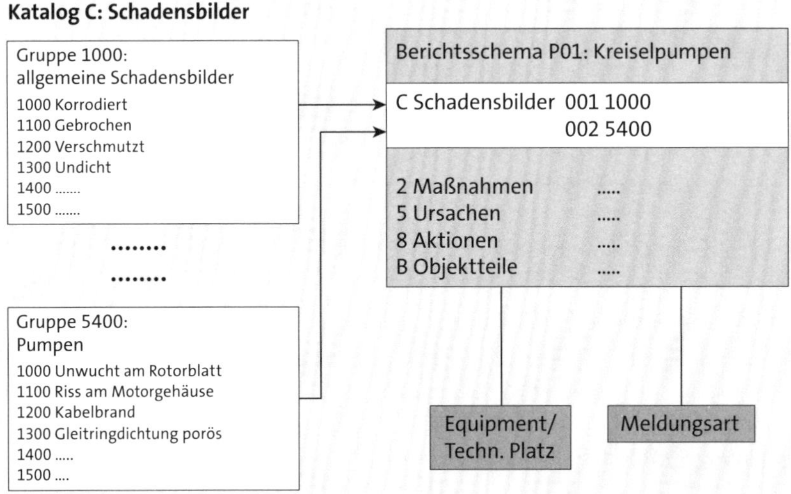

Abbildung 5.11 Berichtsschema

Sie können ein Berichtsschema den folgenden Objekten zuordnen:

- einem Equipment in der Bildgruppe **Zuständigkeiten** (siehe Abbildung 5.12)
- einem Technischen Platz, ebenfalls in der Bildgruppe **Zuständigkeiten**
- einer Meldungsart im Customizing über die Customizing-Funktion **Kataloge und Berichtsschema zur Meldungsart ändern**

Zuständigkeiten

Planungswerk	HD00	Plant Heidelberg	
Planergruppe	I02	Herr Schröder	
Verantw.ArbPl.	ME	/ HD00	Mechanik
Berichtsschema	FFZ		Flurförderzeuge

Abbildung 5.12 Bildgruppe »Zuständigkeiten«

Haben Sie nun möglicherweise sowohl bei den technischen Objekten als auch bei der Meldungsart ein Berichtsschema eingetragen, gilt die folgende Vorfahrtsregel: Equipment → Technischer Platz → Meldungsart. Davon unabhängig, können Sie das Berichtsschema in einer Meldung individuell abändern bzw. zuordnen, und zwar über **Zusätze • Einstellung • Berichtsschema • Auswahl**.

[+]

Setzen Sie das Berichtsschema ein

Mit einem Berichtsschema stellen Sie eine Grundmenge an Codes zur Verfügung, die für das Bezugsobjekt sinnvoll sind; alle anderen Codes werden »aussortiert«. Dies erhöht die Genauigkeit und die Benutzerakzeptanz.

Klassifizierung

Im Abschnitt zum Meldungsinhalt haben Sie die vielfältigen Möglichkeiten gesehen, um Informationen in einer Meldung zu hinterlegen. Sollte dies nicht ausreichen oder benötigen Sie andere Informationen, können Sie Meldungen auch klassifizieren.

Voraussetzungen

In Abschnitt 4.2.7, »Klassifizierung«, habe ich bereits die Grundsätze der Klassifizierung erläutert. Was müssen Sie nun tun, damit Sie Meldungen klassifizieren können?

- Sie benötigen Merkmale.
- Sie benötigen Klassen mit der Klassenart 015 (Fehlersätze).
- Sie aktivieren in der Customizing-Funktion **Kataloge und Berichtsschema zur Meldungsart ändern** den Schalter **Klasse aktiv** und weisen ein Berichtsschema zu.
- Dem Berichtsschema wiederum ordnen Sie über die Customizing-Funktion **Berichtsschema definieren** eine Klassifizierung zu und setzen den Schalter **Klassifizierungsbild**.

Wenn diese Voraussetzungen erfüllt sind, haben Sie auf dem Positionsdetailbild die Möglichkeit, die Meldung zu klassifizieren (siehe Abbildung 5.13).

Zusatzinformationen durch die Klassifizierung einer Meldung

Mithilfe der Klassifizierung haben Sie ohne Programmierung und ohne Modifikation die Möglichkeit, Ihre Meldungen um Zusatzinformationen zu ergänzen. Voraussetzung hierfür ist die Definition von Klassen der Klassenart 015 (Fehlersätze) und deren Zuordnung im Customizing zum Berichtsschema.

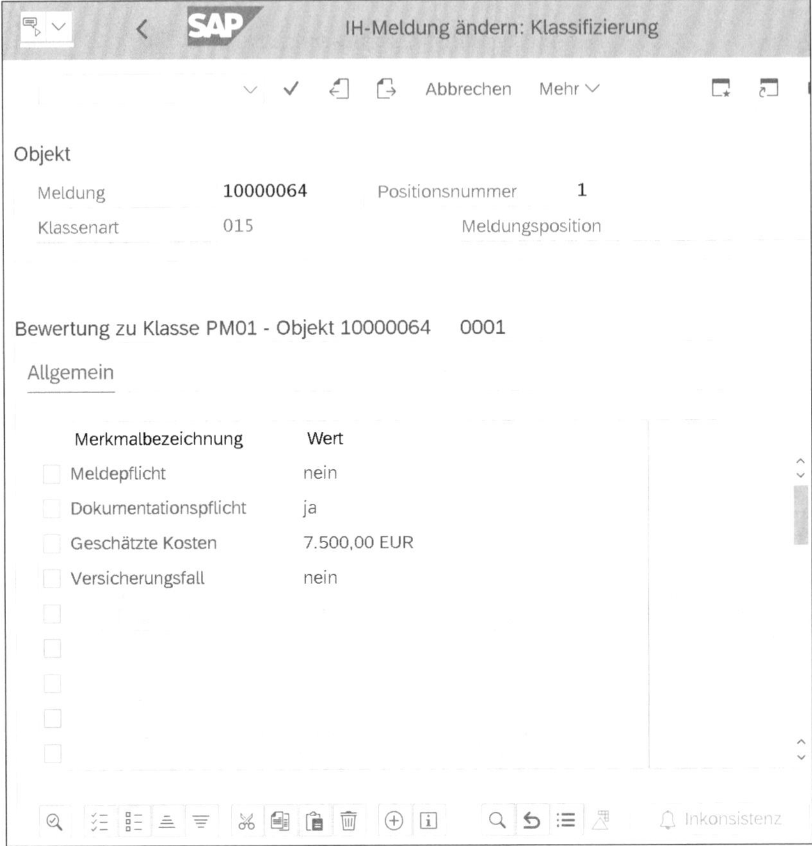

Abbildung 5.13 Klassifizierung einer Meldung

Partner

Dasselbe, was ich in Kapitel 4, »Anlagenstrukturierung«, im Hinblick auf die Stammdaten ausgeführt habe, gilt auch für Meldungen. Sie können einer Meldung beliebig viele und frei definierbare Partner zuordnen. Dies könnten z. B. sein:

- Ansprechpartner in der Anlage
- Servicefirma
- zuständige Organisationseinheit
- Hersteller
- Verantwortliche(r) im Controlling
- Techniker
- Meisterbüro

Voraussetzung hierfür ist, dass Sie ein Partnerschema anlegen (Customizing-Funktion **Partnerschema definieren**) und es der Meldungsart zuordnen (Customizing-Funktion **Partnerschema zur Meldungsart zuordnen**).

Partnerübernahme

Wenn Sie nun eine Meldung anlegen und dabei ein Bezugsobjekt eintragen, dem Partner zugeordnet sind, versucht das System, die Partner aus dem Bezugsobjekt zu übernehmen. Wenn die Partnerrolle im Partnerschema des Bezugsobjekts und im Partnerschema der Meldung identisch ist, wird der Partner aus dem Bezugsobjekt in die Meldung übernommen.

So ist z. B. ein Lieferant (z. B. Partnerschema YEQ, Partnerrolle LI, Lieferantennummer 1000) dem Equipment zugeordnet. Dieser Lieferant wird nun in die Meldung übertragen, wenn das Partnerschema der Meldung (z. B. YMD) ebenfalls die Partnerrolle LI beinhaltet. Dasselbe gilt übrigens für die Partnerübernahme aus dem Bezugsobjekt in den Auftrag und für die Partnerübernahme aus der Meldung in den Auftrag (siehe Abbildung 5.14).

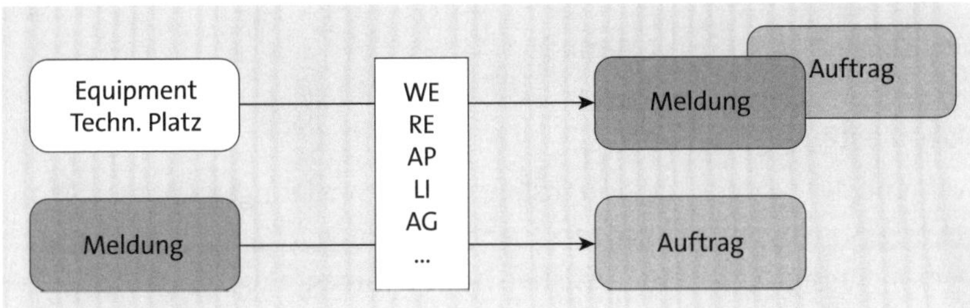

Abbildung 5.14 Partnerübernahme

[!]

Zusätzliche Verantwortlichkeiten durch Partnerrollen

Das SAP-System kennt standardmäßig nur wenige Organisationseinheiten, die Sie einer Instandhaltungsmaßnahme zuordnen können – im Wesentlichen sind dies die Planergruppe und der verantwortliche Arbeitsplatz. Mit der Definition von Partnern können Sie diese Zuständigkeiten und Verantwortlichkeiten deutlich ausweiten und näher spezifizieren. Voraussetzung hierfür ist die Definition von Partnerrollen und Partnerschemata sowie deren Zuordnung zur Meldungsart.

Adresse

Wenn Sie beim Bezugsobjekt eine Adresse hinterlegt haben, wird diese Adresse in die Meldung übernommen. Findet jedoch die Meldungsbearbeitung nicht an dieser Adresse statt, weil z. B. das Bezugsobjekt in eine

Zentralwerkstatt gebracht wurde, können Sie diese Adresse abändern und eine individuelle Meldungsadresse hinterlegen (siehe Abbildung 5.15).

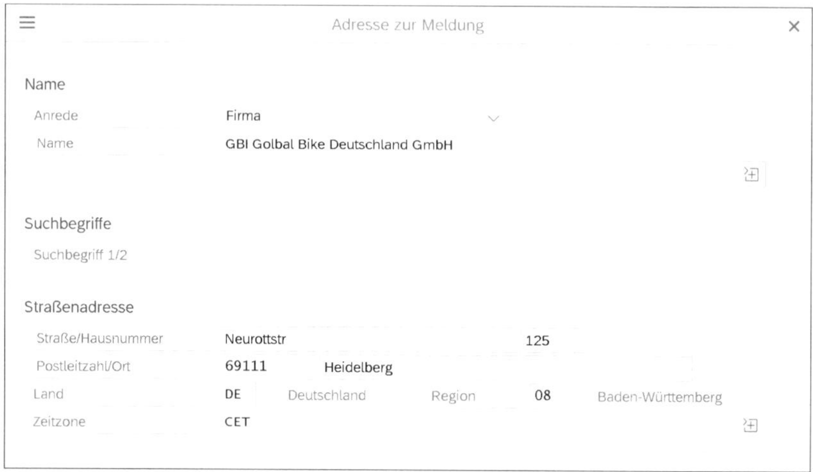

Abbildung 5.15 Adresse zur Meldung

Dokumente

Während der Bearbeitung von Instandhaltungsmeldungen können Sie zugehörige Dokumente zuordnen (siehe Abbildung 5.16). Sie können neue Dokumente anlegen, bereits existierende Dokumente zuordnen und Dokumentzuordnungen ändern oder aufheben. Sie können in die Ansicht der jeweiligen Dokumentinfosätze verzweigen und die Originaldateien der zugeordneten Dokumente aufrufen.

Damit Sie einer Meldung Dokumente zuordnen können, müssen Sie die entsprechenden Dokumentarten mithilfe der Customizing-Funktion **Dokumentarten definieren** für das Objekt PMQMEL zulassen und mithilfe der Customizing-Funktion **Bildschirmmasken zur Meldungsart einstellen** den Bildbereich **092 DVS-Verknüpfungen** der Meldungsart zuordnen.

Verknüpfte Dokumente

Art	Dokument	TlD	Vs	Beschreibung
DRW	10000001348	000	00	Konstruktionszeichnung PP2500
DRW	KR2213182	000	01	Lagerung Zufuehrungslager
DRW	T-F100	000	00	Gesamtzeichnung Pumpe

Abbildung 5.16 Dokumente in der Meldung

Drucken

Meldungspapiere

Das SAP-System bietet die Möglichkeit, Meldungen in unterschiedlichem Layout auf verschiedenen Medien auszugeben. Es können z. B. die folgenden Meldungspapiere gedruckt werden:

- **Meldungsübersicht**
  Die Meldungsübersicht ist ein kompletter Ausdruck einer Meldung, sodass sich die Beteiligten (Techniker, Mitarbeiter von Arbeitsvorbereitung und Produktion usw.) einen Überblick über die jeweilige Meldung verschaffen können.
- **Tätigkeitsbericht**
  Der Tätigkeitsbericht könnte als Arbeitsgrundlage dienen. Er enthält eine Liste mit potenziellen Aktionen, Maßnahmen usw. Derjenige, der die Störung behebt, kann in dieser Liste nur durch Ankreuzen seine Arbeit zurückmelden.
- **Ausfallbericht**
  Der Ausfallbericht könnte ein Ausdruck der Angaben zur Ausfalldauer und Anlagenverfügbarkeit sein.

[!]

Beim Drucken haben Sie die Wahl

Es bleibt Ihnen überlassen, wie viele und welche Meldungspapiere Sie ausdrucken möchten, welches Layout diese Meldungspapiere haben sollen und welches Meldungspapier auf welchem Ausgabemedium ausgegeben werden soll.

Ausgabemedien

Als Ausgabemedien kommen infrage:

- lokale Drucker
- Netzwerkdrucker
- Faxgeräte
- E-Mail
- PC-Download

[!]

Meldungs- und/oder Auftragsdruck

Üblicherweise werden jedoch nicht Meldungs-, sondern Auftragspapiere gedruckt. Meldungspapiere dienen in der Regel nur als Ergänzung der Auftragspapiere oder werden eingesetzt, wenn die Auftragsabwicklung nicht aktiv ist.

Deshalb soll auf die weiteren Details zum Thema *Drucken* (Voraussetzungen, Funktionen, Customizing) erst in Abschnitt 5.2.3, »Steuerung«, im Zusammenhang mit dem Auftrag eingegangen werden.

Systemstatus und Anwenderstatus

Auch für Meldungen gilt wie für die Stammdaten, dass Sie ihnen Anwenderstatus zuordnen können und dass vom System, in Abhängigkeit der durchgeführten Funktionen, Systemstatus gesetzt werden.

Voraussetzung

Voraussetzung ist, dass Sie für den Objekttyp *Meldung* ein Statusschema definiert (Customizing-Funktion **Anwenderstatusschema für Meldungen definieren**) und dies der Meldungsart zugeordnet haben (**Meldungsarten Anwenderstatus zuordnen**).

Status setzen

In der Meldung selbst setzen Sie dann einen Status, indem Sie über den Button [i] in die Status verzweigen und dort den gewünschten Status setzen (siehe Abbildung 5.17).

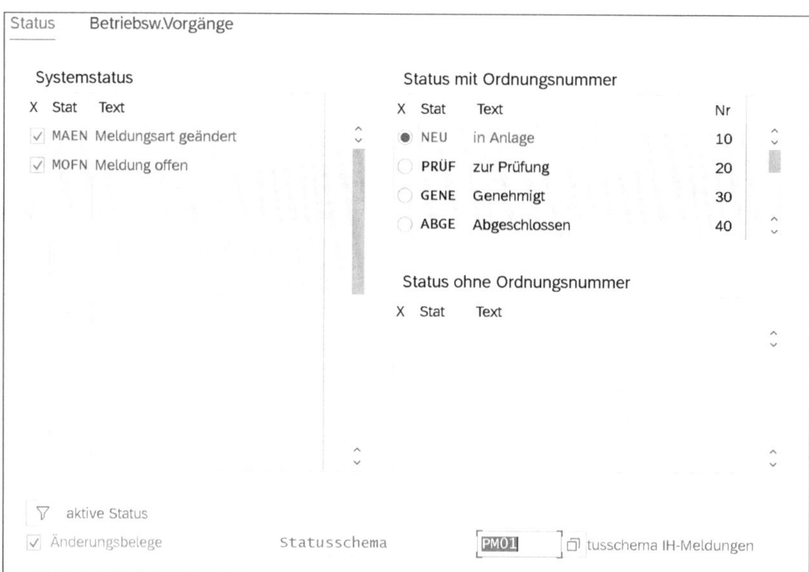

Abbildung 5.17 Status einer Meldung

[!]

Mit Anwenderstatus Funktionen erlauben oder verbieten

Mithilfe von Anwenderstatus können Sie detailliert aussteuern, welche betriebswirtschaftlichen Vorgänge in Ihren Meldungen erlaubt oder verboten sein sollen.

Im Customizing können Sie die Anwenderstatus so einrichten, dass sie bei der Veränderung eines Systemstatus automatisch gesetzt bzw. gelöscht werden. Auf diese Weise können Sie die erlaubten betriebswirtschaftlichen Vorgänge eines Systemstatus auf elegante Weise weiter einschränken, ohne dass der Anwender zusätzliche Datenpflege betreiben müsste.

Beispielprozesse im Web

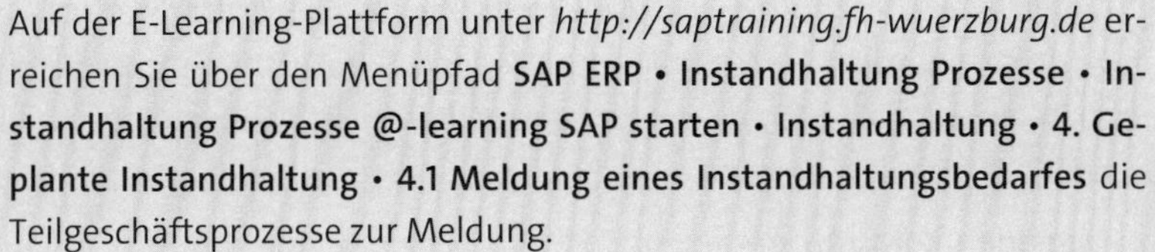
Auf der E-Learning-Plattform unter *http://saptraining.fh-wuerzburg.de* erreichen Sie über den Menüpfad **SAP ERP • Instandhaltung Prozesse • Instandhaltung Prozesse @-learning SAP starten • Instandhaltung • 4. Geplante Instandhaltung • 4.1 Meldung eines Instandhaltungsbedarfes** die Teilgeschäftsprozesse zur Meldung.

Damit habe ich Ihnen die wichtigsten Funktionen der Meldung erläutert, und wir können die Phase der Meldung beenden. Kommen wir nun zur Phase der Planung, die den Übergang zum Auftrag darstellt, und zur Beauftragung der Instandhaltungswerkstätten.

5.2.2 Planung

Viele Funktionen, die wir bei den Meldungen (siehe Abschnitt 5.2.1, »Meldung«) kennengelernt haben, stehen Ihnen auch bei der Auftragsbearbeitung zur Verfügung.

Flexibles Bezugsobjekt

Auch im Auftrag haben Sie die Möglichkeit, technische Objekte flexibel zuzuordnen: entweder als Vorschlagswert pro Auftragsart über das Customizing (mithilfe der Funktion **Auftragsarten einrichten**) oder benutzerspezifisch (innerhalb des Auftrags über **Zusätze • Einstellungen • Bezugsobjekt**).

Objektinformation

Auch im Auftrag können Sie sich mithilfe der Objektinformation kompakt über das Umfeld des Objekts informieren, wenn Sie im Customizing Objektinformationsschlüssel angelegt und sie der Auftragsart zugewiesen haben (Customizing-Funktionen **Objektinformationsschlüssel definieren** und **Objektinformationsschlüssel Auftragsarten zuordnen**).

Systemstatus und Anwenderstatus

Auch der Auftrag beinhaltet Systemstatus, die vom System automatisch bei der Ausführung von betriebswirtschaftlichen Funktionen zugeordnet werden (z. B. FREI = freigegeben, MABE = Materialverfügbarkeit bestätigt); und auch im Auftrag können Sie manuell Anwenderstatus zuordnen, wenn Sie für den Objekttyp *Auftrag* ein Statusschema definiert (Customizing-Funktion **Anwenderstatusschema für Aufträge definieren**) und dieses der Auftragsart zugeordnet haben (**Auftragsarten Anwenderstatus zuordnen**).

Partner

Ferner haben Sie die Möglichkeit, in einem Auftrag Partner zuzuordnen, unter der Voraussetzung, dass Sie ein Partnerschema definiert und es der Auftragsart zugewiesen haben (Customizing-Funktionen **Partnerschema definieren** bzw. **Partnerschema zum Auftrag zuordnen**). Im Auftrag greifen dieselben Regeln zur Partnerübernahme wie die Regeln, die ich Ihnen im Rahmen der Meldung beschrieben habe.

Adresse

Wenn Sie beim Bezugsobjekt und/oder in der Meldung eine Adresse hinterlegt haben, wird diese Adresse als Objektadresse bzw. als Auftragsadresse in den Auftrag übernommen. Sie können jedoch die Auftragsadresse abändern bzw. eine neue Auftragsadresse manuell anlegen, wenn sie noch nicht automatisch angelegt worden ist.

Im Folgenden konzentriere ich mich auf die Funktionen des Auftrags, die Ihnen in der Meldung nicht zur Verfügung stehen.

Eröffnung eines Auftrags

Es gibt sechs Möglichkeiten, um einen Auftrag zu eröffnen (siehe Abbildung 5.18).

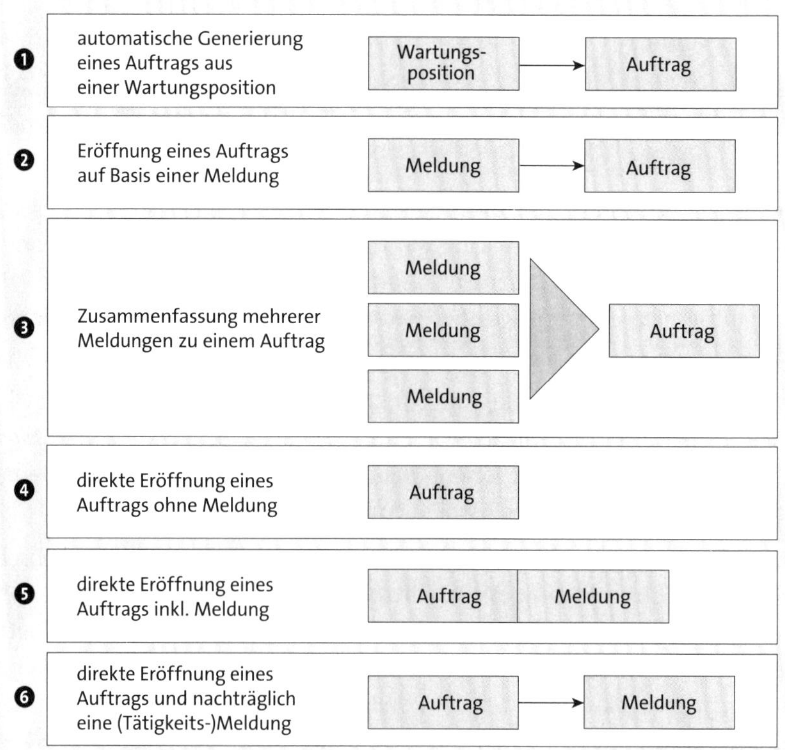

Abbildung 5.18 Eröffnung eines Auftrags

- **Automatische Generierung eines Auftrags aus einem Wartungsplan**
  Sie haben einen Wartungsplan definiert, und dieser erzeugt auf der Basis der dort hinterlegten Informationen (wie z. B. Bezugsobjekt, Auftragsart, Arbeitsplan) in periodischen Abständen automatisch einen Auftrag ❶. Hierauf gehe ich näher in Abschnitt 5.8, »Der Geschäftsprozess ›Vorbeugende Instandhaltung‹«, ein.
- **Eröffnung eines Auftrags auf der Basis einer Meldung**
  Ein Anforderer hat Ihnen eine einzelne Meldung geschickt (z. B. aus der Produktion); Sie erzeugen nun aus der Meldung heraus einen Auftrag ❷. In Abbildung 5.19 sehen Sie eine Meldung, aus der Sie nun über den Button [ ] einen Auftrag erzeugen können.

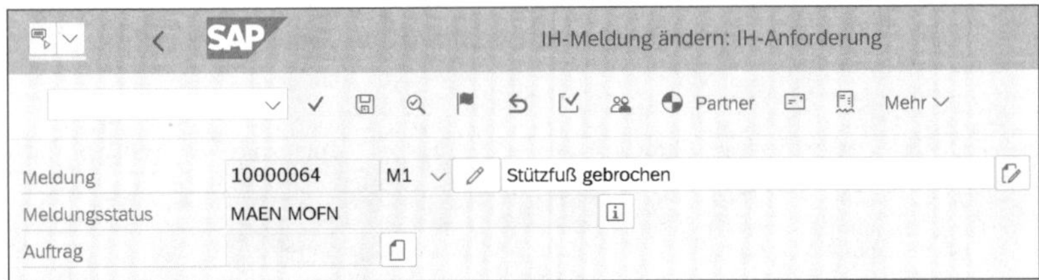

Abbildung 5.19 Transaktion IW22 – Auftrag aus Meldung erzeugen

- **Zusammenfassen mehrerer Meldungen zu einem Auftrag**
  Sie erhalten mehrere Meldungen, die innerhalb eines einzigen Auftrags abgearbeitet werden sollen (z. B. mehrere Störmeldungen, die dieselbe Anlage betreffen). Sie haben die Möglichkeit, aus der Meldungsliste (Transaktion IW28, siehe Abbildung 5.20) heraus einen Auftrag zu eröffnen ❸; die Meldungen werden automatisch in die Objektliste eingetragen.

Monitor	A	Meldung	Datum	Beschreibung	Technischer Platz	Equipment
●OO		10000000	28.01.2019	Gehäuse defekt, muss geschweißt werden	10000-B01-2	E10000
O▲O	✓	10000011	22.03.2019	Pumpenmotor macht Geräusche	DL00-S-SHFL1000	10000000
●OO		10000020	02.05.2019	elektrische Zuleitungen erneuern	10000-B01-2	E10000
●OO		10000021	07.05.2019	Pumpenwelle macht geräusche	16000-BR2-22	E16000
●OO		10000024	07.05.2019	Neue Schweißnaht	15048-BR2-22	E15048
O▲O		10000025	07.05.2019	Schweißnaht für Gehäuse von Pumpmotor	15085-BR2-22	E15085
O▲O		10000026	07.05.2019	am Gehäuse Schweißnaht anbringen	16000-BR2-22	E16000
O▲O		10000031	07.05.2019	Schweißnaht am Gehäuse des Pumpenmotors	16002-BR2-22	E16002
O▲O		10000032	07.05.2019	Schweißnaht Gehäuse	16060-B01-1	E16060
O▲O	✓	10000036	20.05.2019	Elektrische Zuleitungen gerissen	19709-B01-1	E19709
O▲O		10000037	20.05.2019	Schweißnaht gerissen	18756-ZPW-1	E18756
●OO	✓	10000050	27.05.2019	Wellenschutzhülse erneuern	10000-B01-2	E10000
O▲O		10000060	08.06.2019	Einbaumeldung		10001039
O▲O		10000061	09.06.2019	Gehäusenaht gerissen, neu schweißen	ICE-M1-03	10001039
O▲O		10000064	09.06.2019	Stützfuß gebrochen	ICE-TA-T1-02	E10000

Abbildung 5.20 Transaktion IW28 – Auftrag aus Meldungsliste

Sie markieren mehrere Meldungen und fassen Sie über **Meldung • Auftrag erzeugen** zu einem einzigen Auftrag zusammen.

- **Direkte Eröffnung des Auftrags ohne Meldung**
  Sie möchten direkt – ohne vorliegende Meldung – einen Auftrag eröffnen. Hierzu verwenden Sie die Transaktion IW31 ❹. Der Auftragskopf beinhaltet ähnliche Informationen wie der Kopf einer Meldung (siehe Abbildung 5.21): Beschreibung, Bezugsobjekt, Termine und Verantwortlichkeiten.

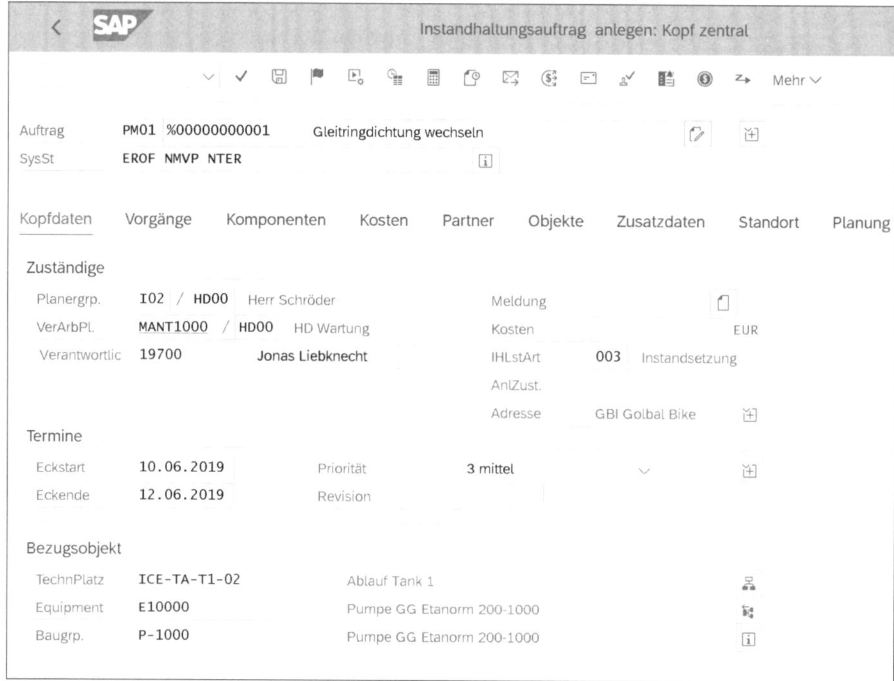

Abbildung 5.21 Transaktion IW31 – direkte Eröffnung eines Auftrags

- **Direkte Eröffnung eines Auftrags inklusive Meldung**
  Sie möchten, ähnlich wie im vorangehenden Fall, einen Auftrag direkt eröffnen, ihn aber um Informationen wie Schadensbild, Schadensursache oder Ausfall ergänzen ❺. Nähere Erläuterungen hierzu finden Sie in Abschnitt 5.3, »Der Geschäftsprozess ›Sofortinstandsetzung‹«.
- **Direkte Eröffnung eines Auftrags mit nachträglicher Meldung**
  Sie haben einen Auftrag ohne Meldung durchgeführt ❹, stellen aber beim Abschluss des Auftrags fest, dass Sie neben den Zeitrückmeldedaten auch noch technische Rückmeldedaten einer Meldung erfassen möchten. Wenn einem Auftrag noch keine Meldung zugeordnet ist,

können Sie jederzeit aus dem Auftrag heraus mithilfe des Buttons Meldung eine neue Meldung zum Auftrag anlegen ❻.

Auftragsarten

Entscheidungskriterien

Sie können nach eigenen Anforderungen Auftragsarten frei definieren. Die Definition von Auftragsarten sollten Sie von den Funktionen abhängig machen, in denen sich diese im Customizing unterscheiden. Pro Auftragsart können Sie im Customizing z. B. die folgenden Einstellungen vornehmen:

- Nummernkreis
- Vorschlagswerte (z. B. für die Fremdbearbeitung oder für die Verwendung von Arbeitsplänen)
- Prioritäten
- Kalkulation und Auftragsabrechnung
- Verfügbarkeitsprüfung
- Terminierung
- Drucksteuerung
- Schnittstelle zu Internetkatalogen
- Rückmeldeverfahren
- Objektinformation
- Partnerschema
- Statusschema
- Bildschirmlayout (Näheres dazu folgt in Abschnitt 5.3, »Der Geschäftsprozess ›Sofortinstandsetzung‹«.)

Dies bedeutet z. B., wenn Sie unterschiedliche Nummernkreise ansprechen wollen, unterschiedliche Bildschirmlayouts benötigen oder die Aufträge unterschiedlich abgerechnet werden sollen, dass Sie unterschiedliche Auftragsarten einrichten.

[!]

Auftragsarten in der Instandhaltung

Es hat sich in der Praxis gezeigt, dass Sie in der Regel mindestens die folgenden Auftragsarten benötigen:

- eine Auftragsart für die Instandsetzung
- eine Auftragsart für die vorbeugende Instandhaltung
- eine Auftragsart für Kalibrierungen (falls genutzt)
- eine Auftragsart für Investitionsmaßnahmen

Auftragsarten müssen mit anderen Bereichen abgestimmt werden

Bei der Definition Ihrer Auftragsarten müssen Sie sich mit den Kollegen aus dem Controlling (CO-Innenaufträge), der Produktion (PP-Fertigungsaufträge), dem Servicemanagement (CS-Serviceaufträge) und dem Projektmanagement (PS-Netzpläne) abstimmen, da diese dieselben Auftragstabellen nutzen.

Auftragsinhalt

Das Layout der Aufträge bestimmen Sie im Customizing über die Customizing-Funktion **Sichtenprofile definieren** bzw. **Sichtenprofile Auftragsarten zuordnen**.

Entwerfen Sie Ihre eigenen Layouts für Aufträge

Entwerfen Sie für Ihre Auftragsarten geeignete Bildschirmlayouts; diese können Sie vom Aktivitätstyp (**Hinzufügen**, **Ändern**, **Anzeigen**) abhängig machen. Angepasste und vereinfachte Bildschirmlayouts steigern die Benutzerakzeptanz.

Abbildung 5.22 zeigt Ihnen z. B. ein angepasstes Auftragslayout, das aus nur einer Registerkarte mit wenigen Feldgruppen besteht.

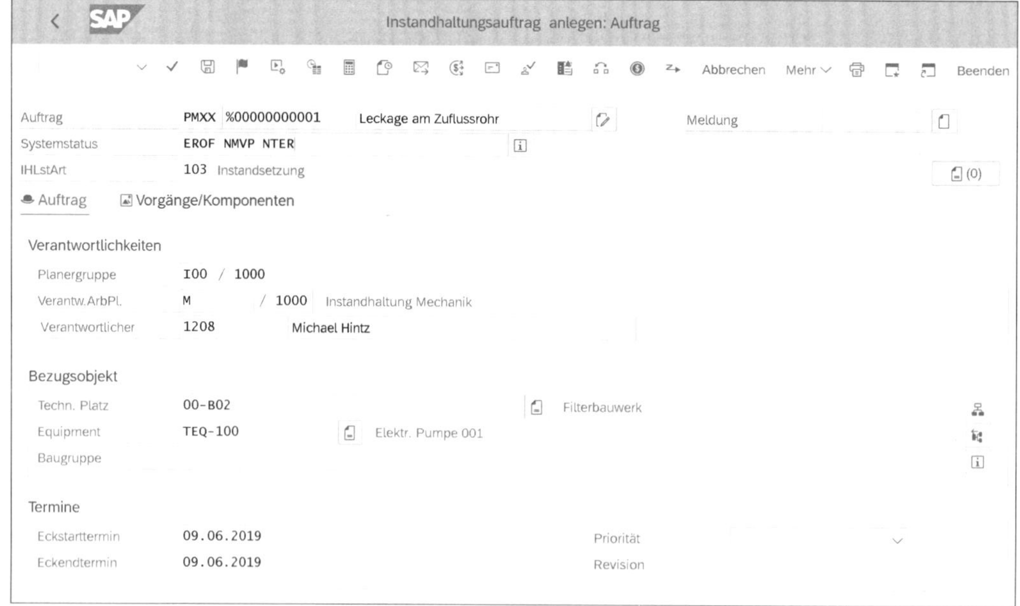

Abbildung 5.22 Angepasster Auftrag

Mithilfe des Buttons [Symbol] können Sie immer zwischen dem angepassten Layout und dem von SAP definiertem Standardlayout hin- und herwechseln.

Auftragsvorgänge

Wozu Vorgänge?

In den Auftragsvorgängen (siehe Abbildung 5.23) beschreiben Sie die durchzuführenden Instandhaltungstätigkeiten. Sollte Ihnen zur Beschreibung der Kurztext nicht ausreichen, steht Ihnen für jeden Vorgang ein eigener Langtext zur Verfügung. Neben der Beschreibung enthält der Vorgang die Vorgabezeit, den Arbeitsplatz, die Anzahl der beteiligten Personen und andere Steuerungsinformationen.

Kopfdaten | Vorgänge | Komponenten | Kosten | Partner | Objekte | Zusatzdaten | Standort | Planung

Allgemein | Eigen | Fremd | Termine | Ist-Daten | Erweiterung | Ausf.Fakt. | Ka

Vrg	UVR	ArbPlatz	Werk	Ste...	A...	Kurztext Vorgang	Arbeit	EH	Dauer	EH
0010		EL	HD00	PM01		Stromvers. unterbrechen; Sicherheitsprüf	0,5	STD	0,5	STD
0020		EL	HD00	PM01		Sichtprüfung außen: Rost, Undichtigkeit	0,5	STD	0,5	STD
0030		EL	HD00	PM01		Sichtprüfung innen: Rost, Abrieb, Feuch-	0,5	STD	0,5	STD
0040		EL	HD00	PM01		Stromzuleitung prüfen: Knicke, blanke	0,5	STD	0,5	STD
0050		EL	HD00	PM01		Kontaktbürsten wechseln	0,5	STD	0,5	STD
0060		EL	HD00	PM01		Sicherheitsprüfung und Motor in Betrieb	0,5	STD	0,5	STD

Abbildung 5.23 Auftragsvorgänge

Arbeit und Dauer

Bei den Vorgabezeiten ist zwischen den Spalten **Arbeit** und **Dauer** zu unterscheiden. Die Spalte **Arbeit** repräsentiert den Arbeitsumfang, also das zu erledigende Arbeitsvolumen pro Vorgang. Die dort eingetragenen Werte fließen in die Kalkulation und Kapazitätsplanung ein. Demgegenüber repräsentiert die Spalte **Dauer** die Durchlaufzeit der einzelnen Vorgänge; die entsprechenden Werte fließen wiederum in die Terminierung ein.

Steuerschlüssel

Ein weiteres wichtiges Steuerungselement ist der Steuerschlüssel. Dieser wird als Vorschlagswert aus dem ausführenden Arbeitsplatz vorgeschlagen, kann aber abgeändert werden. Details zum Steuerschlüssel finden Sie in Abschnitt 3.2, »Arbeitsplätze«.

Verantwortlichkeiten

Es gibt im Auftrag sowohl auf der Kopfebene (siehe Abbildung 5.24) als auch auf der Vorgangsebene verschiedene Möglichkeiten, um Verantwortlichkeiten festzulegen:

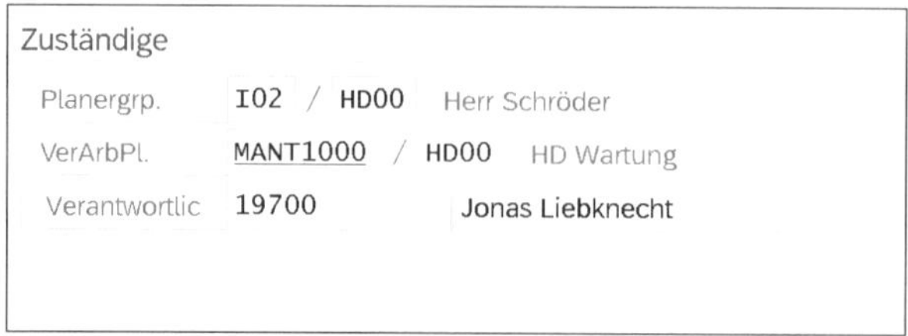

Abbildung 5.24 Bildgruppe »Zuständige« im Auftragskopf

- **Planergruppe**
  Auf der Auftragskopfebene können Sie eine Planergruppe (Feld **Planergrp.**) festlegen. Diese ist entweder eine einzelne Person oder eine Gruppe (z. B. Arbeitsvorbereitung), die für die Planung des betreffenden Auftrags zuständig ist.
- **Verantwortlicher Arbeitsplatz**
  Auf der Auftragskopfebene müssen Sie einen verantwortlichen Arbeitsplatz (Feld **VerArbPl.**) definieren. Hier geben Sie die Werkstatt an, die federführend für die Durchführung des Auftrags verantwortlich ist.
- **Verantwortliche Person**
  Darüber hinaus können Sie auch noch eine verantwortliche Person (Feld **Verantwortlic.**) benennen. Dies ist in der Regel eine Person aus dem verantwortlichen Arbeitsplatz, die als zentraler Ansprechpartner bei der Durchführung des Auftrags, z. B. für Rückfragen, bestimmt wird. Voraussetzung ist, dass Sie mithilfe der Customizing-Funktion **Partnerschema zum Auftrag zuordnen** eine Rolle *Auftrag* definiert haben.
- **Arbeitsplatz**
  Sie ordnen jedem Vorgang einen Arbeitsplatz (Feld **ArbPl/Werk**) zu, also die den Vorgang ausführende Werkstatt. In einem Auftrag können auf diese Weise mehrere Werkstätten hinzugezogen werden.
- **Bearbeitende Person**
  Darüber hinaus können Sie jedem Vorgang eine Person zuordnen, die den Vorgang bearbeiten soll (siehe Abbildung 5.25). Dies ist in der Regel eine Person aus dem Arbeitsplatz.

Abbildung 5.25 Ausführende Person im Vorgang

- **Mehrere Personen**
  Auch können Sie einem Vorgang mehrere Personen zuordnen, wenn der Vorgang von mehreren Technikern bearbeitet wird. Hierzu tragen Sie die Anzahl der beteiligten Personen ein, die Sie bei den Bedarfszuordnungen angeben (siehe Abbildung 5.26). Voraussetzung ist allerdings, dass Sie mithilfe der Customizing-Funktion **Partnerschema zum Auftrag zuordnen** eine Rolle *Splitterzeugung* definiert und dem betreffenden Vorgang einen Steuerschlüssel zugeordnet haben, für den wiederum die Funktion **Kapazitätsbedarf ermitteln** aktiviert worden ist.

Komponenten | Bedarfszuordnungen | Anordnungsbeziehungen

Kapazitätsart 002 Person

Spl	Eingep...	Person	Arbeit	Ar...	Dauer n...	D...	Datum	Zeit
☐ 1	☐	Liebknecht	0,5	STD	0,5	STD	15.07.2019	09:07
☐ 2	☐	Mustermann	1,0	STD	1,0	STD	15.07.2019	09:07
☐ 3	☐	Hemmelmann	0,5	STD	0,5	STD	15.07.2019	09:07

Abbildung 5.26 Bedarfszuordnung – mehrere Personen

[!]

Zuständigkeiten für den Auftrag

Als Verantwortlicher können Sie dem Auftrag auf der Kopfebene eine Planergruppe, einen verantwortlichen Arbeitsplatz und eine verantwortliche Person zuordnen – letztere, wenn sie im Customizing der Auftragsart als Partner zugeordnet ist.

Als Ausführender können Sie auf der Vorgangsebene einen Arbeitsplatz, eine Person oder mehrere Personen zuordnen – Letzteres, wenn im Customizing der Auftragsart die Rolle *Splits* zugeordnet ist.

Darüber hinaus können Sie dem Auftrag unter Zuhilfenahme von Partnerschemata beliebige und beliebig viele weitere Verantwortliche zuordnen.

Terminierung

Definition

Beim Terminieren werden aufgrund der im Auftrag manuell vorgegebenen Ecktermine unter Berücksichtigung der Dauern auf Vorgangsebene die terminierten Termine auf Vorgangsebene und auf Kopfebene errechnet.

Terminierung ist nicht immer sinnvoll

Eine Terminierung im SAP-System ist nur dann sinnvoll, wenn Sie gesicherte Vorgabezeiten haben. Wenn Sie diese nicht haben, sollten Sie die Terminierung erst gar nicht aktivieren. Dies erreichen Sie, indem Sie einen Steuerschlüssel verwenden, für den die Option **Terminieren** nicht aktiviert ist.

Terminierungsarten

Das SAP-System kennt grundsätzlich zwei verschiedene Arten der Terminierung: die Durchlaufterminierung und die Netzterminierung (siehe Tabelle 5.1).

Durchlaufterminierung	Netzterminierung
macht entweder eine Vorwärtsterminierung oder eine Rückwärtsterminierung	macht eine Vorwärts- und eine Rückwärtsterminierung
unterstellt sequenzielle Abarbeitung des Auftrags	kann sequenzielle Abarbeitung und Abhängigkeiten berücksichtigen: Anordnungsbeziehungen Netzstruktur
ermittelt eine Lage des Auftrags	ermittelt die früheste und die späteste Lage eines Auftrags: Puffer

Tabelle 5.1 Terminierungsarten

Durchlaufterminierung

Die Durchlaufterminierung wird entweder als Vorwärtsterminierung oder als Rückwärtsterminierung durchgeführt. Bei der Vorwärtsterminierung werden, ausgehend vom Eckstarttermin, durch Addition der Vorgangsdauern die frühesten terminierten Beginn- und Endetermine sowohl auf der Kopfebene als auch auf der Vorgangsebene errechnet. Bei der Rückwärtsterminierung werden, ausgehend vom Eckendetermin, durch Subtraktion der Vorgangsdauern die spätesten terminierten Beginn- und Endetermine auf Kopf- und Vorgangsebene errechnet.

Netzterminierung

Bei der Netzterminierung werden sowohl die Vorwärtsterminierung als auch die Rückwärtsterminierung durchgeführt, und zwar unter der Berücksichtigung der Anordnungsbeziehungen – d. h., auf der Basis des Eckstarttermins werden die frühesten terminierten Termine und auf Basis des Eckendetermins die spätesten terminierten Termine errechnet. Die Differenz zwischen frühestem und spätestem Termin ergibt den sogenannten

Puffer; dieser wird sowohl pro Vorgang als auch auf der Kopfebene ausgewiesen.

Voraussetzungen

Damit Sie eine Terminierung durchführen lassen können, müssen die folgenden Voraussetzungen erfüllt sein:

- In den Vorgängen ist die jeweilige Dauer eingetragen.
- Sie haben dem Vorgang einen Steuerschlüssel zugewiesen, für den die Option **Terminieren** aktiv geschaltet ist.
- Sie haben dem Arbeitsplatz eine Formel *Dauer Eigenbearbeitung* zugewiesen. Diese muss auf das Feld DAUNO, also auf die Dauer aus dem Vorgang zeigen. Im Standard ist dies die Formel SAP004.
- Wenn Sie eine Durchlaufterminierung durchführen möchten, haben Sie im Customizing mithilfe der Funktion **Terminierungsparameter einstellen** der Auftragsart im Werk die Terminierungsart (vorwärts, rückwärts) zugeordnet.
- Wenn Sie eine Netzterminierung durchführen möchten, definieren Sie im Customizing mithilfe der Funktion **SAP NetWeaver • Application Server • Frontend Services • Balkenplan • Grafikprofile definieren** ein Grafikprofil, das Sie wiederum mithilfe der Customizing-Funktion **Vorschlagswertprofile für allgemeine Auftragsdaten anlegen** für Instandhaltungsaufträge verfügbar machen und über die Customizing-Funktion **Vorschlagswerte für Arbeitsplandaten und Profilzuordnungen** der Kombination *Werk/Auftragsart* zuordnen.

[!]

Ecktermine nicht anpassen

In der Customizing-Funktion **Terminierungsparameter einstellen** finden Sie eine Einstellmöglichkeit zum Anpassen der Ecktermine. Setzen Sie diese auf **Ecktermine nicht anpassen**. Denn ansonsten werden die von Ihnen manuell vorgegebenen Ecktermine bei der Terminierung durch die **terminierten Termine** überschrieben, d. h., sie gehen verloren und sind auch nicht wiederherstellbar.

Unter diesen Voraussetzungen errechnet das System zunächst als Durchlaufterminierung die terminierten Termine auf der Kopfebene (siehe Abbildung 5.27) und für die einzelnen Vorgänge.

[!]

Vorwärtsterminierung als Normalfall

Der Normalfall für eine Durchlaufterminierung in der Instandhaltung ist die Vorwärtsterminierung.

Termine

Eckstart	15.07.2019		Priorität			
Eckende	31.07.2019		Revision			
Term.Start	15.07.2019	08:00	Iststarttermin		00:00	☐ Versch.
Term. Ende	15.07.2019	11:22	Istendtermin		00:00	☐ Knz: AOB
Term.-Art	1 Vorwärts		Bezugsdatum	15.07.2019		☑ AutoTerm
AOB-Sicht	1 Vorgänger		Start in Verg.	0		☐ Pausen
Version			Term. anpassen	3		☑ KapaBed
KalWahl	0 Aus Arbeitsplatz		Fabrikkal.-ID			

Abbildung 5.27 Terminierungsdaten im Auftragskopf

Anordnungsbeziehungen

Sie schalten von einer Durchlaufterminierung auf eine Netzterminierung um, indem Sie sogenannte Anordnungsbeziehungen (AOB) pflegen. Rufen Sie hierzu im Auftrag den Menüpfad **Springen • Grafik • Netzstruktur** auf, und Sie gelangen auf das Netzstrukturtableau. Dort aktivieren Sie mithilfe des Buttons [Symbol] den Modus **Verbinden**. Nun können Sie verschiedene Arten von Anordnungsbeziehungen pflegen (siehe Abbildung 5.28).

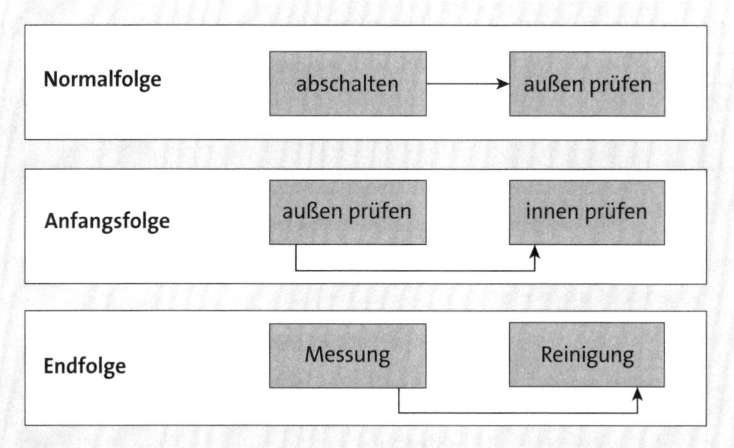

Abbildung 5.28 Anordnungsbeziehungen

- **Normalfolge**
  Mit einer Normalfolge verbinden Sie das Ende eines Vorgangs mit dem Beginn eines Nachfolgevorgangs. Da Sie von einem Vorgang aus Normalfolgen zu mehreren Nachfolgevorgängen definieren können, bedeutet dies in der Konsequenz, dass die Nachfolgevorgänge parallel bearbeitet werden können.
- **Anfangsfolge**
  Mithilfe einer Anfangsfolge verbinden Sie den Beginn von zwei Vorgängen miteinander; diese Vorgänge müssen also gleichzeitig beginnen.

- **Endfolge**
  Mit einer Endfolge verbinden Sie das Ende von zwei Vorgängen miteinander; diese Vorgänge müssen also gleichzeitig enden.

[!]

Normalfolgen automatisch bilden lassen

Im Auftrag können Sie über **Auftrag • Funktionen • Termine • AOBs erzeugen** vom System automatisch Normalfolgen für alle Vorgänge erstellen lassen. Sie erzeugen damit eine grafische Netzstruktur (siehe Abbildung 5.29).

5

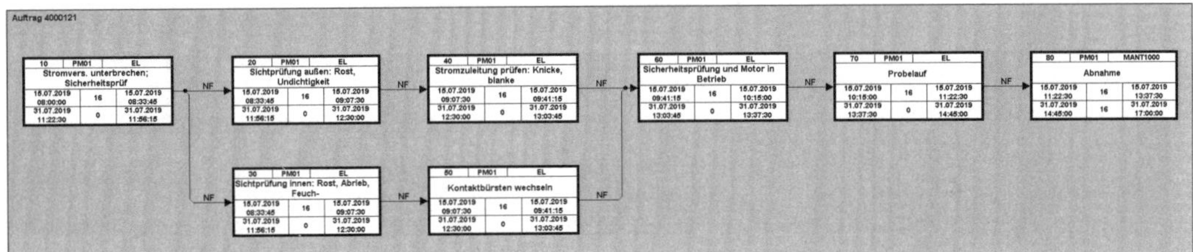

Abbildung 5.29 Netzgrafik

Eine Netzgrafik zeigt die logische Abhängigkeit der einzelnen Vorgänge. Ein Balkendiagramm (aufzurufen im Auftrag über **Springen • Grafik • Balkendiagramm**) zeigt hingegen die zeitliche Lage und Dauer der Vorgänge (siehe Abbildung 5.30).

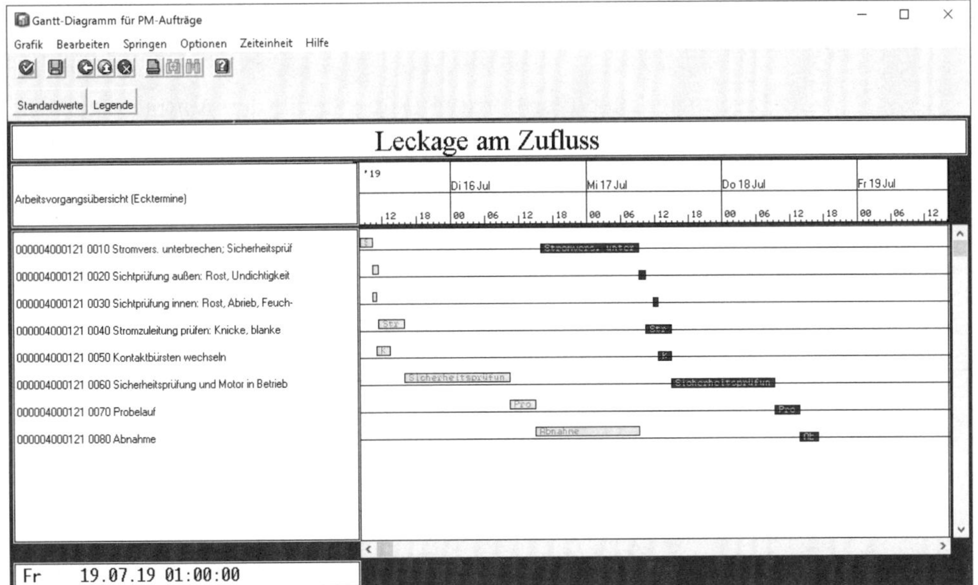

Abbildung 5.30 Gantt-Chart (Balkendiagramm)

Materialplanung

Bei der Planung des benötigten Materials muss unterschieden werden, ob es sich um Lagermaterial oder um Nichtlagermaterial handelt.

Lagermaterial – Ablauf

Der Prozessablauf stellt sich beim Lagermaterial wie folgt dar (siehe Abbildung 5.31):

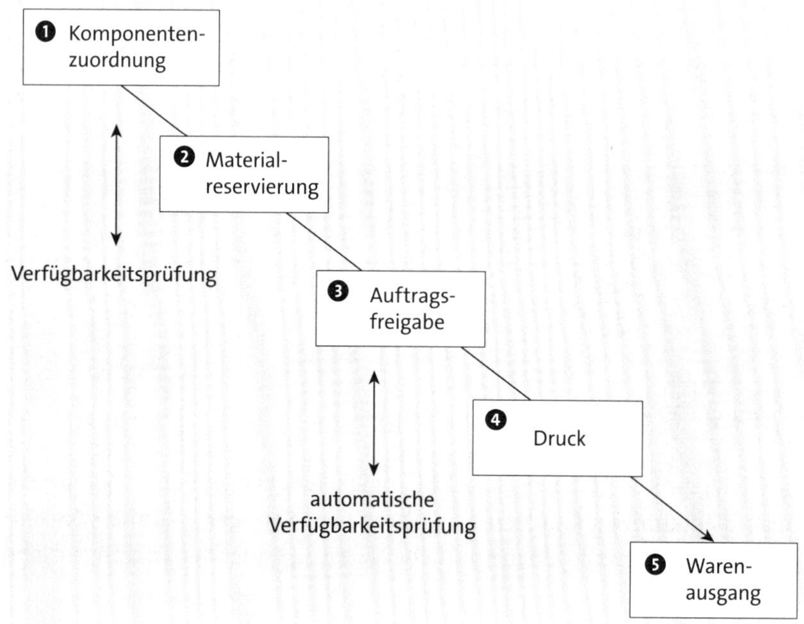

Abbildung 5.31 Lagermaterial – Prozessablauf

Die Lagermaterialien (Positionstyp L), die Sie für den Auftrag einplanen, werden zunächst im Lager reserviert ❷. Im Customizing legen Sie anschließend für jede Auftragsart fest, ob die Materialreservierung sofort oder erst bei der Auftragsfreigabe ❸ wirksam werden soll.

Der Customizing-Pfad lautet **Änderungsbelege • Sammel-Banf • Disporelevanz definieren** und Aktivierung des Schalters **Reservierung/Banf**. Das entsprechende Kennzeichen in der Materialposition des Auftrags können Sie jedoch bei der Auftragsbearbeitung ändern.

[!]

Automatisches Erzeugen von Reservierungen

Beachten Sie, dass Sie das Auslösen einer Reservierung für Lagermaterial nicht unterdrücken können; Materialreservierungen werden also in jedem Fall erzeugt. Über den Customizing-Pfad **Änderungsbelege • Sammel-Banf •**

Disporelevanz definieren und Aktivierung des Schalters **Reservierung/ Banf** können Sie lediglich steuern, wann die Reservierung wirksam werden soll, entweder sofort oder erst bei der Freigabe des Auftrags.

[!]

Keine Trennung zwischen Reservierung und Bestellanforderung

Wichtig ist außerdem, dass Sie keine Trennung zwischen der Reservierung für Lagermaterial und der Bestellanforderung für Nichtlagermaterial vornehmen können. Wenn Sie also den Schalter **Reservierung/Banf** über den Customizing-Pfad **Änderungsbelege • Sammel-Banf • Disporelevanz definieren** aktiviert und auf die Option **sofort** eingestellt haben, werden sofort die Reservierungen wirksam, und die Bestellanforderungen werden erzeugt. Es ist also nicht möglich, z. B. sofort Bestellanforderungen zu erzeugen und die Reservierungen erst bei der Auftragsfreigabe wirksam werden zu lassen. Es sei denn, Sie ändern dies jeweils manuell im Auftrag ab.

1. **Komponentenzuordnung**
   Bei der Komponentenzuordnung ❶ im Auftrag können Sie gleich eine Verfügbarkeitsprüfung durchführen.
2. **Auftragsfreigabe**
   Wenn Sie den Auftrag freigeben ❸, wird vom System automatisch eine Verfügbarkeitsprüfung durchgeführt.
3. **Druck**
   Beim Druck der Auftragspapiere ❹ können Sie die entsprechenden Belege für Werkstatt und Lager (z. B. eine Materialbereitstellungsliste und Materialentnahmescheine) mit ausdrucken.
4. **Warenausgang**
   Geplante Warenausgänge erfassen Sie mit Bezug zur Reservierung und ungeplante Warenausgänge durch die Eingabe der Auftragsnummer ❺.

Nichtlagermaterial – Ablauf

Der Prozessablauf für das Nichtlagermaterial erfolgt in den folgenden sechs Schritten (siehe Abbildung 5.32):

1. **Komponentenzuordnung**
   Bei der Komponentenzuordnung ❶ im Auftrag (Positionstyp N) können Sie zusätzliche Einkaufsinformationen mitgeben. Die Komponente, die Sie zuordnen, kann eine Materialnummer haben, muss aber nicht. In letzterem Fall beschreiben Sie das Material, indem Sie manuell einen Kurztext eintragen.

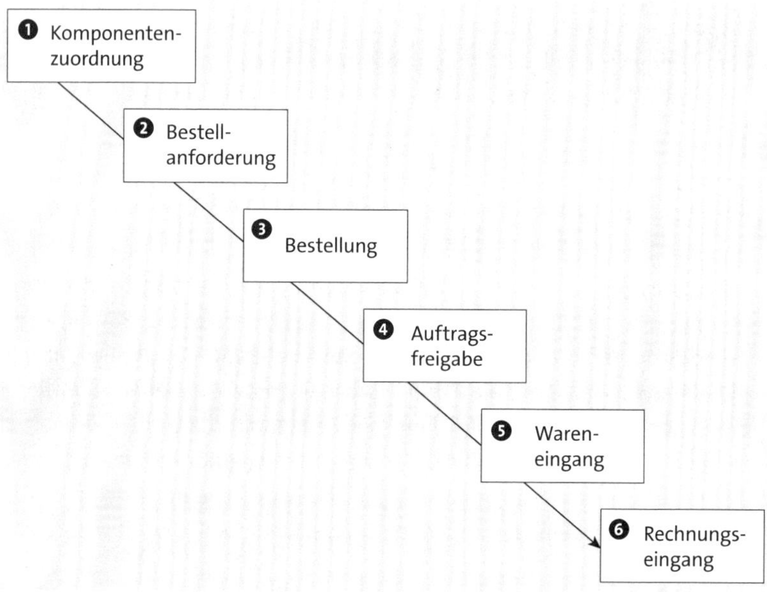

Abbildung 5.32 Nichtlagermaterial – Prozessablauf

2. **Bestellanforderung**
   Auf der Basis dieser Informationen erzeugt das System eine Bestellanforderung ❷ – entweder direkt beim Sichern oder erst bei der Freigabe des Auftrags (Aktivierung des Schalters **Reservierung/Banf** über den Customizing-Pfad **Änderungsbelege • Sammel-Banf • Disporelevanz definieren**).
3. **Bestellung**
   Im Einkauf werden nun aus den Bestellanforderungen Bestellungen ❸ erzeugt. Die Bestellpositionen sind dabei auf den Auftrag kontiert.
4. **Auftragsfreigabe**
   Wareneingänge mit Bezug zum Auftrag können erfasst werden, sobald der Auftrag freigegeben ist ❹.
5. **Wareneingang**
   Bei der Erfassung der Wareneingänge ❺ wird der Auftrag mit dem Bestellwert belastet, wenn der Wareneingang bewertet erfolgt.
6. **Rechnungseingang**
   Beim Rechnungseingang ❻ gegebenenfalls auftretende Rechnungsdifferenzen belasten oder entlasten automatisch den Auftrag.

Möglichkeiten der Materialplanung

Für den eigentlichen Planungsvorgang haben Sie die folgenden Möglichkeiten (siehe Abbildung 5.33):

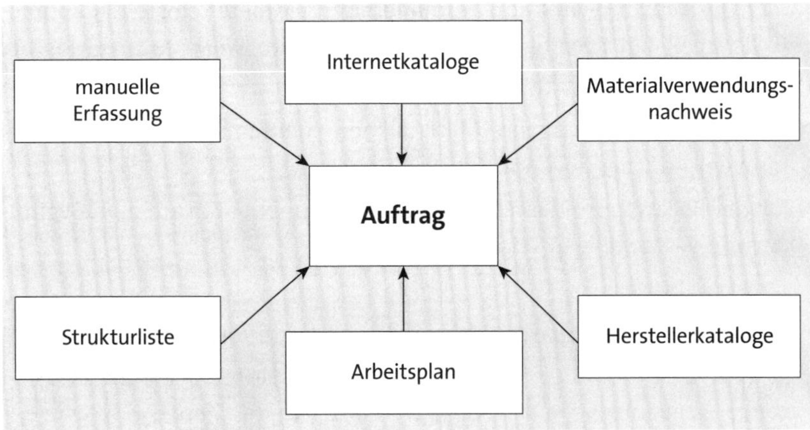

Abbildung 5.33 Möglichkeiten der Materialplanung

- **Manuelle Erfassung**
  Sie können einem Vorgang manuell aus der allgemeinen Materialliste ein Material zuordnen.
- **Strukturliste**
  Sie können aus der Strukturliste des Bezugsobjekts Ersatzteile auswählen (Button Liste). Haben Sie dem Auftrag einen Technischen Platz, Equipment und eine Baugruppe zugewiesen, werden – falls vorhanden – alle direkten und indirekten Stücklisten in der Strukturliste angezeigt.
- **Arbeitsplan**
  Verwenden Sie im Auftrag einen Arbeitsplan und sind dem Arbeitsplan Ersatzteile zugeordnet, werden diese in den Auftrag übertragen.
- **Materialverwendungsnachweis**
  Wenn Sie in der Vergangenheit Aufträge zu den Bezugsobjekten abgewickelt und dabei Ersatzteile verbraucht haben, können Sie sich diese über den Materialverwendungsnachweis (erreichbar über den Button) anzeigen lassen und daraus Positionen in den vorliegenden Auftrag übernehmen.

[+]

Materialverwendungsnachweis zur Materialplanung

Je länger ein Equipment oder Technischer Platz bereits im Einsatz ist, desto aussagefähiger ist die Historie der getauschten Ersatzteile und desto hilfreicher ist demzufolge die Materialverwendung bei einer Komponentenplanung.

Bedarfstermin der Materialkomponenten

In der Customizing-Funktion **Terminierungsparameter einstellen** definieren Sie über den Schalter **Termine anpassen** pro Werk und Auftragsart Folgendes:

- ob der Bedarfstermin aller Materialkomponenten auf dem Eckstarttermin des Auftrags liegen soll
- ob der Bedarfstermin einzelner Materialkomponenten auf dem Beginntermin des jeweiligen Vorgangs liegen soll.

[!]

Ecktermine nicht anpassen, Bedarfstermine auf Vorgangsebene

Setzen Sie den Parameter **Termine anpassen** auf **Ecktermine nicht anpassen, Sekundärbedarf auf Vorgangstermine**. Warum Sie die Ecktermine nicht anpassen sollten, habe ich Ihnen bereits im Abschnitt »Terminierung« erläutert. Der Sekundärbedarf sollte auf der Vorgangsebene terminiert werden, da andernfalls alle Materialien schon zu Beginn der Auftragsbearbeitung verfügbar gemacht würden, und dies würde wiederum die Lagerbestände unnötig in die Höhe treiben.

Davon abweichend können Sie zu jeder Komponente manuell einen Bedarfstermin vergeben (siehe Abbildung 5.34). Handelt es sich bei der betreffenden Komponente um ein Nichtlagermaterial, ist der Bedarfstermin gleichzeitig der gewünschte Liefertermin, der dem Lieferanten übermittelt wird.

Komponente

Werk	HD00		Lagerort	SP00
Charge			Sortierbegriff	
Warenempfänger	Heidler		Abladestelle	Tor12
Bedarfstermin	15.07.2019	00:00:00	Zeitabstand	
			☑ Manueller Bedarfstermin	
Reservierung	1220	5	Bewegungsart	261

Abbildung 5.34 Bedarfstermin einer Materialkomponente

Business Function

Damit Sie den manuellen Bedarfstermin nutzen können, muss die Business Function LOG_EAM_CI_3 aktiviert sein.

Abbildung 5.35 zeigt Ihnen eine fertig geplante Materialliste. Die Komponenten werden während der Auftragsbearbeitung verbraucht (wie z. B. Schmierstoffe) oder verbaut (wie z. B. Baugruppen).

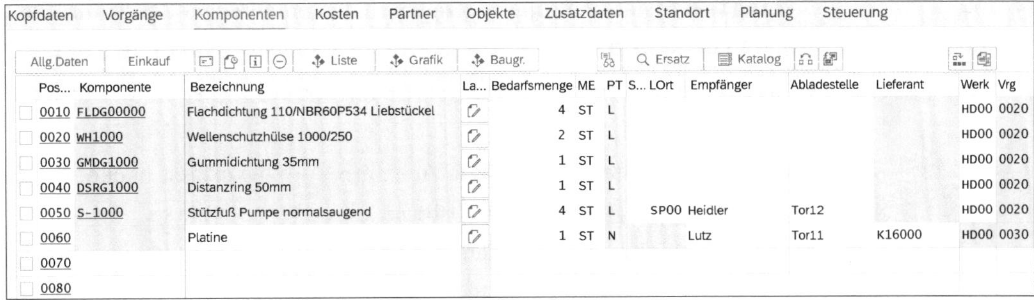

Kopfdaten | Vorgänge | Komponenten | Kosten | Partner | Objekte | Zusatzdaten | Standort | Planung | Steuerung

Allg.Daten | Einkauf | Liste | Grafik | Baugr. | Ersatz | Katalog

Pos...	Komponente	Bezeichnung	La...	Bedarfsmenge	ME	PT	S...	LOrt	Empfänger	Abladestelle	Lieferant	Werk	Vrg
0010	FLDG00000	Flachdichtung 110/NBR60P534 Liebstückel		4	ST	L						HD00	0020
0020	WH1000	Wellenschutzhülse 1000/250		2	ST	L						HD00	0020
0030	GMDG1000	Gummidichtung 35mm		1	ST	L						HD00	0020
0040	DSRG1000	Distanzring 50mm		1	ST	L						HD00	0020
0050	S-1000	Stützfuß Pumpe normalsaugend		4	ST	L		SP00	Heidler	Tor12		HD00	0020
0060		Platine		1	ST	N			Lutz	Tor11	K16000	HD00	0030
0070													
0080													

Abbildung 5.35 Komponentenliste

Sie sollten die Business Function LOG_EAM_CI_5 aktivieren: ohne diese beinhalteten die Vorgangsübersicht und die Komponentenübersicht nur eine von SAP vordefinierte Auswahl von Feldern. Schmerzlich vermisst werden dann insbesondere die Einkaufsdaten. Das hat sich mit dieser Business Function geändert: Sie können in den beiden genannten Table Controls alle Einkaufsdaten pflegen (z. B. Lieferant, Warengruppe, Warenempfänger, Abladestelle oder Einkäufergruppe,).

Business Function

Eine weitere Neuerung beinhaltet die Business Function LOG_EAM_CI_8: Wenn Sie diese aktivieren, können Sie den beschreibenden Namen des Lieferanten, der Materialgruppe und der Kostenart in Instandhaltungsaufträgen anzeigen – und zwar sowohl in der Übersicht als auch auf dem Detailbild (siehe Abbildung 5.36).

Business Function

Position: 0010 | Positionstyp: N | Motor gewickelt neu

Allgemeine Daten | Einkaufsdaten

Bedarfsmenge:	1 ST	Sortierbegriff:	
Preis:	750,00 EUR pro		1 ST
Warengruppe:	01 Material Group 01	Sachkonto:	415000 Kosten Fremdbezug
Einkäufergr.:	001 / 0001	Lieferant:	HAFFNER01 Haffner GmbH
Vertrag:	/	Infosatz:	
Warenempfänger:	Meistermann	Abladestelle:	Tor 2
Anforderer:	Liebstückel	Bedarfsnummer:	
Planlieferzeit:		WE-BearbeitZt:	
LiefntMatNr.:			

Hinweis | Notiz | Kommentar

Ist-Daten

Banf:	10113788 / 20	Eingegangen:	0

Bestell. vorh.

Abbildung 5.36 Bezeichnungen der Fremddaten

Eine weitere Neuerung bringt die Business Function LOG_EAM_CI_9_ORD_OPER_COMP. Mit dieser Business Function können Sie bei der Bear-

Business Function

beitung von Instandhaltungsaufträgen in den entsprechenden Transaktionen und in der einfachen Auftragssicht folgende neue Funktionen nutzen:

- Sie können Vorgänge und Untervorgänge kopieren. Hierzu nutzen Sie den Button [icon].
- Sie können Materialien, die Sie zu einem Vorgang erfasst haben, kopieren. Hierzu nutzen Sie den Button [icon].
- Sie können einzelne Materialien von einem Vorgang zu einem anderen Vorgang verschieben. Hierzu nutzen Sie den Button [icon].

Business Function

Bisher konnten Sie nur einen einzigen Langtext für die Nichtlagerposition hinzufügen, der dann als Positionstext in die Bestellanforderung übernommen wird. Hier bringt die Business Function LOG_EAM_CI_12 eine weitere Neuerung: wenn Sie diese aktivieren, stehen Ihnen bis zu vier Texte zur Verfügung. Dies ist flexibel gestaltet, so dass Sie über die Customizing-Funktion **Texte für Bestellanforderungen** selbst festlegen können, welche Textarten Sie verwenden möchten und welche Textart der Nichtlagerposition in welche Textart der Bestellanforderung kopiert werden soll.

Abbildung 5.36 zeigt Ihnen mögliche Textarten (z. B. Hinweis, Notiz, Kommentar), die Sie dann einzeln aufrufen können.

Elektronische Teilekataloge

Im Folgenden möchte ich Ihnen beschreiben, wie Sie die Technik von elektronischen Teilekatalogen für die Beschaffung von Ersatzteilen nutzen können – und zwar direkt aus der Planung des Instandhaltungsauftrags heraus.

Binden Sie Kataloge direkt an SAP S/4HANA an

Die Möglichkeit, Ersatzteile über Kataloge auszuwählen, gibt es als direkte Anbindung an den Instandhaltungsauftrag.

Voraussetzungen

Die direkte Anbindung des Auftrags an Kataloge können Sie nutzen, wenn Sie zuvor zwei Voraussetzungen geschaffen haben:

- Mit dem Switch Framework (Transaktion SFW5) haben Sie die Enterprise Extension EA-PLM aktiviert.
- Im Customizing haben Sie den betreffenden Auftragsarten einen oder mehrere Kataloge zugewiesen (Customizing-Funktion **Schnittstelle zur Beschaffung über Kataloge (OCI) • Kataloge definieren** und **Katalog der Auftragsart zuordnen**).

Vorgehensweise

In der Transaktion IW31/32 auf der Registerkarte **Komponenten** oder in der Transaktion IW3K können Sie die Kataloge für Ihre Materialplanung heranziehen (Button Katalog). Falls Sie über das Customizing der Auftragsart mehrere Kataloge zugeordnet haben, erscheint zunächst ein Pop-up-Fenster, in dem Sie den Katalog auswählen. Das System springt dann direkt in den ausgewählten Katalog. Dort wählen Sie die benötigten Teile durch Markieren aus, füllen mithilfe der Funktion **Add** Ihren Einkaufskorb und übertragen diesen mithilfe der Funktion **Check out** in Ihr SAP-System (siehe Abbildung 5.37).

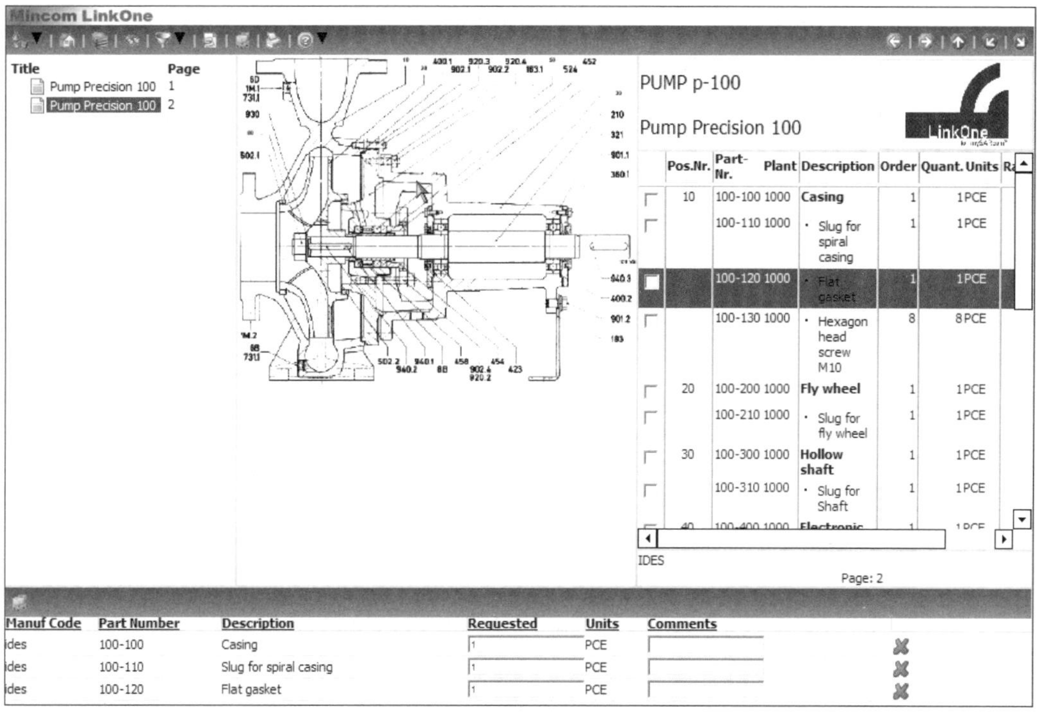

Abbildung 5.37 Elektronischer Teilekatalog

Wenn Sie in Ihrem Netzwerk oder auf Ihrer lokalen Workstation CDs mit Herstellerkatalogen abgelegt haben, können Sie mit derselben Technik aus diesen Katalogen ebenfalls Ersatzteile auswählen und sie in den Auftrag übernehmen.

Eigene Prüfungen hinterlegen

Bei der Übernahme des Einkaufskorbs in das SAP-System wird geprüft, ob das ausgewählte Ersatzteil möglicherweise einer bestandsgeführten Materialnummer entspricht. Wie diese Prüfung durchgeführt werden soll

(z. B. Prüfung auf Herstellermaterialnummer oder Prüfung des Textes), können Sie in der Customizing-Funktion **Konvertierungsbausteine definieren** festlegen. Wenn die vorhandenen Konvertierungsbausteine nicht die von Ihnen gewünschte Prüfung durchführen, können Sie auch eigene Konvertierungsbausteine entwickeln und hinterlegen.

Vorteile von Internetkatalogen

Die Vorteile von Katalogen gegenüber einer manuellen Materialplanung liegen auf der Hand:

- schnellere Identifizierung des benötigten Ersatzteils
- Vermeidung von inhaltlichen Fehlern durch Bilder
- Vermeidung von Datenfehlern durch höhere Datenqualität
- feste Vorgabe von bestellbaren Materialien und Bezugsquellen
- Reduzierung der Anzahl der Lieferanten, bei denen bestellt wird
- Reduzierung der Bestellungen, die am System vorbeigehen, durch hohe Benutzerakzeptanz
- effizienterer Prozess durch leichtere Abwicklung
- Reduzierung der Materialstämme auf lagerhaltige Teile

Die Vorteile der Kataloge gegenüber einer Stücklistenverwaltung sind ebenfalls offensichtlich: Neben einigen zuvor genannten Pluspunkten wie der Visualisierung kommt die Tatsache hinzu, dass keine Stücklisten angelegt und gepflegt werden müssen. Vor allem der Änderungsdienst wird in vielen Firmen nur sehr lückenhaft betrieben oder ist sehr aufwendig.

Diesen Vorteilen steht allerdings der Aufwand gegenüber, den Sie mit der Erstellung, Änderung und Nutzung der Kataloge zu betreiben haben.

Nutzen Sie die Vorteile von Katalogen

Durch die Nutzung von Katalogen vermeiden Sie Aufwand (z. B. für die Verwaltung von Materialstämmen und Stücklisten). Die Bestellvorgänge sind weniger fehleranfällig (z. B. durch Visualisierung) und werden vollständiger (z. B. durch hohe Benutzerakzeptanz). Den Aufwand für die Erstellung und Pflege der Kataloge können Sie reduzieren, wenn Sie Ihre Lieferanten verpflichten können, die Pflege ihrer Artikel in Ihrem Katalog selbst zu übernehmen.

Neben den Komponenten werden möglicherweise noch Fertigungshilfsmittel benötigt.

Fertigungshilfsmittel

Warum Fertigungshilfsmittel?

FHM (wie z. B. Schutzkleidungen, Handhubwagen, Zeichnungen usw.) werden im Unterschied zu Komponenten während der Abarbeitung des Auftrags nicht verbraucht, sondern nur zur Bearbeitung des Auftrags benötigt und am Ende wieder zurückgegeben (z. B. ins Lager).

Fertigungshilfsmittel-Arten

Sie können einem Vorgang drei verschiedene Arten von FHM zuordnen (siehe Abbildung 5.38):

- **Material**
  falls das benötigte FHM als Materialnummer geführt wird
- **Dokument**
  falls es sich um ein Dokument handelt und dieses als Dokumentenstammsatz abgelegt ist
- **Equipment**
  falls das benötigte FHM als Equipmentstammsatz geführt wird

Fertigungshilfsmittel-Zuordnungen zum Vorgang

Pos...	Art	Fertigungshilfsmittel	Bezeichnung	Werk	Steuerschlüssel
0010	M	PPFH1700	Fräskopf	HD00	1
0020	E	E16900	Spannungsmessgerät		1
0030	D	1000 DRW 000 00	Explosionszeichnung		1

Abbildung 5.38 Liste der Fertigungshilfsmittel

Der Aufruf erfolgt über den Button .

Dokumente

Während der Bearbeitung von Instandhaltungsaufträgen können Sie zugehörige Dokumente zuordnen (siehe Abbildung 5.39).

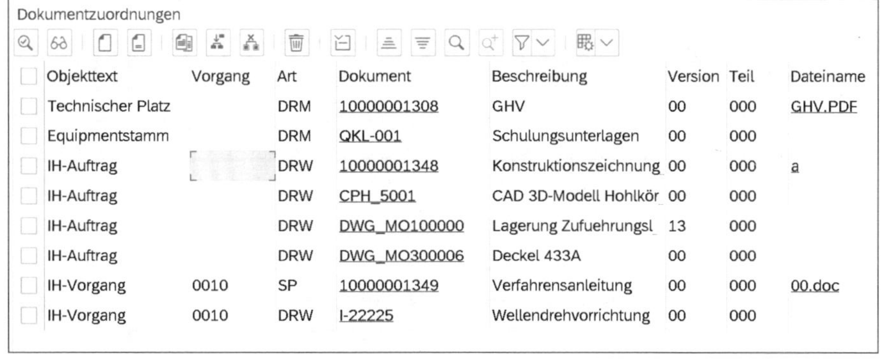

Dokumentzuordnungen

Objekttext	Vorgang	Art	Dokument	Beschreibung	Version	Teil	Dateiname
Technischer Platz		DRM	10000001308	GHV	00	000	GHV.PDF
Equipmentstamm		DRM	QKL-001	Schulungsunterlagen	00	000	
IH-Auftrag		DRW	10000001348	Konstruktionszeichnung	00	000	a
IH-Auftrag		DRW	CPH_5001	CAD 3D-Modell Hohlkör	00	000	
IH-Auftrag		DRW	DWG_MO100000	Lagerung Zufuehrungsl	13	000	
IH-Auftrag		DRW	DWG_MO300006	Deckel 433A	00	000	
IH-Vorgang	0010	SP	10000001349	Verfahrensanleitung	00	000	00.doc
IH-Vorgang	0010	DRW	I-22225	Wellendrehvorrichtung	00	000	

Abbildung 5.39 Dokumente im Auftrag

- Sie können neue Dokumente anlegen, bereits existierende Dokumente zuordnen und Dokumentzuordnungen auf Auftrags- oder Vorgangsebene ändern oder aufheben.
- Sie können in die Ansicht der jeweiligen Dokumentinfosätze verzweigen und die Originaldateien der zugeordneten Dokumente aufrufen.
- Auch zu den Instandhaltungsmeldungen und den Bezugsobjekten *Equipment*, *Technischer Platz* und *Baugruppe* können Sie die zugeordneten Dokumente einblenden.
- Innerhalb der Dokumentliste steht Ihnen eine Filter-, Such- und Sortierfunktion zur Verfügung.

Business Function

Damit Sie einem Auftrag oder einem Auftragsvorgang Dokumente zuordnen können, müssen Sie zuvor die Business Function LOG_EAM_CI_6 aktiviert haben.

Darüber hinaus müssen Sie mithilfe der Customizing-Funktion **Dokumentarten definieren** die entsprechenden Dokumentenarten für das Objekt PMAUFK (Auftrag) bzw. PMAFVC (Vorgang) zulassen.

Objektliste

Warum Objektliste?

Es gibt bestimmte Tätigkeiten, die nicht nur an einem Objekt, sondern an einer ganzen Reihe von Objekten durchzuführen sind (z. B. ein Inspektionsrundgang). Oder aber es liegen Ihnen mehrere Meldungen vor, die Sie im Rahmen eines einzigen Auftrags bearbeiten möchten. Für diese Fälle können Sie die Objektliste im Auftrag nutzen.

Die folgenden Objekte können Sie einer Objektliste hinzufügen (siehe Abbildung 5.40):

- Technischer Platz
- Equipment
- Materialserialnummer
- Meldung

[!]

Kosten bei Objektliste

Die auflaufenden Kosten werden standardmäßig nur auf dem Leitobjekt im Auftragskopf fortgeschrieben, und in der Auftragsabrechnung wird die entsprechende Kostenstelle belastet. Wenn Sie die Kosten anteilmäßig auf alle betreffenden Kostenstellen abrechnen möchten, nutzen Sie den Customer-Exit **Kundeneigene Abrechnungsvorschrift erzeugen** (IWO10027).

Für eine Aufteilung der Kosten in der Historie gibt es leider keine Standardmöglichkeit.

Kopfdaten | Vorgänge | Komponenten | Kosten | Partner | Objekte | Zusatzdaten | Standort | Planung | Steuerung

Objektliste

B...	Sort	SerialNr	Material	Materialkurztext	Equipment	Bezeichnung Objekt	Techn. Platz	TechnPlatzBezeichng
		10001004	P-1000	Pumpe GG Etanorm 200-1000	10001004	Pumpe GG Etanorm 200-10		
		10001005	P-1000	Pumpe GG Etanorm 200-1000	10001005	Pumpe GG Etanorm 200-10		
		10001006	P-1000	Pumpe GG Etanorm 200-1000	10001006	Pumpe GG Etanorm 200-10		
		10001007	P-1000	Pumpe GG Etanorm 200-1000	10001007	Pumpe GG Etanorm 200-10		
		10001008	P-1000	Pumpe GG Etanorm 200-1000	10001008	Pumpe GG Etanorm 200-10		
		10001009	P-1000	Pumpe GG Etanorm 200-1000	10001009	Pumpe GG Etanorm 200-10		
		10001010	P-1000	Pumpe GG Etanorm 200-1000	10001010	Pumpe GG Etanorm 200-10		
		10001011	P-1000	Pumpe GG Etanorm 200-1000	10001011	Pumpe GG Etanorm 200-10		
		10001012	P-1000	Pumpe GG Etanorm 200-1000	10001012	Pumpe GG Etanorm 200-10		
		10001013	P-1000	Pumpe GG Etanorm 200-1000	10001013	Pumpe GG Etanorm 200-10		
		10001039	IPMP1000	Pumpe GG Etanorm 200-1000	10001039	Pumpe GG Etanorm 200-10	ICE-M1-03	Mischerablauf

Abbildung 5.40 Objektliste

Kalkulation und Schätzkosten

Definition

Bei der Kalkulation werden die Kosten auf der Basis der von Ihnen im System hinterlegten Verrechnungssätze und auf der Basis der in der Ressourcenplanung angegebenen Mengen automatisch errechnet. Die Plankosten (und auch die später anfallenden Ist-Kosten) werden also nicht manuell geplant.

Kostendarstellung

Die Planung der Ressourcen führt zur Entstehung von Plankosten auf dem Auftrag. Die Kosten können Sie sich dort auf zwei verschiedene Darstellungsweisen anzeigen lassen (siehe Abbildung 5.41).

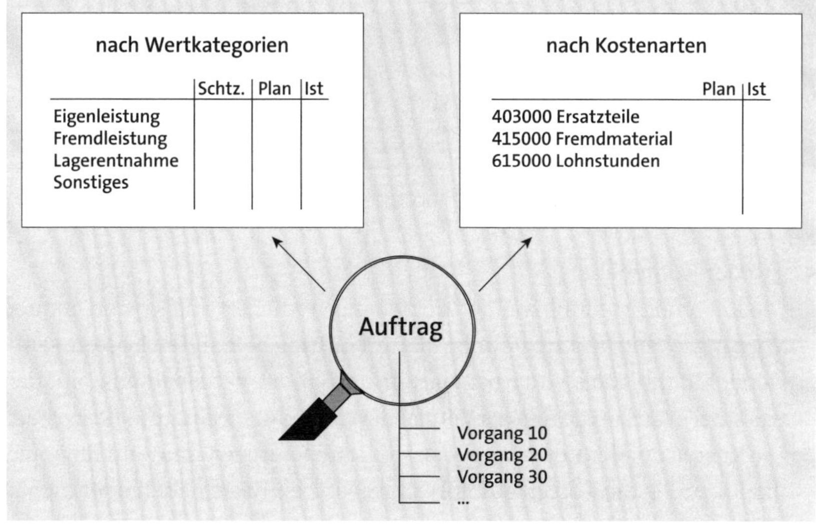

Abbildung 5.41 Kostendarstellung im Auftrag

- **Nach Kostenarten**
  Die Kostendarstellung nach Kostenarten zeigt Ihnen alle an der Kalkulation beteiligten Kostenarten an. Dies ist eine eher controllingorientierte Sicht. Denn sie zeigt eine Gegenüberstellung von Plan- und Ist-Kosten.
- **Nach Wertkategorien**
  Die Kostendarstellung nach Wertkategorien fasst mehrere Kostenarten zu sogenannten Wertkategorien zusammen und ist die in der Regel für Instandhaltungszwecke übersichtlichere Darstellung; sie zeigt Ihnen eine Gegenüberstellung von Schätzkosten, Plankosten und Ist-Kosten.

Ebene der Kosten

Die Kosten eines Auftrags werden auf zwei Verdichtungsebenen kalkuliert, auf denen Sie sich die Kosten auch anzeigen lassen können:

- **Auf der Vorgangsebene**
  Die Kostendarstellung auf der Vorgangsebene zeigt Ihnen alle am jeweiligen Vorgang beteiligten Kosten – entweder auf der Basis von Kostenarten als Plan-Ist-Vergleich oder auf der Basis der Wartkategorien als Vergleich von Schätz-/Plan- und Ist-Kosten (siehe Abbildung 5.42). Damit die Kosten auf der Vorgangsebene ausgewiesen werden, aktivieren Sie im Customizing pro Werk und Auftragsart die Funktion **Kosten auf Vorgangsebene**. Aufträge, deren Kosten auf der Vorgangsebene dargestellt werden, erhalten den Status VKNT, d. h., dass Sie die betreffenden Aufträge über diesen Status selektieren können.

Übersicht Kosten Mengen

Gruppe/Bezeichnung	Schätzkosten	Plankosten	Istkosten	Währung
Vorgangskost	2.200,00	1.735,06	0,00	EUR
0020				
Eigenleistung	1.350,00	1.125,00	0,00	EUR
Lagermaterial	350,00	170,06	0,00	EUR
Zukaufteile	500,00	440,00	0,00	EUR

Abbildung 5.42 Kosten auf der Vorgangsebene

- **Auf der Kopfebene**
  Die Kostendarstellung auf der Kopfebene verdichtet alle Kosten auf der Vorgangsebene und zeigt Ihnen alle am Auftrag beteiligten Kosten – entweder auf der Basis von Kostenarten als Plan-Ist-Vergleich oder auf der Basis der Wartkategorien als Vergleich von Schätz-/Plan- und Ist-Kosten. Die Kosten auf der Kopfebene werden immer ausgewiesen – unabhängig davon, ob Sie die Kosten auf Vorgangsebene aktiviert haben oder nicht.

Voraussetzungen

Damit das System die Kosten auf der Basis Ihrer Ressourcenplanung ermitteln kann, müssen Sie zuvor die folgenden Voraussetzungen schaffen:

- An Vorgänge, die in die Kalkulation einfließen sollen, vergeben Sie mithilfe der Funktion **Kalkulieren** einen Steuerschlüssel.
- Vorgängen, die in die Kalkulation einfließen sollen, ordnen Sie eine Arbeit zu.
- Für die Kostenstelle des Arbeitsplatzes definieren Sie mithilfe der Transaktion KP26 für die von Ihnen genutzte Version für das Geschäftsjahr, für die Kostenstelle und für die Leistungsart einen fixen Tarif (Option **Tarif fix**) und/oder einen variablen Tarif (Option **Tarif variabel**).

[!]

Fixe oder variable Tarife

Da in der Instandhaltung nach Vollkosten kalkuliert wird, ist es egal, ob Sie den Tarif auf fix und variabel aufsplitten oder nicht.

- Mithilfe der Customizing-Funktionen des Controllings haben Sie die Kalkulationsvariante, die Bewertungsvariante und das Kalkulationsschema gepflegt. (Näheres hierzu finden Sie in Abschnitt 6.2.8, »Controlling«.)
- Mithilfe der Customizing-Funktion **Kalkulationsparameter und Abgrenzungsschlüssel zuordnen** weisen Sie der Auftragsart pro Werk eine Plankalkulationsvariante und eine Ist-Kalkulationsvariante zu.
- Im Arbeitsplatz haben Sie auf der Registerkarte **Kalkulation** die folgenden Daten gepflegt: Kostenstelle, Leistungsart und Formelschlüssel.
- Der Formelschlüssel muss auf das Feld ARBEI (die Arbeit aus dem Vorgang) zeigen. Im Standard ist dies die Formel SAP008.
- Für die zu kalkulierenden Materialien müssen Verrechnungspreise hinterlegt sein – entweder als Standardpreis oder als gleitender Durchschnittspreis.
- Für Nichtlagermaterialien und Fremdleistungen haben Sie einen Wert eingetragen.
- Wenn die Kosten auf der Vorgangsebene ausgewiesen werden sollen, aktivieren Sie die Customizing-Funktion **Kosten auf Vorgangsebene** pro Werk und Auftragsart. Diese steht Ihnen zur Verfügung, wenn Sie die Business Functions LOG_EAM_OLC und LOG_EAM_OLC2 aktiviert haben.
- Wenn Sie die Kosten auf der Vorgangsebene nachträglich aktiviert haben, haben Sie mithilfe der Transaktion OLI5N den Report RIPMCO01 zum Neuaufbau der schon bestehenden Auftragskosten laufen lassen.

Vorgehensweise

Die Vorkalkulation eines Auftrags wird automatisch beim Sichern durchgeführt oder während der Auftragsbearbeitung manuell über den Button angestoßen.

Abbildung 5.43 zeigt Ihnen die Darstellung der Kosten auf der Kostenartenebene – zu erreichen über die Registerkarte **Kosten** und die Funktion **Bericht Plan/Ist**.

Planversion 0 Plan/Istversion

kumulierte Daten
Legale Bewertung
Buchungskreis-/Objektwährung

Kostenart	Kostenart (Text)		Plankosten gesamt		Istkosten gesamt		Plan/Ist-Abweichung	Plan/Ist-Abw.(%)	Währung
720000	Aufwendungen Rohstoffe		170,06		0,00		170,06-	100,00-	EUR
790100	Instandhaltung Zukaufteile		440,00		0,00		440,00-	100,00-	EUR
800400	Innerbetriebliche Leistungen Instandhalt		1.575,00		0,00		1.575,00-	100,00-	EUR
Belastung		▪	**2.185,06**	▪	**0,00**	▪	**2.185,06-**		**EUR**
		▪▪	**2.185,06**	▪▪	**0,00**	▪▪	**2.185,06-**		**EUR**

Abbildung 5.43 Kostendarstellung nach Kostenarten

Status Wurde der Auftrag kalkuliert, setzt das System im Auftrag den Status VOKL (vorkalkuliert). Sind darüber hinaus auch Kosten auf der Vorgangsebene vorhanden, setzt das System den Status VKNT (vorgangskontiert).

Abbildung 5.44 zeigt die Darstellung der Kosten nach Wertkategorien.

Abbildung 5.44 Kostendarstellung nach Wertkategorien

Schätzkosten Die Plan- und Ist-Kosten werden automatisch kalkuliert. Daneben haben Sie noch die Möglichkeit, zusätzlich sogenannte Schätzkosten einzutragen. Die Schätzkosten werden allerdings nicht kalkuliert, sondern manuell vorgegeben, da sie ausschließlich auf den Erfahrungswerten eines Disponenten basieren und nicht auf den geplanten Ressourcen beruhen. Es gibt drei verschiedene Möglichkeiten, um die Schätzkosten einzutragen:

- auf der Vorgangsebene differenziert pro Wertkategorie (Die Summe aller Vorgänge wird dann auf der Kopfebene pro Wertkategorie und insgesamt ausgewiesen.)
- auf der Kopfebene differenziert pro Wertkategorie (Die Summe wird dann automatisch gebildet.)
- als Summe für den ganzen Auftrag

In den folgenden Fällen gilt das Ausschließlichkeitsprinzip:

- Wenn Sie die Funktion **Kosten** auf der Vorgangsebene aktiviert haben, können Sie die Kostenschätzung entweder auf der Vorgangsebene vornehmen oder als Summe für den gesamten Auftrag. Eine Kostenschätzung auf der Kopfebene für Wertkategorien ist hingegen nicht möglich.
- Wenn Sie die Funktion **Kosten** auf der Vorgangsebene nicht aktiviert haben, können Sie die Kostenschätzung entweder auf der Kopfebene für die einzelnen Wertkategorien vornehmen oder als Summe für den gesamten Auftrag; eine Kostenschätzung auf der Vorgangsebene ist nicht möglich.

Mithilfe des Buttons [Z→] können Sie zu jedem beliebigen Zeitpunkt bis zur Freigabe des Auftrags die Plankosten in die Schätzkosten kopieren. Welcher betriebswirtschaftliche Hintergrund steckt aber nun hinter dieser Funktion? Diese Funktion ist für Anwender gedacht, die die Plankosten eines Auftrags zu einem bestimmten Zeitpunkt (häufig mit der Auftragsfreigabe) einfrieren möchten. Mithilfe dieser Funktion kann man also die Plankosten z. B. auf dem zum Zeitpunkt der Auftragsfreigabe vorhandenen Niveau festschreiben, sodass später vorgenommene Planungen zwar noch die Plankosten, aber nicht mehr die Schätzkosten verändern.

[!]

Schätzkosten stellen keine Wertobergrenze dar

Sowohl die Ermittlung von Plankosten als auch die Vergabe von Schätzkosten verhindern nicht, dass bestimmte Wertgrenzen überschritten werden. Wenn Sie eine Überschreitung von Wertgrenzen verhindern möchten, vergeben Sie ein Auftragsbudget. Wenn Sie dann noch im Customizing die Verfügbarkeitskontrolle aktiviert haben, erscheinen bei Erreichen bzw. Überschreiten gewisser Wertgrenzen Warn- oder Fehlermeldungen (siehe Abschnitt 7.3.1, »Auftragsbudgetierung«).

Genehmigungen

In Abschnitt 4.2.10, »Spezielle Funktionen«, habe ich Ihnen die Möglichkeit geschildert, dass Sie einem Technischen Platz oder einem Equipment Genehmigungen zuordnen können. Bei dieser Zuordnung konnten Sie die

Spalte **V** (d. h. Genehmigung bei der Abwicklung vorschlagen) markieren und darüber hinaus entweder bei der Freigabe (Spalte **AF**) oder beim technischen Abschluss (Spalte **AA**) eine Erteilung der Genehmigung erzwingen. Wenn dies der Fall ist, müssen diese Genehmigungen innerhalb der Auftragsabwicklung erteilt werden, bevor der Auftrag freigegeben oder abgeschlossen wird (siehe die Spalten **AF** und **AA** in Abbildung 5.45).

Neben den Genehmigungen, die automatisch aus dem Objektstammsatz vorgeschlagen werden, können Sie – nur für diesen einen Auftrag – zusätzlich notwendige Genehmigungen noch manuell zuordnen.

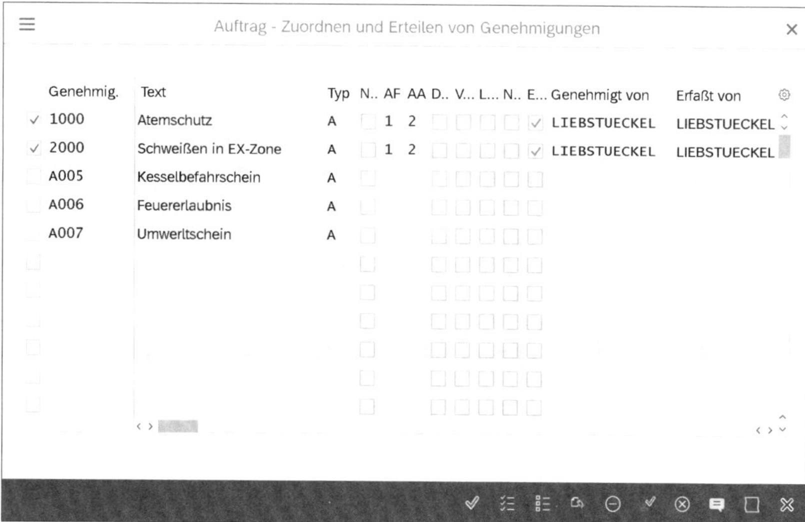

Abbildung 5.45 Genehmigungen erteilen

Über den Button [✓] erteilen Sie Genehmigungen; mithilfe des Buttons [⊗] können Sie erteilte Genehmigungen wieder zurücknehmen. Das System zeigt in der Übersicht, wer wann die Genehmigung erteilt hat.

Genehmigungen einsetzen, wo es sinnvoll ist

Mithilfe von Genehmigungen können Sie sicherstellen, dass ein Auftrag nicht freigegeben bzw. nicht technisch abgeschlossen wird, bevor – nach dem Vier- oder Mehr-Augen-Prinzip – die notwendigen Genehmigungen erteilt worden sind.

Mithilfe des SAP-Berechtigungskonzepts können Sie sicherstellen, dass unterschiedliche Personen die Genehmigungen erteilen und den Auftrag freigeben bzw. technisch abschließen.

Auftragshierarchie

Definition

Von einer Auftragshierarchie spricht man, wenn zu einem Auftrag ein oder mehrere Unteraufträge eröffnet werden. Eine Auftragshierarchie ist eine mehrstufige Struktur aus Aufträgen und Unteraufträgen, um umfangreiche Aufträge aufzugliedern oder mehrere Aufträge zusammenzufassen.

Vorgehensweise

Einen Unterauftrag legen Sie mithilfe der Transaktion IW36 zu einem übergeordneten Auftrag an (siehe Abbildung 5.46).

Auftragsart	PM01
Priorität	2 hoch
Überg. Auftrag	4000124
Planungswerk	HD00
Geschäftsbereich	BI00

Vorlage

Auftrag	
Abrechnungsvorschrift	☐

Abbildung 5.46 Transaktion IW36 – Unterauftrag anlegen

Unterauftrag oder Vorgang?

Die Eröffnung von Unteraufträgen steht in der Praxis in Konkurrenz zur Bildung von Vorgängen. Wie Sie weiter vorne gesehen haben, können Sie auf Vorgängen bestimmte Planungsvorgänge durchführen, wie z. B. die im Folgenden aufgeführten Vorgänge:

- Arbeitsbeschreibungen und Arbeitsplätze
- Materialien
- FHM
- Terminierung

Die Vorgänge sind dabei allerdings an die Vorgaben des Auftragskopfes gebunden. Demgegenüber wird der Unterauftrag völlig separat geplant, d. h.:

- Sie können einem Unterauftrag ein eigenständiges Bezugsobjekt zuordnen.
- Der Unterauftrag kann eigenständig budgetiert werden.
- Der Unterauftrag kann eigenständig genehmigt werden.

All diese Funktionen gehen über die Funktionen eines Vorgangs hinaus.

Manchmal sind Unteraufträge sinnvoll

Innerhalb einer Auftragsabwicklung sollten Sie Unteraufträge anstelle von Vorgängen bilden, wenn Sie folgende Maßnahmen einsetzen:

- Maßnahmen, für die Sie ein separates Bezugsobjekt benötigen
- Maßnahmen, die ein eigenes Auftragsbudget erfordern
- Maßnahmen, die eigenständig genehmigt werden müssen

Berichte

Im Hauptauftrag können Sie sich die Auftragsstruktur (über **Zusätze • Unteraufträge • Übersicht**) und die Kostenverdichtung (über **Zusätze • Unteraufträge • Kostenübersicht**) anhand von speziellen Berichten ansehen. Abbildung 5.47 zeigt Ihnen die stufenweise verdichtete Kostenübersicht.

Anzeigen: Kostenübersicht über Auftragshierarchien

Aufl. n. Wertkat. Abbrechen Mehr

Auftrag	Währung	IstGesKos.	PlanGesKo.	IstGesErl.	PlGesErl.	GesSumIst	GesSumPlan	Kurztext
4000124	EUR	0,00	5.740,06	0,00	0,00	0,00	5.740,06	Motor macht geräusche
4000124	EUR	0,00	2.185,06	0,00	0,00	0,00	2.185,06	
4000125	EUR	0,00	3.015,00	0,00	0,00	0,00	3.015,00	Gleitringdichtung wechseln
4000125	EUR	0,00	1.575,00	0,00	0,00	0,00	1.575,00	
4000127	EUR	0,00	990,00	0,00	0,00	0,00	990,00	elektrische Zuleitungen erneuern
4000127	EUR	0,00	990,00	0,00	0,00	0,00	990,00	
4000128	EUR	0,00	450,00	0,00	0,00	0,00	450,00	Leckage am Zufluss
4000128	EUR	0,00	450,00	0,00	0,00	0,00	450,00	
4000126	EUR	0,00	540,00	0,00	0,00	0,00	540,00	Leckage am Zufluss

Abbildung 5.47 Auftragshierarchie – Kostenübersicht

Objektdienste

Über die Möglichkeiten im Rahmen der Objektdienste habe ich Sie bereits in Abschnitt 4.2.10, »Spezielle Funktionen«, (siehe dort den Unterabschnitt »Dokumente«) bei der Erläuterung der speziellen Funktionen zu den technischen Objekten informiert.

Die Objektdienste stehen Ihnen selbstverständlich auch bei den Aufträgen zur Verfügung. Allerdings ergibt sich bei den Aufträgen eine kleine Besonderheit: Wenn Sie einem Auftrag den Objektdienst *Anlage* zugeordnet haben und dieser somit über eine Anlagenliste verfügt, wird dies im Auftragskopf durch das Erscheinen des Buttons deutlich gemacht (siehe Abbildung 5.48). Somit wissen Sie beim Aufrufen des entsprechenden Auftrags sofort, ob diesem eine Anlagenliste zugeordnet wurde oder nicht.

Wenn Sie nun auf den Button klicken, wird Ihnen die Anlagenliste angezeigt.

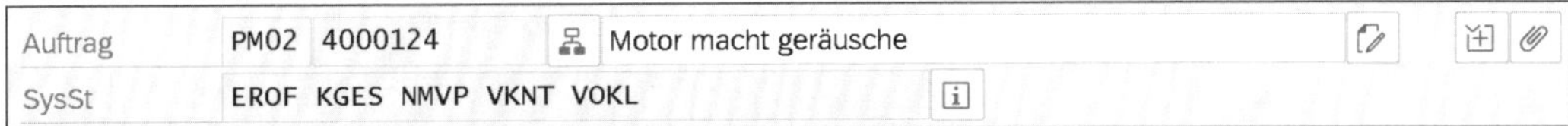

Abbildung 5.48 Auftrag mit Anlagenliste

[!]

Der Button »Anlagenliste«

Der Button **Anlagenliste** im Auftragskopf zeigt Ihnen direkt, ob einem Auftrag Dokumente über den Objektdienst zugeordnet worden sind.

Business Function

Damit der Button **Anlagenliste** angezeigt wird, muss die Business Function LOG_EAM_CI_3 aktiviert sein.

Auftrag nicht durchführen

Es gibt viele Gründe, warum Sie möglicherweise am Ende der Planungsphase zum Entschluss kommen, einen Auftrag nicht durchzuführen: beispielsweise wenn Ihre Kollegen in der Produktion der Auffassung sind, dass die Kosten zu hoch werden, oder weil sich das Problem von alleine gelöst hat oder weil der Auftrag irrtümlicherweise oder doppelt erfasst wurde. Dann haben Sie bis zur Auftragsfreigabe die Möglichkeit, den Auftrag mit der Funktion **nicht durchführen** wieder zu schließen.

Vorgehensweise

Sie haben verschiedene Möglichkeiten, um Aufträge nicht durchzuführen:

- Sie wollen einen einzelnen Auftrag nicht durchführen (Transaktion IW32, Kontextmenü **Auftrag • Funktionen • Abschliessen • Nicht durchführen**).
- Sie wählen in der Listbearbeitung mehrere Aufträge aus, die Sie nicht durchführen möchten (Transaktion IW38, Aufträge markieren und im Kontextmenü **Auftrag • Abschluss • Nicht durchführen** wählen). Die Massenbearbeitungsfunktion können Sie nutzen, wenn Sie die Business Function LOG_EAM_CI_7 aktiviert haben.

Konsequenzen

Aus dem Nichtdurchführen eines Auftrags ergeben sich folgende Konsequenzen:

- Der Auftrag kann nicht mehr geändert werden.
- Der Auftrag kann nicht bebucht werden.
- Der Auftrag erhält den Status ABGS (abgeschlossen).
- Bestellanforderungen erhalten das Löschkennzeichen.

- Reservierungen werden gelöscht.
- Kapazitätsbelastungen werden abgebaut bzw. Kapazitäten freigegeben.
- Falls eine Meldung zugeordnet war, wird diese nicht mit abgeschlossen. Diese müssen Sie entweder manuell abschließen oder gegebenenfalls einem anderen Auftrag zuordnen.

Auftragsdruck vor Freigabe

Lange Zeit konnten im SAP-System die Aufträge erst dann gedruckt werden, wenn sie freigegeben wurden. Es mag jedoch Gründe geben, warum Sie einzelne Auftragspapiere oder den ganzen Satz vor der Auftragsfreigabe drucken möchten: beispielsweise weil Sie die Techniker vorab informieren möchten oder weil die bereitzustellenden Ersatzteile eine gewisse Kommissionierungszeit in Anspruch nehmen oder weil Sie gegenüber Ihrem Auftraggeber aus der Produktion ein schriftliches Angebot abgeben müssen.

Hierzu steht Ihnen die Business Function LOG_EAM_CI_7 zur Verfügung. Aktivieren Sie in der Customizing-Funktion **Drucker festlegen** in der benutzerspezifischen Drucksteuerung die Funktion **Druck vor Freigabe erlaubt**.

Die eigentliche Druckfunktion entspricht dann der normalen Druckfunktion bei einem freigegebenen Auftrag (siehe den Abschnitt »Auftragsdruck«).

Beispielprozesse im Web

Auf der E-Learning-Plattform unter *http://saptraining.fh-wuerzburg.de* erreichen Sie über den Menüpfad **SAP ERP • Instandhaltung Prozesse • Instandhaltung Prozesse @-learning SAP starten • Instandhaltung • 4. Geplante Instandhaltung • 4.2 Planung von Aufträgen** alle Teilgeschäftsprozesse zur Auftragsplanung (Auftragseröffnung, Vorgänge, Material, Kosten).

Damit können wir die Planung des Auftrags verlassen und kommen nun zu den Möglichkeiten des SAP-Systems, die Sie normalerweise nutzen, wenn die eigentliche Auftragsbearbeitung unmittelbar bevorsteht: zur Steuerung.

5.2.3 Steuerung

Die Steuerung umfasst die Funktionen **Massenänderung**, **Verfügbarkeitsprüfung** (Material, FHM, Personal), **Kapazitätsplanung**, **Auftragsfreigabe** und **Auftragsdruck**.

Massenänderung von Aufträgen und Vorgängen

In Ihrem Tagesgeschäft kommt es sicherlich häufiger vor, dass Sie mehrere Aufträge mit derselben Information zu versehen haben. Dies ist z. B. in den folgenden Fällen notwendig:

- Sie möchten ein Wochenprogramm zusammenstellen und müssen mehrere Aufträge auf dieselben Termine legen.
- In einer Werkstatt fallen mehrere Mitarbeiter aus, und Sie müssen Aufträge in eine andere Werkstatt verlagern.
- Vom Controlling sind neue Abrechnungsaufträge angelegt worden, denen mehrere Instandhaltungsaufträge zugewiesen werden sollen.
- Sie haben einen neuen Planer eingestellt, dem Sie einen ersten Arbeitsvorrat zuweisen möchten.

Wenn bei Ihnen solche oder ähnliche Bedingungen vorliegen, gehen Sie am besten wie folgt vor, um eine Massenänderung von Aufträgen durchzuführen:

- Starten Sie die Transaktion IW38 zur Liständerung von Aufträgen, und grenzen Sie den Auftragsvorrat ein (z. B. nach Auftragsart oder Termin).
- Markieren Sie in der Liste die Aufträge, die Sie nun gemeinsam verändern möchten.
- Rufen Sie die Menüpunkte **Mehr • Auftrag • Massenänderung durchführen** auf.
- Geben Sie die gewünschten neuen Informationen ein (z. B. verantwortlicher Arbeitsplatz oder Termin), und führen Sie anschließend die Änderungen aus.

Analog gehen Sie vor, wenn Sie eine Massenänderung von Vorgängen durchführen möchten:

- Starten Sie die Transaktion IW37 zur Liständerung von Vorgängen, und grenzen Sie den Auftragsvorrat ein (z. B. nach Arbeitsplatz oder Termin).
- Markieren Sie in der Liste die Vorgänge, die Sie nun gemeinsam verändern möchten.
- Rufen Sie die Menüpunkte **Mehr • Vorgang • Massenänderung durchführen** auf.

Geben Sie die gewünschten neuen Informationen ein (z. B. Arbeitsplatz oder Termin), und führen Sie anschließend die Änderungen aus (siehe Abbildung 5.49).

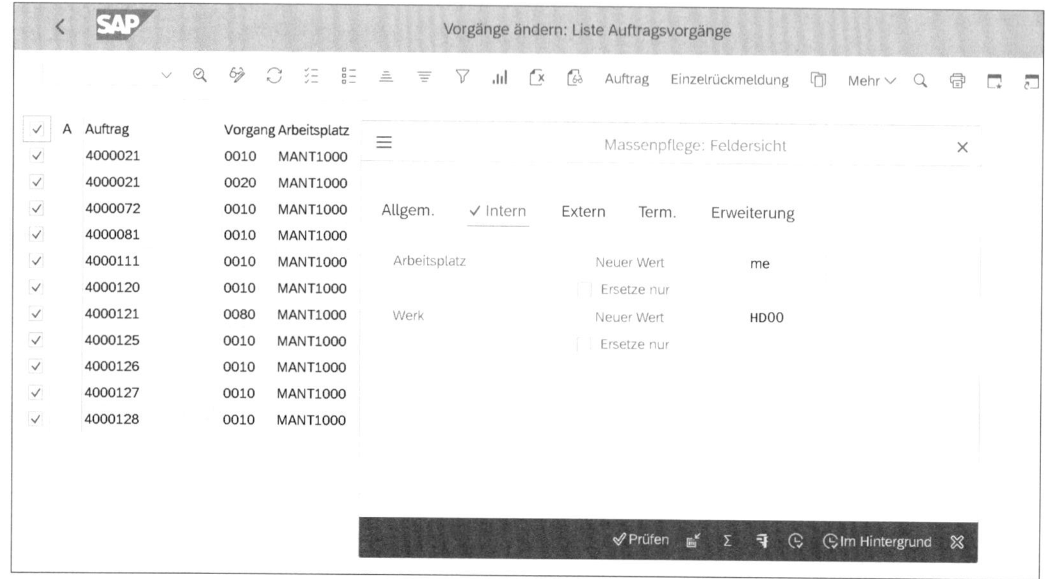

Abbildung 5.49 Massenänderung von Vorgängen

Voraussetzungen

Damit Sie die Massenänderung von Vorgängen durchführen können, müssen Sie die Business Function LOG_EAM_CI_5 aktivieren. Ferner benötigen Sie zum Berechtigungsobjekt I_MASS die Werte OR (=Auftrag) und OV (=Vorgang).

Massenänderungen sparen Pflegeaufwand

Mithilfe der Funktion **Massenänderung** können Sie einfach, zuverlässig und schnell Feldinhalte in mehreren Aufträgen gleichzeitig ändern.

Kapazitätsplanung

In der Kapazitätsplanung stellen Sie das Kapazitätsangebot der Kapazitätsnachfrage gegenüber. Das Kapazitätsangebot wird im Arbeitsplatz gepflegt (siehe Abschnitt 3.2, »Arbeitsplätze«), und die Kapazitätsnachfrage ergibt sich durch die Vorgabezeiten der Vorgänge im Auftrag. Allerdings ist eine Kapazitätsplanung nicht immer sinnvoll.

[!]

Zuerst prüfen, ob eine Kapazitätsplanung überhaupt sinnvoll ist

Grundsätzlich ist eine Kapazitätsplanung nur dann sinnvoll, wenn das planbare Auftragsvolumen ausreichend groß ist und die Vorgabezeiten einigermaßen genau sind. Diese Voraussetzungen sind in der Instandhaltung – anders als in der Produktion – häufig nicht erfüllt: Entweder liegen keine genauen Vorgaben zu den Vorgabezeiten vor, und/oder man hat einen hohen Anteil von ungeplanten Aufträgen.

Genaue Vorgabezeiten?

In den meisten Produktionsabteilungen stellen ungenaue Vorgabezeiten in der Regel kein Problem dar, da sich gleichartige Fertigungsaufträge immer wiederholen. In der Instandhaltung trifft dies hingegen im Wesentlichen nur auf die Bereiche Wartung und Inspektion zu. Alle anderen Maßnahmen sind mehr oder weniger einmalig, und entsprechend ungenau sind die Schätzungen hinsichtlich der benötigten Zeit.

Geplante Aufträge?

Auch diese Voraussetzung stellt in den meisten Produktionsabteilungen, abgesehen von Eilaufträgen, kein Problem dar. In der Instandhaltung treffen wir nun aber auf die Problematik der Störungsbeseitigung und der kurzfristigen Instandsetzung, deren Anfall und Häufigkeit sich nicht im Vorhinein planen lassen. Lediglich die Zeitpunkte der vorbeugenden Instandhaltung sind bekannt und daher planbar, ebenso wie die längerfristigen Instandsetzungen.

[!]

Kapazitätsplanung nur bei einem planbaren Volumen von mehr als 60 %

Wenn Ihr planbares Auftragsvolumen aufgrund ungeplanter Instandsetzungen und Störungsbeseitigungen weniger als 60 % vom gesamten Auftragsvolumen beträgt und Sie nur ungenaue Angaben zur Vorgabezeit machen können, schalten Sie die Kapazitätsplanung einfach ab. Dies tun Sie, indem Sie einen Steuerschlüssel verwenden, für den die Funktion **Kapazitätsbedarfe** nicht aktiviert ist.

Stufen der Kapazitätsplanung

Wenn bei Ihnen aber genaue Vorgabezeiten vorliegen und der Anteil an geplanten Aufträgen hoch ist und Sie der Meinung sind, eine Kapazitätsplanung könnte hilfreich für Sie sein, dann besteht diese immer aus drei Stufen (siehe Abbildung 5.50):

1. **Kapazitätsbedarf**
   Der Kapazitätsbedarf ❶ gibt an, welche Kapazität jeweils für die einzelnen Aufträge zu einem bestimmten Zeitpunkt erforderlich ist. Die Kapazitätsbedarfe werden bei der Durchlaufterminierung ermittelt und auf den Arbeitsplätzen eingeplant.
2. **Kapazitätsabgleich**
   Nun vergleichen Sie diese Bedarfe mit den Angeboten und nehmen anschließend einen Kapazitätsabgleich vor ❷, d. h. einen Ausgleich von

Unter- und Überbelastungen, indem Sie entsprechende Maßnahmen ergreifen, wie z. B. Terminverschiebungen eines Auftrags.

3. **Kapazitätsangebot**
   Über das Kapazitätsangebot ❸ habe ich Sie bereits ausführlich in Abschnitt 3.2, »Arbeitsplätze«, informiert.

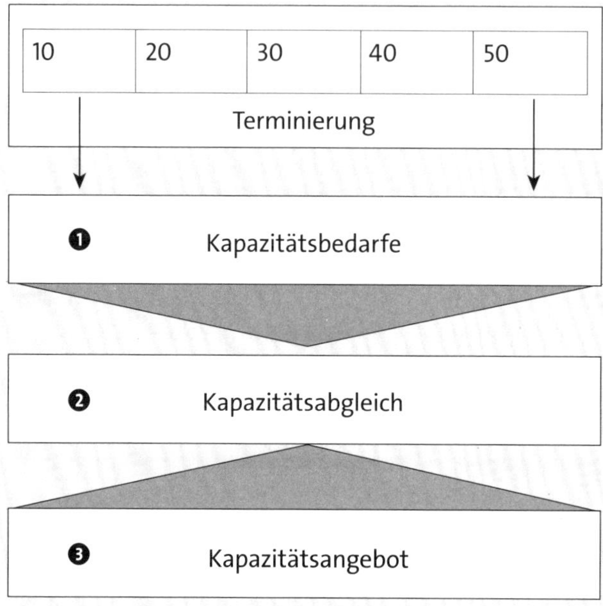

Abbildung 5.50 Stufen der Kapazitätsplanung

Voraussetzungen für Kapazitätsbedarfe

Kapazitätsbedarfe entstehen aufgrund von Aufträgen, genauer gesagt: aufgrund von Vorgaben in den Vorgängen im Feld **Arbeit**. Damit Kapazitätsbedarfe erzeugt werden, müssen die folgenden Voraussetzungen erfüllt sein:

- Sie haben im Arbeitsplatz eine Formel zur Errechnung des Kapazitätsbedarfs der Eigenbearbeitung eingetragen. Diese Formel muss auf das Feld ARBEI, also die Arbeit aus dem Vorgang zeigen. Im Standard ist dies die Formel SAP008.
- Sie verwenden bei den Vorgängen einen Steuerschlüssel, für den die Funktion **Kapazitätsbedarfe** aktiv geschaltet ist.
- Sie haben den Auftrag terminiert (siehe den Abschnitt »Terminierung«).

Kapazitätsübersichten

Mithilfe der Kapazitätsübersichten (z. B. Transaktion CM01) können Sie sich eine Gegenüberstellung von Kapazitätsangebot und Kapazitätsbedarfen ansehen, entweder tabellarisch (siehe Abbildung 5.51) oder grafisch aufbereitet.

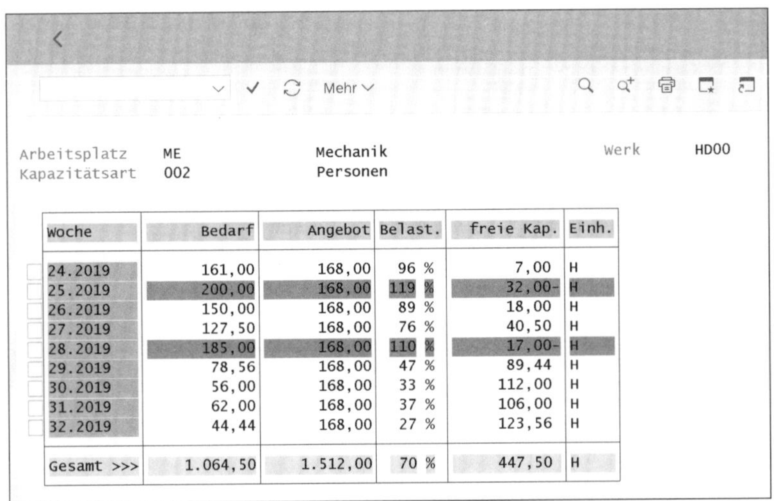

Woche	Bedarf	Angebot	Belast.	freie Kap.	Einh.
24.2019	161,00	168,00	96 %	7,00	H
25.2019	200,00	168,00	119 %	32,00-	H
26.2019	150,00	168,00	89 %	18,00	H
27.2019	127,50	168,00	76 %	40,50	H
28.2019	185,00	168,00	110 %	17,00-	H
29.2019	78,56	168,00	47 %	89,44	H
30.2019	56,00	168,00	33 %	112,00	H
31.2019	62,00	168,00	37 %	106,00	H
32.2019	44,44	168,00	27 %	123,56	H
Gesamt >>>	1.064,50	1.512,00	70 %	447,50	H

Abbildung 5.51 Kapazitätsübersicht

Den Kapazitätsübersichten können Sie insbesondere die folgenden Informationen entnehmen:

- aktuelles Kapazitätsangebot
- Höhe der Kapazitätsbelastungen
- Überlastungssituation
- freie Kapazitäten

Kapazitätsabgleich

Wenn aufgrund der Kapazitätsübersicht erkennbar ist, dass die vorhandene Kapazität nicht ausreicht, müssen Sie Abgleichmaßnahmen ergreifen (siehe Abbildung 5.52):

- Sie erhöhen – temporär oder dauerhaft – das Kapazitätsangebot, z. B. indem Sie zusätzliche Schichten, zusätzliche Arbeitstage oder zusätzliche Handwerker einplanen.
- Sie können einzelne Aufträge auf andere Arbeitsplätze umplanen, falls diese noch freie Kapazitäten haben.
- Sie können einzelne Aufträge terminlich nach vorne oder nach hinten verlagern.
- Sie vergeben einzelne Aufträge an Fremdfirmen.

[!]

Erste Wahl: Aufträge verschieben

Zu den unkompliziertesten und daher gängigsten Verfahren, um in der Instandhaltung Über- oder Unterlasten auszugleichen, gehören die Verschiebung und das Vorziehen von Aufträgen.

Abbildung 5.52 Möglichkeiten des Kapazitätsabgleichs

Verfügbarkeitsprüfungen allgemein

Definition

Im Rahmen einer Verfügbarkeitsprüfung lassen Sie vom System prüfen, ob die von Ihnen geplanten Ressourcen zum Bedarfstermin in ausreichender Menge bzw. Anzahl zur Verfügung stehen.

Einer Verfügbarkeitsprüfung können Sie Materialien, Kapazitäten und FHM unterziehen. Dies steuern Sie pro Werk und Auftragsart über die Customizing-Funktion **Verfügbarkeitsprüfung für Materialien, FHM und Kapazitäten**.

Verfügbarkeit und Freigabe

Bei allen drei Verfügbarkeitsprüfungen können Sie bestimmen, wie sich das System verhalten soll, wenn die angeforderte Ressource nicht in ausreichender Menge bzw. Anzahl zur Verfügung steht:

- Freigabe durch einen Benutzerentscheid
- automatische Freigabe trotz fehlender Verfügbarkeit
- keine Freigabe

Benutzer soll entscheiden

Lassen Sie bei der Durchführung einer Verfügbarkeitsprüfung immer den Benutzer entscheiden, was bei der Nichtverfügbarkeit einer Ressource geschehen soll.

Verfügbarkeit der Kapazitäten

Voraussetzungen für die Durchführung einer Kapazitätsprüfung sind eine aktive Verfügbarkeitsprüfung (siehe den Abschnitt »Kapazitätsplanung«)

und die Definition eines Gesamtprofils, das steuert, wie die Kapazitätsplanung durchgeführt werden soll. Das Gesamtprofil setzt sich aus mehreren Einzelprofilen zusammen, z. B. Steuerungsprofil, Zeitprofil und Auswerteprofil. Eingerichtet werden die Profile im Customizing mit den Detailfunktionen zu **Produktion • Kapazitätsplanung • Kapazitätsabgleich und Erweiterte Auswertung**.

Status

Erfolgte noch keine Prüfung der Kapazitätsverfügbarkeit, erhält der Auftrag den Status NKVP (Kapazitätsverfügbarkeit nicht geprüft); wurde die Kapazitätsprüfung mit dem Ergebnis von fehlenden Kapazitäten durchgeführt, setzt das SAP-System im Auftrag den Status FKAP (fehlende Kapazitäten).

Verfügbarkeit der Fertigungshilfsmittel

Bei der Prüfung der FHM können Sie steuern, ob nur der Status geprüft werden soll oder zusätzlich noch der Bestand. Letzteres ist jedoch nur möglich, wenn Sie die FHM als Materialstamm führen, aber nicht bei Equipments oder Dokumenten. Auf diese Aspekte möchte ich an dieser Stelle allerdings nicht näher eingehen, weil diese Art der Prüfung nur selten genutzt wird.

Status

Ist die Prüfung auf Verfügbarkeit der FHM durchgeführt, aber nicht erfolgreich, setzt das System im Auftrag den Status FFHM (fehlende Verfügbarkeit der FHM).

Materialverfügbarkeitsprüfung

Grundsätzlich gibt es drei verschiedene Arten von Verfügbarkeitsprüfungen: die statische, die dynamische und die globale Verfügbarkeitsprüfung.

Statische Verfügbarkeitsprüfung

Im Rahmen der statischen Verfügbarkeitsprüfung wird geprüft, ob das entsprechende Material zum Tagesdatum (also heute) in ausreichender Menge im Werk vorhanden ist. Diese Prüfungsart ist für eine moderne Materialverfügbarkeitsprüfung nicht geeignet.

Dynamische Verfügbarkeitsprüfung

Bei einer dynamischen Verfügbarkeitsprüfung wird geprüft, ob zum Bedarfstermin (also bei der Durchführung des Auftrags) eine ausreichende Menge des benötigten Materials im Werk vorhanden ist. Abbildung 5.53 verdeutlicht, wie sich der aktuelle Lagerbestand, ausgehend vom Tagesdatum, unter der Berücksichtigung von Sicherheitsbeständen, durch Bestandsbewegungen (geplante Zugänge, geplante Abgänge, geplante Umlagerungen) bis zum Bedarfstermin voraussichtlich verändern wird. Zum Bedarfstermin wird die sogenannte ATP-Menge (ATP = Available-to-Promise) ermittelt. Diese Art der Verfügbarkeitsprüfung wird in SAP S/4HANA Asset Management eingesetzt.

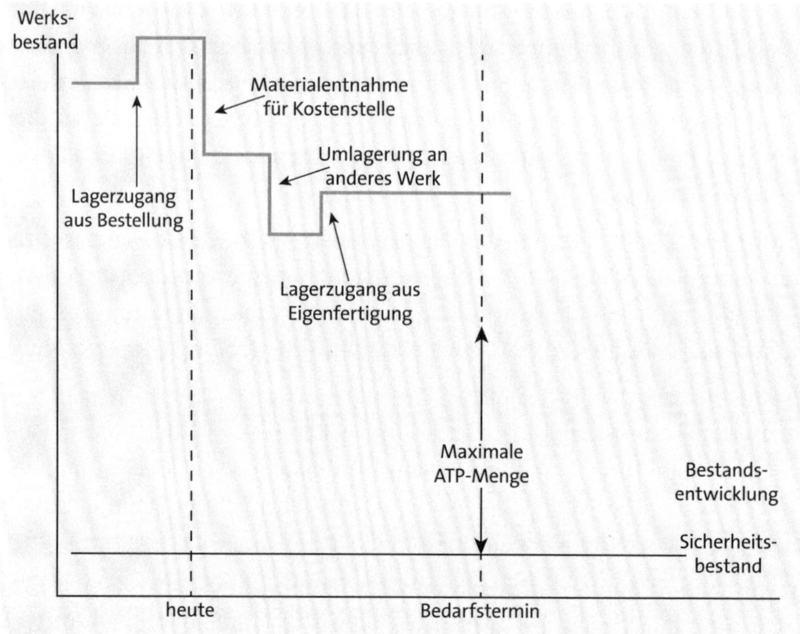

Abbildung 5.53 Dynamische Verfügbarkeitsprüfung (ATP)

Globale Verfügbarkeitsprüfung

Bei einer globalen Verfügbarkeitsprüfung wird zunächst eine dynamische Verfügbarkeitsprüfung durchgeführt. Führt diese zu einem negativen Ergebnis, greifen Alternativstrategien. So wird z. B. geprüft, ob das Material in einem anderen Werk verfügbar ist, ob ein Ersatzmaterial zur Verfügung steht oder ob das geforderte Material von potenziellen Lieferanten kurzfristig geliefert werden kann. Diese Art der Verfügbarkeitsprüfung wird in der SAP-S/4HANA-Komponente *Erweiterte Planung* im Rahmen der Produktionsplanung eingesetzt.

Da wir hier jedoch SAP S/4HANA Asset Management behandeln, werde ich im Folgenden ausschließlich auf die Verfahrensweise der dynamischen Verfügbarkeitsprüfung eingehen.

Voraussetzungen

Damit Sie eine Materialverfügbarkeitsprüfung durchführen können, müssen Sie zuvor die folgenden Voraussetzungen schaffen:

- Sie tragen zunächst im Materialstamm auf der Registerkarte **Disposition 3** eine Prüfgruppe ein, z. B. 02 (Einzelbedarf). Diese Prüfgruppe ist aus Sicht der Instandhaltung lediglich eine Zusammenfassung mehrerer Materialien zu einer Gruppe, die nach dem gleichen Verfahren geprüft werden sollen, hat aber vorerst keine Auswirkungen. Sie pflegen die Prüfgruppe mithilfe der Customizing-Funktion **Prüfgruppe definieren**.

- Mithilfe der Customizing-Funktion **Prüfregeln definieren** legen Sie nun eine Prüfregel fest (z. B. PM Instandhaltung). Auch diese Prüfregel hat zunächst keine Auswirkungen, sondern stellt lediglich eine Gruppierung von Verfahren dar.
- Aus der Kombination von Prüfgruppe und Prüfregel definieren Sie nun mithilfe der Customizing-Funktion **Prüfungsumfang definieren** den eigentlichen Prüfungsumfang. Hier legen Sie z. B. fest, welche Bestandsarten und welche geplanten Zu- und Abgänge bei der Prüfung berücksichtigt werden sollen.
- Schließlich definieren Sie mithilfe der Customizing-Funktion **Prüfungssteuerung definieren** pro Werk und Auftragsart die eigentliche Prüfungssteuerung.

Durchführung

Wenn Sie alle Voraussetzungen erfüllt haben, können Sie nun prüfen, ob die von Ihnen geplanten Materialien zum Bedarfstermin verfügbar sind. Dies können Sie auf unterschiedlichen Ebenen tun:

- Sie prüfen innerhalb eines einzelnen Auftrags die Verfügbarkeit eines einzelnen Materials (Transaktion IW32, Button auf der Materialebene).
- Sie prüfen innerhalb eines einzelnen Auftrags die Verfügbarkeit aller Materialien (Transaktion IW32, Button auf der Kopfebene).
- Wenn Sie den Auftrag freigeben (siehe Abschnitt »Auftragsfreigabe«), wird vom System nochmals automatisch eine Verfügbarkeitsprüfung angestoßen. Sind alle Materialien verfügbar, wird der Auftrag freigegeben. Sind nicht alle Materialien verfügbar, hängt die Reaktion des Systems von der Einstellung des Schalters **Freigabe Material** in der Customizing-Funktion **Prüfungssteuerung definieren** ab: Die Freigabe wird entweder durchgeführt oder abgelehnt, oder Sie bestimmen, ob die Freigabe erfolgen soll oder nicht.

Ergebnis

Die Ergebnisse einer Materialverfügbarkeitsprüfung können Sie sich nun wie folgt anzeigen lassen:

- Das Ergebnis für einen einzelnen Auftrag können Sie sich innerhalb der Transaktion IW32 über den Menüpfad **Mehr • Auftrag • Funktionen • Verfügbarkeit • Verfügbarkeitsliste** ansehen.
- In der Transaktion IW38 können Sie sich über den Menüpfad **Mehr • Springen • Verfügbarkeitsliste Material** das Ergebnis für mehrere Aufträge anzeigen lassen (siehe Abbildung 5.54).

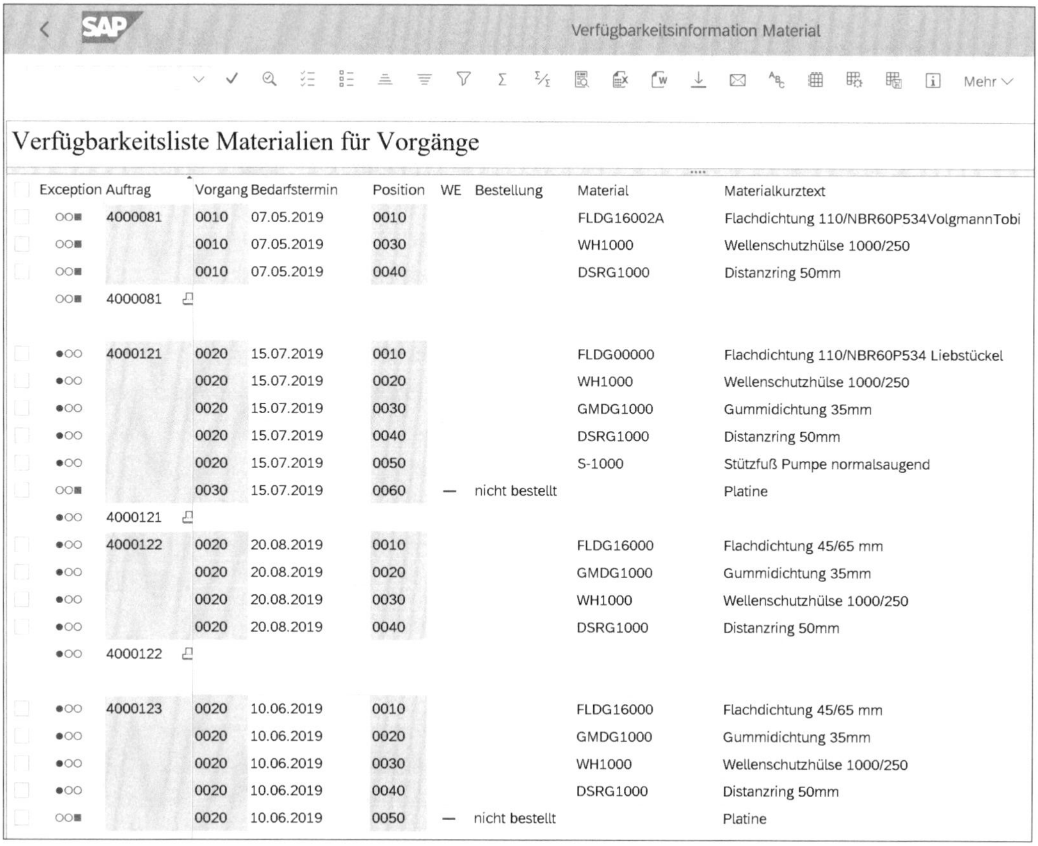

Verfügbarkeitsinformation Material

Mehr

Verfügbarkeitsliste Materialien für Vorgänge

Exception	Auftrag	Vorgang	Bedarfstermin	Position	WE	Bestellung	Material	Materialkurztext
○○■	4000081	0010	07.05.2019	0010			FLDG16002A	Flachdichtung 110/NBR60P534VolgmannTobi
○○■		0010	07.05.2019	0030			WH1000	Wellenschutzhülse 1000/250
○○■		0010	07.05.2019	0040			DSRG1000	Distanzring 50mm
○○■	4000081							
●○○	4000121	0020	15.07.2019	0010			FLDG00000	Flachdichtung 110/NBR60P534 Liebstückel
●○○		0020	15.07.2019	0020			WH1000	Wellenschutzhülse 1000/250
●○○		0020	15.07.2019	0030			GMDG1000	Gummidichtung 35mm
●○○		0020	15.07.2019	0040			DSRG1000	Distanzring 50mm
●○○		0020	15.07.2019	0050			S-1000	Stützfuß Pumpe normalsaugend
○○■		0030	15.07.2019	0060	—	nicht bestellt		Platine
●○○	4000121							
●○○	4000122	0020	20.08.2019	0010			FLDG16000	Flachdichtung 45/65 mm
●○○		0020	20.08.2019	0020			GMDG1000	Gummidichtung 35mm
●○○		0020	20.08.2019	0030			WH1000	Wellenschutzhülse 1000/250
●○○		0020	20.08.2019	0040			DSRG1000	Distanzring 50mm
●○○	4000122							
●○○	4000123	0020	10.06.2019	0010			FLDG16000	Flachdichtung 45/65 mm
●○○		0020	10.06.2019	0020			GMDG1000	Gummidichtung 35mm
●○○		0020	10.06.2019	0030			WH1000	Wellenschutzhülse 1000/250
●○○		0020	10.06.2019	0040			DSRG1000	Distanzring 50mm
○○■		0020	10.06.2019	0050	—	nicht bestellt		Platine

Abbildung 5.54 Verfügbarkeitsliste

Sammelverfügbarkeitsprüfung

Wenn Sie die Business Function LOG_EAM_CI_8 aktivieren, steht Ihnen neben der oben beschriebenen Einzelprüfung die Sammelverfügbarkeitsprüfung zur Verfügung, d. h. Sie können die Verfügbarkeit von mehreren Aufträgen gleichzeitig prüfen.

Hierzu gehen Sie wie folgt vor:

- Entweder Sie starten die Transaktion IW38A; dann wird für alle in der Selektion gefundenen Aufträge eine Verfügbarkeitsprüfung durchgeführt.
- Oder aber Sie starten die Transaktion IW38 und markieren in der Liste die zu prüfenden Aufträge. Hierzu rufen Sie die Menüfunktion **Mehr • Umfeld • Materialverfügbarkeit** auf.

Ergebnis: Sie erhalten unter anderem Informationen, ob Materialien verfügbar sind oder nicht oder ob die Verfügbarkeit aufgrund fehlender Customizing-Einstellungen nicht geprüft werden konnte (siehe Abbildung 5.55).

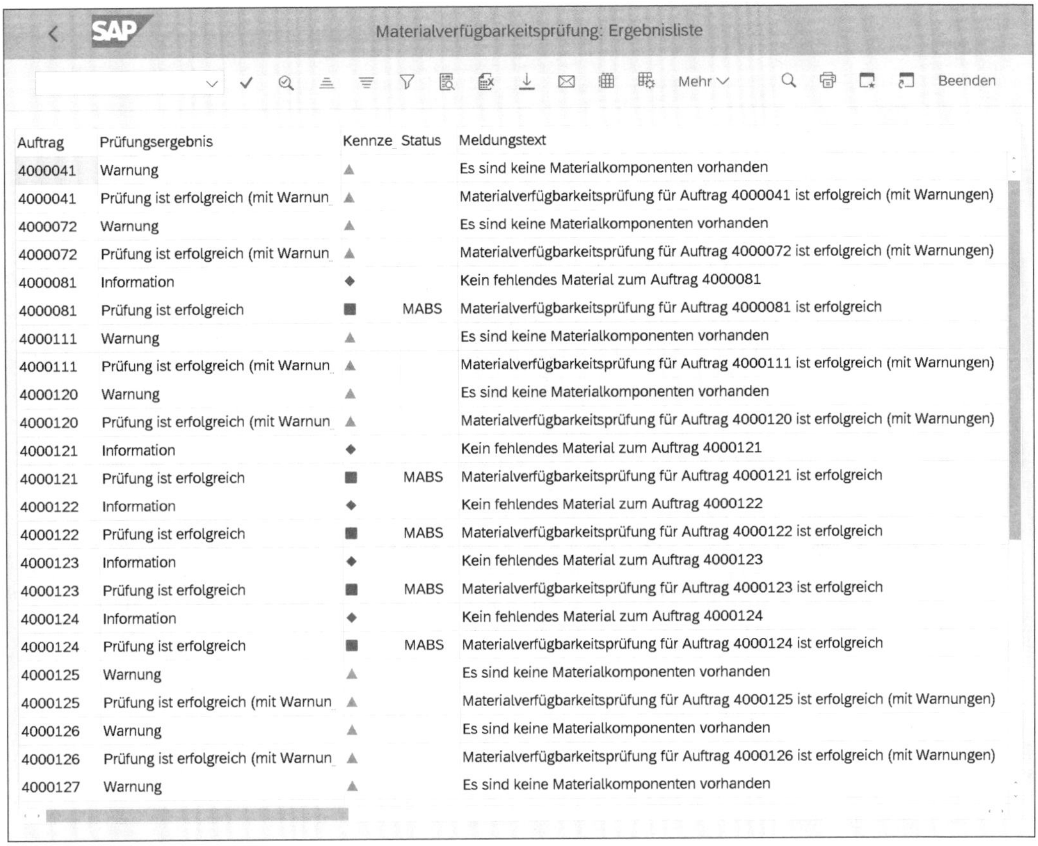

Materialverfügbarkeitsprüfung: Ergebnisliste

Mehr Beenden

Auftrag	Prüfungsergebnis	Kennze	Status	Meldungstext
4000041	Warnung	▲		Es sind keine Materialkomponenten vorhanden
4000041	Prüfung ist erfolgreich (mit Warnun	▲		Materialverfügbarkeitsprüfung für Auftrag 4000041 ist erfolgreich (mit Warnungen)
4000072	Warnung	▲		Es sind keine Materialkomponenten vorhanden
4000072	Prüfung ist erfolgreich (mit Warnun	▲		Materialverfügbarkeitsprüfung für Auftrag 4000072 ist erfolgreich (mit Warnungen)
4000081	Information	◆		Kein fehlendes Material zum Auftrag 4000081
4000081	Prüfung ist erfolgreich	■	MABS	Materialverfügbarkeitsprüfung für Auftrag 4000081 ist erfolgreich
4000111	Warnung	▲		Es sind keine Materialkomponenten vorhanden
4000111	Prüfung ist erfolgreich (mit Warnun	▲		Materialverfügbarkeitsprüfung für Auftrag 4000111 ist erfolgreich (mit Warnungen)
4000120	Warnung	▲		Es sind keine Materialkomponenten vorhanden
4000120	Prüfung ist erfolgreich (mit Warnun	▲		Materialverfügbarkeitsprüfung für Auftrag 4000120 ist erfolgreich (mit Warnungen)
4000121	Information	◆		Kein fehlendes Material zum Auftrag 4000121
4000121	Prüfung ist erfolgreich	■	MABS	Materialverfügbarkeitsprüfung für Auftrag 4000121 ist erfolgreich
4000122	Information	◆		Kein fehlendes Material zum Auftrag 4000122
4000122	Prüfung ist erfolgreich	■	MABS	Materialverfügbarkeitsprüfung für Auftrag 4000122 ist erfolgreich
4000123	Information	◆		Kein fehlendes Material zum Auftrag 4000123
4000123	Prüfung ist erfolgreich	■	MABS	Materialverfügbarkeitsprüfung für Auftrag 4000123 ist erfolgreich
4000124	Information	◆		Kein fehlendes Material zum Auftrag 4000124
4000124	Prüfung ist erfolgreich	■	MABS	Materialverfügbarkeitsprüfung für Auftrag 4000124 ist erfolgreich
4000125	Warnung	▲		Es sind keine Materialkomponenten vorhanden
4000125	Prüfung ist erfolgreich (mit Warnun	▲		Materialverfügbarkeitsprüfung für Auftrag 4000125 ist erfolgreich (mit Warnungen)
4000126	Warnung	▲		Es sind keine Materialkomponenten vorhanden
4000126	Prüfung ist erfolgreich (mit Warnun	▲		Materialverfügbarkeitsprüfung für Auftrag 4000126 ist erfolgreich (mit Warnungen)
4000127	Warnung	▲		Es sind keine Materialkomponenten vorhanden

Abbildung 5.55 Sammelverfügbarkeitsprüfung

Status

Wurde die Verfügbarkeitsprüfung noch nicht durchgeführt, erhält der Auftrag den Status NMVP (Materialverfügbarkeit nicht geprüft). Wurde die Verfügbarkeitsprüfung mit dem Ergebnis durchgeführt, dass das Material verfügbar ist, setzt das System im Auftrag den Status MABS (Material bestätigt). Wurde die Verfügbarkeitsprüfung mit dem Ergebnis durchgeführt, dass das Material nicht verfügbar ist, wird der Status FMAT (Fehlmaterial) gesetzt.

Auftragsfreigabe

Solange der Auftrag noch mit dem Status EROF (eröffnet) versehen ist, können Sie weder Auftragspapiere drucken noch Material entnehmen oder Zeiten zurückmelden. Auch zu bestellten Ersatzteilen kann noch kein Wareneingang gebucht werden. Dies ändert sich mit der Auftragsfreigabe; nun können Sie die folgenden Aktivitäten durchführen:

- Die Reservierung ist wirksam, und das Material kann entnommen werden.
- Papiere können gedruckt werden.
- Es ist eine Rückmeldung möglich.
- Es ist eine Warenbewegung möglich.
- Der Auftrag kann abgerechnet werden.

Wenn Sie einen Auftrag freigeben, prüft das System, ob die benötigten Materialien und FHM verfügbar und die erforderlichen Genehmigungen erteilt sind. Spätestens zum Zeitpunkt der Freigabe werden die Materialreservierungen dispositionsrelevant und entnahmewirksam sowie die Bestellanforderungen erzeugt.

Beachten Sie auch, dass Sie nach der Auftragsfreigabe keine Änderungen mehr an der Kostenschätzung vornehmen können.

Durchführung

Sie haben verschiedene Möglichkeiten, um Aufträge freizugeben:

- Sie geben einen einzelnen Auftrag frei (Transaktion IW32, Button).
- Sie nutzen die Funktion **In Arbeit geben** (Transaktion IW32, Button); der Auftrag wird freigegeben, und gleichzeitig werden die Auftragspapiere gedruckt.
- Sie geben aus der Listbearbeitung heraus mehrere Aufträge gleichzeitig frei (Transaktion IW38, Aufträge markieren und Button).

Automatische Freigabe

Auch haben Sie die Möglichkeit, Aufträge sofort bei ihrer Erstellung freizugeben. Diese Möglichkeit steht Ihnen bei automatisch durch das System erstellten Aufträgen zur Verfügung, d. h. also für Aufträge, die mithilfe eines Wartungsplans generiert werden (siehe Abschnitt 5.8, »Der Geschäftsprozess ›Vorbeugende Instandhaltung‹«) oder die Sie aus einer Meldung heraus erstellen.

[!]

Aufträge automatisch freigeben

Damit Aufträge, die aus Wartungsplänen oder Meldungen resultieren, sofort bei ihrer Erstellung freigegeben werden, setzen Sie mithilfe der Customizing-Funktion **Auftragsarten einrichten** für die gewünschten Auftragsarten das Kennzeichen **Sofort freigeben**.

Status

Durch die Freigabe setzt das System im Auftrag den Status FREI.

Auftragsdruck

Wenn Meldungen und Aufträge im Einsatz sind, wird normalerweise der Auftrag gedruckt.

[!]

Entscheidungsfreiheit beim Auftragsdruck

Sie haben weitgehende Entscheidungsfreiheit bezüglich der folgenden Inhalte:

- wie viele Auftragspapiere Sie ausdrucken möchten
- welche Auftragspapiere Sie ausdrucken möchten
- wie Sie die Auftragspapiere benennen möchten
- welches Layout diese Auftragspapiere haben sollen
- welches Auftragspapier auf welchem Ausgabemedium ausgegeben werden soll

Belegarten

Die folgenden Belege könnten Sie z. B. als Auftragspapiere drucken (siehe Abbildung 5.56):

- **Steuerkarte**
  Eine Steuerkarte zeigt dem verantwortlichen Instandhalter eine komplette Übersicht des Instandhaltungsauftrags. Hier könnten Sie auch die Genehmigungsangaben mitdrucken.
- **Laufkarte**
  Eine Laufkarte als auftragsbegleitendes Papier gibt dem ausführenden Handwerker eine komplette Auftragsübersicht.
- **Materialbereitstellungsliste**
  Eine Materialbereitstellungsliste zeigt dem Lageristen an, welche Materialien für diesen Auftrag pro Vorgang eingeplant wurden. Diese Liste könnte z. B. direkt im Lager gedruckt werden.
- **Materialentnahmeschein**
  Der Materialentnahmeschein berechtigt den Handwerker dazu, die für den Auftrag benötigten Materialien vom Lager auszufassen. Pro Materialkomponente wird ein Materialentnahmeschein gedruckt.
- **Lohn- und Rückmeldescheine**
  Lohn- und Rückmeldescheine werden nur für solche Vorgänge ausgedruckt, deren Steuerschlüssel dies vorsieht. Für jeden an einem Auftrag beteiligten Handwerker wird dann pro Vorgang die dort angegebene Anzahl an Lohn- bzw. Rückmeldescheinen ausgedruckt. Auf ihnen trägt der Handwerker die Zeit ein, die er für die Ausführung des entsprechenden Vorgangs benötigt hat.

- **Objektliste**
  Eine Objektliste beinhaltet alle am Auftrag beteiligten Technischen Plätze, Equipments, Meldungen usw., falls im Auftrag eine Objektliste abgearbeitet werden soll (z. B. bei einem Inspektionsrundgang).

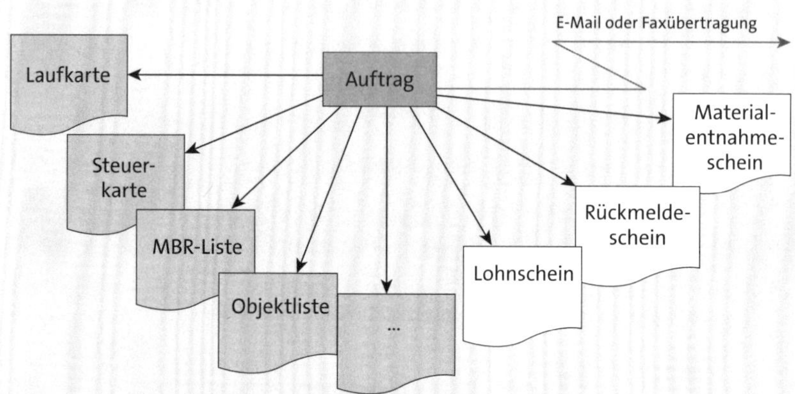

Abbildung 5.56 Auftragsdruck – Belege

Auftragsdruck mit Dokumenten

Häufig sind zu den technischen Objekten Dokumente hinterlegt (siehe Abschnitt 4.2.10, »Spezielle Funktionen«), die ganz oder teilweise mit den Auftragspapieren ausgedruckt werden sollen. Leider wird hierzu von SAP keine Standardlösung angeboten. Vielmehr haben sich einige Hersteller darangemacht, zu diesem Zweck ein kostenpflichtiges Add-on zu entwickeln und zu vertreiben, wie z. B. die SEAL Systems AG (*http://www.sealsystems.de*) und die Prometheus Group (*http://www.prometheusgroup.com*).

Ausgabemedien

Die folgenden Ausgabemedien stehen Ihnen zur Verfügung:

- lokaler Drucker
- Netzwerkdrucker
- Faxgerät
- E-Mail
- PC-Download

Voraussetzungen

Welche Voraussetzungen müssen Sie schaffen, damit Sie Auftragspapiere drucken können?

- Legen Sie zunächst in der Customizing-Funktion **Arbeitspapiere definieren** fest, welche Auftragspapiere grundsätzlich zum Einsatz kommen sollen. Sie verweisen dabei auf ein Ausgabeprogramm, eine Form-Routine und ein Formular; in diesen Elementen legen Sie Layout und Ausgabesteuerung fest.

- In der Customizing-Funktion **Arbeitspapiere zur Auftragsart festlegen** legen Sie anschließend fest, bei welcher Auftragsart welches Auftragspapier gedruckt werden soll.
- In der Customizing-Funktion **Benutzerspezifische Drucksteuerung** legen Sie schließlich noch fest, bei welchem Benutzer welches Arbeitspapier auf welchem Drucker ausgedruckt werden soll.

Empfehlungen zum Drucken

Aktivieren Sie in der Customizing-Funktion **Benutzerspezifische Drucksteuerung** den Schalter **Sofort ausgeben**, da ansonsten die Auftragspapiere nur in die Spool-Datei eingestellt werden und Sie den Druckanstoß von dort aus separat vornehmen müssen.

Außerdem sollten Sie in derselben Customizing-Funktion die Papiere für das Lager sofort auf dem Lagerdrucker ausdrucken, damit die Lagermitarbeiter ihre Kommissionierungsaufgaben termingerecht einplanen können.

Vorgehensweise beim Druck

Zum Drucken der Belege bieten sich Ihnen die folgenden Möglichkeiten:

- Sie können innerhalb der Auftragsbearbeitung über die Funktion **Mehr • Auftrag • Drucken • Auftrag** oder über den Button [Drucken] den Auftragsdruck für einen einzelnen Auftrag anstoßen (siehe Abbildung 5.57).

Abbildung 5.57 Auftragsdruck – Pop-up-Fenster

- Es gibt aus Berechtigungsgründen eine eigene Transaktion IW3D für den Ausdruck eines einzelnen Auftrags.

- Über die Auftragsliste (Transaktion IW38) können Sie mehrere Aufträge gleichzeitig drucken, indem Sie die entsprechenden Aufträge markieren und die Funktion **Mehr • Auftrag** • Drucken **Auftrag** aufrufen.
- Wenn Sie Auftragspapiere an ein Faxgerät schicken möchten, anstatt sie zu drucken, tragen Sie eine Empfängernummer in der entsprechenden Spalte ein.
- Wenn Sie nur die Veränderungen des Auftrags seit dem letzten Druckvorgang drucken möchten, markieren Sie die Spalte **D** (Deltadruck).
- Wenn Sie die Auftragspapiere per E-Mail verschicken möchten, beachten Sie die SAP-Hinweise 317851 und 513352.

Status

Durch den Druckvorgang setzt das System auf dem Auftrag den Status DRUC.

Druckvorgang vereinfachen

Wenn Ihnen das Pop-up-Fenster beim Auftragsdruck lästig ist, weil Sie sowieso immer die voreingestellten Auftragspapiere drucken möchten, können Sie das Erscheinen dieses Fensters wie folgt unterdrücken: Rufen Sie innerhalb des Auftrags über **Zusätze • Einstellungen • Vorschlagswerte** die Registerkarte **Steuerung** auf, und setzen Sie den Schalter **Drucken ohne Dialog** aktiv.

Paging

Was ist Paging?

Eine weitere Funktion des Auftrags (und auch der Meldung) ist das Paging. Darunter versteht man, dass Sie an einen oder mehrere Partner Kurznachrichten versenden können, indem Sie in der Meldung oder im Auftrag den Button verwenden. Diese Kurznachrichten können entweder vordefinierte Standardtexte oder Texte sein, die Sie direkt beim Versand der Kurznachricht erfassen. Auch können Sie die vordefinierten Standardtexte ergänzen (siehe Abbildung 5.58).

Unterstützte Dienste

Die folgenden Dienste werden vom Paging unterstützt:

- Funkrufdienst
- Telefax
- E-Mail
- SMS
- SAPmail

Nach dem Versenden der Paging-Nachricht wird im Auftrag (oder in der Meldung) der Status PAGE gesetzt.

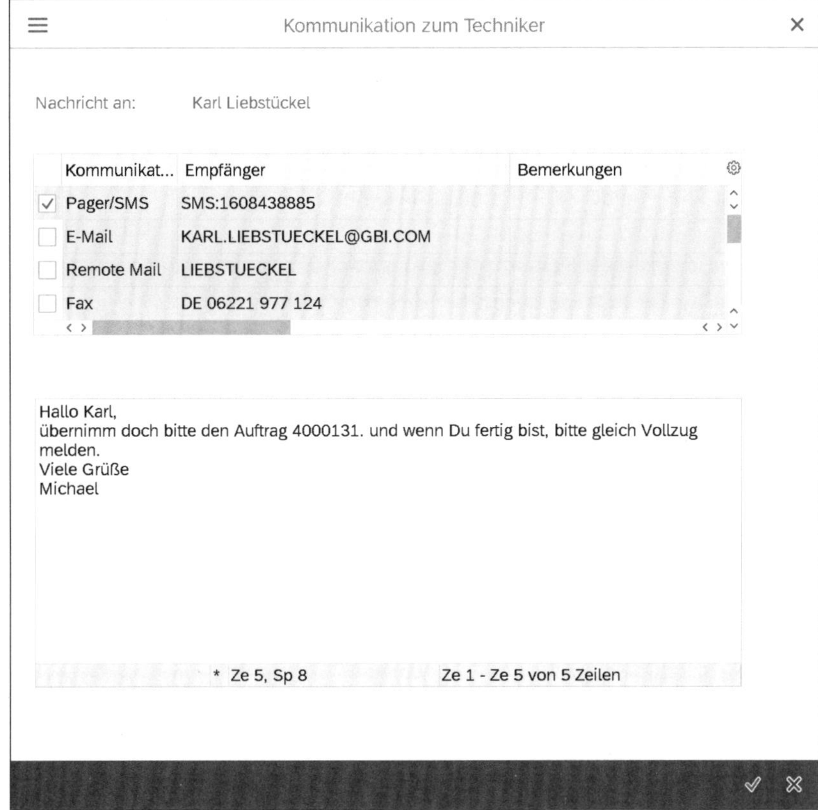

Abbildung 5.58 Paging-Nachricht

Voraussetzungen

Damit Sie diese Funktion nutzen können, müssen die folgenden Voraussetzungen vorhanden sein:

- Die Komponenten SAPoffice und SAPconnect sind aktiv.
- Im Customizing haben Sie der Auftrags- bzw. Meldungsart eine Rolle *Paging Partner* zugeordnet (Customizing-Funktion **Partnerschema und Partnerrolle definieren • Partnerschema zum Auftrag zuordnen** bzw. bei der Meldung **Partnerrollen zur Meldungsart zuordnen**).
- Die Partnerrolle *Paging Partner* ist im Auftrag gefüllt (z. B., indem aus dem Bezugsobjekt der Ansprechpartner übernommen wird).
- Die Kommunikationsdaten der betreffenden Person sind im Benutzerstammsatz gepflegt (Transaktion SU01, siehe Abbildung 5.59).

Kommunikation

Telefon	+49 6221 977	Nebenst.	123	
Mobiltelefon	+49 160 8438885			
Fax	06221 977	Nebenst.	124	
E-Mail-Adresse	karl.liebstueckel@gbi.com			
Komm.art	INT E-Mail			Weitere Kommunikation...

Abbildung 5.59 Paging – Kommunikationsdaten

[!]

Mit Paging können Sie Techniker direkt erreichen

Mithilfe der Funktion des Pagings können Sie schnell und unkompliziert Kurznachrichten an Beteiligte (z. B. den Techniker) versenden. Die Voraussetzungen hierzu sind die Definition eines Paging-Partners in der Partnerrolle sowie die Aktivierung der SAP-Komponenten SAPoffice und SAPconnect.

Beispielprozesse im Web

Auf der E-Learning-Plattform unter *http://saptraining.fh-wuerzburg.de* erreichen Sie über den Menüpfad **SAP ERP • Instandhaltung Prozesse • Instandhaltung Prozesse @-learning SAP starten • Instandhaltung • 4. Geplante Instandhaltung • 4.3 Steuerung von Aufträgen** alle Teilgeschäftsprozesse zur Auftragssteuerung (Verfügbarkeitsprüfung, Auftragsfreigabe, Druck, Kapazitätsplanung).

Damit sind alle vorbereitenden Arbeiten für die Auftragsdurchführung abgeschlossen, und die eigentliche Bearbeitung des Auftrags kann beginnen.

5.2.4 Abwicklung

Während der Abwicklungsphase gibt es vonseiten des Systems nur die Notwendigkeit zur Erfassung der entnommenen Materialien.

Voraussetzung

Um Materialentnahmen im SAP-System erfassen zu können, muss der Auftrag zuvor freigegeben worden sein. Eine Materialentnahme können Sie dabei entweder als geplante oder als ungeplante Materialentnahme vornehmen.

Geplante Materialentnahme

Von einer geplanten Materialentnahme spricht man, wenn Sie zuvor eine Materialplanung durchgeführt (siehe Abschnitt »Materialplanung«) und damit eine Reservierung angelegt haben.

Die Standardtransaktion für eine Materialentnahme ist MIGO (siehe Abbildung 5.60); eine geplante Materialentnahme erfassen Sie mithilfe der Funktion **Warenausgang • Auftrag**.

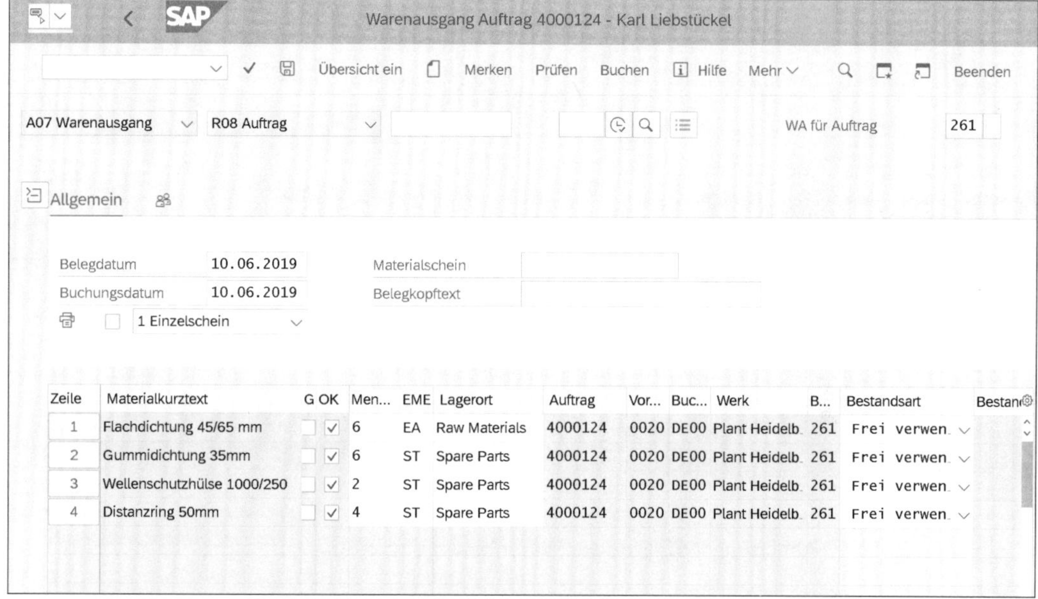

Abbildung 5.60 Geplanter Warenausgang

Ungeplante Materialentnahme

Da in der Instandhaltung aber selten schon vor Auftragsbeginn alle benötigten Ersatzteile bekannt sind, ist die Möglichkeit einer ungeplanten Materialentnahme mindestens ebenso wichtig wie die einer geplanten Materialentnahme. Eine ungeplante Materialentnahme führen Sie ebenfalls mithilfe der Transaktion MIGO durch, jedoch über den Menüpfad **Warenausgang • Sonstige • Bewegungsart 261**.

Bei vorgangskontierten Aufträgen geben Sie Auftragsnummer und Vorgangsnummer als Kontierungsvorschrift ein (siehe Abbildung 5.61), bei allen anderen Aufträgen nur die Auftragsnummer.

Abbildung 5.61 Ungeplante Materialentnahme auf Auftrag und Vorgang

Dokumentation von Warenbewegungen

Sowohl die geplanten als auch die ungeplanten Warenbewegungen werden im Auftrag dokumentiert. Sie können sich die Liste der Warenbewegungen über **Mehr • Zusätze • Belege zum Auftrag • Warenbewegungen** ansehen (siehe Abbildung 5.62).

SAP AUFTRAG ÄNDERN: Liste Warenbewegungen

Auftrag Σ Mehr Beenden

Auftrag	Vorgang	Materialbeleg	Belegdatum	Material	Materialkurztext	Menge	Einhe	Lagerort	Sachkonto
4000124	0030	4900007977	10.06.2019	FLDG19700	Flachdichtung 110/NBPR534 Liebstückel	5-	ST	RM00	720000
4000124	0020	4900007978	10.06.2019	FLDG16000	Flachdichtung 45/65 mm	6-	EA	RM00	720000
4000124	0020	4900007978	10.06.2019	GMDG1000	Gummidichtung 35mm	6-	ST	SP00	720000
4000124	0020	4900007978	10.06.2019	WH1000	Wellenschutzhülse 1000/250	2-	ST	SP00	720000
4000124	0020	4900007978	10.06.2019	DSRG1000	Distanzring 50mm	4-	ST	SP00	720000
4000124	0020	4900007979	10.06.2019	FLDG16000	Flachdichtung 45/65 mm	6	EA	RM00	720000
4000124	0020	4900007979	10.06.2019	GMDG1000	Gummidichtung 35mm	8	ST	SP00	720000
4000124	0020	4900007979	10.06.2019	WH1000	Wellenschutzhülse 1000/250	5	ST	SP00	720000
4000124	0020	4900007979	10.06.2019	DSRG1000	Distanzring 50mm	6	ST	SP00	720000
4000124	0010	4900007980	10.06.2019	FLDG19700	Flachdichtung 110/NBPR534 Liebstückel	12	ST	RM00	720000

Abbildung 5.62 Liste der Warenbewegungen zum Auftrag

Beispielprozesse im Web

Auf der E-Learning-Plattform unter *http://saptraining.fh-wuerzburg.de/* erreichen Sie über den Menüpfad **SAP ERP • Instandhaltung Prozesse • Instandhaltung Prozesse @-learning SAP starten • 4. Geplante Instandhaltung • 4.4 Durchführung von Aufträgen** die Teilgeschäftsprozesse zur Auftragsabwicklung (geplante und ungeplante Materialentnahme).

Nach der Abarbeitung des Auftrags geht es nun darum, die angefallenen Daten im SAP-System zu erfassen.

5.2.5 Abschluss

Zum einen erfassen Sie nun die Zeiten, die zur Abarbeitung des Auftrags benötigt wurden, und zum anderen hinterlegen Sie die technischen Informationen, wie z. B. Schadensursachen oder Aktionen. Nach der Erfassung dieser Informationen rechnen Sie den Auftrag ab, der schließlich noch technisch und kaufmännisch abgeschlossen werden muss.

Zeitrückmeldungen

Zeitrückmeldungen führen Sie in SAP S/4HANA Asset Management grundsätzlich auf der Vorgangsebene durch.

[+]

Rückmeldung vereinfachen

Wenn es Ihnen zu umständlich oder zu aufwendig ist, jeden Vorgang einzeln zurückzumelden, legen Sie im Auftrag einen letzten Vorgang **Rückmelden** an. Nur diesem Vorgang geben Sie einen Steuerschlüssel mithilfe der Funktion **Rückmeldung vorgesehen**; allen anderen Vorgängen ordnen Sie einen Steuerschlüssel zu, der entweder die Funktion **Rückmeldung nicht möglich** oder die Funktion **Rückmeldung möglich, aber nicht notwendig** beinhaltet.

Voraussetzungen

Damit Sie Zeitrückmeldungen erfassen können, müssen zwei Voraussetzungen erfüllt sein:

- Die zurückzumeldenden Aufträge müssen freigegeben sein.
- Im Customizing haben Sie mit der Funktion **Steuerungsparameter für Rückmeldungen festlegen** pro Werk und Auftragsart definiert, wie Sie die Zeitrückmeldungen durchführen möchten. Zum Beispiel definieren Sie dort, ob Vorschlagswerte erscheinen oder Abweichungen zulässig sein sollen.

[!]

Vorsicht bei »Offene Reservierungen ausbuchen«

Setzen Sie die beiden Kennzeichen **Endrückmeldung** und **Offene Reservierungen ausbuchen** nicht gleichzeitig. Denn der Schalter **Offene Reservierungen ausbuchen** bewirkt, dass bei einer Endrückmeldung die noch nicht ausgefassten Reservierungen gelöscht werden. Der Schalter **Endrückmeldung** bewirkt, dass bei einer Zeitrückmeldung, die größer ist als die geplante Zeit, der Vorgang automatisch endrückgemeldet wird. Wird nun die Materialentnahme nicht zeitnah erfasst, aber dafür die Rückmeldung, werden die offenen Reservierungen gelöscht, obwohl sie ausgefasst sind.

Zur Erfassung der Ist-Zeiten stehen Ihnen verschiedene Transaktionen zur Verfügung.

Einzelzeitrückmeldung

Mithilfe der Einzelzeitrückmeldung (Transaktion IW41, siehe Abbildung 5.63) erfassen Sie genau eine Rückmeldung zu einem Vorgang. Wenn Sie zu demselben Vorgang oder zu einem anderen Vorgang desselben Auftrags weitere Rückmeldungen erfassen möchten, starten Sie diese Transaktion mehrfach hintereinander.

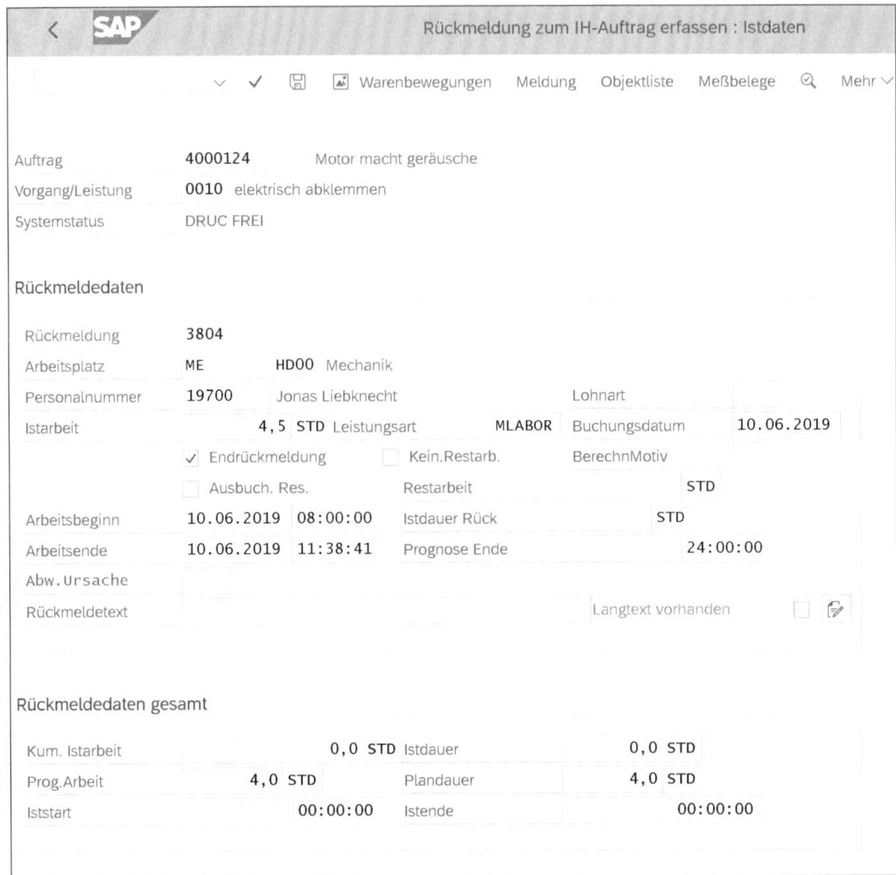

Abbildung 5.63 Transaktion IW41 – Einzelrückmeldung

Aus der Einzelzeitrückmeldung heraus können Sie in die Erfassung weiterer Daten springen (z. B. Warenentnahmen oder Messbelege).

Sammelzeitrückmeldung

Mithilfe der Sammelzeitrückmeldung (siehe Abbildung 5.64) können Sie für mehrere Vorgänge und Aufträge Zeiten zurückmelden. Die Sammelzeitrückmeldung gibt es mit vorgeschalteter (Transaktion IW48) oder ohne vorgeschaltete Selektionsmöglichkeit (Transaktion IW44).

Rückmeldung zum IH-Auftrag : Sammelrückmeldung

Istdaten kompl. Mehr

Vorschlagswerte

-->	Rückmeldung	Auftrag	Vor...	UVrg	K...	S...	Istarbeit	Eh.	E	A	K	ArbPlatz	Werk	LArt	B...	BuchDatum

Rückmeldungen

Ä...	Rückmeldung	Auftrag	Vor...	UVrg	K...	S...	Istarbeit	Eh.	E	A	K	ArbPlatz	Werk	LArt	B...	BuchDatum
✓	3804	4000124	0010				1,5	STD				ME	HD00	MLABOR		10.06.2019
✓	3805	4000124	0020				2,75	STD				ME	HD00	MLABOR		10.06.2019
✓	3806	4000124	0030				0,5	STD				ME	HD00	MLABOR		10.06.2019
✓	3807	4000125	0010				2,0	STD				ME	HD00	MLABOR		10.06.2019
✓	3808	4000126	0010				1,5	STD				ME	HD00	MLABOR		10.06.2019
✓	3809	4000127	0010				2,75	STD				ME	HD00	MLABOR		10.06.2019
✓	3810	4000128	0010				3,0	STD				ME	HD00	MLABOR		10.06.2019
✓	3811	4000129	0010				1,25	STD				ME	HD00	MLABOR		10.06.2019

Abbildung 5.64 Transaktionen IW44 und IW48 – Sammelrückmeldung

CATS

CATS (Cross-Application Time Sheet) ist eine Applikation, mit deren Hilfe Sie mehrere personenbezogene Ist-Zeiten erfassen können. Diese Applikation steht Ihnen nicht nur in der Instandhaltung, sondern auch in anderen Anwendungsbereichen (z. B. Personalwesen oder Produktion) zur Verfügung.

Voraussetzung für die Nutzung dieser Funktion ist die Definition von Erfassungsprofilen, die Sie mithilfe der Customizing-Funktion **Erfassungsprofile einrichten** einstellen. In den Erfassungsprofilen definieren Sie z. B., ob eine separate Freigabe und Genehmigung der erfassten Ist-Zeiten notwendig sein soll, für wie viele Perioden gleichzeitig die Zeiten erfasst werden können oder ob Summenzeilen pro Vorgang und Tag ausgewiesen werden sollen. Der CATS-Prozess besteht aus den folgenden Schritten (siehe Abbildung 5.65):

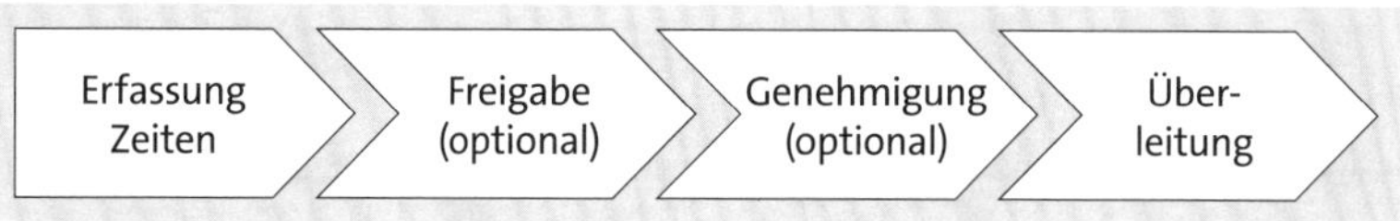

Abbildung 5.65 CATS-Prozess

1. Zeitdatenerfassung im Erfassungsblatt (Transaktion CAT2, (siehe Abbildung 5.66)
2. Freigabe der Zeitdaten (optional, Transaktion CAT2, abhängig vom Erfassungsprofil)

3. Genehmigung der Zeitdaten (optional, Transaktion CATS_APPR_LITE, abhängig vom Erfassungsprofil)
4. Überleitung der CATS-Daten in die Zielanwendung, in unserem Fall also in die Instandhaltung (Transaktion CAT9)

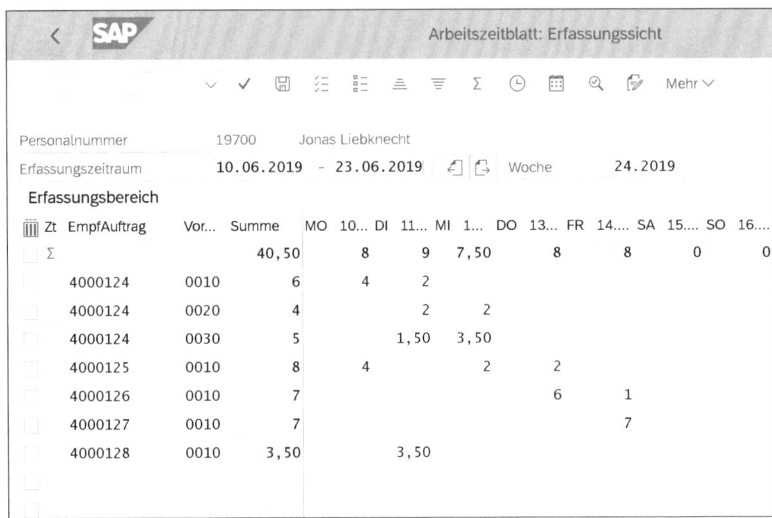

Zt	EmpfAuftrag	Vor...	Summe	MO 10...	DI 11...	MI 1...	DO 13...	FR 14....	SA 15....	SO 16....
Σ			40,50	8	9	7,50	8	8	0	0
	4000124	0010	6	4	2					
	4000124	0020	4		2	2				
	4000124	0030	5		1,50	3,50				
	4000125	0010	8	4		2	2			
	4000126	0010	7				6	1		
	4000127	0010	7					7		
	4000128	0010	3,50		3,50					

Abbildung 5.66 Zeiterfassung in CATS

Gesamtrückmeldung

Mithilfe der Gesamtrückmeldung (Transaktion IW42) können Sie nicht nur Zeiten für mehrere Vorgänge eines Auftrags, sondern auch Materialentnahmen, Zählerstände, Schadensursachen, Messwerte und Meldungspositionen erfassen (siehe Abbildung 5.67).

Voraussetzung für die Durchführung der Gesamtrückmeldung ist die Definition von Erfassungsprofilen mithilfe der Customizing-Funktion **Bildschirmmasken für die Rückmeldung einstellen** und dass Sie sich ein Erfassungsprofil zugeordnet haben (Transaktion IW42, Funktion **Mehr • Zusätze • Einstellungen**).

Vorteil der Gesamtrückmeldung

Als besonderer Vorteil gegenüber den anderen Rückmeldeverfahren hat sich bei der Gesamtrückmeldung (Transaktion IW42) in der Praxis herauskristallisiert, dass Sie neben der Erfassung der Ist-Daten den Auftrag auch gleich technisch abschließen können.

Die Erfassung von Meldungspositionen und Schadensursachen war schon der Übergang von der reinen Zeitrückmeldung zur technischen Rückmeldung.

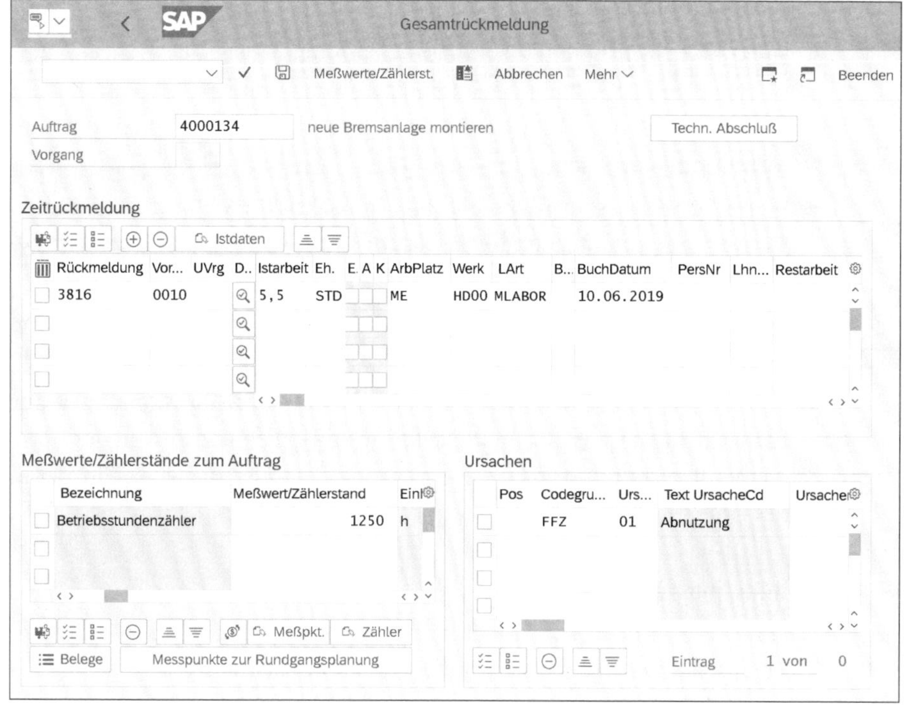

Abbildung 5.67 Transaktion IW42 – Gesamtrückmeldung

Technische Rückmeldungen

Definition Technische Rückmeldungen führen Sie auf der Ebene der Meldungen durch und erfassen dabei Informationen wie Schadenscode, Schadensursache, Ausfallzeiten, Aktionen, Maßnahmen oder Anlagenverfügbarkeiten.

Erfassung Abbildung 5.68 zeigt eine Übersicht über die Möglichkeiten zur Erfassung einer technischen Rückmeldung.

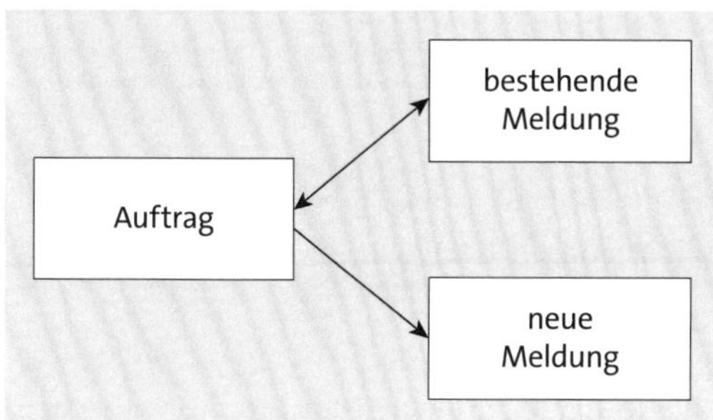

Abbildung 5.68 Technische Rückmeldung

Dies bedeutet im Einzelnen:

- Falls der Auftrag bereits eine Meldung beinhaltet, weil er z. B. aus ihr hervorgegangen ist, können Sie aus dem Auftrag (Transaktion IW32, Button [Meldung 10000066]) direkt in die Meldung springen und dort die Informationen erfassen.
- Wenn Sie die Gesamtrückmeldung (Transaktion IW42) nutzen, können Sie dort ein entsprechendes Erfassungsprofil verwenden bzw. definieren, um dort Meldungsdaten zu erfassen.
- Auch können Sie die Informationen direkt in der Meldung (Transaktion IW22) erfassen.
- Wenn der Auftrag noch nicht über eine Meldung verfügt, können Sie aus dem Auftrag heraus eine neue Meldung anlegen, entweder auf der Kopfebene über den Button [Meldung] oder für jeden Eintrag in der Objektliste über den Button [ ].

Technischer Abschluss

Konsequenzen des technischen Abschlusses

Nachdem der Auftrag abgearbeitet worden ist, schließen Sie ihn noch technisch ab. Hieraus ergeben sich die folgenden Konsequenzen:

- Der Auftrag erhält den Status TABG (technisch abgeschlossen).
- Bestellanforderungen, die noch nicht in Bestellungen überführt wurden, erhalten das Löschkennzeichen.
- Bestellungen können Sie noch abwickeln und Wareneingänge bzw. Rechnungseingänge erfassen.
- Zeitrückmeldungen können Sie noch erfassen.
- Nicht ausgefasste Reservierungen werden gelöscht.
- Offene Kapazitätsbelastungen werden abgebaut bzw. Kapazitäten freigegeben.

[!]

Auftrag und Meldung gemeinsam abschließen

Gleichzeitig mit dem technischen Abschluss des Auftrags können Sie die Meldungen abschließen. Wenn Sie dies nicht tun, müssen Sie die Meldungen separat abschließen.

Vorgehensweise

Ihnen stehen mehrere Möglichkeiten dazu offen, wie Sie Ihre Aufträge technisch abschließen können:

- Wenn Sie die Gesamtrückmeldung (Transaktion IW42) nutzen, können Sie den Auftrag von dort aus über den Button Techn. Abschluß gleichzeitig mit der Zeitrückmeldung technisch abschließen.
- Ansonsten können Sie einen einzelnen Auftrag (Transaktion IW32) über den Button technisch abschließen.
- Aus der Listbearbeitung (Transaktion IW38) heraus können Sie auch mehrere Aufträge gleichzeitig technisch abschließen, indem Sie die Aufträge zunächst markieren und anschließend den Menüpfad **Mehr • Auftrag • Abschluss • Technisch abschliessen** wählen oder dort den Button nutzen.

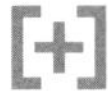

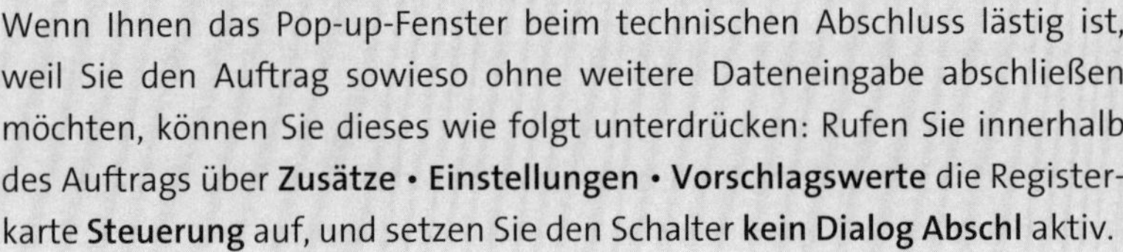

Technischen Abschluss vereinfachen

Wenn Ihnen das Pop-up-Fenster beim technischen Abschluss lästig ist, weil Sie den Auftrag sowieso ohne weitere Dateneingabe abschließen möchten, können Sie dieses wie folgt unterdrücken: Rufen Sie innerhalb des Auftrags über **Zusätze • Einstellungen • Vorschlagswerte** die Registerkarte **Steuerung** auf, und setzen Sie den Schalter **kein Dialog Abschl** aktiv.

Technischen Abschluss zurücknehmen

Sollten Sie einen Auftrag irrtümlicherweise abgeschlossen haben, können Sie den technischen Abschluss auch wieder zurücknehmen. Rufen Sie hierzu innerhalb des Auftrags (Transaktion IW32) die Funktion **Mehr • Auftrag • Funktionen • Abschliessen • Technischen Abschluss zurücknehmen** auf.

Wenn Sie die Business Function LOG_EAM_CI_7 aktiviert haben, können Sie mit der Transaktion IW38 auch für mehrere Aufträge gleichzeitig den technischen Abschluss zurücknehmen. Markieren Sie hierzu in der IW38-Liste die Aufträge, und wählen Sie im Kontextmenü **Mehr • Auftrag • Abschluss • Technischen Abschluss zurücknehmen**.

Auf diese Weise wird der Auftrag wieder genau in den Zustand versetzt, in dem er sich vor dem technischen Abschluss befand:

- Die Löschkennzeichen in der Bestellanforderung werden zurückgenommen.
- Die Kapazitätsbelastungen werden wieder aufgebaut.
- Die Reservierungen werden wieder wirksam gesetzt.
- Der Auftrag erhält den Status **freigegeben**.

Hatten Sie beim technischen Abschluss des Auftrags die Meldung(en) mitabgeschlossen, bleiben diese durch die Rücknahme des Auftragsabschlusses unberührt. Die Meldungen bleiben also abgeschlossen, können aber separat wieder in Arbeit gesetzt werden.

Ist der Auftrag technisch abgeschlossen und sind alle dazugehörigen Kostenbuchungen erfasst worden, können Sie den Auftrag auch kaufmännisch abschließen.

Auftragsdruck nach technischem Abschluss

Lange Zeit konnten im SAP-System die Aufträge nur bis zum technischen Abschluss gedruckt werden. Es mag jedoch Gründe geben, warum Sie einzelne Auftragspapiere oder den ganzen Satz auch nach dem technischen Abschluss noch drucken möchten, z. B. weil Sie eine Auftragszusammenfassung in schriftlicher Form benötigen oder weil Sie Ihre Ablage vervollständigen wollen.

Hierzu steht Ihnen die Business Function LOG_EAM_CI_7 zur Verfügung. Aktivieren Sie in der Customizing-Funktion **Drucker festlegen** in der benutzerspezifischen Drucksteuerung die Funktion **Druck nach Abschluss erlaubt**.

Die eigentliche Druckfunktion entspricht dann der normalen Druckfunktion bei einem freigegebenen Auftrag (siehe den Abschnitt »Auftragsdruck«).

Kaufmännischer Abschluss

Definition

Ähnlich wie der technische Abschluss erfolgt der kaufmännische Abschluss durch Setzen eines Status (ABGS). Wenn Sie den kaufmännischen Abschluss ausgeführt haben, kann der Auftrag mit keiner Kostenbuchung mehr belastet werden.

Voraussetzungen

Die folgenden Voraussetzungen müssen erfüllt sein, damit Sie einen Auftrag kaufmännisch abschließen können:

- Der Auftrag muss technisch abgeschlossen sein (Status TABG).
- Der Auftrag ist abgerechnet und hat den Ist-Kostensaldo 0.
- Der Auftrag beinhaltet keine offene Bestellung mehr.
- Der Auftrag erwartet auch sonst keine Kostenbuchungen mehr.

Vorgehensweise

Zur Durchführung des kaufmännischen Abschlusses haben Sie die folgenden Optionen:

- Abschließen eines einzelnen Auftrags innerhalb der Auftragsbearbeitung (Transaktion IW32) über den Button [Kaufm. abschließen].
- Gleichzeitiges Abschließen von mehreren Aufträgen aus der Listbearbeitung (Transaktion IW38) heraus durch Markieren der Aufträge und Wahl des Menüpfades **Mehr • Auftrag • Abschluss • Kaufmännisch abschliessen**.

Kaufmännischen Abschluss zurücknehmen

Sollten Sie einen Auftrag irrtümlicherweise kaufmännisch abgeschlossen haben oder kommt noch eine zu erfassende Nachbelastung (z. B. eine Rechnung), können Sie einen kaufmännischen Abschluss auch wieder zurücknehmen. Rufen Sie hierzu innerhalb des Auftrags (Transaktion IW32) die Funktion **Mehr • Auftrag • Funktionen • Abschliessen • Kaufmännischen Abschluss zurücknehmen** auf. Damit kann wieder auf den Auftrag gebucht werden, und Sie können die Nachbelastung erfassen.

Wenn Sie die Business Function LOG_EAM_CI_7 aktiviert haben, können Sie mit der Transaktion IW38 auch für mehrere Aufträge gleichzeitig den technischen Abschluss zurücknehmen. Markieren Sie hierzu in der IW38-Liste die Aufträge, und wählen Sie im Kontextmenü **Mehr • Auftrag • Abschluss • kaufmännischen Abschluss zurücknehmen**.

Belegfluss

Ein wichtiges und von den Anwendern gern genutztes Hilfsmittel ist der Belegfluss. Der Belegfluss zeigt Ihnen sämtliche Belege, die während der Meldungs- und Auftragsabwicklung erzeugt wurden (siehe Abbildung 5.69).

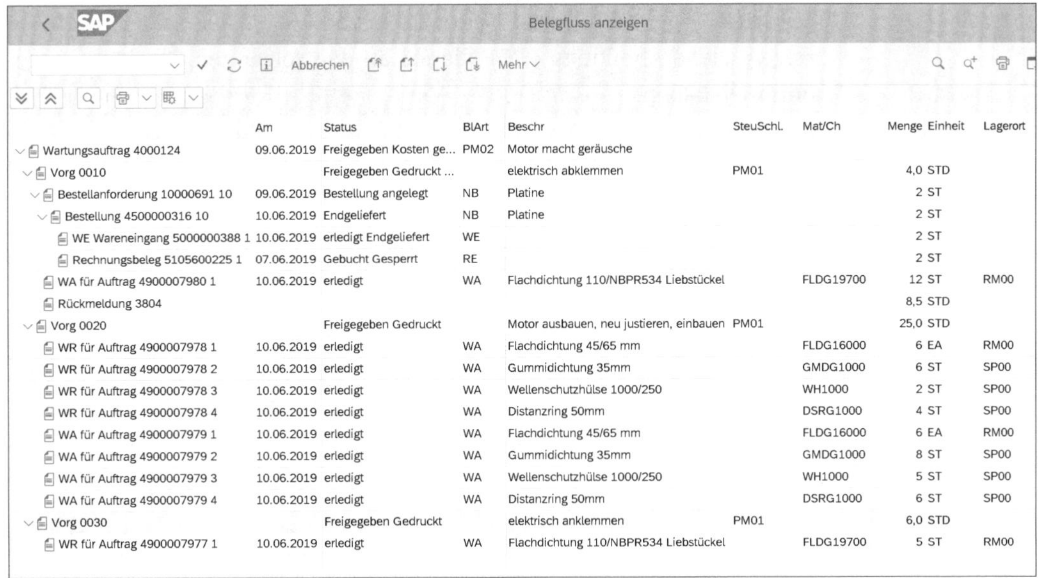

	Am	Status	BlArt	Beschr	SteuSchl.	Mat/Ch	Menge	Einheit	Lagerort
Wartungsauftrag 4000124	09.06.2019	Freigegeben Kosten ge...	PM02	Motor macht geräusche					
Vorg 0010		Freigegeben Gedruckt ...		elektrisch abklemmen	PM01		4,0	STD	
Bestellanforderung 10000691 10	09.06.2019	Bestellung angelegt	NB	Platine			2	ST	
Bestellung 4500000316 10	10.06.2019	Endgeliefert	NB	Platine			2	ST	
WE Wareneingang 5000000388 1	10.06.2019	erledigt Endgeliefert	WE				2	ST	
Rechnungsbeleg 5105600225 1	07.06.2019	Gebucht Gesperrt	RE				2	ST	
WA für Auftrag 4900007980 1	10.06.2019	erledigt	WA	Flachdichtung 110/NBPR534 Liebstückel		FLDG19700	12	ST	RM00
Rückmeldung 3804							8,5	STD	
Vorg 0020		Freigegeben Gedruckt		Motor ausbauen, neu justieren, einbauen	PM01		25,0	STD	
WR für Auftrag 4900007978 1	10.06.2019	erledigt	WA	Flachdichtung 45/65 mm		FLDG16000	6	EA	RM00
WR für Auftrag 4900007978 2	10.06.2019	erledigt	WA	Gummidichtung 35mm		GMDG1000	6	ST	SP00
WR für Auftrag 4900007978 3	10.06.2019	erledigt	WA	Wellenschutzhülse 1000/250		WH1000	2	ST	SP00
WR für Auftrag 4900007978 4	10.06.2019	erledigt	WA	Distanzring 50mm		DSRG1000	4	ST	SP00
WA für Auftrag 4900007979 1	10.06.2019	erledigt	WA	Flachdichtung 45/65 mm		FLDG16000	6	EA	RM00
WA für Auftrag 4900007979 2	10.06.2019	erledigt	WA	Gummidichtung 35mm		GMDG1000	8	ST	SP00
WA für Auftrag 4900007979 3	10.06.2019	erledigt	WA	Wellenschutzhülse 1000/250		WH1000	5	ST	SP00
WA für Auftrag 4900007979 4	10.06.2019	erledigt	WA	Distanzring 50mm		DSRG1000	6	ST	SP00
Vorg 0030		Freigegeben Gedruckt		elektrisch anklemmen	PM01		6,0	STD	
WR für Auftrag 4900007977 1	10.06.2019	erledigt	WA	Flachdichtung 110/NBPR534 Liebstückel		FLDG19700	5	ST	RM00

Abbildung 5.69 Belegfluss

- Meldungen
- Bestellanforderungen
- Bestellungen
- Warenentnahmen

- Rückmeldungen
- Wareneingänge
- Rechnungseingänge
- Leistungserfassungsblätter

Den Belegfluss können Sie jederzeit aufrufen, und zwar über den Button [icon]. Mithilfe der Feldauswahl können Sie außerdem festlegen, zu welchen Belegen Sie welche Felder anzeigen lassen möchten.

- Um einen Beleg im Detail anzuzeigen, führen Sie einen Doppelklick auf die Belegnummer aus.
- Um diesen erweiterten Belegfluss nutzen können, ist die Aktivierung der Business Function LOG_EAM_CI_6 Voraussetzung.
- Ansonsten steht Ihnen lediglich der vereinfachte Belegfluss ohne Rechnungseingänge und ohne Feldauswahl zur Verfügung.

Action-Log

Eine weitere Funktion, die von den Anwendern sehr gerne genutzt wird, ist das Action-Log. Mithilfe des Action-Logs können Sie alle Änderungen anzeigen (siehe Abbildung 5.70), die Sie an den folgenden Objekten vorgenommen haben:

- Auftragskopf
- Status
- Vorgänge
- Materialien
- FHM

Zu welchen Objekten Sie Änderungsbelege erzeugen möchten, definieren Sie über die Customizing-Funktion **Änderungsbelege, Sammel-Banf, Disporelevanz definieren**. Sie rufen das Action-Log über das Menü innerhalb des Auftrags auf (**Mehr • Zusätze • Belege zum Auftrag • Actionlog**).

Beispielprozesse im Web

Auf der E-Learning-Plattform unter *http://saptraining.fh-wuerzburg.de* erreichen Sie über den Menüpfad **SAP ERP • Instandhaltung Prozesse • Instandhaltung Prozesse @-learning SAP starten • Instandhaltung • 4. Geplante Instandhaltung • 4.5 Abschluss von Aufträgen** alle Teilgeschäftsprozesse zum Auftragsabschluss (Zeitrückmeldung, technische Rückmeldung, technischer Abschluss).

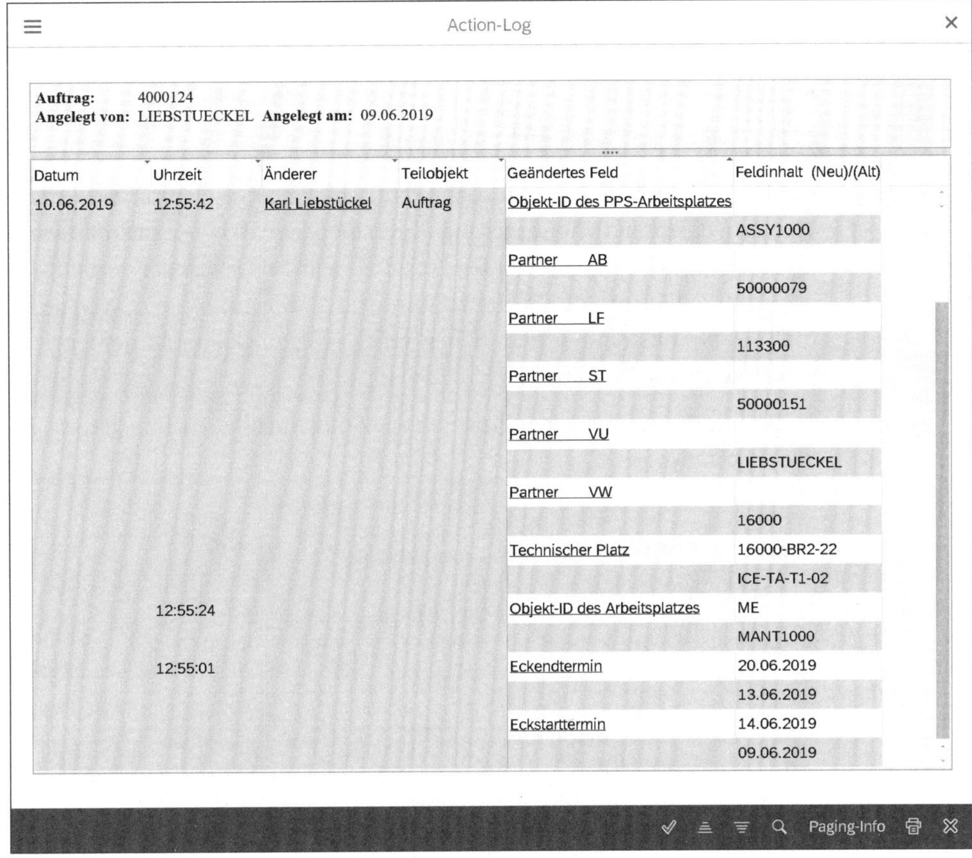
Action-Log

Auftrag: 4000124
Angelegt von: LIEBSTUECKEL Angelegt am: 09.06.2019

Datum	Uhrzeit	Änderer	Teilobjekt	Geändertes Feld	Feldinhalt (Neu)/(Alt)
10.06.2019	12:55:42	Karl Liebstückel	Auftrag	Objekt-ID des PPS-Arbeitsplatzes	
					ASSY1000
				Partner AB	
					50000079
				Partner LF	
					113300
				Partner ST	
					50000151
				Partner VU	
					LIEBSTUECKEL
				Partner VW	
					16000
				Technischer Platz	16000-BR2-22
					ICE-TA-T1-02
	12:55:24			Objekt-ID des Arbeitsplatzes	ME
					MANT1000
	12:55:01			Eckendtermin	20.06.2019
					13.06.2019
				Eckstarttermin	14.06.2019
					09.06.2019

Paging-Info

Abbildung 5.70 Action-Log

Damit habe ich Ihnen die wichtigsten Funktionen erläutert, die Ihnen das SAP-System bei der Abwicklung und Bearbeitung von Aufträgen zur Verfügung stellt.

5.3 Der Geschäftsprozess »Sofortinstandsetzung«

Nicht planbar, nicht vorhersehbar

Der Geschäftsprozess der Sofortinstandsetzung zeichnet sich dadurch aus, dass er im Voraus nicht bekannt ist und dass eine Planung der Ressourcen (Arbeitsplätze, Materialien, Fremdfirmen usw.) nicht stattfindet. Denn man kann und muss auf einen Geschäftsvorfall (z. B. eine Störung) möglichst schnell reagieren. Ein Geschäftsprozess der Sofortinstandsetzung ergibt sich z. B. in den folgenden Fällen:

- Eine Pumpe fällt aus.
- Ein Gabelstapler bleibt unterwegs liegen.

- Ein Aufzug bleibt in einem Gebäude stecken.
- Ein geschlossenes Ventil lässt sich nicht mehr öffnen.
- Ein Messmittel, wie z. B. eine Waage, zeigt nichts mehr an.
- Ein Roboterarm fährt nicht mehr aus.

Abgrenzung

Der Prozess der Sofortinstandsetzung unterscheidet sich somit zum einen von der geplanten Instandsetzung durch die Planbarkeit – es kann nur reagiert, aber nicht geplant werden – und zum anderen von der vorbeugenden Instandhaltung durch die terminliche Vorbestimmtheit: Wartungs- und Inspektionsmaßnahmen haben regelmäßige Zyklen und demzufolge wiederkehrende Termine.

Ablauf

Abbildung 5.71 zeigt, wie der Prozess einer Sofortinstandsetzung in etwa ablaufen könnte.

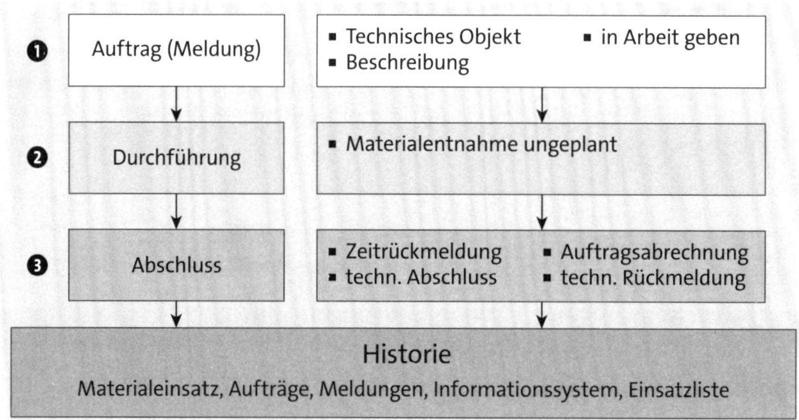

Abbildung 5.71 Sofortinstandsetzung

Der fünfstufige Zyklus einer planbaren Instandhaltungsabwicklung wird bei der Sofortinstandsetzung zu einem dreistufigen Zyklus zusammengefasst.

1. **Auftragseröffnung**
   Den Ausgangspunkt bildet im ersten Schritt die Eröffnung eines Auftrags ❶ (eventuell mit Daten zur Meldung) zu einem Schaden oder zu einer Störung. Dieser Auftrag wird nicht geplant, sondern gleich zur Abarbeitung freigegeben, und eventuell benötigte Auftragspapiere werden ausgedruckt.
2. **Abwicklung**
   Die Abwicklungsphase ❷ beinhaltet die Entnahme der Ersatzteile aus dem Lager und die eigentliche Abarbeitung des Auftrags.

3. **Abschluss**
   Nach Beendigung der Arbeiten werden beim Auftragsabschluss ❸ die benötigten Ist-Zeiten zurückgemeldet; daneben werden technische Rückmeldungen über die Abarbeitung des Schadens und den Zustand der Anlage erfasst. Vom Controlling wird der Auftrag schließlich abgerechnet.

Auftrag eröffnen (mit Meldung) und Abschluss

Bei diesem Geschäftsprozess ist es wichtig, dass der Instandsetzungsauftrag möglichst schnell eingerichtet wird und die benötigten Auftragspapiere möglichst schnell ausgedruckt werden, damit der Techniker mit den Instandsetzungsarbeiten beginnen kann.

Einfache Auftragssicht

Die in Abbildung 5.2 am Anfang des Kapitels gezeigte Struktur mit allen Daten eines Auftrags schlägt sich im Layout einer voll ausgeprägten Auftragsart wie in Abbildung 5.21 nieder. Die Auftragsart besteht aus zehn Registerkarten mit bis zu vier Bildbereichen auf einer Registerkarte. Dies ist für die Schnellerfassung eines Auftrags zu umfangreich und zu verwirrend.

[!]

Einfaches Auftragslayout festlegen

Eine der wichtigsten Funktionen im Zusammenhang mit einer Sofortinstandsetzung ist es, pro Auftragsart ein eigenes Bildschirmlayout, in diesem Fall ein möglichst einfaches, festzulegen: am besten nur eine einzige Registerkarte mit wenigen Eingabefeldern. Dies erreichen Sie über die Customizing-Funktion **Einfache Auftragssicht**.

Dort können Sie mithilfe der Customizing-Funktion **Sichtenprofile definieren** die Registerkarten nach eigenen Bedürfnissen zusammenstellen und über die Customizing-Funktion **Sichtenprofile Auftragsarten zuordnen** Ihren Auftragsarten zuordnen.

Meldungs- und Auftragsintegration

Darüber hinaus haben Sie die Möglichkeit, mit dem Einrichten eines Auftrags auch gleich eine Meldung mitanzulegen – vorausgesetzt, Sie aktivieren für eine Auftragsart im Customizing die integrierte Erfassung von Auftrags- und Meldungsdaten. Dies tun Sie über die Customizing-Funktion **Meldungs- und Auftragsintegration definieren**.

[!]

Meldungs- und Auftragsdaten in nur einer Maske erfassen

Mithilfe der Customizing-Funktion **Meldungs- und Auftragsintegration definieren** können Sie erreichen, dass Sie Auftrags- und Meldungsdaten auf nur einem Bildschirmbild erfassen können.

Ein für eine Sofortinstandsetzung geeignetes reduziertes Layout könnte deshalb z. B. so wie in Abbildung 5.72 aussehen: Die Registerkarte mit den Auftragskopfdaten beinhaltet gleichzeitig Meldungsdaten und die Möglichkeit, Ersatzteile zuzuordnen.

Die Erfassung des Auftrags schließen Sie mithilfe der Funktion **In Arbeit geben** ab (Button), denn hierüber geben Sie den Auftrag sofort frei und erzeugen gleichzeitig die Auftragspapiere.

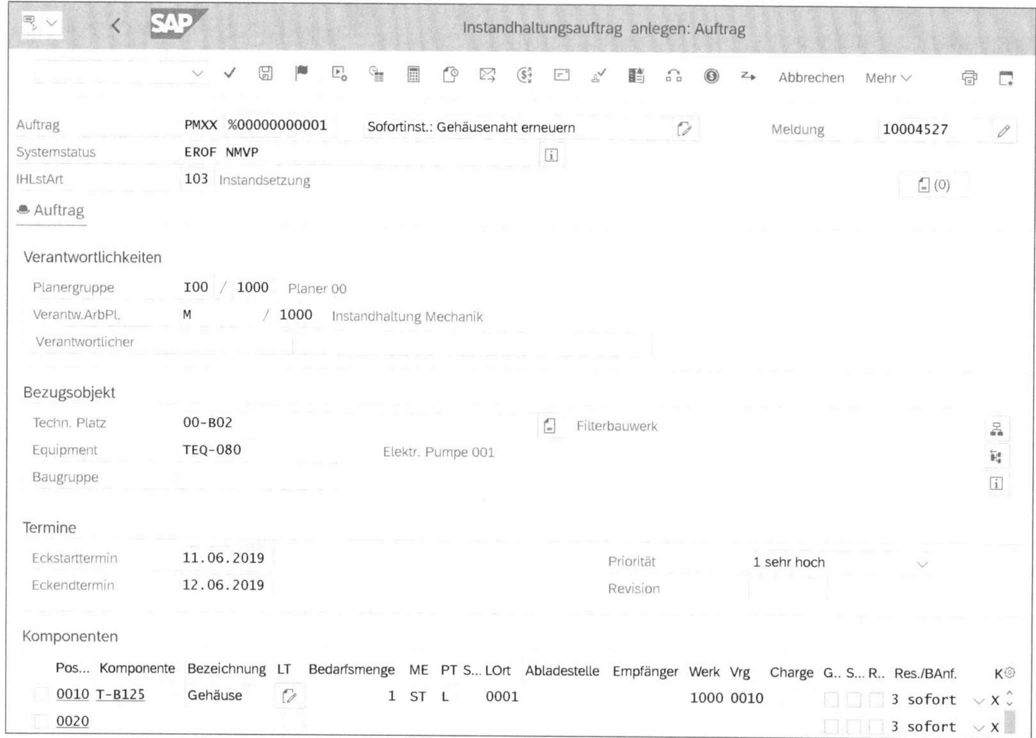

Abbildung 5.72 Auftrag mit Meldung und Ersatzteil

Abschluss

Für den Auftragsabschluss ist bei der Sofortinstandsetzung die Verwendung der Gesamtrückmeldung (siehe Abbildung 5.73) empfehlenswert, denn hier können Sie nicht nur die Ist-Zeiten, sondern auch die ungeplant entnommenen Materialien und die technischen Daten erfassen. Darüber hinaus können Sie Auftrag und Meldung direkt von dort aus abschließen.

Nun müssen Sie noch die Funktionen der Auftragsabrechnung und des kaufmännischen Abschlusses durchführen.

Damit ist der Geschäftsprozess einer Sofortinstandsetzung komplett abgewickelt und die Informationen in nur zwei Schritten (Auftragseröffnung, Abschluss) und mit wenig Zeitaufwand im SAP-System erfasst.

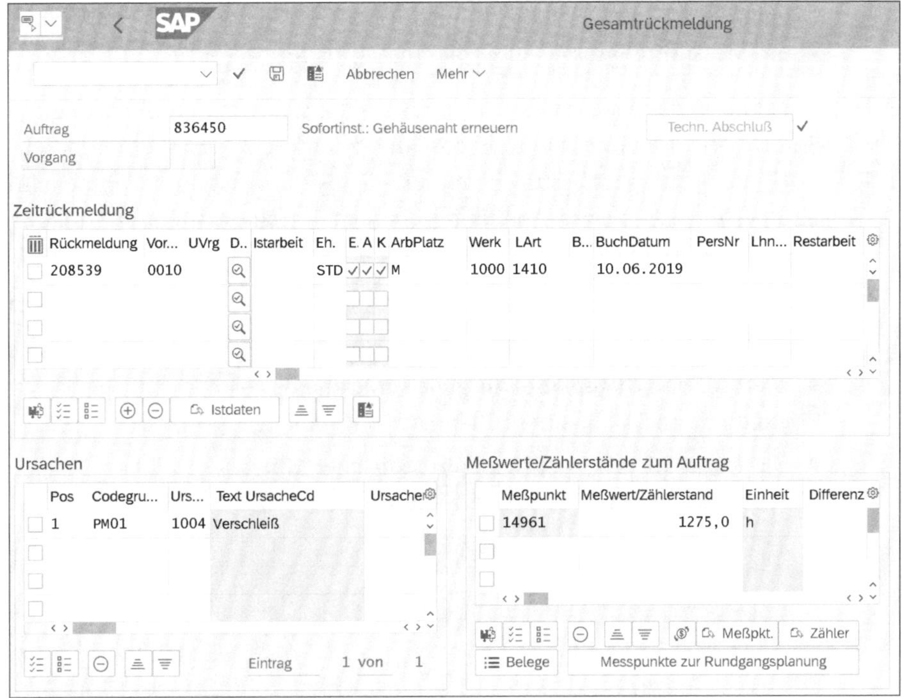

Abbildung 5.73 Gesamtrückmeldung mit technischem Abschluss

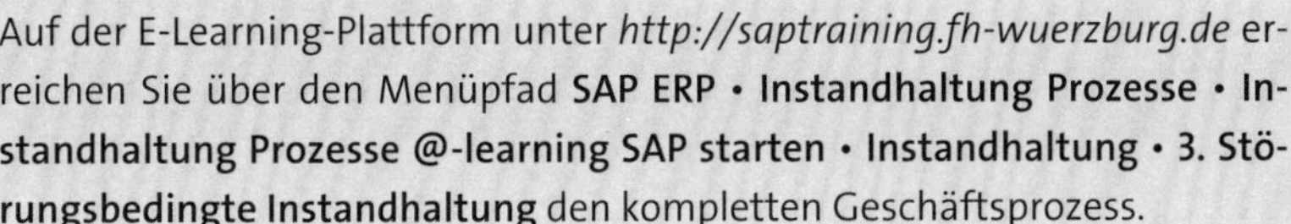

Beispielprozesse im Web

Auf der E-Learning-Plattform unter *http://saptraining.fh-wuerzburg.de* erreichen Sie über den Menüpfad **SAP ERP • Instandhaltung Prozesse • Instandhaltung Prozesse @-learning SAP starten • Instandhaltung • 3. Störungsbedingte Instandhaltung** den kompletten Geschäftsprozess.

Sonderfall: »Nacherfassung«

Nicht geplant, nicht vorhergesehen, schon durchgeführt

Eine Abwandlung des Geschäftsprozesses *Sofortinstandsetzung* ist der Geschäftsprozess *Nacherfassung*. Dieser zeichnet sich dadurch aus, dass zum Zeitpunkt der Auftragserfassung im SAP-System bereits die Auftragsbearbeitung stattgefunden hat. Ein derartiger Geschäftsprozess liegt z. B. in den folgenden Fällen vor:

- Eine Pumpe wurde wieder in Gang gesetzt.
- Ein liegen gebliebener Gabelstapler wurde fahrbar gemacht.
- An einer Prozessanlage wurde die Sicherung von Steuerelementen ausgetauscht.

- In einem Gebäude wurde eine klemmende Schiebetür gangbar gemacht.
- Ein Messmittel musste außerplanmäßig justiert werden.

Arbeit schon erledigt

Der Prozess der Nacherfassung unterscheidet sich von dem Prozess einer Sofortinstandsetzung dadurch, dass die Instandsetzungsarbeit zum Zeitpunkt der Auftragserfassung bereits erledigt ist, also erst im Nachhinein im SAP-System erfasst wird. Abbildung 5.74 zeigt die schematische Darstellung der Nacherfassung.

Für die Erfassung bereits durchgeführter Arbeiten gibt es im SAP-System zwei Möglichkeiten:

- Die Funktion **Ungeplante Aufgabe zurückmelden** – steht nur im SAP Business Client zur Verfügung.
- Die Transaktion IW61 (Erfassen Historischer Auftrag) – steht auch im SAP GUI zur Verfügung.

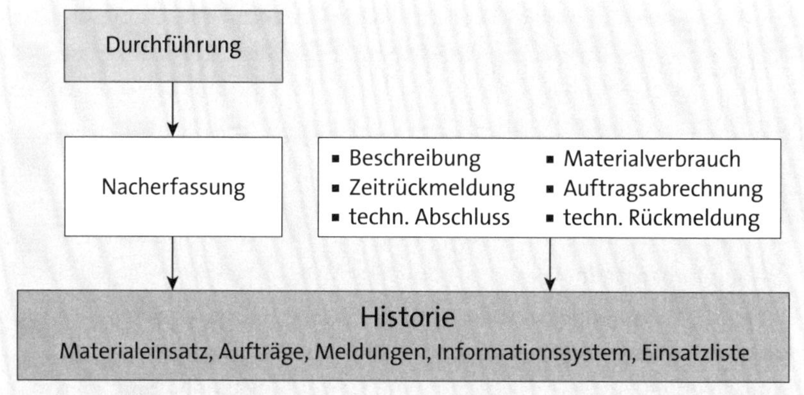

Abbildung 5.74 Nacherfassung

Ungeplante Aufgabe zurückmelden

Mit der Funktion **Ungeplante Aufgabe zurückmelden** können Sie mit dem SAP Business Client einen Auftrag mit allen seinen Ist-Daten im Nachhinein erfassen.

Diese Funktion beinhaltet die folgenden Möglichkeiten (siehe Abbildung 5.75):

- **Auftrag anlegen**
  Sie legen einen Auftrag an und erfassen die Auftragsdaten, wie Bezugsobjekt, Tätigkeit, Ausführungsdatum und Arbeitszeiten.

- **Warenbewegung erfassen**
  Wenn Sie Material verbraucht haben, können Sie dieses ebenfalls erfassen.
- **Messwerte oder Zählerstände erfassen**
  Wenn das technische Objekt über Messpunkte und/oder Zähler verfügt, können Sie die Messwerte und/oder Zählerstände erfassen.
- **Störungsdaten anlegen**
  Meldungsdaten (wie Störungen, Schadens- oder Ursachencodes) können Sie ebenfalls miterfassen.
- **Dokument anhängen**
  Ist bei der Abarbeitung des Auftrags ein Dokument entstanden (z. B. ein Bild oder Messprotokoll), können Sie dieses an die Auftragsrückmeldung anhängen.

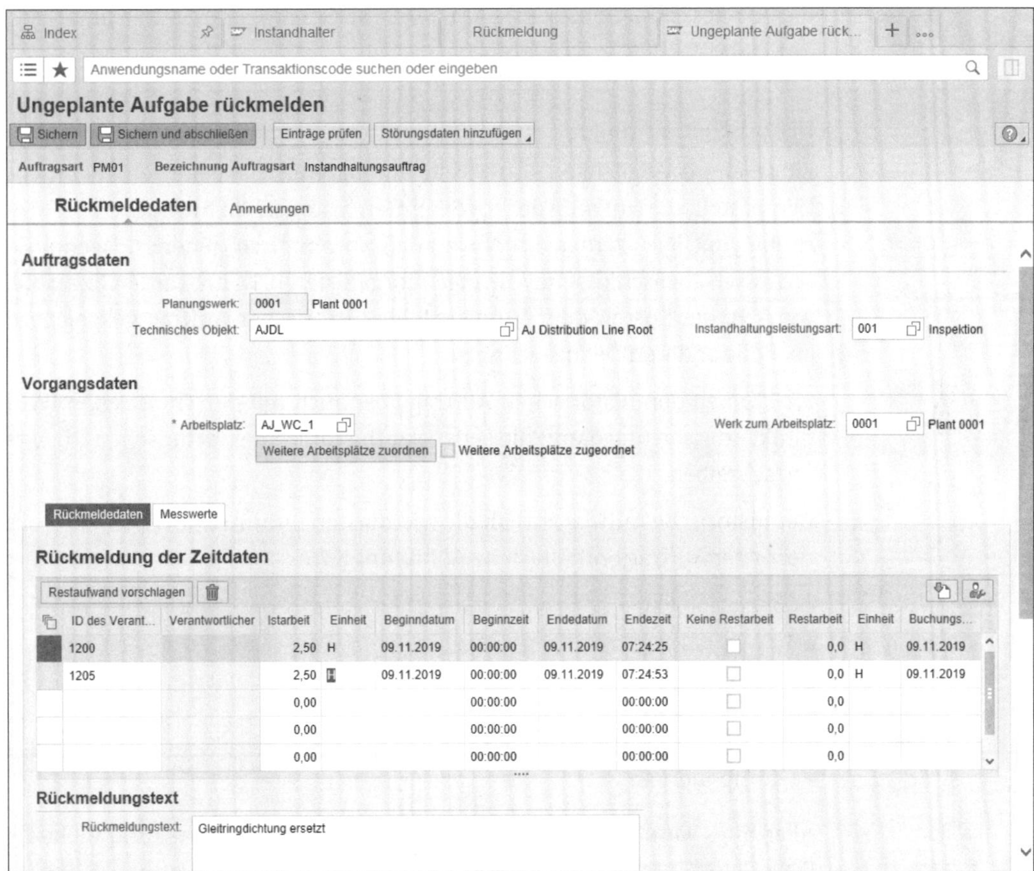

Abbildung 5.75 Ungeplante Aufgabe rückmelden

Technisch läuft beim Sichern im Hintergrund Folgendes ab:

- Es wird ein Auftrag mit oder ohne Meldung eröffnet und freigegeben.
- Für die eingetragenen Ist-Zeiten wird eine Rückmeldung erfasst und der Auftrag endrückgemeldet.
- Gegebenenfalls wird auf den Auftrag eine Materialentnahme gebucht.
- Gegebenenfalls werden Zählerstände und/oder Messwerte hinterlegt.
- Gegebenenfalls wird das Dokument angehängt.
- Der Auftrag wird technisch abgeschlossen.

Den kaufmännischen Abschluss und die Auftragsabrechnung müssen Sie noch durchführen.

Business Functions

Damit Sie eine ungeplante Aufgabe umfassend nutzen können, sollten Sie die Business Functions LOG_EAM_SIMP, LOG_EAM_SIMPLICITY und LOG_EAM_SIMPLICITY_2 aktivieren.

Historischer Auftrag

Eine weitere Möglichkeit, um bereits durchgeführte Arbeiten zu dokumentieren, stellt die Nutzung des sogenannten historischen Auftrags dar. Historische Aufträge werden im Normalfall automatisch generiert, wenn Sie technisch abgeschlossene Aufträge reorganisieren. Dann werden Exzerpte, wie z. B. die Kosten oder Vorgänge, als historischer Auftrag gespeichert, aber alle anderen Details gelöscht.

Sie können den historischen Auftrag aber auch mit der Transaktion IW61 direkt erfassen und damit die Lebenslaufhistorie eines technischen Objekts fortschreiben.

Der historische Auftrag enthält die wichtigsten Informationen, die auch ein normaler Auftrag enthält (siehe Abbildung 5.76):

- Bezugsobjekt
- Vorgänge
- Objektliste
- Partner
- Komponenten

Allerdings werden diese Informationen bereits als Ist-Daten und nicht als Plan-Daten interpretiert. In der Folge erfassen Sie eine Ist-Arbeit (keine Plan-Arbeit), und Sie erfassen auch die Ist-Kosten direkt im Auftrag (keine Schätzkosten, siehe Abbildung 5.77).

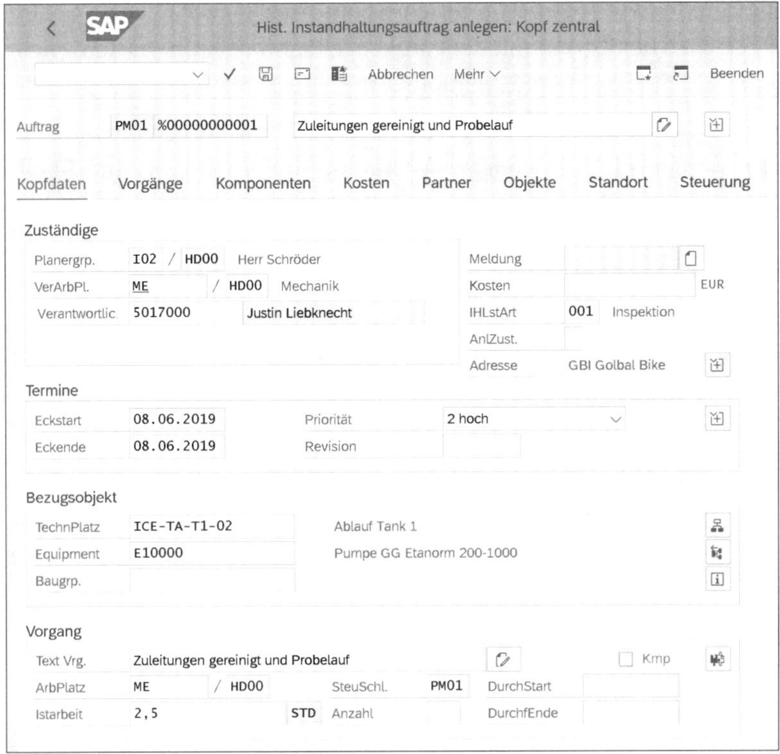

Abbildung 5.76 Historischer Auftrag – Kopfdaten

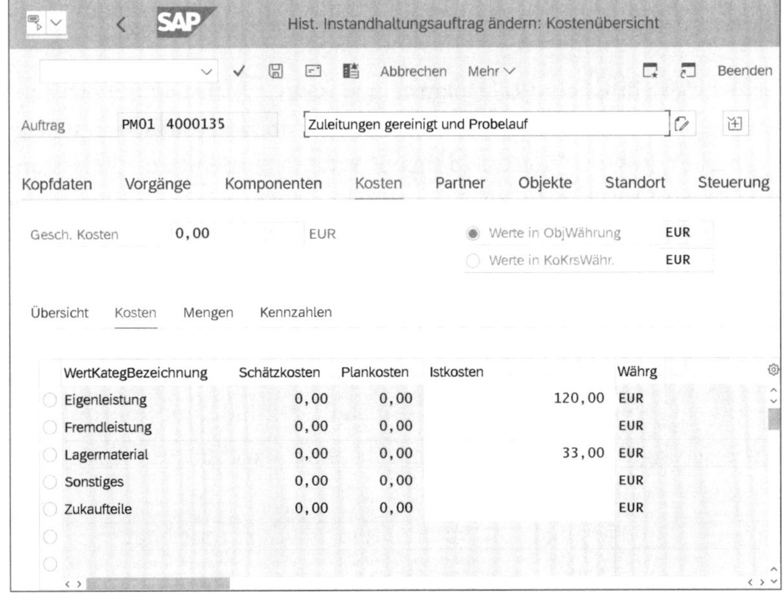

Abbildung 5.77 Historischer Auftrag – Kosten

Alle Daten werden in die Historie des Bezugsobjekts geschrieben und sind einschließlich der Kosten mit dem SAP-Logistikinformationssystem (siehe Abschnitt 7.2.3, »Logistikinformationssystem«) auswertbar.

Aber (und das ist zunächst der große Nachteil dieser Vorgehensweise) die Kosten werden nicht in andere SAP-Applikationen wie Kostenrechnung und Materialwirtschaft gebucht. Dies bedeutet z. B., dass die leistende Kostenstelle nicht entlastet und die Anlagenkostenstelle nicht belastet wird. Wie könnten Sie diesen Nachteil beheben?

Kostenverrechnung von historischen Aufträgen

Legen Sie sich z. B. eine eigene Auftragsart für manuell erfasste historische Aufträge an.

Entwickeln Sie ein Batch-Programm, das diese Aufträge selektiert und eine Kostenverrechnung zwischen zwei Kostenstellen (leistende Kostenstelle des Arbeitsplatzes und empfangende Kostenstelle des technischen Objekts) analog der Dialogtransaktion KB21N vornimmt.

5.4 Schichtnotizen und Schichtberichte

Definition

Schichtnotizen und Schichtberichte verwenden Sie, um Vorkommnisse während einer Schicht zu dokumentieren.

In einer Schichtnotiz hinterlegen Sie Informationen zu einem Ereignis, z. B. in Form von Kommentaren, Zeiten oder Objekten.

Ein Schichtbericht ist ein PDF-Dokument, das ein Schichtverantwortlicher am Ende einer Schicht aus den erfassten Schichtnotizen und anderen Belegen generiert, z. B. aus Rückmeldungen, Materialentnahmen, Zählerständen usw. Wenn ein Schichtbericht unterschrieben werden muss, kann die digitale Signatur zum Einsatz kommen.

Schichtnotiz

Schichtnotizen können beispielweise die folgenden Informationen enthalten:

- allgemeine Hinweise (z. B. Schichtunterbrechung, Stromausfall)
- Dokumentation einer Störung (z. B. Ausfall Drehmaschine von/bis)
- Verbesserungsvorschläge (z. B. Drehzahl einer Maschine um 10 % reduzieren, weil ...)
- Hinweise zum Personal (z. B. Mitarbeiter Huber 1 Stunde eher gegangen, weil ...)

- Hinweise zum Materialeinsatz (z. B. Gehäuse sollte mit einem maximalen Druck von 10 Bar eingespannt werden)
- Anmerkungen zum Werkzeugeinsatz (z. B. Handbohrer 9700 nicht geeignet für Material T-B400)

Schichtnotizen anlegen

Sie legen Schichtnotizen mithilfe der folgenden Transaktionen an:

- Transaktion ISHN1, wenn Sie als Einstiegspunkt einen Bezug zu einem technischen Objekt (Technischer Platz, Equipment) herstellen möchten
- Transaktion SHN1, wenn Sie als Einstiegspunkt einen Bezug zu einem Arbeitsplatz herstellen möchten (siehe Abbildung 5.78)

In einer Schichtnotiz hinterlegen Sie Informationen zum Arbeitsplatz sowie zu Datum und Uhrzeit (von/bis) und Texte.

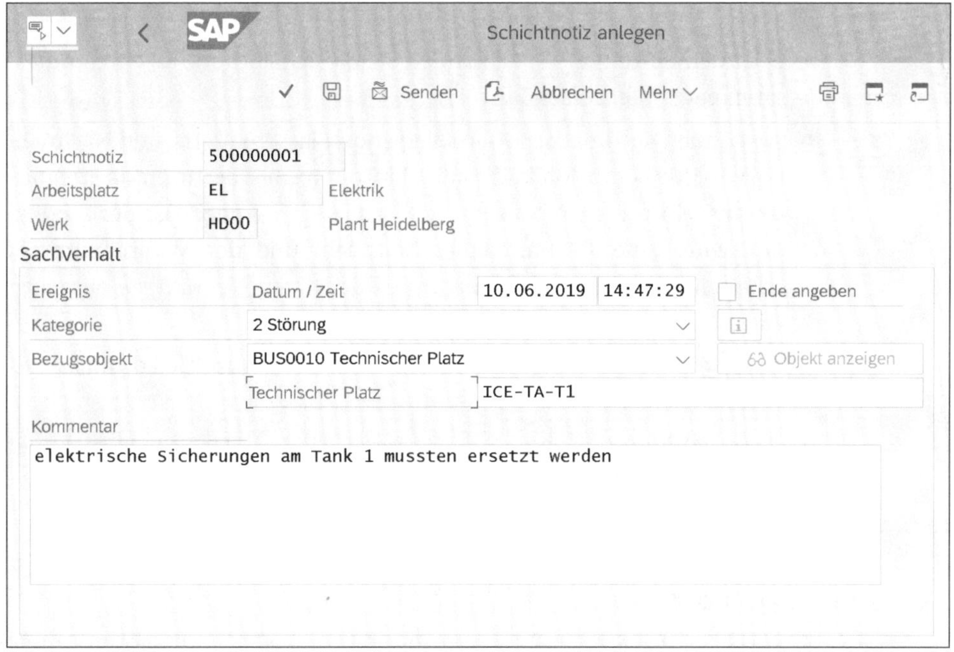

Abbildung 5.78 Transaktion SHN1 – Schichtnotiz

Kategorie

Eine weitere Zuordnung, die Sie vornehmen können, ist die **Kategorie** zu einer Schichtnotiz. Mit dieser definieren Sie, ob es sich bei einer Schichtnotiz um einen allgemeinen Hinweis, eine Störungsmeldung, einen Hinweis zum Personal oder Ähnliches handelt. Die Kategorien können Sie im Customizing selbst festlegen und sie dort über die F4-Hilfe auswählen.

Bezugsobjekt

Auch legen Sie im Customizing fest, auf welche Bezugsobjekte Sie Ihre Schichtnotizen beziehen möchten. Die folgenden Bezugsobjekte stehen zur Auswahl:

- Equipment
- Technischer Platz
- Material
- Fertigungsauftrag
- Prozessauftrag
- Instandhaltungsmeldung
- Qualitätsmeldung
- andere Objekte

Weitere Funktionen

Die Schichtnotiz bietet Ihnen darüber hinaus die folgenden Funktionen:

- Über den Button [Senden] können Sie die Schichtnotiz an einen Adressaten per E-Mail versenden.
- Sie können automatisch Alerts versenden lassen; Alerts sind Nachrichten wie SMS oder E-Mails, die beim Eintreten eines bestimmten Ereignisses ausgelöst werden. So kann z. B. festgelegt werden, dass der Produktionsleiter eine SMS mit einer Nachricht und der Materialnummer erhalten soll, wenn eine Schichtnotiz der Kategorie *Material* ausgelöst wird.
- Über den Button [ ] können Sie die Schichtnotiz als PDF-Formular ausgeben lassen.
- Über den Button [Objekt anzeigen] können Sie sich das Bezugsobjekt der Schichtnotiz (z. B. den Fertigungsauftrag oder das Equipment) anzeigen lassen.
- Über den Objektdienst [ ] können Sie Dokumente an die Schichtnotiz anhängen.
- Wenn Sie sich Schichtnotizen anzeigen lassen oder sie ändern möchten, stehen Ihnen in der [F4]-Hilfe eine Volltextsuche und ein Fuzzy-Modus zur Verfügung.
- Mithilfe der Transaktionen SHN4 und ISHN4 können Sie sich eine Liste mit Schichtnotizen anzeigen lassen.
- Mithilfe der Transaktion SHN5 können Sie sich einen Schichtnotizmonitor anzeigen lassen, mit dem Sie mehrere Arbeitsplätze gleichzeitig überwachen können (siehe Abbildung 5.79).

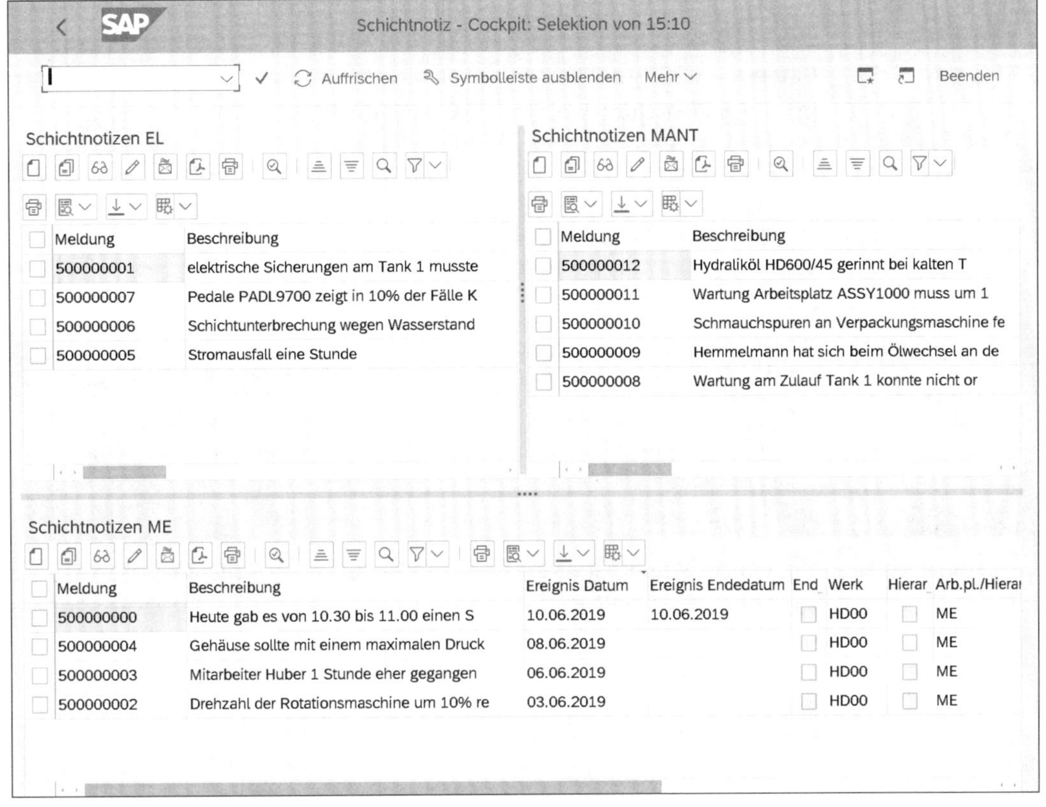

Abbildung 5.79 Transaktion SHN5 – Schichtnotizmonitor

Voraussetzungen

Damit Sie Schichtnotizen so wie eben beschrieben einsetzen können, müssen Sie einige Voraussetzungen schaffen, die das Customizing, den Arbeitsplatz und das technische Objekt (Technischer Platz, Equipment) betreffen.

Customizing

Im Customizing müssen Sie zunächst die folgenden Aktivitäten durchführen:

- Legen Sie eine neue Meldungsart an (z. B. SN). Hierzu verwenden Sie die Customizing-Funktion **Meldungsarten definieren**.
- Geben Sie der Meldungsart mithilfe der Customizing-Funktion **Bildschirmmasken festlegen** ein eigenes Bildschirmlayout. Ordnen Sie dabei mindestens den **Bildbereich 130 Schichtnotiz** zu.
- Nehmen Sie spezifische Einstellungen zur Meldungsart *Schichtnotiz* über die Customizing-Funktion **Einstellungen für Schichtnotizart festlegen** vor. Dort können Sie unter anderem die Kategorie und die Bezugsobjekte zuordnen.

Arbeitsplatz und technisches Objekt

Darüber hinaus müssen Sie in jedem Arbeitsplatz und in jedem technischen Objekt (Technischer Platz, Equipment) in der Bildgruppe **allgemeine Daten** die Schichtnotizart in das Feld **Notizart** und den Schichtberichtstyp in das Feld **Berichtstyp** eintragen (siehe Abbildung 5.80).

Schichtnotizart	SN
Schichtberichtstyp	SR

Abbildung 5.80 Schichtnotizart und Schichtberichtstyp

Schichtnotizen einsetzen

Schichtnotizen bieten Ihnen die einfache Möglichkeit, um zu einem technischen Objekt oder zu einem Arbeitsplatz bestimmte Sachverhalte zu dokumentieren.

Schichtbericht

Ein Schichtbericht ist ein PDF-Dokument, das der Schichtverantwortliche am Ende einer Schicht generiert und das die Übergabe an die nächste Schicht unterstützen soll.

Inhalt

Die folgenden Bestandteile können in einem Schichtbericht enthalten sein:

- Schichtnotizen
- Fertigungsleistungen
- Rückmeldungen
- Warenbewegungen
- Instandhaltungsmeldungen
- Qualitätsmeldungen
- Instandhaltungsaufträge
- Messbelege
- grafische Auswertungen

Schichtberichte anlegen

Sie legen Schichtberichte mithilfe der folgenden Transaktionen an:

- Transaktion ISHR1, wenn Sie als Einstiegspunkt einen Bezug zu einem technischen Objekt (Technischer Platz, Equipment) herstellen möchten.
- Transaktion SHR1, wenn Sie als Einstiegspunkt einen Bezug zu einem Arbeitsplatz herstellen möchten (siehe Abbildung 5.81).

Schichtbericht anzeigen

Entsprechend den eingegebenen Selektionskriterien und den im Customizing hinterlegten Layouteinstellungen wird ein spezifischer Schichtbericht generiert (siehe Abbildung 5.82).

Schichtbericht anlegen

Mehr

Arbeitsplatz ME Mechanik

Auswertungszeitraum

Startdatum 09.06.2019 Startzeit 15:00:00

Endedatum 10.06.2019 Endezeit 15:00:00

Schicht

Schichtverantwortlicher LIEBSTUECKEL Karl Liebstückel

Abbildung 5.81 Transaktion SHR1 – Schichtbericht anlegen

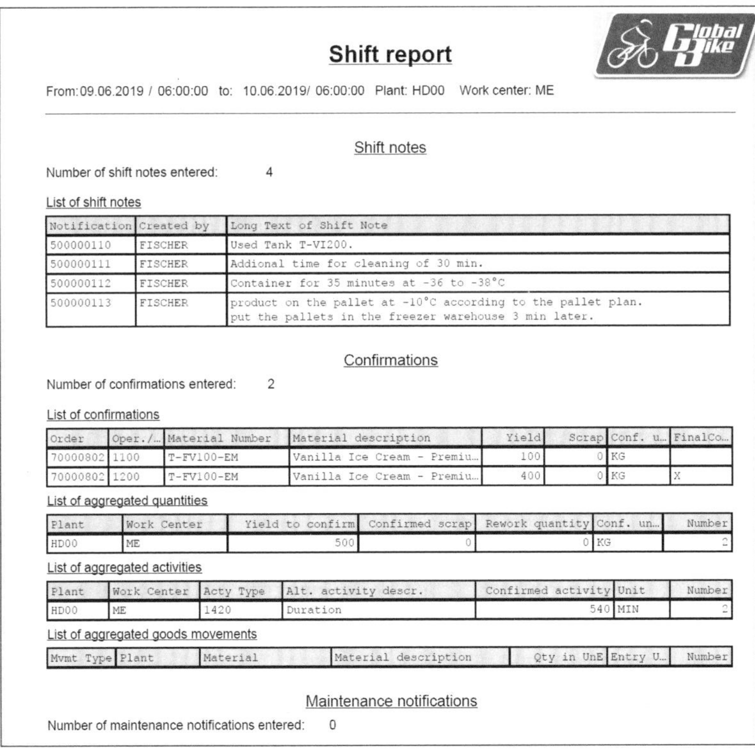

Shift report

From: 09.06.2019 / 06:00:00 to: 10.06.2019/ 06:00:00 Plant: HD00 Work center: ME

Shift notes

Number of shift notes entered: 4

List of shift notes

Notification	Created by	Long Text of Shift Note
500000110	FISCHER	Used Tank T-VI200.
500000111	FISCHER	Addional time for cleaning of 30 min.
500000112	FISCHER	Container for 35 minutes at -36 to -38°C
500000113	FISCHER	product on the pallet at -10°C according to the pallet plan. put the pallets in the freezer warehouse 3 min later.

Confirmations

Number of confirmations entered: 2

List of confirmations

Order	Oper./...	Material Number	Material description	Yield	Scrap	Conf. u...	FinalCo...
70000802	1100	T-FV100-EM	Vanilla Ice Cream - Premiu...	100	0	KG	
70000802	1200	T-FV100-EM	Vanilla Ice Cream - Premiu...	400	0	KG	X

List of aggregated quantities

Plant	Work Center	Yield to confirm	Confirmed scrap	Rework quantity	Conf. un...	Number
HD00	ME	500	0	0	KG	2

List of aggregated activities

Plant	Work Center	Acty Type	Alt. activity descr.	Confirmed activity	Unit	Number
HD00	ME	1420	Duration	540	MIN	2

List of aggregated goods movements

Mvmt Type	Plant	Material	Material description	Qty in UnE	Entry U...	Number

Maintenance notifications

Number of maintenance notifications entered: 0

Abbildung 5.82 Transaktion SHR4 – Schichtbericht anzeigen

Weitere Funktionalitäten

Der Schichtbericht bietet Ihnen außerdem die folgenden Funktionalitäten:

Wenn Sie die digitale Signatur verwenden, können Sie den Schichtbericht überprüfen und ihn anschließend unterschreiben, indem Sie die Menüfunktion **Mehr • Schichtbericht • Signieren** aufrufen.

- Wenn Sie einen Schichtbericht löschen möchten, wählen Sie den Button Verwerfen. Der Schichtbericht wird sodann mit dem Status **Verworfen** versehen. Nun können Sie für die entsprechende Schicht einen neuen Schichtbericht erstellen.
- Über den Button Senden können Sie einen Schichtbericht versenden. Das SAP-System versendet die Schichtberichte in Form eines Links.
- Sie können den Schichtbericht ausdrucken, indem Sie ihn zunächst aufrufen und anschließend den Button im PDF-Dokument auswählen.
- Mithilfe der Transaktionen SHR4 und ISHR4 können Sie eine Liste mit den bereits generierten Schichtberichten erstellen.
- In der Liste mit den generierten Schichtberichten können Sie eine Volltextsuche durchführen.

Voraussetzungen

Damit Sie die Schichtberichte so wie beschrieben einsetzen können, müssen Sie zuvor einige Voraussetzungen schaffen, die das Customizing, den Arbeitsplatz und das technische Objekt (Technischer Platz, Equipment) betreffen.

Customizing

Im Customizing müssen Sie die folgenden Aktivitäten durchführen:

- Legen Sie über die Customizing-Funktion **Schichtberichtstypen festlegen** einen Schichtberichtstyp an (z. B. SR). Hier legen Sie unter anderem fest, ob die aufeinanderfolgenden Schichtberichte lückenlos sein sollen, ob Sie eine Signatur verwenden möchten oder ob Sie die Schichtberichte per E-Mail versenden möchten. Außerdem ordnen Sie dem Schichtberichtstyp das Layout zu.
- Das Layout wird durch ein Formular definiert. Im Standard liefert SAP für den Schichtbericht das Formular COCF_SR_PDF_LAYOUT aus. Sollten Sie ein eigenes Formular benötigen, können Sie es mithilfe der Transaktion SFP definieren.
- Sollten Sie eine elektronische Signatur benötigen, können Sie diese über die Customizing-Funktionen **Berechtigungsgruppen für Signatur im Schichtbericht definieren**, **Einzelsignaturen definieren** und **Signaturstrategien definieren** einstellen.

Darüber hinaus müssen Sie in jedem Arbeitsplatz und in jedem technischen Objekt (Technischer Platz, Equipment) den Schichtberichtstyp eintragen.

Technische Objekte und Arbeitsplatz

Damit Sie die Schichtnotizen und die Schichtberichte nutzen können, müssen die Business Functions LOG_PP_SRN_CONF und LOG_PP_SRN_02 aktiviert sein.

Business Functions

[!]

Schichtberichte sind kompakt und übersichtlich

Schichtberichte bieten Ihnen eine kompakte und übersichtliche Aufstellung über die Geschehnisse während einer Schicht. Das Layout können Sie flexibel nach Ihren Bedürfnissen gestalten.

5.5 Der Geschäftsprozess »Fremdvergabe«

Fremdvergabe bedeutet, dass zur Abarbeitung der anstehenden Instandhaltungstätigkeiten Fremdfirmen eingesetzt werden bzw. Aufträge fremdvergeben werden.

5.5.1 Grundlagen der Fremdvergabe

Der Fremdvergabe kommt in der Instandhaltung eine sehr große Bedeutung zu, deutlich größer als z. B. in der Produktion. Eine nicht repräsentative Kurzumfrage bei SAP-Anwenderfirmen, die in der deutschsprachigen SAP-Anwendergruppe organisiert sind, ergab, dass durchschnittlich etwa die Hälfte der Instandhaltungskosten aus Fremdvergaben resultiert. So betreiben einige Unternehmen keine eigenen Instandhaltungswerkstätten, sondern nur noch Koordinationsstellen (z. B. Arbeitsvorbereitung, Planer), die für Planung, Überwachung und Abnahme der Fremdleistungen zuständig sind.

Gründe für die Fremdvergabe

Warum gab es eine Fremdvergabe in der Instandhaltung schon immer und warum nimmt dieser Trend im Zuge der (inter-)nationalen Arbeitsteilung und Globalisierung noch weiter zu? Hierfür lassen sich mehrere Gründe nennen (siehe Abbildung 5.83).

- **Fehlende Qualifikation**
  Nicht für jede Art von Arbeit, die in der Instandhaltung anfällt, kann man eigene Techniker einstellen; vielmehr werden oft gezielt Arbeiten an

Fremdfirmen vergeben, die sich auf ein bestimmtes Gebiet spezialisiert haben (z. B. Aufzugsservice, Klimatechnik, elektronische Steuerungen, Roboterwartung usw.).

- **Fehlende Kapazitäten**
  Fremdfirmen können die internen Instandhaltungsabteilungen zur Abdeckung von Kapazitätsspitzen unterstützen (z. B. bei Revisionen, Stillständen, Jahresendarbeiten usw.).
- **Gegebenenfalls geringere Kosten durch Fremdfirmen**
  Bei der Frage, ob Fremdfirmen wirklich kostengünstiger sind als eigene Werkstätten, wird häufig nur einseitig argumentiert, indem ein Verrechnungssatz X der eigenen Handwerker mit einem niedrigeren Verrechnungssatz Y der Fremdfirma verglichen wird.

fehlende Qualifikation	fehlende Kapazitäten
Auslagerung	Kosten?

Abbildung 5.83 Gründe für die Fremdvergabe

Nun dürfen für einen Kostenvergleich aber nicht nur die Primärkosten (Rechnungsbetrag) der Fremdvergabe herangezogen werden, sondern es müssen auch die Sekundärkosten berücksichtigt werden, die als interner Verwaltungs- und Steuerungsaufwand mit der Fremdvergabe von Aufträgen verbunden sind (z. B. Auftragsplanung, Bestellung, Leistungsabnahme, Rechnungsprüfung usw.). Außerdem ist zu berücksichtigen, dass es sich bei einer internen Auftragsvergabe »nur« um Kosten handelt, während es sich bei einer externen Auftragsvergabe um Aufwände und Auszahlungen handelt.

- **Auslagerung**
  Im Zuge von Umstrukturierungen werden Abteilungen oftmals ausgelagert und eigenständige Firmen gegründet. Eine häufig von solchen Auslagerungen betroffene Abteilung ist die Instandhaltung, die in solchen Fällen als »Maintenance GmbH« ausgegründet wird. Obwohl die Kollegen nach wie vor auf dem Gang gegenüber sitzen, gehören sie jetzt zu einer anderen Firma. Da für diese im SAP-System ein eigener Buchungskreis eingerichtet werden muss, handelt es sich hier rein rechtlich um eine Fremdvergabe.

Auslösen der Fremdvergabe

Eine Fremdbeauftragung lösen Sie über den Steuerschlüssel aus. Je nachdem, wie die Beauftragung und Abwicklung erfolgen sollen, setzen Sie also unterschiedliche Steuerschlüssel ein (siehe Abbildung 5.84).

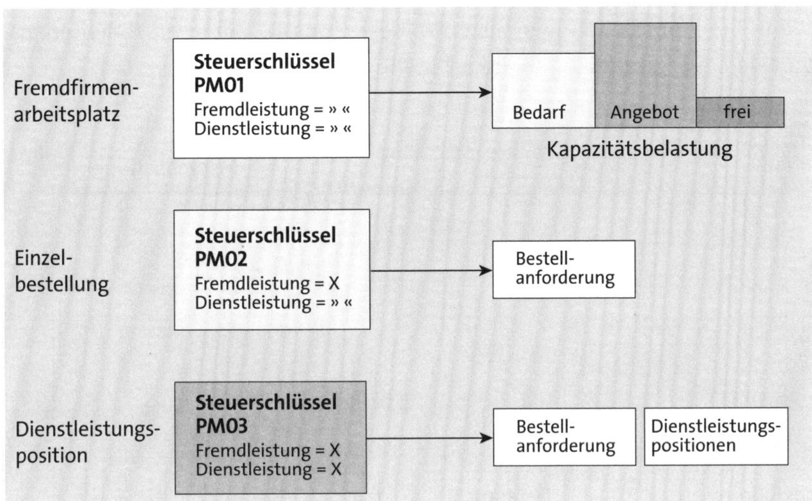

Abbildung 5.84 Steuerschlüssel für die Fremdvergabe

Die Ausprägung des Steuerschlüssels steuert dabei die Art der Fremdvergabe.

Arbeitsplatz für Fremdfirma

Wenn Sie für die Fremdfirma einen Arbeitsplatz eingerichtet haben und die Fremdvergabe über einen internen Auftrag wie eigene Arbeitsplätze abwickeln möchten (siehe Abschnitt 5.5.3, »Fremdleistungen mit Fremdarbeitsplätzen«), lösen Sie diese Art von Fremdvergabe über einen **Steuerschlüssel** (PM01 o. Ä.) aus, bei dem der Schalter **Fremdbearbeitung** auf **Eigenbearbeiteter Vorgang** gesetzt und der Schalter **Dienstleistung** nicht markiert ist.

Einzelbestellung

Wenn Sie die Fremdvergabe über eine Bestellanforderung und eine einzelne Normalbestellung abwickeln möchten (siehe Abschnitt 5.5.2, »Fremdleistungen als Einzelbestellung«), lösen Sie diese Art von Fremdvergabe über einen Steuerschlüssel (PM02 o. Ä.) aus, bei dem der Schalter **Fremdbearbeitung** auf **Fremdbearbeiteter Vorgang** gesetzt und der Schalter **Dienstleistung** nicht markiert ist.

Leistungsverzeichnisse

Wenn Sie die Fremdvergabe unter Zuhilfenahme von Dienstleistungspositionen bzw. Leistungsverzeichnissen und späterer Aufmaßerfassung abwickeln möchten (siehe Abschnitt 5.5.4, »Fremdleistungen mit Leistungsverzeichnissen«), lösen Sie diese Art von Fremdvergabe über einen **Steuerschlüssel** (PM03 o. Ä.) aus, bei dem der Schalter **Fremdbearbeitung** auf **Fremdbearbeiteter Vorgang** gesetzt und der Schalter **Dienstleistung** markiert ist.

5.5.2 Fremdleistungen als Einzelbestellung

Wenn Sie Fremdleistungen als Einzelbestellung beauftragen möchten, ergibt sich etwa der folgende Ablauf (siehe Abbildung 5.85).

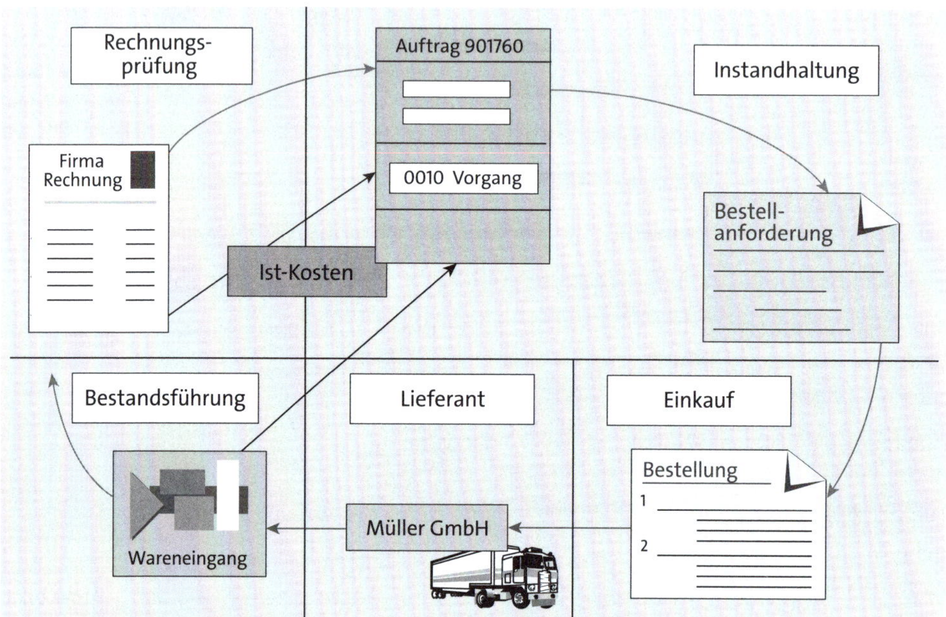

Abbildung 5.85 Ablauf der Fremdvergabe bei Einzelbestellung

1. Wenn Sie in einem Auftrag Fremdleistungen planen, wird im Hintergrund automatisch eine Bestellanforderung ausgelöst.
2. Die Bestellanforderung wird von der Einkaufsabteilung (oder auch vom Disponenten in der Instandhaltung) in eine Bestellung umgesetzt.
3. Nachdem die Fremdfirma die Leistungen erbracht hat, führen Sie deren Erfassung durch. Allerdings melden Sie Fremdleistungen nicht wie normale Zeitrückmeldungen zurück, sondern Sie erfassen eine Leistungsbestätigung als Wareneingang zur Bestellung. Falls der Wareneingang bewertet erfolgt (Schalter auf der Position in der Bestellung), werden zu diesem Zeitpunkt die Ist-Kosten in den Auftrag gebucht.
4. Den Abschluss dieses Prozesses bildet der Rechnungseingang. Falls der Rechnungsbetrag vom Bestellbetrag abweicht, findet automatisch eine Korrektur statt, und der Auftrag weist die Nettokosten der Rechnung aus.

Einrichten des Auftrags

Sie planen die Fremdleistung auf der Ebene eines Auftragsvorgangs. Über Meldungen oder Auftragskopfdaten kann eine Fremdfirma nicht beauftragt werden.

[!]

Eigene Auftragsart für Fremdbearbeitungen

Häufig wird für die Fremdabwicklung eine eigene Auftragsart eingerichtet. Dies hat mehrere Vorteile: Zum einen können Vorschlagswerte spezifisch gesetzt werden – z. B. kann festgelegt werden, dass bei der Auftragsart PM02 (Fremdbearbeitung) immer der Steuerschlüssel PM02 (Fremdbearbeitung) verwendet werden soll. Zum anderen können Sie in Listen und Auswertungen gezielter danach suchen und verdichten.

Für die weitere Abwicklung der Fremdvergabe werden in Bestellanforderung und Bestellung steuernde und organisatorische Angaben benötigt (siehe Abbildung 5.86), wie z. B.:

- Warengruppe
- Kostenart
- Einkäufergruppe
- Einkaufsorganisation
- Warenempfänger
- Abladestelle

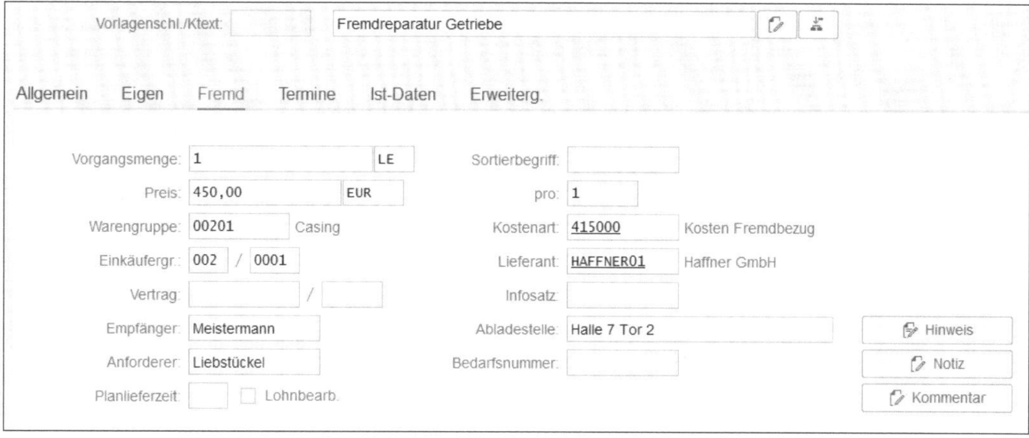

Abbildung 5.86 Fremdvorgang

Business Function

Bisher konnten Sie nur einen einzigen Langtext für den Fremdvorgang hinzufügen, der dann als Positionstext in die Bestellanforderung übernommen wird. Hier bringt die Business Function LOG_EAM_CI_12 eine Neuerung: wenn Sie diese aktivieren, stehen Ihnen bis zu vier Texte zur Verfügung. Dies ist flexibel gestaltet, so dass Sie über die Customizing-Funktion **Texte für Bestellanforderungen** selbst festlegen können, welche

Textarten Sie verwenden möchten und welche Textart der Nichtlagerposition in welche Textart der Bestellanforderung kopiert werden soll.

Abbildung 5.86 zeigt Ihnen mögliche Textarten (z. B. Hinweis, Notiz, Kommentar), die Sie dann einzeln aufrufen können.

Vorschlagswerte vereinfachen die Fremdbeauftragung

Da die vom Einkauf benötigten Angaben weitestgehend konstant bleiben, sollten Sie die Möglichkeit, Vorschlagswerte zu hinterlegen, nutzen, damit diese nicht in jedem Auftrag immer wieder neu einzutragen sind.

Die Vorschlagswerte können Sie mithilfe der Customizing-Funktion **Vorschlagswertprofile für Fremdbeschaffung anlegen** hinterlegen, um sie dann mithilfe der Customizing-Funktion **Vorschlagswerte für Arbeitsplandaten und Profilzuordnungen** der Auftragsart pro Werk im Feld **Profil fremd** zuzuordnen. Dasselbe gilt für Fremdmaterial: Hier erfolgt die Zuordnung über das Feld **Profil Material**.

Sie können die Vorschlagswerte aber auch benutzerbezogen hinterlegen, und zwar indem Sie innerhalb eines Auftrags **Zusätze • Einstellungen • Vorschlagswerte** aufrufen und die Daten auf der Registerkarte **Fremdbearbeitung** hinterlegen (siehe Abbildung 5.87).

Abbildung 5.87 Vorschlagswerte hinterlegen

Dasselbe gilt für Fremdmaterial: Hier füllen Sie die Registerkarte **Fremdbeschaffung**.

Sollten sowohl Vorschlagswerte im Customizing hinterlegt sein als auch benutzerbezogene Vorschlagswerte, werden die benutzerbezogenen Vorschlagswerte vorrangig behandelt.

Bestellanforderung

Auf der Basis des Fremdvorgangs wird im Hintergrund automatisch eine Bestellanforderung generiert. Die Nummer der Bestellanforderung können Sie auf der Registerkarte **Ist-Daten** einsehen. Von dort aus können Sie auch direkt in die Bestellanforderung springen. Die Informationen aus dem Auftrag sind identisch in die Bestellanforderung übertragen worden (siehe Abbildung 5.88).

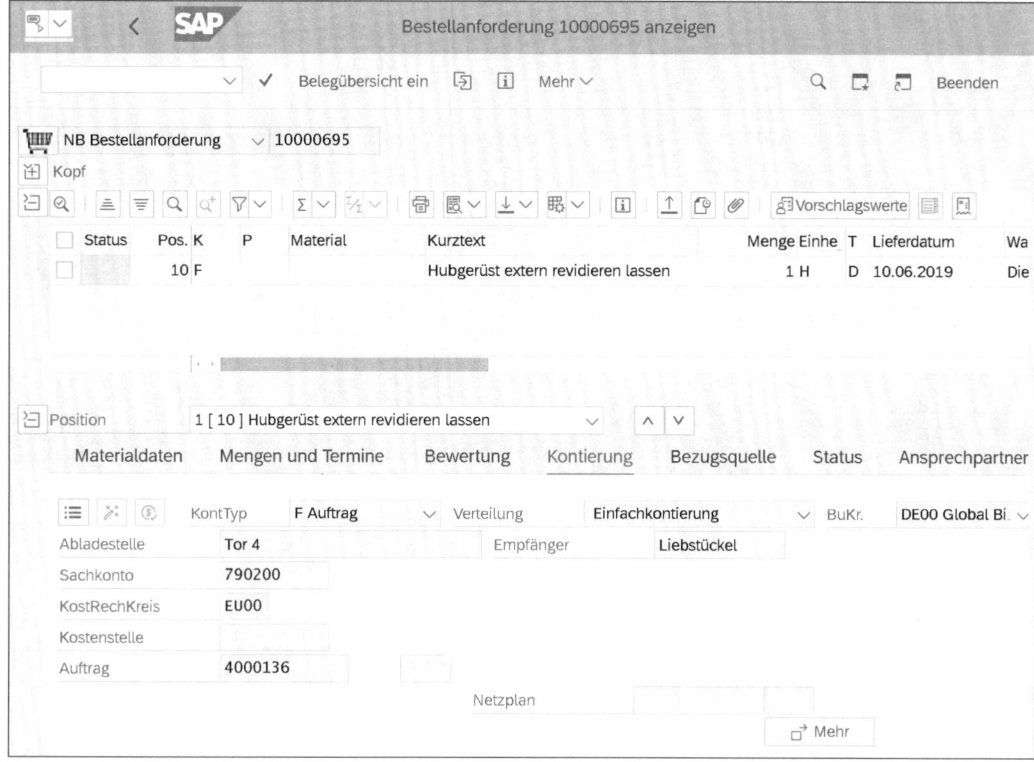

Abbildung 5.88 Bestellanforderung

Je nach organisatorischer Zuständigkeit wird die Bestellanforderung entweder vom Einkauf oder von der technischen Abteilung selbst in eine Bestellung überführt. Bei der Angabe einer Vertragsnummer können Sie auf gleichem Wege auch einen Abruf aus einem Rahmenvertrag tätigen.

Die Bestellanforderung ist automatisch auf den Auftrag kontiert, und diese Kontierung kann auch nicht geändert werden.

Wareneingang und Rechnungseingang

Fremdleistungen melden Sie nicht wie Eigenleistungen zurück, sondern Sie erfassen einen Wareneingang (Transaktion MIGO, Funktion **Wareneingang zur Bestellung**). Haben Sie als Einheit eine allgemeine Leistungseinheit bestellt (LE), kann die Leistung nur bestätigt oder nicht bestätigt werden. Haben Sie die Bestellung auf Stundenbasis ausgelöst, können Sie die effektiven Stunden abnehmen; dies können mehr oder weniger Stunden als bestellt sein (siehe Abbildung 5.89).

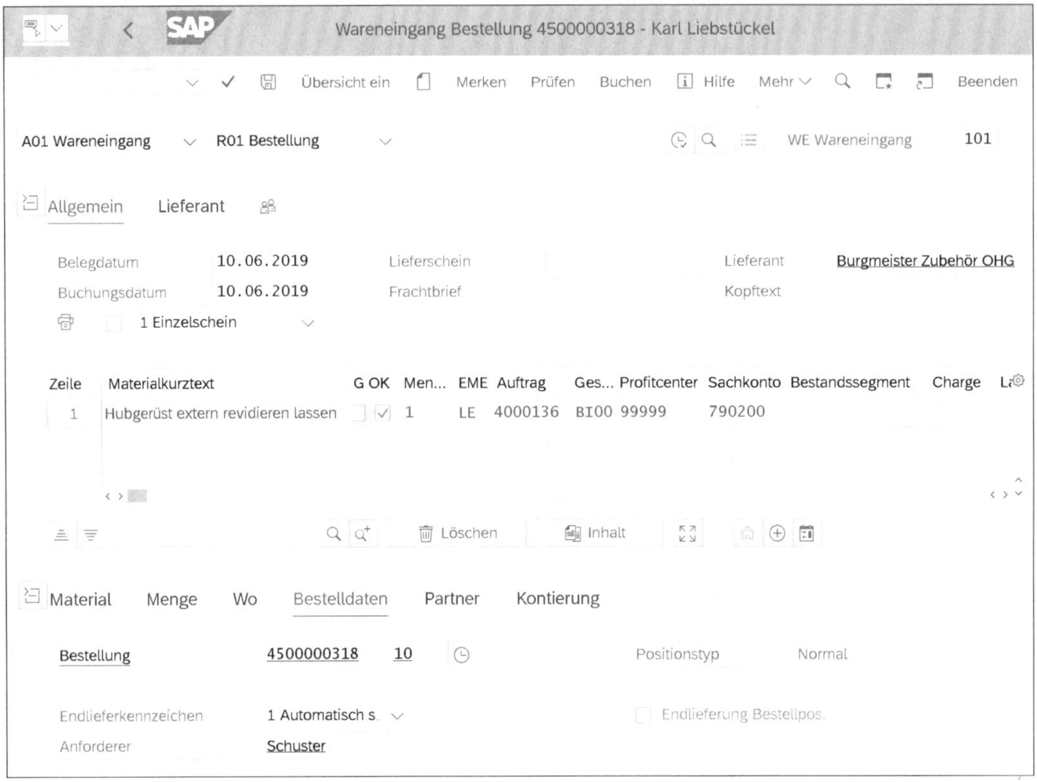

Abbildung 5.89 Wareneingang

Damit der Wareneingang erfasst werden kann, muss der Auftrag freigegeben, darf aber noch nicht kaufmännisch abgeschlossen sein.

Wenn in der Bestellung das Kennzeichen **Wareneingang bewertet** gesetzt wurde, wird zu diesem Zeitpunkt der Auftrag mit dem Bestellwert belastet; die Gegenbuchung erfolgt auf einem Verrechnungskonto.

Mit dem Rechnungseingang (Transaktion MIRO) wird der Wert auf dem Verrechnungskonto automatisch aufgelöst (siehe Abbildung 5.90). Eventuelle Abweichungen zwischen Bestellwert und Rechnungswert werden dem Auftrag nachbelastet oder gutgeschrieben.

Beispielprozesse im Web

Auf der E-Learning-Plattform unter *http://saptraining.fh-wuerzburg.de* erreichen Sie über den Menüpfad **SAP ERP • Instandhaltung Prozesse • Instandhaltung Prozesse @-learning SAP starten • Instandhaltung • 5. Fremdleistung • 5.1 Abwicklung von Fremdleistungen als Einzelbestellung** den Geschäftsprozess (Auftragsplanung, Bestellanforderung).

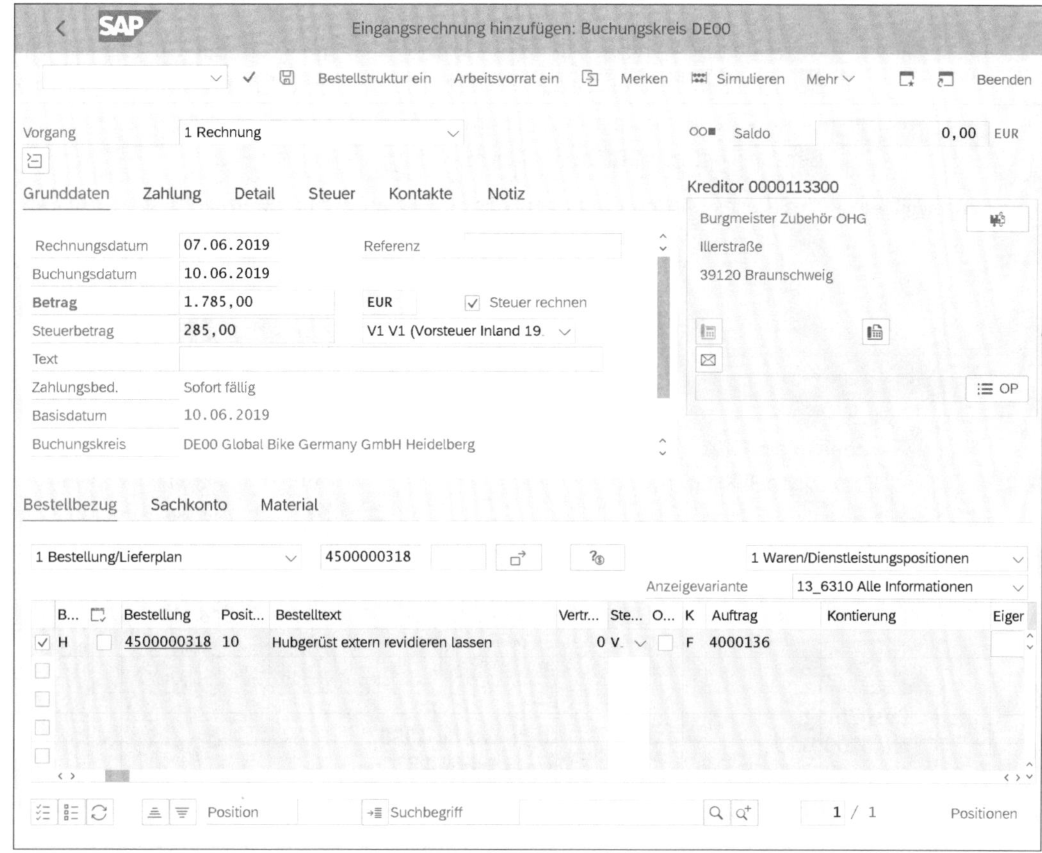

Abbildung 5.90 Transaktion MIRO – Rechnungseingang

5.5.3 Fremdleistungen mit Fremdarbeitsplätzen

Ausgangssituation

In vielen Unternehmen wird dauerhaft mit bestimmten Servicefirmen – auch für kleinere Maßnahmen – zusammengearbeitet. Diese Fremdfirmen sind mit Personal präsent und haben vielleicht sogar ein eigenes Büro auf dem Gelände. Sie sind »auf Zuruf« tätig und arbeiten auf diese Art und Weise viele Maßnahmen im Laufe eines Tages, einer Woche oder eines Monats ab.

Arbeiten Sie auch mit solchen Firmen zusammen? Würden Sie nun diese Firmen nach obigem Muster beauftragen, ergäbe sich für jede einzelne Maßnahme der Zyklus *Auftrag* → *Bestellanforderung* → *Bestellung* → *Wareneingang* → *Rechnungseingang*. Dies würde für Sie einen nicht mehr gerechtfertigten administrativen Aufwand bedeuten.

Was können Sie also tun, um den administrativen Aufwand zu verringern? Im Folgenden werde ich Ihnen das Modell der Fremdleistungen mit Arbeitsplätzen vorstellen, das mittlerweile in vielen Unternehmen im Einsatz ist und vielleicht auch Ihnen dabei helfen wird, mit Fremdfirmen ohne großen Verwaltungsaufwand zusammenarbeiten zu können.

Voraussetzungen

Um dieses Modell nutzen zu können, schaffen Sie im Vorfeld die notwendigen Voraussetzungen. Eine Übersicht dazu gibt Ihnen Abbildung 5.91.

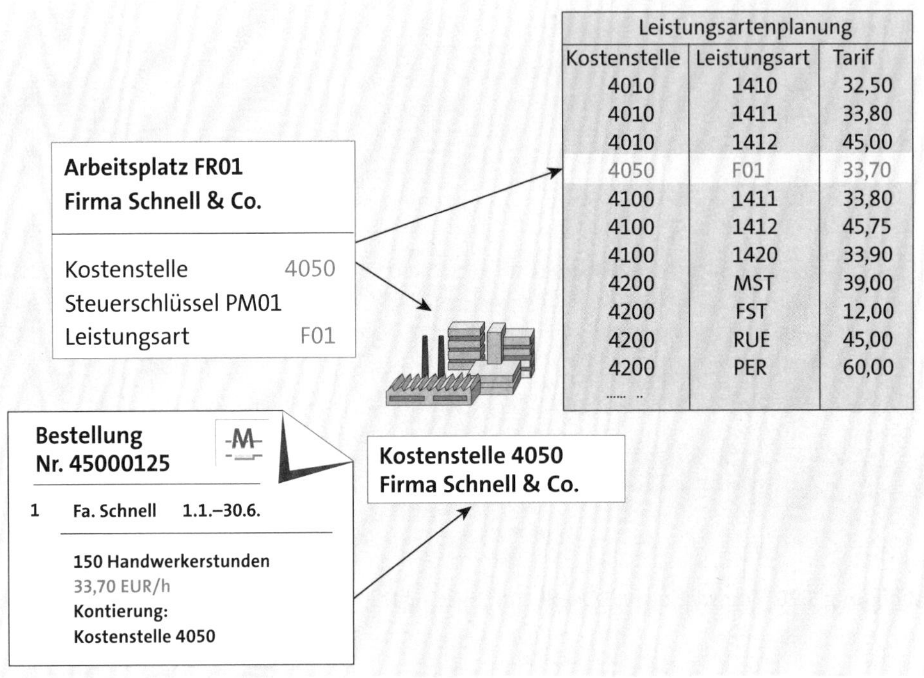

Abbildung 5.91 Voraussetzungen für einen Fremdarbeitsplatz

- **Kostenstelle**
  Sie benötigen eine Kostenstelle, über die die Verrechnung der Fremdleistungen erfolgt. Hinsichtlich der Kostenstelle stehen Ihnen drei Möglichkeiten zur Verfügung: Sie verwenden Ihre eigene Instandhaltungskostenstelle, Sie richten eine neue Kostenstelle ein (summarisch für alle Fremdfirmen), oder Sie richten mehrere neue Kostenstellen ein (für jede Fremdfirma eine eigene).
- **Normalbestellung**
  Sie richten eine Normalbestellung ein. Diese ist auf die genannte Kostenstelle kontiert, hat eine Laufzeit (Monat, Quartal, Jahr) und beinhaltet den Stundensatz der Fremdfirma. Auch können Sie Bestellungen mit mehreren Positionen einrichten – z. B. dann, wenn Sie mit der Fremdfir-

ma unterschiedliche Verrechnungssätze vereinbart haben (z. B. Techniker, Hilfskraft, Auszubildender).

- **Leistungsplanung**
  Sie führen mithilfe der Transaktion KP26 eine Leistungsartenplanung durch, in der Sie für die Periode(n), die Kostenstelle(n) und die Leistungsart(en) Tarife hinterlegen.
- **Arbeitsplatz**
  Sie richten für jede Fremdfirma einen Arbeitsplatz ein. Auf der Registerkarte **Kalkulation** ordnen Sie diesem Arbeitsplatz eine Kostenstelle, die Leistungsart *Eigenbearbeitung* und den Formelschlüssel für die Eigenbearbeitung (z. B. SAP008) zu.

[!]

Fremdarbeitsplätze wie eigene Arbeitsplätze

Dieser Arbeitsplatz unterscheidet sich in seinen Einstellungen nicht von einem eigenen Arbeitsplatz. Wenn Sie also z. B. auf der Registerkarte **Vorschlagswerte** einen Steuerschlüssel eintragen, handelt es sich dabei um einen Steuerschlüssel für die Eigenbearbeitung (z. B. PM01).

Abwicklung

Die Abwicklung von Instandhaltungsmaßnahmen, die Sie mit diesem Arbeitsplatz durchführen, unterscheidet sich kaum von der Abwicklung, wie ich sie Ihnen in Abschnitt 5.2, »Der Geschäftsprozess ›Geplante Instandsetzung‹«, und in Abschnitt 5.3, »Der Geschäftsprozess ›Sofortinstandsetzung‹«, für die Abwicklung mit internen Arbeitsplätzen beschrieben habe:

- Sie richten Ihre Aufträge mit dem Fremdarbeitsplatz als ausführendem Arbeitsplatz ein. Ob Sie ihn auch als verantwortlichen Arbeitsplatz eintragen, ist unerheblich.
- Sie drucken die Auftragspapiere.
- Sie melden die Aufträge mit denselben Transaktionen zurück wie auch die internen Aufträge (Transaktionen IW41, IW42, IW44, IW48).
- Sie rechnen diese Aufträge genauso ab wie die internen Aufträge. Dabei wird die im Arbeitsplatz eingetragene Kostenstelle entlastet und die Anlagenkostenstelle belastet.

Auftragspapiere für Fremdarbeitsplätze

Zur rein optischen Unterscheidung sollten die Auftragspapiere für Fremdfirmen anders aussehen als die internen. Nach der Auftragserledigung sollten Sie die Auftragspapiere abzeichnen und der Fremdfirma eine Kopie überlassen.

Rechnungseingang

Einige Besonderheiten ergeben sich bei der Rechnungsstellung (siehe Abbildung 5.92).

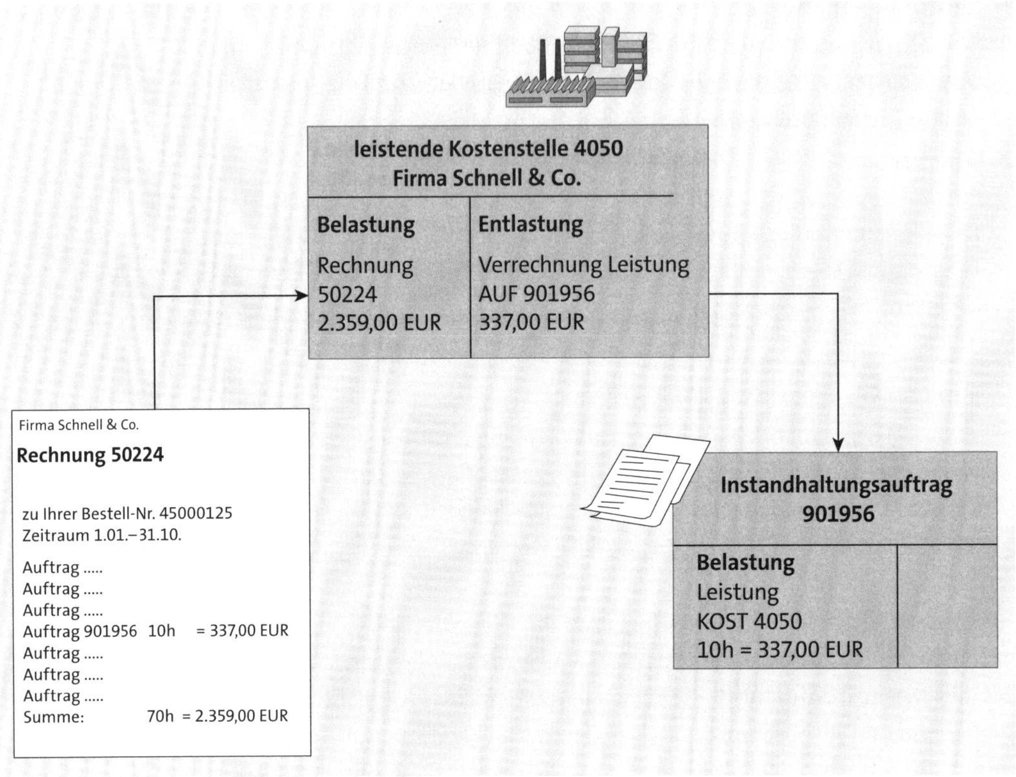

leistende Kostenstelle 4050
Firma Schnell & Co.

Belastung	Entlastung
Rechnung 50224 2.359,00 EUR	Verrechnung Leistung AUF 901956 337,00 EUR

Firma Schnell & Co.
Rechnung 50224

zu Ihrer Bestell-Nr. 45000125
Zeitraum 1.01.–31.10.

Auftrag .....
Auftrag .....
Auftrag .....
Auftrag 901956 10h = 337,00 EUR
Auftrag .....
Auftrag .....
Auftrag .....
Summe: 70h = 2.359,00 EUR

Instandhaltungsauftrag
901956

Belastung	
Leistung KOST 4050 10h = 337,00 EUR	

Abbildung 5.92 Rechnungseingang

- Sie erhalten nicht für jede Einzelleistung, sondern periodisch (z. B. monatlich) eine Rechnung.
- Die Rechnungssumme beinhaltet den Wert aller seit der letzten Rechnungsstellung ausgeführten Leistungen.

Kontrolle der Rechnungsstellung

Bei der Rechnungsstellung sollten Sie darauf achten, dass auf der Rechnung als Zusatzinformation die Liste der durchgeführten Aufträge mit angegeben wird. Eventuell bitten Sie die Fremdfirma auch darum, Kopien der Auftragspapiere anzuhängen. Andernfalls haben Sie keine Vergleichsmöglichkeit, auf welche Aufträge sich die Rechnungsstellung bezieht.

- Aufgrund der Kontierung der Bestellung wird der Rechnungsbetrag der Fremdfirmenkostenstelle (nicht den einzelnen Aufträgen) belastet.
- Mittelfristig muss sich die Fremdfirmenkostenstelle ausgleichen, d. h., die Summe der Entlastungen über die Aufträge und die Summe der Belastungen über die Rechnungen müssen identisch sein. Sind sie es nicht, fungiert die Kostenstelle gleichzeitig als Controllinginstrument, das aufdeckt, dass die Fremdfirma andere Beträge in Rechnung gestellt hat, als Leistungen erbracht wurden.

Die Einsparungen hinsichtlich des Verwaltungsaufwands gegenüber der in Abschnitt 5.5.2, »Fremdleistungen als Einzelbestellung«, dargestellten Abwicklung mit den Einzelbestellungen liegen auf der Hand:

- Es gibt keine Bestellanforderungen.
- Ihnen liegt nicht eine Vielzahl an Bestellungen, sondern nur eine einzige Bestellung vor.
- Es gibt keinen Wareneingang, sondern nur eine Rückmeldung.
- Es gibt nur eine Rechnung pro Periode und nicht für jede Bestellung eine Rechnung.

[+]

Arbeitsplätze für Fremdfirmen sparen Verwaltungsaufwand

Bei Fremdfirmen, mit denen Sie regelmäßig zusammenarbeiten, können Sie durch die Abwicklung mit Fremdarbeitsplätzen einen erheblichen Teil des Verwaltungsaufwands gegenüber Einzelbestellungen einsparen.

5.5.4 Fremdleistungen mit Leistungsverzeichnissen

Besonderheiten

Der Geschäftsprozess *Fremdleistungen mit Leistungsverzeichnissen* unterscheidet sich vom Geschäftsprozess *Fremdleistungen mit Einzelbestellung* dadurch, dass die von der Fremdfirma zu erbringenden Leistungen nicht pauschal über eine verbale Beschreibung im Kurz- und Langtext der Bestellposition, sondern dezidiert über ein Leistungsverzeichnis einzeln aufgeführt werden. Im Prozessablauf ergeben sich daraus die in Abbildung 5.93 gezeigten Unterschiede.

- Die Planung im Auftrag führen Sie über ein Leistungsverzeichnis durch.
- In der Auftragsplanung können Sie Limits für geplante und ungeplante Leistungen hinterlegen.
- Sie erfassen keinen Wareneingang, sondern führen eine Leistungserfassung durch. Diese kann auch vom Lieferanten selbst übernommen werden.

- Sie können bei der Leistungserfassung – im Gegensatz zum Wareneingang – ungeplante Positionen ergänzen.
- Die erfassten Leistungen müssen Sie durch eine Leistungsabnahme freigeben (Vier-Augen-Prinzip), damit eine Rechnungsstellung erfolgen kann.

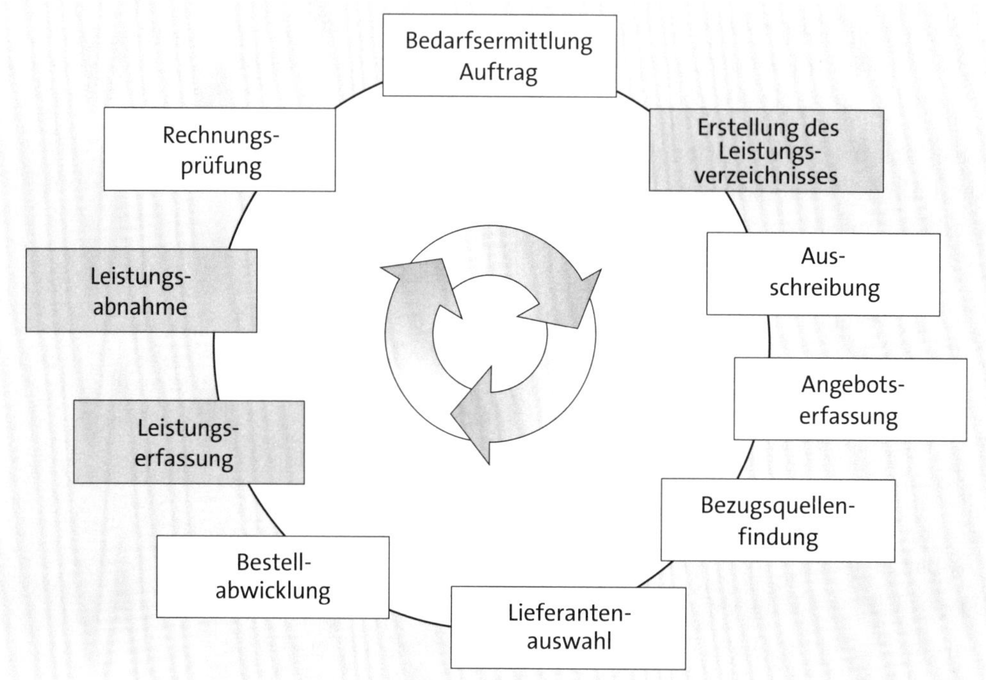

Abbildung 5.93 Ablauf der Fremdvergabe mit Leistungsverzeichnissen

Planen der Leistungen

Um innerhalb des Auftrags die fremd zu vergebenden Leistungen zu planen, stehen Ihnen die folgenden Möglichkeiten zur Verfügung:

- Sie planen die Leistungen manuell, d. h. ohne Rückgriff auf irgendwelche Vorschlagswerte.
- Sie planen die Leistungen unter Zuhilfenahme von Leistungsstammsätzen. Leistungsstammsätze pflegen Sie mithilfe der Transaktion AC03.
- Sie planen die Leistungen unter Zuhilfenahme von Leistungsverzeichnissen aus anderen Belegen (wie Rahmenvertrag, Bestellung, Auftrag usw.).
- Sie planen die Leistungen unter Zuhilfenahme sogenannter Musterleistungsverzeichnisse (siehe Abbildung 5.94). In einem Musterleistungsverzeichnis können Sie Leistungszeilen und eine Gliederung hinter-

legen. Darüber hinaus können Sie eine Einkaufsorganisation, einen Lieferanten und einen Kontrakt als Vorschlagswerte angeben. Musterleistungsverzeichnisse pflegen Sie mithilfe der Transaktionen ML10 bis ML12.

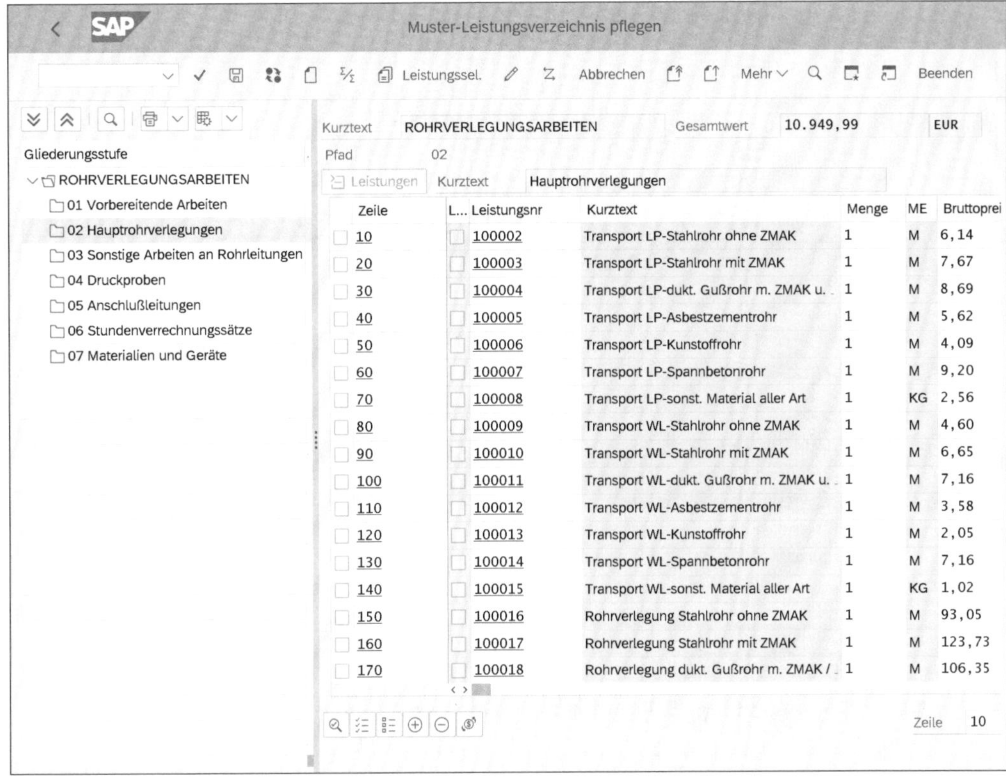

Abbildung 5.94 Musterleistungsverzeichnis

- Preise und Konditionen der Leistungsstammsätze können Sie entweder pauschal (Transaktion ML45), zum Lieferanten ohne Werk (Transaktion ML39) oder zum Lieferanten mit Werk (Transaktion ML33) festlegen. Definierte Preise und Konditionen werden als Vorschlagswerte in das Auftragsleistungsverzeichnis übernommen und können dort abgeändert werden.

Die allgemeinen Daten des Fremdvorgangs unterscheiden sich nicht von denen einer Fremdleistung als Einzelbestellung.

Daneben können Sie die folgenden speziellen Daten für die Dienstleistungsabwicklung erfassen, wenn Sie über den Button [icon] von der ursprünglichen Anzeige in das Vollbild wechseln (siehe Abbildung 5.95).

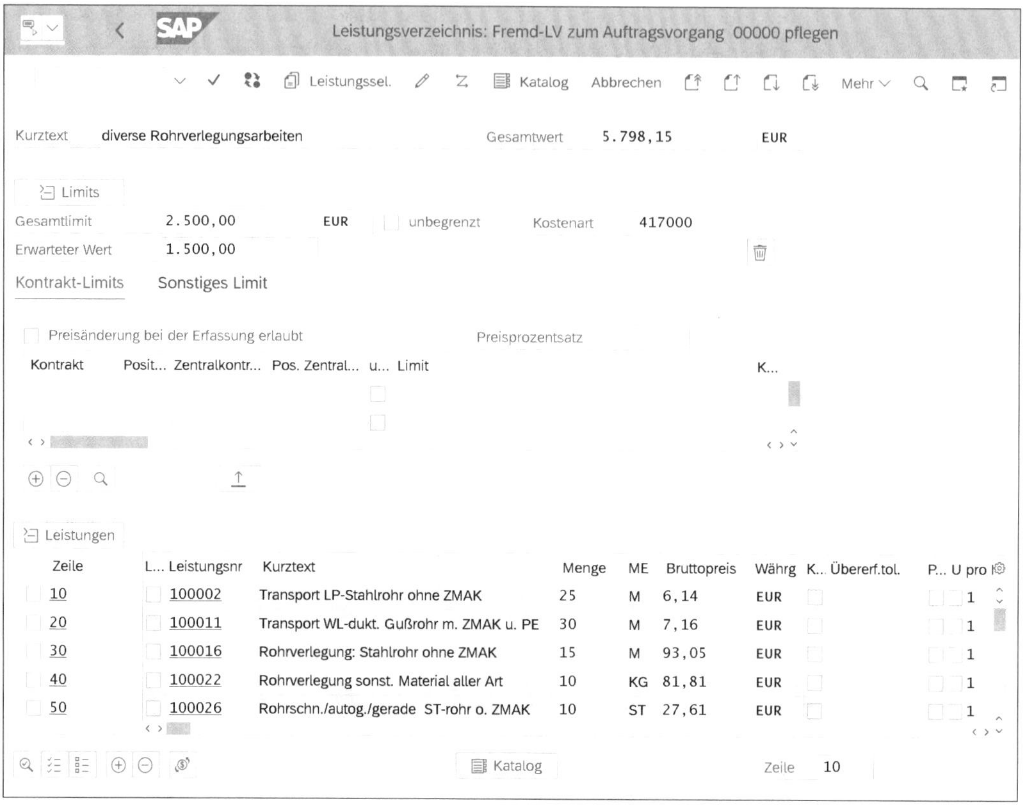

Leistungsverzeichnis: Fremd-LV zum Auftragsvorgang 00000 pflegen

Leistungssel. | Katalog | Abbrechen | Mehr

Kurztext: diverse Rohrverlegungsarbeiten | Gesamtwert: 5.798,15 EUR

Limits

Gesamtlimit: 2.500,00 EUR | unbegrenzt | Kostenart: 417000

Erwarteter Wert: 1.500,00

Kontrakt-Limits | Sonstiges Limit

Preisänderung bei der Erfassung erlaubt | Preisprozentsatz

Kontrakt | Posit... | Zentralkontr... | Pos. Zentral... | u... | Limit | K...

Leistungen

Zeile	L...	Leistungsnr	Kurztext	Menge	ME	Bruttopreis	Währg	K...	Übererf.tol.	P...	U	pro
10		100002	Transport LP-Stahlrohr ohne ZMAK	25	M	6,14	EUR					1
20		100011	Transport WL-dukt. Gußrohr m. ZMAK u. PE	30	M	7,16	EUR					1
30		100016	Rohrverlegung: Stahlrohr ohne ZMAK	15	M	93,05	EUR					1
40		100022	Rohrverlegung sonst. Material aller Art	10	KG	81,81	EUR					1
50		100026	Rohrschn./autog./gerade ST-rohr o. ZMAK	10	ST	27,61	EUR					1

Katalog | Zeile 10

Abbildung 5.95 Auftragsleistungsverzeichnis

- Sie können Leistungszeilen erfassen, und zwar mit oder ohne Leistungsnummer, Preis, Kostenart, Menge usw.
- Sie können Limits erfassen. Das Gesamtlimit stellt hierbei die Obergrenze für ungeplante Mehrleistungen dar. Der erwartete Wert muss also kleiner oder gleich dem Gesamtlimit sein und geht in die Plankalkulation und in das Bestellobligo ein.

Fundstelle für Leistungsverzeichnisse

Es gibt professionelle Anbieter von Leistungsverzeichnissen, wie z. B. den Beuth Verlag (*http://www.beuth.de*) oder den Gemeinsamen Ausschuss Elektronik im Bauwesen (*http://www.gaeb.de*), bei denen Sie vorgefertigte Standard- und Musterleistungsverzeichnisse in digitaler Form erwerben können, die Sie dann mithilfe von SAP-Tools in Ihr System einspielen.

Die Werte der Einzelleistungen werden als Summe für das komplette Leistungsverzeichnis ausgewiesen.

Bestellanforderung und Bestellung

Auf der Basis des Fremdvorgangs wird im Hintergrund automatisch eine Bestellanforderung generiert. Die Nummer der Bestellanforderung können Sie auf der Registerkarte **Ist-Daten** einsehen. Von dort aus können Sie auch direkt in die Bestellanforderung springen. Das Leistungsverzeichnis des Auftrags wird identisch in die Bestellanforderung übertragen.

Je nach organisatorischer Zuständigkeit wird die Bestellanforderung entweder vom Einkauf oder von der technischen Abteilung selbst in eine Bestellung überführt; die Bestellung übernimmt dabei das Leistungsverzeichnis aus der Bestellanforderung. Anschließend wird die Bestellung an die entsprechende Servicefirma übermittelt.

Leistungserfassung und Leistungsabnahme

Wenn Sie Fremdleistungen auf der Basis eines Leistungsverzeichnisses bestellt haben, erfassen Sie das Erbringen der Leistungen nicht durch einen Wareneingang, sondern durch eine Leistungserfassung unter Nutzung der sogenannten Leistungserfassungsblätter (siehe Abbildung 5.96). Hierzu nutzen Sie die Transaktion ML81N.

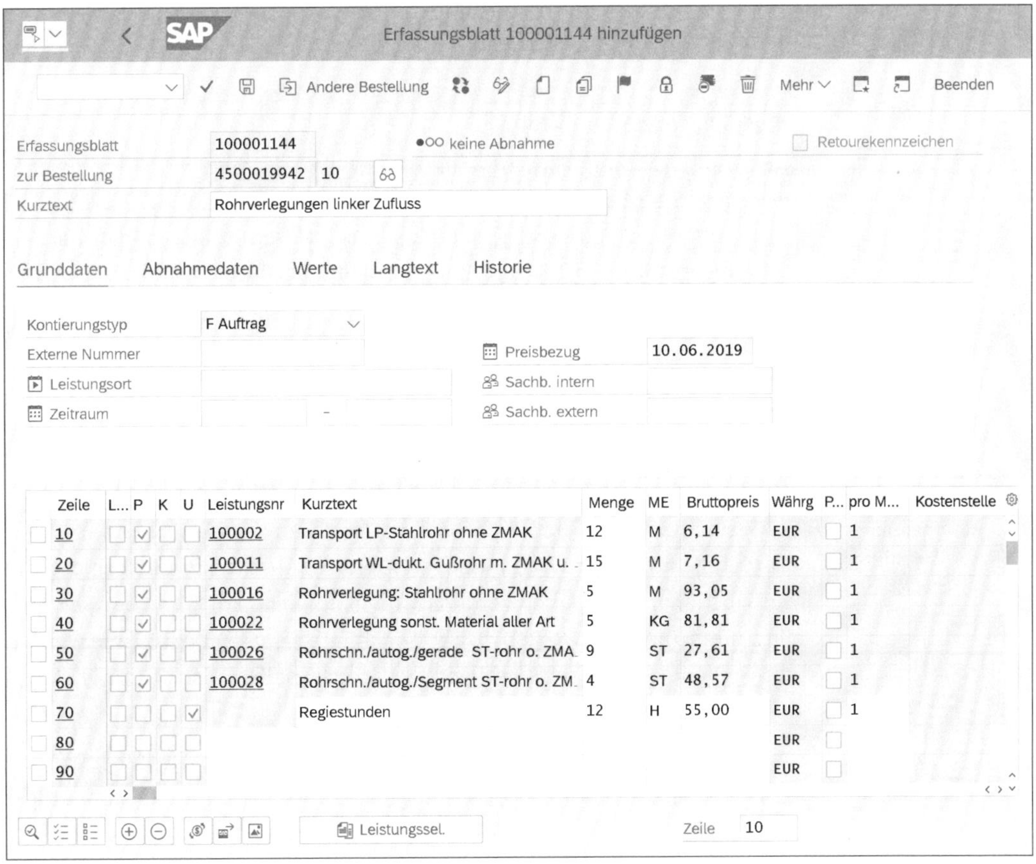

Erfassungsblatt 100001144 hinzufügen

Andere Bestellung | Mehr | Beenden

Erfassungsblatt: 100001144 — keine Abnahme — Retourekennzeichen
zur Bestellung: 4500019942 10
Kurztext: Rohrverlegungen linker Zufluss

Grunddaten | Abnahmedaten | Werte | Langtext | Historie

Kontierungstyp: F Auftrag
Externe Nummer:
Leistungsort:
Zeitraum: -
Preisbezug: 10.06.2019
Sachb. intern:
Sachb. extern:

Zeile	L...	P	K	U	Leistungsnr	Kurztext	Menge	ME	Bruttopreis	Währg	P...	pro M...	Kostenstelle
10	☐	☑	☐	☐	100002	Transport LP-Stahlrohr ohne ZMAK	12	M	6,14	EUR	☐	1	
20	☐	☑	☐	☐	100011	Transport WL-dukt. Gußrohr m. ZMAK u.	15	M	7,16	EUR	☐	1	
30	☐	☑	☐	☐	100016	Rohrverlegung: Stahlrohr ohne ZMAK	5	M	93,05	EUR	☐	1	
40	☐	☑	☐	☐	100022	Rohrverlegung sonst. Material aller Art	5	KG	81,81	EUR	☐	1	
50	☐	☑	☐	☐	100026	Rohrschn./autog./gerade ST-rohr o. ZMA	9	ST	27,61	EUR	☐	1	
60	☐	☑	☐	☐	100028	Rohrschn./autog./Segment ST-rohr o. ZM	4	ST	48,57	EUR	☐	1	
70	☐	☐	☐	☑		Regiestunden	12	H	55,00	EUR	☐	1	
80	☐	☐	☐	☐						EUR	☐		
90	☐	☐	☐	☐						EUR	☐		

Leistungssel. — Zeile 10

Abbildung 5.96 Leistungserfassung und Leistungsabnahme

Im SAP-System wird zwischen der Leistungserfassung und der Leistungsabnahme unterschieden. Diese beiden Funktionen können – wenn die Berechtigungen vorliegen – von derselben Person durchgeführt werden. Auch könnten Sie die Verantwortlichkeiten nach dem Vier-Augen-Prinzip oder auf mehrere Personen verteilen.

[!]

Erfassung durch externe, Abnahme durch interne Personen

In der Praxis wird die Erfassung der Leistung häufig vom Dienstleister selbst im Internet (z. B. unter der Nutzung einer Internet Application Component (IAC), siehe Abschnitt 6.4.3, »Leistungsverzeichnisse und Leistungserfassungen«) durchgeführt, und die Abnahme erfolgt durch verantwortliche Personen des eigenen Unternehmens.[1]

Rechnungseingang

Das abgenommene Leistungserfassungsblatt stellt die Grundlage für die Rechnungsprüfung dar. Der Auftrag wird zum Zeitpunkt der Abnahme mit Ist-Kosten belastet. Bei der Abnahme des Leistungserfassungsblattes wird ein Wareneingangsbeleg erzeugt.

Beispielprozesse im Web

Auf der E-Learning-Plattform unter *http://saptraining.fh-wuerzburg.de* erreichen Sie über den Menüpfad **SAP ERP • Instandhaltung Prozesse • Instandhaltung Prozesse @-learning SAP starten • Instandhaltung • 5. Fremdleistung • 5.2 Abwicklung von Fremdleistungen mit Dienstleistungspositionen** den Geschäftsprozess (Auftragsplanung, Bestellanforderung).

5.6 Der Geschäftsprozess »Aufarbeitung«

Aufarbeitung – Definition

Der Geschäftsprozess der Aufarbeitung ist dadurch gekennzeichnet, dass Reserveteile auf Lager vorgehalten werden (z. B. zur Sicherstellung der Anlagenverfügbarkeit). Dabei werden unterschiedliche Zustände der Reserveteile unterschieden (z. B. neu, funktionsfähig, defekt). Defekte Teile werden durch eigenes oder fremdes Personal aufgearbeitet, also in einen funktionsfähigen Zustand zurückversetzt.

Voraussetzung ist, dass die Reserveteile mit unterschiedlichen buchhalterischen Werten im Lager verwaltet werden: Wenn ein Reserveteil aufge-

1 Siehe hierzu z. B. Anschütz, O.; Junior, J.: »Die Fremdleistungsbeschaffung beim Großkraftwerk«, Mannheim, Frankfurt: DSAG-Arbeitskreis 2003.

arbeitet ist, besitzt es einen höheren Wert als in einem defekten Zustand. Die Reserveteile werden entweder nur als Material oder als Einzelstücke (= Materialserialnummer) verwaltet.

[!]

Mehrere Preise für dasselbe Material

Durch den Prozess der Aufarbeitung erreichen Sie, dass das aufgearbeitete Material oder Einzelstück einen höheren Wert erzielt als zuvor.

Ablauf

Eine Reserveteilverwaltung mit der Abwicklung von Aufarbeitungsaufträgen läuft folgendermaßen ab (siehe Abbildung 5.97):

1. **Beschaffung von Reserveteilen**
   Für bestimmte kritische und hochwertige Komponenten, die in einer Anlage eingesetzt werden, bevorraten Sie Reserveteile, um die Komponenten bei einem Ausfall umgehend ersetzen zu können ❶.
2. **Entnahme von intakten Reserveteilen und Rückgabe von defekten Reserveteilen**
   Wenn ein als Reserveteil geführtes Material (Einzelstück) in einer Anlage defekt ist, ersetzen Sie es durch ein intaktes Reserveteil ❷. Hierzu bauen Sie das defekte Reserveteil aus der Anlage aus und geben es ins Lager zurück, während Sie ein intaktes Reserveteil aus dem Lager entnehmen und in die Anlage einbauen.

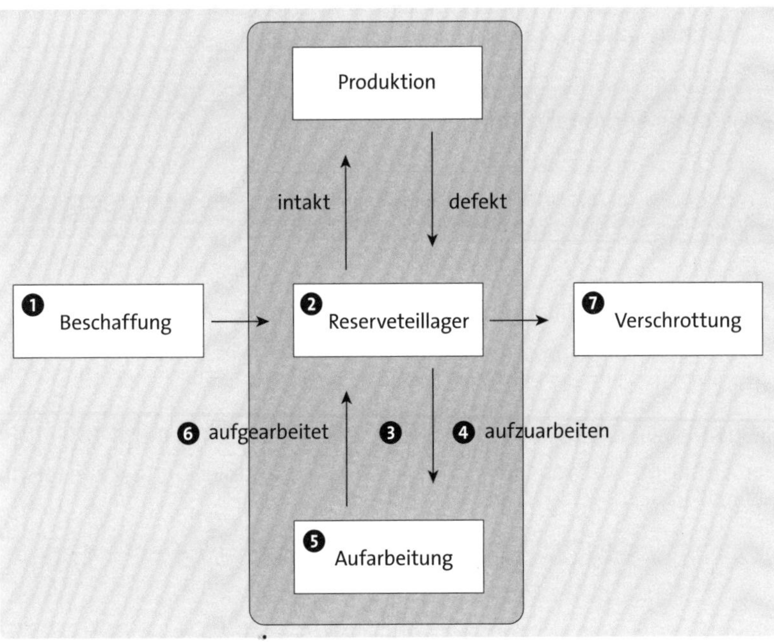

Abbildung 5.97 Ablauf der Aufarbeitung

3. **Eröffnung und Freigabe eines Aufarbeitungsauftrags**
   Sobald die defekten Reserveteile im Lager eine bestimmte Anzahl erreicht haben, eröffnen Sie einen Aufarbeitungsauftrag ❸. Für die Aufarbeitung der Reserveteile planen Sie alle nötigen Vorgänge, Materialien, Hilfsmittel usw. ein. Hierzu stehen Ihnen alle in Abschnitt 5.2, »Der Geschäftsprozess ›Geplante Instandsetzung‹«, beschriebenen Möglichkeiten zur Verfügung.
4. **Entnahme aus dem Lager**
   Die mit der Aufarbeitung betrauten Mitarbeiter entnehmen die defekten Reserveteile sowie alle weiteren, im Auftrag eingeplanten Materialien, die sie für die Aufarbeitung benötigen, aus dem Lager ❹.
5. **Durchführung der Aufarbeitung**
   Sie führen die Aufarbeitung durch. Hierzu können Rückmeldungen für Eigenleistungen, Wareneingänge bzw. Leistungserfassungen für Fremdmaterial bzw. Fremdleistungen gebucht werden ❺.
6. **Rückgabe ans Lager**
   Sie geben die aufgearbeiteten Reserveteile per Wareneingang ans Lager zurück ❻. Für nicht aufzuarbeitende Reserveteile stornieren Sie die Reservierung und buchen eine Verschrottung.
7. **Verschrottung**
   Sollten defekte Reserveteile nicht mehr aufarbeitungswürdig sein, verschrotten Sie sie ❼. Vergessen Sie nicht, für diesen Fall ebenfalls einen Warenausgang zu buchen.

Meldung der Aufarbeitung

Um die Lebenslaufhistorie eines technischen Objekts vollständig zu dokumentieren, ist es ratsam, für ein defektes Reserveteil eine Meldung im Sinne einer Aufarbeitungsanforderung zu erfassen.

Voraussetzungen

Damit Sie den Geschäftsprozess der Aufarbeitung von Reserveteilen initiieren und abwickeln können, schaffen Sie zuvor die folgenden Voraussetzungen.

Auftragsart

Sie benötigen eine eigene Auftragsart. Diese wird im Customizing mithilfe der Funktion **Auftragsarten für Aufarbeitungsabwicklung kennzeichnen** für den Prozess der Aufarbeitung eingerichtet. Diese Einstellung nehmen Sie auf der Mandantenebene vor; sie greift deshalb für alle Werke.

Eigene Meldungsart

Wenn Sie Aufarbeitungsleistungen durch eine Meldung anfordern möchten, ist es aus verschiedenen Gründen empfehlenswert (z. B. zur Selektion oder zur Bildschirmsteuerung), eine eigene Meldungsart dafür zu definieren.

[!]

Eigene Auftragsart

Für den Geschäftsprozess der Aufarbeitung benötigen Sie eine eigene Auftragsart. Eine Auftragsart, die Sie für die Aufarbeitung gekennzeichnet haben, können Sie allerdings nicht für »normale« Instandhaltungsprozesse verwenden. Eine eigene Meldungsart können, aber müssen Sie jedoch nicht definieren.

Getrennte Bewertung

Für die Reserveteile benötigen Sie einen Materialstamm, der über eine getrennte Bewertung verfügt. Die Grundlage für eine getrennte Bewertung schaffen Sie im Customizing über die Funktion **Getrennte Bewertung einstellen**, indem Sie dort z. B. einen Bewertungstyp C (Zustand) und dazu mehrere Bewertungsarten C1 (neuwertig), C2 (aufgearbeitet) und C3 (aufzuarbeiten) definieren.

Zwei bis drei Bewertungsarten

Sie sollten zwei oder drei Bewertungsarten für die Aufarbeitung verwenden; weniger Bewertungsarten sind nicht sinnvoll und mehr Bewertungsarten nicht mehr überschaubar.

Serialnummern

Sie haben die Möglichkeit, den Aufarbeitungsprozess entweder auf Materialebene oder auf Serialnummernebene (d. h. Equipment) durchzuführen. Wenn Sie eine Vereinzelung mit Serialnummern wünschen, muss der Materialstamm über ein Serialnummernprofil verfügen, das eine Ein- und Auslagerung von Equipments im Lager erlaubt (siehe Abschnitt 4.2.2, »Equipments und Serialnummern«).

Das Reserveteil

Damit Sie den Materialstamm des Reserveteils für die Aufarbeitung verwenden können, legen Sie auf Werksebene in den Buchhaltungsdaten den Bewertungstyp fest (z. B. C für Zustand) und legen anschließend zum Bewertungstyp mehrere Bewertungsarten an (siehe Abbildung 5.98).

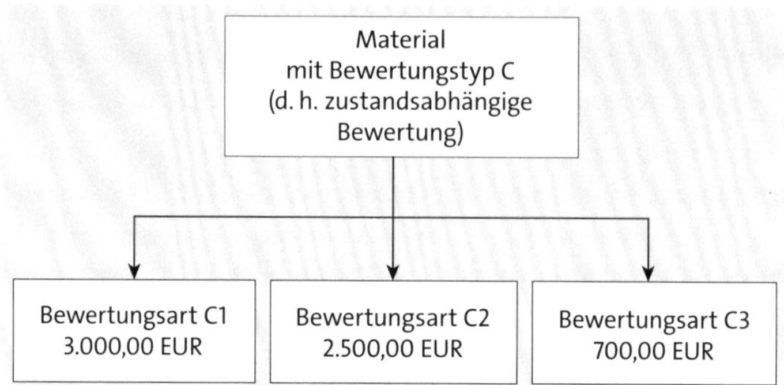

Abbildung 5.98 Bewertungstyp und Bewertungsart

Abbildung 5.99 zeigt Ihnen die Buchhaltungsdaten eines Materialstammes, bei dem in der Sicht **Buchhaltung** der Bewertungstyp C gesetzt und für die Bewertungsart C1 ein Preis festgelegt wurde.

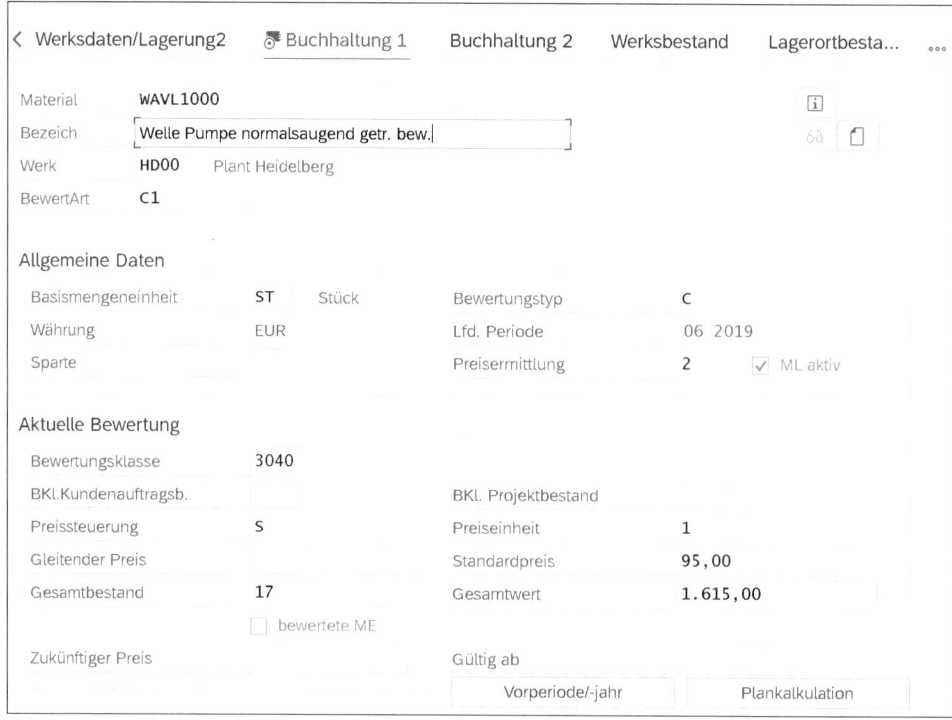

Abbildung 5.99 Transaktion MM02 – zustandsabhängig bewerteter Materialstamm

In der Bestandsübersicht werden die Bestände pro Bewertungsart getrennt ausgewiesen (siehe Abbildung 5.100).

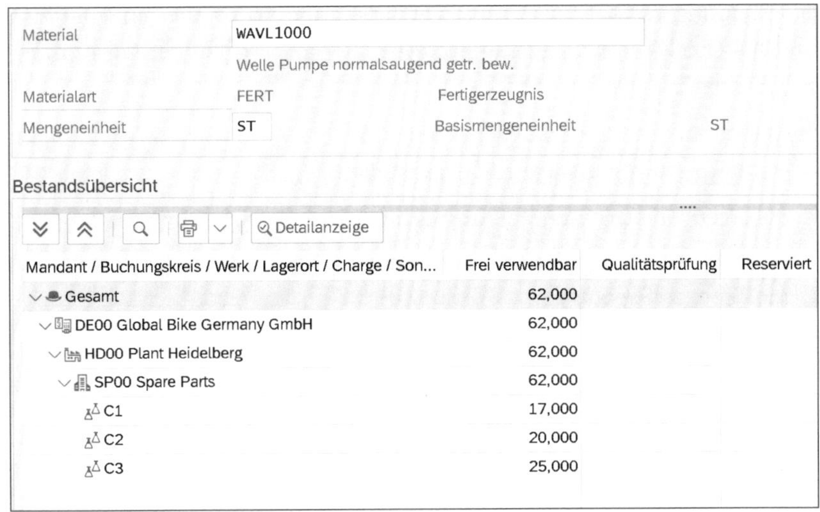

Abbildung 5.100 Transaktion MMBE – Bestände pro Bewertungsart

Abbildung 5.101 zeigt Ihnen eine Meldung, mit deren Hilfe Sie eine Aufarbeitung anfordern können.

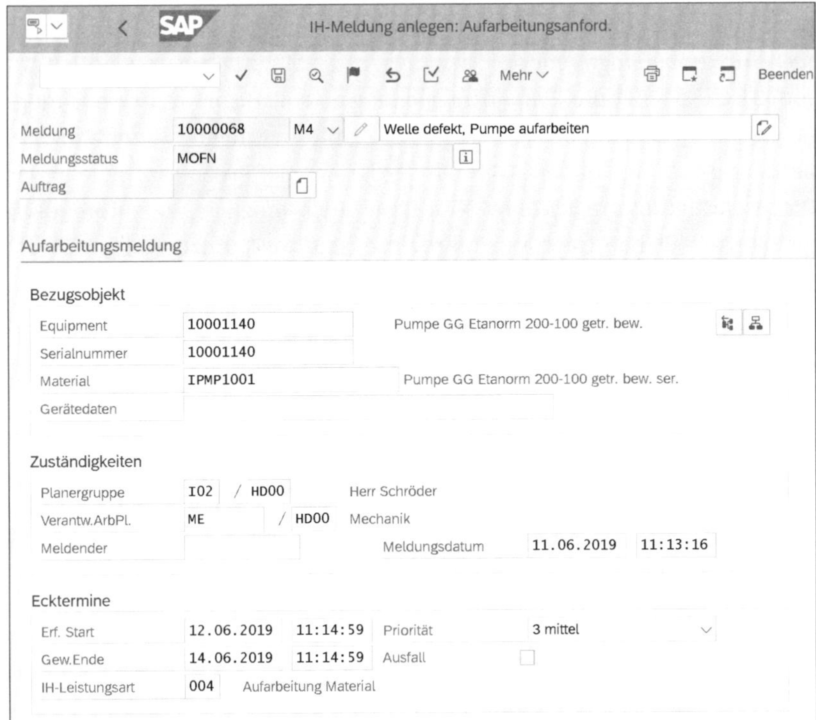

Abbildung 5.101 Transaktion IW21 – Aufarbeitungsmeldung

Die Meldung verfügt über eine eigene Meldungsart (in diesem Falle M4), und als Objekttyp wurde eine Material-, Serial- und Equipmentnummer zugeordnet.

Auftrag aus Meldung

Sie haben nun mehrere Möglichkeiten, um die Zuordnung von Meldungen und Aufarbeitungsaufträgen sicherzustellen:

- Sie erzeugen aus einer Meldung heraus einen Aufarbeitungsauftrag.
- Sie erzeugen einen Aufarbeitungsauftrag und ordnen die betreffende Meldung erst später zu.
- Sie können über die Objektliste mehrere Meldungen zu einem Aufarbeitungsauftrag zusammenfassen.

Business Functions

Damit Sie eine Meldung für einen Aufarbeitungsauftrag nutzen können, müssen die Business Functions LOG_EAM_ROTSUB, LOG_EAM_ROTSUB_2 und LOG_MM_SERNO aktiviert sein.

Aufarbeitungsaufträge über Materialbedarfsplanung

Mittlerweile ist die Möglichkeit, Aufarbeitungsaufträge zu erzeugen, auch in die Materialbedarfsplanung, insbesondere in die Bedarfs-/Bestandsliste (Transaktion MD04) integriert worden.

Dies hat den betriebswirtschaftlichen Hintergrund, dass immer, wenn die Menge an funktionsfähigen Teilen den Meldebestand unterschreitet, aber nichtfunktionsfähige Teile auf Lager liegen, die Materialbedarfsplanung automatisch sogenannte Planaufträge erzeugen soll. Bisher war es nur möglich, Planaufträge entweder in den Bestellanforderungen für den Einkauf, Fertigungsaufträge in der diskreten Fertigung oder Prozessaufträge in der Prozessfertigung umzusetzen. Nun ist es auch möglich, die automatisch generierten Planaufträge in Aufarbeitungsaufträge umzusetzen, um die Menge an funktionsfähigen Teilen sicherzustellen.

Voraussetzung

Damit Sie Planaufträge in Aufarbeitungsaufträge umsetzen können, müssen Sie im Materialstamm auf dem Bild **Grunddaten 2** einen Spare Part Class Code im gleichnamigen Feld vergeben und ihn entweder als reparierbares Ersatzteil mit CMM (Code 2) oder als reparierbares Ersatzteil ohne CMM (Code 6) definieren, siehe Abbildung 5.102.

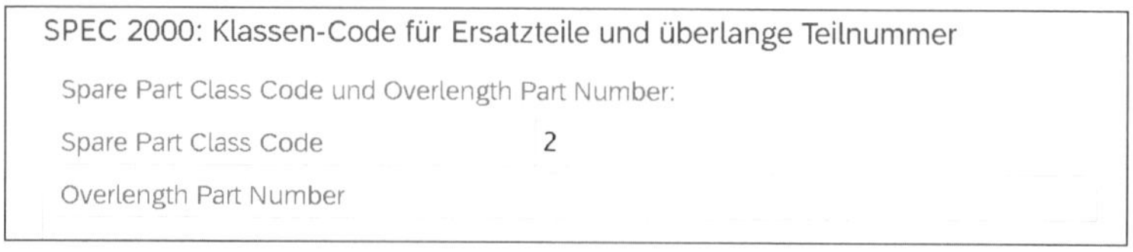

SPEC 2000: Klassen-Code für Ersatzteile und überlange Teilnummer

Spare Part Class Code und Overlength Part Number:

Spare Part Class Code 2

Overlength Part Number

Abbildung 5.102 Spare Part Class Code

Damit diese Felder erscheinen, müssen Sie in der Konfiguration des Materialstammes aus dem Programm SAPLADRT21 den Subscreen 2000 zuordnen.

Überführen Sie den Planauftrag in einen Aufarbeitungsauftrag mit einem Klick auf den Button -> AufarbeitungsAuftr (siehe Abbildung 5.103).

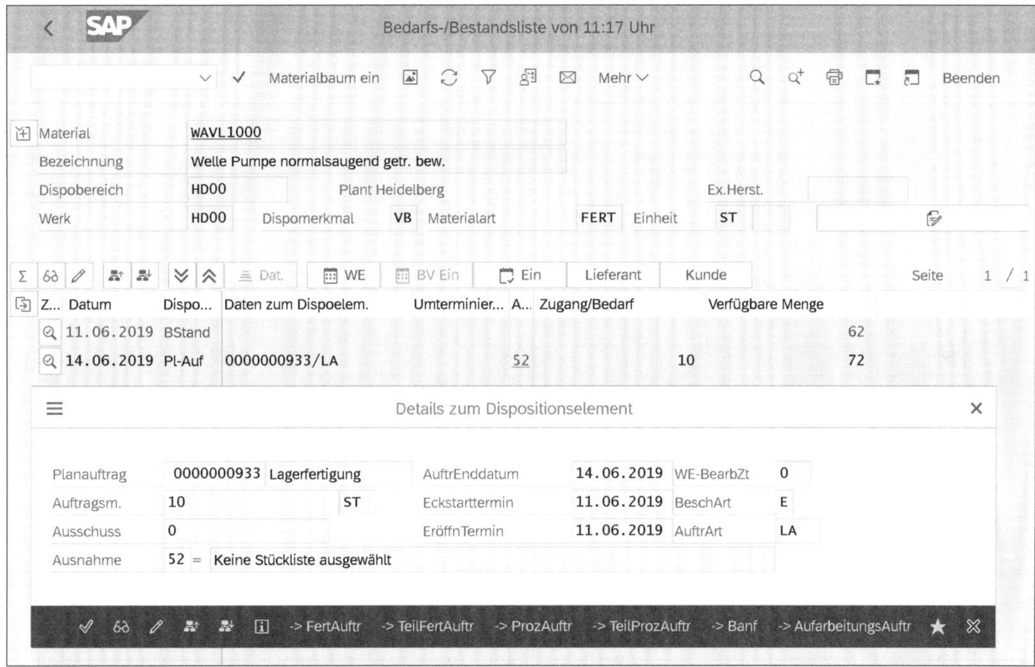

Abbildung 5.103 Transaktion MD04 – Bedarfs-/Bestandsliste

Sie gelangen in ein Folgebild, auf dem Sie weitere Details zum Aufarbeitungsauftrag festlegen können (siehe Abbildung 5.104).

> **Aufarbeitung in die Materialbedarfsplanung integriert**
>
> Die Aufarbeitung ist mittlerweile in die Materialbedarfsplanung integriert worden, d. h., dass Sie aus einem Planauftrag einen Aufarbeitungsauftrag generieren können.

Business Functions

Damit Sie einen Planauftrag in einen Aufarbeitungsauftrag umwandeln können, muss DIMP 6.0 installiert und es müssen die Business Functions LOG_EAM_ROTSUB, LOG_EAM_ROTSUB_2 und LOG_MM_SERNO aktiviert sein.

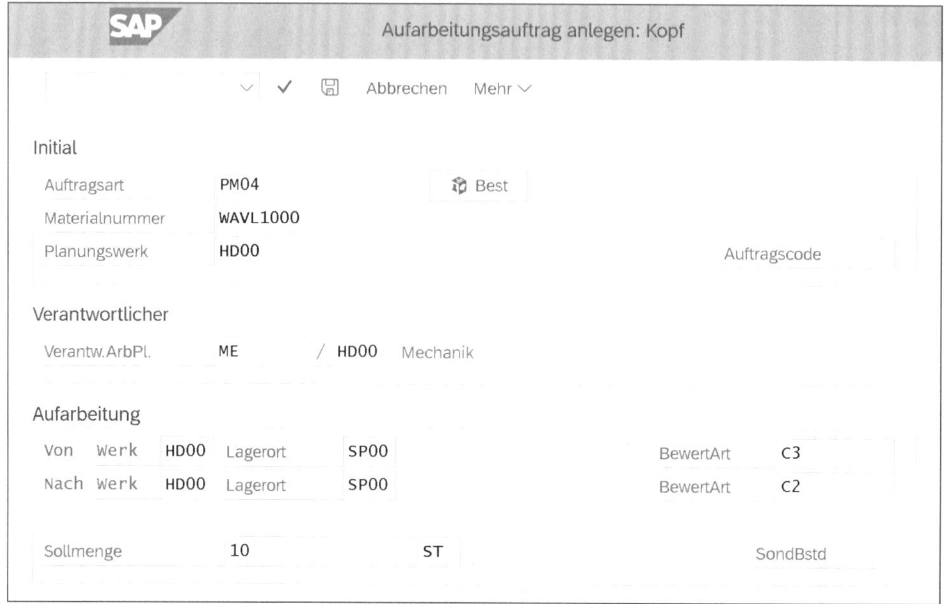

Abbildung 5.104 Aufarbeitungsauftrag aus der Bedarfs-/Bestandsliste

Manuelle Einrichtung eines Aufarbeitungsauftrags

Die Einrichtung eines Aufarbeitungsauftrags unterscheidet sich von der Einrichtung eines »normalen« Instandhaltungsauftrags in den in Abbildung 5.105 dargestellten Punkten.

- Sie verwenden die spezielle Transaktion IW81.
- Sie verwenden eine spezielle Auftragsart (z. B. PM04).
- Sie geben immer eine *Von*-Materialnummer an.
- Auch können Sie eine *Nach*-Materialnummer angeben, wenn durch den Aufarbeitungsprozess eine neue Materialnummer entstehen sollte.
- Wenn Sie eine individualisierte Aufarbeitungsabwicklung wünschen, ergänzen Sie die Materialnummer um die Objekte der Serialnummern.
- Sie können kein Bezugsobjekt, also weder einen Technischen Platz noch ein Equipment angeben.
- Das System generiert eine Abrechnungsvorschrift MAT mit der Materialnummer als empfangendes Objekt.
- Sie geben immer eine Menge an; diese kann größer als 1 sein.
- Sie geben immer ein *Von*-Werk an, aus dem die Materialien entnommen werden sollen, den Lagerort sowie die Bewertungsart.
- Das SAP-System erzeugt automatisch eine Reservierung für den Warenausgang.

- Sie geben immer ein *Nach*-Werk an, an das die Materialien zurückgeführt werden sollen, sowie den Lagerort und die Bewertungsart.
- Das SAP-System erzeugt automatisch eine Reservierung für den Wareneingang.

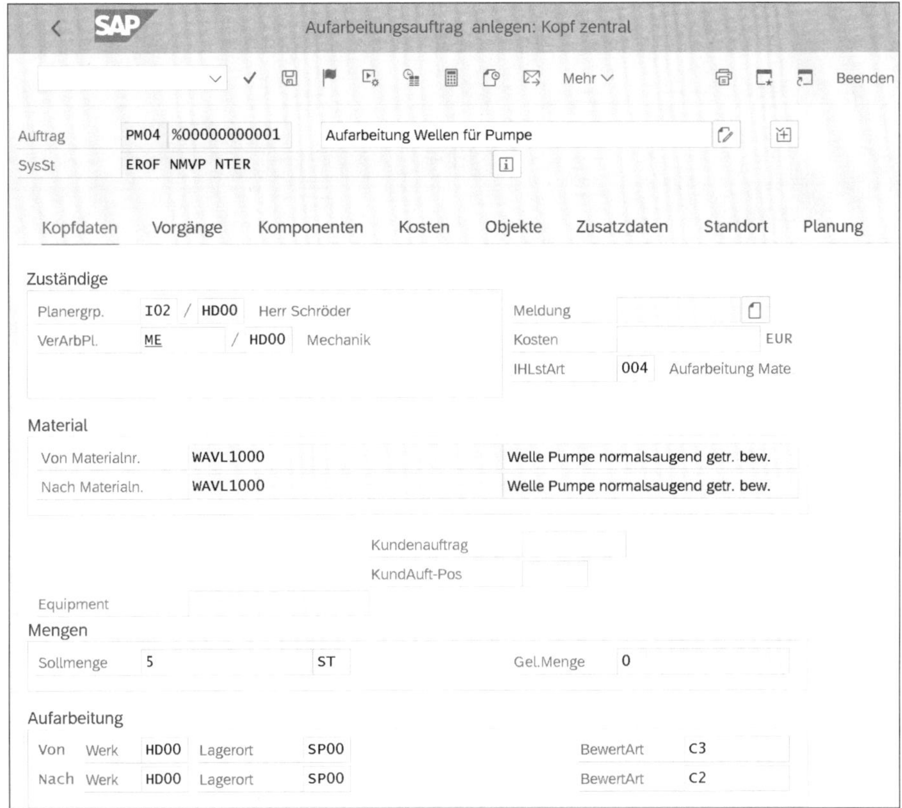

Abbildung 5.105 Transaktion IW81 – Aufarbeitungsauftrag

In den anderen Funktionen (Vorgänge, Materialplanung, Kostenschätzung usw.) unterscheidet sich der Aufarbeitungsauftrag nicht von einem normalen Instandhaltungsauftrag. Sie können alle Planungsvorgänge so durchführen, wie sie in Abschnitt 5.2, »Der Geschäftsprozess ›Geplante Instandsetzung‹«, dargestellt werden.

Warenausgang

Beim Anlegen des Aufarbeitungsauftrags wurde automatisch eine Reservierung für die Entnahme der aufzuarbeitenden Materialien angelegt. Diese können Sie mithilfe der Transaktion MIGO (Bewegungsart 261) unter Bezugnahme zum Auftrag ausbuchen. Beachten Sie, dass die Entnahme aus dem Sonderbestand *Bewertungsart* (hier C3) erfolgt (siehe Abbildung 5.106).

Wenn Sie den Aufarbeitungsauftrag für eine individualisierte Abwicklung eingerichtet haben, geben Sie bei der Materialentnahme zusätzlich noch die zu entnehmenden Serialnummern an.

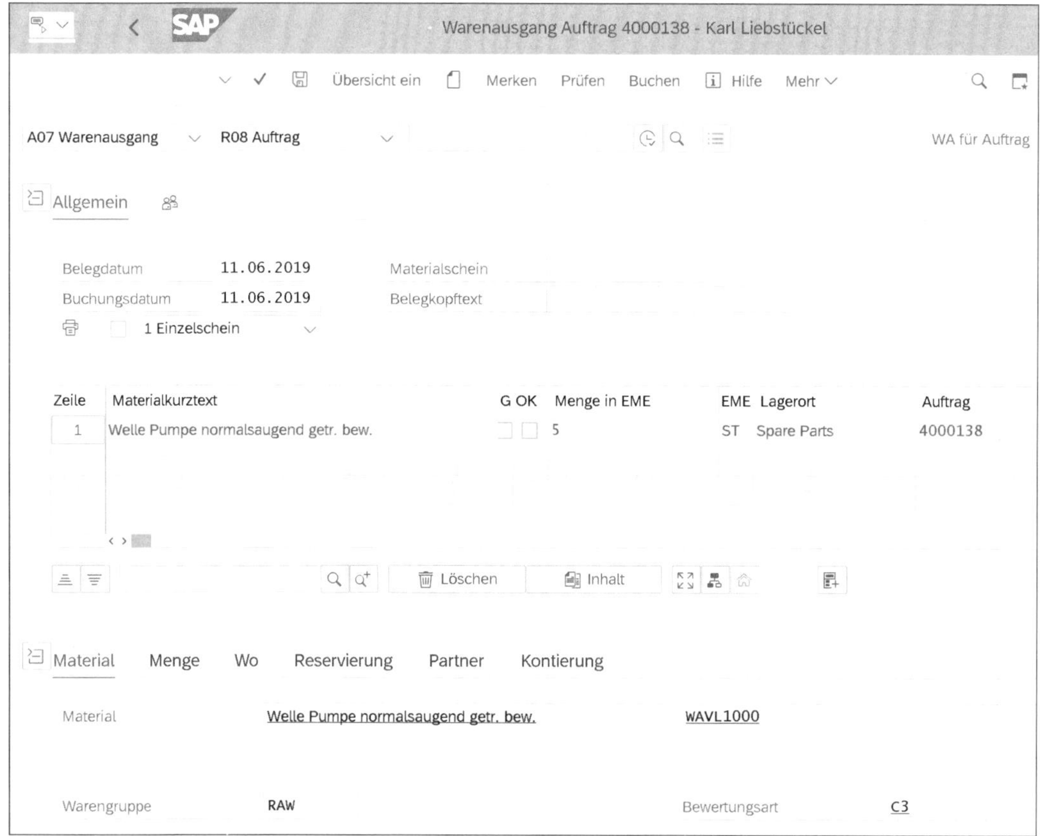

Abbildung 5.106 Transaktion MIGO – Materialentnahme zur Aufarbeitung

Wareneingang Beim Anlegen des Aufarbeitungsauftrags wurde automatisch eine Reservierung für den Wareneingang der aufgearbeiteten Materialien angelegt. Diese können Sie dann sowohl mithilfe der Standardtransaktion MIGO (Bewegungsart 101) unter Bezugnahme zum Auftrag oder aber mit der speziellen Aufarbeitungstransaktion IW8W inklusive einem eventuell durchgeführten Materialwechsel einbuchen. Beachten Sie, dass die Einbuchung in den Sonderbestand *Bewertungsart* (hier C2) vorgenommen wird (siehe Abbildung 5.107).

Wenn Sie den Aufarbeitungsauftrag für eine individualisierte Abwicklung eingerichtet haben, geben Sie beim Wareneingang zusätzlich noch die einzulagernden Serialnummern an.

Abbildung 5.107 Transaktion IW8W – Wareneingang zur Aufarbeitung

Nachkalkulation

Die Kostensituation des Aufarbeitungsauftrags stellt sich nun nach der Erfassung der Warenausgänge, den Zeitrückmeldungen, den Warenzugängen und nach der Auftragsabrechnung wie folgt dar (siehe Abbildung 5.108):

Auftrag 4000138 Aufarbeitung Wellen für Pumpe
Auftragsart PM04 Aufarbeitungsauftrag
Werk HD00 Plant Heidelberg

Planmenge 5 ST Stück
Istmenge 5 ST Stück

Kostenart	Kostenart (Text)	Plankosten gesamt	Istkosten gesamt
720000	Aufwendungen Rohstoffe	64,50	64,50
800400	Innerbetriebliche Leistungen Instandhalt	540,00	360,00
Belastung		**604,50**	**424,50**
741600	Ausgleich Produktionsmengen	312,50-	312,50-
Lieferung		**312,50-**	**312,50-**
		292,00	**112,00**

Abbildung 5.108 Plan-/Ist-Kosten des Aufarbeitungsauftrags

Die Kostenart 720000 stellt die Belastung des Auftrags dar, die durch den Warenausgang der aufzuarbeitenden Teile entstanden ist.

Gegebenenfalls können durch den Warenausgang von sonstigen, für die Aufarbeitung zusätzlich benötigten Materialien weitere Materialkosten entstanden sein.

Die Kostenart 800400 stellt die Belastung des Auftrags dar, die durch Zeitrückmeldungen entstanden ist.

Die Kostenart 741600 stellt vor der Auftragsabrechnung die Entlastung des Auftrags dar, die durch den Wareneingang der aufgearbeiteten Teile gutgeschrieben wurde. Mit dem Wareneingang wurde zunächst der gleitende Durchschnittspreis des Materials angepasst. Denn da der Wert eines aufgearbeiteten Teils höher als der Wert eines defekten Teils ist, steigt mit dem Wareneingang auch der gleitende Durchschnittspreis.

Nach der Auftragsabrechnung stellt die Kostenart 741600 den Wert der Auftragsabrechnung dar. In der Regel werden die Werte an das Bestandsvermögen, genauer gesagt an die Materialnummer abgerechnet und verändern somit erneut den gleitenden Durchschnittspreis des Materials. In unserem Fall waren die Aufarbeitungskosten höher als der Wert, der durch den Wareneingang in der Bewertungsart C2 gutgeschrieben wurde; also steigt der gleitende Durchschnittspreis weiter.

Auch in der Kostenübersicht werden sowohl die Kostenbelastung als auch die Kostenentlastung des Auftrags durch den Wareneingang dargestellt (siehe Abbildung 5.109).

Übersicht | Kosten | Mengen | Kennzahlen

Gruppe/Bezeichnng	Schätzkstn	Plankosten	Istkosten	Wä...
Kosten	720,00	604,50	424,50	EUR
Eigenleistung	600,00	540,00	360,00	EUR
Lagermaterial	120,00	64,50	64,50	EUR
Wareneingang	0,00	0,00	312,50-	EUR
	0,00	0,00	312,50-	EUR

Abbildung 5.109 Kostenübersicht des Aufarbeitungsauftrags

Zeitnahe Abrechnung des Aufarbeitungsauftrags

Führen Sie die Auftragsabrechnung möglichst zeitnah nach dem Wareneingang durch, mit dem Sie die Endlieferung gebucht haben. Falls das aufgearbeitete Material dem Lager bereits vor der Abrechnung entnommen wird, kann die Kostenverrechnung nicht auf das Material, sondern nur auf eine Verrechnungskostenstelle erfolgen.

5.7 Der Geschäftsprozess »Subcontracting«

Der Geschäftsprozess *Subcontracting* kann auch als Lohnbearbeitung für Wartung und Instandsetzung bezeichnet werden und beschreibt die Verfahrensweise, um ein Equipment (bzw. eine Materialserialnummer) bei einem Dienstleister instand setzen zu lassen. Das heißt, dass hier, anders als bei den Prozessen der Fremdbearbeitung (siehe Abschnitt 5.5, »Der Geschäftsprozess ›Fremdvergabe‹«), das instand zu setzende oder zu wartende Objekt zum Dienstleister geschickt, dort bearbeitet und anschließend wieder zurückgeschickt wird. **Definition**

[!]

Subcontracting = Aufarbeitung + Fremdleistung

Da der Vorgang der Lohnbearbeitung auch mit einer Aufarbeitung verbunden sein kann, kann das Subcontracting auch als Verbindungsglied zwischen Fremdleistung und Aufarbeitung angesehen werden.

Der Ablauf des Subcontracting sieht im Detail wie folgt aus (siehe Abbildung 5.110): **Ablauf**

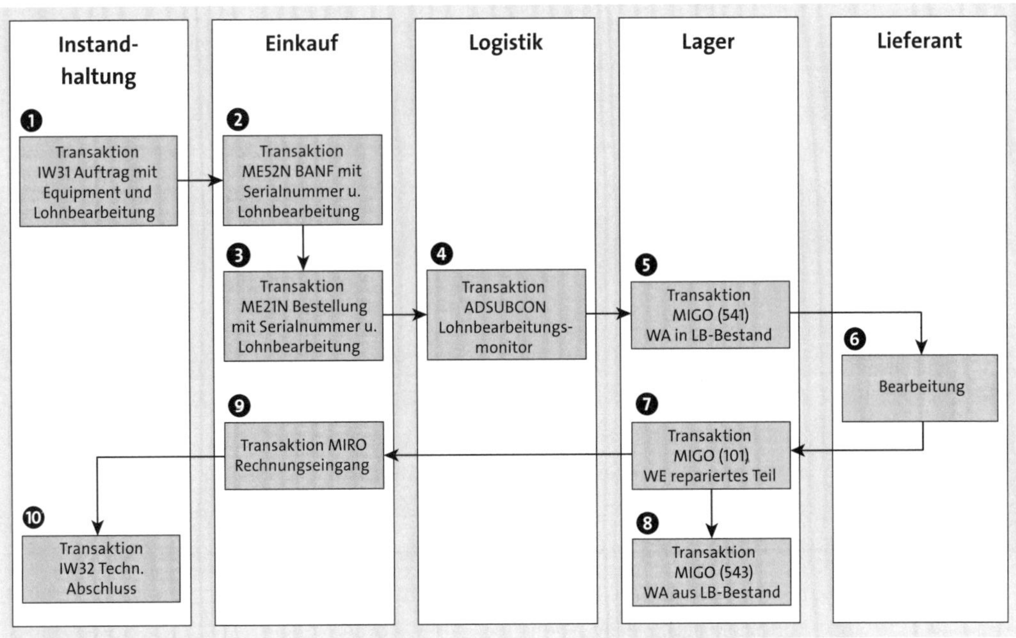

Abbildung 5.110 Subcontracting – Ablauf

1. Ihnen liegt ein defektes Teil zur Wartung bzw. Instandsetzung vor, das bei einem Dienstleister bearbeitet werden soll. Hierzu legen Sie einen Instandhaltungsauftrag mit einem Lohnbearbeitungsvorgang an ❶.
2. Das SAP-System generiert nun aus dem Instandhaltungsauftrag eine Bestellanforderung für die externe Reparatur- bzw. Instandsetzungsleistung mit einer Lohnbearbeitungsposition (Positionstyp L) und der Materialserialnummer oder nur Materialnummer ❷.
3. Sie wandeln die Bestellanforderung in eine Bestellung für die externe Reparatur- bzw. Instandsetzungsleistung um. Die Bestellposition ist als Lohnbearbeitungsposition gekennzeichnet (Positionstyp L) und enthält das Teil, das nach der Reparatur zurückerwartet wird (Materialserialnummer oder nur Materialnummer) ❸.
4. Sie senden das zu reparierende Teil über eine Auslieferung an den Lohnbearbeiter ❹.
5. Die beigestellten Teile werden als Lieferantenbeistellbestand (Lohnbearbeiterbestand) geführt. Die Beistellung stellt eine Umbuchung aus dem frei verwendbaren Bestand in den Lieferantenbeistellbestand (Lohnbearbeiterbestand) dar ❺.
6. Der Lohnbearbeiter repariert, modifiziert, ersetzt oder tauscht das defekte Teil aus und sendet das einsetzbare Teil zurück ❻.
7. Sie erfassen für das gelieferte Teil eine Wareneingangsbuchung mit Bezug auf die Lohnbearbeitungsposition in der Bestellung ❼.
8. Dabei wird für die Komponenten ein Warenausgang aus dem Lohnbearbeiterbestand gebucht ❽.
9. Sie erhalten eine Rechnung über die Lohnbearbeitung ❾.
10. Sie schließen den Instandhaltungsauftrag ab ❿.

Auftrag mit Lohnbearbeitung

Sie legen mithilfe der Transaktion IW31 einen Instandhaltungsauftrag an. Im Folgenden wird das Szenario mit Equipment bzw. Materialserialnummer beschrieben. Sie können den Prozess aber auch nur mit einer Materialnummer (ohne Serialnummern) durchführen. Gegenüber einem »normalen« Instandhaltungsauftrag sind die folgenden Besonderheiten zu beachten:

Sie richten einen Fremdvorgang ein und setzen dort das Kennzeichen **Lohnbearb.** (Lohnbearbeitung), siehe Abbildung 5.111.

Allgemein | Eigen | Fremd | Termine | Ist-Daten | Erweiterg.

Vorgangsmenge	1	LE	Sortierbegriff		
Preis	800,00	EUR	pro	1	
Warengruppe	SERV	Dienstleistungen	Kostenart	790200	Inst. Fremdleistunge
Einkäufergr.	E00 / DE00		Lieferant	K8999	Liebstückelscher Zubehörhandel SE
Vertrag	/		Infosatz		
Empfänger	Hofmann		Abladestelle	Tor 4	
Anforderer	Weber		Bedarfsnummer		
Planlieferzeit	☑ Lohnbearb.				

Abbildung 5.111 Subcontracting – Fremdvorgang

Sie planen für den Vorgang die Materialnummer der Serialnummer ein und weisen der Materialposition – wie es Abbildung 5.112 zeigt – das Beistellkennzeichen **S Aufarbeitungsmaterial** zu. Dieses Kennzeichen bewirkt, dass beim Warenausgang an den Lieferanten und beim Wareneingang von diesem Lieferanten dieselbe Materialnummer erwartet wird.

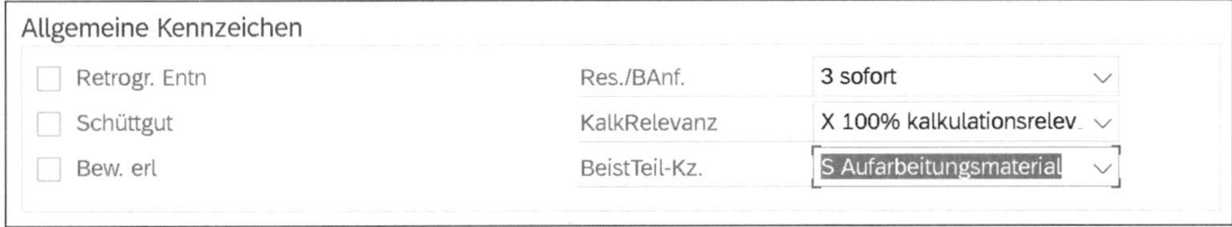

Abbildung 5.112 Subcontracting – Materialposition

[!]

Kennzeichen nicht vergessen

Achten Sie beim Subcontracting-Auftrag darauf, dass auf der Registerkarte **Fremd** (Fremdvorgang) das Kennzeichen **Lohnbearb.** markiert ist und dass die Materialkomponenten mit dem Beistellkennzeichen **S** versehen sind.

Bestellanforderung

Beim Sichern des Auftrags wird im Hintergrund automatisch eine Bestellanforderung generiert. Diese weist gegenüber einer »normalen« Bestellanforderung die folgenden Besonderheiten auf (siehe Abbildung 5.113):

- Die Position der Bestellanforderung enthält nicht die Fremdleistung, sondern die Materialkomponente.
- Die Position trägt den Positionstyp L (= Lohnbearbeitung).
- Die Position beinhaltet eine Serialnummer, die zum Equipment gehört und die Sie über den Button [icon] kontrollieren können (siehe Abbildung 5.114).

Abbildung 5.113 Subcontracting – Bestellanforderung

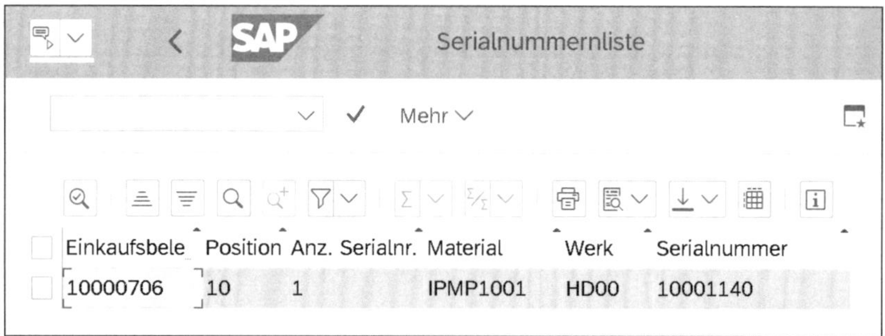

Abbildung 5.114 Subcontracting – Serialnummernliste

Lohnbearbeitungsmonitor

Die Schritte ❸, ❹, ❺, ❼ und ❽ können Sie mithilfe des Lohnbearbeitungsmonitors (Transaktion ADSUBCON, siehe Abbildung 5.115) ausführen. Diesen können Sie zur Erstellung einer Übersicht über alle Lohnbearbeitungspositionen verwenden, oder Sie können mit dessen Hilfe gezielt nach bestimmten Belegen suchen (z. B. nach Lieferant oder Materialnummer).

[!]

Lohnbearbeitungsmonitor

Der Lohnbearbeitungsmonitor gibt Ihnen nicht nur einen Überblick über den aktuellen Stand der Lohnbearbeitungsprozesse, sondern er unterstützt Sie auch bei deren Durchführung.

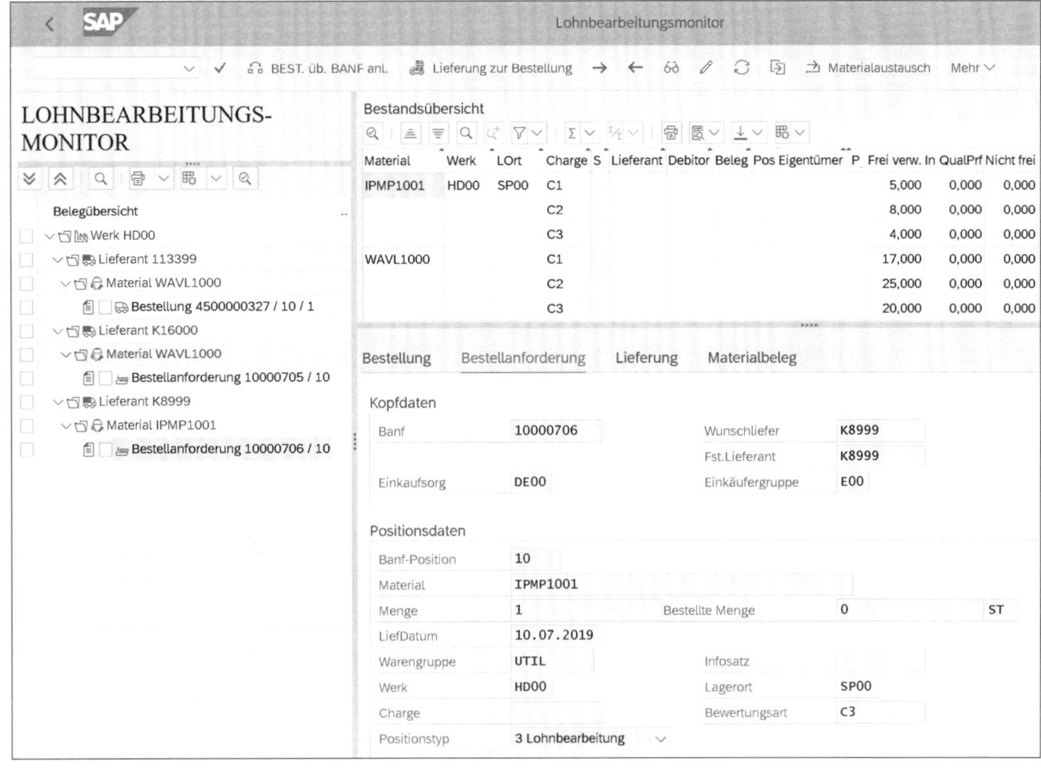

Abbildung 5.115 Transaktion ADSUBCON – Lohnbearbeitungsmonitor

Bestellung

Die Bestellanforderung wandeln Sie nun in eine Bestellung um, und zwar über die Funktion **Bestellung über Bestellanforderung anlegen** (Button BEST. üb. BANF anl.). Die Bestellung beinhaltet ebenfalls eine Materialposition mit dem Positionstyp L (= Lohnbearbeitung) und die Serialnummer des Equipments.

Beistellung

Anschließend können Sie über den Button Lieferung zur Bestellung für die Komponente eine Auslieferung zur Bestellung anlegen und die Komponente über die Funktion **Warenausgang zur Bestellung buchen** bzw. über den Button → beistellen. Dabei wird eine Umbuchung vom eigenen Bestand in den sogenannten Lohnbearbeiterbestand vorgenommen. Auch hier wird der Bezug zur Serialnummer des Equipments beibehalten. Die Bestandsübersicht weist nun das beigestellte defekte Teil im Sonderbestand *Lieferantenbeistellung* und das zu erwartende funktionsfähige Teil im Bestellbestand aus (siehe Abbildung 5.116).

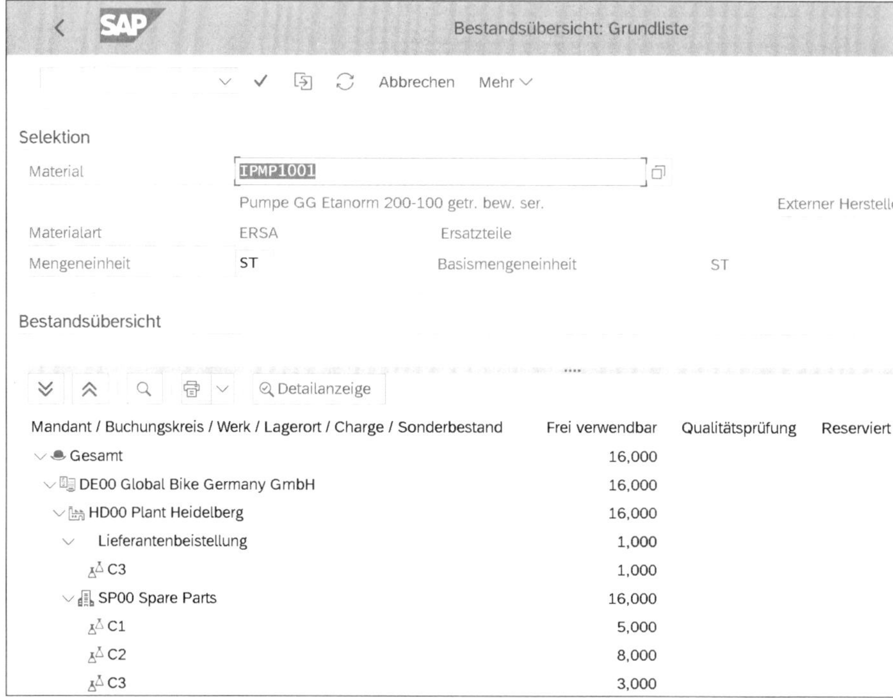

Abbildung 5.116 Subcontracting – Bestandsübersicht

Wareneingang

Den Wareneingang des funktionsfähigen Teils können Sie ebenfalls im Lohnbearbeitungsmonitor erfassen, und zwar mithilfe der Funktion **Wareneingang zur Bestellung buchen** bzw. über den Button [←]. Dabei werden im Hintergrund zwei Funktionen gleichzeitig ausgelöst:

- Der Wareneingang des funktionsfähigen Teils wird durchgeführt.
- Der Warenausgang des defekten Teils aus dem Sonderbestand *Lieferantenbeistellung* wird veranlasst, und dieser Sonderbestand wird aufgelöst.

Bei beiden Buchungen bleibt der Bezug des Materials zur Serialnummer und damit zum Equipment erhalten. Ist die Bestellung damit komplett abgeschlossen, verschwindet sie aus dem Lohnbearbeitungsmonitor.

Voraussetzungen

Damit der Prozess so wie beschrieben funktioniert, sind die folgenden Voraussetzungen zu schaffen:

- Damit Sie Serialnummern in Einkaufsbelegen verwenden können, müssen Sie dem Materialstamm in der Sicht **Allg. Werksdaten/ Lagerung 2** ein Serialnummernprofil zuweisen.

- Darüber hinaus müssen Sie im Customizing des Einkaufs den Belegarten der Bestellung und der Bestellanforderung ein Serialnummernprofil zuweisen.

Die Serialnummernprofile selbst pflegen Sie mithilfe der Customizing-Funktion **Serialnummernprofile festlegen**. Dort müssen Sie insbesondere die Serialisierungsvorgänge MMSL (Warenein- und -ausgangsbeleg pflegen), PRSL (Serialnummern in Bestellanforderungen) und POSL (Serialnummern in Bestellungen) zuordnen.

Sie können die Serialnummern auf dem Positionsdetailbild über den Button, in der Bestellanforderung über die Registerkarte **Materialdaten** und in der Bestellung über die Registerkarte **Einteilungen** (siehe Abbildung 5.117) pflegen.

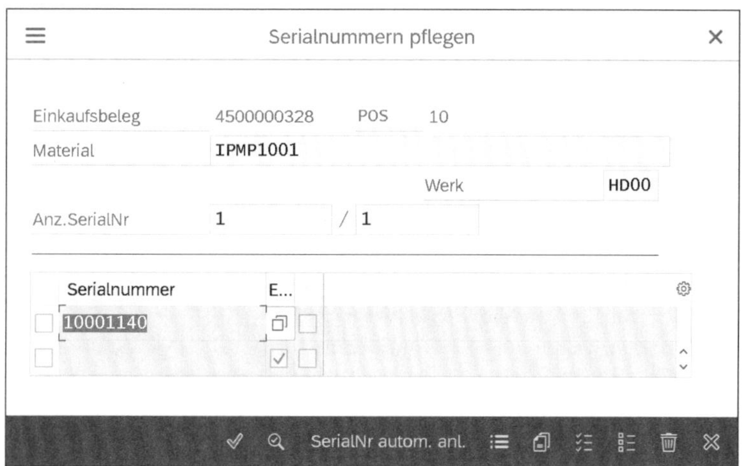

Abbildung 5.117 Serialnummer in der Bestellung

Erweiterungen des Szenarios

Dieses soeben beschriebene Szenario wird als sogenannte rekursive Reparatur bezeichnet und ist sicherlich das in der Praxis am häufigsten anzutreffende Szenario in der Lohnbearbeitung. Tabelle 5.2 gibt Ihnen eine Übersicht über alle Szenarien. Sie erläutert, was sich hinter den einzelnen Szenarien verbirgt und wie sich das jeweilige Szenario auf das Beistellkennzeichen im Auftrag bzw. auf die Lohnbearbeitungsart in den Einkaufsbelegen auswirkt.

Business Functions

Damit Sie das Subcontracting nutzen können, müssen die Business Functions LOG_EAM_ROTSUB, LOG_EAM_ROTSUB_2 und LOG_MM_SERNO aktiviert sein.

Szenario	Definition	Beistellkennzeichen im Auftrag	Lohnbearbeitungsart in der Bestellung
rekursive Reparatur	dasselbe physische Teil, dieselbe Materialnummer A, dieselbe Serialnummer 1	Material A mit S (Aufarbeitung an LB)	1 (Aufarbeitung mit gleichbleibender Materialnummer)
Austausch	anderes physisches Teil, dieselbe Materialnummer A, andere Serialnummer 2	Material A mit S (Aufarbeitung an LB)	1 (Aufarbeitung mit gleichbleibender Materialnummer)
Modifikation	dasselbe physische Teil, andere Materialnummer B, dieselbe Serialnummer 1	zwei Materialien: Material A mit S (Aufarbeitung an LB); Material B mit X (Aufarbeitung von LB)	2 (Aufarbeitung mit Materialnummernwechsel)
Ersatz	anderes physisches Teil, andere Materialnummer B, andere Serialnummer 2	zwei Materialien: Material A mit S (Aufarbeitung an LB); Material B mit X (Aufarbeitung von LB)	3 (Ersatz)

Tabelle 5.2 Szenarios der Lohnbearbeitung

5.8 Der Geschäftsprozess »Vorbeugende Instandhaltung«

Inhaltlich und terminlich planbar

Der Geschäftsprozess der vorbeugenden Instandhaltung zeichnet sich dadurch aus, dass die benötigten Ressourcen (Arbeitsplätze, Materialien, Fremdfirmen usw.) inhaltlich und terminlich vorausgeplant werden können. Ein derartiger Geschäftsprozess liegt z. B. in den folgenden Fällen vor:

- Eine Pumpe wird alle sechs Monate einer Sicht- und Funktionsprüfung unterzogen, und alle zwölf Monate wird die Gleitringdichtung gewechselt.

- Regelmäßig nach 1.000 Betriebsstunden (Bh) wird an einem Gabelstapler das Hydrauliköl und nach 2.000 Bh die Bremsflüssigkeit gewechselt.
- Der Feuerlöscher im Gebäude wird alle zwei Jahre neu befüllt.
- Ein Messmittel wird alle 120 Tage neu kalibriert.

Der Prozess der vorbeugenden Instandhaltung unterscheidet sich somit vom Prozess einer geplanten Instandsetzung (siehe Abschnitt 5.2, »Der Geschäftsprozess ›Geplante Instandsetzung‹«) durch die terminliche Planbarkeit. Denn bei der geplanten Instandsetzung kann nur der Inhalt, nicht aber der Termin vorherbestimmt werden.

Von einer Sofortinstandsetzung (siehe Abschnitt 5.3, »Der Geschäftsprozess ›Sofortinstandsetzung‹«) unterscheidet sich die vorbeugende Instandhaltung wiederum durch deren inhaltliche und terminliche Planbarkeit. Denn im Rahmen der Sofortinstandsetzung kann nur auf Störungen reagiert, aber nicht im Voraus geplant werden.

5.8.1 Grundlagen der vorbeugenden Instandhaltung

Eine vorbeugende Instandhaltung ist erst einmal nur mit Aufwand – sowohl in der Planung als auch in der Ausführung – verbunden.

Warum vorbeugende Instandhaltung?

Es gibt dennoch vielfältige Gründe, warum Sie in Ihrem Unternehmen eine vorbeugende Instandhaltung betreiben müssen oder sollten:

- **Gesetzliche Vorschriften**
  Möglicherweise gibt es Gesetze zur Anlagensicherheit oder zum Arbeitsschutz, die Ihnen vorschreiben, Ihr technisches System regelmäßig zu inspizieren oder zu warten.
- **Qualitätssicherung**
  Die Qualität eines Produktes hängt sehr stark vom Zustand der Produktionsanlage ab, auf der es hergestellt wird.
- **Reduzierung der Störhäufigkeit**
  Eine der wichtigsten Aufgaben der Wartungsplanung ist es, eine Produktionsanlage auf lange Sicht durchgängig verfügbar zu halten – und eine wirksame vorbeugende Instandhaltung sorgt dafür, dass ein technisches System nicht ausfällt, und reduziert außerdem unnötige Kosten, die durch Instandsetzungen, Ersatz des Systems oder Produktionsausfälle entstehen.
- **Umweltschutzanforderungen**
  Eine wirksame vorbeugende Instandhaltung kann dazu beitragen, dass Systemausfälle, die zu Umweltbelastungen führen können, vermieden werden.

- **Empfehlungen des Herstellers**
  Möglicherweise empfiehlt der Hersteller Ihres technischen Systems bestimmte Vorgehensweisen, die sicherstellen sollen, dass das System immer optimal läuft.
- **Bessere Auslastungssteuerung der Kapazitäten**
  Die vorbeugende Instandhaltung sichert Ihnen einen Arbeitsvorrat, um Ihre Werkstätten gleichmäßiger auslasten zu können (z. B. wenn weniger störungsbedingte Instandsetzungsmaßnahmen abzuwickeln sind).
- **Senkung der Instandhaltungskosten**
  Ob sich eine Senkung der Instandhaltungskosten erreichen lässt, ist umstritten und hängt im Wesentlichen davon ab, ob Sie den optimalen Intensitätsgrad der vorbeugenden Instandhaltung bereits erreicht haben oder nicht.

Gegenläufige Kosten

Die Kostenverläufe von vorbeugender Instandhaltung und Instandsetzung sind gegenläufig, und zwar in Abhängigkeit vom Intensitätsgrad der vorbeugenden Instandhaltung (siehe Abbildung 5.118).

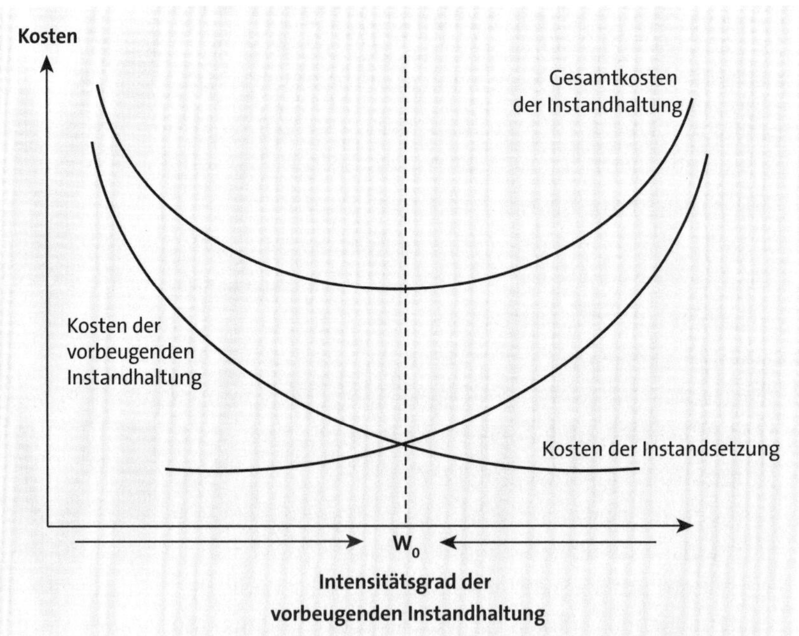

Abbildung 5.118 Kosten der Instandhaltung

- Je höher der Intensitätsgrad der vorbeugenden Instandhaltung ist, desto höher sind die Kosten der vorbeugenden Instandhaltung.

- Je höher der Intensitätsgrad der vorbeugenden Instandhaltung ist, desto niedriger sind die Kosten der Instandsetzung.

Es gibt einen optimalen Intensitätsgrad W_0, bei dem die Gesamtkosten der Instandhaltung ein Minimum ergeben. Bei dieser Kostenbetrachtung bleiben Folgekosten, die infolge einer mangelhaften vorbeugenden Instandhaltung auftreten können (z. B. Wiederanlaufkosten), unberücksichtigt, da sie nur den Charakter von Opportunitätskosten haben.

Arten der vorbeugenden Instandhaltung

Grundsätzlich lassen sich drei Arten der vorbeugenden Instandhaltung unterscheiden (siehe Abbildung 5.119):

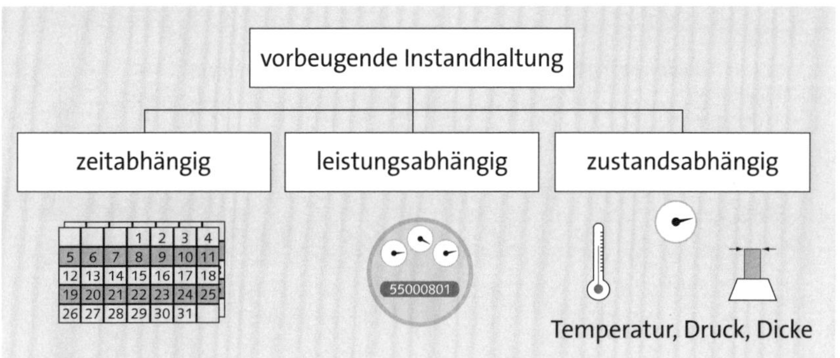

Abbildung 5.119 Arten der vorbeugenden Instandhaltung

- **Zeitabhängige Instandhaltung**
  Die Maßnahme der vorbeugenden Instandhaltung wird nach dem Verstreichen einer bestimmten Frist ausgelöst (z. B. alle sechs Monate).
- **Leistungsabhängige Instandhaltung**
  Die Maßnahme der vorbeugenden Instandhaltung wird bei Erreichen eines bestimmten Leistungsstands ausgelöst (z. B. alle 10.000 km).
- **Zustandsabhängige Instandhaltung**
  Die Maßnahme der vorbeugenden Instandhaltung wird bei Über- bzw. Unterschreiten eines bestimmten Diagnosewertes ausgelöst (z. B. Druckzustand niedriger als 15 Bar oder Temperatur höher als 85 °C).

5.8.2 Objekte der vorbeugenden Instandhaltung

Begriffe und Zusammenhänge

Um die Geschäftsprozesse der vorbeugenden Instandhaltung durchführen zu können, werden in EAM mehrere Objekte eingesetzt, deren Bedeutung und Zusammenhänge ich Ihnen im Folgenden kurz darlegen möchte (siehe Abbildung 5.120):

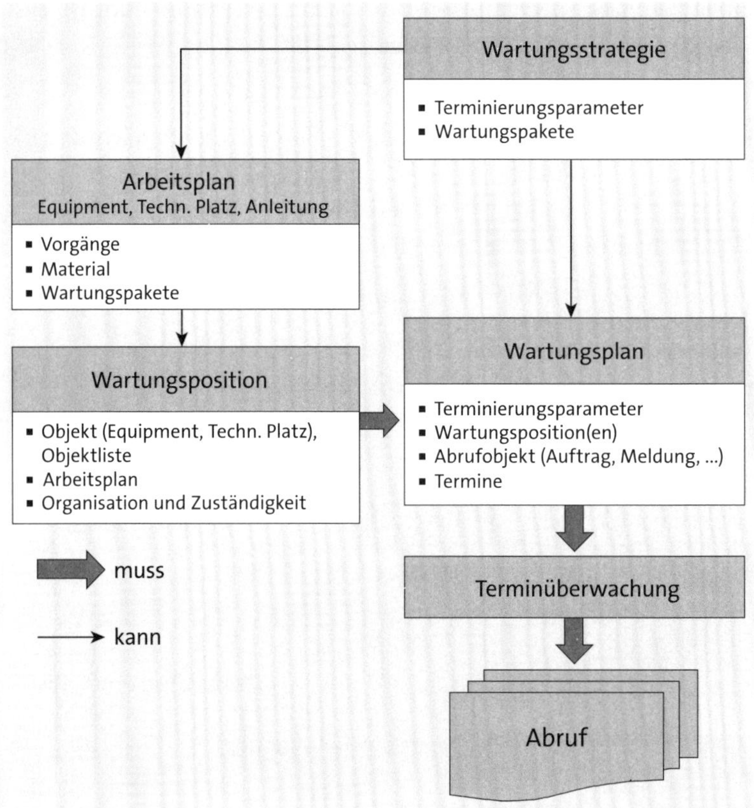

Abbildung 5.120 Objekte der vorbeugenden Instandhaltung

- **Wartungsstrategie**
  Eine Wartungsstrategie beinhaltet die zeitliche Abfolge von Wartungstätigkeiten (z. B. Wartungspakete 3 – 6 – 12 – 24 Monate für eine zeitabhängige Wartung oder Wartungspakete 1.000 – 2.000 – 5.000 Bh für eine leistungsabhängige Wartung). Die Wartungsstrategie macht keine Angaben über Tätigkeit, Objekt oder Termin, sondern sie wird nur für die strategieabhängigen Wartungspläne benötigt (siehe Abschnitt 5.8.4, »Vorbeugende Instandhaltung, zeitbasiert«, und Abschnitt 5.8.5, »Vorbeugende Instandhaltung, leistungsbasiert«).

- **Arbeitsplan**
  Der Arbeitsplan beschreibt die Tätigkeiten (Arbeitsvorgänge) und beinhaltet die Materialien sowie die Fristen (Wartungspakete). Es gibt objektspezifische Arbeitspläne (Equipmentplan, Technischer Platzplan) und neutrale Arbeitspläne (Anleitungen). Strategieabhängige Wartungspläne müssen und alle anderen Wartungspläne können einen Arbeitsplan beinhalten.

- **Wartungsposition**
  Die Wartungsposition beschreibt die durchzuführenden Tätigkeiten, beinhaltet das Bezugsobjekt (oder auch die Objektliste) und verfügt über die organisatorischen Daten für die spätere Abwicklung.
- **Wartungsplan**
  Der Wartungsplan beinhaltet eine oder mehrere Wartungspositionen und bestimmt die Wartungstermine sowie das Abrufobjekt (Auftrag, Meldung usw.).
- **Terminüberwachung**
  Die Terminüberwachung (Report RISTRA20) läuft automatisch als Batch-Job und sorgt dafür, dass die Abrufobjekte (also z. B. die Aufträge) automatisch zum Fälligkeitstermin erzeugt werden.

[!]

Die vorbeugende Instandhaltung im zweiten Schritt der Einführung

Bei einer Neueinführung von SAP S/4HANA Asset Management sollte gründlich überlegt werden, ob die vorbeugende Instandhaltung zwingend im ersten Schritt eingeführt werden muss. Denn die vorbeugende Instandhaltung nutzt viele spezielle Funktionen und setzt eine hohe Aufnahmefähigkeit bei den Anwendern voraus.

Arten von Wartungsplänen

Um die Geschäftsprozesse der vorbeugenden Instandhaltung unterstützen zu können, bietet SAP Ihnen Wartungspläne an. Die folgenden Wartungsplanarten stehen zur Auswahl (siehe Abbildung 5.121):

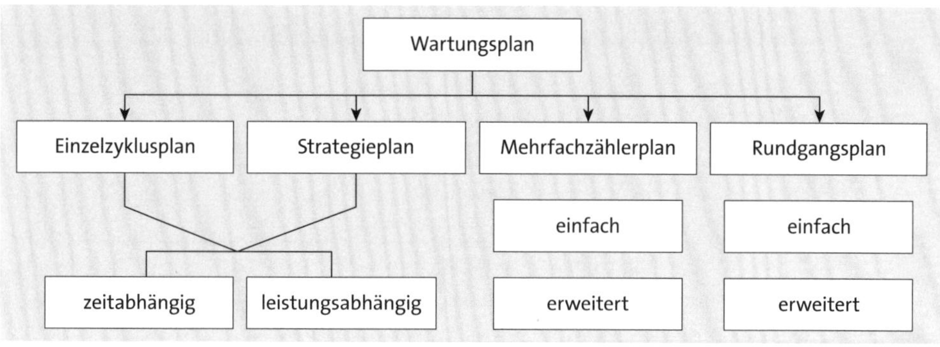

Abbildung 5.121 Arten von Wartungsplänen

- **Einzelzykluspläne**
  Sie legen Einzelzykluspläne an, wenn Sie in regelmäßigen Abständen – zeitbasiert oder leistungsbasiert – dieselben Wartungstätigkeiten in vollem Umfang auszuführen haben. In diesem Fall können Sie einen Arbeitsplan einbinden, müssen es aber nicht.

- **Wartungsstrategien und Strategiepläne**
  Sie legen Wartungsstrategien und Strategiepläne an, wenn Sie aufeinander aufbauende oder sich ersetzende Wartungstätigkeiten auszuführen haben; entweder als zeitbasierte Strategie (z. B. alle drei Monate, alle sechs Monate, alle zwölf Monate usw.) oder als leistungsbasierte Strategie (z. B. alle 10.000 km, alle 20.000 km, alle 40.000 km usw.). In diesem Fall müssen Sie einen Arbeitsplan einbinden, und zwar einen, der dieselbe Strategie besitzt wie der Wartungsplan.
- **Mehrfachzählerpläne**
  Sie legen Mehrfachzählerpläne an, wenn die Bestimmung des Wartungstermins von mehreren Einflussfaktoren abhängt (z. B. alle sechs Monate, alle 10.000 km, alle 1.000 Bh). Auch hier können Sie einen Arbeitsplan einbinden, müssen es aber nicht. Bei den einfachen Mehrfachzählerplänen haben Sie nur einen Zyklus (1000 Bh oder 1 Jahr; den erweiterten Mehrfachzählerplan nutzen Sie, wenn Sie aufeinander aufbauende Zyklen haben (1. Zyklus: alle 20.000 km oder nach einem Jahr, 2. Zyklus: alle 40.000 km oder alle 2 Jahre).
- **Rundgangspläne**
  Bei einem Rundgang bearbeiten Sie nicht wie bei den anderen Wartungsplanarten ein einziges Objekt, sondern Sie laufen mehrere Objekte ab und verrichten entweder die gleichen Tätigkeiten (einfacher Rundgangsplan) oder unterschiedliche Tätigkeiten (erweiterter Rundgangsplan).

Wartungsplantyp

Mithilfe der Customizing-Funktion **Wartungsplantypen einstellen** können Sie festlegen, welche der folgenden Abrufobjekte bei Fälligkeit aus dem Wartungsplan abgerufen werden sollen (siehe Abbildung 5.122).

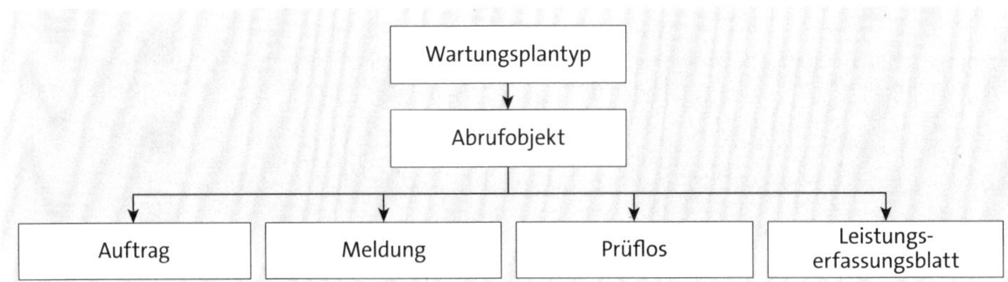

Abbildung 5.122 Wartungsplantyp und Abrufobjekt

- Sie wählen das Abrufobjekt **Auftrag**, wenn Sie ohne weitere Planung die Festlegungen des Wartungsplans 1:1 ausführen möchten.
- Sie wählen das Abrufobjekt **Meldung**, wenn Sie bei Fälligkeit weitere Detailplanungen durchführen möchten, z. B. wenn Sie in Abhängigkeit von der aktuellen Kapazitätsauslastung mehrere Meldungen zu einem Auf-

trag zusammenfassen möchten. In solchen Fällen werden dann mehrere Arbeitspläne als Vorgangsliste in den jeweiligen Auftrag kopiert.

- Sie wählen das Abrufobjekt **Prüflos**, wenn Sie eine Kalibrierprüfung von Messmitteln durchführen möchten. (Details hierzu finden Sie in Abschnitt 5.10, »Der Geschäftsprozess ›Kalibrierung von Prüf- und Messmitteln‹«.)
- Sie wählen das Abrufobjekt **Leistungserfassungsblatt**, wenn Sie mit einer Fremdfirma einen Rahmenvertrag über regelmäßige Dienstleistungen vereinbart haben und die für die Abnahme notwendigen Leistungserfassungsblätter in periodischen Abständen automatisch vom System generieren lassen möchten.

Da das Abrufobjekt **Auftrag** den Normalfall der vorbeugenden Instandhaltung darstellt, werde ich mich in den folgenden Ausführungen darauf konzentrieren, gebe aber an geeigneten Stellen Hinweise zu den anderen Abrufobjekten.

5.8.3 Arbeitspläne

Definition

Grundsätzlich beschreibt ein Arbeitsplan Tätigkeiten (Arbeitsvorgänge) und beinhaltet Materialien, die bei der Bearbeitung der Tätigkeiten benötigt werden.

Arbeitspläne werden im SAP-System nicht nur in der Instandhaltung, sondern auch in den folgenden Bereichen eingesetzt:

- in der diskreten Produktion als Normal- oder Standardarbeitspläne
- in der Prozessfertigung als Planungsrezept
- in der Projektabwicklung als Standardnetz
- im Qualitätsmanagement als Prüfplan

Verwendung in der Instandhaltung

In der Instandhaltung setzen Sie die Arbeitspläne für die beiden folgenden Verwendungszwecke ein:

- **Vorbeugende Instandhaltung**
  Vor allem im Bereich der vorbeugenden Instandhaltung sind Arbeitspläne verbreitet, um Wartungs- und Inspektionstätigkeiten, Prüfungen, gesetzliche Auflagen o. Ä. abzubilden.
- **Instandsetzung**
  Sie können Arbeitspläne auch im Bereich der Instandsetzung verwenden, indem Sie Standardabläufe für Reparaturmaßnahmen vordefinieren oder eine Maximalliste von möglichen Instandsetzungstätigkeiten

hinterlegen und erst im Bedarfsfall entscheiden, welche dieser Tätigkeiten tatsächlich durchgeführt werden sollen.

Arbeitsplantypen Aus Sicht der Instandhaltung sind drei verschiedene Arbeitsplantypen zu unterscheiden:

- **Arbeitsplan zum Equipment**
  Einen Arbeitsplan zum Equipment legen Sie für genau ein Equipment an (Transaktion IA01), wenn Sie dessen spezifische Besonderheiten zum Ausdruck bringen möchten. Den betreffenden Arbeitsplan können Sie allerdings auch nur im Zusammenhang mit genau diesem Equipment verwenden.
- **Arbeitsplan zum Technischen Platz**
  Einen Arbeitsplan zum Technischen Platz legen Sie für genau einen einzigen Technischen Platz an (Transaktion IA11), wenn Sie dessen spezifischen Besonderheiten zum Ausdruck bringen möchten. Auch diesen Arbeitsplan können Sie nur im Zusammenhang mit dem einen Technischen Platz verwenden.
- **Anleitung**
  Eine Anleitung (Transaktion IA05) ist zunächst objektneutral, d. h., dass sie keinem spezifischen Equipment oder Technischen Platz zugeordnet ist. Sie können allerdings eine Anleitung indirekt für mehrere Equipments und/oder Technische Plätze verfügbar machen. Hierzu verwenden Sie das Feld **Bautyp** im Stammsatz des Equipments oder des Technischen Platzes in der Bildgruppe **Strukturierung**. Dann haben alle Equipments und Technischen Plätze, für die im Feld **Bautyp** eine Materialnummer eingetragen ist, Zugriff auf Anleitungen, für die wiederum im Kopf der Anleitung dieselbe Materialnummer im Feld **Baugruppe** eingetragen ist (siehe Abbildung 5.123).

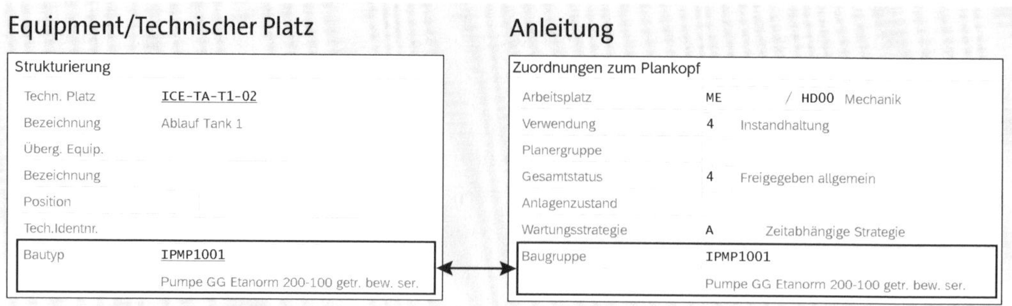

Abbildung 5.123 Zuordnung des technischen Objekts zu einer Anleitung

Möglichst Anleitungen verwenden

Wenn Sie Arbeitspläne in der Instandhaltung einsetzen, beachten Sie Folgendes:

- Equipments und Technische Plätze können individuelle Arbeitspläne enthalten oder indirekt auf Anleitungen zugreifen.
- Sie sollten, wenn möglich, Anleitungen anlegen. Dies erspart Ihnen Erfassungs- und Pflegeaufwand.
- Nur dort, wo spezielle Tätigkeiten eines Equipments oder Technischen Platzes abzubilden sind, sollten Sie Arbeitspläne für Equipments oder Technische Plätze anlegen.

Nummer und Plangruppenzähler

Die Nummern für Equipmentpläne und die Pläne für Technische Plätze werden intern vergeben. Das System informiert Sie beim Anlegen eines Equipmentplans oder eines Plans für einen Technischen Platz darüber, unter welcher Nummer der Arbeitsplan gespeichert wurde. Der erste Arbeitsplan, den Sie für ein bestimmtes Equipment oder für einen bestimmten Technischen Platz anlegen, wird durch eine Arbeitsplangruppennummer und einen Plangruppenzähler identifiziert. Weitere Arbeitspläne für dasselbe Equipment werden nur durch den fortlaufenden Plangruppenzähler innerhalb der Gruppe identifiziert.

Die Nummern für die Anleitungen können sowohl intern als auch extern vergeben werden.

[+]

Sprechende Nummern für Anleitungen

Wenn Sie Anleitungen anlegen, können Sie schon durch die Arbeitsplannummer zum Ausdruck bringen, für welche Objekte die einzelnen Anleitungen geeignet sind (z. B. PUMP_WTG, FFZ_TUEV, MOT_REP). So wird Ihnen auch die spätere Selektion leichter fallen.

Struktur eines Arbeitsplans

Ein Arbeitsplan beinhaltet die folgenden Elemente (siehe Abbildung 5.124):

- **Kopfdaten**
  Kopfdaten sind Informationen, die der Identifizierung und Verwaltung des Arbeitsplans dienen. Sie gelten für den kompletten Arbeitsplan, wie z. B. Nummer, Plangruppenzähler, Werk, verantwortlicher Arbeitsplatz usw.
- **Vorgänge**
  Mithilfe von Vorgängen beschreiben Sie die Arbeiten, die bei der Durchführung des Arbeitsplans ausgeführt werden sollen.

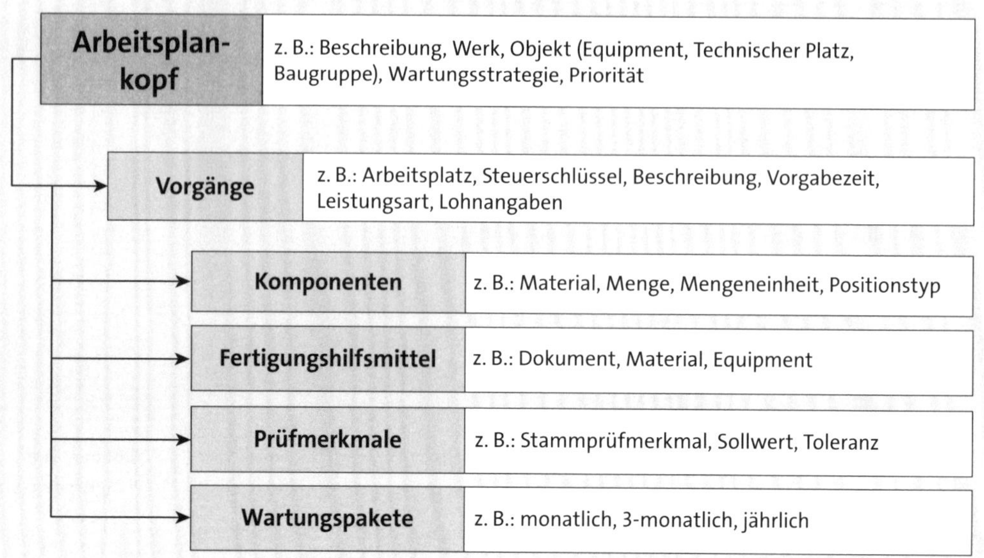

Abbildung 5.124 Struktur eines Arbeitsplans

- **Komponentenliste**
  Die Materialliste beinhaltet Ersatzteile, die bei der Durchführung des Arbeitsplans benötigt und verbraucht werden.
- **Fertigungshilfsmittel**
  FHM (z. B. Werkzeuge, Schutzkleidung, Handhubwagen) werden ebenfalls zur Durchführung des Arbeitsplans benötigt, aber im Gegensatz zu einem Material nicht verbraucht.
- **Prüfmerkmale**
  Falls in einem Vorgang Prüfungen durchzuführen sind (wie z. B. Längen-, Gewichts-, Funktionsprüfungen), können diese als Prüfmerkmale hinterlegt werden.
- **Wartungspakete**
  Falls der Arbeitsplan in einem Strategiewartungsplan verwendet wird, steuern Sie über die Wartungspakete die Frequenz der Ausführung – entweder zeitabhängig (z. B. alle drei Monate) oder leistungsabhängig (z. B. alle 1.200 Bh).

Abbildung 5.125 zeigt anhand eines Beispiels, wie die Vorgangsliste eines Arbeitsplans aussehen könnte.

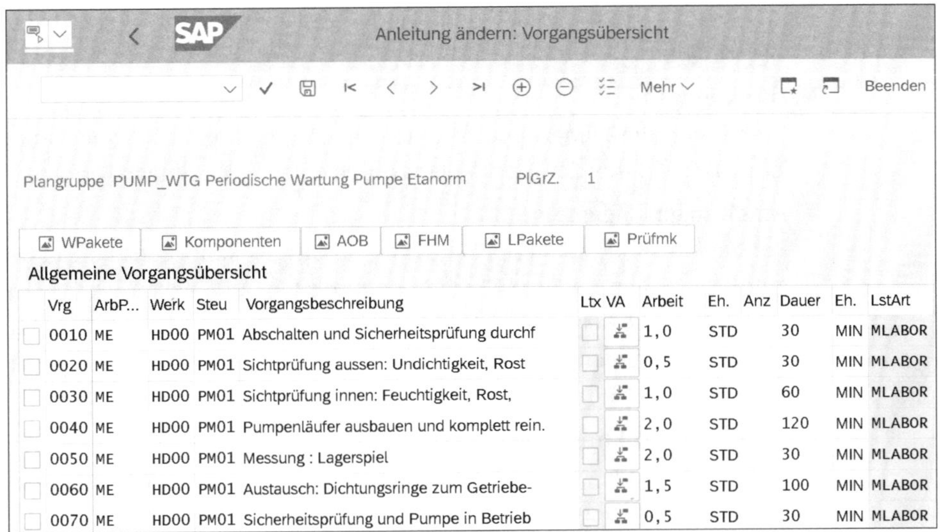

Abbildung 5.125 Arbeitsplan – Vorgangsübersicht

Komponenten im Arbeitsplan

Wenn Sie einem Arbeitsplan Komponenten zuordnen möchten, können Sie dies auf die folgenden Arten tun:

- Sie ordnen die Materialkomponenten aus der Stückliste des Instandhaltungsobjekts (Equipment, Technischer Platz oder Kopfbaugruppe) zu, das dem Arbeitsplan zugeordnet ist; die Stückliste entspricht in diesem Fall genau dem Inhalt der Strukturliste.
- Oder Sie ordnen dem Arbeitsplan direkt Lagermaterialien zu, die nicht in der Stückliste des Instandhaltungsobjekts stehen. Man spricht in diesem Fall von einer freien Materialzuordnung. Die Zuordnung erfolgt über die Materialnummer. Voraussetzung für die freie Materialzuordnung ist die Angabe einer Stücklistenverwendung (in der Regel **Verwendung Instandhaltung**) im Customizing. Verwenden Sie hierzu die Customizing-Funktion **Voreinstellung für freie Materialzuordnung festlegen**. Hierdurch legt das SAP-System bei einer freien Zuordnung eine interne Stückliste an. Diese kann von der Applikation aus nicht bearbeitet werden.

Auftrag und Arbeitsplan

Im weiteren Verlauf dieses Kapitels werden wir den häufigsten Verwendungszweck von Arbeitsplänen kennenlernen: den gemeinsamen Einsatz von Arbeitsplänen und Wartungsplänen in der vorbeugenden Instandhaltung. Sie können Arbeitspläne allerdings auch im Rahmen von Instandsetzungsmaßnahmen einsetzen, indem Sie einem Auftrag direkt einen Arbeitsplan zuordnen. Die folgenden Selektionsverfahren stehen Ihnen zur Verfügung, wenn Sie innerhalb eines Auftrags (Transaktion IW31/32) einen

Arbeitsplan zuordnen möchten (im Menü über **Mehr • Zusätze • Arbeitsplanselektion**):

- **Direkteingabe**
  Falls Ihnen die Plangruppe und der Plangruppenzähler bekannt sind, kann die Selektion des Arbeitsplans durch eine direkte Eingabe erfolgen.
- **Anleitungen allgemein**
  Bei der Anwendung dieses Selektionsverfahrens kann über eine Liste eine Auswahl an Anleitungen angezeigt werden. Als Selektionskriterien werden der Arbeitsplantyp (A), das Werk und der Status (freigegeben für Auftrag) voreingestellt. Die einzelnen Kriterien können noch ergänzt werden.
- **Zur Objektstruktur**
  Hier werden alle Arbeitspläne selektiert, die für die Objekte angelegt wurden, die wiederum Unterobjekte des Bezugsobjekts sind.
- **Zur Baugruppe**
  Bei diesem Selektionsverfahren werden alle Arbeitspläne selektiert, die für das Objekt angelegt worden sind, das im Feld **Baugruppe** eingetragen ist.
- **Zum Bezugsobjekt**
  Hierbei handelt es sich um das einfachste aller Selektionsverfahren. Denn es ermöglicht die Auswahl von Arbeitsplänen, ausgehend vom Bezugsobjekt. Wird als Bezugsobjekt ein Equipment mit Bautyp angegeben, werden zum einen alle Equipmentpläne für das betreffende Equipment angeboten und zum andern auch alle Anleitungen, deren Baugruppe im Plankopf dem Bautyp des Equipments entspricht. Dasselbe gilt für den Technischen Platz.

Was im System passiert, wenn Sie einen Arbeitsplan selektiert haben, hängt von Ihren persönlichen Einstellungen ab, die Sie über **Mehr • Zusätze • Einstellungen • Vorschlagswerte** vornehmen (siehe Abbildung 5.126).

Arbeitsplanübernahme
☐ Standardeinstellungen
✓ Vorgangsselektion
✓ ArbPlatzselektion
☐ Neunumerierung
☐ Einm.kompl.Einbinden
☐ Vorgangssortierung

Abbildung 5.126 Auftrag – Arbeitsplanübernahme

Wenn Sie den Schalter **Vorgangsselektion** aktivieren, erscheint bei der Übernahme des Arbeitsplans ein Pop-up-Fenster, in dem Sie gezielt Vorgänge auswählen können. Dies ist z. B. dann von Vorteil, wenn nicht alle Vorgänge laut Arbeitsplan im vorliegenden Falle notwendig sind (siehe Abbildung 5.127).

Abbildung 5.127 Auftrag – Vorgangsselektion

Wenn der Schalter **Vorgangsselektion** aktiviert ist, haben Sie im Pop-up-Fenster die Möglichkeit, Vorgänge mehrfach ausführen zu lassen. Dies ist z. B. notwendig, wenn Sie dem betreffenden Auftrag eine Objektliste hinzugefügt haben.

[!]

Vorgangsselektion aktivieren

Aktivieren Sie in Ihren persönlichen Einstellungen den Schalter **Vorgangsselektion**, haben Sie bei der Übernahme eines Arbeitsplans in einen Auftrag nicht nur die Möglichkeit, Vorgänge gezielt zu selektieren, sondern Sie können auch über den Ausführungsfaktor einzelne Vorgänge mehrfach zur Ausführung bringen (z. B. bei Vorhandensein einer Objektliste).

Wenn Sie den Schalter **ArbPlatzselektion** aktivieren, können Sie die Arbeitsplätze des Arbeitsplans im Auftrag durch andere Arbeitsplätze ersetzen lassen (siehe Abbildung 5.128). Dies ist z. B. notwendig, wenn die ursprünglich geplanten Arbeitsplätze bereits ausgelastet sind.

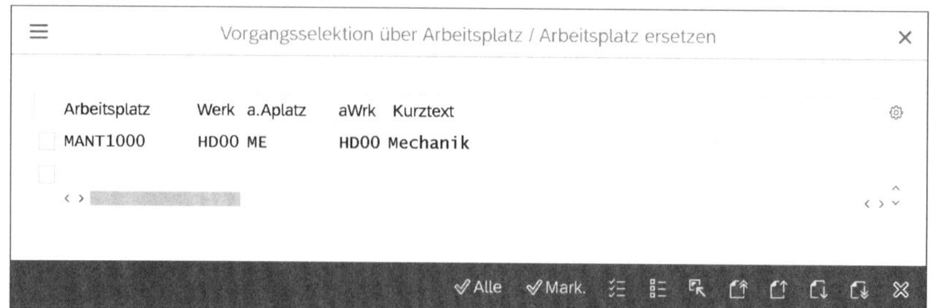

Abbildung 5.128 Auftrag – Arbeitsplatzselektion

Action-Log und Änderungen

Mittlerweile gibt es auch für Arbeitspläne eine Änderungsdokumentation. Entweder Sie rufen hierzu innerhalb eines Arbeitsplans über **Mehr • Zusätze • Actionlog** die Änderungen auf, oder Sie starten die Transaktion IA21 und lassen sich über mehrere Arbeitspläne hinweg die Änderungen anzeigen (siehe Abbildung 5.129).

Änderungsbelege Arbeitspläne anzeigen

Mehr Beenden

Plangruppe PUMP_WTG
Plantyp A IH-Anleitung

PlGr	Änderung an	Nummer	Kurztext Vorgang	Gültig ab	Gültig bis	Änd.art	Geändert am	Geändert von
1	Materialkomponente	FLDG16000	Flachdichtung 45/65 mm	14.06.2019	31.12.9999	hinzugefügt	14.06.2019	LIEBSTUECKEL
2	Vorgang	0070	abnahme	14.06.2019	31.12.9999	hinzugefügt		LIEBSTUECKEL
1	Materialkomponente	FLDG00000	Flachdichtung 110/NBR60P534 Liebstückel	21.03.2019	31.12.9999	hinzugefügt	21.03.2019	LIEBSTUECKEL
1	Vorgang	0010	Abschalten und Sicherheitsprüfung durchf	14.03.2019	31.12.9999	hinzugefügt	14.03.2019	LIEBSTUECKEL
1	Vorgang	0020	Sichtprüfung aussen: Undichtigkeit, Rost	14.03.2019	31.12.9999	hinzugefügt		LIEBSTUECKEL
1	Vorgang	0030	Sichtprüfung innen: Feuchtigkeit, Rost,	14.03.2019	31.12.9999	hinzugefügt		LIEBSTUECKEL
1	Vorgang	0040	Pumpenläufer ausbauen und komplett rein.	14.03.2019	31.12.9999	hinzugefügt		LIEBSTUECKEL
1	Vorgang	0050	Messung : Lagerspiel	14.03.2019	31.12.9999	hinzugefügt		LIEBSTUECKEL
1	Vorgang	0060	Austausch: Dichtungsringe zum Getriebe-	14.03.2019	31.12.9999	hinzugefügt		LIEBSTUECKEL
1	Vorgang	0070	Sicherheitsprüfung und Pumpe in Betrieb	14.03.2019	31.12.9999	hinzugefügt		LIEBSTUECKEL
1	Plankopf			14.03.2019	31.12.9999	hinzugefügt		LIEBSTUECKEL
2	Vorgang	0010	Stromvers. unterbrechen; Sicherheitsprüf	14.03.2019	31.12.9999	hinzugefügt		LIEBSTUECKEL
2	Vorgang	0020	Sichtprüfung außen: Rost, Undichtigkeit	14.03.2019	31.12.9999	hinzugefügt		LIEBSTUECKEL
2	Vorgang	0030	Sichtprüfung innen: Rost, Abrieb, Feuch-	14.03.2019	31.12.9999	hinzugefügt		LIEBSTUECKEL
2	Vorgang	0040	Stromzuleitung prüfen: Knicke, blanke	14.03.2019	31.12.9999	hinzugefügt		LIEBSTUECKEL
2	Vorgang	0050	Kontaktbürsten wechseln	14.03.2019	31.12.9999	hinzugefügt		LIEBSTUECKEL

Abbildung 5.129 Transaktion IA21 – Arbeitspläne, Action-Log

Business Function

Damit Sie das Action-Log für Arbeitspläne nutzen können, muss die Business Function LOG_EAM_CI_3 aktiviert sein.

Kalkulation von Arbeitsplänen

Mithilfe der Transaktion IA16 können Sie Arbeitspläne auch kalkulieren lassen, ohne dass Sie einen Auftrag eröffnen müssen. Die Transaktion beantwortet also die Frage, was dieser Arbeitsplan kosten würde, wenn er zur Ausführung käme. Die Kostendarstellung (siehe Abbildung 5.130) erfolgt getrennt nach Positionstypen.

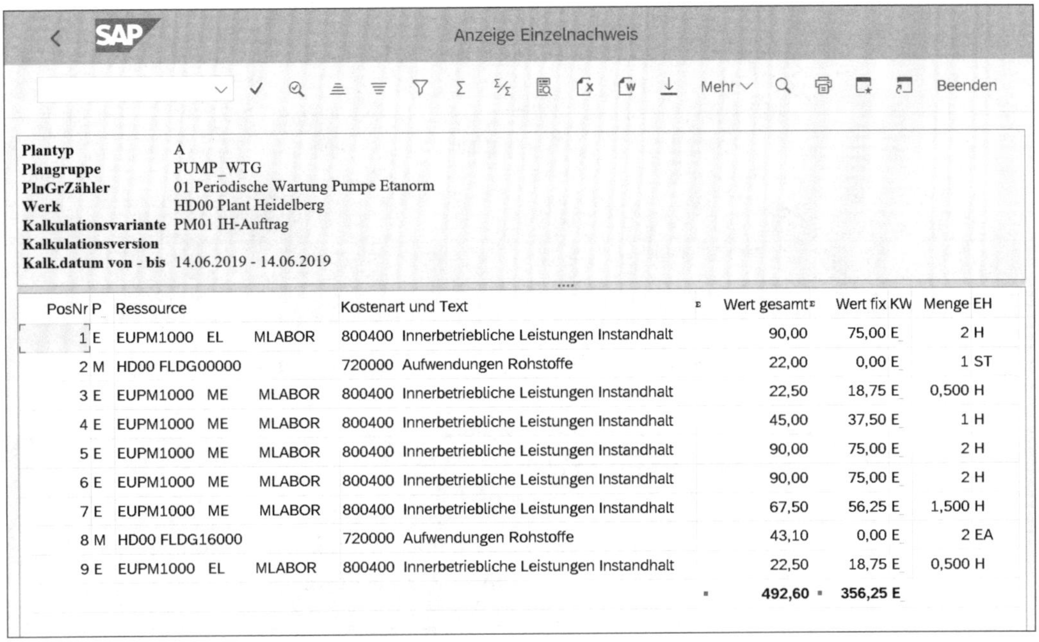

Anzeige Einzelnachweis

Plantyp	A
Plangruppe	PUMP_WTG
PlnGrZähler	01 Periodische Wartung Pumpe Etanorm
Werk	HD00 Plant Heidelberg
Kalkulationsvariante	PM01 IH-Auftrag
Kalkulationsversion	
Kalk.datum von - bis	14.06.2019 - 14.06.2019

PosNr	P	Ressource			Kostenart und Text		Wert gesamt	Wert fix	KW	Menge	EH
1	E	EUPM1000	EL	MLABOR	800400	Innerbetriebliche Leistungen Instandhalt	90,00	75,00	E	2	H
2	M	HD00 FLDG00000			720000	Aufwendungen Rohstoffe	22,00	0,00	E	1	ST
3	E	EUPM1000	ME	MLABOR	800400	Innerbetriebliche Leistungen Instandhalt	22,50	18,75	E	0,500	H
4	E	EUPM1000	ME	MLABOR	800400	Innerbetriebliche Leistungen Instandhalt	45,00	37,50	E	1	H
5	E	EUPM1000	ME	MLABOR	800400	Innerbetriebliche Leistungen Instandhalt	90,00	75,00	E	2	H
6	E	EUPM1000	ME	MLABOR	800400	Innerbetriebliche Leistungen Instandhalt	90,00	75,00	E	2	H
7	E	EUPM1000	ME	MLABOR	800400	Innerbetriebliche Leistungen Instandhalt	67,50	56,25	E	1,500	H
8	M	HD00 FLDG16000			720000	Aufwendungen Rohstoffe	43,10	0,00	E	2	EA
9	E	EUPM1000	EL	MLABOR	800400	Innerbetriebliche Leistungen Instandhalt	22,50	18,75	E	0,500	H
							492,60	**356,25**	**E**		

Abbildung 5.130 Transaktion IA16: Arbeitsplan – Kalkulation

- E = Eigenleistung
- F = Fremdleistung
- M = Material
- G = Gemeinkostenzuschläge

Andere mögliche Positionstypen wie Kuppelprodukt oder Musterkalkulation spielen für die Instandhaltung hingegen keine Rolle.

Massenänderungen

Es gibt zwei Transaktionen, mit deren Hilfe Sie Massenänderungen an Arbeitsplänen vornehmen können:

- Transaktion CA87 zum Ersetzen von Arbeitsplätzen (siehe Abbildung 5.131)
- Transaktion CA77 zum Ersetzen von FHM

In beiden Fällen erscheint nach dem Ausführen der Selektion eine Übersicht dazu, welche Arbeitspläne bzw. Vorgänge gefunden wurden, aus der Sie nun auswählen, bei welchen Arbeitsplänen die Ersetzung vorgenommen werden soll.

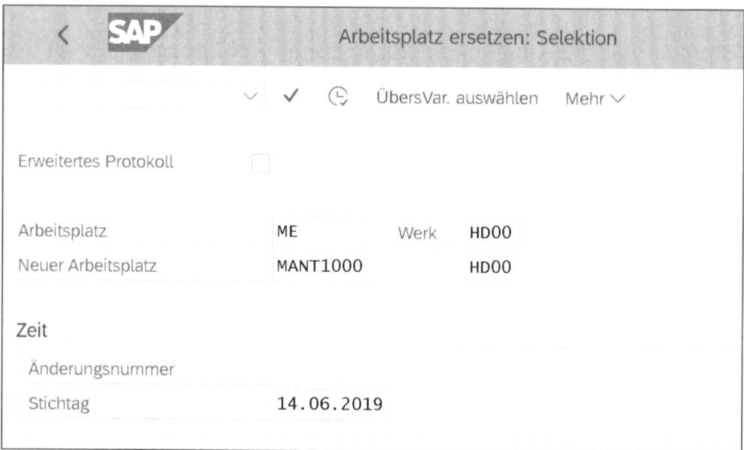

Abbildung 5.131 Transaktion CA87 – Arbeitspläne, Massenänderung

Beispielprozesse im Web

Auf der E-Learning-Plattform unter *http://saptraining.fh-wuerzburg.de* finden Sie unter **SAP ERP • Instandhaltung Prozesse • Instandhaltung Prozesse @-learning SAP starten • Instandhaltung • 6. Arbeitspläne** die Geschäftsprozesse zum Arbeitsplan.

Wenden wir uns nun den weiteren Elementen zu, die in der vorbeugenden Instandhaltung benötigt werden: den Wartungsplänen.

5.8.4 Vorbeugende Instandhaltung, zeitbasiert

Bei der zeitbasierten Instandhaltung erfolgt die Ermittlung der Wartungstermine ausschließlich über den Kalender (z. B. alle 6 Monate). Leistungsabhängige Größen (wie z. B. Betriebsstunden) haben keinen Einfluss.

Der zeitbasierte Einzelzyklusplan

Sie legen zeitbasierte Einzelzykluspläne an, wenn Sie in regelmäßigen Abständen dieselben Wartungstätigkeiten in vollem Umfang auszuführen haben.

Anlegen des Einzelzyklusplans

Den Einzelzyklusplan erfassen Sie über die Transaktion IP41. Hier wählen Sie zwischen der internen und der externen Nummernvergabe. Den Zyklus, in dem die Wartung stattfinden soll, geben Sie direkt im Wartungsplan an – ebenso wie die zu einer Wartungsmaßnahme notwendigen Angaben (siehe Abbildung 5.132).

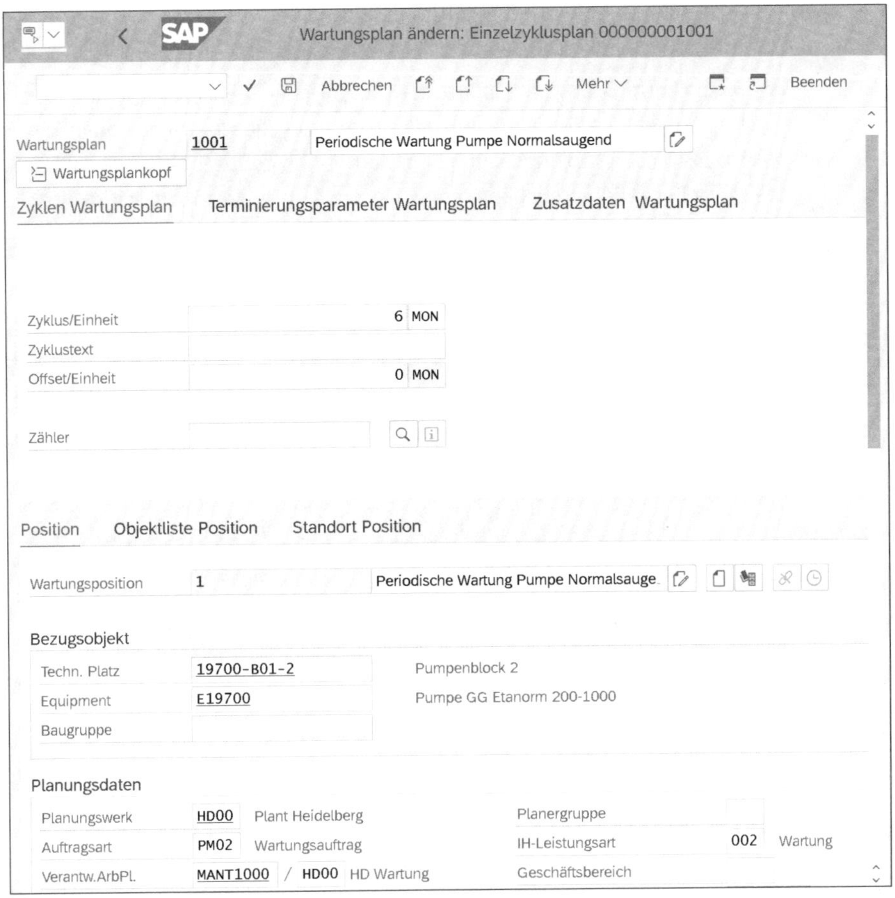

Wartungsplan ändern: Einzelzyklusplan 000000001001
Abbrechen
Mehr
Beenden
Wartungsplan
1001
Periodische Wartung Pumpe Normalsaugend
Wartungsplankopf
Zyklen Wartungsplan
Terminierungsparameter Wartungsplan
Zusatzdaten Wartungsplan
Zyklus/Einheit
6 MON
Zyklustext
Offset/Einheit
0 MON
Zähler
Position
Objektliste Position
Standort Position
Wartungsposition
1
Periodische Wartung Pumpe Normalsauge
Bezugsobjekt
Techn. Platz
19700-B01-2
Pumpenblock 2
Equipment
E19700
Pumpe GG Etanorm 200-1000
Baugruppe
Planungsdaten
Planungswerk
HD00
Plant Heidelberg
Planergruppe
Auftragsart
PM02
Wartungsauftrag
IH-Leistungsart
002
Wartung
Verantw.ArbPl.
MANT1000 / HD00
HD Wartung
Geschäftsbereich

Abbildung 5.132 Transaktion IP41 – Einzelzyklusplan

Diese Angaben sind:

- Kurzbeschreibung (eventuell mit Langtext)
- Bezugsobjekt
- Auftrags- und Leistungsart, die die späteren Aufträge bekommen sollen
- organisatorische Verantwortlichkeiten (Planergruppe, Arbeitsplatz)
- Arbeitsplan, falls ein Arbeitsplan zur Ausführung kommen soll (siehe Abbildung 5.133)

Arbeitsplan
Typ Plangruppe
PlGrZ
Beschreibung
A / PUMP_WTG
/ 1
Periodische Wartung Pumpe Etanorm

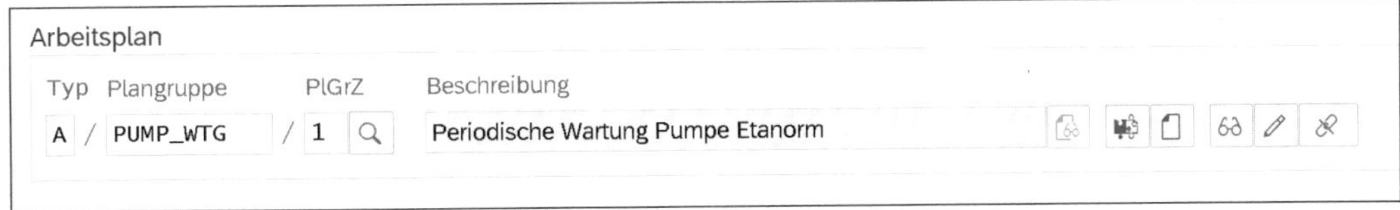

Abbildung 5.133 Einzelzyklusplan mit Arbeitsplan

Der einfachste Fall: zeitbasierter Einzelzyklusplan

Der zeitbasierte Einzelzyklusplan bereitet in Erfassung und Pflege den wenigsten Aufwand aller Wartungsplanarten, und die Praxis hat auch gezeigt, dass diese Wartungsplanart am häufigsten genutzt wird. Sie sollten deshalb ebenfalls versuchen, möglichst viele Ihrer Wartungstätigkeiten über diese Wartungsplanart abzubilden.

Starten des Wartungsplans

Mithilfe der Transaktion IP10 über den Button Starten starten Sie den Wartungsplan und erzeugen den ersten Auftrag. Das SAP-System fragt Sie nach einem **Zyklusstart** (siehe Abbildung 5.134). Dabei handelt es sich um das Datum, zu dem Sie die letzte Wartung ausgeführt haben.

Abbildung 5.134 Einzelzyklusplan – Zyklusstart

Auf der Basis des Zyklusstarts und der Terminierungsparameter errechnet Ihnen das System das erste Plandatum und erzeugt beim Sichern den ersten Wartungsauftrag (siehe Abbildung 5.135).

Abbildung 5.135 Einzelzyklusplan – terminierte Abrufe

Auf die Berechnung des Plandatums wirken mehrere Einflussfaktoren ein, die ich Ihnen im Folgenden als Terminierungsparameter näher erläutern möchte.

Terminierungsparameter

Die Terminierungsparameter pflegen Sie beim Einzelzyklusplan ebenfalls im Wartungsplan direkt (siehe Abbildung 5.136).

Abbildung 5.136 Einzelzyklusplan – Terminierungsparameter

Terminierungskennzeichen

Über das Terminierungskennzeichen legen Sie die Basis für die Berechnung der Plantermine fest:

- **Zeit**
  Die Umrechnungsbasis für den Monat sind immer 30 Tage; es werden alle Kalendertage gezählt. Beispiel: Zyklus: 3 Monate, Zyklusstart: 01.04., ergibt den 30.06. als Plantermin.
- **Zeit – Fabrikkalender**
  Die Umrechnungsbasis für den Monat sind immer 30 Tage; es werden nur die Fabrikkalendertage gezählt. Beispiel: Zyklus: 3 Monate, Fabrikkalender: Samstag/Sonntag/Feiertag frei, Zyklusstart 01.04., ergibt einen Plantermin um den 10.08. herum (je nach Lage der Feiertage).
- **Zeit – stichtagsgenau**
  Die Umrechnungsbasis sind hier die effektiven Tage eines Monats. Beispiel: Zyklus: 3 Monate, Zyklusstart: 01.04., ergibt den Plantermin 01.07.

[!]

> **Terminierungskennzeichen: stichtagsgenau**
>
> Von den potenziellen Terminierungsarten ist in der Praxis am häufigsten die stichtagsgenaue Terminierungsart anzutreffen.

Verschiebungsfaktor

Über den Verschiebungsfaktor (VF) steuern Sie, wie viel Prozent von einer verfrühten (Feld **VF verfrühte Erledigung**) bzw. einer verspäteten Erledigung (Feld **VF verspätete Erledigung**) an den nächsten Plantermin weitergegeben werden sollen.

Sehen Sie sich hierzu die folgenden Beispielfälle an:

- Plantermin: 01.04., Erledigungstermin: 10.04., Zyklus: 3 Monate, stichtagsgenaue Terminierung, Verschiebungsfaktor: verspätete Erledigung von 0 %, ergibt den 01.07. als nächsten Plantermin.
- Plantermin: 01.04., Erledigungstermin: 10.04., Zyklus: 3 Monate, stichtagsgenaue Terminierung, Verschiebungsfaktor: verspätete Erledigung von 50 %, ergibt den 06.07. als nächsten Plantermin.
- Plantermin: 01.04., Erledigungstermin: 10.04.; Zyklus: 3 Monate, stichtagsgenaue Terminierung, Verschiebungsfaktor: verspätete Erledigung von 100 %, ergibt den 10.07. als nächsten Plantermin.

[!]

Verschiebungsfaktoren: 0 % oder 100 %

Setzen Sie bei zeitbasierten Wartungsplänen – egal, ob es sich um einen Einzelzyklusplan oder um einen Strategieplan handelt – die Verschiebungsfaktoren entweder auf 0 % oder auf 100 %. Denn andere Werte spielen in der Praxis normalerweise keine Rolle.

Toleranz

Es gibt in der Praxis immer wieder Gründe, warum Sie den errechneten Plantermin nicht wahrnehmen können, sondern ihn um einige wenige Tage verschieben müssen, z. B. wenn der Plantermin auf einen Nichtarbeitstag fällt, wenn die Auslastung der Werkstätten eine kurze Verschiebung bedingt oder wenn die Produktion die Anlage erst verspätet für den Wartungsauftrag zur Verfügung stellen kann.

Normalerweise sollen derartige kleine Abweichungen sich nicht sofort auf die Folgetermine auswirken. Deshalb können Sie über die Toleranz angeben, ab welcher Abweichung (ausgedrückt in Prozent vom Zyklus) die Verschiebungsfaktoren greifen sollen. Sehen Sie sich hierzu die folgenden Beispiele an:

- Plantermin: 01.04., Erledigungstermin: 10.04., Zyklus: 3 Monate, stichtagsgenaue Terminierung, Verschiebungsfaktor: verspätete Erledigung von 0 %, Toleranz: 10 %, ergibt den 01.07. als nächsten Plantermin.
- Plantermin: 01.04., Erledigungstermin: 05.04., Zyklus: 3 Monate, stichtagsgenaue Terminierung, Verschiebungsfaktor: verspätete Erledigung

von 100 %, Toleranz: 10 %, ergibt den 01.07. als nächsten Plantermin (Toleranz = 10 % von 90 Tagen = 9 Tage noch nicht erreicht, Verschiebungsfaktor greift nicht).

- Plantermin: 01.04., Erledigungstermin: 12.04., Zyklus: 3 Monate, stichtagsgenaue Terminierung, Verschiebungsfaktor: verspätete Erledigung von 100 %, Toleranz: 10 %, ergibt den 12.07. als nächsten Plantermin (Toleranz = 10 % von 90 Tagen = 9 Tage überschritten, Verschiebungsfaktor greift).

[!]

Toleranz: ~10 %

Setzen Sie einen Toleranzwert nur, wenn Sie die Verschiebungsfaktoren (d. h. > 0 %) aktiviert haben.

Wenn Sie Toleranzen setzen, beachten Sie, dass sich in der Praxis Werte um 10 % herum bewährt haben.

Erledigungspflicht

Wenn Sie erreichen möchten, dass das SAP-System nachfolgende Aufträge erst dann generiert, wenn der vorherige Auftrag abgeschlossen ist, setzen Sie den Parameter **Erledigungspflicht**.

Erledigungspflicht: einzeln entscheiden

Prüfen Sie im Einzelfall, ob Sie die Erledigungspflicht setzen möchten oder nicht. Beide Fälle sind in der Praxis regelmäßig anzutreffen.

Abrufintervall

Im Wartungsplan können Sie ein Abrufintervall definieren, mit dessen Hilfe Sie sich eine Vorschau über die anstehenden Wartungstermine erzeugen lassen können. Das Abrufintervall gibt den Zeitraum der Vorschau in Tagen, Monaten oder Jahren an. Wenn Sie z. B. eine Wartungsplanvorschau für das ganze Jahr haben möchten, setzen Sie das Abrufintervall auf 365 Tage oder 12 Monate.

Abbildung 5.137 zeigt einen Wartungsplan mit einem monatlichen Zyklus, einem Start am 01.06. und einem Abrufintervall von einem Jahr.

[!]

Abrufintervall: 6–24 Monate

Ein Abrufintervall von 6–24 Monaten ist in der Praxis keine Seltenheit. Denn es ermöglicht Ihnen eine langfristige Vorausschau auf die anstehenden Wartungstermine.

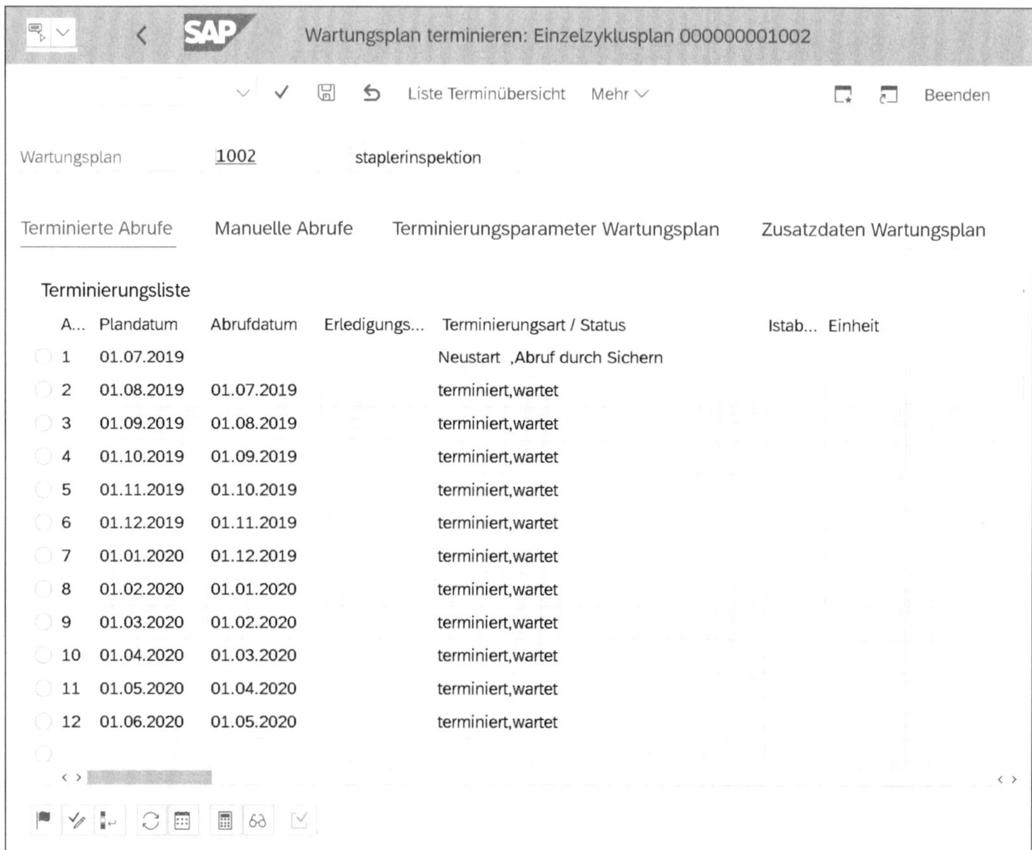

Abbildung 5.137 Einzelzyklusplan – Abrufintervall

Eröffnungshorizont

Mit dem Eröffnungshorizont geben Sie in Prozent an, wann ein Auftrag für ein errechnetes Wartungsdatum erstellt werden soll, wie viel Zeit also zwischen den beiden Planterminen verstreichen soll, bis der Auftrag im System erstellt wird. Das Datum, ab dem der Auftrag dann erstellt werden kann, heißt Abrufdatum.

Sehen Sie sich hierzu einmal das folgende Beispiel an:

Der Wartungszyklus beträgt ein Jahr, der 01.01. ist sowohl als Plan- als auch als Erledigungsdatum des Vorgängers angegeben. Der Eröffnungshorizont stellt sich jeweils folgendermaßen dar:

- 0 %
  Der Auftrag kann sofort erstellt werden, wenn der Vorgängerauftrag abgeschlossen ist; das Abrufdatum ist also der 01.01.

- 100 %
  Der Auftrag kann erst dann abgerufen werden, wenn das nächste Plandatum erreicht ist; das Abrufdatum ist also der 01.01. des Folgejahres.
- 75 %
  Der Auftrag kann abgerufen werden, wenn 75% der Zeit zwischen dem 01.01. des Vorjahres und dem 01.01. des Folgejahres verstrichen sind; das Abrufdatum ist also der 02.10.

In den beiden letzten Fällen weist die Terminierungsliste des Wartungsplans den Status **wartet** aus (siehe Abbildung 5.138).

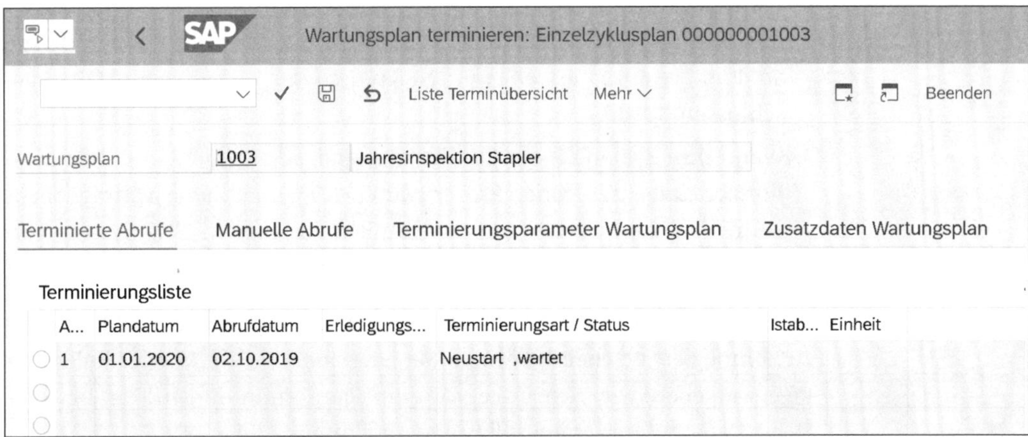

Abbildung 5.138 Einzelzyklusplan mit Eröffnungshorizont

Verfahrensweisen in der Praxis

In der Praxis gibt es verschiedene Verfahrensweisen dazu, wie Sie mit dem Eröffnungshorizont bei der zeitabhängigen vorbeugenden Instandhaltung umgehen können.

Sie setzen den Eröffnungshorizont auf 100 % und steuern dann in der Terminüberwachung (Transaktion IP30 bzw. Report RISTRA20) durch das Intervall für Abrufobjekte (siehe Abbildung 5.144), wie viel Zeit vor dem Abrufdatum der Auftrag erzeugt werden soll. (Näheres hierzu finden Sie im Abschnitt »Terminüberwachung«.)

[!]

Berechnungsformel für den Eröffnungshorizont

Wenn Sie einen Eröffnungshorizont setzen möchten, bietet sich für die Umrechnung des Vorlaufs in Tagen in einen Prozentwert die folgende Formel an:

EOF = (Z–V) × 100 / Z

- EOF = Eröffnungshorizont in Prozent
- V = Vorlauf in Tagen
- Z = Zyklus in Tagen (bei Strategieplänen der kleinste Zyklus)

Runden Sie das Ergebnis immer ab.

Wenn Sie möchten, dass der Eröffnungshorizont direkt den Abruf steuert, gehen Sie wie folgt vor:

- Wenn Ihre Zyklen kürzer als ein Jahr sind, setzen Sie den Eröffnungshorizont auf 0 %. In diesem Fall können die nachfolgenden Aufträge ab dem Zeitpunkt erstellt werden, zu dem der Vorgängerauftrag abgeschlossen wurde.
- Wenn Ihre Zyklen länger als ein Jahr sind, setzen Sie den Eröffnungshorizont auf einen hohen Prozentwert (> 80 %), damit die Aufträge nicht zu früh erzeugt werden und damit nicht zu lange im SAP-System verbleiben.

Wenn Ihnen diese Berechnung über Prozentangaben zu umständlich oder zu kompliziert erscheint, können Sie jetzt auch in Fabrik- oder Kalendertagen angeben, wie viele Tage vor dem Plantermin der Auftrag im SAP-System abgerufen werden soll (siehe Abbildung 5.139).

Abbildung 5.139 Eröffnungshorizont in Tagen

Business Function Damit Ihnen diese Funktion zur Verfügung steht, müssen Sie die Business Function LOG_EAM_CI_6 aktiviert und dort den Schalter EAM_SFWS_MPLAN_OPEN_HORIZ_DAYS hinzugefügt haben.

Ende der Terminierung Wenn Sie die Business Function LOG_EAM_CI_13 aktivieren, können Sie dem Wartungsplan ein **Enddatum für Terminierung** zuordnen (siehe Abbildung 5.140). Ist dieses Datum erreicht, werden keine weiteren Abrufe mehr aus dem Wartungsplan getätigt. Ein manuelles Deaktivieren oder das Setzen einer Löschvormerkung oder das Setzen eines Anwenderstatus, um Abrufe zu verhindern, ist dann nicht mehr nötig.

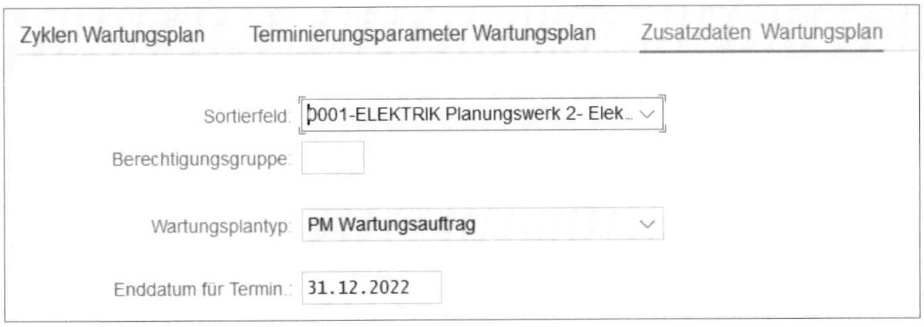

Zyklen Wartungsplan | Terminierungsparameter Wartungsplan | Zusatzdaten Wartungsplan

Sortierfeld: 0001-ELEKTRIK Planungswerk 2- Elek...
Berechtigungsgruppe:
Wartungsplantyp: PM Wartungsauftrag
Enddatum für Termin.: 31.12.2022

Abbildung 5.140 Wartungsplan – Enddatum für Terminierung

Kopieren von Wartungsplänen

Wenn Sie die Business Function LOG_EAM_CI_10 aktivieren, können Sie Wartungspläne kopieren. Es erscheint auf dem Einstiegsbild bei allen Wartungsplanarten das Feld **Referenzwartungsplan** (siehe Abbildung 5.141).

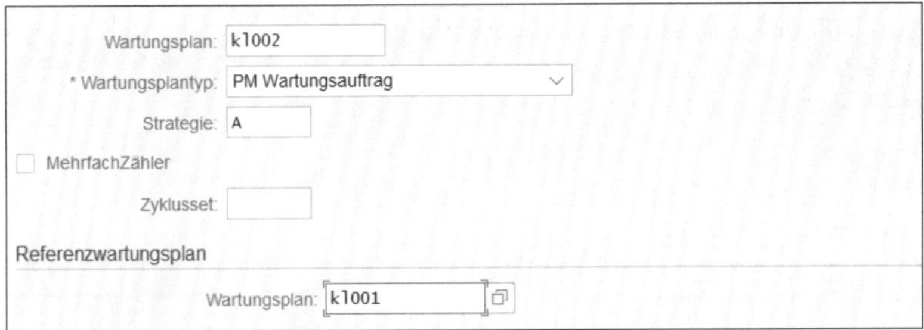

Abbildung 5.141 Wartungsplan kopieren – Einstieg

Es öffnet sich ein Fenster, auf dem Sie die Objekte auswählen können, die aus dem Referenzwartungsplan übernommen werden sollen (siehe Abbildung 5.142).

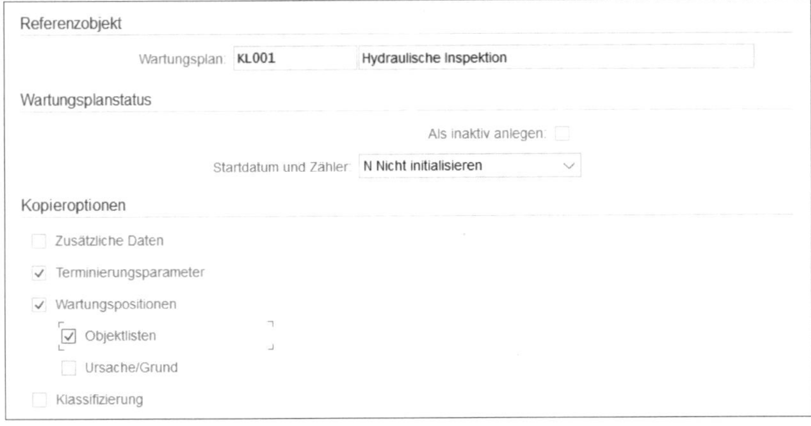

Abbildung 5.142 Wartungsplan kopieren – Objekte

Referenzwartungsplan

Die Frage, die sich nun stellt, lautet: was kann ein Referenzwartungsplan sein bzw. welche Wartungspläne können kopiert werden? Hierzu haben Sie zwei Optionen:

- Wenn Sie nur einzelne Wartungspläne als Referenzwartungspläne zum Kopieren zulassen möchten, kennzeichnen Sie diese Wartungspläne mit der Menüfunktion **Mehr • Wartungsplan • Funktionen • Kopiervorlage • Erlauben**.
- Wenn Sie alle Wartungspläne zum Kopieren zulassen möchten, aktivieren Sie in der Customizing-Funktion **Sonderfunktionen für Wartungsplanung einstellen** den Schalter **Nicht Vorlagenbasiertes Kopieren aktivieren**.

Wartungspläne klassifizieren

Wenn Sie die Business Function LOG_EAM_CI_12 aktivieren, können Sie Wartungspläne klassifizieren (siehe Abbildung 5.143):

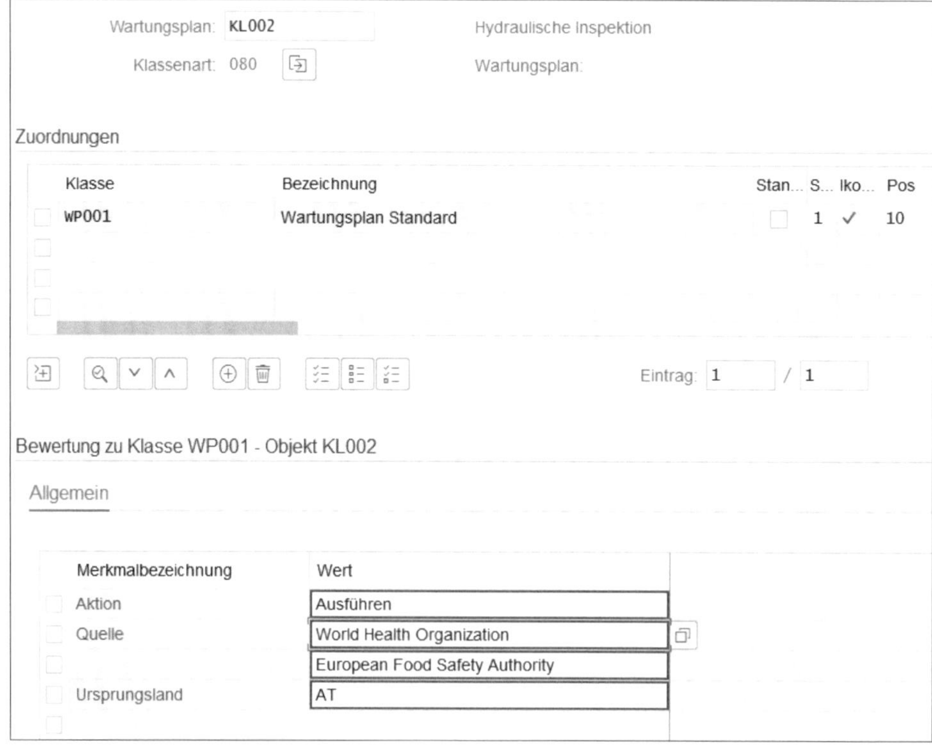

Abbildung 5.143 Wartungsplan klassifizieren

- Legen Sie mit der Transaktion CT04 Merkmale für die Eigenschaften an, die Sie dem Wartungsplan zuordnen möchten (hier z. B. Quelle).
- Legen Sie mit der Transaktion CL02 eine Klasse mit der Klassenart 080 an (hier z. B. WP001), in der Sie die Eigenschaften zusammenfassen.
- Dann können Sie mit den Anlegetransaktionen (IP01, IP41, IP42, IP43) oder der Änderungstransaktion (IP02) dem Wartungsplan eine Klasse zuordnen und die Merkmale ausprägen.

Terminüberwachung in SAP ERP

Batch-Job

Wenn Sie die Wartungspläne gestartet haben, ist es ratsam, die Überwachung der Wartungspläne und das Erzeugen von Nachfolgeaufträgen nicht manuell durchzuführen, sondern die automatische Terminüberwachung dem System zu überlassen. Diese können Sie entweder online über die Transaktion IP30 starten, oder Sie planen einen automatischen Batch-Job für den Report RISTRA20 ein (siehe Abbildung 5.144).

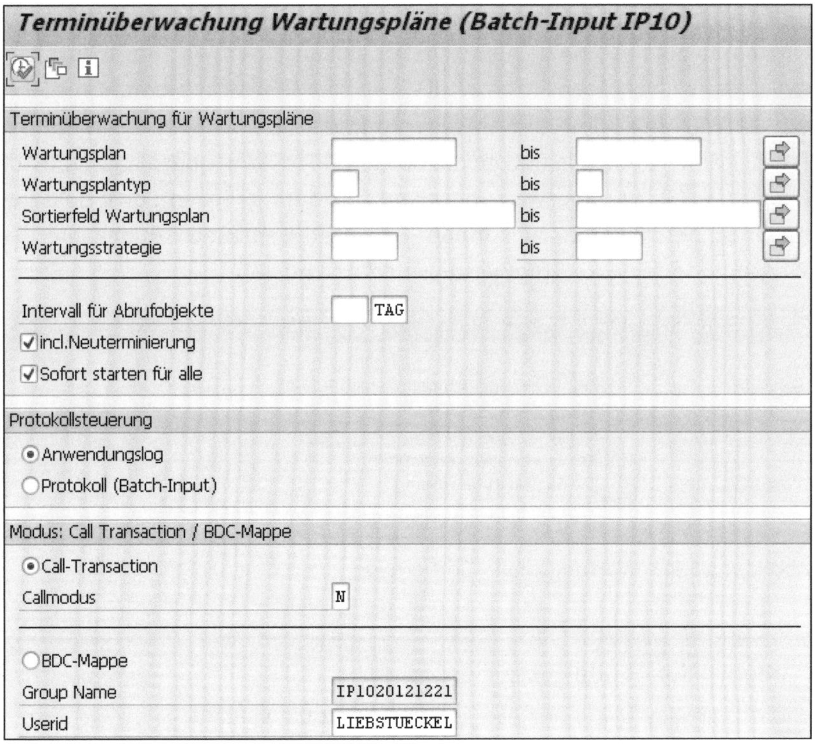

Terminüberwachung Wartungspläne (Batch-Input IP10)
Terminüberwachung für Wartungspläne
Wartungsplan bis
Wartungsplantyp bis
Sortierfeld Wartungsplan bis
Wartungsstrategie bis
Intervall für Abrufobjekte TAG
incl.Neuterminierung
Sofort starten für alle
Protokollsteuerung
Anwendungslog
Protokoll (Batch-Input)
Modus: Call Transaction / BDC-Mappe
Call-Transaction
Callmodus N
BDC-Mappe
Group Name IP1020121221
Userid LIEBSTUECKEL

Abbildung 5.144 Transaktion IP30 – Terminüberwachung in SAP ERP

[+]

Automatisieren Sie die Terminüberwachung

Planen Sie für den Report RISTRA20 einen Batch-Job ein. Dieser sollte in Abhängigkeit von den Zyklen der Wartungspläne periodisch ablaufen:

- täglich für alle Wartungspläne mit Zyklen bis zu einem Monat
- wöchentlich für alle Wartungspläne mit Zyklen zwischen einem Monat und sechs Monaten
- monatlich für alle Wartungspläne mit Zyklen größer als sechs Monaten

Die Angaben verstehen sich lediglich als Orientierungshilfe; im konkreten Fall können Sie natürlich davon abweichen.

Problem der Selektion

Allerdings müssen Sie das Problem lösen, dass RISTRA20 nur sehr wenige Selektionskriterien enthält: Wie schaffen Sie es z. B., alle Wartungspläne mit Fristen zwischen einem und sechs Monaten einmal in der Woche terminieren zu lassen?

Sprechende Nummern oder Sortierfeld

Um den Report RISTRA20 gezielt für die gewünschten Wartungspläne laufen zu lassen, vergeben Sie entweder sprechende Wartungsplannummern, um die Wartungspläne zu gruppieren und sie dann gemeinsam terminieren zu können, oder Sie nutzen das Sortierfeld im Wartungsplan (siehe Abbildung 5.145), um alle Wartungspläne mit dem gleichen Sortierfeld gemeinsam terminieren zu können. Bei Strategieplänen können Sie die Wartungsstrategie als Gruppierungsmerkmal nutzen.

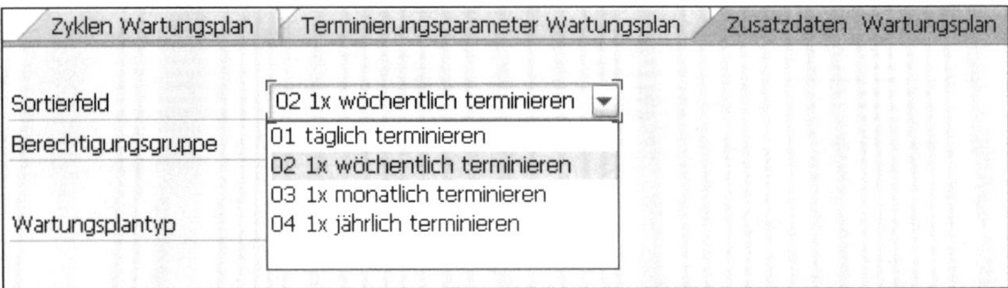

Abbildung 5.145 Wartungsplan – Sortierfeld

[!]

Intervall für Abrufobjekte

Das Intervall für Abrufobjekte nutzen Sie für die Steuerung, wie viel Zeit vor dem Abrufdatum der Auftrag erzeugt werden soll. Insbesondere wenn Sie die Eröffnungshorizonte auf 100 % gesetzt haben, muss dieser Wert ausreichend groß sein. Denn ansonsten werden die Aufträge zu spät erzeugt Terminierungsprotokoll.

Jeder Lauf des Reports RISTRA20 erzeugt ein Terminierungsprotokoll, das abgespeichert wird und über die Transaktion IBIPA aufrufbar ist (siehe Abbildung 5.146).

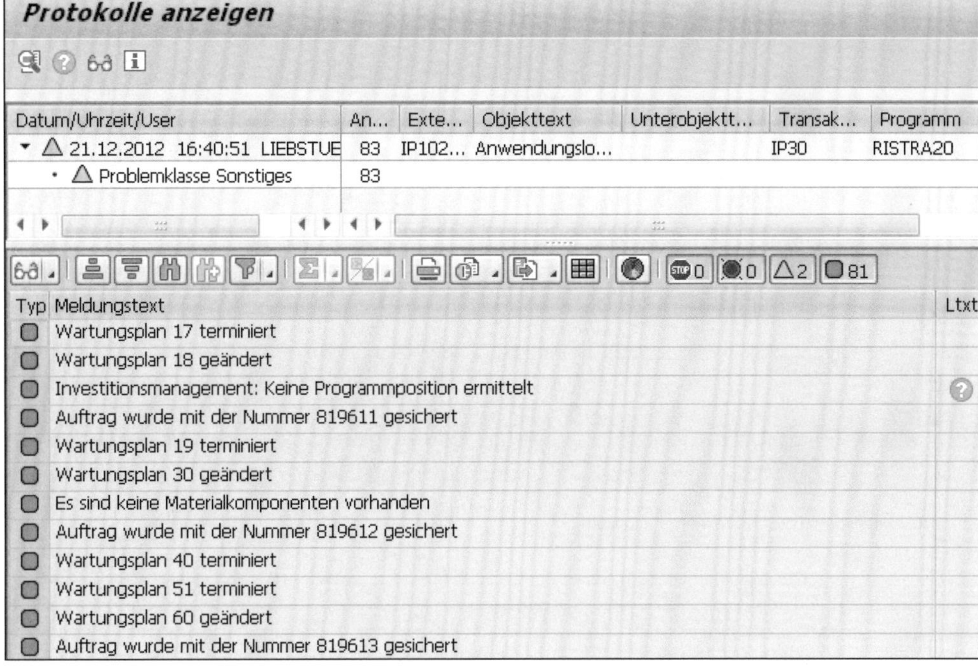

Abbildung 5.146 Transaktion IBIPA – Terminierungsprotokoll in SAP ERP

Terminüberwachung in SAP S/4HANA

In SAP S/4HANA ergeben sich im Vergleich zu SAP ERP doch einige gravierende Änderungen und positive Verbesserungen.

Batch-Job

Aber auch hier gilt zunächst: Wenn Sie die Wartungspläne gestartet haben, ist es ratsam, die Überwachung der Wartungspläne und das Erzeugen von Nachfolgeaufträgen nicht manuell durchzuführen, sondern dem System die automatische Terminüberwachung zu überlassen. Diese können Sie entweder online über die Transaktion IP30H starten, oder Sie planen einen automatischen Batch-Job für den Report RISTRA20H ein (siehe Abbildung 5.147).

[+]

Automatisieren Sie die Terminüberwachung

Planen Sie für den Report RISTRA20H einen Batch-Job ein. Da die Performance in SAP S/4HANA deutlich besser ist als in SAP ERP können Sie diesen Job immer über alle Wartungspläne laufen lassen.

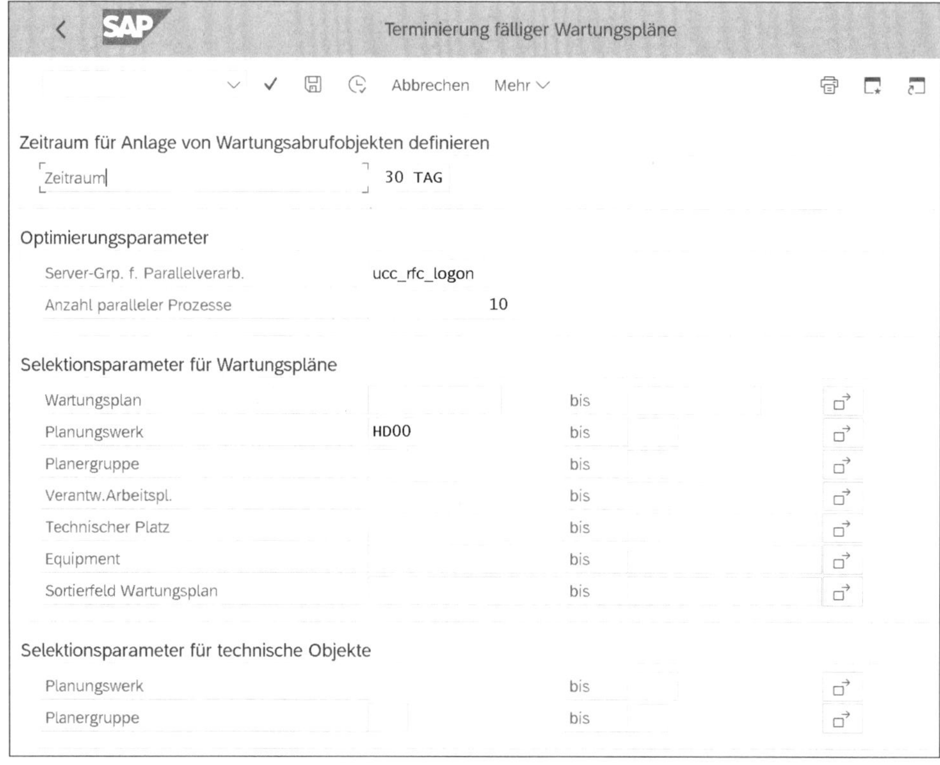

Abbildung 5.147 Transaktion IP30H – Terminüberwachung in SAP S/4HANA

Kein Problem der Selektion

Sollten Sie dennoch mehrere Batch-Jobs (z. B. pro Werk) einplanen wollen, stehen Ihnen deutlich mehr Selektionskriterien als in SAP ERP zur Verfügung.

[!]

Zeitraum

Den Zeitraum nutzen Sie für die Steuerung, wie viel Zeit vor dem Abrufdatum der Auftrag erzeugt werden soll. Insbesondere wenn Sie die Eröffnungshorizonte auf 100 % gesetzt haben, muss dieser Wert ausreichend groß sein. Denn ansonsten werden die Aufträge zu spät erzeugt.

Terminierungsprotokoll

In SAP S/4HANA wird das Terminierungsprotokoll automatisch nach der Terminierung ausgegeben (siehe Abbildung 5.148).

Neben diesen Grundfunktionen **Erfassen** und **Terminieren** gibt es zu den Wartungsplänen noch weitere Funktionen, die Ihnen bei Ihrer Wartungsplanung eine Hilfe sein können. Die Funktionen **Massenänderung**, **Wartungsplankalkulation** und **Wartungsterminübersicht** stelle ich Ihnen im Folgenden vor.

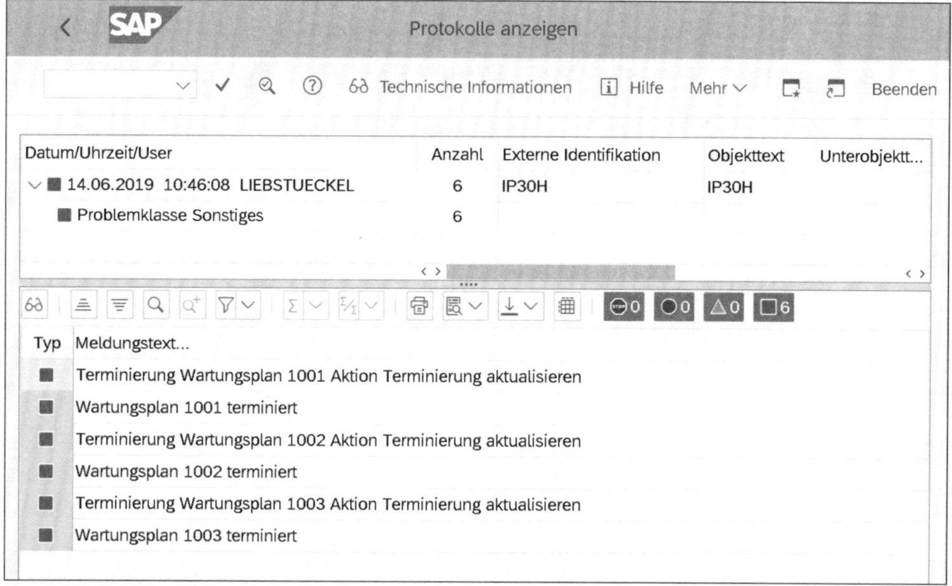

Abbildung 5.148 Terminierungsprotokoll in SAP S/4HANA

Massenänderung

In Ihrem Tagesgeschäft kommt es sicherlich häufiger vor, dass Sie mehrere Wartungspläne oder Wartungspositionen mit derselben Information zu versehen haben. Dies ist z. B. in den folgenden Fällen notwendig:

- Sie möchten für mehrere Wartungspläne gleichzeitig den Zyklus ändern.
- Sie möchten mehrere Wartungspläne mit einem identischen Sortierfeld versehen, weil sie gemeinsam terminiert werden sollen.
- Bei mehreren Wartungspositionen soll eine neue Auftragsart eingetragen werden.

Wenn bei Ihnen solche oder ähnliche Bedingungen vorliegen, gehen Sie am besten wie folgt vor:

- Starten Sie die Transaktion IP15 für Wartungspläne oder IP17 für Wartungspositionen, und grenzen Sie den Vorrat ein (z. B. nach Wartungsplannummer oder Sortierfeld).
- Markieren Sie in der Liste die Wartungspläne bzw. Wartungspositionen, die Sie nun gemeinsam verändern möchten.
- Rufen Sie die Menüpunkte **Mehr • Springen • Massenänderung durchführen** auf.

Geben Sie die gewünschten neuen Informationen ein (siehe Abbildung 5.149), und führen Sie anschließend die Änderungen aus.

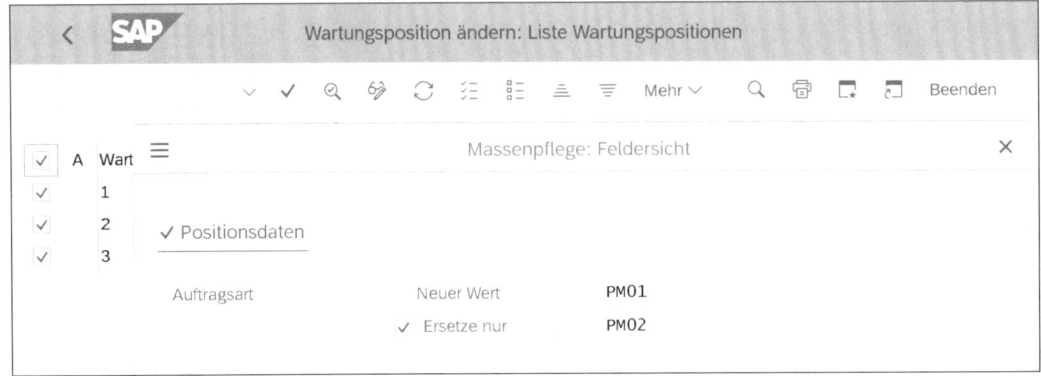

Abbildung 5.149 Massenänderung

Voraussetzungen hierfür sind zum einen die Aktivierung der Business Function LOG_EAM_CI_7 und zum anderen die Zuordnung des Berechtigungsobjekts I_MASS mit dem Berechtigungswert MP.

Wartungsplankalkulation

Mit der Wartungsplankalkulation (Transaktion IP31) können Sie die zu erwartenden Kosten von einem oder von mehreren Wartungsplänen für einen beliebigen Zeitraum ermitteln.

Voraussetzungen

Hierzu müssen die folgenden Voraussetzungen erfüllt sein:

- Sie haben die Wartungspläne terminiert. Denn die Wartungsplankalkulation funktioniert nicht, wenn der Wartungsplan nur angelegt, aber nicht gestartet worden ist.
- Sie erzeugen aus dem Wartungsplan Aufträge. Denn die Wartungsplankalkulation funktioniert nicht, wenn Meldungen oder Leistungserfassungsblätter abgerufen werden.
- Der Wartungsplan hat nicht den Status **Inaktiv** oder **Löschvormerkung**.
- Sie haben im Wartungsplan einen Arbeitsplan angegeben und im Arbeitsplan für die Vorgänge kalkulationsrelevante Daten hinterlegt: (z. B. Arbeitsplatz, Leistungsart, Vorgabezeit, Material). Sie haben der Leistungsart Tarife zugeordnet, und die Materialien wurden bewertet.

Funktionsumfang

Das System ermittelt die zu erwartenden Kosten für den angegebenen Zeitraum wie folgt (siehe Abbildung 5.150):

- Kalkulation der bereits vorhandenen Abrufe (= Aufträge)
- Simulation von Wartungsabrufen für den nachfolgenden Zeitraum und Ermittlung der zu erwartenden Kosten

Material	0
Werk	HD00 Plant Heidelberg
Kalkulationsvariante	PM01 IH-Auftrag
Kalkulationsversion	
Kalk.datum von - bis	14.06.2019 - 13.06.2022
Losgröße	0,000
Kostenbezugsgröße	0,000

PosNr	P	Ressource	Kostenart	Wert gesamt	Wert fix Währung	Menge EH
1	E	EUPM1000 EL MLABOR	800400	675,00	562,50 EUR	15 H
2	M	HD00 FLDG00000	720000	132,00	0,00 EUR	6 ST
3	E	EUPM1000 ME MLABOR	800400	1.890,00	1.575,00 EUR	42 H
4	M	HD00 FLDG16000	720000	258,60	0,00 EUR	12 EA
				2.955,60	**2.137,50 EUR**	

Abbildung 5.150 Transaktion IP31 – Wartungsplankalkulation

Wartungsterminübersicht und -simulation

In der Wartungsterminübersicht (siehe Abbildung 5.151), die Sie über die Transaktion IP19 erreichen, stehen Ihnen die folgenden Funktionen zur Verfügung:

Wartungspositionsübersicht

WplanSimulation Abbrechen Mehr Beenden

Objekt-ID	Beschreibung
Equ: 10001002	Gabelstapler Linde 4,5 to
WPlan: 1002	staplerinspektion
WPlan: 1003	Jahresinspektion Stapler
Equ: E16000	Pumpe GG Etanorm 200-10(
WPlan: 1004	Periodische Wartung Pumpe
Equ: E19700	Pumpe GG Etanorm 200-10(
WPlan: 1001	Periodische Wartung Pumpe

Wartungstermine

Wartungsplan	Wartungsposition	WPos-Beschreibung	WplanAbrufnr	Plandatum	Abrufdatum	fällige Pake
1002	2	staplerinspektion	1	01.07.2019	14.06.2019	
1002	2	staplerinspektion	2	01.08.2019	14.06.2019	
1002	2	staplerinspektion	3	01.09.2019	14.06.2019	
1002	2	staplerinspektion	4	01.10.2019	14.06.2019	
1002	2	staplerinspektion	5	01.11.2019	14.06.2019	
1002	2	staplerinspektion	6	01.12.2019		
1002	2	staplerinspektion	7	01.01.2020		
1002	2	staplerinspektion	8	01.02.2020		
1002	2	staplerinspektion	9	01.03.2020		
1002	2	staplerinspektion	10	01.04.2020		
1002	2	staplerinspektion	11	01.05.2020		
1002	2	staplerinspektion	12	01.06.2020		
1002	2	staplerinspektion	13	01.07.2020		
1002	2	staplerinspektion	14	01.08.2020		
1002	2	staplerinspektion	15	01.09.2020		

Abbildung 5.151 Transaktion IP19 – Wartungsterminübersicht

- Sie können sich anzeigen lassen, zu welchem Bezugsobjekt wann welche Wartungstermine zu erwarten sind. Dabei zeigt Ihnen das System sowohl die bereits errechneten Termine als auch die für den von Ihnen vorgegebenen Zeitraum simulierten Termine an.

- Sie können Wartungstermine verschieben.
- Sie können mit der Simulationsfunktion die Wartungstermine bearbeiten (z. B. freigeben, verschieben oder fixieren).

Grafische Terminübersicht in SAP ERP

In SAP ERP steht Ihnen über die oben genannten Funktionen in der Transaktion IP19 noch die grafische Terminübersicht zur Verfügung (siehe Abbildung 5.152).

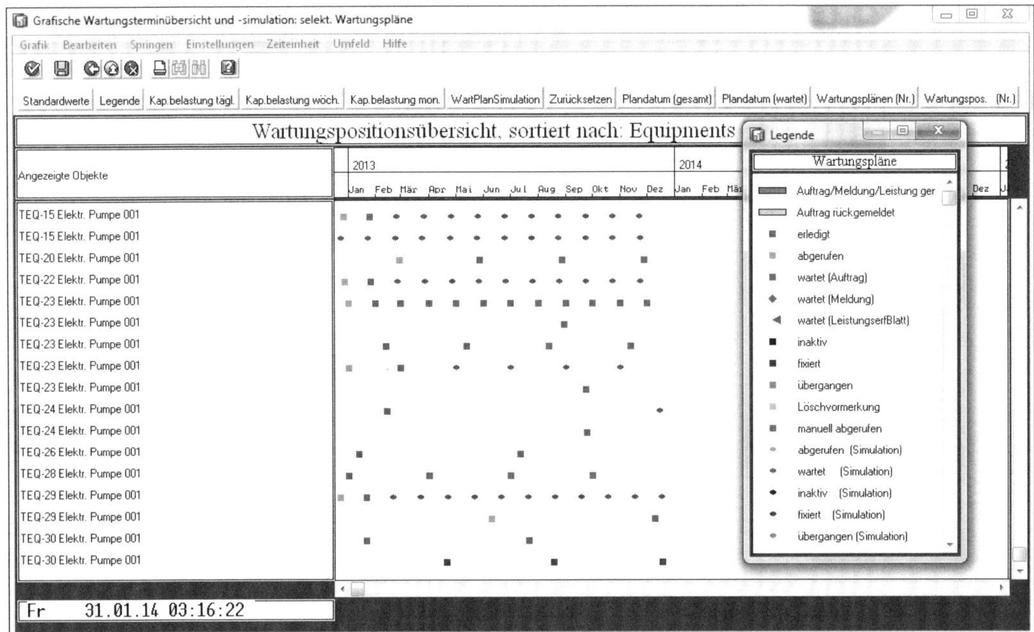

Abbildung 5.152 Transaktion IP19 – grafische Wartungsterminübersicht

- Dort können sich in grafischer Form anzeigen lassen, zu welchem Bezugsobjekt wann welche Wartungstermine zu erwarten sind. Dabei zeigt Ihnen das System sowohl die bereits errechneten Termine als auch die für den von Ihnen vorgegebenen Zeitraum simulierten Termine an.
- Sie können Wartungstermine verschieben.
- Sie können sich die aus den Wartungsplänen zu erwartenden Kapazitätsbelastungen ansehen (siehe Abbildung 5.153) und anschließend bei Über- oder Unterlasten Terminverschiebungen vornehmen.

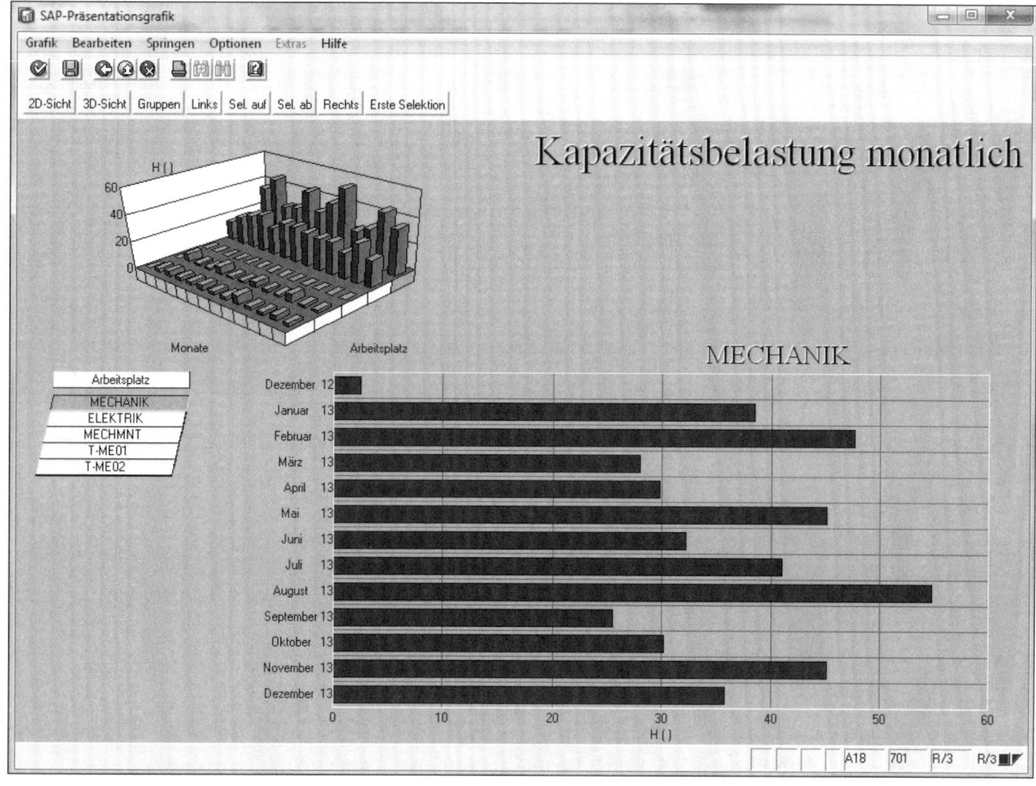

Abbildung 5.153 Kapazitätsbelastung

[!]

Die grafische Terminübersicht hat viele Funktionen

Mithilfe der grafischen Wartungsterminübersicht können Sie sich nicht nur die nächsten Wartungstermine ansehen, sondern Sie können sich auch im Rahmen einer Simulation die zu erwartenden Kapazitätsbelastungen anzeigen lassen.

Änderungsbelege

Wie bei vielen anderen Objekten im SAP-System können Sie sich auch für Wartungspläne, Wartungspositionen und Wartungsabrufe Änderungsbelege anzeigen lassen (siehe Abbildung 5.154). Rufen Sie hierzu den betreffenden Wartungsplan und im Transaktionsmenü den Pfad **Mehr • Zusätze • Änderungsbelege** auf.

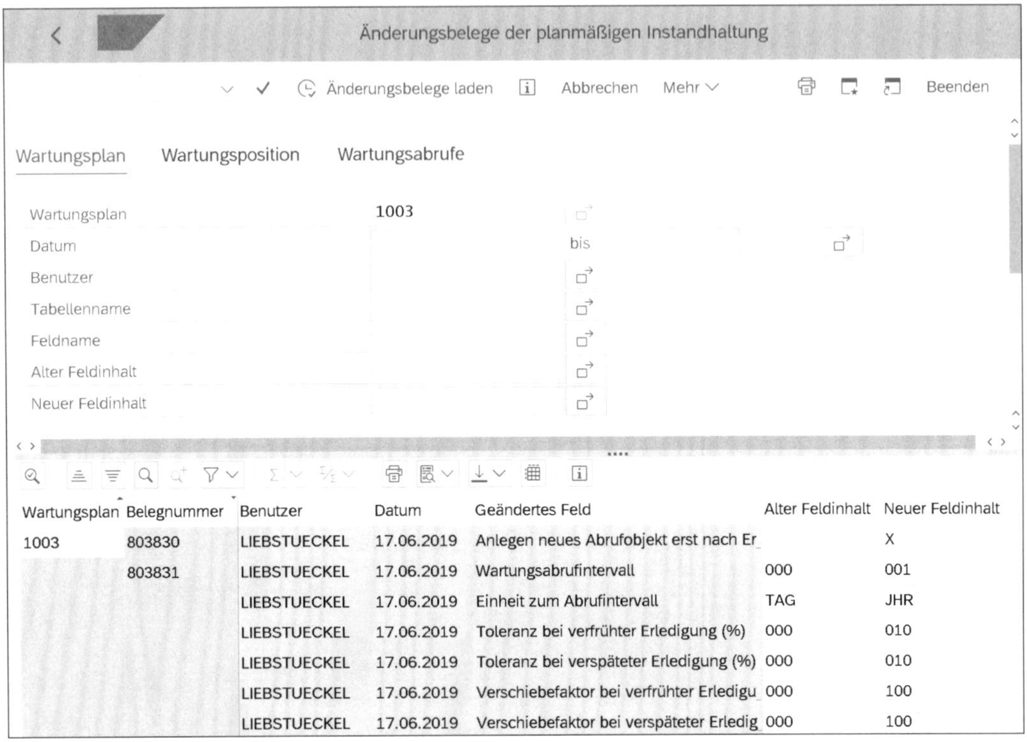

Änderungsbelege der planmäßigen Instandhaltung

Änderungsbelege laden | Abbrechen | Mehr | Beenden

Wartungsplan | Wartungsposition | Wartungsabrufe

Wartungsplan 1003
Datum bis
Benutzer
Tabellenname
Feldname
Alter Feldinhalt
Neuer Feldinhalt

Wartungsplan	Belegnummer	Benutzer	Datum	Geändertes Feld	Alter Feldinhalt	Neuer Feldinhalt
1003	803830	LIEBSTUECKEL	17.06.2019	Anlegen neues Abrufobjekt erst nach Er		X
	803831	LIEBSTUECKEL	17.06.2019	Wartungsabrufintervall	000	001
		LIEBSTUECKEL	17.06.2019	Einheit zum Abrufintervall	TAG	JHR
		LIEBSTUECKEL	17.06.2019	Toleranz bei verfrühter Erledigung (%)	000	010
		LIEBSTUECKEL	17.06.2019	Toleranz bei verspäteter Erledigung (%)	000	010
		LIEBSTUECKEL	17.06.2019	Verschiebefaktor bei verfrühter Erledigu	000	100
		LIEBSTUECKEL	17.06.2019	Verschiebefaktor bei verspäteter Erledig	000	100

Abbildung 5.154 Wartungsplan – Änderungsbelege

Beispielprozesse im Web

Auf der E-Learning-Plattform unter *http://saptraining.fh-wuerzburg.de* finden Sie über den Menüpfad **SAP ERP • Instandhaltung Prozesse • Instandhaltung Prozesse @-learning SAP starten • Instandhaltung • 7. Vorbeugende Instandhaltung • 7.1 Wartungsplanung mit einem Zyklus** den Geschäftsprozess zum Wartungsplan (Pflege des Wartungsplans, Starten des Wartungsplans).

Der zeitbasierte Strategieplan

Definition

Sie legen zeitbasierte Strategiepläne an, wenn Sie aufeinander aufbauende oder sich ersetzende Wartungstätigkeiten auszuführen haben; z. B. wenn Sie vom Hersteller eine Wartungsanweisung haben, die Tätigkeiten mit unterschiedlichen Fristen beinhaltet, z. B. alle drei Monate, alle sechs Monate, alle zwölf Monate usw.

Voraussetzungen

In solchen Fällen müssen Sie einen Arbeitsplan einbinden – und zwar einen, der dieselbe Strategie wie der Wartungsplan beinhaltet. Die Voraussetzungen, damit ein solcher Geschäftsprozess funktioniert, sind eine Wartungsstrategie und ein passender Arbeitsplan.

Wartungsstrategie

Wartungsstrategien definieren Sie über die Transaktion IP11. Eine Wartungsstrategie beinhaltet die zeitliche Abfolge von Wartungspaketen (siehe Abbildung 5.155).

Name	A
Bezeichnung	Zeitabhängige Strategie
Terminierungskennzeichen	Zeit

Paketfolge

P...	Zyklusd...	Ein...	Text Wartungszyklus	K...	Hi...	K...	Offset	K...	Vorlauf	Nachlauf
10	1	MON	Monatlich	1M	1	H1			1	
20	3	MON	3-monatlich	3M	2	H2			2	
30	6	MON	Halbjährlich	6M	3	H3			3	
40	12	MON	Jährlich	12	4	H4			5	

Abbildung 5.155 Zeitabhängige Wartungsstrategie

Eine Wartungsstrategie beinhaltet nicht die folgenden Elemente:

- das Bezugsobjekt
- die Tätigkeiten
- die Termine

Die Erläuterung der Hierarchiekennzeichen, des Offsets und von Vorlauf und Nachlauf erfolgt im Abschnitt »Terminierungsparameter«.

[!]

Nachträgliche Positionen

Wenn Sie nachträglich feststellen, dass Sie zusätzliche Pakete benötigen, hängt die Verfahrensweise von den bisher vergebenen Paketnummern ab:

Wenn Sie Ihre Paketnummern in Einerschritten durchnummeriert haben (1, 2, 3 usw.), fügen Sie diese immer in der fortlaufenden Reihenfolge hinten an. Andernfalls füllt Ihnen der Wartungsplan Ihre Aufträge künftig mit falschen Vorgängen aus dem Arbeitsplan. Alternativ vergeben Sie von vornherein Positionsnummern an die einzelnen Wartungspakete in Zehnerschritten (10, 20, 30 usw.). Dies gibt Ihnen die Möglichkeit, Wartungspakete zwischen den Zehnerpositionen einzufügen (10, 15, 20, 30 usw.). Verwenden Sie aber keinesfalls bestehende Positionsnummern.

Arbeitsplan

Um eine strategiebasierte vorbeugende Instandhaltung betreiben zu können, benötigen Sie neben der Wartungsstrategie einen Arbeitsplan. Nun führen Sie die folgenden Schritte aus:

- Sie ordnen dem Arbeitsplan auf der Kopfebene dieselbe Strategie zu, wie sie der spätere Wartungsplan beinhalten soll.
- Sie ordnen den Vorgängen die Wartungspakete zu, zu denen sie fällig werden (siehe Abbildung 5.156).

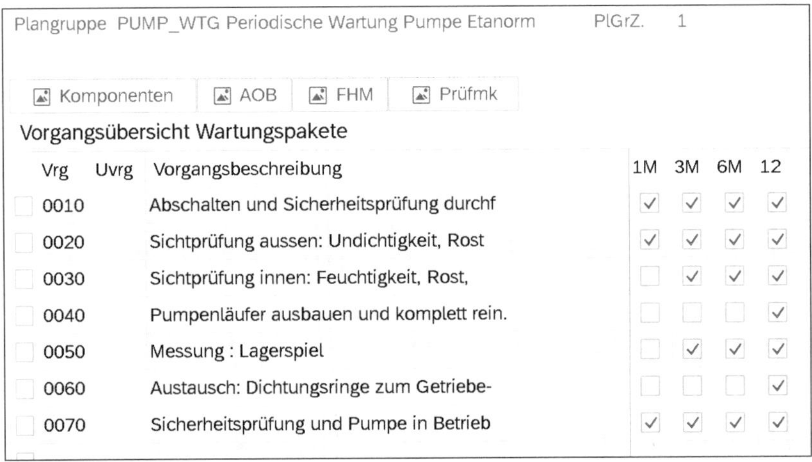

Abbildung 5.156 Vorgänge mit Wartungspaketen

Anlegen des Strategieplans

Den Strategieplan erfassen Sie über die Transaktion IP42. Hier wählen Sie zwischen einer internen und einer externen Nummernvergabe. Den Zyklus, in dem die Wartungsmaßnahmen stattfinden sollen, geben Sie nicht etwa direkt im Wartungsplan an, sondern die Wartungspakete werden vielmehr durch den einzubindenden Arbeitsplan gebildet (siehe Abbildung 5.157).

Terminierungsparameter

Die meisten Terminierungsparameter eines Strategieplans kennen Sie nun schon aus dem Einzelzyklusplan (siehe Abbildung 5.136).

Die folgenden Werte werden aus der Wartungsstrategie vorgeschlagen, Sie können sie aber im Strategieplan abändern:

- Verschiebungsfaktoren
- Toleranzen
- Terminierungskennzeichen
- Eröffnungshorizont

Das Abrufintervall und die Erledigungspflicht legen Sie individuell pro Strategieplan fest.

Bei einem Strategieplan kommen noch einige Terminierungsparameter hinzu, die es im Einzelzyklusplan entweder nicht gibt oder die dort keine Rolle spielen.

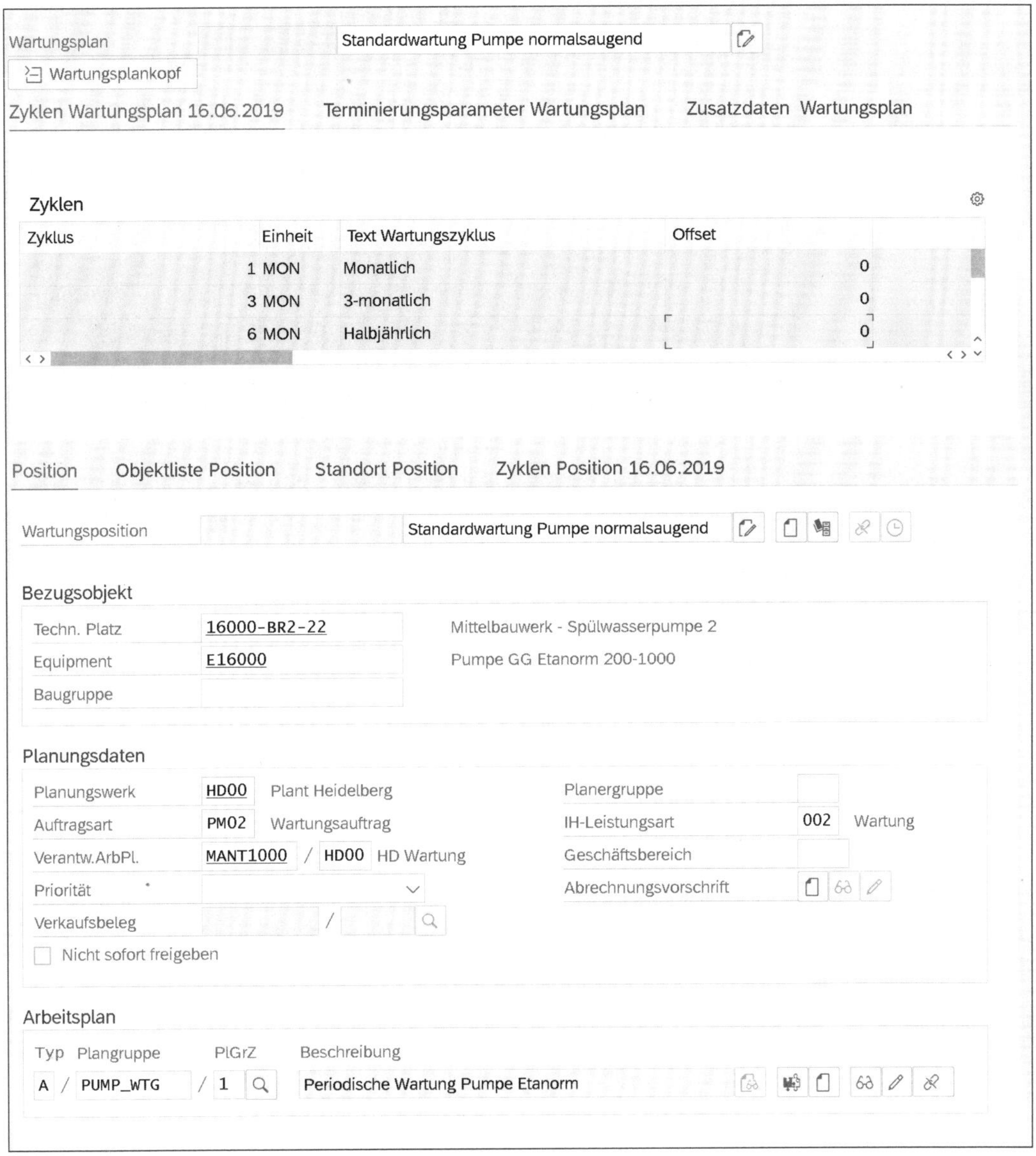

Wartungsplan Standardwartung Pumpe normalsaugend
Wartungsplankopf
Zyklen Wartungsplan 16.06.2019 | Terminierungsparameter Wartungsplan | Zusatzdaten Wartungsplan

Zyklen

Zyklus	Einheit	Text Wartungszyklus	Offset
1	MON	Monatlich	0
3	MON	3-monatlich	0
6	MON	Halbjährlich	0

Position | Objektliste Position | Standort Position | Zyklen Position 16.06.2019

Wartungsposition Standardwartung Pumpe normalsaugend

Bezugsobjekt
Techn. Platz 16000-BR2-22 Mittelbauwerk - Spülwasserpumpe 2
Equipment E16000 Pumpe GG Etanorm 200-1000
Baugruppe

Planungsdaten
Planungswerk HD00 Plant Heidelberg
Auftragsart PM02 Wartungsauftrag
Verantw.ArbPl. MANT1000 / HD00 HD Wartung
Priorität
Verkaufsbeleg /
Nicht sofort freigeben
Planergruppe
IH-Leistungsart 002 Wartung
Geschäftsbereich
Abrechnungsvorschrift

Arbeitsplan
Typ Plangruppe PlGrZ Beschreibung
A / PUMP_WTG / 1 Periodische Wartung Pumpe Etanorm

Abbildung 5.157 Transaktion IP42 – Strategieplan

Streckungsfaktor

Wenn Sie im laufenden Betrieb feststellen, dass Sie die Wartungsintervalle anpassen müssen, weil Sie die Wartung entweder zu häufig oder zu selten betreiben, können Sie den Streckungsfaktor verändern. Der Vorschlagswert befindet sich immer auf dem Wert 1,00. Wenn Sie nun einen Streckungsfaktor (Werte von 0,01 bis 9,99) angeben, können Sie damit die in der Wartungsstrategie angegebenen Zyklen verlängern oder verkürzen. Ein

Streckungsfaktor größer als 1 verlängert den Zyklus, während ein Streckungsfaktor kleiner als 1 den Zyklus verkürzt.

[!]

Streckungsfaktor: dynamisch

Mit dem Streckungsfaktor können Sie individuell pro Strategieplan die Wartungszyklen verlängern oder verkürzen und damit die Wartungsintensität anpassen, ohne die Wartungsstrategie ändern zu müssen.

In einem Einzelzyklusplan ist ein Streckungsfaktor prinzipiell auch vorhanden. Dort spielt er allerdings eine untergeordnete Rolle, weil Sie hier eine Zyklusanpassung direkt über eine Veränderung des Zyklus vornehmen würden.

Wartungspakethierarchie

Die Hierarchie der Wartungspakete pflegen Sie in der Wartungsstrategie (siehe Abbildung 5.155). Die Hierarchie bestimmt, welche Wartungspakete ausgeführt werden, wenn zu einem Zeitpunkt mehrere Wartungspakete fällig sind:

- **Gleiche Hierarchiekennzahl**
  Sollen die Wartungspakete gemeinsam zu diesem Zeitpunkt ausgeführt werden, erhalten sie die gleiche Hierarchiezahl, wenn z. B. alle sechs Monate ein Ölwechsel und alle zwölf Monate zusätzlich ein Filterwechsel stattfindet. Das SAP-System fasst die Wartungspakete dann in einem Auftrag mit mehreren Vorgängen zusammen.
- **Unterschiedliche Hierarchiekennzahlen**
  Sollen nur bestimmte Wartungspakete zu diesem Zeitpunkt ausgeführt werden, müssen diese Pakete mit einer höheren Hierarchiezahl versehen werden als die übrigen Pakete. Auf diese Weise wählt das SAP-System immer nur die Pakete mit der höchsten Hierarchiezahl aus. Werden die Zündkerzen z. B. alle sechs Monate gereinigt und alle zwölf Monate gewechselt, ergäbe es schließlich keinen Sinn, nach zwölf Monaten die Zündkerzen zunächst zu reinigen und sie dann zu wechseln: Das Paket mit der höheren Hierarchie (Wechseln) ersetzt also das Paket mit der niedrigeren Hierarchie (Reinigen).

[!]

Unterschiedliche Wartungspakethierarchien

Die differenzierteste Steuerung der Wartungstätigkeiten erreichen Sie, wenn Sie alle Wartungspakete mit unterschiedlichen Hierarchiekennzahlen versehen und dann im Arbeitsplan gegebenenfalls eine Mehrfachzuordnung von Wartungspaketen vornehmen. Die Hierarchiekennzahl vergeben Sie in der Regel aufsteigend nach der Fristigkeit.

Die Vorlauf- und Nachlaufpuffer vergeben Sie in der Wartungsstrategie auf der Ebene der Wartungspakete; sie werden immer in Tagen ausgedrückt. Die Vorlauf- und Nachlaufpuffer dienen im SAP-System dazu, um, ausgehend vom Plantermin, den Eckstarttermin und den Eckendetermin des Auftrags zu bestimmen.

Vorlauf- und Nachlaufpuffer

So ergibt sich z. B. aus dem Wartungspaket 40 mit fünf Tagen Vorlaufpuffer und null Tagen Nachlaufpuffer mit dem errechneten Plantermin 15.05. im Auftrag der 10.05. als Eckstarttermin und der 15.05. als Eckendetermin.

Was ist nun der betriebswirtschaftliche Hintergrund? Die Wartungstätigkeiten nehmen eine gewisse Zeit in Anspruch, und besonders längerfristige Wartungen lassen sich in der Regel nicht an einem Tag erledigen. Deshalb können Sie über die Vorlauf- und Nachlaufpuffer schon von vornherein eine Zeitspanne **von/bis** vorgeben.

[!]

Nachlaufpuffer auf null setzen

Setzen Sie immer mindestens einen Puffer auf null, denn ansonsten können Sie an den Eckterminen des Auftrags nicht mehr den eigentlichen Plantermin erkennen. Ich empfehle Ihnen, immer den Nachlaufpuffer auf null zu setzen, weil hierdurch der gewünschte Eckendetermin dem Plantermin der Wartung entspricht.

Ein Offset sorgt für eine einmalige Verschiebung. Die Offsets vergeben Sie in der Wartungsstrategie auf der Ebene der Wartungspakete; sie werden immer in der Einheit des Wartungspakets ausgedrückt. Offsets verwenden Sie in den folgenden Fällen:

Offset

- Das Wartungspaket soll nur einmalig ausgeführt werden. Dann setzen Sie im Wartungspaket nur den Offset.
- Die zyklischen Arbeiten sollen erst nach einer gewissen Zeit beginnen. Dann setzen Sie eine Zyklusdauer und einen Offset.

Lassen Sie es mich anhand eines Beispiels erklären: Mich erreichte vor einiger Zeit die folgende Anfrage eines ehemaligen Kunden:

> *In unserem Hause besteht die Anforderung, dass mit einem Wartungsplan verschiedene Arbeitsvorgänge aufgelöst werden sollen, die zwar im gleichen Zeitintervall stattfinden, aber auf der Zeitachse zeitlich verschoben zu den Aufträgen generiert werden sollen.*

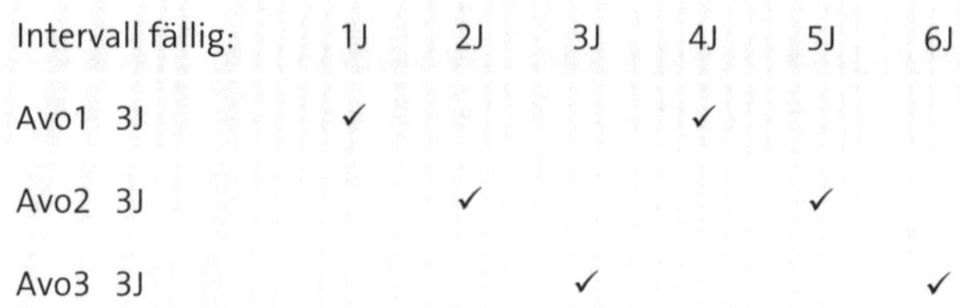

Intervall fällig:	1J	2J	3J	4J	5J	6J
Avo1 3J	✓			✓		
Avo2 3J		✓			✓	
Avo3 3J			✓			✓

Die Anforderung des Kunden setzen Sie durch eine Wartungsstrategie mit drei Paketen um. Alle drei Pakete beinhalten eine Zyklusdauer von drei Jahren. Über das Setzen eines Offsets von einem Jahr im zweiten und von zwei Jahren im dritten Wartungspaket erreichen Sie genau die gewünschte zeitliche Reihenfolge (siehe Abbildung 5.158).

Name	O
Bezeichnung	Offset Strategie
Terminierungskennzeichen	1 Zeit - stichtagsgenau

Paketfolge

P...	Zyklusdauer	Ein...	Text Wartungszyklus	K...	Hi...	K...	Offset	K...	Vorlauf	Nachlauf
10	3	JHR	alle 3 Jahre ohne Offset	30	1	H1			5	
20	3	JHR	alle 3 Jahre mit 1 Jahr Offset	31	1	H1	1	31	5	
30	3	JHR	alle 3 Jahre mit 2 Jahren Off.	32	1	H1	2	32	5	

Abbildung 5.158 Wartungsstrategie mit Offset

[!]

Offset für den Versatz von Wartungspaketen

Durch das Setzen von Offsets erreichen Sie einen zeitlichen Versatz der Wartungspakete.

Starten des Strategieplans

Beim Starten eines Strategieplans ist nun zu unterscheiden, ob es sich um einen Neustart (z. B. beim Neukauf einer Maschine) oder um einen Start im laufenden Zyklus (z. B. bei einer bestehenden Maschine mit bereits durchgeführten Wartungsterminen) handelt.

- **Neustart**
  Mithilfe der Transaktion IP10 (Funktion **Start**) starten Sie den Wartungsplan und erzeugen so den ersten Auftrag. Das SAP-System fragt Sie nach einem **Zyklusstart** (siehe Abbildung 5.134). Dabei handelt es sich um das Datum, zu dem Sie das Bezugsobjekt in Betrieb nehmen oder kurz vorher in Betrieb genommen haben.

- **Start im Zyklus**
  Wenn Sie allerdings schon in der Vergangenheit Wartungstermine am Bezugsobjekt wahrgenommen haben, verwenden Sie in der Transaktion IP10 die Funktion **Start im Zyklus**. Das SAP-System fragt Sie dann nicht nur nach dem Erledigungsdatum (= Datum, zu dem Sie die letzte Wartung durchgeführt haben, siehe Abbildung 5.159), sondern verlangt von Ihnen auch noch einen Offset. Verwechseln Sie diesen nicht mit dem Offset aus der Wartungsstrategie, denn hier bestimmen Sie über den Offset, welches Wartungspaket Sie zuletzt ausgeführt haben. Mithilfe der Funktion [Paket auswählen] rufen Sie das Tableau zur Auswahl der Pakete auf (siehe Abbildung 5.160) und setzen dort mithilfe der Funktion [Startoffset setzen] den Start-Offset.

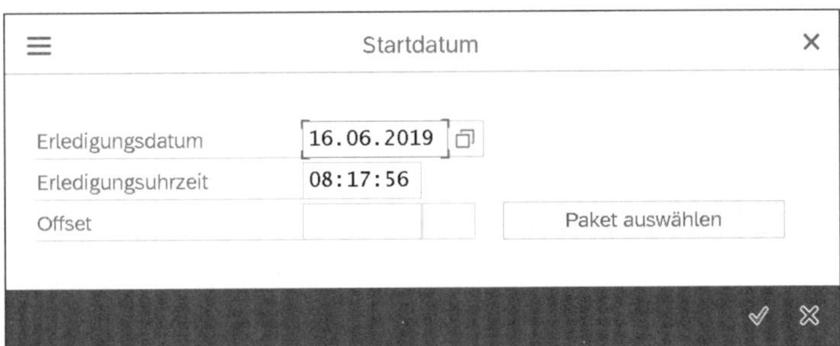

Abbildung 5.159 Start im Zyklus – Erledigungsdatum

Auf der Basis des Zyklusstarts und der Terminierungsparameter errechnet das System das erste Plandatum und erzeugt beim Sichern den ersten Wartungsauftrag.

SAP Paketfolge

✓ Zurück « Vorige Termine » Weitere Termine Startoffset setzen Offset rücknehmen

Strategie : A Zeitabhängige Strategie

Ty	Paket Zyklustext	1 MON	2 MON	3 MON	4 MON	5 MON	6 MON	7 MON	8 MON	9 MON	10 MON	11 MON	12 MON	13 MON	14 MON	15 MON
	10 Monatlich	1M	1M		1M	1M		1M	1M		1M	1M		1M	1M	
	20 3-monatlich			3M						3M						3M
	30 Halbjährlich						6M									
	40 Jährlich												12			

Abbildung 5.160 Start im Zyklus – Start-Offset

In der weiteren Vorgehensweise und allen weiteren Funktionen wie **Terminüberwachung**, **Simulation**, **Wartungsplankalkulation** usw. unterscheidet sich der Strategieplan nicht vom Einzelzyklusplan.

Zeitbasierte Wartungspläne: wenig Verwaltungsaufwand

Bei den zeitbasierten Wartungsplänen – egal, ob es sich um Einzelzykluspläne oder um Strategiepläne handelt – kann das SAP-System die Berechnung der Plantermine weitestgehend automatisch anhand des Kalenders durchführen. Bei den leistungsbasierten Wartungsplänen ist der laufende Aufwand durch die permanente Erfassung von Zählerständen erforderlich. Deshalb sollten Sie, wenn möglich, bei den zeitbasierten Wartungsplänen bleiben.

Doch kommen wir nun zu den Geschäftsprozessen der vorbeugenden Instandhaltung, bei denen zur Berechnung von Wartungsterminen nicht mehr der Kalender ausreicht, sondern Leistungszähler und Zählerstände erforderlich sind. Es geht hier also konkret um die Geschäftsprozesse der leistungsbasierten vorbeugenden Instandhaltung.

Beispielprozesse im Web

Auf der E-Learning-Plattform unter *http://saptraining.fh-wuerzburg.de* finden Sie über den Menüpfad **SAP ERP • Instandhaltung Prozesse • Instandhaltung Prozesse @-learning SAP starten • Instandhaltung • 7. Vorbeugende Instandhaltung • 7.2 Wartungsplanung mit Strategie – zeitabhängig** die Geschäftsprozesse zur strategie- und zeitbasierten Instandhaltung (Wartungsstrategien, Arbeitsplan, Wartungsplan anlegen und starten).

5.8.5 Vorbeugende Instandhaltung, leistungsbasiert

Bei der leistungsbasierten Instandhaltung erfolgt die Ermittlung der Wartungstermine ausschließlich über leistungsabhängige Größen (wie z. B. Betriebsstunden, Kilometer oder produzierte Mengen). Kalenderzyklen (z. B. 6-Monatszyklus) nehmen hingegen keinen Einfluss.

Der leistungsbasierte Einzelzyklusplan

Definition

Bei einem leistungsbasierten Einzelzyklusplan beinhaltet der Wartungsplan einen Wartungszyklus (z. B. alle 2.000 Bh), und der Abruf von Wartungsterminen basiert auf Zählerständen. Immer wenn nun der Zählerstand den Zyklus erreicht hat bzw. kurz davor ist, wird ein Auftrag generiert.

Damit Sie eine leistungsabhängige Wartung durchführen können, sind zuvor einige Voraussetzungen zu schaffen.

Zähler

Sie ordnen dem Bezugsobjekt mithilfe der Funktion **Messpunkte/Zähler** einen Zähler zu. Hierzu verwenden Sie die entsprechenden Transaktionen (z. B. Transaktion IE02 für Equipments oder Transaktion IL02 für Technische Plätze). Den Zähler selbst definieren Sie wie folgt (siehe Abbildung 5.161):

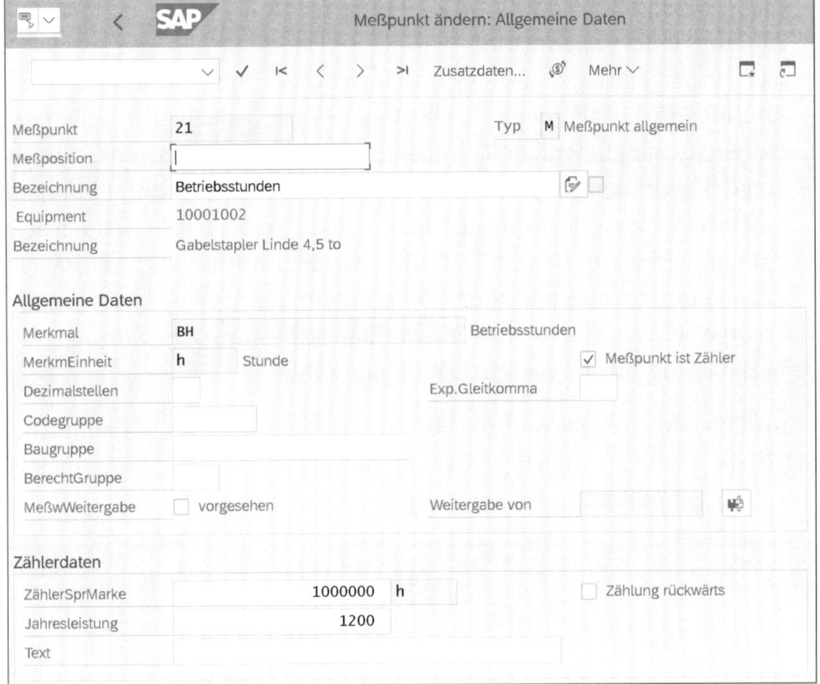

Abbildung 5.161 Zähler zum Bezugsobjekt

- **Merkmal**
  Der Zähler verweist auf ein Merkmal (hier z. B. BH). Dieses Merkmal pflegen Sie mithilfe der Transaktion CT04; achten Sie darauf, dass das Merkmal den Datentyp *Numerisches Format* und die passende Einheit (z. B. h, km, l) enthält.
- **Zählersprungmarke**
  Die Zählersprungmarke repräsentiert den ersten Wert, den der Zähler nicht mehr darstellen kann. Bei einem sechsstelligen Zähler müssten Sie hier z. B. den Wert 1.000.000 eintragen; diesen Wert benötigt das System für die Terminierung der Wartungspläne.
- **Jahresleistung**
  Die Jahresleistung repräsentiert einen von Ihnen geschätzten Wert, wie stark also das Bezugsobjekt pro Jahr in Bezug auf den Zähler in Anspruch

genommen wird. Auch diesen Wert benötigt das System für die Terminierung.

- **Messwertweitergabe**
  Sollten Sie eine Messpunkthierarchie aufgebaut haben, aktivieren Sie den Schalter **MeßwWeitergabe** und definieren den Messpunkt/Zähler, von dem der Wert übernommen werden soll.
- **Abnehmender Zählerstand**
  Der Normalfall einer leistungsabhängigen Wartung ist sicherlich ein kontinuierlich wachsender Zählerstand. Es gibt jedoch auch Fälle (z. B. bei einem abnehmenden Radreifendurchmesser), in denen der Zählerstand kontinuierlich abnimmt und die Wartung bei Unterschreiten einer Grenze ausgelöst wird. In solchen Fällen aktivieren Sie den Schalter **Zählung rückwärts**. Dann müssen Sie allerdings noch einen zusätzlichen Zähler einrichten, der vorwärts zählt und für den Sie eine Messwertweitergabe vom rückwärts laufenden Zähler aktivieren. Den Wartungsplan beziehen Sie auf den vorwärts laufenden Zähler.

Initialmessbeleg

Zum Zähler erfassen Sie mithilfe der Transaktion IK11 einen Initialmessbeleg (siehe Abbildung 5.162). Dieser repräsentiert, wann das Bezugsobjekt mit welchem Zählerstand in Betrieb genommen wurde.

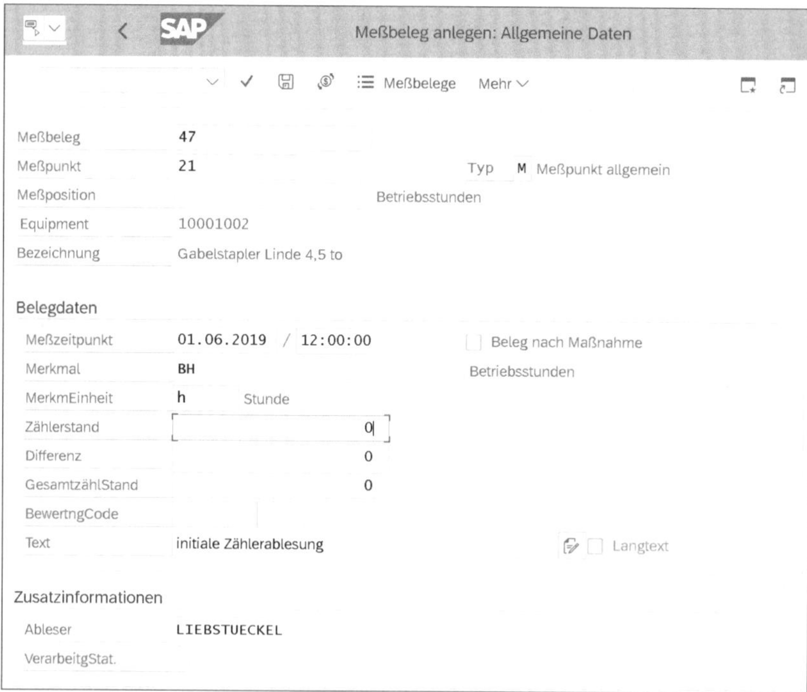

Abbildung 5.162 Transaktion IK11 – Initialmessbeleg

Anlegen des Einzelzyklusplans

Ebenso wie den zeitbasierten Einzelzyklusplan legen Sie den leistungsbasierten Einzelzyklusplan mithilfe der Transaktion IP41 an. Sie geben den Zähler und den Zyklus, in dem die Wartung stattfinden soll, direkt im Wartungsplan an (siehe Abbildung 5.163). Aufgrund der Zykluseinheit macht das System Ihnen einen Vorschlag: Sollten mehrere Zähler mit der gleichen Einheit existieren, erscheint ein Pop-up-Fenster, in dem Sie den maßgeblichen Zähler auswählen können. Sollte nur ein einziger Zähler mit einer passenden Einheit existieren, wird dieser vom SAP-System direkt eingetragen.

Zyklen Wartungsplan	Terminierungsparameter Wartungsplan		Zusatzdaten
Zyklus/Einheit	1500	H	
Zyklustext			
Offset/Einheit	0	H	
Zähler	21		Betriebsstunden

Abbildung 5.163 Leistungsbasierter Einzelzyklusplan

Terminierungsparameter

Bei einem leistungsbasierten Einzelzyklusplan können Sie die Terminierungsparameter einsetzen, wie es im dortigen Abschnitt beschrieben wird – mit einer Ausnahme: der Eröffnungshorizont erlangt in der leistungsabhängigen Wartung eine besondere Bedeutung.

[!]

Eröffnungshorizont größer als 90 % oder kleiner als 5 Tage

Setzen Sie bei allen leistungsabhängigen Wartungsplänen den Eröffnungshorizont bei einer prozentualen Angabe auf einen hohen Wert (> 90 %) oder auf einen kleinen Wert (< 5 Tage) bei einer Angabe in Tagen. Denn andernfalls würde das SAP-System die Wartungsaufträge zu früh erzeugen. Nähere Erläuterungen hierzu finden Sie im nächsten Abschnitt.

Terminierung

Im Folgenden stelle ich die Terminierungsweise der leistungsabhängigen Wartung anhand eines konkreten Zahlenbeispiels dar.

Ausgangspunkt

Ein Equipment ist mit einem Betriebsstundenzähler mit einer geschätzten Jahresleistung von 2.500 Betriebsstunden (Bh) pro Jahr ausgerüstet und beinhaltet einen Einzelzyklusplan mit einem Wartungszyklus von 2.000 Bh und einem Eröffnungshorizont von 95 %. Es wurde ein Initialmessbeleg zum 01.03. mit 0 Bh erfasst.

Grundterminierung

Die geometrische Lösung (siehe Abbildung 5.164) lautet folgendermaßen:

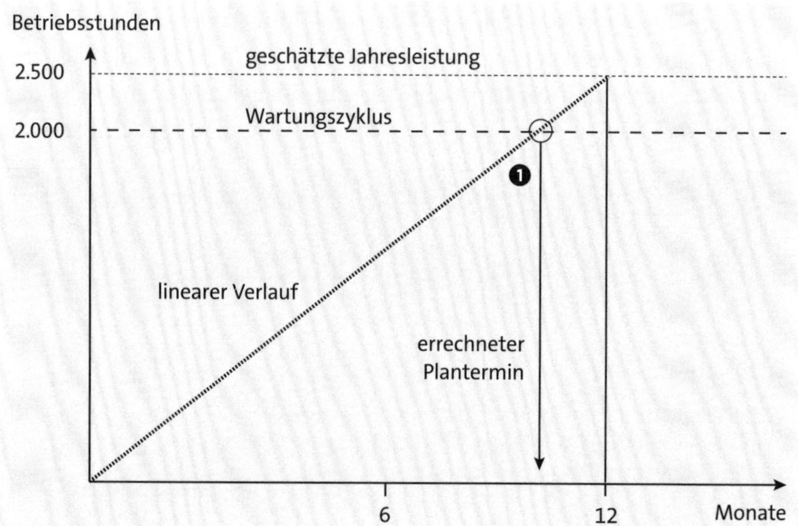

Abbildung 5.164 Leistungsbasierter Einzelzyklusplan – initiale Terminierung

Würde das Equipment genauso, wie es in der Jahresleistung geschätzt wurde, in Anspruch genommen, ergäbe sich ein linearer Verlauf des Zählers, und nach einem Jahr wären 2.500 Bh erreicht. Der Schnittpunkt zwischen dem linearen Verlauf und dem Wartungszyklus würde nun den Wartungstermin bestimmen ❶.

Die arithmetische Lösung stellt sich wie folgt dar:

01.03. + 2.000 / 2.500 × 365 Tage
= 01.03. + 292 Tage
= 17.12.

Neuer Messbeleg

Am 01.04. wird ein Zählerstand von 500 Bh abgelesen (das Equipment wurde stärker in Anspruch genommen, als es in der geschätzten Jahresleistung vorgesehen war).

[!]

Terminberechnung bei jeder Zählerstandserfassung

Jedes Mal, wenn Sie einen Messbeleg erfassen, führt das System eine Neuterminierung des Wartungsplans durch und bestimmt einen neuen Wartungstermin.

Die geometrische Lösung sieht wie folgt aus (siehe Abbildung 5.165):

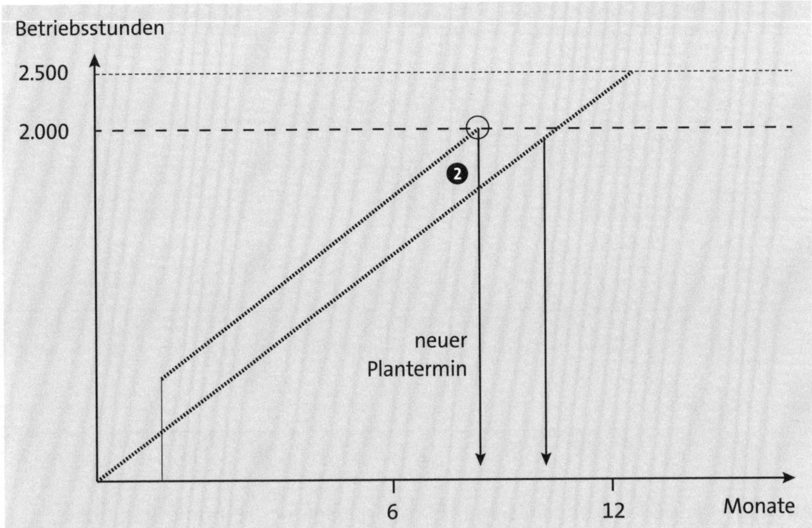

Abbildung 5.165 Leistungsbasierter Einzelzyklusplan – Terminierung mit Messbeleg

Vom Messbeleg aus wird eine Parallele zur geschätzten Jahresleistung gelegt, und der Schnittpunkt mit dem Wartungszyklus bestimmt den neuen Wartungstermin ❷.

Die arithmetische Lösung lautet folgendermaßen:

01.04. + (2.000 – 500) / 2.500 × 365 Tage
= 01.04. + 1.500 / 2.500 × 365 Tage
= 01.04. + 219 Tage
= 06.11.

Terminierung mit Eröffnungshorizont

Wenn Sie keinen Eröffnungshorizont gesetzt haben, würde das System sofort in dem Moment, in dem Sie den ersten Messbeleg erfassen, einen Auftrag generieren. Dies ist sehr problematisch, weil Sie sich zum Zeitpunkt des ersten Messbelegs noch weit weg vom Wartungszyklus befinden. Wie oben schon als Praxistipp empfohlen, sollten Sie deshalb dem Wartungsplan einen hohen Eröffnungshorizont zuordnen, damit der Auftrag erst zeitnah am eigentlichen Plantermin erzeugt wird. In unserem Fall wurde der Eröffnungshorizont auf 95 %, also auf 1.900 Bh, gesetzt.

Die geometrische Lösung zu diesem Fall stellt sich wie folgt dar (siehe Abbildung 5.166):

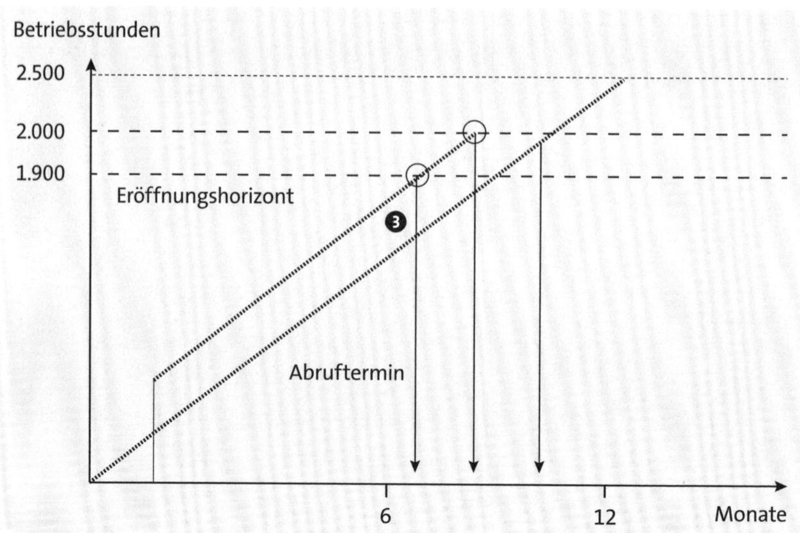

Abbildung 5.166 Leistungsbasierter Einzelzyklusplan – Terminierung mit Messbeleg und Eröffnungshorizont

Der Schnittpunkt der Messbelegprojektionslinie mit der Linie des Eröffnungshorizonts bestimmt den Abruftermin ❸.

Die arithmetische Lösung sieht wie folgt aus:

01.04. + (1.900 – 500) / 2.500 × 365 Tage
= 01.04. + 1.400 / 2.500 × 365 Tage
= 01.04. + 204 Tage
= 22.10.

In der genannten Konstellation würde also der Plantermin 06.11. mit dem Abruftermin 22.10. errechnet.

Abruf und Auftrag

Und wann wird nun tatsächlich ein Auftrag erzeugt? Wenn Sie keinen weiteren Messbeleg erfassen würden, würde die Terminüberwachung RISTRA20 den Abruf bei Ihrem ersten Lauf am oder nach dem 22.10. mit einem Auftrag erzeugen.

Dies ist jedoch ziemlich unrealistisch. Vielmehr sollten Sie für die leistungsabhängige Wartung laufend Messbelege erfassen. In dem Moment, in dem Sie einen Messbeleg erfassen, der über dem Eröffnungshorizont liegt (also über 1.900 Bh) und nach dem die Terminüberwachung zum ersten Mal läuft, wird der Abruf mit einem Auftrag erzeugt.

[!]

Regelmäßige Erfassung der Zählerstände

Damit eine leistungsabhängige Wartung ihren Zweck erfüllt, erfassen Sie regelmäßig Messbelege. Ob dies täglich, wöchentlich oder in einem anderen Rhythmus erfolgt, hängt vom Einzelfall ab.

Praxistipp: Zwischen zwei Wartungen sollten mindestens 10 Messbelege liegen. Wenn Sie also z. B. eine Wartung jeweils nach 2.000 Bh durchzuführen haben, sollten Sie den Zählerstand mindestens im Abstand von 200 Bh erfassen.

Wenn Sie dies nicht tun, erfüllt die leistungsabhängige Wartung nicht ihren Zweck, und Sie sollten lieber zur zeitabhängigen Wartung wechseln.

[!]

Erfassung der Zählerstände auch bei Außerbetriebnahme

Auch wenn Sie das technische Objekt vorübergehend außer Betrieb nehmen, müssen Sie weiterhin Zählerstände erfassen. Diese sind zwar immer gleich, doch jeweils mit einem aktuelleren Datum versehen.

Der leistungsbasierte Strategieplan

Definition

Sie legen leistungsbasierte Strategiepläne an, wenn Sie aufeinander aufbauende oder sich ersetzende Wartungstätigkeiten auszuführen haben; z. B. wenn Ihnen eine Wartungsanweisung vom Hersteller vorliegt, die Tätigkeiten mit unterschiedlichen Leistungsständen beinhaltet, z. B. alle 1.000 Bh, alle 2.000 Bh, alle 5.000 Bh usw. In solchen Fällen müssen Sie einen Arbeitsplan einbinden, und zwar einen mit derselben Strategie wie der Wartungsplan. Voraussetzungen, damit ein solcher Geschäftsprozess funktioniert, sind eine leistungsabhängige Wartungsstrategie und ein passender Arbeitsplan.

Wartungsstrategie

Auch leistungsabhängige Strategien pflegen Sie mithilfe der Transaktion IP11. Die einzigen Unterschiede zu einer zeitabhängigen Strategie liegen im Terminierungskennzeichen und der Einheit (siehe Abbildung 5.167):

- Das **Terminierungskennzeichen** setzen Sie auf leistungsabhängig.
- Als Einheit verwenden Sie eine Leistungseinheit (Betriebsstunden, Kilometer, Stückzahlen, Tonnen, Durchflussmengen usw.).

Alle anderen Steuerungsmöglichkeiten (Verschiebungsfaktoren, Eröffnungshorizont, Hierarchie, Offset usw.) entsprechen der zeitabhängigen Wartungsstrategie.

Abbildung 5.167 Transaktion IP11 – leistungsabhängige Wartungsstrategie

Arbeitsplan

Der Arbeitsplan für leistungsabhängige Strategiepläne unterscheidet sich vom Arbeitsplan für zeitabhängige Strategiepläne (siehe Abschnitt 5.8.3, »Arbeitspläne«) lediglich dadurch, dass Sie dem Arbeitsplankopf eine leistungsabhängige Strategie und den Vorgängen leistungsabhängige Wartungspakete zuordnen.

Anlegen des Strategieplans

Das Anlegen des Strategieplans ist praktisch ein Konglomerat aus zeitabhängigem Strategieplan und leistungsabhängigem Einzelzyklusplan:

- Sie verwenden die Transaktion IP42.
- Sie ordnen das Bezugsobjekt und einen Arbeitsplan zu.
- Das SAP-System schlägt einen Zähler vor, oder Sie ordnen einen Zähler manuell zu.
- Die Wartungspakete werden automatisch aus den verwendeten Wartungspaketen eingetragen.

Abbildung 5.168 zeigt das Ergebnis eines fertigen leistungsabhängigen Strategieplans.

Starten des Strategieplans

Das Starten des leistungsabhängigen Strategieplans ist ebenfalls ein Konglomerat aus zeitabhängigem Strategieplan und leistungsabhängigem Einzelzyklusplan:

- Sie haben am Bezugsobjekt einen Initialmessbeleg erfasst.
- Sie verwenden die Transaktion IP10 mit der Funktion **Starten**, wenn Sie einen neuen Wartungszyklus beginnen möchten. In diesem Fall geben Sie einen Startzählerstand an, bei dem der Zyklus begonnen hat (z. B. 0 Bh).
- Sie verwenden die Transaktion IP10 mit der Funktion **Start im Zyklus**, wenn Sie in einem bestehenden Wartungszyklus fortfahren möchten. In diesem Fall geben Sie einen Erledigungszählerstand an, bei dem die letzte Wartung ausgeführt wurde, und wählen das letzte ausgeführte Paket aus (siehe Abbildung 5.169).

Wartungsplan anlegen: Strategieplan

Abbrechen Mehr Beenden

Wartungsplan Leistungsabhängige Wartung Stapler

Wartungsplankopf

Zyklen Wartungsplan 16.06.2019 Terminierungsparameter Wartungsplan Zusatzdaten Wartungsplan

Zähler 21 Betriebsstunden

Zyklen

Zyklus	Einheit	Text Wartungszyklus	Offset
500	H	alle 500 BH	0
1000	H	alle 1000 BH	0

Position Objektliste Position Standort Position Zyklen Position 16.06.2019

Wartungsposition Leistungsabhängige Wartung Stapler

Bezugsobjekt

Techn. Platz

Equipment 10001002 Gabelstapler Linde 4,5 to

Baugruppe

Planungsdaten

Planungswerk	HD00	Plant Heidelberg	Planergruppe	I02	Herr Schröder
Auftragsart	PM02	Wartungsauftrag	IH-Leistungsart	002	Wartung
Verantw.ArbPl.	ME / HD00	Mechanik	Geschäftsbereich	BI00	Fahrräder
Priorität			Abrechnungsvorschrift		
Verkaufsbeleg	/				

Nicht sofort freigeben

Arbeitsplan

Typ	Plangruppe	PlGrZ	Beschreibung
A	STAP_WTG	1	Periodische Wartung Stapler

Abbildung 5.168 Transaktion IP42 – leistungsabhängiger Strategieplan

Abbildung 5.169 Erledigungszählerstand

Das SAP-System errechnet nun auf der Basis der Wartungsstrategie, des aktuellen Zählerstands, der geschätzten Jahresleistung und des Erledigungszählerstands bzw. Startzählerstands das nächste fällige Paket, das nächste Plandatum und das dazugehörige Abrufdatum (siehe die entsprechenden Spalten in Abbildung 5.170).

Abbildung 5.170 Gestarteter leistungsabhängiger Strategieplan

Die weitere Vorgehensweise (wie Auftragsbearbeitung, Terminüberwachung usw.) und die weiteren Funktionen (wie Wartungsplankalkulation, Terminübersichten) sind identisch mit der Vorgehensweise und den Funktionen in allen anderen Wartungsplänen.

Beispielprozesse im Web

Auf der E-Learning-Plattform unter *http://saptraining.fh-wuerzburg.de* finden Sie über den Menüpfad **SAP ERP • Instandhaltung Prozesse • Instandhaltung Prozesse @-learning SAP starten • Instandhaltung • 7. Vorbeugende Instandhaltung • 7.3 Wartungsplanung mit Strategie – leistungsabhängig** die Geschäftsprozesse zur strategie- und leistungsbasierten Instandhaltung (Arbeitsplan, Zähler und Messbelege, Wartungsplan anlegen und starten).

5.8.6 Vorbeugende Instandhaltung, zeit- und leistungsbasiert

Bei der zeit- und leistungsbasierten Instandhaltung erfolgt die Ermittlung der Wartungstermine sowohl über den Kalender (z. B. im 6-Monatszyklus) als auch in Abhängigkeit von den Leistungen (z. B. Betriebsstunden, Kilometer oder produzierte Stückzahlen).

Der einfache Mehrfachzählerplan

Definition

Beim Einsatz des Mehrfachzählerplans legen Sie Wartungszyklen mit verschiedenen Dimensionen fest. Mehrfachzählerpläne erlauben es Ihnen, Leistungs- und Zeitdimensionen in einen Wartungsplan zu integrieren; also z. B. alle 1.000 Bh, alle 5.000 km und alle zwölf Monate (siehe Abbildung 5.171).

Abbildung 5.171 Objekt mit mehreren Zählern

Zyklussets

Um den Erfassungsaufwand für Mehrfachzählerpläne zu reduzieren, können Sie Zyklussets anlegen. Diese sind vergleichbar mit Wartungsstrategien, aber keine verpflichtende Voraussetzung für die einfachen Mehrfachzählerpläne.

Zyklussets legen Sie mithilfe der Transaktion IP11Z an. Abbildung 5.172 zeigt das Zyklusset für das obige Beispiel.

Name	FFZ
Bezeichnung	Wartung Flurförderzeuge

P...	Zyklusdauer	Ein...	Text Wartungszyklus	Kurzt...	Offset
10	5000	KM	alle 5000 Kilometer	50	
20	12	MON	alle 12 Monate	12	
30	2000	H	alle 2000 Betriebsstunden	20	

Abbildung 5.172 Transaktion IP11Z – Zyklusset

Mehrfachzählerplan anlegen

Wenn Sie nun einen einfachen Mehrfachzählerplan erzeugen (Transaktion IP43), legen Sie die Zyklen direkt im Wartungsplan selbst an oder beziehen sich beim Einstieg auf ein vorhandenes Zyklusset (siehe Abbildung 5.173).

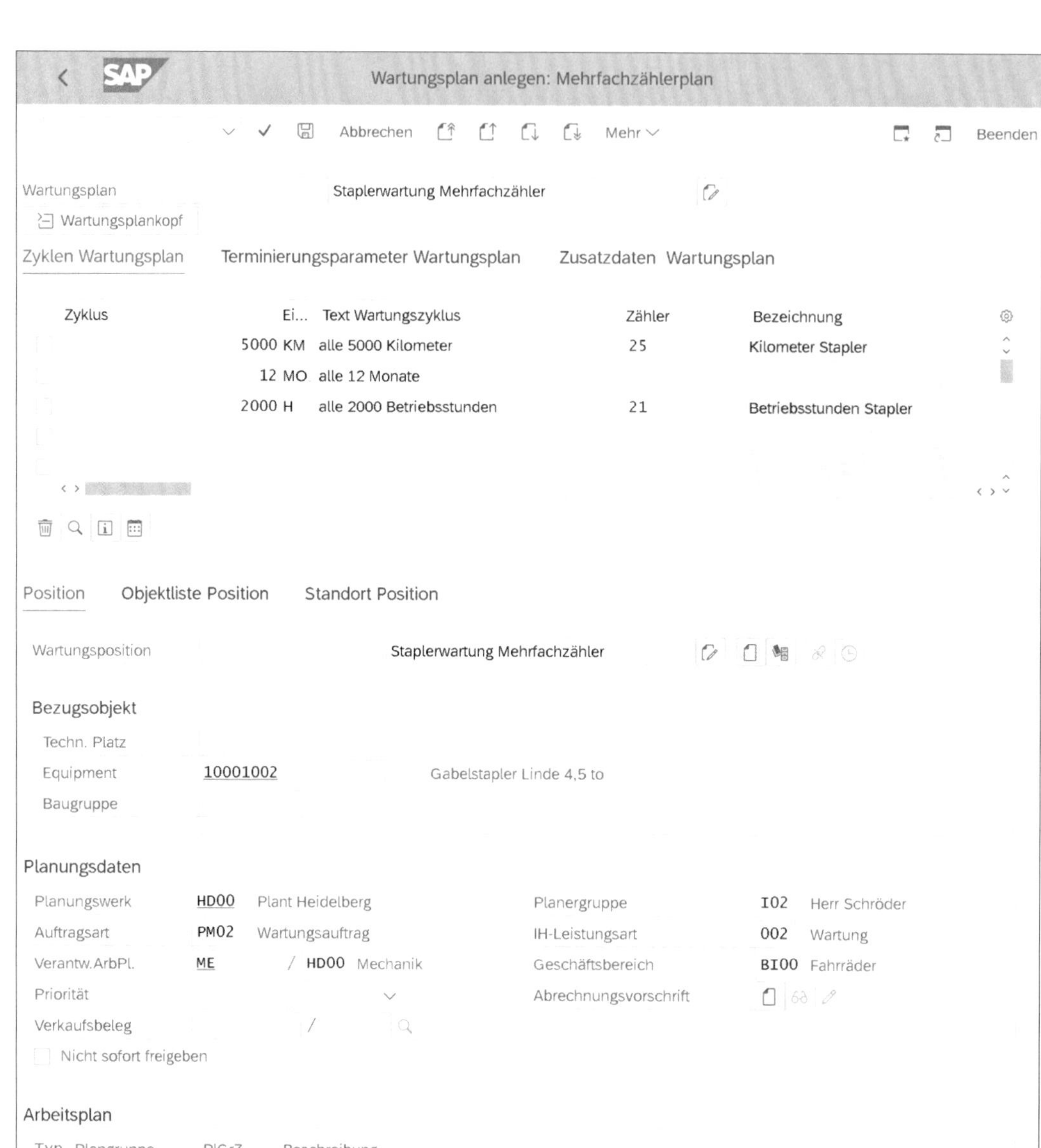

Abbildung 5.173 Transaktion IP43 – Mehrfachzählerplan

Aufgrund der dort angegebenen Einheiten sucht das SAP-System nach passenden Zählern und schlägt diese bei den jeweiligen Einheiten vor. Sollte das SAP-System keinen Zähler oder einen falschen Zähler vorschlagen, können Sie dies auch manuell abändern.

Die meisten der in einem Mehrfachzählerplan gültigen Terminierungsparameter kennen Sie schon. Es kommen nun allerdings noch zwei neue Terminierungsparameter hinzu: der Parameter **Verknüpfungsart** und der Parameter **Vorlaufpuffer** (siehe Abbildung 5.174).

Terminierungsparameter

Zyklen Wartungsplan | Terminierungsparameter Wartungsplan | Zusatzdaten

Terminermittlung		
VF verspätete Rückmeldung	100	%
Toleranz (+)		%
VF verfrühte Rückmeldung	100	%
Toleranz (-)		%
Streckungsfaktor	1,00	
Vorlaufpuffer (Tage)	5	

Verknüpfungsart
- (●) ODER - Verknüpfung
- ( ) UND - Verknüpfung

Abbildung 5.174 Mehrfachzählerplan – Terminierungsparameter

- Bei einer **ODER-Verknüpfung** wird ein Auftrag für den frühesten geplanten Termin erzeugt. Denn es ist der Fall ausschlaggebend, der zuerst eintritt. Dies ist sicherlich der Standardfall in der leistungsabhängigen Wartung mit mehreren Dimensionen.
- Bei einer **UND-Verknüpfung** wird ein Auftrag für den letzten geplanten Termin erzeugt. Denn hier ist der Fall ausschlaggebend, der als letzter eintritt. Dies ist sicherlich der Ausnahmefall in der leistungsabhängigen Wartung mit mehreren Dimensionen.
- Im Feld **Vorlaufpuffer (Tage)** wird angegeben, wie viele Tage vor dem Plantermin der Eckstarttermin des Auftrags liegen soll. Der Eckendetermin des Auftrags wird immer durch den Plantermin gebildet.

Starten des einfachen Mehrfachzählerplans

Das Starten des einfachen Mehrfachzählerplans ist ein Konglomerat aus zeitabhängigem Einzelzyklusplan und leistungsabhängigem Einzelzyklusplan:

- Sie haben am Bezugsobjekt die Initialmessbelege erfasst.
- Sie verwenden die Transaktion IP10 mit der Funktion **Starten**, wenn Sie einen neuen Wartungszyklus beginnen möchten. In diesem Fall geben Sie ein Startdatum an, zu dem der Zyklus begonnen hat.
- Das SAP-System errechnet dann auf der Basis der aktuellen Zählerstände, der jeweiligen geschätzten Jahresleistung und des Startdatums die verschiedenen Plandaten.

- Das System schlägt bei einer **ODER-Verknüpfung** das erste Plandatum als Plandatum und bei einer **UND-Verknüpfung** das letzte Plandatum als Plantermin des Auftrags vor (siehe Abbildung 5.175).

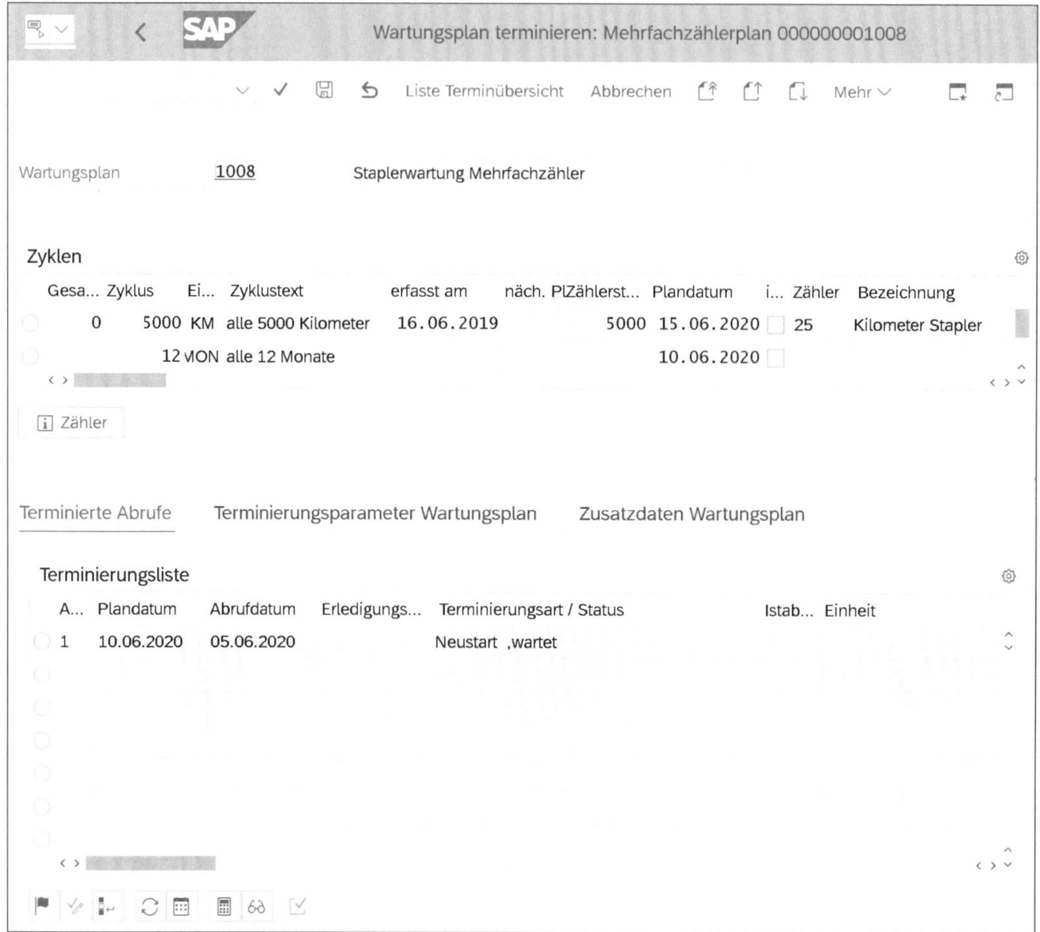

Abbildung 5.175 Gestarteter Mehrfachzählerplan

Beachten Sie, dass bei Mehrfachzählerplänen kein Eröffnungshorizont gesetzt werden muss, sondern das SAP-System ein Abrufdatum gleich dem Plandatum setzt, d. h., dass durch die Terminüberwachung der Auftrag generiert wird.

Die weitere Vorgehensweise (wie Terminüberwachung, Auftragsbearbeitung usw.) und die weiteren Funktionen (wie Wartungsplankalkulation und Terminübersichten) sind identisch mit der Vorgehensweise und den Funktionen in allen anderen Wartungsplänen.

Der erweiterte Mehrfachzählerplan

Im Gegensatz zum einfachen Mehrfachzählerplan erlauben es Ihnen die erweiterten Mehrfachzählerpläne, mehrere aufeinander aufbauende Zyklen zu definieren, wie die folgenden Beispiele verdeutlichen:

Definition

- Zyklusset 1: alle 2.000 Bh oder alle 5.000 km oder alle 12 Monate
- Zyklusset 2: alle6.000 Bh oder alle 15.000 km oder alle 36 Monate

Oder anders formuliert: Beim erweiterten Mehrfachzählerplan handelt es sich um ein Konglomerat aus einem leistungsabhängigen Strategieplan und einem zeitabhängigen Strategieplan.

Damit Sie den erweiterten Mehrfachzählerplan nutzen können, müssen Sie die folgenden Voraussetzungen erfüllen:

Voraussetzungen

- In der Customizing-Funktion **Sonderfunktionen für Wartungsplanung einstellen** setzen Sie den Schalter **Erweiterter Mehrfachzählerplan**. Achtung: Wenn Sie den Schalter einmal aktiviert haben, können Sie dies nicht mehr zurücknehmen.
- Sie definieren ein oder mehrere Zyklussets mithilfe der Transaktion IP11Z (siehe Abbildung 5.176). Im vorliegenden Beispiel reicht ein einziges Zyklusset. Warum? Zunächst findet bei 2.000 Bh/5.000 km/12 Monate und bei 4.000 Bh/10.000 km/24 Monate die kleine Inspektion (Wartungsposition A) statt. Die große Inspektion (Wartungsposition B) findet dann bei 6.000 Bh/15.000 km/36 Monaten, also nach weiteren 2.000 Bh/5.000 km/12 Monaten nach der letzten kleinen Inspektion statt. Dies entspricht den vorhandenen Zyklen. Also reicht das vorhandene Zyklusset aus.

Name: FFZ
Bezeichnung: Wartung Flurförderzeuge

P...	Zyklusdauer	Ein...	Text Wartungszyklus	K...	Offset
10	5000	KM	alle 5000 Kilometer	50	
20	12	MON	alle 12 Monate	12	
30	2000	H	alle 2000 Betriebsstunden	20	

Abbildung 5.176 Zyklusset

- Sie benötigen zwei verschiedene Arbeitspläne, von denen einer zum Zeitpunkt der Fälligkeit des Zyklussets 1 und der andere bei Fälligkeit des Zyklussets 2 ausgeführt wird. Im Gegensatz zum Strategiewartungsplan erhält der Arbeitsplankopf keine Zuordnung des Zyklussets, und die Vorgänge erhalten keine Zuordnung der Wartungspakete.

Abbildung 5.177 zeigt die grundsätzliche Struktur und die Auswirkung bei der Terminierung.

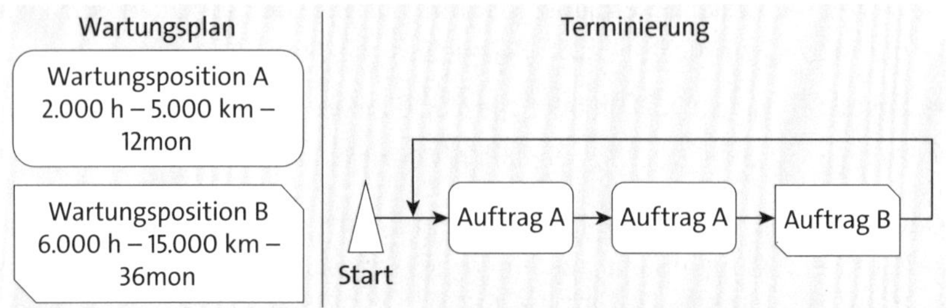

Abbildung 5.177 Terminierung des erweiterten Mehrfachzählerplans

Zur Definition eines erweiterten Mehrfachzählerplans gehen Sie wie folgt vor (siehe Abbildung 5.178):

Abbildung 5.178 Transaktion IP43 – erweiterter Mehrfachzählerplan

1. Sie legen mit Transaktion IP43 einen Mehrfachzählerplan an.
2. Sie ordnen dem Wartungsplan die benötigten Zyklen als Zyklussetfolge 1 und 2 zu.
3. Anschließend legen Sie zwei Positionen an. Der ersten Position ordnen Sie die Zyklussetfolge 1 und der zweiten Position die Zyklussetfolge 2 zu.

4. Über den Button [✎] ändern Sie die Wiederholfaktoren. Für die Zyklussetfolge 1 setzen Sie den Wiederholfaktor auf 2, und für die Zyklussetfolge 2 setzen Sie den Wiederholfaktor auf 1. In der Konsequenz wird die erste Position zunächst zweimal, anschließend die zweite Position einmal und danach die erste Position wieder zweimal durchgeführt usw.
5. Aufgrund der angegebenen Einheiten sucht das SAP-System nach passenden Zählern und schlägt diese bei den jeweiligen Einheiten vor. Sollte das SAP-System keinen Zähler oder einen falschen Zähler vorschlagen, können Sie diese auch manuell abändern.
6. Die Terminierungsparameter (z. B. die **UND-/ODER-Verknüpfung**) sind identisch mit den Terminierungsparametern des einfachen Mehrfachzählerplans.

Starten des erweiterten Mehrfachzählerplans

Das Starten des erweiterten Mehrfachzählerplans ist ein Konglomerat aus zeitabhängigem Strategieplan und leistungsabhängigem Strategieplan:

- Sie verwenden zum Starten die Funktion **Starten** in der Transaktion IP10, wenn Sie einen neuen Wartungszyklus beginnen möchten. In diesem Fall geben Sie ein Startdatum an, an dem der Zyklus begonnen hat.
- Sie verwenden die Funktion **Start im Zyklus** in der Transaktion IP10, wenn Sie in einem bestehenden Wartungszyklus fortfahren möchten. In diesem Fall geben Sie die Zyklussetfolge und das Erledigungsdatum an, an dem die letzte Wartung ausgeführt worden ist (siehe Abbildung 5.179).

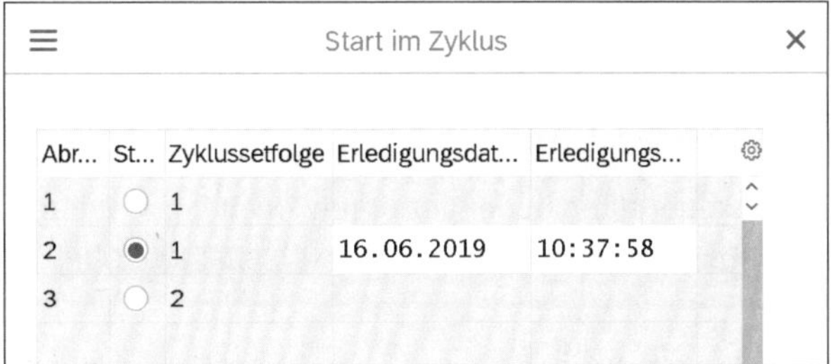

Abbildung 5.179 Erweiterter Mehrfachzählerplan – Start im Zyklus

- Das System errechnet nun auf der Basis der aktuellen Zählerstände, der jeweiligen geschätzten Jahresleistung und des Startdatums die verschiedenen Plandaten.
- Das System schlägt bei einer **ODER-Verknüpfung** das erste Plandatum als Plandatum und bei einer **UND-Verknüpfung** das letzte Plandatum als Plantermin des Auftrags vor. Auch ist ersichtlich, welche Zyklussetfolge als Nächstes fällig ist (siehe Abbildung 5.180).

Abbildung 5.180 Gestarteter erweiterter Mehrfachzählerplan

Beachten Sie, dass bei Mehrfachzählerplänen kein Eröffnungshorizont gesetzt werden muss, sondern das SAP-System ein Abrufdatum gleich dem Plandatum setzt, d. h., dass der Auftrag durch die Terminüberwachung generiert wird.

Die weitere Vorgehensweise (Terminüberwachung, Auftragsbearbeitung usw.) und die weiteren Funktionen (Wartungsplankalkulation, Terminübersichten usw.) sind identisch mit der Vorgehensweise und den Funktionen in allen anderen Wartungsplänen.

Business Function Damit Sie die Mehrfachzählerpläne in der gezeigten Form verwenden können, müssen Sie die Business Function LOG_EAM_SHIFTFACTORS aktivieren.

5.8.7 Rundgangsplanung

Definition Was unterscheidet die Rundgangsplanung von der bisher vorgestellten Wartungsplanung? Bei der Wartungsplanung geht es in der Regel um ein einziges Objekt, an dem eine Reihe von teilweise sehr aufwendigen Tätigkeiten auszuführen sind. Bei der Rundgangsplanung ist die Sichtweise umgekehrt: Sie möchten in einem Rundgang viele Objekte ablaufen und an jedem Objekt die gleiche Tätigkeit ausführen, die in der Regel für sich gesehen keinen großen Aufwand darstellt und dieselben Werkzeuge, Ersatzteile und Qualifikationen erfordert. Solche Tätigkeiten sind z. B.:

- Schmierdienste
- Sichtkontrollen
- Zählerstandsablesungen
- Ölstandskontrollen
- kleinere Ersatzteilwechsel

Es gibt zwei Möglichkeiten, um die Rundgänge im SAP-System abzubilden:

- Rundgangsplanung über Objektliste (einfache Rundgangsplanung)
- Rundgangsplanung über Arbeitsplan (erweiterte Rundgangsplanung)

Einfache Rundgangsplanung über die Objektliste

Wenn auf dem Rundgang immer dieselben Tätigkeiten an den Objekten auszuführen sind (z. B. an allen Objekten ist der Schmierzustand zu prüfen und gegebenenfalls nachzuschmieren), verwenden Sie einen Einzelzyklusplan sowie die Objektliste (siehe Abbildung 5.181).

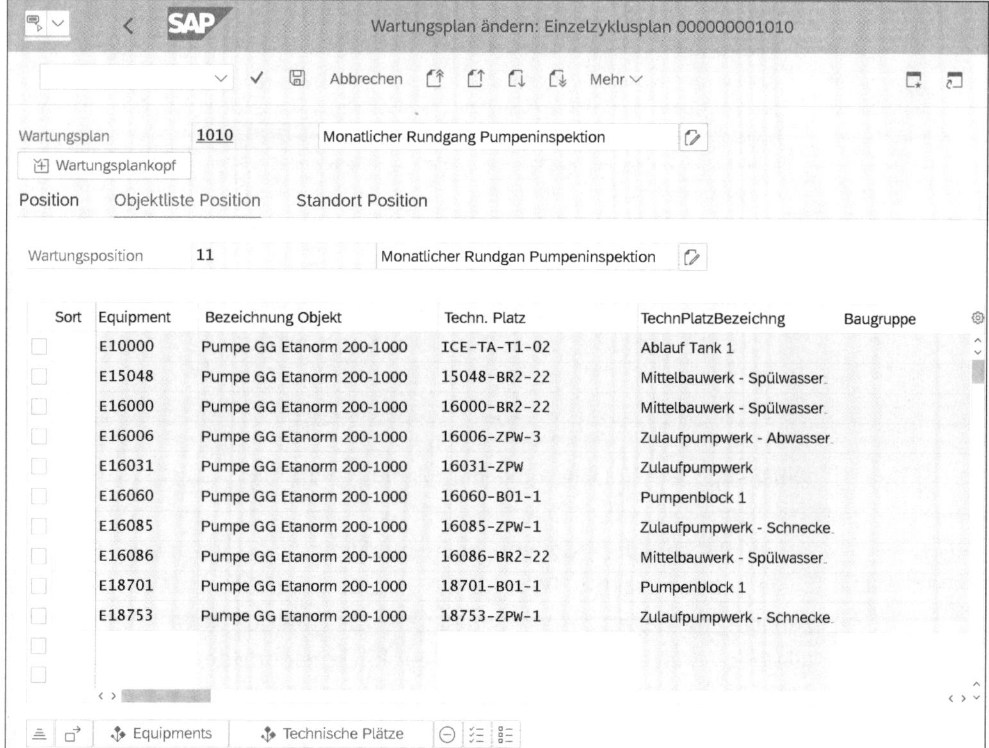

Abbildung 5.181 Einfache Rundgangsplanung – Wartungsplan

Einen Einzelzyklusplan nutzen Sie, um die organisatorischen Daten (wie z. B. Werk, Auftragsart usw.) zu hinterlegen und den Inhalt als Wartungsplan- bzw. Wartungsplanpositionstext zu beschreiben.

Die Objektliste dient dazu, die technischen Objekte zu hinterlegen, die auf dem Rundgang abgelaufen werden sollen.

Einfache Rundgangsplanung – Aufträge

Wenn Sie den Wartungsplan starten, erzeugt dieser einen Auftrag, der in der Regel einen Vorgang und eine Objektliste beinhaltet (siehe Abbildung 5.182).

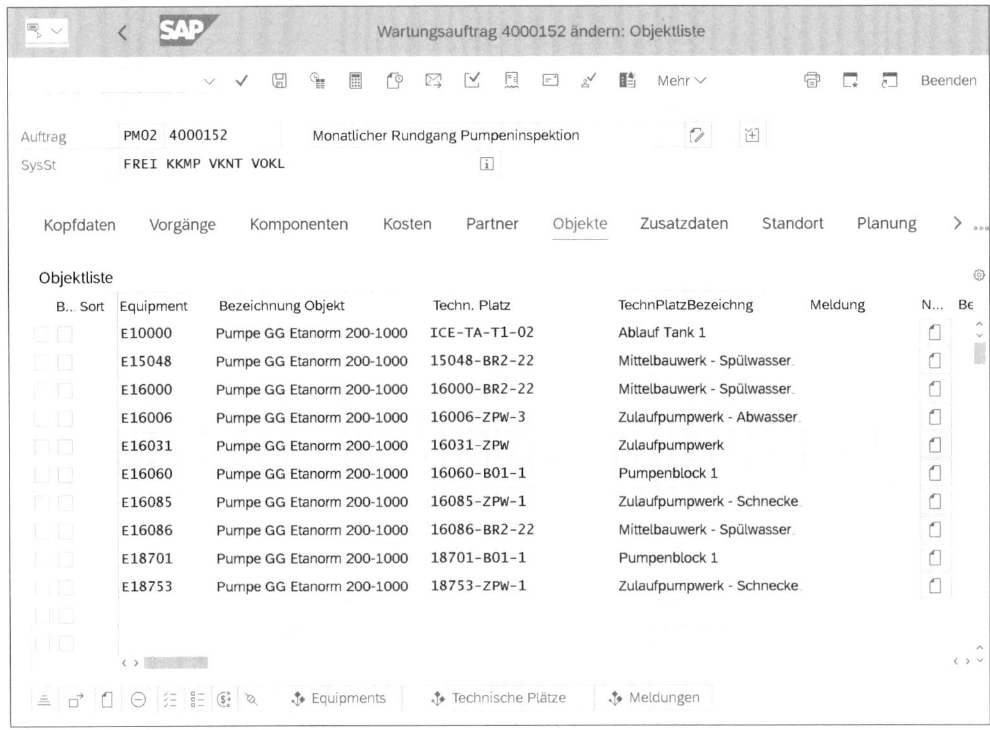

Abbildung 5.182 Einfache Rundgangsplanung – Auftrag

Einfache Rundgangsplanung – Rückmeldung

Für die Rückmeldung der einfachen Rundgangsplanung verwenden Sie am besten die Transaktion IW42 für die Gesamtrückmeldung. Dort können Sie zunächst die Zeiten zurückmelden. Über die Funktion **Mehr • Umfeld • Objektliste** gelangen Sie anschließend zur Rückmeldung der Objektliste (siehe Abbildung 5.183). Dort markieren Sie in der Spalte **B** (= Bearbeitungskennzeichen), welche Objekte Sie bearbeitet haben. Gegebenenfalls können Sie für jedes technische Objekt eine Meldung absetzen.

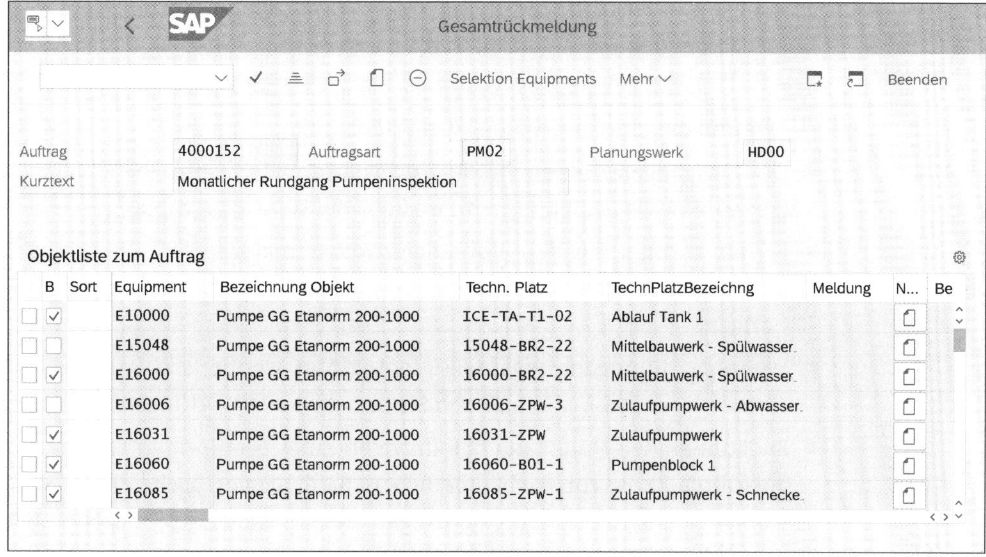

Abbildung 5.183 Einfache Rundgangsplanung – Rückmeldung

Erweiterte Rundgangsplanung über den Arbeitsplan

Die erweiterte Rundgangsplanung unter Zuhilfenahme eines Arbeitsplans setzen Sie ein, wenn Sie an den Objekten des Rundgangs unterschiedliche Tätigkeiten auszuführen haben; dies könnten z. B. sein:

- Objekt 1: Schmierzustand prüfen
- Objekt 2: Geräuschpegel aufnehmen
- Objekt 3: Zählerstand ablesen
- Objekt 4: ...

[!]

Erweiterte Rundgangsplanung – Elemente

Die erweiterte Planung und Durchführung von Rundgängen bilden Sie folgendermaßen im SAP-System ab:

- Den Inhalt der Rundgänge hinterlegen Sie in Arbeitsplänen.
- Die Frequenz der Rundgänge legen Sie in einem Wartungsplan fest.
- Die Durchführung der Rundgänge steuern Sie über Aufträge, die Ihnen der Wartungsplan generiert.
- Die Rückmeldung der Rundgänge dokumentieren Sie am besten mit der Gesamtrückmeldung.

Erweiterte Rundgangsplanung – Arbeitsplan

Arbeitspläne, die Sie für die erweiterte Rundgangsplanung einsetzen, weisen die folgenden Besonderheiten auf (siehe Abbildung 5.184):

- Durch die Reihenfolge der Vorgänge legen Sie die Reihenfolge der Stationen und die Abfolge des Rundgangs fest.
- Den Vorgängen ordnen Sie das zu inspizierende technische Objekt zu (Technischer Platz, Equipment) und optional eine Baugruppe.
- Ferner können Sie den Vorgängen Messpunkte/Zähler, Dokumente, Schmiermittel oder Prüfmittel zuordnen, die Sie bei diesem Vorgang benötigen.
- Wenn der Rundgang regelmäßig ausgeführt werden soll (täglich, wöchentlich oder monatlich), legen Sie dies in einem Wartungsplan fest.
- Sie können den Rundgang bei Eintreten eines bestimmten Ereignisses ausführen (z. B. vor/nach einem Serienanlauf, vor/nach einem Stillstand); in einem solchen Fall bringen Sie den Arbeitsplan durch einen manuellen Auftrag (Transaktion IW31) zur Ausführung.

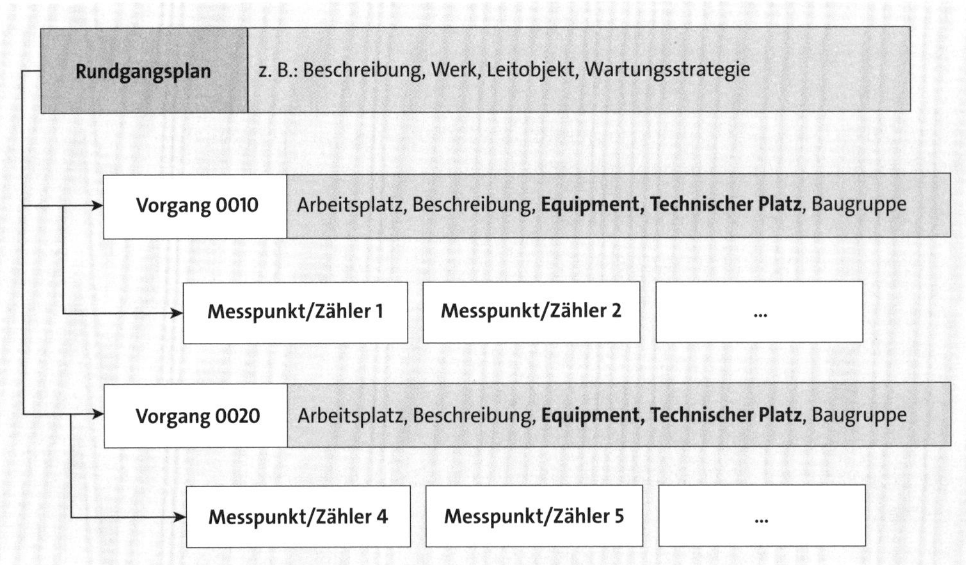

Abbildung 5.184 Erweiterte Rundgangsplanung – Struktur

Abbildung 5.185 zeigt Ihnen einen Arbeitsplan mit verschiedenen Equipments und Technischen Plätzen, an denen unterschiedliche Tätigkeiten (z. B. Zählerstandsablesungen) vorzunehmen sind.

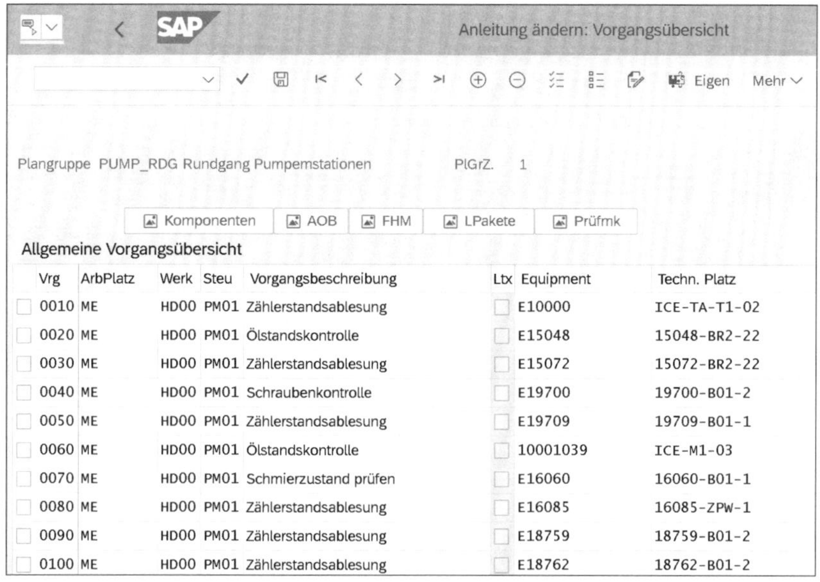

Anleitung ändern: Vorgangsübersicht

Eigen Mehr

Plangruppe PUMP_RDG Rundgang Pumpemstationen PlGrZ. 1

Komponenten | AOB | FHM | LPakete | Prüfmk

Allgemeine Vorgangsübersicht

Vrg	ArbPlatz	Werk	Steu	Vorgangsbeschreibung	Ltx	Equipment	Techn. Platz
0010	ME	HD00	PM01	Zählerstandsablesung		E10000	ICE-TA-T1-02
0020	ME	HD00	PM01	Ölstandskontrolle		E15048	15048-BR2-22
0030	ME	HD00	PM01	Zählerstandsablesung		E15072	15072-BR2-22
0040	ME	HD00	PM01	Schraubenkontrolle		E19700	19700-B01-2
0050	ME	HD00	PM01	Zählerstandsablesung		E19709	19709-B01-1
0060	ME	HD00	PM01	Ölstandskontrolle		10001039	ICE-M1-03
0070	ME	HD00	PM01	Schmierzustand prüfen		E16060	16060-B01-1
0080	ME	HD00	PM01	Zählerstandsablesung		E16085	16085-ZPW-1
0090	ME	HD00	PM01	Zählerstandsablesung		E18759	18759-B01-2
0100	ME	HD00	PM01	Zählerstandsablesung		E18762	18762-B01-2

Abbildung 5.185 Erweiterte Rundgangsplanung – Arbeitsplan

Die Zähler hinterlegen Sie beim Vorgang als FHM (siehe Abbildung 5.186).

Plangruppe PUMP_RDG Rundgang Pumpemstationen PlGrZ. 1

Vorgang 0010 Zählerstandsablesung

Fertigungshilfsmittel

FHM-Positionsnummer 0010

Meßpunkt 11 Betriebsstundenzähler

Abbildung 5.186 Erweiterter Rundgangsplanung – Messpunkt

[!]

Erweiterte Rundgangsplanung: welcher Wartungsplantyp?

Die Frequenz, in der der Rundgangsplan ausgeführt werden soll, bestimmen Sie in einem Wartungsplan:

- Sie verwenden den zeitbasierten Einzelzyklusplan, wenn Sie den Rundgang komplett in einer festgelegten Frequenz vornehmen möchten.
- Sie setzen den zeitbasierten Strategieplan ein, wenn die Inspektion der einzelnen Stationen in unterschiedlichen Zyklen abläuft.
- Leistungsbasierte Wartungsplantypen spielen bei der Rundgangsplanung hingegen keine Rolle, da Sie ja mehrere Objekte besuchen möchten, für die es unterschiedliche Zählerstände gibt.

Abbildung 5.187 zeigt Ihnen einen Einzelzyklusplan, der wöchentlich den oben angelegten Rundgangsplan zur Ausführung bringt.

Abbildung 5.187 Erweiterte Rundgangsplanung – Wartungsplan

Erweiterte Rundgangsplanung – Aufträge

Wenn Sie den Wartungsplan starten, erzeugt dieser einen Auftrag, der auf der Vorgangsebene die technischen Objekte (Technische Plätze, Equipments) und die Messpunkte als FHM beinhaltet (siehe Abbildung 5.188).

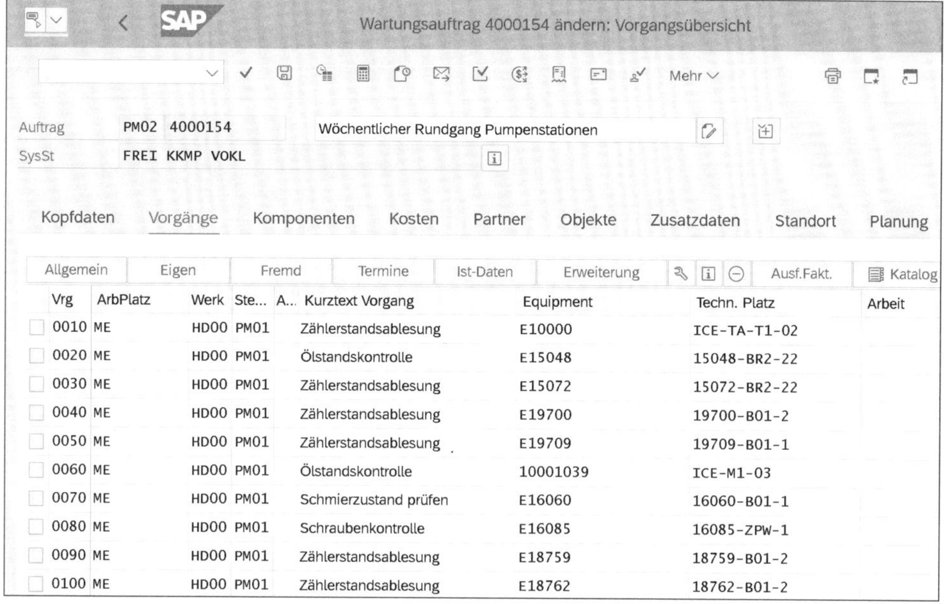

Vrg	ArbPlatz	Werk	Ste...	A...	Kurztext Vorgang	Equipment	Techn. Platz	Arbeit
0010	ME	HD00	PM01		Zählerstandsablesung	E10000	ICE-TA-T1-02	
0020	ME	HD00	PM01		Ölstandskontrolle	E15048	15048-BR2-22	
0030	ME	HD00	PM01		Zählerstandsablesung	E15072	15072-BR2-22	
0040	ME	HD00	PM01		Zählerstandsablesung	E19700	19700-B01-2	
0050	ME	HD00	PM01		Zählerstandsablesung	E19709	19709-B01-1	
0060	ME	HD00	PM01		Ölstandskontrolle	10001039	ICE-M1-03	
0070	ME	HD00	PM01		Schmierzustand prüfen	E16060	16060-B01-1	
0080	ME	HD00	PM01		Schraubenkontrolle	E16085	16085-ZPW-1	
0090	ME	HD00	PM01		Zählerstandsablesung	E18759	18759-B01-2	
0100	ME	HD00	PM01		Zählerstandsablesung	E18762	18762-B01-2	

Abbildung 5.188 Rundgangsplanung – Auftrag

Damit dies funktioniert, nehmen Sie zuvor die folgende Einstellung vor: Rufen Sie die Customizing-Funktion **Meldungs- und Auftragsintegration definieren** auf, und stellen Sie für die entsprechende Auftragsart den Schalter **Erweiterte Objektliste auf Zuordnung von Vorgängen zu Objektlisteneinträgen** inaktiv.

Erweiterte Rundgangsplanung – Rückmeldung

Um den Auftrag zur Rundgangsplanung zurückzumelden, empfiehlt sich z. B. die Verwendung der Transaktion IW42 (Gesamtrückmeldung), weil Sie mit ihr nicht nur die Vorgänge zurückmelden, sondern auch Zählerstände und Messwerte erfassen können (siehe Abbildung 5.189). Nutzen Sie hierzu den Button Messpunkte zur Rundgangsplanung. Außerdem können Sie zu jedem Vorgang, dem ein Objekt zugeordnet ist, aus der Gesamtrückmeldung heraus direkt eine neue Meldung für eine technische Rückmeldung anlegen.

Voraussetzung ist die Definition von Erfassungsprofilen mithilfe der Customizing-Funktion **Bildschirmmasken für die Rückmeldung einstellen** und dass Sie sich ein Erfassungsprofil zugeordnet haben (Funktion **Zusätze • Einstellungen** in der Transaktion IW42). Bei der Definition der Bildschirmmasken sollten Sie auf jeden Fall den Bildbereich **Messwerte/Zählerstände** aktivieren.

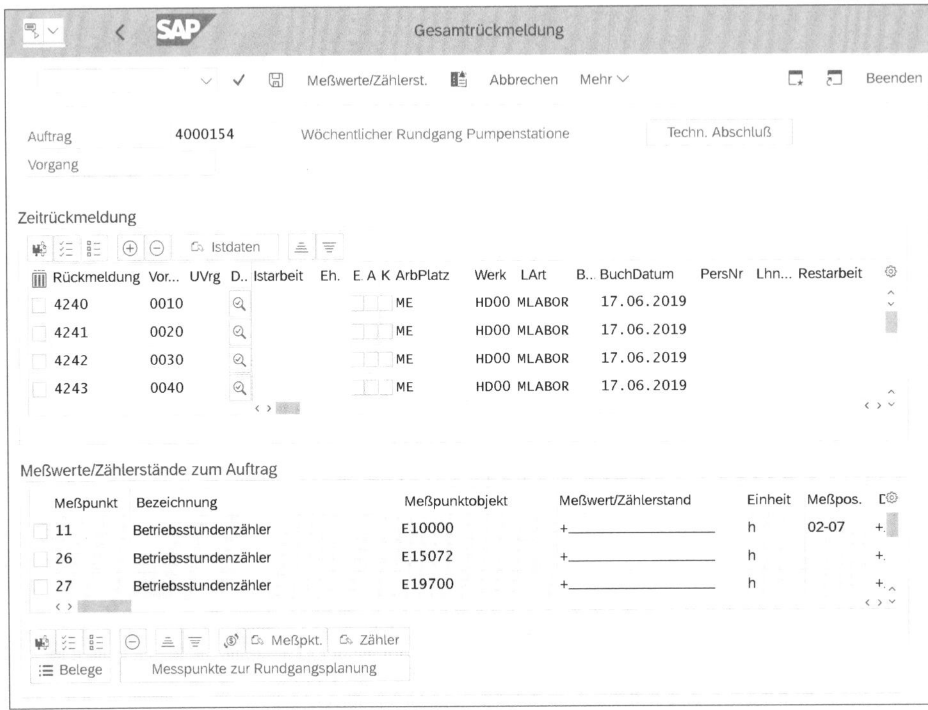

Abbildung 5.189 Erweiterte Rundgangsplanung – Rückmeldung

Business Function Damit Sie die Rundgangsplanung vollständig nutzen können, müssen die Business Functions LOG_EAM_CI_3 und LOG_EAM_CI_4 aktiviert sein.

[!]

Gesamtrückmeldung mit Layout für die erweiterte Rundgangsplanung

Definieren Sie für die Gesamtrückmeldung von Aufträgen zur erweiterten Rundgangsplanung ein Bildschirmlayout, das die Vorgänge und Messpunkte/Zählerstände enthält und mit dem Sie alle Informationen zu Rundgängen von einer Bildschirmmaske aus rückmelden können.

5.9 Der Geschäftsprozess »Zustandsabhängige Instandhaltung«

Definition Als zustandsabhängige Instandhaltung bezeichnet man eine Instandhaltungsstrategie, bei der das Auslösen einer Instandhaltungsmaßnahme durch eine Abweichung des Ist-Zustands einer Anlage oder eines Anlagenteils vom Soll-Zustand verursacht wird. Dabei gilt:

Zähler

Als Zähler werden im SAP-System die Stellen bezeichnet, mit deren Hilfe Sie die Abnutzung eines Objekts, einen Verbrauch oder den Abbau eines Nutzungsvorrats darstellen können, z. B. Kilometerzähler, Betriebsstundenzähler, Stückzahlen, Tonnen Ausbringung. Zähler haben einen kontinuierlichen (wachsenden oder abnehmenden) Zählerstand.

Messpunkte

Als Messpunkte werden im SAP-System die Stellen bezeichnet, mit deren Hilfe der aktuelle Zustand einer Anlage beschrieben wird, wie z. B. Temperatur, Umdrehungszahl, Druckzustand, Verschmutzungsgrad, Viskosität. An Messpunkten können Sie Soll-Werte und Ober-/Untergrenzen angeben. Messwerte haben einen diskontinuierlichen Verlauf.

Während wir die Zähler nun als Grundlage für eine leistungsabhängige Wartung kennengelernt haben, bilden Messpunkte und Messwerte die Basis für die zustandsabhängige Instandhaltung.

Voraussetzungen

Die folgenden Voraussetzungen müssen Sie erfüllen, damit Sie eine zustandsabhängige Instandhaltung betreiben können:

- Sie müssen zuvor die Soll-Zustände der Anlagen und Anlagenteile definieren.
- Sie müssen die Anlage und Anlagenteile regelmäßig oder permanent im Hinblick auf die Soll-Zustände überwachen.
- Sie müssen keine Wartungspläne definieren.

Beispiele

Während nun bei der zeitabhängigen Instandhaltung das Erreichen eines bestimmten Zeitpunktes oder bei der leistungsabhängigen Instandhaltung das Erreichen eines bestimmten Zählerstands die Instandhaltungsmaßnahme ausgelöst hat, werden Maßnahmen bei der zustandsabhängigen Instandhaltung z. B. durch die folgenden Ereignisse ausgelöst:

- Die Temperatur ist zu hoch gestiegen oder zu weit gefallen.
- Die Durchflussgeschwindigkeit ist zu schnell oder zu langsam.
- Das Öl weist einen zu hohen Verschmutzungsgrad auf.
- Die Spannung ist zu weit abgefallen oder hat sich zu weit aufgebaut.
- Der Schmierstoff weist eine zu hohe oder zu niedrige Viskosität auf.

Vergleich der Strategien

Tabelle 5.3 stellt noch einmal die Unterschiede zwischen einer zeitbasierten, einer leistungsbasierten und einer zustandsabhängigen Instandhaltung dar.

	Zeitbasierte Instandhaltung	Leistungsbasierte Instandhaltung	Zustandsabhängige Instandhaltung
Basis	Kalender	Zähler	Messpunkt
Ablesungen	–	sporadisch bis regelmäßig	regelmäßig bis permanent
Werteverlauf	–	kontinuierlich zu- oder abnehmend	diskontinuierlich
Wartungsplan	ja	ja	nein
Maßnahme wird ausgelöst	bei Erreichen eines Termins	bei Erreichen eines Zählerstands	bei Über-/Unterschreiten von Soll-Werten

Tabelle 5.3 Instandhaltungsstrategien

Funktionsweise

Wie funktioniert nun eine zustandsabhängige Instandhaltung im SAP-System? Abbildung 5.190 zeigt einen Überblick.

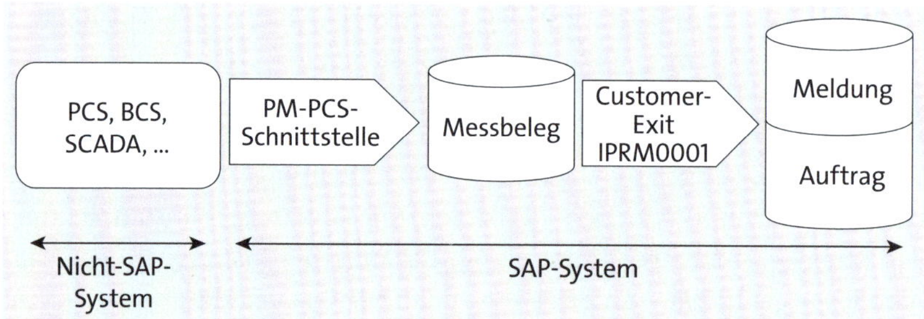

Abbildung 5.190 Zustandsabhängige Instandhaltung – Funktionsweise

Sie setzen ein vorgelagertes System ein, mit dessen Hilfe regelmäßig oder permanent aktuelle Daten zum Anlagenzustand gewonnen werden. Solche Systeme können sein:

- Prozessleitsysteme (Process Control Systems, PCS)
- Gebäudeleittechniksysteme (Building Control Systems, BCS)
- SCADA-Systeme (Supervisory Control and Data Acquisition Systems)
- elektronische Leitstände
- Netzüberwachungssysteme
- Systeme für die Betriebs- und Maschinendatenerfassung (BDE/MDE-Systeme)

- Lagerrechner
- Systeme für Schall- oder Schwingungsanalysen
- Diagnostiksysteme
- mobile Erfassungssysteme

Nähere Erläuterungen zur Funktionsweise solcher Systeme und zur Technik der Datenübertragung in EAM finden Sie in Abschnitt 6.4.1, »Betriebsüberwachungssysteme«.

Mithilfe der PM-PCS-Schnittstelle übernehmen Sie Messwerte aus diesen vorgelagerten Systemen in das SAP-System. Hier werden die Daten in Messbelegen gespeichert und können weiterverarbeitet werden.

Wie die Weiterverarbeitung aussehen soll, legen Sie in Customer-Exits fest. Der Customer-Exit IMRC0001 ist in diesem Zusammenhang besonders wichtig, denn er kann automatisch Aktionen im SAP-System auslösen, wenn bestimmte Schwellenwerte überschritten werden (siehe Abbildung 5.191). Sie können für jedes technische Objekt einen Soll-Wert und Messbereichsgrenzen definieren, d. h. einen Wertebereich, in dem die Messergebnisse liegen dürfen.

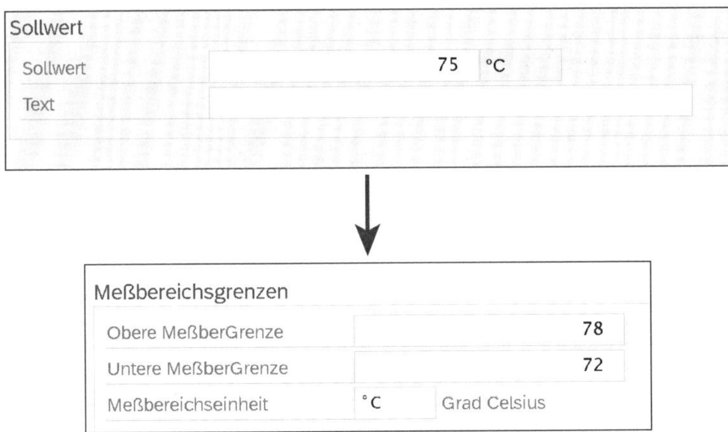

Abbildung 5.191 Messpunkt – Soll-Wert und Messbereichsgrenzen

Mithilfe der Customizing-Funktion **Messpunkttypen definieren** können Sie einstellen, dass das SAP-System bei Messbereichsüberschreitungen oder -unterschreitungen eine Warnung oder eine Fehlermeldung ausgibt. Darüber hinaus können Sie definieren, dass bei Überschreitung eines bestimmten Schwellenwertes automatisch eine Störmeldung ausgelöst wird. Über Customer-Exits in der Meldung können weitere Maßnahmen ausgelöst werden (z. B. Auftragseröffnung).

5.10 Der Geschäftsprozess »Kalibrierung von Prüf- und Messmitteln«

Szenario In vielen Unternehmen werden Prüf- und Messmittel wie Waagen, Lehren, Schieber für Qualitätsprüfungen in der Zwischen- und Endkontrolle von Produkten und zur Prüfung von Geräten eingesetzt. Um sicherzustellen, dass die eingesetzten Prüfmittel die vorgegebenen Leistungskriterien stets erfüllen, werden sie regelmäßig geprüft und kalibriert. Mithilfe der Funktionen der Prüf- und Messmittelverwaltung können Sie die folgenden Aktionen ausführen:

- Equipments verwalten
- Prüfungen planen und terminieren
- Aufträge und Prüflose zur Abwicklung von Kalibrierprüfungen an Equipments durchführen

Abbildung 5.192 gibt einen Überblick über die Objekte und den Prozess der Prüf- und Messmittelverwaltung:

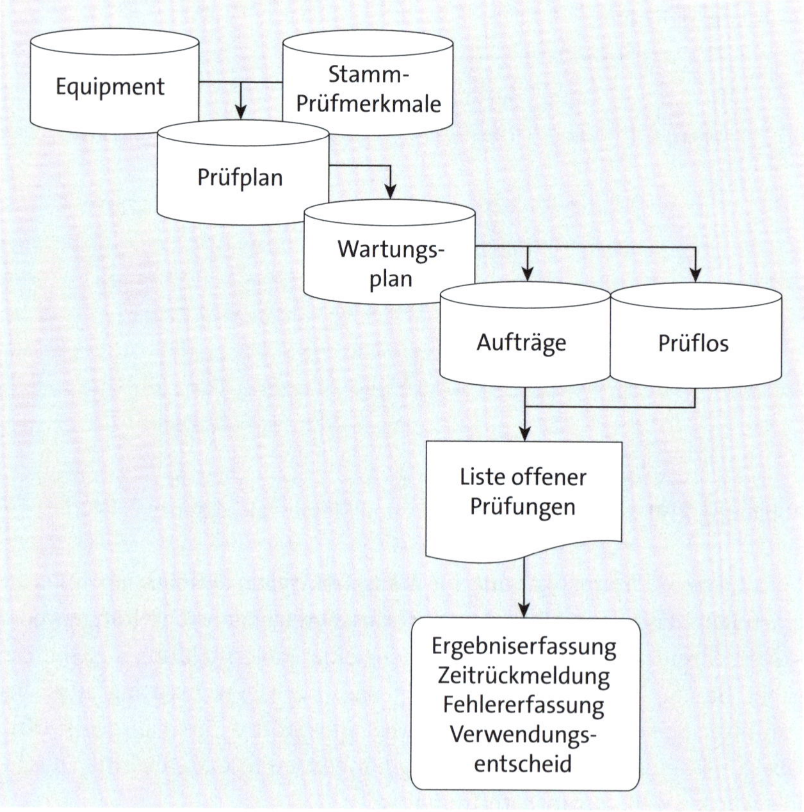

Abbildung 5.192 Prüf- und Messmittelverwaltung – Überblick

- Für das Prüf- und Messmittel (Equipment) wird ein Prüfplan angelegt.
- Dabei beschreiben die Stammprüfmerkmale die Eigenschaften, die es zu messen gilt (z. B. Sichtprüfungen, Längenmessungen).
- Der Prüfplan wird in einen Wartungsplan eingebunden.
- Der Wartungsplan generiert einen Auftrag und ein Prüflos.
- Bei jeder Prüfung werden sowohl die Prozesse in der Prüflosverwaltung (Ergebniserfassung, Fehlererfassung, Verwendungsentscheid) als auch die Prozesse der Auftragsverwaltung (Zeitrückmeldung, technische Rückmeldung) durchlaufen.

Equipments

Die Prüf- und Messmittel selbst verwalten Sie als Equipmentstammsätze (siehe Abbildung 5.193).

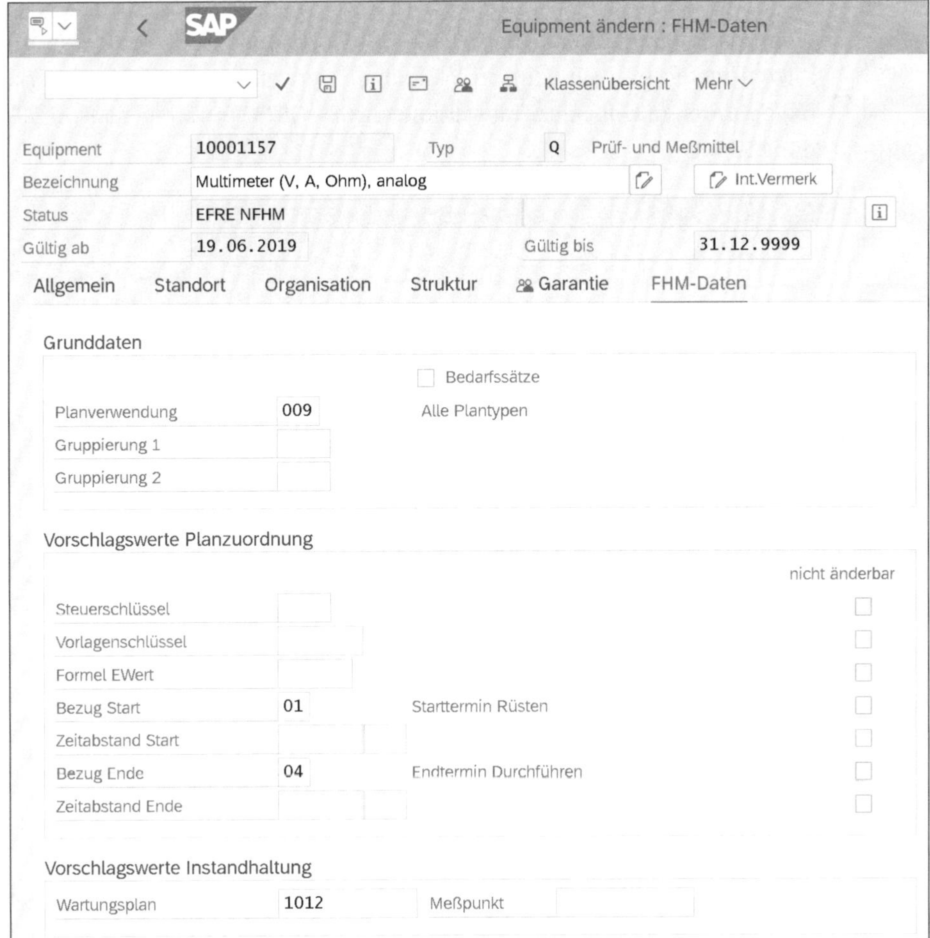

Abbildung 5.193 Equipmentstammsatz für Prüf- und Messmittel

Prüf- und Messmittel verfügen über eine eigene Registerkarte, auf der spezifische Daten zu den FHM zu pflegen sind. Wichtig ist dabei die Planverwendung, damit das betreffende Messmittel in instandhaltungsspezifischen Arbeitsplänen eingesetzt werden kann.

[!]

Eigener Equipmenttyp für die Prüf- und Messmittel

Für Prüf- und Messmittel benötigen Sie einen eigenen Equipmenttyp. Legen Sie hierzu mit der Customizing-Funktion **Equipmenttyp pflegen** einen Equipmenttyp an, der als **Referenztyp Fertigungshilfsmittel** gekennzeichnet ist. Darüber hinaus müssen Sie in der Customizing-Funktion **Zusätzliche betriebswirtschaftliche Sichten für Equipmenttypen festlegen** den Schalter **FHM-Knz** aktivieren.

Stammprüfmerkmale

Wenn Prüfmerkmale häufiger benötigt werden, können Sie diese als Stammsätze erfassen und sie dann in Prüfplänen verwenden. Stammprüfmerkmale werden mithilfe der Transaktionen QS21–QS23 verwaltet (siehe Abbildung 5.194).

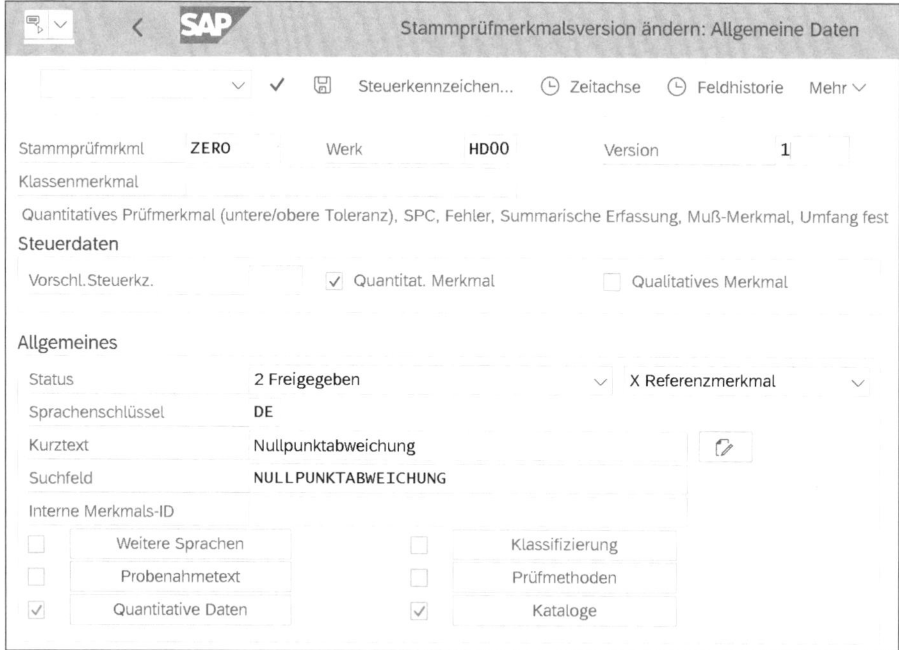

Abbildung 5.194 Stammprüfmerkmal

Prüfplan

Die später durchzuführenden Prüfungen beschreiben Sie in einem Arbeitsplan. Diesen können Sie entweder als Anleitung (Transaktion IA05) oder als Equipmentplan (Transaktion IA01) anlegen.

Prüfpunkt für den Prüfplan

Damit Sie Ihren Arbeitsplan später als Prüfplan für Equipments verwenden können, müssen Sie im Customizing mithilfe der Funktion **Prüfpunkte definieren** einen Prüfpunkt für Equipment festlegen und ihn anschließend den Kopfdaten des Arbeitsplans zuweisen (siehe Abbildung 5.195).

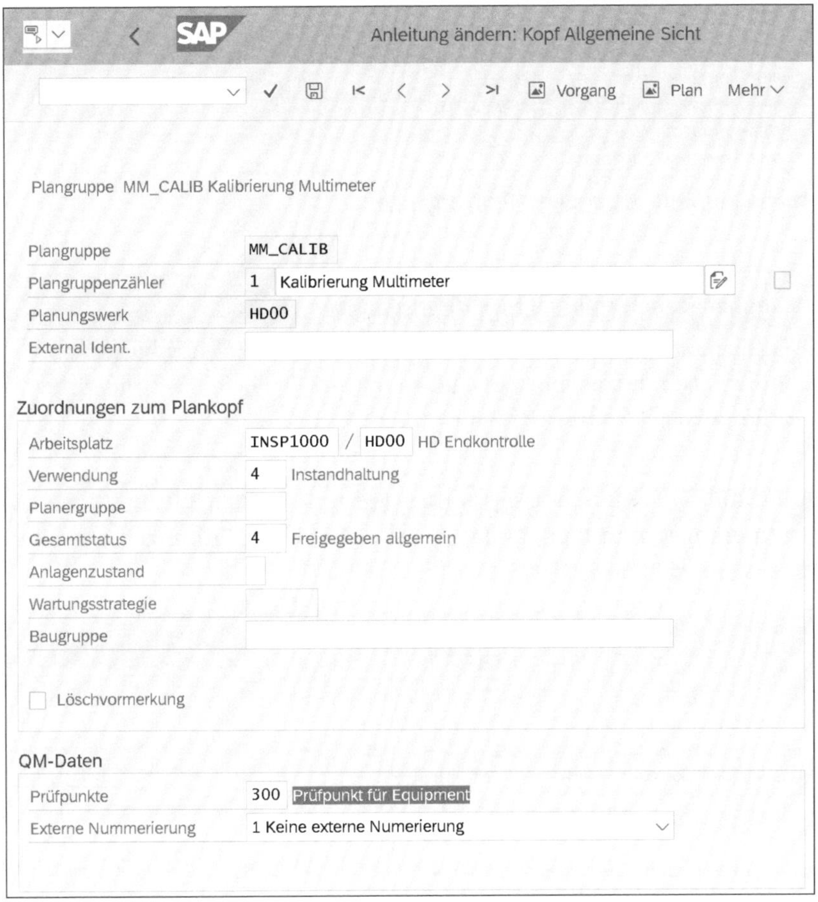

Anleitung ändern: Kopf Allgemeine Sicht

Vorgang | Plan | Mehr

Plangruppe MM_CALIB Kalibrierung Multimeter

Plangruppe	MM_CALIB
Plangruppenzähler	1 Kalibrierung Multimeter
Planungswerk	HD00
External Ident.	

Zuordnungen zum Plankopf

Arbeitsplatz	INSP1000 / HD00 HD Endkontrolle
Verwendung	4 Instandhaltung
Planergruppe	
Gesamtstatus	4 Freigegeben allgemein
Anlagenzustand	
Wartungsstrategie	
Baugruppe	

Löschvormerkung

QM-Daten

Prüfpunkte	300 Prüfpunkt für Equipment
Externe Nummerierung	1 Keine externe Numerierung

Abbildung 5.195 Anleitung – Prüfpunkt

Der Prüfplan muss nun mindestens einen Vorgang beinhalten, der als prüfpflichtig gekennzeichnet ist – auch wenn es nur ein einziger Vorgang ist, der lediglich als Anker für die eigentlichen Prüfungen dient (siehe Abbildung 5.196). Dies tun Sie, indem Sie einen dafür vorgesehenen Steuerschlüssel verwenden.

Abbildung 5.196 Anleitung – Prüfvorgänge

[!]

Eigener Steuerschlüssel für Prüfvorgänge

Definieren Sie mithilfe der Customizing-Funktion **Steuerschlüssel zum Prüfvorgang definieren** einen Steuerschlüssel, bei dem das Kennzeichen **Prüfmerkmal erwartet** aktiviert ist.

Aufgrund des Steuerschlüssels können Sie nun über den Button Prüfmk Prüfmerkmale zuordnen, in denen die eigentlichen Prüfungen enthalten sind (siehe Abbildung 5.197).

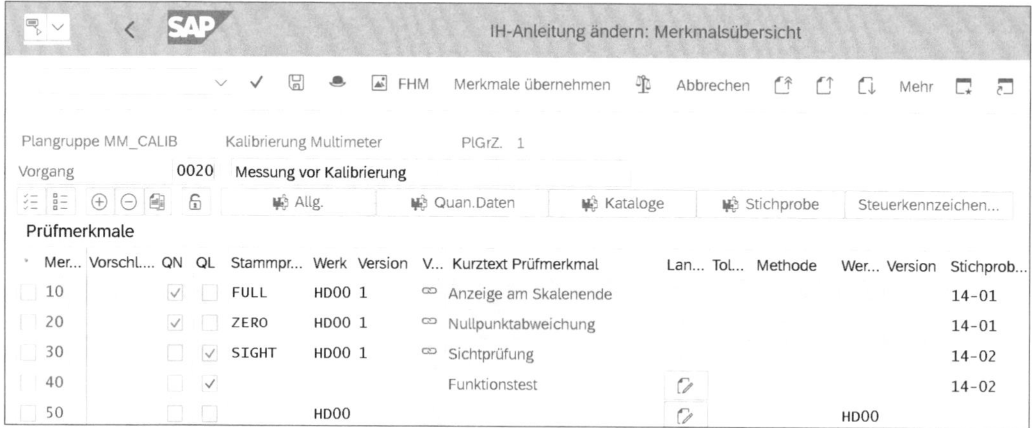

Abbildung 5.197 Anleitung – Prüfmerkmale

- Beschreibung
- Kennzeichnung als qualitativ (Kennzeichen **QL**) oder quantitativ (Kennzeichen **QN**)

- Bei quantitativen Prüfmerkmalen legen Sie die Maßeinheit und die Prüfvorgaben (Soll-Wert, Obergrenzen, Untergrenzen) über den Button Quan.Daten fest (siehe Abbildung 5.198).

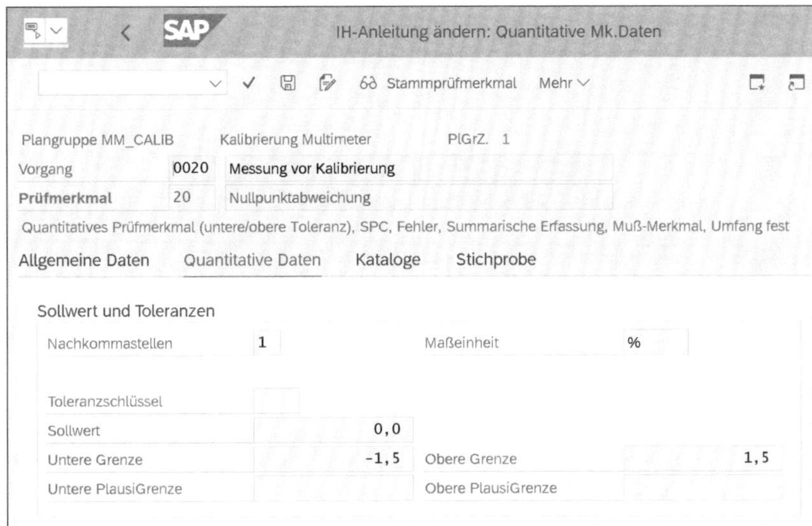

Abbildung 5.198 Anleitung – quantitative Daten eines Prüfmerkmals

- Stichprobenverfahren: Stichprobenverfahren legen Sie mithilfe der Transaktion QDV1 an. Man benötigt ein Stichprobenverfahren für quantitative Merkmale und ein Stichprobenverfahren für qualitative Merkmale (siehe Abbildung 5.199). Auf einem Detailbild ordnen Sie noch den Stichprobenumfang = 1 zu.

Abbildung 5.199 Transaktion QDV1 – Stichprobenverfahren

Für jedes Prüfmerkmal legen Sie darüber hinaus über den Button Steuerkennzeichen... die sogenannten Steuerkennzeichen fest (siehe Abbildung 5.200).

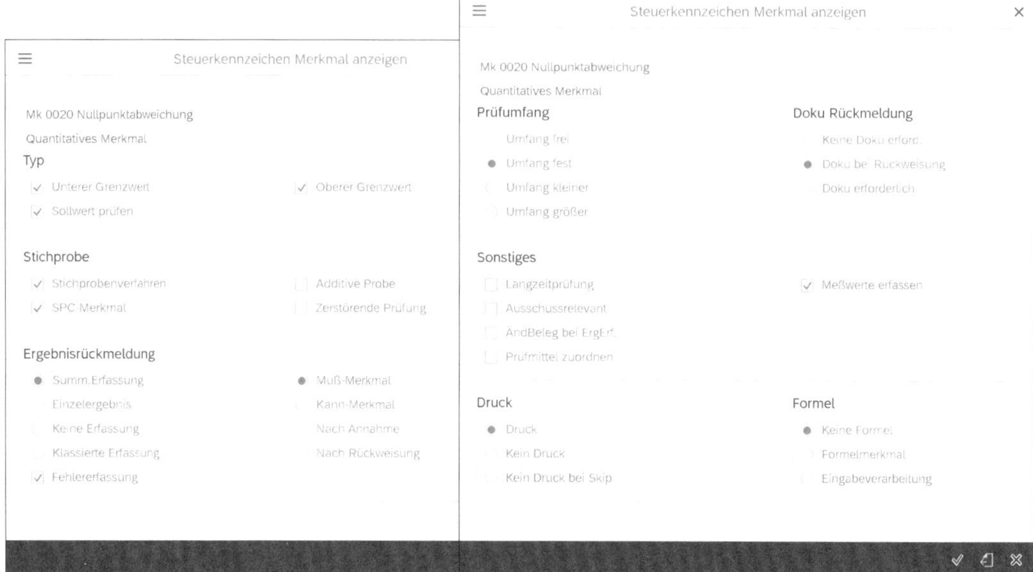

Abbildung 5.200 Steuerkennzeichen eines Prüfmerkmals – Anleitung

Die Steuerkennzeichen beinhalten folgende Informationen:

- ob bei einem quantitativen Merkmal untere und obere Grenzen gemessen werden sollen
- wie die Ergebnisrückmeldung durchzuführen ist (z. B. summarisch, d. h. lediglich die Erfassung einer Anzahl, oder per Einzelerfassung, d. h. Messung jedes Einzelstücks usw.)
- ob es sich um ein Muss- oder um ein Kann-Merkmal handelt
- ob der Stichprobenumfang frei oder fest ist
- ob eine Ergebnisdokumentation erforderlich ist

Wartungsplan

Den Prüfplan binden Sie nun in einen Wartungsplan (z. B. als Einzelzyklusplan) ein und legen dabei die Frequenz der Prüfungen in Form des Zyklus fest (siehe Abbildung 5.201).

In den Wartungsplan tragen Sie unter anderem die Auftragsart ein, die ein aus diesem Wartungsplan erzeugter Auftrag erhalten soll. Dieses muss eine eigene Auftragsart sein. Denn Sie können keine Auftragsart verwenden, die Sie für normale Instandsetzungs- oder Wartungsarbeiten eingerichtet haben.

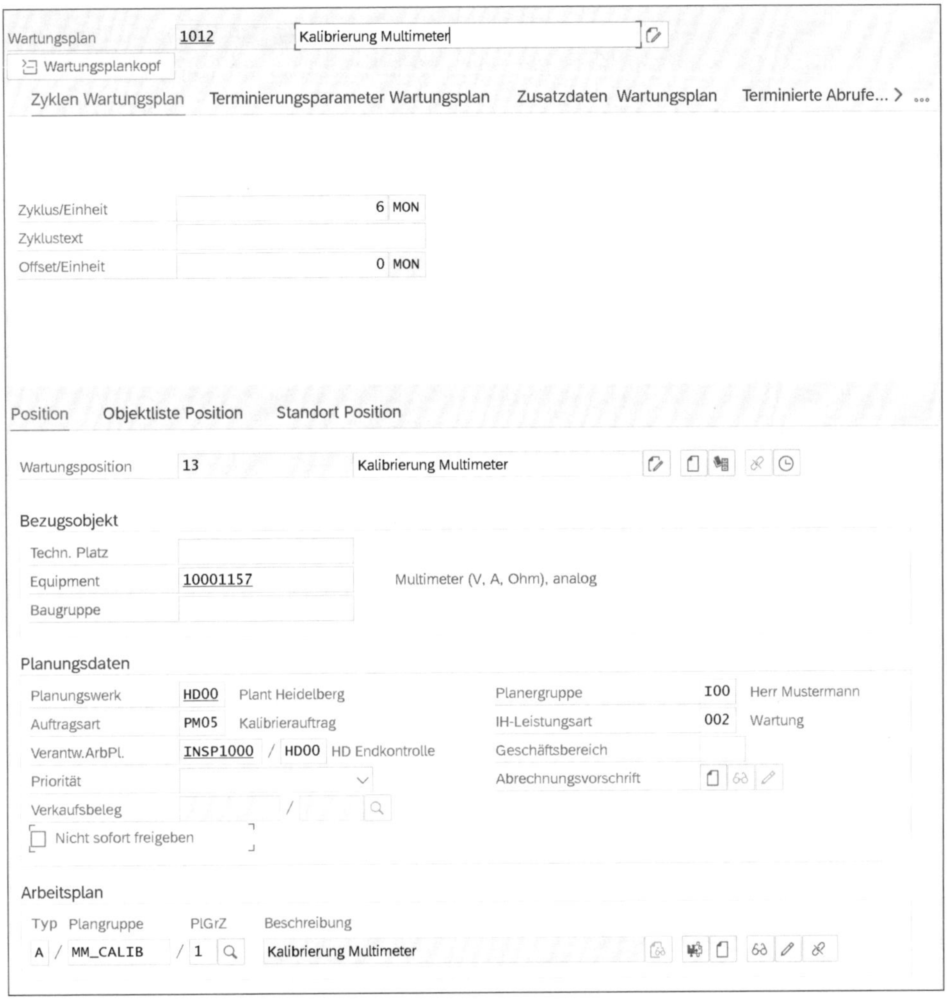

Abbildung 5.201 Wartungsplan für Prüf-/Messmittel

Auftrag und Prüflos

Wenn Sie nun auf diese Weise einen Wartungsplan für Ihr Prüf-/Messmittel eingerichtet haben, wird beim Abruf nicht nur ein Auftrag, sondern auch ein Prüflos erzeugt. Das Prüflos entspricht im Qualitätsmanagement einem Auftrag und ist eine Aufforderung, an einer bestimmten Menge eines Materials eine Qualitätsprüfung durchzuführen, in diesem Fall an einem Prüf-/Messmittel.

[!]

Eigene Auftragsart für die Prüf-/Messmittelverwaltung

Damit Sie den Geschäftsprozess der Kalibrierung von Prüf-/Messmitteln im SAP-System abbilden können, benötigen Sie eine eigene Auftragsart.

Neben den üblichen Grundeinstellungen ordnen Sie dieser Auftragsart mithilfe der Customizing-Funktion **Prüfarten Instandhaltungs- u. Serviceauftragsarten zuordnen** eine Prüfart (entspricht im Qualitätsmanagement einer Auftragsart) zu.

Der erzeugte Kalibrierauftrag unterscheidet sich lediglich in zwei Punkten von den »normalen« Instandhaltungsaufträgen (siehe Abbildung 5.202).

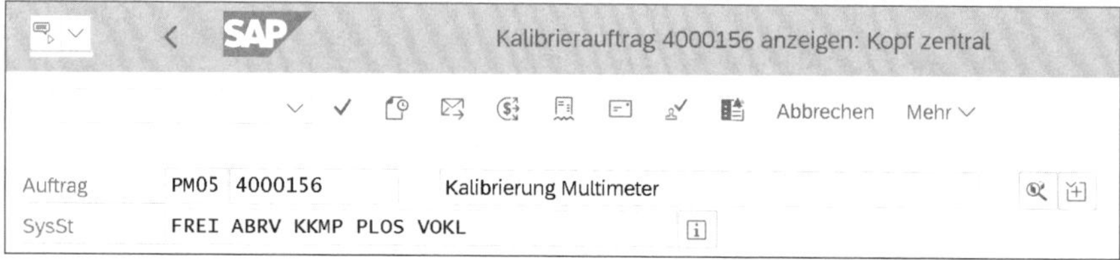

Abbildung 5.202 Auftrag zur Prüf-/Messmittelprüfung

- Der Kalibrierauftrag verfügt über den Status PLOS (Prüflos zugeordnet), sodass Sie z. B. nach diesem Status selektieren können.
- Der Kalibrierauftrag enthält im Kopf den zusätzlichen Button . Dieser erlaubt es Ihnen, direkt in die Anzeige des Prüfloses mit Verwendungsentscheid zu springen. Sie können aber auch mit der Transaktion QA03 das Prüflos anzeigen lassen (siehe Abbildung 5.203).

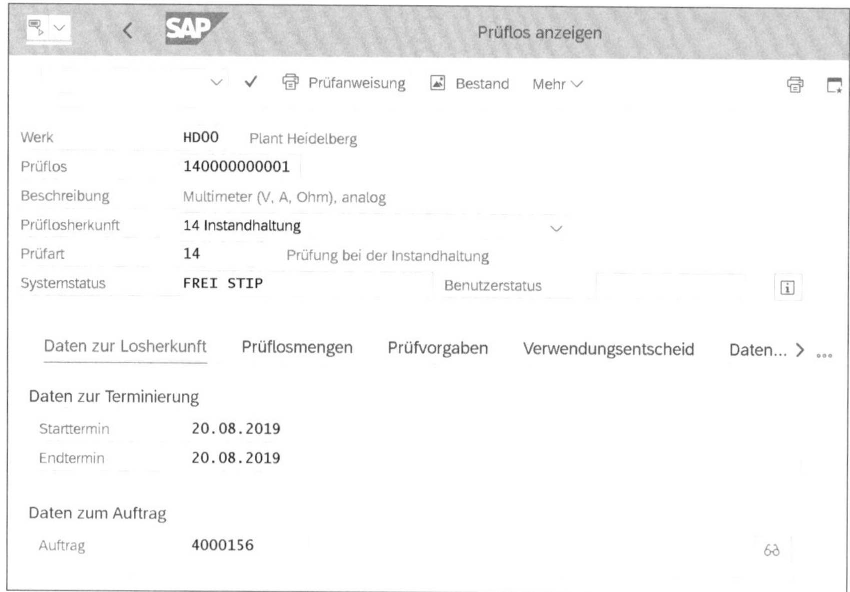

Abbildung 5.203 Prüflos zur Prüf-/Messmittelverwaltung

Ergebniserfassung

Die Erfassung der gemessenen Ergebnisse können Sie nun entweder in der Transaktion QE17 für ein einzelnes Prüflos (siehe Abbildung 5.204) oder in der Transaktion QE51N summarisch für mehrere Prüflose vornehmen. Liegen die eingetragenen Ergebnisse innerhalb der Toleranzgrenzen oder werden sie als gut qualifiziert, nimmt das System eine positive Bewertung vor (✓).

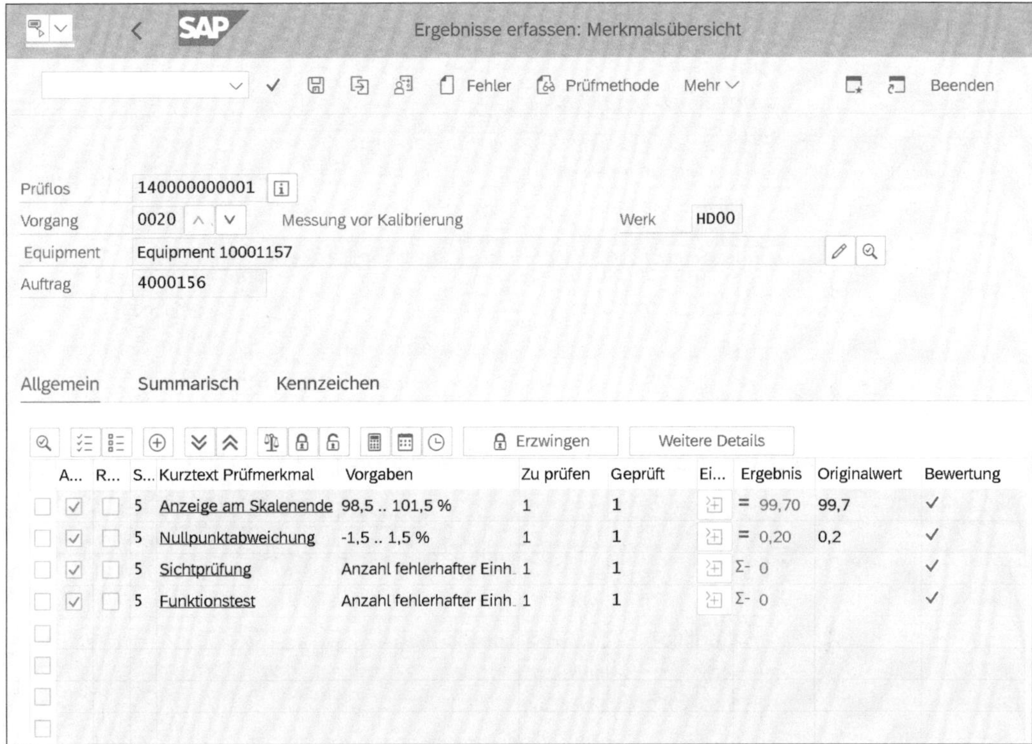

Abbildung 5.204 Ergebnisse für ein einzelnes Prüflos erfassen (Transaktion QE17)

Liegen die eingetragenen Ergebnisse außerhalb der Toleranzgrenzen oder werden sie als schlecht qualifiziert, nimmt das System eine negative Bewertung vor (⊗).

Zeitrückmeldung

Beim Sichern der erfassten Ergebnisse haben Sie auch gleich die Möglichkeit, die für die Prüfung benötigte Zeit anzugeben (siehe Abbildung 5.205).

Verwendungsentscheid

Alternativ können Sie hierzu aber auch die spezielle Transaktion QA11 nutzen. Abbildung 5.206 zeigt das Fenster für den Verwendungsentscheid.

Rückmeldung zum IH-Auftrag erfassen : Istdaten

Meldung Mehr Beenden

Auftrag	4000156	Kalibrierung Multimeter			
Vorgang/Leistung	0020	Messung vor Kalibrierung			
Systemstatus	FREI PZGG				

Rückmeldedaten

Rückmeldung	4291				
Arbeitsplatz	INSP1000 HD00	HD Endkontrolle			
Personalnummer	19700	Jonas Liebknecht		Lohnart	
Istarbeit	0,75 H	Leistungsart	LABOR	Buchungsdatum	20.06.2019
	☑ Endrückmeldung	☐ Kein.Restarb.		BerechnMotiv	
	☐ Ausbuch. Res.	Restarbeit		0,25 H	
Arbeitsbeginn	20.06.2019 00:00:00	Istdauer Rück		H	
Arbeitsende	20.06.2019 09:34:45	Prognose Ende		24:00:00	
Abw.Ursache					
Rückmeldetext				Langtext vorhanden	☐

Abbildung 5.205 Zeitrückmeldung zur Prüf-/Messmittelprüfung

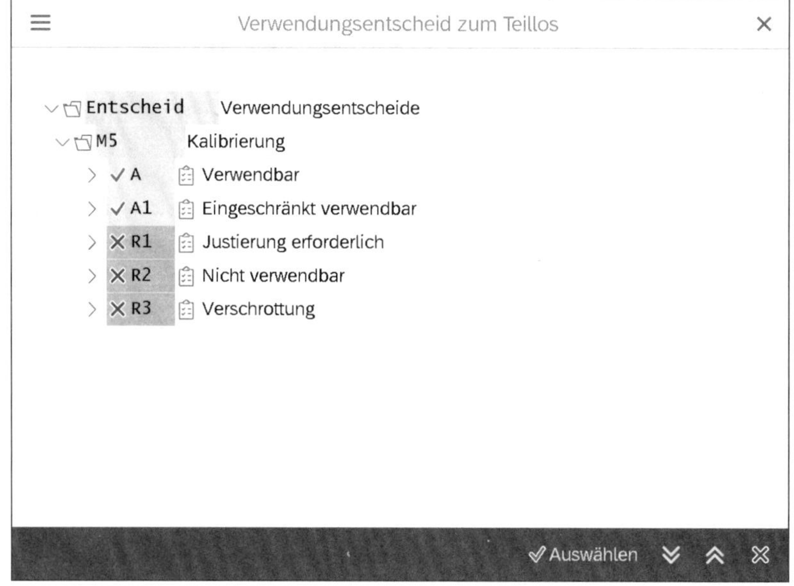

Abbildung 5.206 Verwendungsentscheid zur Prüf-/Messmittelprüfung

Folgeaktionen

Sie haben die Möglichkeit, beim Verwendungsentscheid automatisch Folgeaktionen anstoßen zu lassen:

- Kennzeichnung des Equipments als nicht mehr einsatzbereit bzw. als wieder einsatzbereit
- technischer Abschluss des Auftrags
- Änderung des Streckungsfaktors im Wartungsplan

Sie definieren dies mithilfe der Customizing-Funktion **Folgeaktion definieren**.

Wenn Sie die Folgeaktion zum Sperren des Equipments gesetzt haben, werden Sie beim Treffen des Verwendungsentscheids aufgefordert, den Vorschlag zur Sperrung zu akzeptieren oder ihn manuell abzuändern (siehe Abbildung 5.207). In demselben Fenster können Sie auch den Streckungsfaktor für den Wartungsplan abändern.

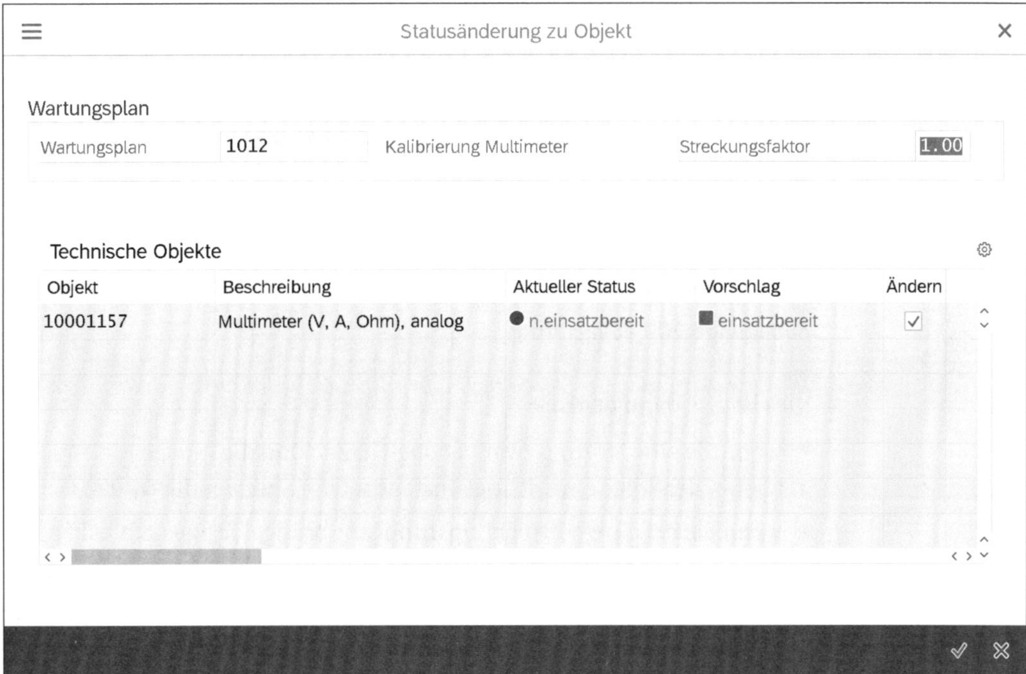

Abbildung 5.207 Einsatzbereitschaft eines Equipments

Die Konsequenz ist, dass im Equipmentstamm der Status NFHM (FHM nicht einsatzbereit) gesetzt und damit das Equipment für den weiteren Einsatz gesperrt wird (siehe Abbildung 5.208). Sie können das Equipment allerdings, z. B. durch eine Instandsetzungsmaßnahme, wieder in einen funktionsfähigen Zustand versetzen und den Status wieder zurücksetzen.

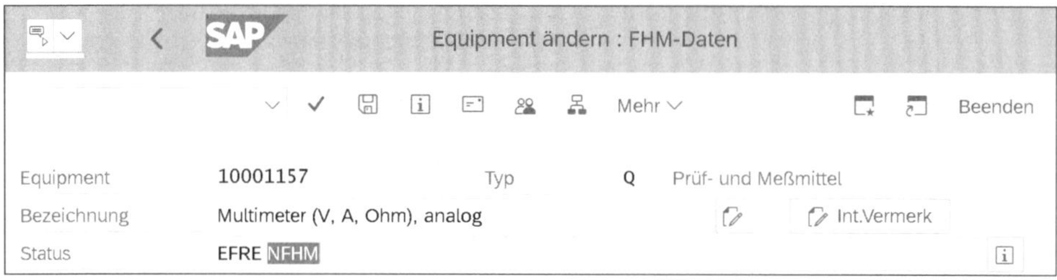

Abbildung 5.208 Nicht einsatzbereites Equipment

Der Wartungsplan wird zum nächsten Fälligkeitstermin den nächsten Auftrag mit Prüflos erzeugen.

5.11 Der Geschäftsprozess »Folgeauftrag«

In der Praxis kommt es häufig vor, dass man einen neuen Auftrag als Nachfolger eines abgearbeiteten Auftrags einrichten möchte (siehe Abbildung 5.209).

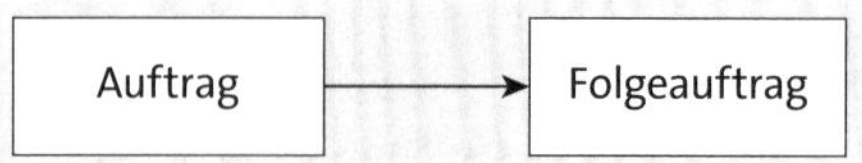

Abbildung 5.209 Folgeauftrag

Dies ist z. B. dann der Fall:

- wenn Sie eine Störung zwar behoben haben und die Anlage wieder läuft, aber in der Folge eine richtige Instandsetzung notwendig wird
- wenn Sie bei einem Inspektionsrundgang Mängel festgestellt haben, die behoben werden müssen
- wenn Sie eine Kalibrierung durchgeführt haben, die zu einer Sperrung des Equipments geführt hat, und nun eine Reparatur inklusive Nachkalibrierung stattfinden muss, um das Equipment wieder einsatzbereit zu bekommen

Bisher haben sich die meisten Anwender damit beholfen, dass sie zu einem Auftrag einen Unterauftrag angelegt haben. Dies hat jedoch z. B. den Nachteil, dass der technische Abschluss der Aufträge voneinander abhängig ist.

Mit der Aktivierung der Business Function LOG_EAM_CI_7 haben Sie nun die Möglichkeit, richtige Nachfolgeaufträge anzulegen. Hierzu haben Sie mehrere Optionen.

Direktes Anlegen von Folgeaufträgen

Sie können beim Anlegen eines Auftrags (Transaktion IW31) das Kennzeichen **Folgeauftrag** markieren und angeben, zu welchem Auftrag Sie einen Folgeauftrag anlegen möchten (siehe Abbildung 5.210). Bei dieser Vorgehensweise können Sie dann entscheiden, welche Detaildaten Sie kopieren möchten (Vorgänge, Materialien, Dokumente usw.).

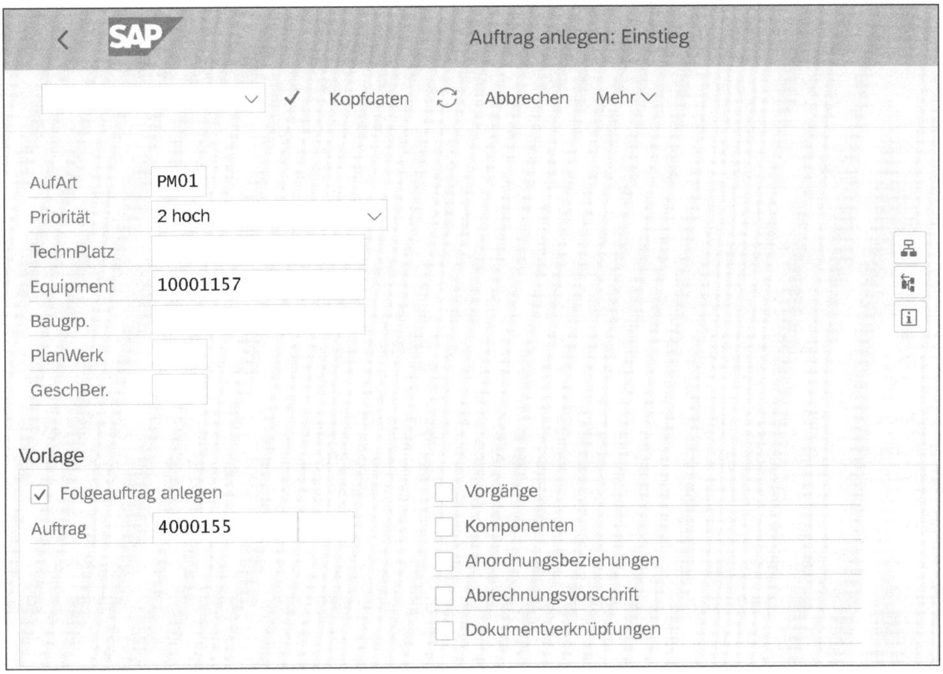

Abbildung 5.210 Direktes Anlegen eines Folgeauftrags

Anlegen von Folgeaufträgen aus dem Auftrag und aus der Rückmeldung

Sie können Folgeaufträge auch direkt zu einem gerade bearbeiteten oder rückgemeldeten Auftrag oder Auftragsvorgang anlegen. Hierzu steht Ihnen bei der Auftragsbearbeitung in der Vorgangsliste (Transaktionen IW32/33) und in der Rückmeldung (Transaktion IW41) der neue Button Folgeauftrag anlegen zur Verfügung (siehe Abbildung 5.211).

Zum Anlegen des Folgeauftrags verzweigt das System in die Transaktion IW31 zum Anlegen von Aufträgen. Das System markiert das Ankreuzfeld **Folgeauftrag** und übernimmt die Auftragsnummer und Vorgangsnummer des Vorgängerauftrags.

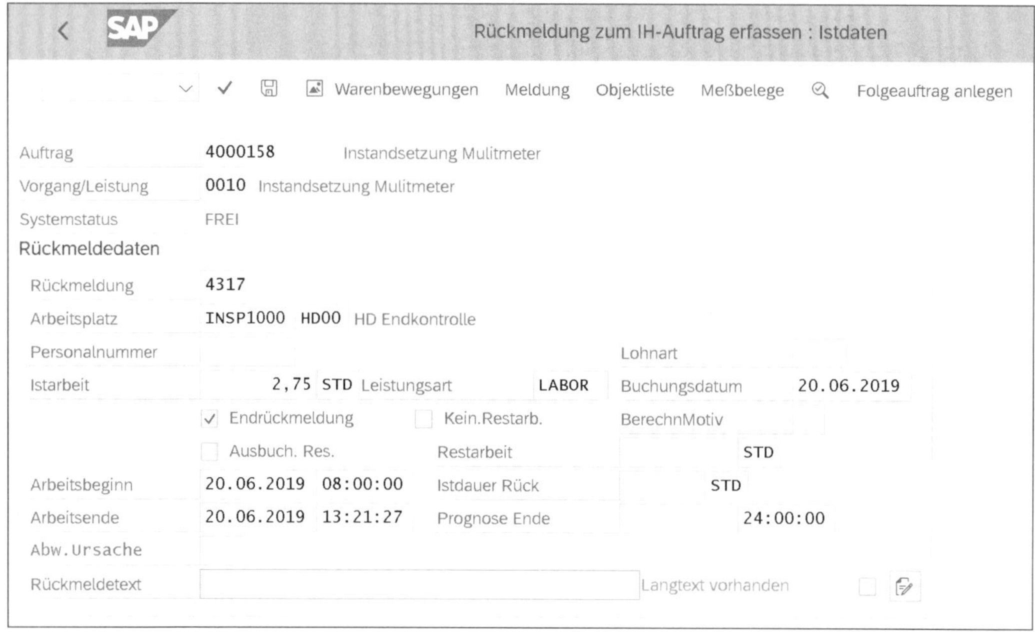

Abbildung 5.211 Folgeauftrag aus der Rückmeldung

Anzeigen von Folgeaufträgen im Belegfluss

Sie können sich Vorgänger- und Folgeaufträge zu einem Auftrag oder einer Rückmeldung im Belegfluss anzeigen lassen. Im Belegfluss markieren Sie den Auftrag oder die Rückmeldung und klicken auf den Button Folgeaufträge. Das System bildet die Beziehung zwischen Vorgänger- und Folgeauftrag als hierarchische Liste ab (siehe Abbildung 5.212). Wenn Sie Folgeaufträge zu mehreren Auftragsvorgängen angelegt haben, zeigt das System Ihnen alle Folgeaufträge an, die zu dem selektierten Auftrag oder den zugehörigen Vorgängen angelegt wurden.

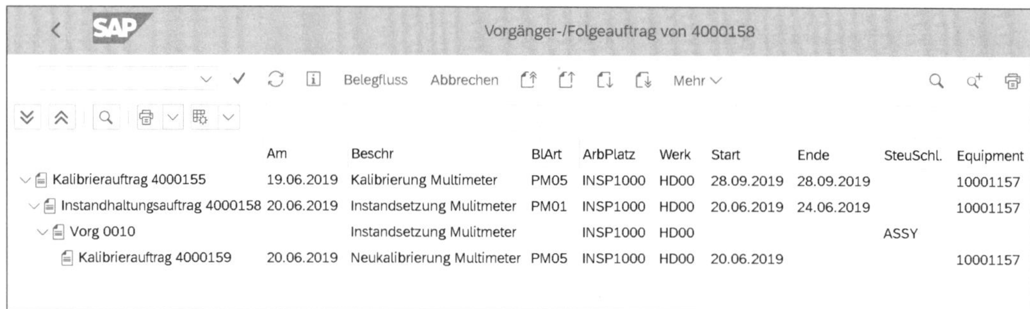

Abbildung 5.212 Folgeaufträge als Belegfluss

5.12 Der Geschäftsprozess »Pool Asset Management«

Mit dem Pool Asset Management können Sie Objekte verwalten, die sich in einem Pool befinden und von dort für eine bestimmte Zeitdauer ausgeliehen werden können. Hierbei kann es sich z. B. um die folgenden Objekte handeln:

- Fahrzeuge
- IT-Equipments (Notebooks, Beamer usw.)
- Handys
- Werkzeuge
- andere Objekte

Nach der Ausleihe werden die Objekte wieder an den Pool zurückgegeben und die Leistung an den Kostenträger (z. B. Kostenstelle) verrechnet. Den kompletten Ablauf des Pool Asset Managements zeigt Abbildung 5.213, in der beispielhaft das Pool Asset Management für einen Fahrzeugpool dargestellt wird. Für andere Poolarten funktioniert das Pool Asset Management analog.

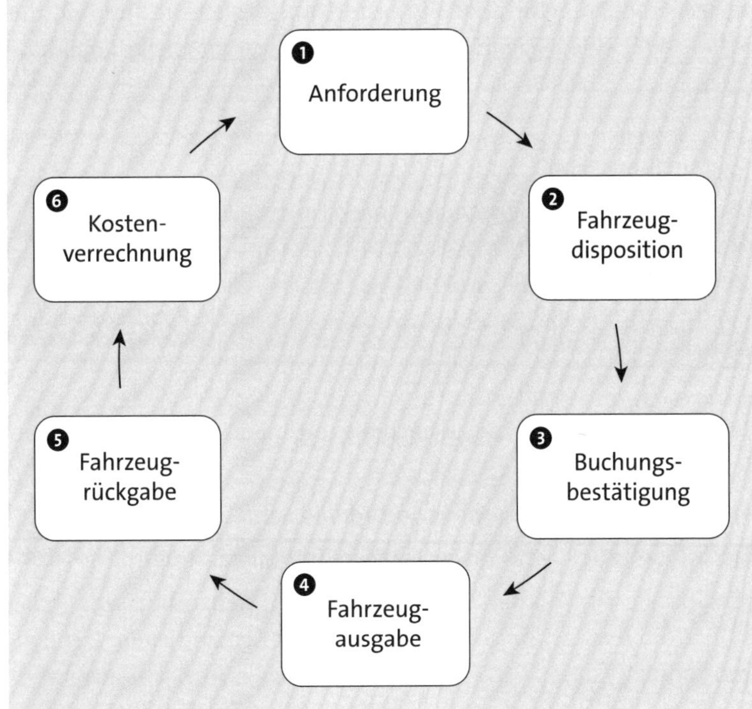

Abbildung 5.213 Pool Asset Management – Ablauf

Das Pool Asset Management erfolgt in den folgenden Schritten:

1. **Anforderung**
   Ein Mitarbeiter erfasst einen Fahrzeugbedarf im System ❶.
2. **Fahrzeugdisposition**
   Ein Fahrzeugdisponent ordnet dem Bedarf ein Fahrzeug zu ❷.
3. **Buchungsbestätigung**
   Der anfordernde Mitarbeiter erhält eine automatische Buchungsbestätigung per E-Mail ❸.
4. **Fahrzeugausgabe**
   Der Kilometerstand des Fahrzeugs und der Bedarfszeitpunkt werden erfasst, und das Fahrzeug wird ausgegeben ❹.
5. **Fahrzeugrückgabe**
   Das Fahrzeug wird zurückgegeben, und der Kilometerstand sowie das Datum werden erfasst ❺.
6. **Kostenverrechnung**
   Die Kosten der Fahrzeugnutzung werden ermittelt und auf das Kontierungsobjekt verrechnet ❻.

Bedarfsmeldung

Wie bei jeder anderen Instandhaltungsmeldung legen Sie mithilfe der Transaktion IW21 einen Bedarf für einen Pool Asset an (siehe Abbildung 5.214).

[!]

Eigene Meldungsart für das Pool Asset Management

Für die Pool-Asset-Bedarfsmeldung empfiehlt sich eine eigene Meldungsart, um ihr ein Pool-Asset-Management-spezifisches Layout zu geben. Dieses pflegen Sie mithilfe der Customizing-Funktion **Bildschirmaufbau für erweiterte Sicht**. Ordnen Sie der Meldungsart **10\ TAB23 Pool Asset Management** zu.

Neben den Reisedaten können Sie noch die folgenden Informationen mitgeben:

- Informationen zu den Personen (Anforderer, Fahrer usw.)
- Informationen zur Kontierung (Kostenstelle, Innenauftrag)
- Informationen zur Ausstattung des Fahrzeugs (siehe Abbildung 5.215), wobei Sie die Ausstattungsmerkmale über das Klassensystem frei definieren können.

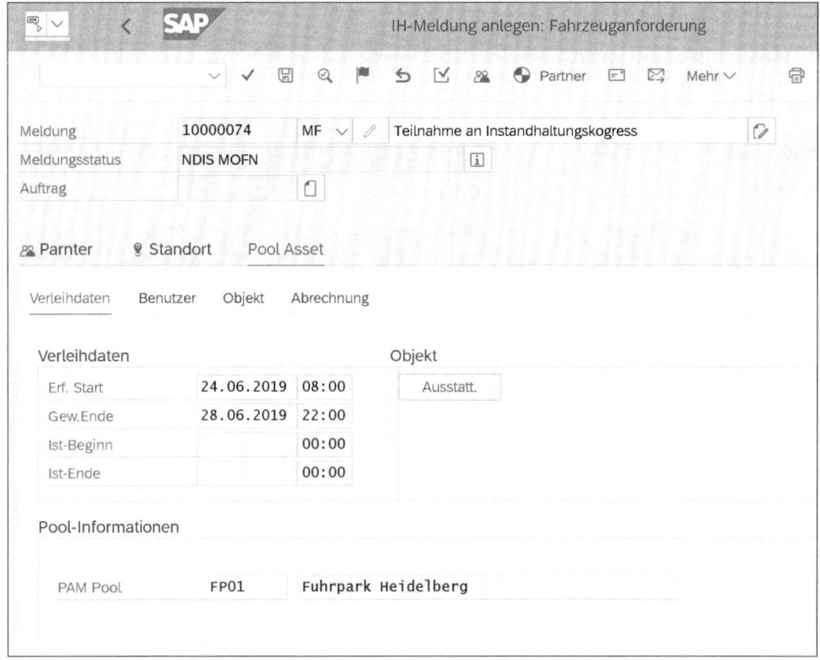

Abbildung 5.214 Pool Asset Management – Bedarfsmeldung

Bewertung zu Klasse PCM_PKW - Objekt 10000074

Allgemein

Merkmalbezeichnung	Wert
Personen	4
Automatik	ja
Hochdruckreinigung	
Kraftstoffart	Diesel
Pritsche	
Winterdienst	nein

Abbildung 5.215 Ausstattungsmerkmale

Fahrzeugdisposition

Die eingegangenen Bedarfsmeldungen laufen nun in der Plantafel zum Pool Asset Management (Transaktion PAM03) auf. Hier kann der Fahrzeugdisponent mit Drag & Drop die Bedarfe einem Fahrzeug zuordnen (siehe Abbildung 5.216). Die Farben in der Farblegende haben die folgende Bedeutung:

- Gelb: offener Bedarf
- Rot: reserviert, d. h., der Pool Asset ist fest zugeordnet

- Grün: ausgegeben
- Grau: zurückgegeben
- Blau: abgerechnet

Hier werden nun alle Pool Assets gezeigt, die zum im Einstiegsbild der Plantafel ausgewählten PAM-Pool gehören.

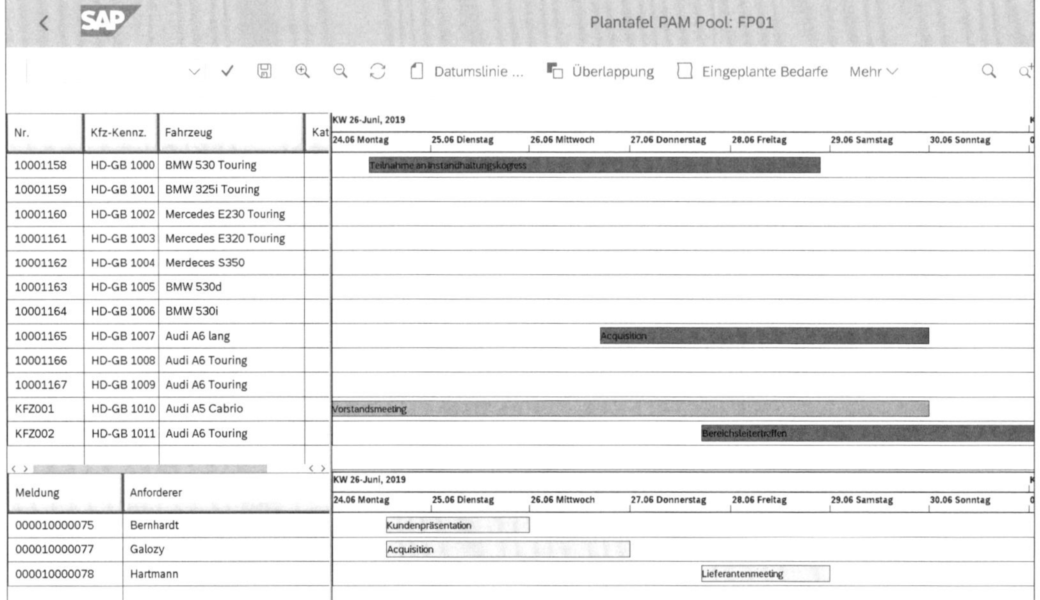

Abbildung 5.216 Pool Asset Management – Transaktion PAM0, Plantafel

[!]

Funktionen der Plantafel

Die Plantafel des Pool Asset Managements zeigt Ihnen nicht nur einen Überblick über die aktuelle Belegungssituation, sondern unterstützt Sie auch bei den Geschäftsvorgängen **Reservieren, Ausgeben, Rückgabe** und **Abrechnung**.

Um ein Fahrzeug zu reservieren, machen Sie einen Doppelklick auf einen eingeplanten Balken. Daraufhin erscheint ein Pop-up-Fenster, in dem Sie mithilfe des Buttons Reservieren die Reservierung vornehmen können (siehe Abbildung 5.217).

Buchungsbestätigung

Aufgrund der Reservierung wird dem anfordernden Mitarbeiter automatisch eine E-Mail mit der Buchungsbestätigung übermittelt (siehe Abbildung 5.218).

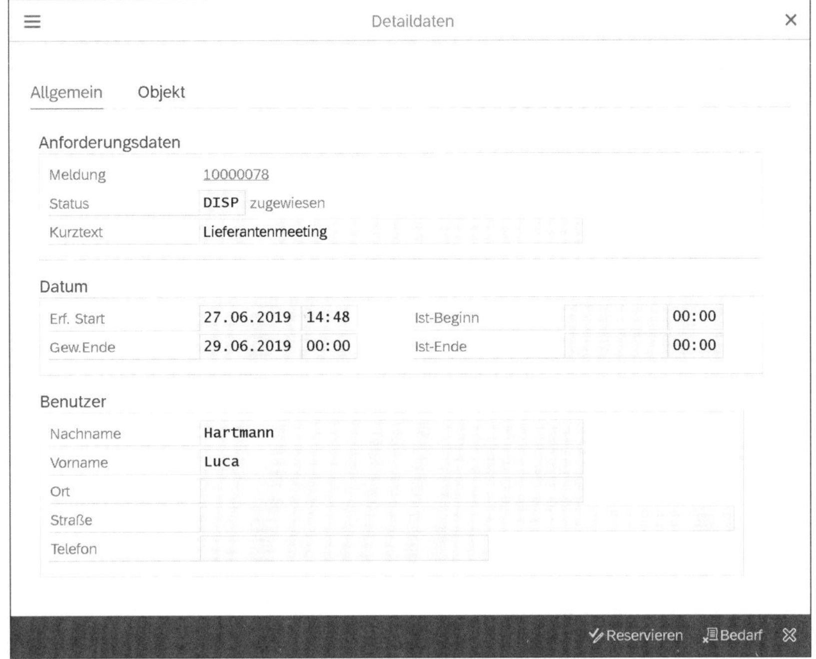

Abbildung 5.217 Pool Asset Management – Reservierung

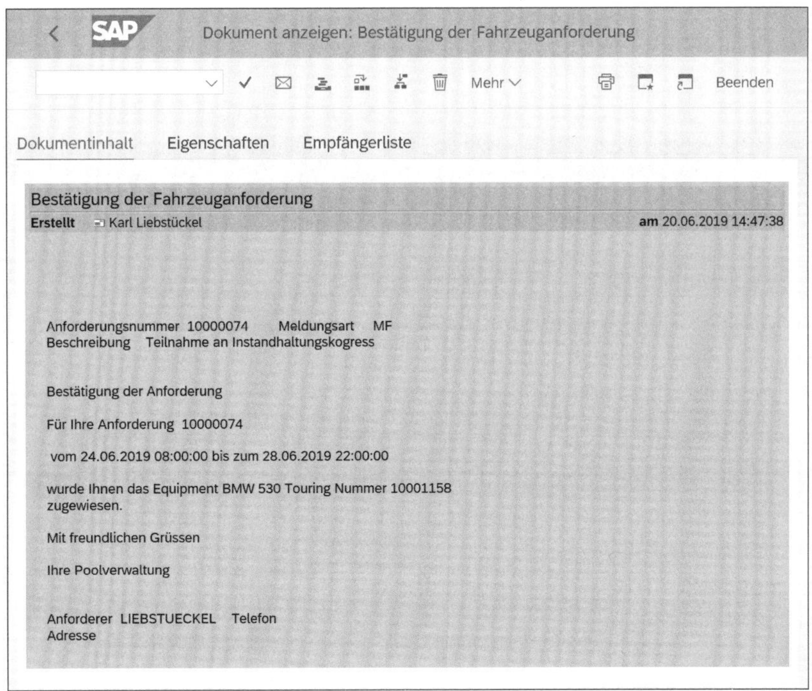

Bestätigung der Fahrzeuganforderung
Erstellt Karl Liebstückel **am** 20.06.2019 14:47:38

Anforderungsnummer 10000074 Meldungsart MF
Beschreibung Teilnahme an Instandhaltungskogress

Bestätigung der Anforderung

Für Ihre Anforderung 10000074

vom 24.06.2019 08:00:00 bis zum 28.06.2019 22:00:00

wurde Ihnen das Equipment BMW 530 Touring Nummer 10001158
zugewiesen.

Mit freundlichen Grüssen

Ihre Poolverwaltung

Anforderer LIEBSTUECKEL Telefon
Adresse

Abbildung 5.218 Pool Asset Management – Reservierungsbestätigung

Ausgabe Mittels Doppelklick auf den Balken zu einem reservierten Asset und durch Betätigung des Buttons Ausgabe im folgenden Pop-up-Fenster wird das Fahrzeug ausgegeben. Dabei werden der aktuelle Zählerstand und das Datum erfasst (siehe Abbildung 5.219).

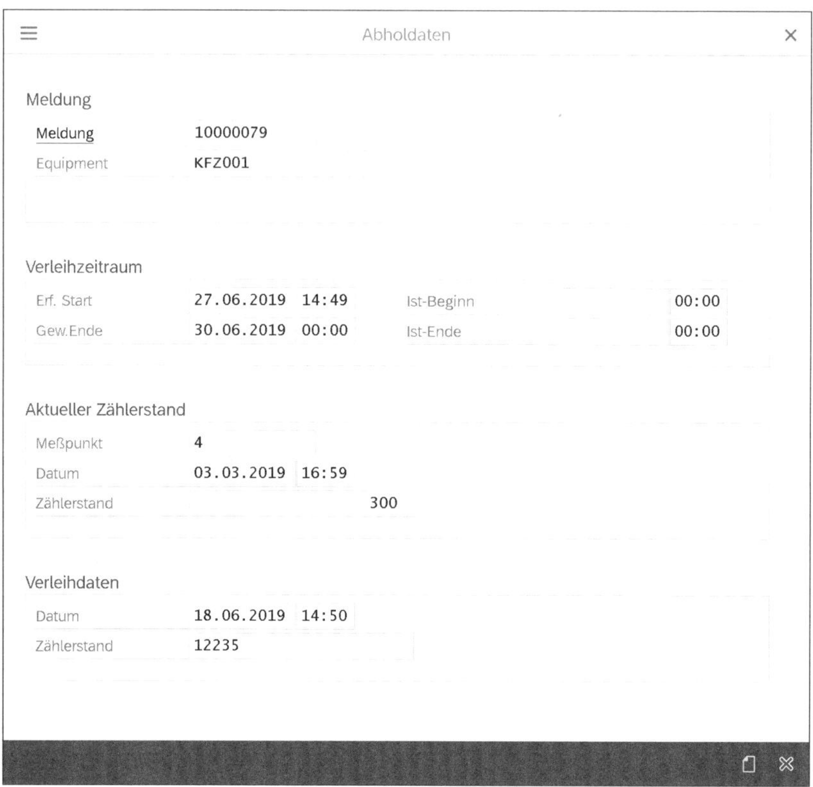

Abbildung 5.219 Pool Asset Management – Ausgabe

Rückgabe In derselben Weise (d. h. Doppelklick auf den Balken) und im anschließenden Pop-up-Fenster wird über den Button Zurückgeben die Rückgabe mit den Ist-Daten, wie z. B. Datum der Rückgabe und Ist-Zählerstand, in der Plantafel erfasst (siehe Abbildung 5.220).

Abrechnung Auf der Basis der Ist-Daten (Anzahl Tage, gefahrene Kilometer, Freikilometer) findet die Abrechnung auf die Kostenstelle oder einen Abrechnungsauftrag statt. Hierzu doppelklicken Sie ebenfalls wieder auf den Balken und betätigen anschließend den Button Abrechnen. Es erscheinen nun die Informationen zur Abrechnung, z. B. wie viele Tage oder wie viele Kilometer abgerechnet werden.

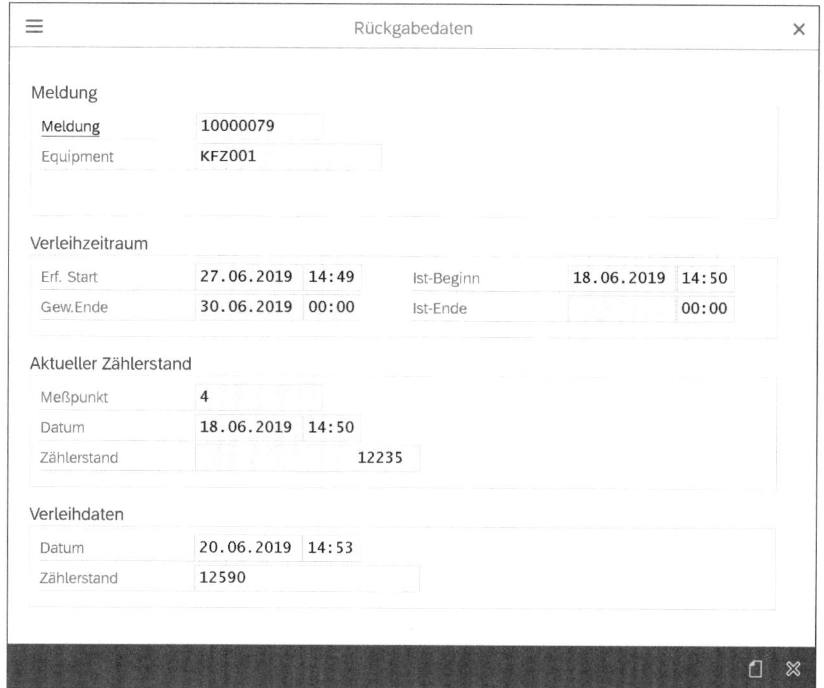

Abbildung 5.220 Pool Asset Management – Rückgabe

Voraussetzungen

Damit Sie den Geschäftsprozess *Pool Asset Management* wie beschrieben nutzen können, sind die folgenden Voraussetzungen zu schaffen:

- Zunächst sind mittels der Customizing-Funktion **Grundeinstellungen für Pool Asset Management** Grundeinstellungen vorzunehmen. Sie müssen z. B. einen Bestätigungstext oder eine Klasse für Bedarfsmeldungen festlegen.
- Mithilfe der Customizing-Funktion **Pool-Kategorien festlegen** (z. B. Kleinwagen, Mittelklasse, Kombi, Transporter usw.) pflegen Sie die Kategorien Ihrer Fahrzeuge.
- Mithilfe der Customizing-Funktion **Leistungsarten für Pool-Kategorien festlegen** pflegen Sie für jede Poolkategorie die Leistungsarten, die für die Abrechnung benötigt werden (z. B. Tagespauschale, Kilometerpreis, Freikilometer).
- Die Verrechnungssätze selbst pflegen Sie mithilfe der Transaktion KP26.
- Sie legen mindestens einen PAM-Pool mithilfe der Transaktion PAM01 oder der Transaktion PAM02 an. Dahinter verbirgt sich nichts anderes als ein Technischer Platz, auf dem eine Liste von Equipments eingebaut ist (siehe Abbildung 5.221).

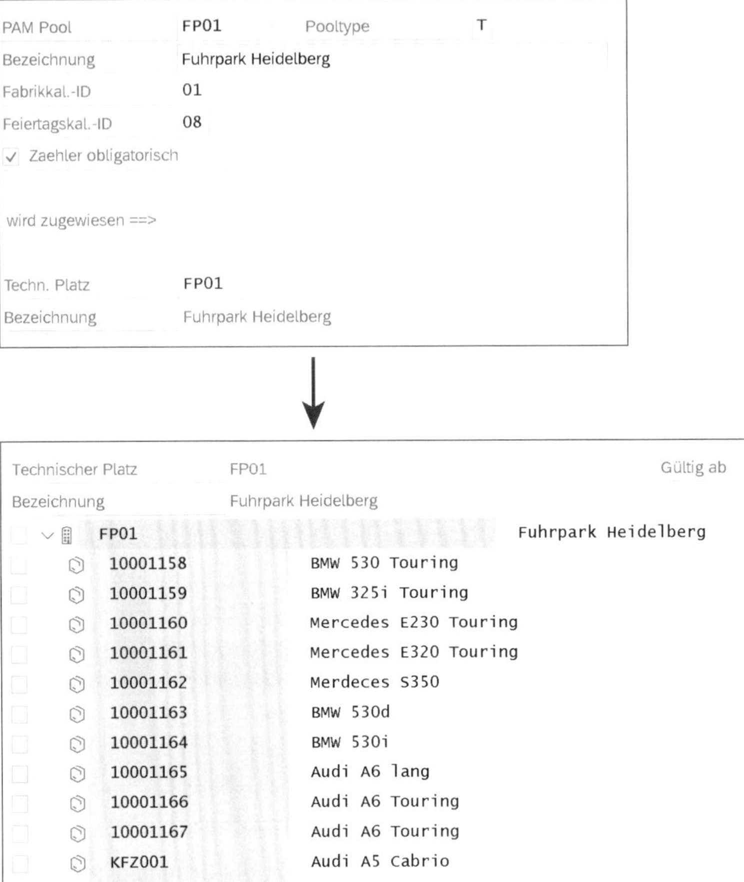

Abbildung 5.221 Pool Asset Management – Pooldefinition

Business Function Damit Sie das Pool Asset Management nutzen können, muss die Business Function LOG_EAM_PAM aktiviert sein.

5.13 Der Geschäftsprozess »Projektorientierte Instandhaltung«

In vielen Unternehmen tritt einer der folgenden beiden Fälle auf:

- Im Rahmen eines übergeordneten Projekts fallen einzelne Instandhaltungsmaßnahmen an. Auf diese Situation trifft man z. B. bei Anlagenneubauten oder bei Umzügen.
- Oder die Instandhaltungsmaßnahme selbst nimmt eine solche Größenordnung an, dass von einem Projekt gesprochen werden kann. Auf diese

Situation trifft man z. B. im Rahmen von Flugzeugwartungen, beim Shutdown in Raffinerien oder bei der Revision von Kraftwerken.

Für eine projektorientierte Instandhaltung stehen Ihnen in SAP S/4HANA zwei Hilfsmittel zur Verfügung:

- **SAP Projektsystem**
  Mit SAP Projektsystem (PS) können Sie beide der gerade genannten Projektarten planen.
- **Maintenance Event Builder**
  Mit dem Maintenance Event Builder (MEB) können Sie kleine bis mittelgroße Projekte der zuletzt genannten Projektart planen. Die erstgenannte Projektart ist hierüber nicht abbildbar.

5.13.1 SAP Projektsystem

Szenario

Wenn Sie SAP Projektsystem[2] (PS) für die projektorientierte Instandhaltung einsetzen, führen Sie die übergeordnete Planung im Projektsystem und die Auftragsplanung im Asset Management durch.

Objekte im Projektsystem

Projekt

Ein Projekt ist eine einmalige, zeitlich befristete und sachlich abgegrenzte Aufgabenstellung zur Lösung eines komplexen Vorhabens unter der Beteiligung verschiedener Fachbereiche. Es dient zur Steuerung und Kontrolle dieser Maßnahme im Hinblick auf Termine, Ressourcen, Kapazitäten, Kosten, Erlöse und Finanzmittel. Ein Projekt wird dabei (wie in Abbildung 5.222 dargestellt) in verschiedene Phasen unterteilt. Projekte legen Sie z. B. mithilfe der Transaktion CJ06 an.

PSP-Elemente

Sie verwenden Projektstrukturplanelemente (PSP-Elemente) als Bestandteile des Projektsystems, um die Aufbauplanung, die Organisation sowie die Struktur eines Projekts festzulegen und das Projekt in einzelne, hierarchisch angeordnete Strukturelemente mehrstufig zu gliedern; Sie beschreiben damit Detailaufgaben.

PSP-Elemente verfügen über Funktionen wie Terminplanung, Budgetvergabe, Fortschrittsanalyse usw. und werden z. B. mithilfe der Transaktion CJ11 angelegt.

2 Für detaillierte Ausführungen zu den Möglichkeiten von SAP Projektsystem sei hier auf Spezialliteratur, wie z. B. Franz, M.: Projektmanagement mit SAP Projektsystem, 5. Auflage, Bonn: SAP PRESS 2017, verwiesen.

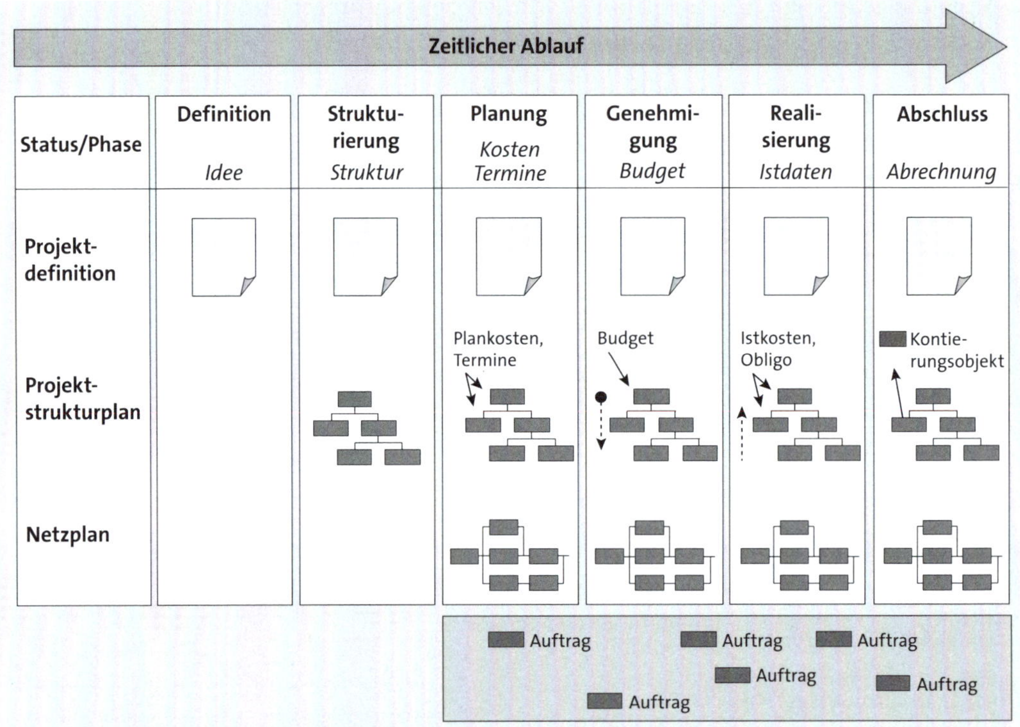

Abbildung 5.222 Projekte und Aufträge

Netzplan

Mit einem Netzplan realisieren Sie die Ablaufplanung und bringen die Elemente in eine zeitliche Reihenfolge. In der Projektabwicklung nutzen Sie Netzpläne als Ausgangsbasis für die Planung, Steuerung und Überwachung von Terminen, Kosten und Ressourcen. In Netzplänen stehen Ihnen für die Planung von Material, Maschinen und Personen ähnliche Funktionen wie in der Planung von Instandhaltungsaufträgen zur Verfügung. Netzpläne pflegen Sie mithilfe der Transaktion CN21.

Manuelle Zuordnung

Sie können nun Ihre Aufträge manuell PS-Objekten zuordnen oder einen Automatismus dazu nutzen. Beim manuellen Zuordnen verknüpfen Sie Ihre Aufträge entweder mit PSP-Elementen oder mit Projekten.

Zuordnung zum PSP-Element

Sie ordnen einzelne Aufträge mithilfe der Transaktion IW32 auf der Registerkarte **Zusatzdaten** einem PSP-Element zu (siehe Abbildung 5.223). Diese Möglichkeit nutzen Sie, wenn der Instandhaltungsbereich einzelne Aufträge innerhalb eines Projekts übernommen hat und für die Aktivität kein Netzplan angelegt wurde.

PSP-Element	P/8000	Umbaumaßnahmen Hauptgebäude
Projektdefinition	P/8000	Umbaumaßnahmen Hauptgebäude
Teilnetz zu / Vorg.	4000001 / 0010	Allgemeine Konzeption

Abbildung 5.223 Auftrag zu PSP-Element zuordnen

Zuordnung zum Netzplan

Sie ordnen einzelne Aufträge mithilfe der Transaktion IW32 auf der Registerkarte **Zusatzdaten** einem Netzplan zu. Dabei können Sie PSP-Element, Profit-Center und andere Informationen in den Auftrag übernehmen (siehe Abbildung 5.224). Diese Möglichkeit nutzen Sie dann, wenn der Instandhaltungsbereich einzelne Aufträge innerhalb eines Projekts übernommen hat und für die Aktivität ein Netzplan vorhanden ist.

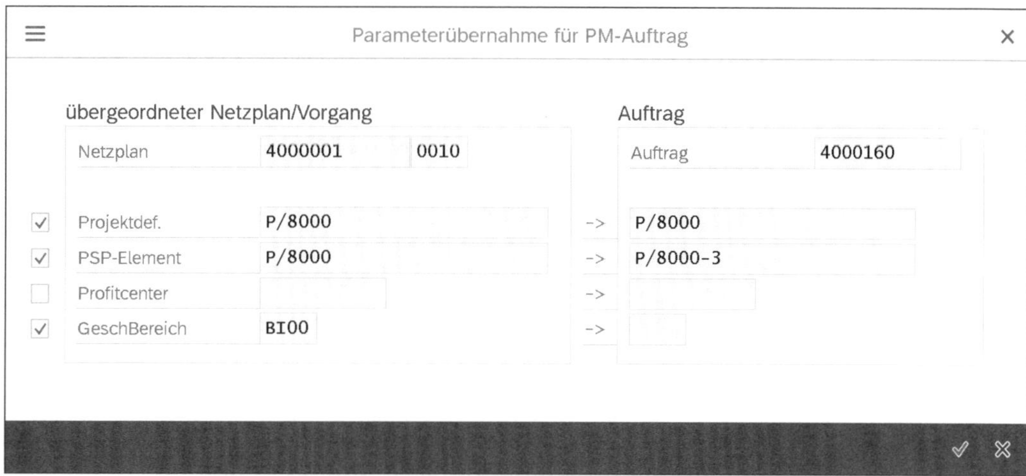

Abbildung 5.224 Auftrag zu Netzplan zuordnen

Damit die Zuordnung eines Instandhaltungsauftrags zu einem Netzplan funktioniert, müssen Sie mithilfe der Customizing-Funktion des Projektsystems **Parameter für Teilnetzpläne festlegen** eine Zuordnung zwischen der Netzplanart und der Auftragsart herstellen.

Automatische Zuordnung

Für die automatische Zuordnung von Aufträgen zu PSP-Elementen nutzen Sie die Transaktion ADPMPS. Dieses Verfahren beruht auf der Idee, dass es im Instandhaltungsbereich umfangreiche Wartungsmaßnahmen gibt, die in regelmäßigen Abständen wiederholt werden. Damit Sie nun nicht jedes Mal die Aufträge manuell PSP-Elementen zuordnen müssen, können Sie diesen Automatismus nutzen.

Voraussetzungen für die automatische Zuordnung

Hierzu müssen Sie drei Voraussetzungen schaffen:

- **Feldwerte für das Bezugselement festlegen**
  Sie pflegen mithilfe der Customizing-Funktion **Feldwerte für Bezugselement PM/PS definieren** Felder, die später die Querverbindung herstellen.
- **Bezugselement einem Arbeitsplan oder einer Wartungsposition zuordnen**
  Sie ordnen das Bezugselement PM/PS einem Arbeitsplan (siehe Abbildung 5.225) oder einer Wartungsposition zu. Wenn Sie eine Wartungsposition mit Arbeitsplan anlegen, wird das Bezugselement automatisch in die Wartungsposition übernommen (siehe Abbildung 5.227).

Abbildung 5.225 Bezugselement PM/PS im Arbeitsplan

- **Bezugselement Standardobjekten oder operativen Objekten zuordnen**
  Sie ordnen das Bezugselement **PM/PS** entweder Standardobjekten (Standard-PSP, Standardnetz) oder den operativen Objekten (PSP-Element, Netzplan, siehe Abbildung 5.226) zu.

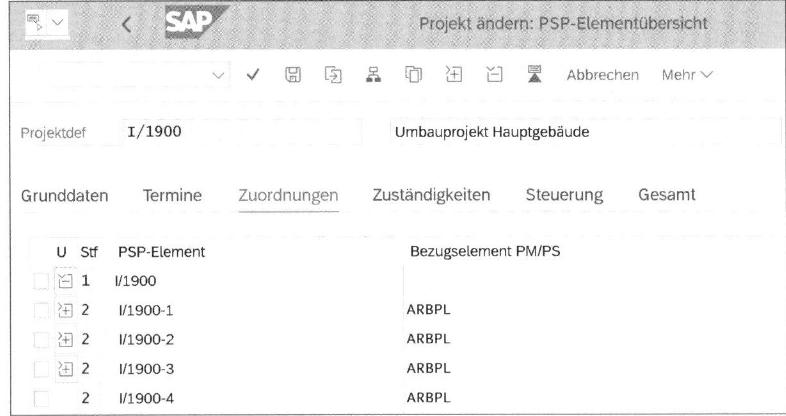

Abbildung 5.226 Bezugselement PM/PS im PSP-Element

Wenn Sie ein Projekt mit Bezug zu einem Standardprojekt bzw. einen Netzplan oder Projektstrukturplan mit Bezug zu einem Standardnetz bzw. Standard-PSP anlegen, werden die Feldwerte aus dem referenzierten Objekt für das Bezugselement übernommen (siehe Abbildung 5.227).

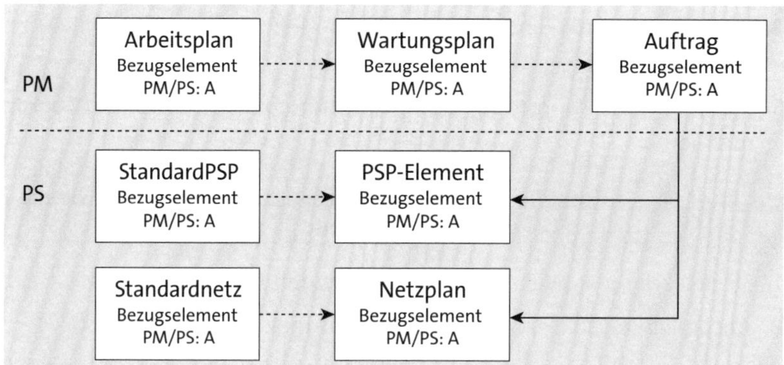

Abbildung 5.227 Zuordnung des Bezugselements PM/PS

Halbautomatische Zuordnung

Um eine halbautomatische Zuordnung vorzunehmen, führen Sie die folgenden Schritte in der Transaktion ADPMPS durch:

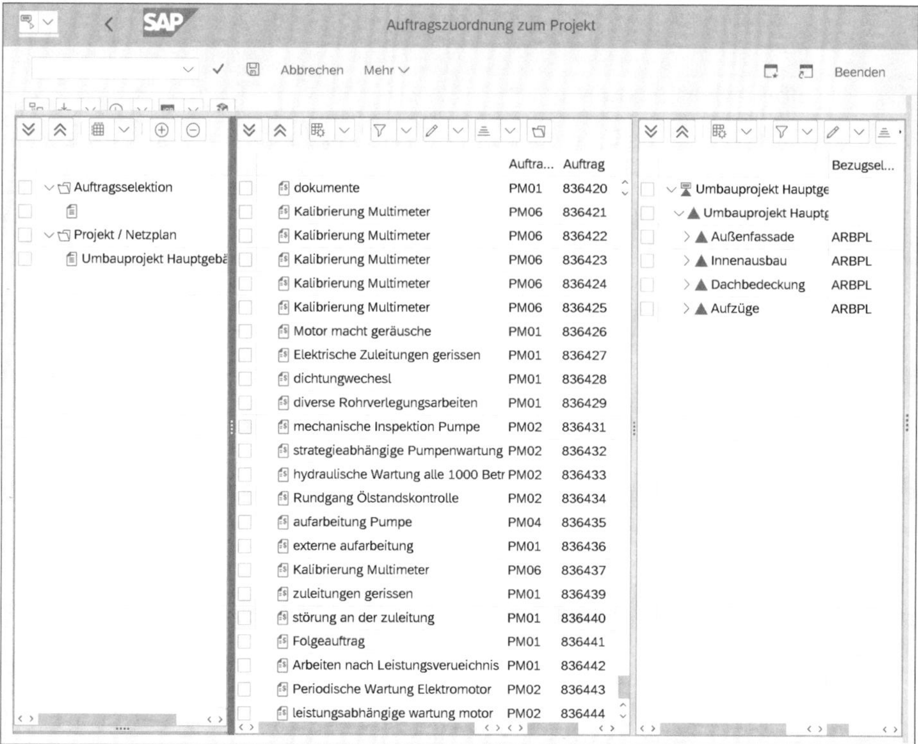

Abbildung 5.228 Transaktion ADPMPS – Workbench

1. Sie selektieren zunächst die zuzuordnenden Aufträge.
2. Anschließend selektieren Sie die zuzuordnenden PSP-Elemente.
3. Markieren Sie nun im linken Bildbereich die zuzuordnenden Aufträge (siehe Abbildung 5.228).
4. Markieren Sie im rechten Bildbereich das PSP-Element, dem die Aufträge zugeordnet werden sollen.
5. Sie starten die Zuordnung im Vordergrund über die Funktion **Zuordnen manuell**.

Automatische Zuordnung

Um nun eine automatische Zuordnung vorzunehmen, führen Sie die folgenden Schritte in der Transaktion ADPMPS durch:

1. Sie selektieren zunächst die zuzuordnenden Aufträge.
2. Anschließend selektieren Sie die zuzuordnenden PSP-Elemente.
3. Markieren Sie nun im linken Bildbereich der Aufträge die Spalte **Bezugselement PM/PS**.
4. Markieren Sie anschließend im rechten Bildbereich der Projekte ebenfalls die Spalte **Bezugselement PM/PS**.
5. Um die automatische Zuordnung im Vordergrund zu starten, wählen Sie schließlich die Funktion **Automatische Zuordnung**.

Integrationsfunktionen

Welche Funktionen ergeben sich nun aus der Zuordnung von Aufträgen zu PS-Objekten?

- Sie können die Auftragstermine mit den Projektterminen koppeln, d. h., eine Projektverschiebung führt automatisch zu einer Auftragsverschiebung.
- Sie können über eine aktive Verfügbarkeitskontrolle überprüfen, ob für die Durchführung der Maßnahme noch ausreichend Budget vorhanden ist. Nähere Informationen hierzu finden Sie in Abschnitt 7.3.4, »Budgetierung über PSP-Elemente«.
- Sie können in SAP Projektsystem die Projekte inklusive aller zugeordneten Aufträge gemeinsam auswerten.

Zusammenfassung zu SAP Projektsystem

Was lässt sich zusammenfassend zur projektorientierten Instandhaltung auf der Basis von SAP Projektsystem sagen?

- Mit den operativen Objekten des Projektsystems (PSP-Elemente, Netzpläne) in Verbindung mit Aufträgen können Sie größere Instandhaltungsprojekte planen und steuern.

- Sie können auch einzelne Aufträge den PSP-Elementen oder Netzplänen zuordnen, wenn die Instandhaltung Arbeiten im Rahmen eines anderen Projekts leistet.
- Die Zuordnung nehmen Sie entweder einzeln oder unter Zuhilfenahme der Transaktion ADPMPS vor.
- Durch die Zuordnung ergeben sich Integrationsfunktionen wie die Budgetverfügbarkeitskontrolle, Terminbindung usw.

Externe Projekt-Tools

Zur Planung und Abwicklung von Instandhaltungsprojekten können Sie auch die Schnittstelle zur Stillstandsplanung mit externen Projektsystemen nutzen. Die Schnittstelle verbindet das SAP-System mit externen Projektsystemen (z. B. Primavera P3 oder MS Project).

5.13.2 Der Maintenance Event Builder

Was ist der MEB?

Der Maintenance Event Builder (MEB) war zunächst Bestandteil der Branchenlösung SAP for Aerospace & Defense und wurde später für alle Anwenderfirmen zur Verfügung gestellt. Mit dem MEB können Sie kleinere Instandhaltungsprojekte in Form einzelner Arbeitspakete planen. Sie starten den MEB über die Transaktion WPS1. Beim MEB handelt es sich technisch um eine Workbench, die Sie bei der Durchführung der folgenden Aufgaben unterstützt:

- Sie überprüfen den Arbeitsvorrat an Meldungen (Backlog).
- Sie bündeln die Meldungen zu Revisionen.
- Sie erzeugen aus den Meldungen Aufträge.
- Sie ordnen die Aufgaben zu.
- Sie lassen sich diverse Informationen anzeigen, wie z. B. offene Arbeitsbedarfe, Fälligkeitstermine, Aufträge usw.
- Sie überprüfen die Verfügbarkeitssituation der Ressourcen.

Die Bearbeitung der Arbeitspakete vollziehen Sie in bis zu fünf Schritten (siehe Abbildung 5.229):

Der MEB erlaubt Ihnen, die anstehenden Meldungen zu selektieren und nach verschiedenen Kriterien (z. B. Priorität, Bezugsobjekt und verantwortlichem Arbeitsplatz) zu gruppieren ❶. Die Meldungen können, aber müssen nicht zu diesem Zeitpunkt bereits einer Revision zugeordnet sein.

Zusammen mit den Anlagenverantwortlichen aus der Produktion (z. B. Betriebsingenieur, Produktionsmeister, Arbeitsvorbereitung) suchen Sie gemeinsam nach geeigneten Zeitfenstern (Maintenance Events), zu denen die Anlage für Instandhaltungsmaßnahmen freigegeben werden kann. Für diese Zeitfenster legen Sie im MEB in der Sektion **Revisions-Arbeitsbereich** über den Button [□] sogenannte Revisionen an ❷. Revisionen haben Beginn- und Endetermine und verfügen über eine Statusverwaltung (z. B. eröffnet, freigegeben, Zuordnungen vorhanden usw.), siehe Abbildung 5.230.

❶	**Arbeitsvorrat prüfen**	▪ Selektieren aller offenen Meldungen, die zur Bearbeitung anstehen ▪ Gruppierung der Meldungen (z. B. nach Priorität, Objekt, Ressourcen)
❷	**Revisionen definieren**	▪ Suche nach geeigneten Zeitpunkten (»Maintenance Events«) ▪ Anlegen von Revisionen im MEB
❸	**Arbeitspakete definieren**	▪ Zuordnen der Meldungen zu einem Maintenance Event auf Basis von Kriterien (z. B. nach Priorität, Objekt, Ressourcen)
❹	**Aufträge erzeugen**	▪ Erzeugen von Aufträgen aus Meldungen ▪ Zuordnen von vorhandenen Aufträgen zum Arbeitspaket
❺	**Kapazitäten prüfen**	▪ Vergleich des Kapazitätsbedarfs des Arbeitspaketes mit dem Kapazitätsangebot der Ressourcen

Abbildung 5.229 Ablauf im Maintenance Event Builder

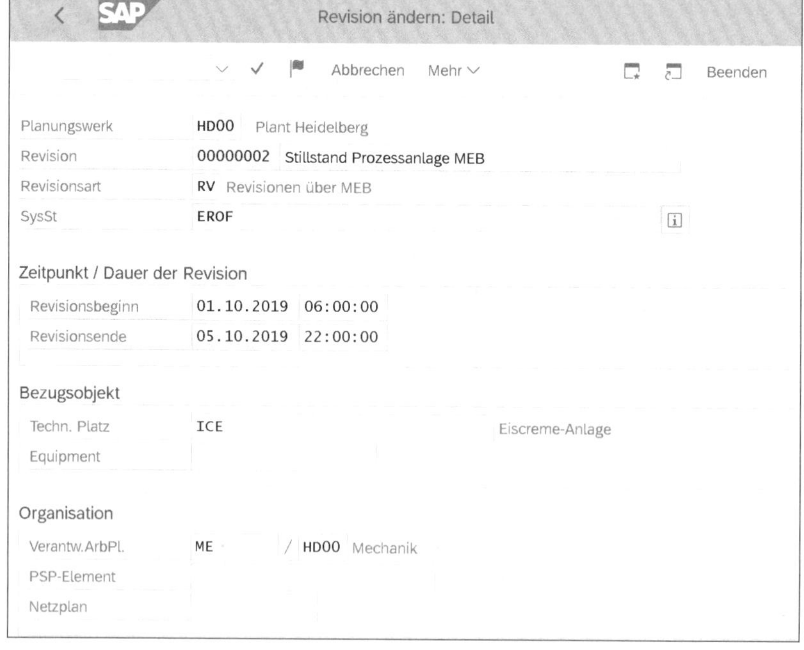

Abbildung 5.230 Revision

In der MEB Workbench können Sie sich verschiedene Sichten anzeigen lassen: Abbildung 5.231 zeigt im oberen Teil die Meldungssicht und im unteren Teil die Revisionssicht. Weitere Sichten können z. B. die Arbeitsplatzsicht, die Auftragssicht oder die Objektsicht sein.

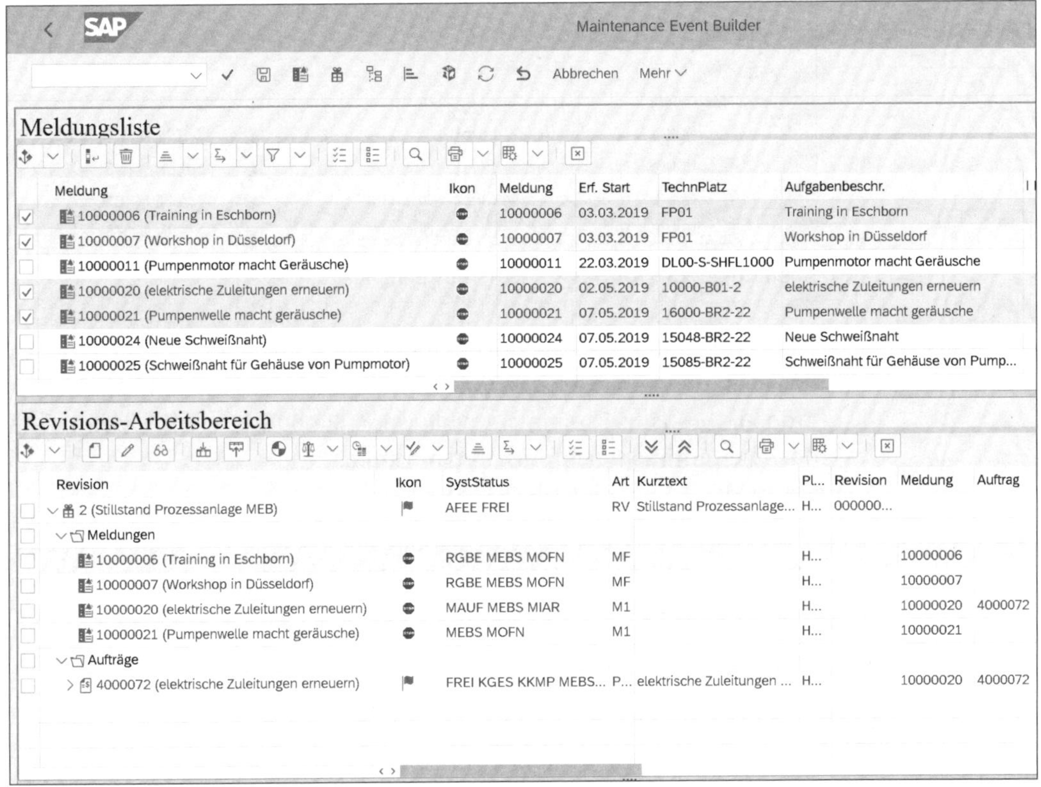

Abbildung 5.231 MEB Workbench

Arbeitspakete definieren

Nun bilden Sie die Arbeitspakete, indem Sie aus dem Arbeitsvorrat die abzuarbeitenden Meldungen per Drag & Drop einer Revision zuordnen ❸. Zu diesem Zeitpunkt könnten Sie dann schon Simulationsaufträge anlegen, um z. B. die Kapazitätsauslastung zu prüfen.

Aufträge anlegen

Anschließend legen Sie die Aufträge an ❹. Falls eine zugeordnete Meldung bereits einen Auftrag hatte, wird dieser ebenfalls dem Arbeitspaket zugeordnet. Für alle anderen bietet Ihnen der MEB die Möglichkeit, aus allen einem Arbeitspaket zugeordneten Meldungen über den Button [icon] auf einmal Aufträge zu erzeugen (siehe Abbildung 5.232). Diese Aufträge erhalten den Status MEB, damit Sie sie von den anderen Aufträgen unterscheiden können. Wenn Sie eine Meldung wieder aus einem Arbeitspaket entfernen, erhalten die automatisch erzeugten Aufträge eine Löschvormerkung (Status LÖVM).

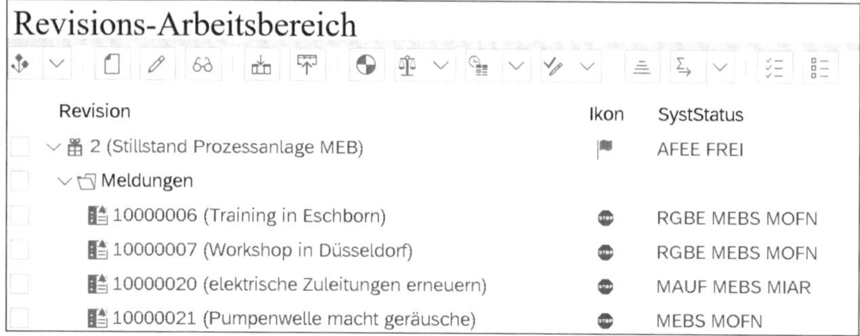

Abbildung 5.232 Aufträge zu einem Arbeitspaket anlegen

Integration mit PS Zu diesem Zeitpunkt könnten Sie die Aufträge über den Button auch den operativen Objekten des Projektsystems (PSP-Elemente, Netzpläne) zuordnen. Dies ist z. B. dann sinnvoll, wenn Sie Budgetrestriktionen haben oder die Termine synchronisieren möchten.

Ressourcen prüfen Die Ressourcensicht des MEB ermöglicht Ihnen einen schnellen Überblick über die Kapazitätssituation der beteiligten Arbeitsplätze. Sind die Arbeitsplätze im Zeitraum eines Arbeitspakets bereits ausgelastet, oder sind noch freie Kapazitäten für weitere Aufträge vorhanden ❺?

Business Function Damit Sie den MEB nutzen können, müssen die Business Functions LOG_EAM_POM und LOG_EAM_POM_2 aktiviert sein.

Zusammenfassung zum Maintenance Event Builder Was ist das Besondere am MEB?

- Der MEB erlaubt Ihnen die Planung von kleineren Instandhaltungsprojekten (Maintenance Events).
- Mit dem MEB können Sie die meisten benötigten Planungsschritte von einer einzigen Transaktion aus durchführen.
- Auf der Basis der Absprache mit den Anlagenbetreibern und auf der Basis der Planungen im MEB können Sie die Durchführung der Instandhaltungsmaßnahmen einigermaßen sicherstellen und einen mehrfachen Anlagenstillstand vermeiden.
- Die aus dem MEB heraus erzeugten Aufträge können Sie mit PSP-Elementen und Netzplänen verknüpfen.

Kapitel 6
Integration der Anwendungen anderer Fachbereiche

Die Instandhaltung steht in ständigem Austausch mit anderen Fachbereichen des Unternehmens. Dies spiegelt sich im SAP-System in einer breiten und tiefen Integration der Instandhaltung mit den Anwendungen wider, die von den anderen Fachbereichen eingesetzt werden. Dieses Kapitel zeigt die Integration von EAM mit anderen Applikationen innerhalb des SAP-ERP-Systems, mit anderen SAP-Systemen sowie mit Nicht-SAP-Systemen.

Die Instandhaltung ist ein Servicebereich Ihres Unternehmens und arbeitet deshalb bei der Abwicklung ihrer Geschäftsprozesse eng mit den anderen Fachbereichen des Unternehmens zusammen. Diese Geschäftsprozesse machen dabei nicht an Abteilungsgrenzen und somit auch nicht an Systemgrenzen halt. Um die geforderten Leistungen erbringen zu können, ist es notwendig, dass ein permanenter Informationsaustausch zwischen den Applikationen und Systemen stattfindet, die von den anderen Fachbereichen eingesetzt werden. Dabei müssen Informationen aus der Instandhaltung in die anderen Unternehmensbereiche fließen und umgekehrt.

6.1 Wie andere Fachbereiche berührt werden

Fragen rund um die Integration

Wenn es darum geht, wie die Anwendungen anderer Fachbereiche mit SAP S/4HANA Asset Management integriert werden können, sind mehrere Fragen zu beantworten:

- Mit welchen Fachbereichen ist möglicherweise ein Informationsaustausch notwendig?
- Wie sind diese Fachbereiche in die Geschäftsprozesse der Instandhaltung eingebunden?
- Welche Informationen müssen ausgetauscht werden?
- In welche Richtung läuft der Informationsfluss? Fließen die Informationen von der Instandhaltung zu einem anderen Fachbereich, benötigt die

Instandhaltung umgekehrt Informationen von anderen Abteilungen, oder müssen wechselseitig Informationen ausgetauscht werden?

- Welche Systeme werden für den Informationsaustausch genutzt? Handelt es sich um eine Integration innerhalb von SAP S/4HANA, oder werden Daten von einem anderen SAP-System oder von einem Nicht-SAP-System benötigt?

In Abschnitt B.3 finden Sie in Tabellenform eine detaillierte Übersicht über die Wechselbeziehungen von SAP S/4HANA Asset Management mit den einzelnen Fachbereichen – ohne Anspruch auf Vollständigkeit.

[!]

Sehr vielfältige Integration

Die Erfahrung aus zahlreichen Unternehmensprojekten hat gezeigt, dass die Geschäftsprozesse zu unterschiedlich und die eingesetzten Systemlandschaften zu vielschichtig sind, als dass eine vollständige Liste aller Berührungspunkte und eingesetzten Systeme aufgestellt werden könnte.

Die erwähnte Tabelle gibt Ihnen jedoch einen Anhaltspunkt dazu, wie differenziert und vielfältig sich die Interaktion der Instandhaltung mit anderen Fachbereichen darstellt.

Im Folgenden erläutere ich detailliert die Umsetzung der Integration von SAP S/4HANA Asset Management:

- die Integration von SAP S/4HANA Asset Management innerhalb von SAP S/4HANA
- die Integration von SAP S/4HANA Asset Management mit anderen SAP-Systemen
- die Integration von SAP S/4HANA Asset Management mit Nicht-SAP-Systemen

6.2 Integration innerhalb von SAP S/4HANA

SAP S/4HANA ist ein hochintegriertes System. Wie genau passende Puzzlesteine fügen sich die Teile innerhalb von SAP S/4HANA aneinander (siehe Abbildung 6.1).

Dieser Abschnitt geht auf die wichtigsten Integrationspunkte von SAP S/4HANA Asset Management innerhalb von SAP S/4HANA ein. Ich zeige Ihnen hier, wie sich diese Integration darstellt und wie Sie sie ausgestalten können.

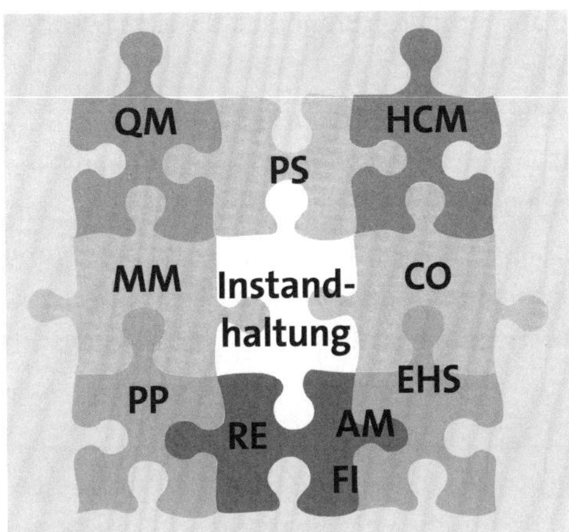

Abbildung 6.1 Integration der Komponenten von SAP S/4HANA

[!]

Im Mittelpunkt: Controlling und Materialwirtschaft

Eines vorweg: Am wichtigsten für die Instandhaltung ist die Integration von SAP S/4HANA Asset Management mit dem Controlling (CO) und der Materialwirtschaft (MM).

Lassen Sie uns mit einem der wichtigsten Aspekte beginnen: der Integration von SAP S/4HANA Asset Management in die Materialwirtschaft.

6.2.1 Materialwirtschaft

Die folgenden Berührungspunkte von Instandhaltung und Materialwirtschaft habe ich Ihnen in den vorangegangenen Kapiteln bereits vorgestellt – sie sollen deshalb an dieser Stelle nur kurz rekapituliert werden:

- **Reservierungen**
  In Abschnitt 5.2.2, »Planung«, habe ich aufgezeigt, dass automatisch eine Reservierung ausgelöst wird, wenn Sie in Ihrem Auftrag ein Lagermaterial bzw. eine Komponente mit dem Positionstyp L planen.
- **Bestellanforderungen aus Nichtlagermaterial**
  Im selben Abschnitt habe ich auch beschrieben, dass automatisch eine Bestellanforderung erzeugt wird, wenn Sie in Ihrem Auftrag eine Nichtlagerposition bzw. eine Komponente mit dem Positionstyp N planen.
- **Bestellanforderung aus Fremdleistungen als Einzelbestellung**
  In Abschnitt 5.5.2, »Fremdleistungen als Einzelbestellung«, wurde dargestellt, dass automatisch eine Bestellanforderung generiert wird, wenn Sie in Ihrem Auftrag eine Fremdleistung als Einzelbeauftragung planen,

indem Sie einen entsprechend ausgeprägten Steuerschlüssel verwenden (z. B. PM02).

- **Bestellanforderung aus Fremdleistung mit Leistungsverzeichnis**
  In Abschnitt 5.5.4, »Fremdleistungen mit Leistungsverzeichnissen«, haben Sie erfahren, dass automatisch eine Bestellanforderung generiert wird, wenn Sie in Ihrem Auftrag eine Fremdleistung als Beauftragung über ein Leistungsverzeichnis planen, indem Sie einen entsprechend ausgeprägten Steuerschlüssel verwenden (z. B. PM03) und die notwendigen Leistungen planen.
- **Verfügbarkeitsprüfung**
  In Abschnitt 5.2.3, »Steuerung«, habe ich erläutert, dass Sie für Ihre geplanten Lagermaterialen eine dynamische Verfügbarkeitsprüfung durchführen können. Hiermit können Sie feststellen, ob Ihr Auftrag zum geplanten Termin realisierbar ist oder nicht.

[!]

Alleinstellungsmerkmal: Verfügbarkeitsprüfung

Eine dynamische Verfügbarkeitsprüfung ist ein Alleinstellungsmerkmal eines integrierten Systems wie SAP S/4HANA gegenüber Nicht-SAP-Instandhaltungssystemen. Denn hierzu wird die Information benötigt, ob zu dem geplanten Material Dispositionselemente vorliegen, wie z. B. die im Folgenden aufgeführten:

- geplante Abgänge aus Reservierungen (auch Reservierungen für Nichtinstandhaltungsaufträge wie z. B. Fertigungsaufträge oder Reservierungen für Kostenstellen)
- geplante Abgänge aus Verkaufsbedarfen
- geplante Abgänge aus Sekundärbedarfen
- geplante Zugänge aus Bestellungen
- geplante Zugänge aus Bestellanforderungen
- geplante Zugänge aus Planaufträgen
- geplante Zugänge aus Fertigungsaufträgen
- geplante Zugänge aus Lieferavis

Es handelt sich hierbei um Informationen aus der Bestandsführung, aus dem Einkauf, aus der Fertigung, aus dem Vertrieb, aus der Projektabwicklung und aus anderen Bereichen, die Bedarf an demselben Material haben. Eine solche Funktion kann nur ein integriertes System leisten. Stand-alone-IPS-Systeme wie DIVA, Maximo oder andere Systeme mögen zwar Schnittstellen zu SAP S/4HANA haben, doch handelt es sich hier ausschließlich um Batch-Schnittstellen, die lediglich in der Lage sind, Informationen eingleisig und nicht zeitnah abzusetzen (z. B. Übertragung einer Reservierung).

- **Ist-Kosten aus Leistungsabnahmen**
  In Abschnitt 5.5.4, »Fremdleistungen mit Leistungsverzeichnissen«, habe ich dargelegt, dass bei der Abnahme von Leistungen über Leistungserfassungsblätter Ist-Kosten im Auftrag ausgewiesen werden.
- **Ist-Kosten aus Wareneingängen zu Fremdleistungen**
  In Abschnitt 5.5.2, »Fremdleistungen als Einzelbestellung«, habe ich verdeutlicht, dass bei der Erfassung des Wareneingangs zu einer Bestellung von Fremdleistungen Ist-Kosten im Auftrag ausgewiesen werden, wenn bei der Bestellung das Kennzeichen **Wareneingang bewertet** gesetzt ist.
- **Ist-Kosten aus Rechnungseingängen zu Fremdleistungen**
  Auch haben Sie in Abschnitt 5.5.2, »Fremdleistungen als Einzelbestellung«, erfahren, dass bei der Erfassung des Rechnungseingangs zu einer Bestellung das Wareneingangs-/Rechnungseingangs-Verrechnungskonto (WE/RE-Verrechnungskonto) wieder aufgelöst wird und der Auftrag mit den effektiv in Rechnung gestellten Ist-Kosten belastet wird.
- **Wareneingänge und Rechnungseingänge zu Fremdmaterial**
  Hier gilt dasselbe wie beim vorangehenden Punkt.
- **Ist-Kosten aus Warenentnahmen**
  In Abschnitt 5.2.4, »Abwicklung«, habe ich Ihnen gezeigt, wie Sie auf einen Auftrag geplant und ungeplant Material entnehmen können. Diese Entnahmen führen zu entsprechenden Ist-Kosten im entsprechenden Auftrag.
- **Bestandsführung von Equipments**
  In Abschnitt 4.2.2, »Equipments und Serialnummern«, habe ich beschrieben, dass Sie mithilfe der Materialserialnummer Equipments bestandsmäßig führen können und welche Voraussetzungen im Equipmentstamm und im Materialstamm hierzu notwendig sind.
- **Aufarbeitung von Reserveteilen**
  In Abschnitt 5.6, »Der Geschäftsprozess ›Aufarbeitung‹«, habe ich dargelegt, wie Sie mit dem Prozess der Aufarbeitung aus defekten Reserveteilen wieder funktionsfähige Reserveteile machen können – unter anderem ging es dabei darum, wie sich die Entnahme der defekten Reserveteile und die Rückgabe der funktionsfähigen Reserveteile darstellt und wie getrennte Bestände zu führen sind.
- **Subcontracting**
  In Abschnitt 5.7, »Der Geschäftsprozess ›Subcontracting‹«, habe ich dargelegt, wie Sie mit dem Prozess der Lohnbearbeitung aus defekten Reserveteilen unter Zuhilfenahme von Dienstleistern wieder funktionsfähige

Reserveteile machen können – unter anderem habe ich Ihnen dabei gezeigt, wie sich der Versand der defekten Reserveteile und der Wareneingang der funktionsfähigen Reserveteile darstellen.

[+]

MM-Transaktionen sind nur die zweitbeste Lösung

Sie können Einkaufsbelege (Bestellanforderungen, Bestellungen) auch mit den Transaktionen der Materialwirtschaft (z. B. ME51N oder ME21N) erfassen und auf den Auftrag kontieren. Aber: Die so entstehenden Kosten werden erst als Ist-Kosten in den Aufträgen sichtbar. Dadurch unterlaufen sie womöglich Budgetprüfungen. Daher sollten die Beschaffungsvorgänge immer aus Aufträgen heraus angelegt werden.

Lassen Sie mich nun auf einige weitere Aspekte der Integration von SAP S/4HANA Asset Management mit der Materialwirtschaft eingehen. Wir beginnen mit *dem* zentralen Element der gesamten Logistik: dem Materialstamm.

Der Materialstamm

Ersatzteilverwaltung

Von Anwendern bin ich schon häufiger gefragt worden, ob denn SAP S/4HANA Asset Management eine eigene Ersatzteilverwaltung habe oder ob es sich hierbei um dieselben Teile wie in MM handele. Die Antwort lautet: ja und nein.

Die Materialstämme, die in SAP S/4HANA verwaltet werden, werden von allen Bereichen der Logistik genutzt: von der Bestandsführung, vom Einkauf, von der Produktion, vom Vertrieb, von der Projektabwicklung und eben auch von der Instandhaltung. Dass man gerne eine eigene Ersatzteilverwaltung hätte, hat meistens innerbetriebliche organisatorische Gründe, z. B. dass die Hoheit über den Materialstamm beim Lager oder beim Einkauf liegt. Hier können Sie aber Abhilfe schaffen.

[!]

Eigene Materialart für Ersatzteile

Um eine Ersatzteilverwaltung zu schaffen, legen Sie im Customizing für die Ersatzteile eine eigene Materialart an (z. B. ERSA (Ersatzteile) oder MAZE (Maschinenzubehör- und Ersatzteile) und übertragen die Verantwortung für Materialstämme dieser Materialart auf die Instandhaltung.

Das Anlegen einer eigenen Materialart bietet Ihnen unter anderem die folgenden Vorteile:

- Sie können getrennte Berechtigungen vergeben.
- Sie können einen eigenen Nummernkreis verwenden.
- Sie können einen eigenen Bildschirmaufbau definieren.
- Sie können die Feldauswahl selbst festlegen.
- Sie können spezielle Bestands- und Verbrauchskonten ansteuern.
- Sie können eine eigene Mengen- und Wertfortschreibung definieren.
- Sie können nach der eigenen Materialart selektieren.

Abbildung 6.2 zeigt, wie sich eine eigene Materialart im SAP-System darstellt.

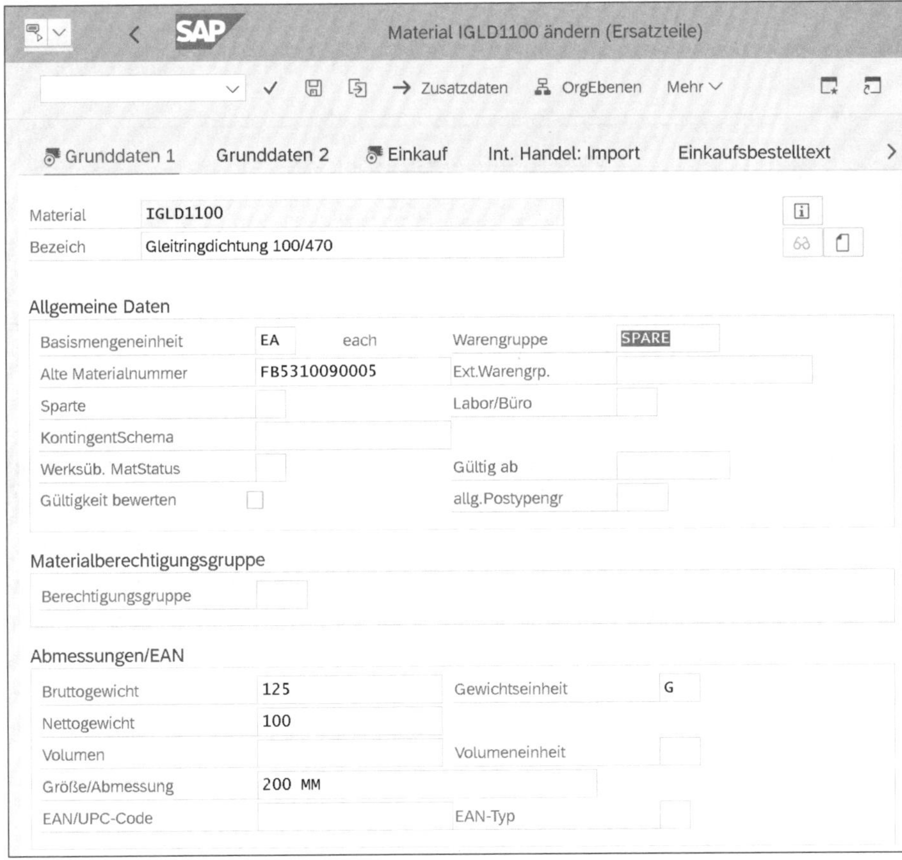

Abbildung 6.2 Materialart für Ersatzteile

Die Materialdisposition

Bestellpunktverfahren

Das gängigste Verfahren zur Disposition von Ersatzteilen ist das sogenannte Bestellpunktverfahren (siehe Abbildung 6.3).

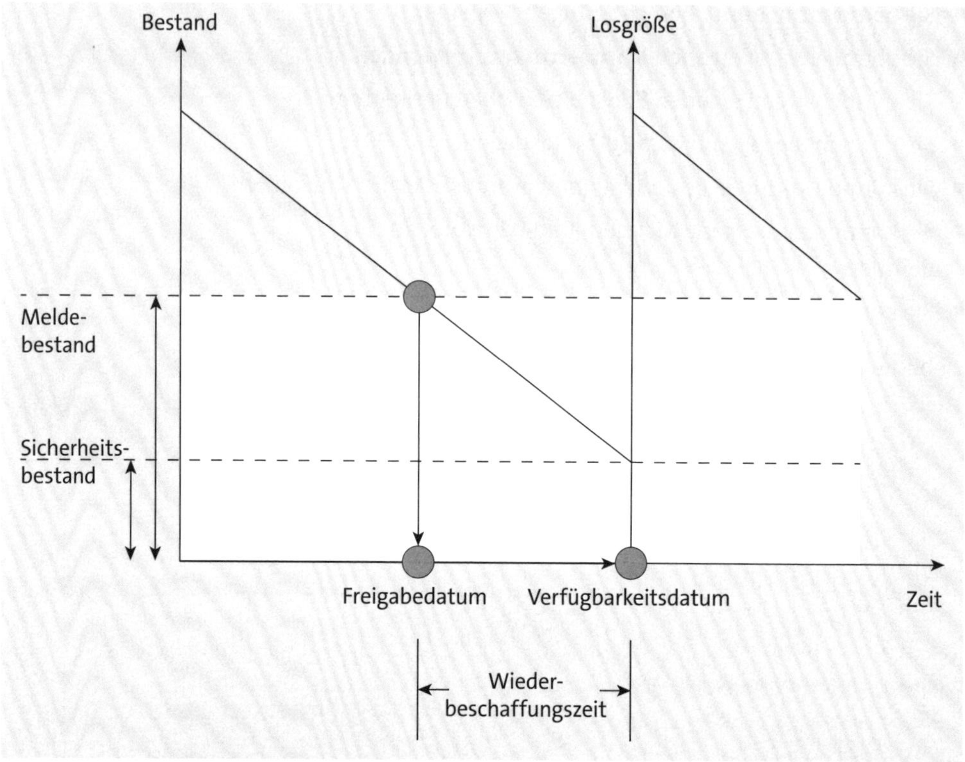

Abbildung 6.3 Bestellpunktverfahren

Die Grundlage des Bestellpunktverfahrens ist der Vergleich des verfügbaren Lagerbestands und der festen Zugänge mit dem Meldebestand. Ist der verfügbare Lagerbestand kleiner als der Meldebestand, wird die Beschaffung angestoßen.

Die Höhe des Meldebestands orientiert sich am zu erwartenden durchschnittlichen Materialbedarf während der Wiederbeschaffungszeit sowie am Sicherheitsbestand. Dementsprechend müssen bei der Festlegung des Meldebestands die folgenden Werte berücksichtigt werden:

- der Sicherheitsbestand
- der bisherige Verbrauch bzw. der erwartete zukünftige Bedarf
- die Wiederbeschaffungszeit

Der Sicherheitsbestand hat die Aufgabe, sowohl den ungeplanten Materialmehrverbrauch während der Wiederbeschaffungszeit als auch den Zusatzbedarf bei Lieferverzögerungen abzudecken.

Dispositionsmerkmal VB

Zu diesem Zweck beinhaltet SAP S/4HANA in der Standardauslieferung das Dispositionsmerkmal VB (manuelle Bestellpunktdisposition). Ein Nachteil bei der Verwendung dieses Dispositionsmerkmals besteht jedoch darin, dass es lediglich einen Vergleich von tatsächlichem Lagerbestand und Meldebestand durchführt. Dies bedeutet, dass das SAP-System erst dann eine Nachbeschaffung anstößt, wenn Sie durch eine Lagerentnahme den Meldebestand unterschreiten. Wenn Sie hingegen durch eine in der Zukunft liegende Reservierung den Meldebestand unterschreiten, hat dies keine Auswirkungen, da kein Beschaffungsvorgang angestoßen wird. In der Konsequenz sind womöglich zu dem Zeitpunkt, zu dem Sie die Teile aus dem Lager holen möchten, nicht genügend Teile vorhanden.

[!]

Eigenes Dispositionsmerkmal für die Instandhaltung

Legen Sie sich ein eigenes Dispositionsmerkmal (z. B. V1 = manuelle Bestellpunktdisposition mit Berücksichtigung externer Bedarfe) an, und ordnen Sie es der Materialart *Ersatzteile* zu. Dieses Dispositionsmerkmal sorgt dafür, dass Ihre Reservierungen aus Instandhaltungsaufträgen bei der Disposition berücksichtigt und rechtzeitig Beschaffungsvorgänge angestoßen werden.

Customizing

Dispositionsmerkmale pflegen Sie mithilfe der Customizing-Funktion **Dispositionsmerkmale überprüfen** (siehe Abbildung 6.4). Setzen Sie dort den Schalter **Inkl. ext. Bedarf** auf 2 (externe Bedarfe innerhalb der Wiederbeschaffungszeit), und aktivieren Sie die Einstellung **IH-/NP-Reservier.**.

Dispomerkmal	V1	Man. Bestellp. m. ext. Bedarf
Dispoverfahren	B	Bestellpunktdisposition

Steuerungsparameter

Fixierungsart		
RollForward		Fixierte Planaufträge nicht löschen
Regelmäßig Dispon.	☐	
Inkl. ext. Bedarf	2	Externe Bedarfe innerhalb der Wiederbeschaffungszeit

Zusätzliche externe Bedarfe bei Bestellpunktdisposition

Lohnbearbeit.	☐	AuftrReservierung	☐	IH-/NP-Reservier.	☑
Abruf zur UmlagBest.	☐	BestellanfordAbruf	☐	Lieferplan-Abruf	☐

Abbildung 6.4 Dispositionsmerkmal

Materialstamm

Die Zuordnung nehmen Sie dann im Materialstamm in der Bildgruppe **Dispoverfahren** pro Werk vor (siehe Abbildung 6.5).

Abbildung 6.5 Feldgruppe »Dispoverfahren« im Materialstamm

Handling Unit Management

Definition

Eine *Handling Unit* ist eine physische Einheit aus Packmitteln und den darauf/darin gelagerten Materialien. Eine Handling Unit hat eine eindeutige Identifikationsnummer, über die die Daten zur Handling Unit abgerufen werden können. Die Packmittel setzen sich aus Ladungsträger (Paletten, Gitterboxen, Kisten, Lkw usw.) und Verpackungsmaterial (Karton, Folie usw.) zusammen (siehe Abbildung 6.6). Handling Units sind schachtelbar, und somit ist es möglich, beliebig oft aus mehreren Handling Units eine neue Handling Unit zu bilden.

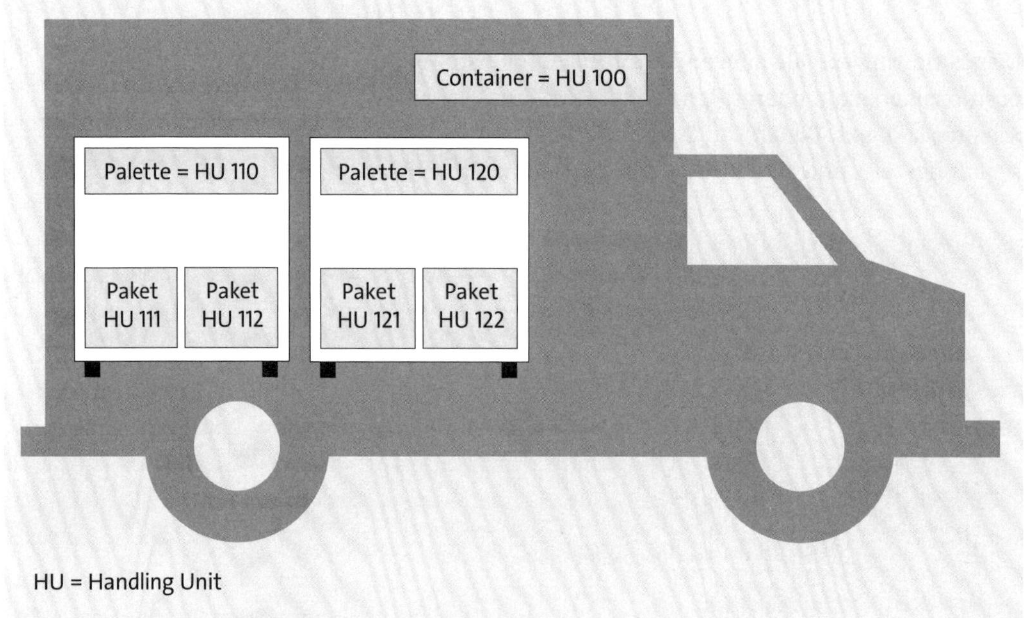

Abbildung 6.6 Handling Unit

Geschäftsprozesse

Im *Handling Unit Management* werden nicht die einzelnen Materialien betrachtet, sondern die Handling Units selbst. Die gemeinsame Einheit für den Material- und Informationsfluss ist die Handling Unit. Ein Geschäftsprozess für eine Handling Unit impliziert im Hintergrund entsprechende

Geschäftsvorfälle für die enthaltenen Materialien und Packmittel. Ein Geschäftsvorfall ersetzt somit die Einzelerfassung mehrerer Materialbewegungen.

Serialnummern

Sie können Serialnummern in Handling Units verwalten bzw. eine Serialnummer einer Handling Unit zuordnen. Bereits beim Anlegen von Handling Units können Sie in den Positionen der Handling-Unit-Materialien mit Serialnummern spezifizieren (siehe Abbildung 6.7).

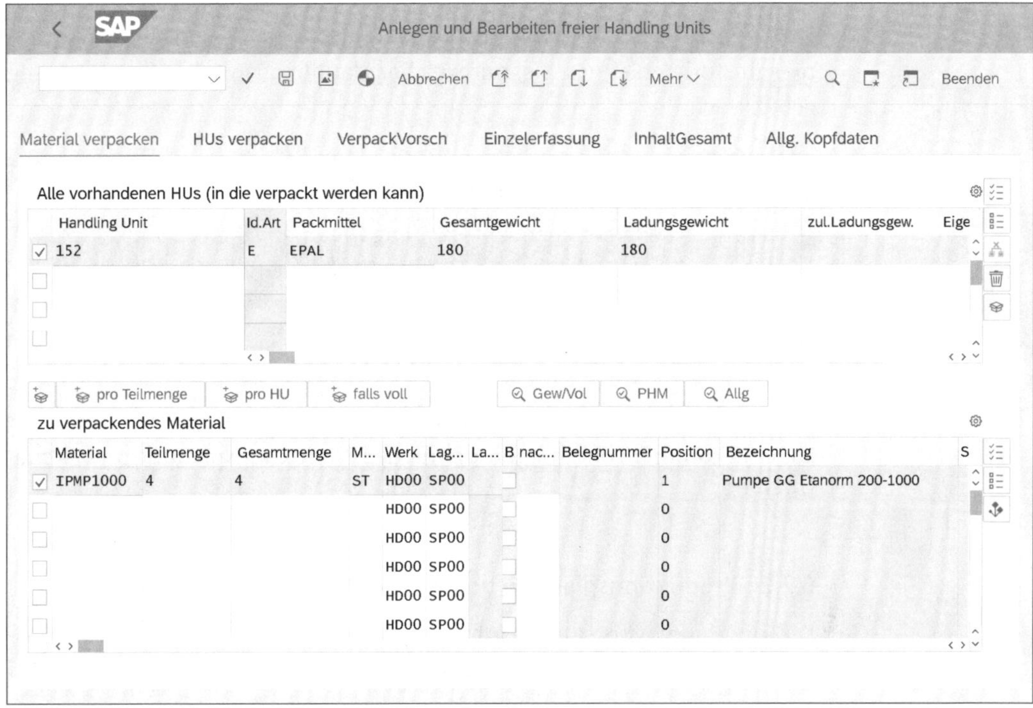

Abbildung 6.7 Serialnummern in Handling Units

Eine Serialnummer kann sich zu einem Zeitpunkt immer nur in maximal einer Handling Unit befinden. Bei der Zuordnung einer Serialnummer zu einer Handling Unit setzt das System im Stammsatz den Status EHUZ. Die Serialnummer kann dann nur in Geschäftsprozessen mit Handling Units verarbeitet werden.

Voraussetzung

Um Serialnummern in Handling Units verwenden zu können, müssen Sie im Customizing mithilfe der Funktion **Serialnummernprofile festlegen** ein Serialnummernprofil anlegen, dem Sie den Serialisierungsvorgang HUSL zuordnen. Dieses Serialnummernprofil tragen Sie im Materialstammsatz der Serialnummer ein.

Warenausgang Wenn Sie den Warenausgang einer Handling Unit buchen, werden die Serialnummern der Handling Unit in den Materialbeleg kopiert, und das SAP-System nimmt im Stammsatz der Serialnummern den Systemstatus EHUZ zurück. In der Serialnummernhistorie sehen Sie, mit welcher Handling Unit der Warenausgang gebucht wurde.

Wareneingang Wenn Sie den Wareneingang einer Handling Unit auf einen Handling-Unit-pflichtigen Lagerort buchen, werden auch hier die Serialnummern der Handling Unit in den Materialbeleg kopiert. Das SAP-System setzt im Stammsatz der Serialnummern den Systemstatus EHUZ. In der Serialnummernhistorie erkennen Sie, mit welcher Handling Unit der Wareneingang gebucht wurde.

[!]

Handling Units können Serialnummern aufnehmen

Sie können Serialnummern auf Handling Units verwalten bzw. eine Serialnummer einer Handling Unit zuordnen. Ein Geschäftsvorfall mit Handling Units (z. B. Warenausgang, Wareneingang) ersetzt somit die Einzelerfassung mehrerer Materialbewegungen.

Lassen Sie mich nun zu einem anderen Integrationsaspekt innerhalb der Logistik kommen: der Integration mit der Produktionsplanung und -steuerung (PP).

6.2.2 Produktionsplanung und -steuerung

Die Integration von SAP S/4HANA Asset Management mit PP (Produktionsplanung und -steuerung) beinhaltet vier Aspekte:

- Sie können über den Stammsatz eines technischen Objekts eine Querreferenz zum Arbeitsplatz als PP-Ressource herstellen.
- Sie können geplante Instandhaltungsaufträge in der PP-Plantafel sichtbar machen.
- Mithilfe von PP-Aufträgen stellen Sie Ersatzteile selbst her.
- Der Instandhaltungsarbeitsplatz nimmt im Rahmen von PP-Aufträgen bestimmte Vorgänge oder Unteraufträge wahr.

Der Arbeitsplatz

Im Stammsatz eines technischen Objekts – sowohl beim Technischen Platz als auch beim Equipment – finden Sie in der Feldgruppe **Standortdaten** ein Feld **Arbeitsplatz** (siehe Abbildung 6.8).

Standortdaten

Standortwerk	HD00	Plant Heidelberg
Standort		
Raum		
Betriebsbereich		
Arbeitsplatz	PACK1001	HD Verpackungsanlage
ABC-Kennz.		
Sortierfeld		

Abbildung 6.8 Arbeitsplatz im technischen Objekt

Dieses wird häufig missverstanden als der für Instandhaltungsmaßnahmen zuständige Arbeitsplatz. Dies ist aber falsch, denn für diesen Verwendungszweck gibt es das Feld **Verantwortlicher Arbeitsplatz** in der Feldgruppe **Zuständigkeiten**. Das Feld **Arbeitsplatz** ist hingegen als Querreferenz gedacht. Es beantwortet die Frage, welchem PP-Arbeitsplatz, also welcher Kapazitätsressource aufseiten der Produktion, dieser Technische Platz oder dieses Equipment entspricht.

[!]

Arbeitsplatz ist nicht gleich Arbeitsplatz

Durch die Zuordnung eines technischen Objekts zum Arbeitsplatz stellen Sie eine Querverbindung zu PP her. Der verantwortliche Arbeitsplatz ist die für Instandhaltungsmaßnahmen zuständige Werkstatt. Hier besteht eine 1:N-Beziehung: Einem PP-Arbeitsplatz können mehrere technische Objekte zugewiesen werden.

[!]

Keine automatische Berechnung des Kapazitätsangebotes

Die Anzahl der Einzelkapazitäten des PP-Arbeitsplatzes, die eine wesentliche Einflussgröße für die Bestimmung des PP-Kapazitätsangebots darstellt, wird nicht durch die Anzahl der zugeordneten technischen Objekte berechnet.

Die reine Zuordnung eines technischen Objekts zu einem Arbeitsplatz ist also zunächst nur ein Querverweis, der noch keinerlei Reservierung, Kapazitätsbelastung o. Ä. bewirkt, wenn ein Instandhaltungsauftrag für das betreffende technische Objekt ansteht.

Instandhaltungsaufträge in der PP-Plantafel

V… …tzungen Wenn Sie jedoch mit den Instandhaltungsmaßnahmen die Produktionsplanung beeinflussen möchten, müssen zunächst die folgenden Voraussetzungen erfüllt sein:

- Sie ordnen das technische Objekt einem Arbeitsplatz zu (siehe Abbildung 6.8).
- Sie definieren im Customizing mithilfe der Funktion **Anlagenzustände oder Betriebszustände anlegen** einen Betriebszustand, bei dem der Schalter **Belegung durch IH** aktiviert ist (siehe Abbildung 6.9).

Auftrag Wenn Sie Ihren Auftrag in der Produktionsplanung sichtbar machen möchten, setzen Sie im Auftragskopf den entsprechenden Wert im Feld **AnlZust**, wie in Abbildung 6.9 gezeigt.

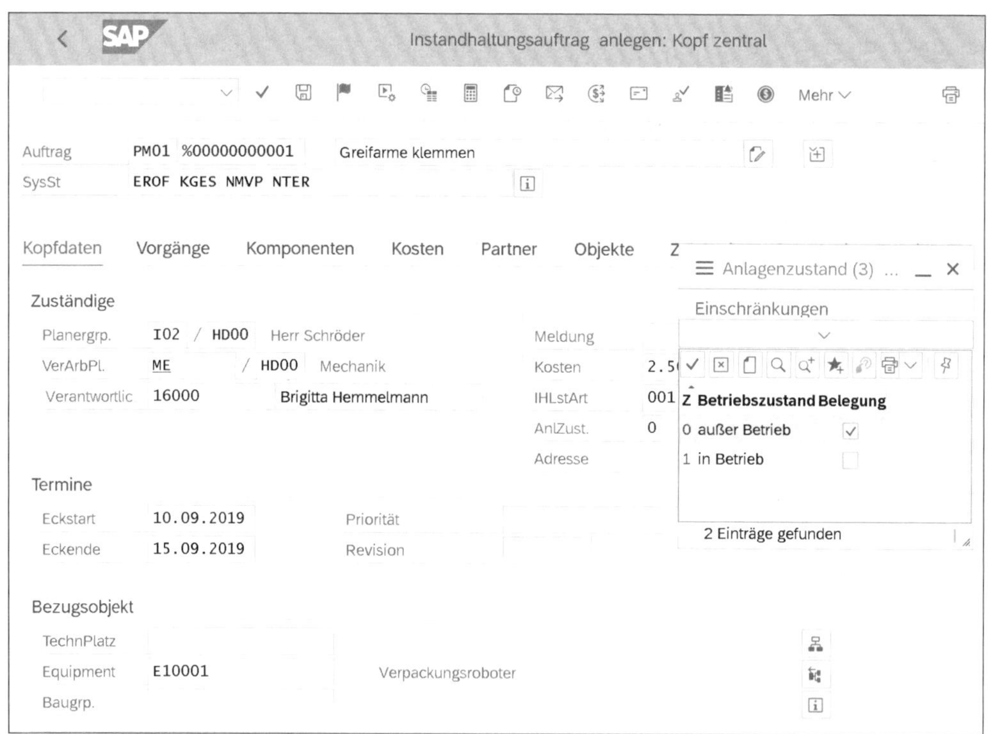

Abbildung 6.9 Kennzeichen »Betriebszustand«

PP-Plantafel Im oberen Teil der Plantafel von PP (Transaktion CM21) werden Ihnen nun die für diese Ressource von der Instandhaltung eingeplanten Aufträge – zusammen mit den Fertigungsaufträgen der Ressource – angezeigt (siehe Abbildung 6.10). Sie finden aber nur die Instandhaltungsaufträge, die einen

Maschinenstillstand erforderlich machen, d. h., bei denen das Anlagenzustandskennzeichen auf **Belegung** gesetzt ist. Andere Instandhaltungsaufträge, die produktionsbegleitend durchgeführt werden können und für die Sie deshalb das Anlagenzustandskennzeichen nicht gesetzt haben, werden in der Plantafel nicht gezeigt.

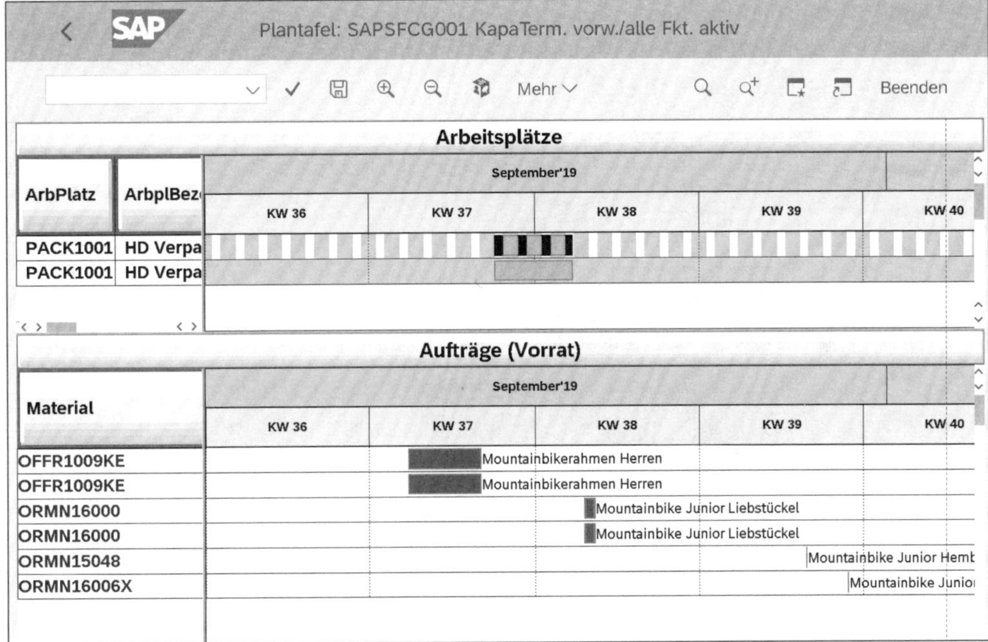

Abbildung 6.10 Transaktion CM21 – Plantafel

[!]

Aufträge aus SAP S/4HANA Asset Management in der Plantafel sichtbar machen

Das Sichtbarmachen von Instandhaltungsaufträgen in der PP-Plantafel dient lediglich als Hinweis an die Produktion, dass die Instandhaltung zu diesem Termin einen Auftrag eingeplant hat. Es findet keine automatische Belastung und schon gar keine Sperrung der PP-Ressource statt. Wenn der Termin aus Sicht der Produktion nicht realisierbar ist, muss eine manuelle Kommunikation zwischen Produktion und Instandhaltung stattfinden.

Der Fertigungsdisponent kann jedoch den Instandhaltungsauftrag nicht aus der PP-Plantafel heraus verändern: Er kann ihn z. B. nicht verschieben, wenn die Produktion die Ressource nicht Aufträge aus SAP S/4HANA Asset Management für Instandhaltungsmaßnahmen freigeben kann.

Eigenfertigung von Ersatzteilen

Ausgangspunkt

Im Rahmen eines Instandhaltungsauftrags werden Ersatzteile benötigt, die nicht fremdbeschafft werden können oder sollen, sondern in Eigenregie entweder von der Instandhaltung oder von der Produktion zu fertigen sind.

Vorgehensweise

Sie richten für das Ersatzteil einen Fertigungsauftrag (Transaktion CO01) ein. Neben der allgemeinen Vorgangs- und Materialplanung tragen Sie anschließend als Abrechnungsvorschrift den Instandhaltungsauftrag ein (siehe Abbildung 6.11).

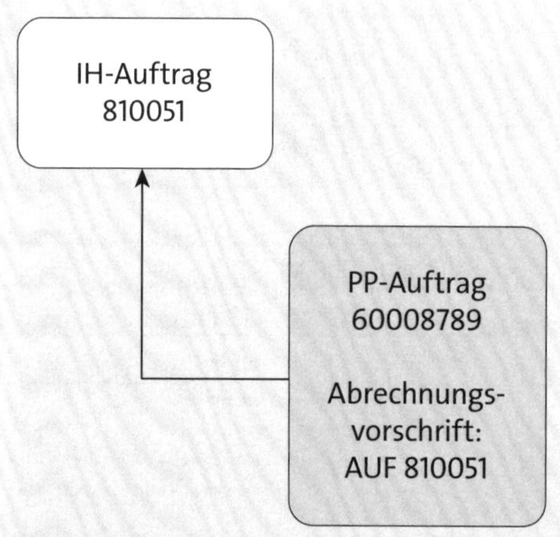

Abbildung 6.11 Fertigungsauftrag an Instandhaltungsauftrag abrechnen

[!]

Fertigungsauftrag auf Instandhaltungsauftrag kontieren

Wenn Sie Ersatzteile selbst fertigen, richten Sie hierzu einen Fertigungsauftrag (Transaktion CO01) ein. Die durch den PP-Auftrag erzeugten Kosten werden im Instandhaltungsauftrag sichtbar. Damit fließen sie in die Abrechnung des Instandhaltungsauftrags ein und werden in der Historie des technischen Objekts ausgewiesen.

Nach der Fertigstellung des Ersatzteils rechnen Sie den Fertigungsauftrag an den Instandhaltungsauftrag ab (Transaktion KO88).

Instandhaltungsleistungen für die Produktion

Ausgangssituation

Die quasi spiegelbildliche Ausgangssituation wäre gegeben, wenn die Instandhaltung im Rahmen von Fertigungsaufträgen Leistungen erbringt, wie Umrüstvorgänge, Umbauten o. Ä.

Sie planen einen Instandhaltungsauftrag und tragen als Abrechnungsvorschrift den Fertigungsauftrag ein (siehe Abbildung 6.12). **Vorgehensweise**

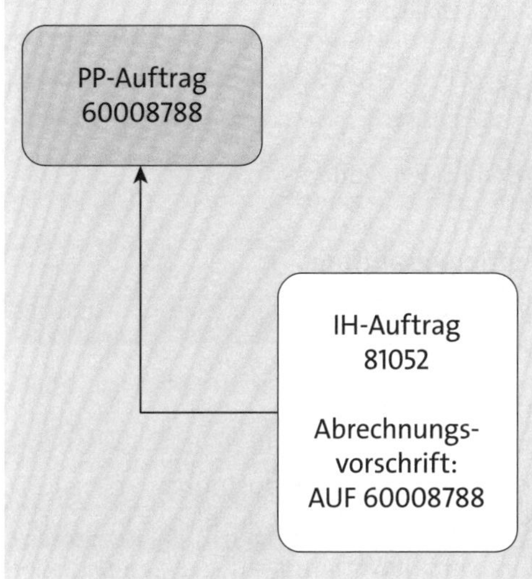

Abbildung 6.12 Instandhaltungsauftrag an Fertigungsauftrag abrechnen

[!]

Instandhaltungsauftrag auf Fertigungsauftrag kontieren

Wenn die Instandhaltung im Rahmen der Produktion Leistungen erbringt, richten Sie einen Instandhaltungsauftrag ein, den Sie auf einen Fertigungsauftrag abrechnen. Nach der Abrechnung des Instandhaltungsauftrags werden die Kosten im Fertigungsauftrag sichtbar und fließen dort in die Nachkalkulation des Produktes ein.

[!]

Immer erst Unteraufträge abrechnen

Achten Sie darauf, dass organisatorisch und systemtechnisch sichergestellt ist, dass zuerst immer der untergeordnete Auftrag abgerechnet und abgeschlossen wird.

Nachdem ich nun schon in mehreren Projekten auf das Thema *Eigenfertigung von Ersatzteilen* gestoßen bin und nach einer Lösung gesucht werden musste, erlauben Sie mir an dieser Stelle einen kleinen Exkurs. Konkret geht es hierbei um die Beantwortung der Frage, welchen Auftragstyp Sie im SAP-System nutzen, wenn Ersatzteile auf Lager gefertigt werden sollen.

6.2.3 Exkurs: Eigenfertigung von Ersatzteilen auf Lager

Für die Durchführung der Eigenfertigung von Ersatzteilen auf Lager gibt es zwei völlig unterschiedliche Lösungsansätze:

- den Fertigungsauftrag
- den Aufarbeitungsauftrag

Diese beiden Möglichkeiten werden im Folgenden vorgestellt.

Ersatzteilfertigung über einen Fertigungsauftrag

Der Ablauf einer Ersatzteilfertigung unter Zuhilfenahme von Fertigungsaufträgen stellt sich wie folgt dar:

- **Materialstamm**
  Benötigt wird ein Materialstamm (z. B. die Materialart ERSA). Besondere Kennzeichen: gleitender Durchschnittspreis, Dispositionsmerkmal PD, um das Ersatzteil automatisch zu disponieren, und die Beschaffungsart E oder X, damit das Ersatzteil durch einen Fertigungsauftrag gefertigt werden kann.
- **Materialstückliste**
  Benötigt wird eine Materialstückliste (Transaktion CS01), die die Komponenten enthält, die für die Herstellung des Ersatzteils erforderlich sind. Besonderes Kennzeichen: Verwendung 1 (Fertigung).
- **Normalarbeitsplan**
  Benötigt wird ein Normalarbeitsplan (Transaktion CA01), der die Arbeitsschritte zur Herstellung des Ersatzteils beinhaltet. Besondere Kennzeichen: Nummer des Arbeitsplans = Materialnummer und Verwendung 1 (Fertigung).
- **Fertigungsauftrag**
  Es wird ein Fertigungsauftrag eingerichtet (Transaktion CO01). Die Auftragsart ist z. B. PP01. Im Auftragskopf muss nur der Endetermin per Hand ausgefüllt werden; alle anderen Daten werden automatisch gesetzt (siehe Abbildung 6.13).
- **Automatische Arbeitsplanauflösung**
  Die Vorgänge werden über eine automatische Arbeitsplanauflösung gebildet.
- **Automatische Stücklistenauflösung**
  Die Komponentenliste wird über eine automatische Stücklistenauflösung gebildet. Dabei werden die benötigten Mengen anhand der Losgröße des Auftrags automatisch berechnet.

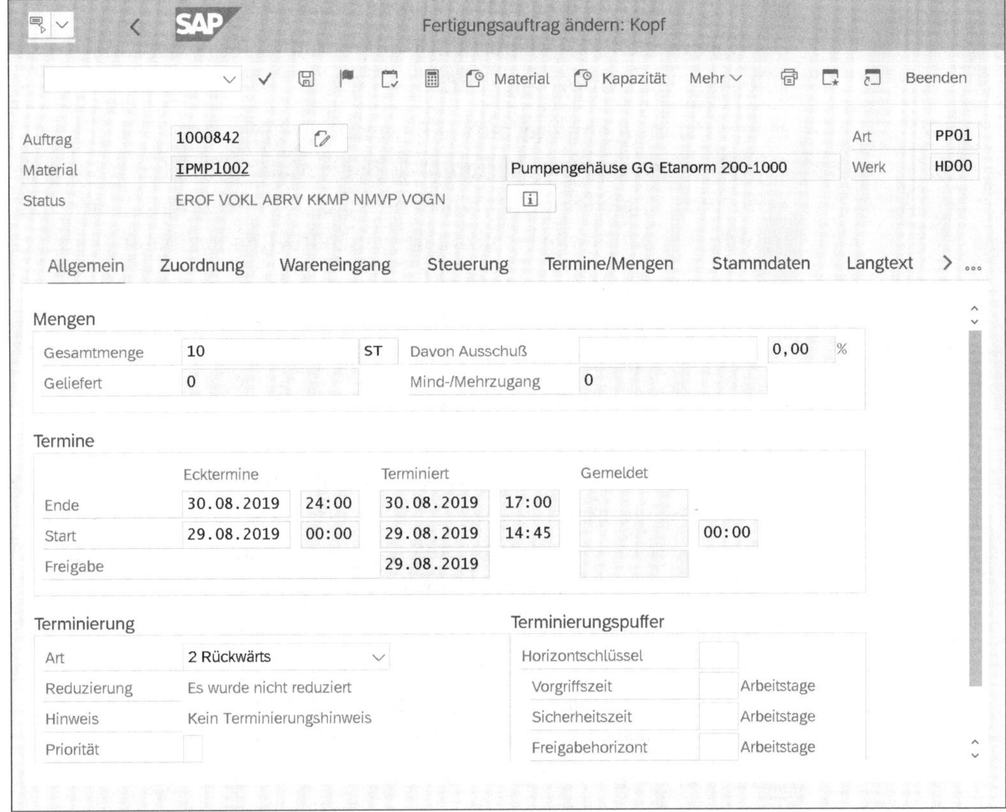

Abbildung 6.13 Fertigungsauftrag

- **Warenentnahme**
  Die Warenentnahme wird wie gewohnt über die Transaktion MIGO durchgeführt.
- **Rückmeldung**
  Die Rückmeldung wird mithilfe einer Fertigungstransaktion durchgeführt, z. B. mit der Transaktion CO1F (Fortschrittsrückmeldung) oder der Transaktion CO15 (Rückmeldung zum Auftrag).
- **Lagerzugang**
  Der Lagerzugang des gefertigten Ersatzteils wird mithilfe der Transaktion MIGO durchgeführt.
- **Auftragsabrechnung**
  Die Abrechnungsvorschrift des Aufarbeitungsauftrags ist das Material. Nach der Auftragsabrechnung (Transaktion KO88) ergibt sich ein neuer gleitender Durchschnittspreis für das Ersatzteil.

Ersatzteilfertigung über einen Aufarbeitungsauftrag

Der Ablauf einer Ersatzteilfertigung unter Zuhilfenahme der Aufarbeitungsaufträge stellt sich wie folgt dar:

Materialstamm ohne getrennte Bewertung
Benötigt wird ein Materialstamm (z. B. die Materialart ERSA). Besonderes Kennzeichen: gleitender Durchschnittspreis. Sie benötigen hier keine getrennte Bewertung wie bei normalen aufzuarbeitenden Materialien.

- **Materialstückliste**
  Benötigt wird eine Materialstückliste (Transaktion CS01), die die Komponenten enthält, die für die Herstellung des Ersatzteils erforderlich sind. Besonderes Kennzeichen: Verwendung 4 (Instandhaltung).
- **Anleitung**
  Benötigt wird eine Anleitung (Transaktion IA06), die die Arbeitsschritte zur Herstellung des Ersatzteils beinhaltet. Besondere Kennzeichen: interne oder externe Nummernvergabe, Verwendung 4 (Instandhaltung) und Baugruppe = Materialnummer des Ersatzteils.
- **Aufarbeitungsauftrag**
  Es wird ein Aufarbeitungsauftrag eingerichtet (Transaktion IW81), z. B. mit der Auftragsart PM04. Sie geben hier keine *Von-* und keine *Nach-*Bewertungsart wie bei normalen Aufarbeitungsaufträgen ein (siehe Abbildung 6.14). Es erscheint nun ein Fenster mit einer Warnmeldung, weil der Aufarbeitungsauftrag ursprünglich für einen anderen Verwendungszweck entwickelt wurde.
- **Daten im Auftragskopf**
  Alle Daten im Auftragskopf müssen per Hand ausgefüllt werden.
- **Manuelle Selektion der Anleitung**
  Die Vorgänge müssen über eine manuelle Selektion der Anleitung gebildet werden. Die Menge des herzustellenden Ersatzteils steuern Sie über den Ausführungsfaktor.
- **Keine automatische Stücklistenauflösung**
  Es erfolgt keine automatische Stücklistenauflösung, sondern die Stückliste muss manuell aufgelöst und die Komponenten manuell selektiert werden. Der Ausführungsfaktor sorgt hier dafür, dass die richtigen Mengen reserviert werden. Außerdem wird eine automatische Reservierung für das zu produzierende Ersatzteil angelegt, die aus Sicht der Anfertigung unnötig ist.

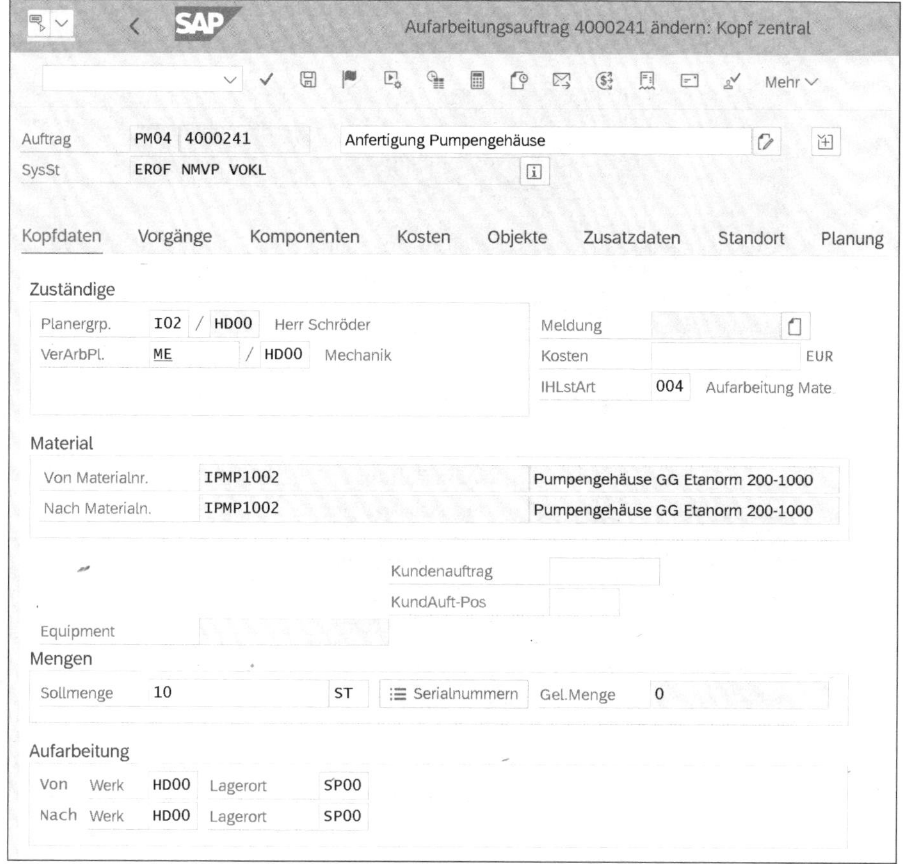

Abbildung 6.14 Aufarbeitungsauftrag

- **Warenentnahme**
  Bei der Warenentnahme (Transaktion MIGO) erscheint auch die unnötige Reservierung; jedoch darf diese nicht entnommen werden.
- **Rückmeldung**
  Die Rückmeldung wird mithilfe einer Instandhaltungstransaktion (z. B. Transaktion IW42) durchgeführt.
- **Lagerzugang**
  Der Lagerzugang des gefertigten Ersatzteils wird ebenfalls mithilfe einer Instandhaltungstransaktion (IW8W) durchgeführt.
- **Auftragsabrechnung**
  Die Abrechnungsvorschrift des Aufarbeitungsauftrags ist das Material. Nach der Auftragsabrechnung (Transaktion KO88) ergibt sich ein neuer gleitender Durchschnittspreis für das Ersatzteil.

Eine zusammenfassende Gegenüberstellung von Aufarbeitungs- und Fertigungsauftrag finden Sie in Tabelle 6.1.

	Aufarbeitungsauftrag	Fertigungsauftrag
Stückliste	Instandhaltungsstückliste	Fertigungsstückliste
Arbeitsplan	Anleitung mit manueller Zuordnung der Materialnummer	Normalarbeitsplan mit direktem Bezug zur Materialnummer
Disposition	mit automatischer Erzeugung von Planaufträgen möglich	mit automatischer Erzeugung von Planaufträgen möglich
Auftrag	Instandhaltungstransaktion	Fertigungstransaktion
Arbeitsplanauflösung	manuelle Zuordnung der Anleitung mit Pop-up-Fenstern	automatisch
Stücklistenauflösung	manuelle Selektion der Komponenten, unnötige Reservierung	automatisch
Rückmeldung	Instandhaltungstransaktion IW41 ff.	Fertigungstransaktion CO11 ff.
Wareneingang	Instandhaltungstransaktion IW8W	Transaktion MIGO
Abrechnung	in den Bestand	in den Bestand

Tabelle 6.1 Vergleich von Aufarbeitungs- und Fertigungsauftrag

Und wie lautet das Resümee? Die Antwort finden Sie in den beiden folgenden Kästen.

[!]

Vorteil des Fertigungsauftrags

Funktional ist der Fertigungsauftrag gegenüber dem Aufarbeitungsauftrag im Vorteil. Im Aufarbeitungsauftrag müssen Sie funktional mit ein paar Einschränkungen leben.

[!]

Vorteil des Aufarbeitungsauftrags

Wenn Sie mit dem Aufarbeitungsauftrag arbeiten, brauchen Sie keine zusätzliche Komponente (PP) einzuführen. Außerdem können Sie bei der Bearbeitung der Geschäftsprozesse in Ihrer gewohnten Oberfläche bleiben und müssen im Tagesgeschäft nicht die Oberfläche wechseln.

Dies ist der Grund dafür, dass sich die oben erwähnten Anwenderfirmen für den Aufarbeitungsauftrag entschieden haben.

6.2.4 Qualitätsmanagement

Im Hinblick auf das Qualitätsmanagement (QM) ergeben sich die folgenden Integrationspunkte:

- Sie können die in QM eingesetzten Prüf- und Messmittel als Equipmentstammsätze verwalten.
- Die an diesem Prüf- und Messmittel durchzuführenden Prüfvorgänge werden innerhalb eines Arbeitsplans erfasst – entweder als Anleitung oder als Equipmentplan.
- Die Steuerung der Prüftermine übernimmt für Sie ein Wartungsplan zum Equipment.
- Der Wartungsplan erzeugt zur Durchführung der Prüfung sowohl einen Instandhaltungsauftrag als auch ein QM-Prüflos, die eineindeutig einander zugeordnet sind.
- Im Rahmen der Prüflosabwicklung sorgen die Ergebniserfassung und der Verwendungsentscheid dafür, dass auf dem Equipment der richtige Status gesetzt wird (gesperrt, einsatzbereit).

Der Geschäftsprozess und die dazu notwendigen Voraussetzungen (z. B. im Customizing) wurden Ihnen schon in Abschnitt 5.10, »Der Geschäftsprozess ›Kalibrierung von Prüf- und Messmitteln‹«, ausführlich erläutert, sodass ich an dieser Stelle nicht noch einmal darauf eingehen werde.

Der letzte Aspekt im Hinblick auf die Integration im Rahmen der -Logistik ist das Zusammenspiel mit der SAP-Applikation für Umwelt, Gesundheit und Sicherheit, also mit SAP Environment, Health, and Safety Management (SAP EHS Management).

6.2.5 Umwelt, Gesundheit und Sicherheit

Die Lösung SAP EHS Management verfügt in SAP ERP über die folgenden Hauptfunktionen:

- **Produktsicherheit**
  Die Produktsicherheit enthält Funktionen, die für das Gefahrstoffmanagement im Unternehmen benötigt werden, und zwar in einem Unternehmen, das Gefahrstoffe herstellt.
- **Gefahrstoffmanagement**
  Das Gefahrstoffmanagement enthält Funktionen, die für das Gefahrstoffmanagement im Unternehmen benötigt werden, und zwar in einem Unternehmen, das Gefahrstoffe einsetzt.
- **Gefahrgutabwicklung**
  Mit der Gefahrgutabwicklung können Gefahrgutstammsätze verwaltet, Gefahrgutprüfungen durchgeführt und Gefahrgutpapiere erstellt werden.
- **Abfallmanagement**
  Mithilfe des Abfallmanagements können Entsorgungsprozesse von Abfällen abgewickelt, die für den Transport und die Entsorgung nötigen Berichte erstellt sowie die entstehenden Kosten verursachergerecht im Unternehmen verteilt werden.
- **Arbeitsmedizin**
  Mit der Arbeitsmedizin können Vorsorgeuntersuchungen in Ihrem Unternehmen geplant und durchgeführt sowie arbeitsmedizinische Fragebögen erstellt und verwaltet werden.
- **Arbeitsschutz und Arbeitssicherheit**
  Mit den Funktionen für Arbeitsschutz und Arbeitssicherheit können der Arbeitsschutz im Unternehmen organisiert und auftretende Belastungen verwaltet werden. Daneben können Ereignisse mit oder ohne Personenschaden abgewickelt und Berichte wie Betriebsanweisungen und Unfallanzeigen erstellt werden.

Leider wurden von diesen Funktionsbereichen einige aus dem SAP-S/4HANA-Core-System ausgelagert und sind dort nicht mehr über Transaktionen erreichbar. Dazu gehören die Arbeitsmedizin, das Abfallmanagement oder das Gefahrstoffmanagement.

Was die Integration zum SAP S/4HANA Asset Management anbelangt, steht die Business Function /EAMPLM/LOG_EAM_WS Arbeitssicherheit in der Instandhaltung zur Verfügung, mit deren Hilfe die Instandhaltungsarbeiten und die SAP-EHS-Hilfsmittel integriert werden können. Diese Funktionen sollen Sie dabei unterstützen, eine sichere Arbeitsumgebung zu schaffen; die wichtigsten Hilfsmittel sind dabei die Liste der Sicherheitsmittel und der Sicherheitsplan.

Liste der Sicherheitsmittel

Mithilfe der Liste der Sicherheitsmittel (siehe Abbildung 6.15) können Sie Standardobjekte als Sicherheitsmittel klassifizieren, beispielsweise Dokumente, Genehmigungen, Arbeitspläne und Fertigungshilfsmittel (FHM). Auf diese Weise können Sie aus allen verfügbaren Objekten eine Liste sicherheitsrelevanter Objekte erstellen. Durch Zuordnen dieser sicherheitsrelevanten Objekte in Instandhaltungsaufträgen und Arbeitsplänen können Sie Sicherheitsinformationen während der Planung und Durchführung sicherheitskritischer Instandhaltungsarbeiten zur Verfügung stellen.

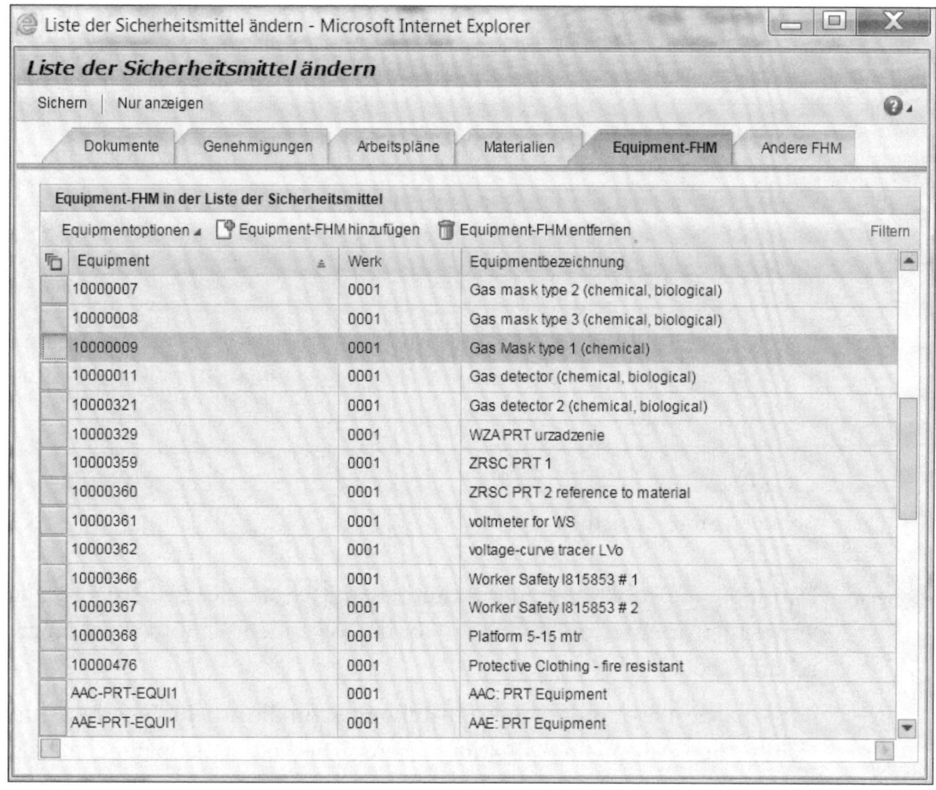

Abbildung 6.15 Liste der Sicherheitsmittel

Sicherheitsplan

Mit dem Sicherheitsplan (siehe Abbildung 6.16) unterstützen Sie die Sicherheitsaspekte in der Instandhaltungsplanung und -durchführung. Mithilfe des Sicherheitsplans können die Verantwortlichen für die Instandhaltungsplanung sicherstellen, dass alle Sicherheitsmittel, die zur Minderung ermittelter Risiken erforderlich sind, in Instandhaltungsaufträgen und Instandhaltungsarbeitsplänen zugeordnet werden. Alle im Sicherheitsplan enthaltenen Informationen können als Teil der Auftragspapiere ausgegeben werden. Damit sind die für die Instandhaltungsdurchführung verantwortlichen Instandhalter über die Sicherheitsrisiken informiert und können dafür Sorge tragen, dass sie alle erforderlichen Sicherheitsmittel berücksichtigen.

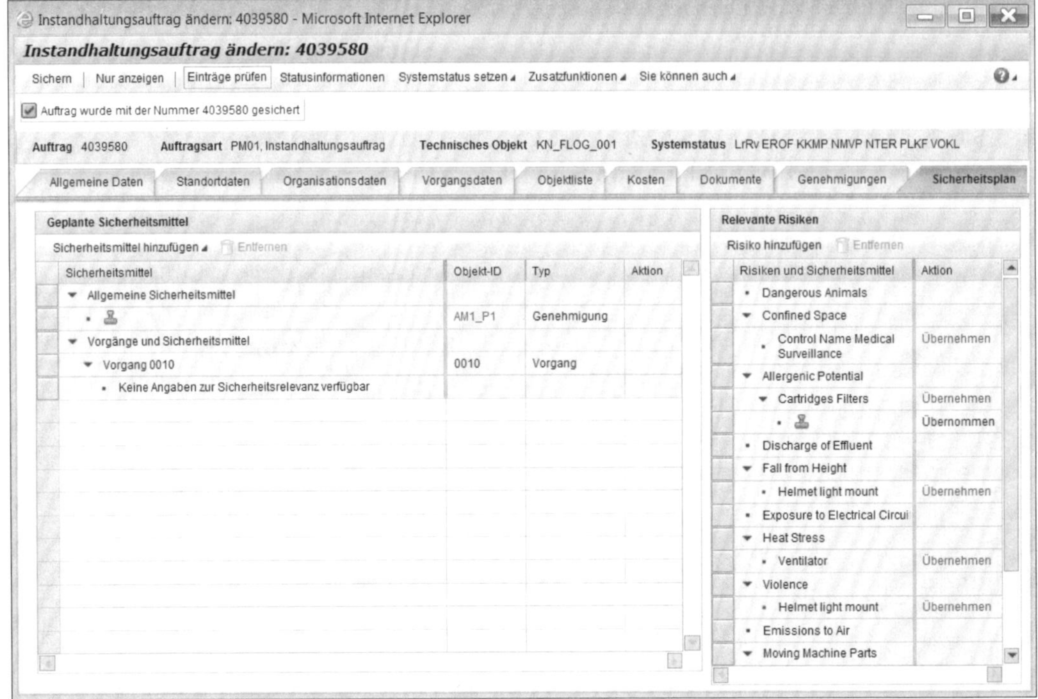

Abbildung 6.16 Sicherheitsplan

Voraussetzungen

Damit Sie die Funktionen der Sicherheitsmittel und des Sicherheitsplans verwenden können, müssen Sie zuvor die folgenden Voraussetzungen geschaffen haben:

- Sie haben alle erforderlichen Einstellungen für die Arbeitssicherheit mithilfe der Customizing-Funktion **Arbeitssicherheit in der Instandhaltung** vorgenommen.
- Sie haben die Business Functions /EAMPLM/LOG_EAM_WS, LOG_EAM_SIMPLICITY_2 und /PLMU/WEB_UI aktiviert.
- Sie nutzen den SAP Business Client mit den PFCG-Rollen *Instandhalter* (SAP_COCKPIT_EAMS_MAINT_WORKER2) und *Allgemeine EAM-Funktionen* (SAP_COCKPIT_EAMS_GENERIC_FUNC2).

6.2.6 Finanzbuchhaltung

Kommen wir nun zu einem weiteren wichtigen Integrationsaspekt, der Verbindung zwischen Buchhaltung (FI) und Instandhaltung.

[!]

Der Sachkontenrahmen als Basis aller Geschäftsprozesse

Die Integration der Instandhaltung mit der Finanzbuchhaltung ist elementar, denn in FI wird der Sachkontenrahmen gepflegt, auf dem alle Geschäftsprozesse in SAP S/4HANA aufsetzen, auch die der Instandhaltung.

Sachkontenrahmen

Wenn Sie sich z. B. nochmals den Kostenbericht eines normalen Instandhaltungsauftrags ansehen (siehe Abbildung 6.17), werden darin Sachkonten aufgrund verschiedener Geschäftsvorgänge ausgewiesen:

Kostenart	Kostenart (Text)	Plankosten gesamt	Istkosten gesamt
720000	Aufwendungen Rohstoffe	7,20	12,00
790200	Instandhaltung Fremdleistungen	0,00	14.551,76
800400	Innerbetriebliche Leistungen Instandhalt	900,00	810,00
Belastung		**907,20**	**15.373,76**
800500	Instandhaltung Auftragsabrechnung	0,00	810,00-
800500	Instandhaltung Auftragsabrechnung	0,00	14.551,76-
Abrechnung		**0,00**	**15.361,76-**
		907,20	**12,00**

Abbildung 6.17 Kostenartenbericht

- Verbrauch von Ersatzteilen
- Fremdbeschaffung von Ersatzteilen
- Fremdbeschaffung von Leistungen
- Abrechnung des Instandhaltungsauftrags
- Bei einem Aufarbeitungsauftrag können diese Zeilen noch durch Buchungen an das Bestandsvermögen ergänzt werden.

Rechnungseingang

In Abschnitt 5.5.2, »Fremdleistungen als Einzelbestellung«, habe ich Ihnen den sogenannten wareneingangsbezogenen Rechnungseingang gezeigt, bei dem Bezug auf eine Bestellung genommen wird. Was aber, wenn gar keine Bestellung vorausging; wenn etwa der Lieferant »auf Zuruf« geliefert hat und jetzt eine Rechnung schickt?

Dann verwenden Sie die allgemeine Funktion der Rechnungserfassung (Transaktion FB60 oder F-43) und kontieren den Betrag auf den Auftrag (siehe Abbildung 6.18).

[!]

Rechnung ohne Bestellung

Sie können auch eine Rechnung einbuchen, der keine Bestellung vorausgeht. Diese Rechnung kontieren Sie auf den Instandhaltungsauftrag, wodurch die Kosten in der Historie ausgewiesen werden.

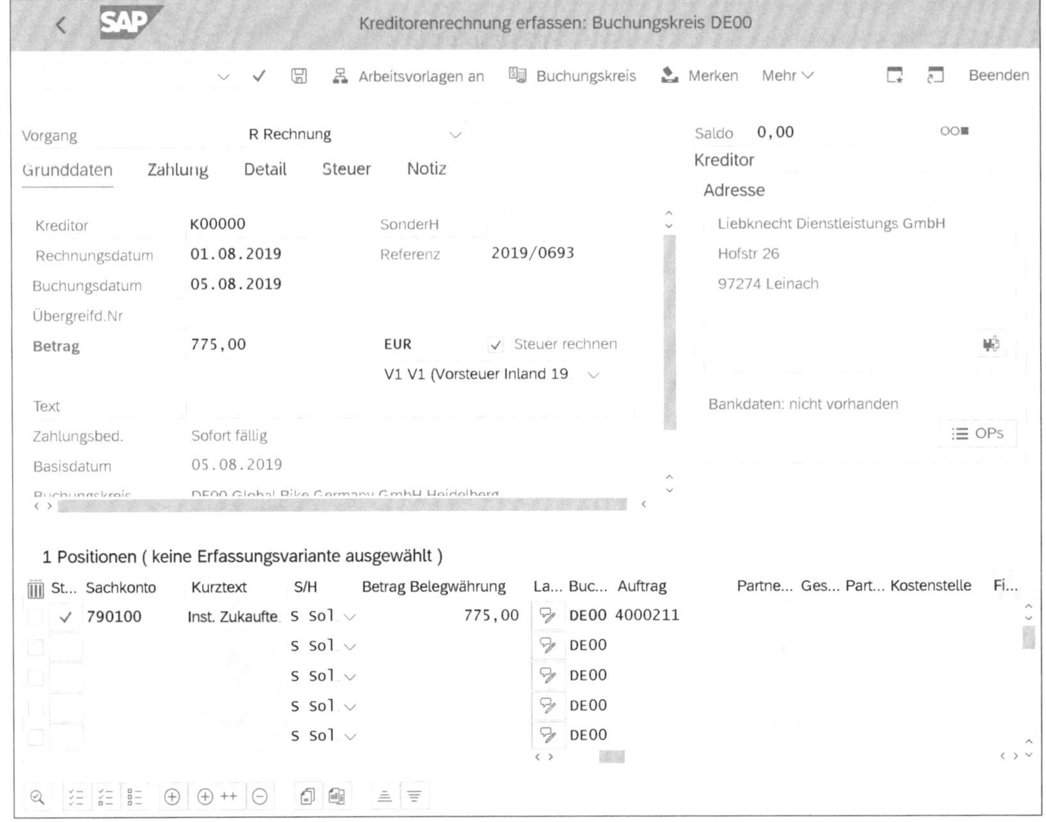

Abbildung 6.18 Kreditorenrechnung

6.2.7 Anlagenbuchhaltung

Integrationspunkte mit FI-AA

SAP S/4HANA Asset Management hat die folgenden Integrationspunkte mit der Anlagenbuchhaltung (FI-AA):

- Sie können Ihren technischen Objekten einen Anlagenstammsatz zuordnen.
- Sie können beim Anlegen von Anlagenstammsätzen automatisch Equipments generieren lassen.
- Sie können im Rahmen von Änderungen von Anlagenstammsätzen die Equipmentstammsätze automatisch ändern lassen.
- Sie können beim Anlegen von Equipmentstammsätzen automatisch Anlagenstammsätze generieren lassen.
- Sie können die Anlagenstammsätze im Rahmen von Änderungen von Equipmentstammsätzen automatisch ändern lassen.

- Sie können Ihre Instandhaltungsleistungen aktivieren und auf das Konto *Anlage im Bau* abrechnen.

Anlagennummer

Sie können Ihr Equipment und/oder Ihren Technischen Platz in der Bildgruppe **Kontierung** auf eine Anlagennummer verweisen lassen (siehe Abbildung 6.19).

Kontierung				
Buchungskreis	DE00	Global Bike Germany GmbH		Heidelberg
GeschBereich	BI00	Fahrräder		
Anlage	50000	/ 0	Stapler Linde 4,5 to	
Kostenstelle	EUPR1000	/ EU00	Produktionskosten	
PSP-Element				
Dauerauftrag				
AbrechnAuftrag				

Abbildung 6.19 Anlagennummer im technischen Objekt

Dabei handelt es sich um eine 1:N-Verknüpfung. Das heißt, Sie können mehrere technische Objekte auf ein und dieselbe Anlagennummer, jedoch nicht ein technisches Objekt auf verschiedene Anlagennummern verweisen lassen.

Wenn Sie sich den Anlagenstammsatz anzeigen lassen, können Sie von dort aus auf die zugeordneten technischen Objekte verzweigen (Transaktion AS03, **Umfeld • Equipments** bzw. **Umfeld • Technische Plätze**).

Synchronisation von Equipment und Anlage

Die Möglichkeit, Equipmentstammsätze und Anlagenstammsätze gegenseitig abzugleichen, ist vielen Anwendern unbekannt. Aber es geht!

[!]

Synchronisation von Anlage und Equipment möglich

SAP S/4HANA bietet Ihnen einen Synchronisationsmechanismus, mit dessen Hilfe Sie beim Anlegen von Anlagenstammsätzen Equipments generieren können und umgekehrt. Dieser Synchronisationsmechanismus funktioniert auch für den Änderungsdienst.

Wenn Sie also z. B. die Kostenstelle der Anlage ändern, können Sie das System so einstellen, dass im Hintergrund automatisch die Kostenstelle des Equipments geändert wird.

[!]

Synchronisation von Anlage und Technischem Platz nicht möglich

Einen Synchronisationsmechanismus zum Abgleich von Anlagen und Technischen Plätzen gibt es im Standard von SAP S/4HANA nicht.

Voraussetzungen

Welche Voraussetzungen müssen Sie schaffen, damit Sie die Synchronisation nutzen können?

Sie definieren im Customizing mithilfe der Funktion **Finanzwesen • Anlagenbuchhaltung • Stammdaten • Automatisches Anlegen von Equipmentstammsätzen • Bedingungen für Synchronisation der Stammdaten festlegen** in Abhängigkeit von der Anlagenklasse und dem Equipmenttyp die Richtung der Synchronisation (also Anlage → Equipment und/oder Equipment → Anlage).

- Mit derselben Funktion definieren Sie, ob die Synchronisation direkt erfolgen, ein Workflow ausgelöst werden oder beides stattfinden soll.
- Mithilfe der Customizing-Funktion **Automatisches Anlegen von Equipmentstammsätzen • Stammsatzfelder von Anlagen und Equipments zuordnen** legen Sie die Felder fest, die synchronisiert werden sollen.

Vorgehensweise

Wenn Sie nun eine Anlage anlegen (Transaktion AS01) und über das Customizing festgelegt haben, dass anschließend sofort ein Equipmentstamm erzeugt werden soll, wird die Equipmentnummer direkt im Anlagenstammsatz angezeigt (siehe Abbildung 6.20). Über den Button **Anlegen** können Sie weitere Equipments erzeugen, die dann ebenfalls dieser Anlage zugeordnet werden.

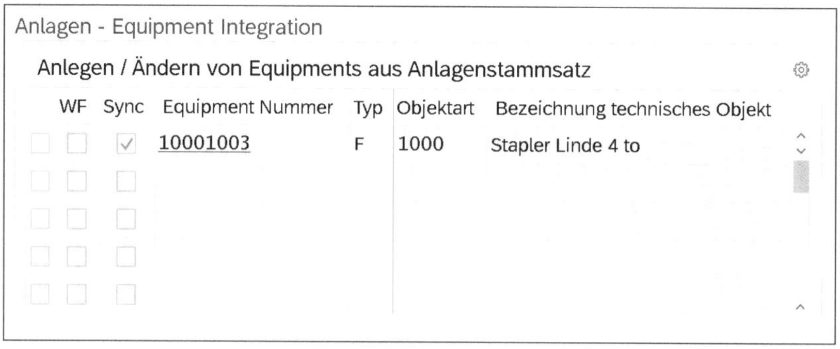

Anlagen - Equipment Integration

Anlegen / Ändern von Equipments aus Anlagenstammsatz

	WF	Sync	Equipment Nummer	Typ	Objektart	Bezeichnung technisches Objekt
☐	☐	☑	10001003	F	1000	Stapler Linde 4 to
☐	☐	☐				
☐	☐	☐				
☐	☐	☐				
☐	☐	☐				

Abbildung 6.20 Integration Anlage/Equipment

Aktivierung von Instandhaltungsleistungen

Ausgangssituation

Bestimmte Leistungen von Instandhaltungsabteilungen sind aktivierungspflichtig oder aktivierungsfähig. Insbesondere dann, wenn es sich um wertschöpfende Aufträge wie Modernisierungen, Umbauten, Einbau zusätzlicher Komponenten o. Ä. handelt, sollten diese Maßnahmen nicht auf die Kostenstelle abgerechnet und damit in den Aufwand gebucht werden, sondern es sollten in solchen Fällen die Werte aktiviert werden.

Vorgehensweise

Sie richten einen Auftrag ein und geben in der Abrechnungsvorschrift als Kontierungstyp ANL (Anlage) und als Kontierungsobjekt die Anlagennummer an. Nach Beendigung des Auftrags rechnen Sie diesen ab (Transaktion KO88).

Ergebnis

Die durch die Instandhaltung generierten Werte werden im Anlagenstammsatz als Zugang aus *Abrechnung von CO auf Anlagen* ausgewiesen, der Anschaffungswert wird erhöht, und die Abschreibungsbeträge werden angepasst (siehe Abbildung 6.21).

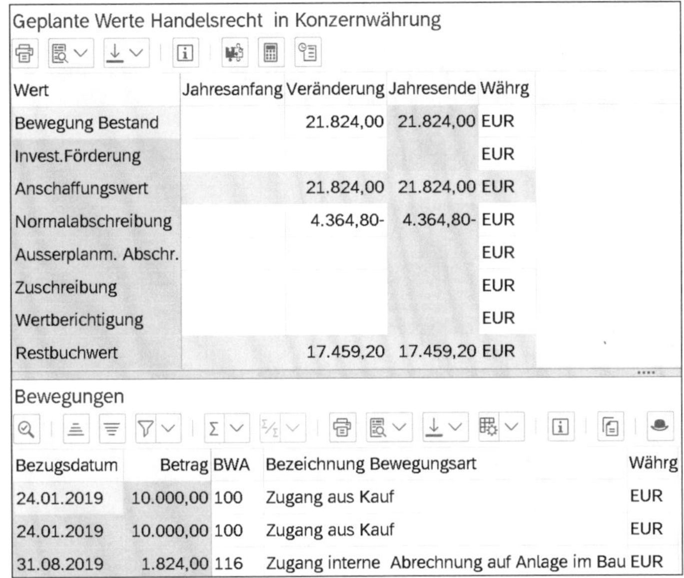

Geplante Werte Handelsrecht in Konzernwährung

Wert	Jahresanfang	Veränderung	Jahresende	Währg
Bewegung Bestand		21.824,00	21.824,00	EUR
Invest.Förderung				EUR
Anschaffungswert		21.824,00	21.824,00	EUR
Normalabschreibung		4.364,80-	4.364,80-	EUR
Ausserplanm. Abschr.				EUR
Zuschreibung				EUR
Wertberichtigung				EUR
Restbuchwert		17.459,20	17.459,20	EUR

Bewegungen

Bezugsdatum	Betrag	BWA	Bezeichnung Bewegungsart	Währg
24.01.2019	10.000,00	100	Zugang aus Kauf	EUR
24.01.2019	10.000,00	100	Zugang aus Kauf	EUR
31.08.2019	1.824,00	116	Zugang interne Abrechnung auf Anlage im Bau	EUR

Abbildung 6.21 Anlagenwerte

[+]

Abstimmung mit der Anlagenbuchhaltung erforderlich

Stimmen Sie sich intensiv mit der Anlagenbuchhaltung ab, gerade im Hinblick auf die Aktivierung von Eigenleistungen.

Kommen wir nun zu einer sehr breit gefächerten und tiefen Integration, die neben der Integration mit der Materialwirtschaft als am wichtigsten anzusiedeln/anzusehen ist: die Integration der Instandhaltung mit dem Controlling.

6.2.8 Controlling

Übersicht

Die folgenden Aspekte bestimmen die Integration der Instandhaltung mit dem Controlling (CO):

- Damit die Integration wirksam werden kann, sorgen Sie dafür, dass die benötigten Kostenarten im Kontenrahmen vorhanden sind.
- Den Technischen Plätzen und/oder den Equipments ordnen Sie als Kostenstelle im Sinne einer empfangenden Kostenstelle zu.
- Dem Arbeitsplatz als Leistungserbringer ordnen Sie eine Kostenstelle im Sinne einer leistenden Kostenstelle zu.
- Sie definieren Leistungsarten und auf deren Basis die Verrechnungssätze (Tarife) der Instandhaltung.
- Im Customizing des Controllings legen Sie fest, wie Sie Ihre Aufträge kalkulieren möchten.
- Sie definieren im Auftrag eine Abrechnungsvorschrift und rechnen den Auftrag dorthin ab.
- Sie ermitteln gegebenenfalls für Ihre Aufträge die Gemeinkostenzuschläge.
- Sie können die Instrumente des Controllings (wie z. B. Kostenstellenberichte oder Auftragsberichte) nutzen, um Ihre Instandhaltungsaktivitäten zu analysieren.

Kostenarten

Der Informationsaustausch zwischen der Instandhaltung und dem Controlling läuft immer über Kostenarten.

[!]

Kostenarten vervollständigen

Sorgen Sie bei der Einführung von SAP S/4HANA Asset Management dafür, dass alle benötigten Kostenarten für die Kalkulation und Abrechnung der Aufträge vorhanden sind. Gegebenenfalls müssen Sie Ihren bisherigen Kontenrahmen ergänzen.

Für die Kalkulation und Abrechnung der Instandhaltungsaufträge werden die folgenden Kostenarten benötigt:

- Kostenarten für den Verbrauch von Ersatzteilen (Kostenartentyp 1 = Primärkosten)
- Kostenarten für die Fremdbeschaffung von Ersatzteilen (Kostenartentyp 1 = Primärkosten)

- Kostenarten für die Fremdbeschaffung von Leistungen (Kostenartentyp 1 = Primärkosten)
- Kostenarten für die Erfassung der Instandhaltungsleistungen (Kostenartentyp 43 = Verrechnung Leistungen/Prozesse)
- Kostenarten für die Gemeinkostenzuschläge (Kostenartentyp 41 = Gemeinkostenzuschläge)
- Kostenarten für die Auftragsabrechnung (Kostenartentyp 21 = Abrechnung, intern, z. B. auf Kostenstelle, und 22 = Abrechnung, extern, auf Anlagennummer)

Kostenstellen

Damit die Instandhaltungsleistungen durch die interne Leistungsverrechnung (ILV) auf die Anlagenkostenstellen verrechnet werden können, müssen Sie die folgenden Aktivitäten durchführen:

- Sie müssen den Arbeitsplätzen der Instandhaltung eine Kostenstelle als leistende Kostenstelle zuordnen.
- Sie sollten den Technischen Plätzen und/oder Equipments eine Kostenstelle als empfangende Kostenstelle zuordnen.

[!]

Kostenstelle im technischen Objekt

In 90 % aller Fälle werden die Instandhaltungsleistungen an die Anlagenkostenstelle abgerechnet. Deshalb sollten Sie Ihren technischen Objekten eine Kostenstelle zuordnen, damit diese automatisch als Abrechnungsvorschrift in den Auftrag übernommen werden kann.

Leistungsarten und Tarife

Für die leistende Kostenstelle benötigen Sie Leistungsarten. Eine Leistungsart ist eine Einheit innerhalb eines Kostenrechnungskreises, die die Leistungen einer Kostenstelle klassifiziert und über die Sie die Verrechnungssätze der Kostenstelle differenzieren können. Leistungsarten definieren Sie über die Transaktion KL01.

Pauschal oder differenziert?

Wenn es bei Ihnen pro Instandhaltungskostenstelle lediglich einen Verrechnungssatz gibt, ist eine Leistungsart ausreichend. Wenn es jedoch pro Instandhaltungskostenstelle differenzierte Verrechnungssätze gibt, benötigen Sie mehrere Leistungsarten.

Was könnten Gründe für differenzierte Verrechnungssätze sein? Sie differenzieren die Instandhaltungsleistungen z. B. nach den folgenden Kriterien:

- nach der Dringlichkeit
  (Eilaufträge, Normalaufträge, Arbeitsvorrat)
- nach dem Zeitpunkt des Anfalls
  (Normalschicht, Nachtschicht, Wochenende)
- nach der Qualifikation
  (Meister, Techniker, Hilfsstunden, Auszubildender)
- nach der Art der Tätigkeit
  (Normalstunde, Gefahrenzulage, Schmutzzulage)
- nach den eingesetzten Hilfsmitteln
  (Arbeiten mit Spezialmaschine, Kfz-Nutzung o. Ä.)

Über Leistungsarten können Sie die Verrechnungssätze der Instandhaltung differenzieren. So können Sie beispielsweise über eine Differenzierung nach der Dringlichkeit vermeiden, dass die Auftraggeber jeden Auftrag mit der Priorität 1 versehen.

Die eigentliche Festlegung der Verrechnungssätze nehmen Sie pro Jahr, pro Kostenstelle und pro Leistungsart über die Transaktion KP26 (Planung Leistungserbringung/Tarife) vor (siehe Abbildung 6.22).

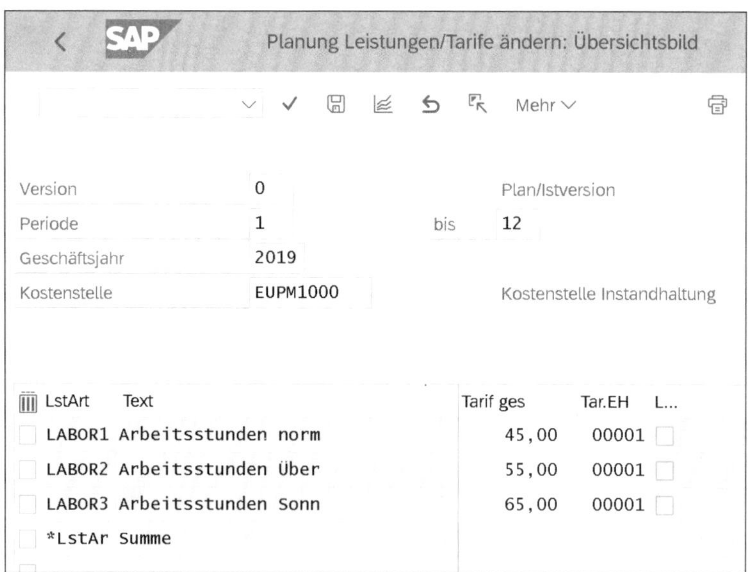

Abbildung 6.22 Transaktion KP26 – Leistungen/Tarife planen

Kalkulation

Die Kalkulation (Plan, Ist) der Aufträge steuern Sie über die Customizing-Funktion **Kalkulationsdaten für Instandhaltungs- und Serviceaufträge**. Es handelt sich um aufeinander aufbauende Tabellen. Deshalb gehen Sie in der folgenden Reihenfolge vor (siehe Abbildung 6.23):

Customizing

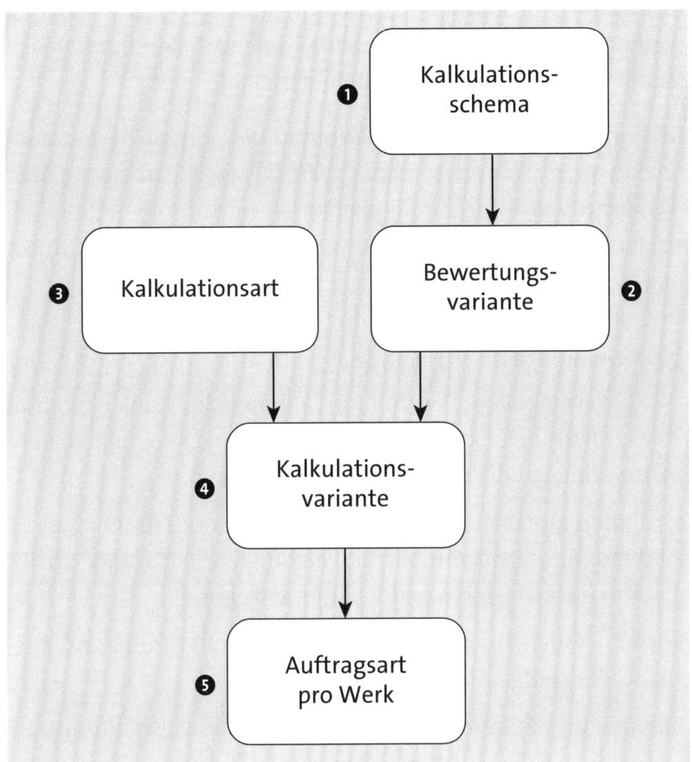

Abbildung 6.23 Übersicht Auftragskalkulation

1. **Kalkulationsschema pflegen**
   Zunächst definieren Sie mithilfe der Customizing-Funktion **Kalkulationsschema pflegen** ❶, welche Kostenarten als **Basis** für die Kalkulation berücksichtigt werden sollen, wie hoch der prozentuale oder absolute Zuschlag sein soll und welche Kostenstelle für die entsprechenden Beträge als Entlastung dient.
2. **Bewertungsvarianten definieren und Kalkulationsart festlegen**
   Mithilfe der Customizing-Funktion **Bewertungsvarianten definieren** ❷ legen Sie fest, wie die Materialbewertung erfolgen soll (Normalfall: Bewertung laut Preissteuerung im Materialstamm), wie die Leistungsarten bewertet werden sollen (Normalfall: Plantarif der Periode) und welches Kalkulationsschema ❸ verwendet werden soll.

3. **Kalkulationsvarianten pflegen**
   Mithilfe der Customizing-Funktion **Kalkulationsvarianten pflegen** ❹ fassen Sie die Kalkulationsart und die Bewertungsvariante zusammen.
4. **Kalkulationsparameter und Abgrenzungsschlüssel zuordnen**
   Mithilfe der Customizing-Funktion **Kalkulationsparameter und Abgrenzungsschlüssel zuordnen** ❺ legen Sie pro Werk und Auftragsart fest, welche Kalkulationsvarianten in der Vorkalkulation und in der Nachkalkulation verwendet werden sollen (Normalfall: dieselbe).

Die Vorkalkulation eines Auftrags wird automatisch beim Sichern durchgeführt oder wenn Sie sie manuell während der Auftragsbearbeitung über den Button [Kalkulieren] anstoßen. Die Ist-Kalkulation eines Auftrags ergibt sich ebenfalls automatisch bei der Durchführung der Kostenbuchungen (Materialentnahmen, Rückmeldungen usw.).

Verrechnung der Gemeinkostenzuschläge

Plankalkulation

Wenn Sie den Auftrag kalkulieren, werden im Rahmen der Plankalkulation auch automatisch – falls im Kalkulationsschema definiert – Gemeinkostenzuschläge ermittelt und auf die Plankosten aufgeschlagen.

Ist-Kalkulation

Bei der Ist-Kalkulation geschieht dies nicht automatisch; auf die entstandenen Ist-Kosten (Warenbewegungen, Zeitrückmeldungen, Rechnungen usw.) werden nicht automatisch Gemeinkosten aufgeschlagen.

Die Gemeinkosten werden auf die folgende Weise ermittelt und anschließend auf die Ist-Kosten aufgeschlagen:

- Nachkalkulation eines einzelnen Auftrags mithilfe der Transaktion KGI2
- Nachkalkulation einer Gruppe von Aufträgen mithilfe der Transaktion KGI4

[!]

Keine automatische Ermittlung von Gemeinkostenzuschlägen in der Ist-Kalkulation

Da die Gemeinkostenzuschläge zwar in der Vorkalkulation automatisch zugeschlagen werden, nicht aber in der Nachkalkulation, müssen Sie die Aufträge nachkalkulieren. Planen Sie zur Sicherheit einen Batch-Job in der Hintergrundverarbeitung ein, der in kurzen Abständen die Nachkalkulation durchführt.

Auftragsabrechnung

Definition

Was bedeutet nun Auftragsabrechnung? Während der Bearbeitung des Auftrags fallen infolge der Erfassungstätigkeiten auf dem Auftrag Ist-Kosten an. Da der Auftrag selbst als Innenauftrag kein dauerhafter Kostenträger sein kann, müssen Sie diese Kosten periodisch (z. B. einmal pro Woche) oder nach Fertigstellung (z. B. wenn der technische Abschluss erfolgt ist) auf die eigentliche Zielkontierung abrechnen und damit weiterbelasten (siehe Abbildung 6.24).

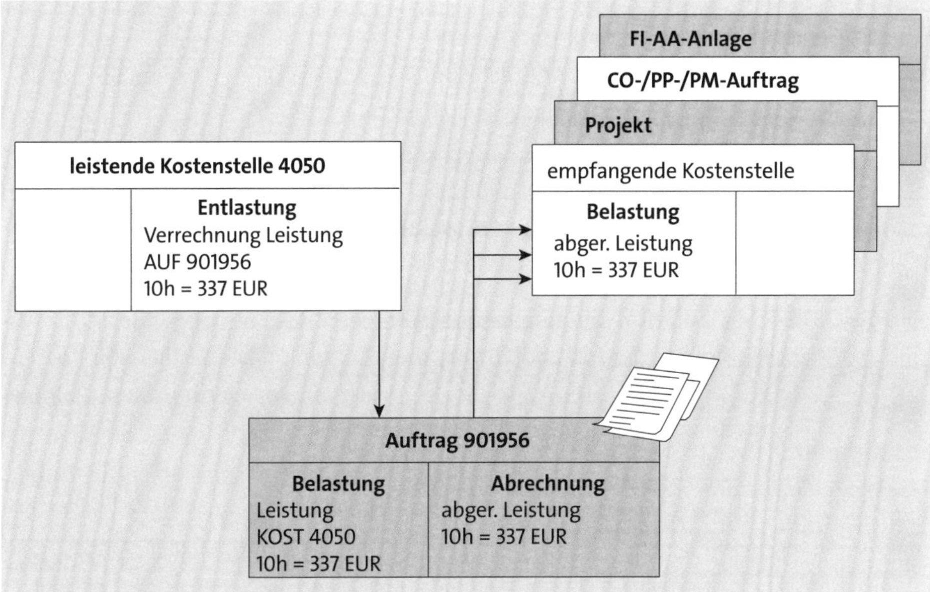

Abbildung 6.24 Auftragsabrechnung

Bei der Auftragsabrechnung werden die Belastungskostenarten in sogenannte Abrechnungskostenarten transformiert und die Kosten über die Abrechnungskostenarten an die Zielkontierung weitergereicht.

Voraussetzungen für die Abrechnung

Die folgenden Voraussetzungen müssen erfüllt sein, damit Sie einen Auftrag abrechnen können:

- Sie haben ein Abrechnungsprofil mithilfe der Customizing-Funktion **Abrechnungsprofile pflegen** gepflegt. Dort haben Sie die erlaubten Empfänger eingestellt.
- Sie haben der Auftragsart mithilfe der Customizing-Funktion **Auftragsarten einrichten** ein Abrechnungsprofil zugeordnet.
- Sie haben schließlich mithilfe der Customizing-Funktion **Abrechnungsvorschrift: Zeitpunkt und Bildung der Aufteilungsregel festlegen** für die Auftragsart entweder die Auftragsfreigabe oder den technischen Abschluss als Zeitpunkt für die Bildung der Abrechnungsvorschrift festgelegt.

[!]

Zeitpunkt zur Bildung der Abrechnungsvorschrift

Wählen Sie als Zeitpunkt für die Bildung der Abrechnungsvorschrift am besten die Auftragsfreigabe. Denn andernfalls können Sie den Auftrag nicht abrechnen, wenn er länger dauert als der Rhythmus Ihrer periodischen Auftragsabrechnung.

- Der Auftrag hat eine Abrechnungsvorschrift: Dies erkennen Sie am Status ABRV (Abrechnungsvorschrift erfasst).
- Falls Sie in der Ist-Kalkulation mit Gemeinkostenzuschlägen arbeiten, haben Sie entweder mithilfe der Transaktion KGI2 für einen einzelnen Auftrag oder mithilfe der Transaktion KGI4 für eine Gruppe von Aufträgen die Ist-Kostenzuschläge ermittelt.

Empfänger

Welches sind nun die möglichen Empfänger? Als Empfänger der Auftragsabrechnung in der Instandhaltung dient in den meisten Fällen die Kostenstelle. Sie können Ihre Aufträge aber auch auf Anlagennummer, PSP-Element oder einen anderen Auftrag abrechnen.

[!]

Kontierungsvorschlag KST = Kostenstelle

In 90 % der Fälle wird für die Zielkontierung der Instandhaltungsaufträge die Kostenstelle des technischen Objekts verwendet. Tragen Sie deshalb im Customizing zum Abrechnungsprofil als Kontierungsvorschlag KST ein. Dann wird die Kostenstelle des Bezugsobjekts automatisch als Kontierung in den Auftrag übernommen, und Sie müssen sie nicht manuell pflegen.

Abrechnungsvorschrift

Wie sieht nun eine Abrechnungsvorschrift im Auftrag aus? Abbildung 6.25 zeigt eine typische Abrechnungsvorschrift für Instandhaltungsaufträge: Der Auftrag wird zu 100 % auf eine Anlagenkostenstelle abgerechnet.

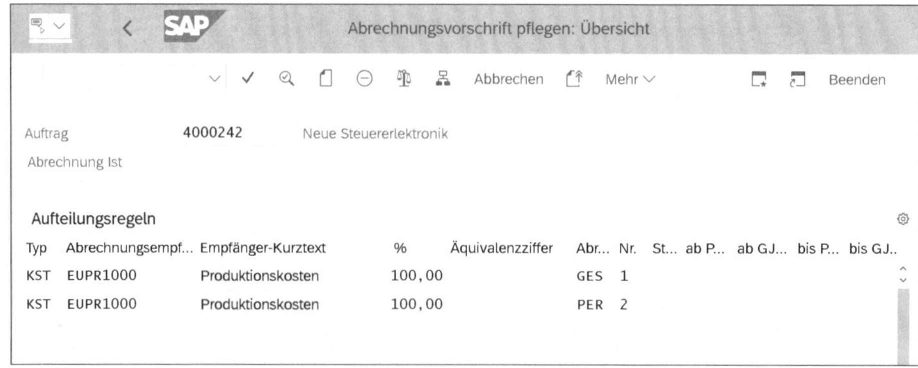

Abbildung 6.25 Abrechnungsvorschrift

Wenn Sie die Abrechnungsvorschrift automatisch bilden lassen, erzeugt das SAP-System zwei Einträge für die Abrechnungsart:

- **PER (periodische Abrechnung)**
  Hier berücksichtigt das System bei einer monatlichen Abrechnung nur die in der angegebenen Periode angefallenen Kosten.
- **GES (Gesamtabrechnung)**
  Hier berücksichtigt das System alle bis zum Abrechnungszeitpunkt angefallenen Kosten.

Wenn PER-Abrechnungsregeln vorhanden sind, werden diese vor der GES-Abrechnung angewandt.

[!]

Periodenabgrenzung in der Auftragsabrechnung

Sie haben die Möglichkeit, die Kosten durch eine Periodenabgrenzung (ab Periode, bis Periode) im Zeitablauf auf unterschiedliche Zielkontierungen abzurechnen.

[!]

Abrechnungsregel GES nicht vergessen

Achten Sie darauf, dass in Ihrem Auftrag als Abrechnungsvorschrift eine Abrechnungsregel **GES** vorhanden ist. Ansonsten könnte es passieren, dass nicht alle Kosten an die Zielkontierung abgerechnet werden.

Betragsabrechnung

Auch haben Sie die Möglichkeit, einen festen Betrag abzurechnen. Diese Option benötigen Sie, wenn Sie z. B. mit dem Auftraggeber einen Festpreis vereinbart haben. In einem solchen Falle tragen Sie eine Abrechnungsvorschrift ein, wie sie in Abbildung 6.26 zu sehen ist:

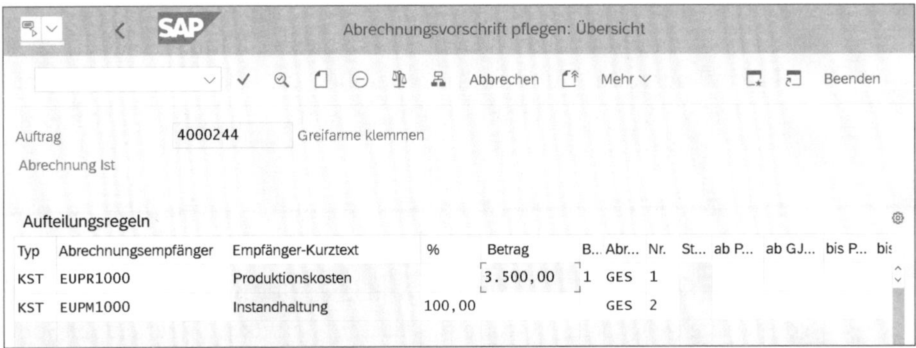

Abbildung 6.26 Betragsabrechnung

- **Betrag**
  Sie bilden eine Abrechnungsvorschrift mithilfe des Betrags. Dies bewirkt, dass der entsprechende Betrag an die angegebene Kontierungsvorschrift (z. B. Anlagenkostenstelle) abgerechnet wird.
- **Betragsregeltyp**
  Vergessen Sie nicht, den Betragsregeltyp in der Spalte **BRegTyp** anzugeben. Setzen Sie den Betragsregeltyp auf 1, wenn Sie möchten, dass der Betrag einmalig abgerechnet wird. Lassen Sie den Betragsregeltyp leer, wenn der Betrag in jeder Periode abgerechnet werden soll.
- **Prozentabrechnung**
  Sie bilden eine (oder mehrere) Prozentabrechnungen. Dies bewirkt, dass die effektiven Ist-Kosten an diese Kontierungsvorschrift (in der Regel an die Instandhaltungskostenstelle) abgerechnet werden.

Voraussetzung

Damit Sie eine Betragsabrechnung vornehmen können, aktivieren Sie im Abrechnungsprofil den Schalter **Betragsabrechnung** (Customizing-Funktion **Abrechnungsprofile pflegen**).

[!]

Abrechnung zum Festpreis

Sie können Ihre Aufträge auch zu einem Festpreis abrechnen. Aktivieren Sie hierzu im Abrechnungsprofil die Betragsabrechnung. Tragen Sie anschließend eine erste Abrechnungsvorschrift mit dem Betrag für die Zielkontierung und eine zweite Abrechnungsvorschrift mit 100 % auf die leistende Kostenstelle ein.

Vorgehensweise bei der Abrechnung

Wie rechnen Sie nun die Aufträge ab? Sie haben hierzu zwei Möglichkeiten:

- Sie nutzen die Transaktion KO88 (Einzelabrechnung) und rechnen damit einen einzelnen Auftrag ab.
- Sie nutzen die Transaktion KO8G (Sammelabrechnung) – am besten als Batch-Programm – und rechnen darüber am Periodenende (z. B. am Ende eines Monats) alle abrechenbaren Aufträge mit den zwischenzeitlich aufgelaufenen Ist-Kosten ab.

Ergebnis

Woran können Sie nun erkennen, dass ein Auftrag abgerechnet ist, bzw. was ist das Ergebnis einer Auftragsabrechnung?

Sämtliche Belastungen des Auftrags sind über die Abrechnung an die Zielkontierung weiterbelastet worden, sodass im Einzelkostenbericht die Summe der gesamten Ist-Kosten 0 beträgt (siehe Abbildung 6.27).

Auftrag 4000211 Zuleitung konstruktiv ändern
Auftragsart PM01 Instandhaltungsauftrag
Werk HD00 Plant Heidelberg

Planversion 0 Plan/Istversion

Kostenart	Kostenart (Text)	Σ	Plankosten gesamt	Σ	Istkosten gesamt	Währung
720000	Aufwendungen Rohstoffe		7,20		12,00	EUR
790100	Instandhaltung Zukaufteile		0,00		651,26	EUR
790200	Instandhaltung Fremdleistungen		0,00		14.551,76	EUR
800400	Innerbetriebliche Leistungen Instandhalt		900,00		810,00	EUR
Belastung		▪	**907,20**	▪	**16.025,02**	**EUR**
800500	Instandhaltung Auftragsabrechnung		0,00		810,00-	EUR
800500	Instandhaltung Auftragsabrechnung		0,00		15.215,02-	EUR
Abrechnung		▪	**0,00**	▪	**16.025,02-**	**EUR**
		▪▪	**907,20**	▪▪	**0,00**	**EUR**

Abbildung 6.27 Abgerechneter Auftrag

Controllinginformationssystem

Die durch die Aufträge in der Summe erbrachten Leistungen und Kosten können Sie sich in den Kostenstellenberichten ansehen, z. B. über die Transaktion S_ALR_87013611 (Kostenstellen: Ist-Planabweichung).

Abbildung 6.28 zeigt die typische Konstellation einer leistenden Kostenstelle: Die Entlastung der Kostenstelle erfolgt über Kostenarten der innerbetrieblichen Leistungsverrechnung (hier z. B. 800400).

Kostenarten	Istkosten	Plankosten	Abw (abs)
700000 Aufw Arbeit	42.440,00		42.440,00
720000 Aufw Roh	29.775,00		29.775,00
790200 Inst. Fremdleistun	11.413,44		11.413,44
1000000 000 Umlage	53.050,00		53.050,00
* Belastung	136.678,44		136.678,44
800000 Arbeit	20.400,00-	50.000,00-	479.600,00
800400 ILV Instandhaltung	52.515,00-	152.000,00-	4.447.485,04
* Entlastung	72.915,00-	202.000,00-	4.927.085,04
** **Über-/Unterdeckung**	**63.763,44**	**202.000,00-**	**5.063.763,48**

Abbildung 6.28 Kostenstellenbericht einer leistenden Kostenstelle

Demgegenüber zeigt Abbildung 6.29 die typische Konstellation einer empfangenden Kostenstelle: Die Belastung der Kostenstelle erfolgt über die Kostenarten der Auftragsabrechnung (hier z. B. 800000 ff.).

Kostenarten	Istkosten	Plankosten	Abw (abs)
720000 Aufw Roh	84.400,00		84.400,00
740000 Aufw H&B	11.500,00		11.500,00
760100 Diff Prod	104.549,20-		104.549,20-
770000 F&E	1.264,71		1.264,71
800000 Arbeit	78.500,00		78.500,00
800200 Abr. Innenauftrag	65.000,00		65.000,00
800500 EAM Abrechnung	184.397,30		184.397,30
1000000 000 Umlage	141.150,00		141.150,00
* Belastung	461.662,81		537.462,81
800000 Arbeit	781.073,15-		4.218.926,85
* Entlastung	781.073,15-		4.218.926,85
** **Über-/Unterdeckung**	**243.610,34-**		**4.756.389,66**

Abbildung 6.29 Kostenstellenbericht einer empfangenden Kostenstelle

6.2.9 Immobilienmanagement

Überblick

Das *Flexible Immobilienmanagement* (RE-FX) bieten Ihnen Funktionen, die im Rahmen einer Immobilienverwaltung benötigt werden, wie z. B.:

- Verwaltung der verschiedenen Arten von Immobilienobjekten (Wirtschaftseinheit, Grundstück, Gebäude, Mieteinheiten, Mietflächen, Mieträume)
- Verwaltung von Immobilienverträgen (An- und Vermietverträge, Serviceverträge, Wartungsverträge)
- Flächenmanagement (Größe, Ausstattung)
- immobilienrelevante Geschäftsprozesse (Neubauten, Bestellabwicklungen, Leistungsverrechnungen)

Immobilienobjekte und Technische Plätze

Nutzungssicht

In der Nutzungssicht können Sie einem Immobilienobjekt auf jeder Ebene einen Technischen Platz zuordnen:

- Einer Wirtschaftseinheit, wenn es sich um sachlich zusammenhängende Immobilienbestände handelt (z. B. Gewerbegebiet München-Nord).
- Einem Gebäude, wenn es sich um ein Objekt handelt, das die Basis zur Vermietung von Räumlichkeiten (z. B. Wohnung, Lager, Geschäft) bildet; ein Gebäude ist Bestandteil einer Wirtschaftseinheit.
- Einem Mietobjekt wie Flächenpool, Mietfläche, Mieteinheit.

Abbildung 6.30 zeigt die Zuordnung eines Technischen Platzes zu einem Immobilienobjekt aus Sicht des Immobilienobjekts, in diesem Fall zu einem Gebäude.

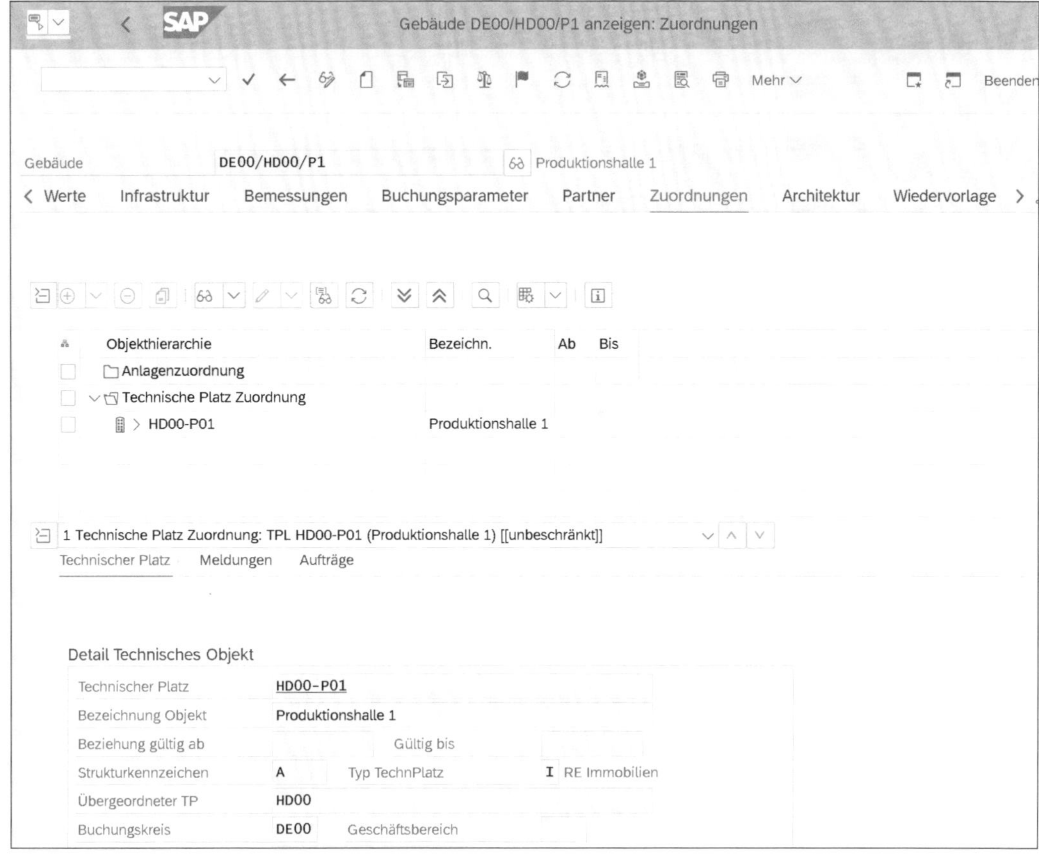

Abbildung 6.30 Technischer Platz im Immobilienobjekt

[!]

Technische Plätze automatisch anlegen lassen

Über die Customizing-Funktion **Flexibles Immobilienmanagement (RE-FX) • Übergreifende Einstellungen zu Stammdaten und Vertrag • Zuordnung von Objekten anderer Komponenten • PM-Anbindung • PM-Anbindung: Einstellungen pro Objektart definieren** können Sie pro Buchungskreis und Objektart festlegen, ob ein Technischer Platz automatisch beim Anlegen eines Immobilienobjekts generiert werden soll.

Sie können sich die Zuordnung auch aus der Sicht eines Technischen Platzes (Transaktion IL03) anzeigen lassen: Alle Technischen Plätze, die einem Immobilienobjekt zugeordnet sind, beinhalten die Registerkarte **Immobilien**, auf der die Zuordnung automatisch eingetragen wird (siehe Abbildung 6.31).

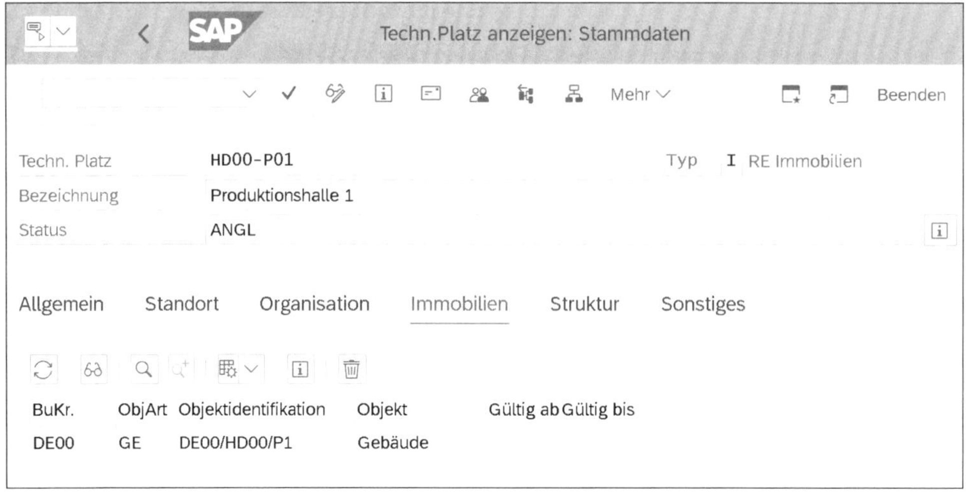

Abbildung 6.31 Immobilienobjekt im Technischen Platz

Architektonische Sicht

In der architektonischen Sicht können Sie ebenfalls einem Immobilienobjekt manuell einen Technischen Platz zuordnen. Sie können aber auch über die Customizing-Funktion **Flexibles Immobilienmanagement (RE-FX) • Stammdaten • Architektonische Sicht • PM-Anbindung • Einstellungen pro Architektonischem Objekttyp definieren** festlegen, ob zu diesem architektonischen Objekttyp (z. B. Areal, Gebäude, Grundstück usw.) automatisch ein Technischer Platz angelegt wird oder nicht.

Folgeprozesse

Wenn Sie die Zuordnung von Immobilienobjekt und Technischem Platz durchgeführt haben, können Sie die folgenden Prozesse anstoßen:

- Sie können Meldungen zum Technischen Platz aus den Immobilienobjekten heraus anlegen oder zuordnen.
- Aufträge zum Technischen Platz können Sie ebenso von Immobilienobjekten aus oder über die Transaktion IW31 anlegen und dem Immobilienobjekt zuordnen.
- Die Abrechnung des Auftrags kann auf Immobilienobjekte wie Mieteinheit, Abrechnungseinheit oder Nutzungsobjekt erfolgen. Dort werden die Kosten dann pro Immobilienobjekt ausgewiesen und können weiter in der Nebenkostenabrechnung verwendet werden (siehe Abbildung 6.32). Hierzu nutzen Sie die Transaktion REISCOLIBD (Immobilienobjekte Einzelposten Ist).

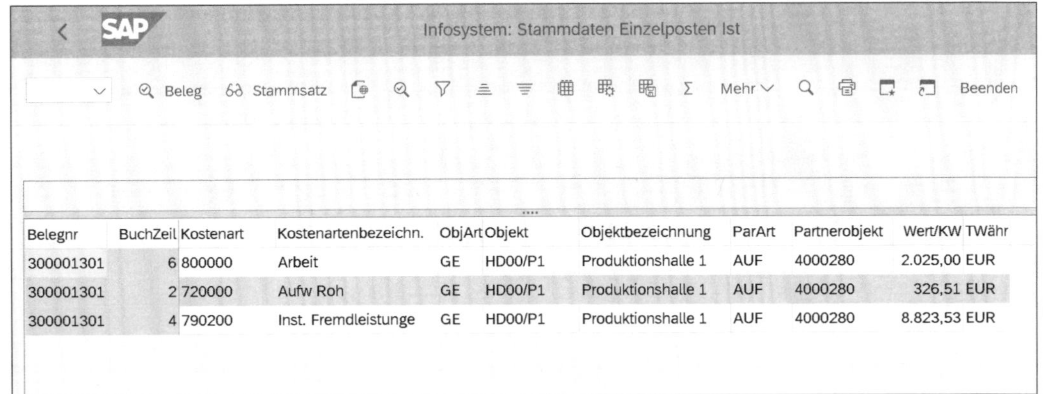

Belegnr	BuchZeil	Kostenart	Kostenartenbezeichn.	ObjArt	Objekt	Objektbezeichnung	ParArt	Partnerobjekt	Wert/KW	TWähr
300001301	6	800000	Arbeit	GE	HD00/P1	Produktionshalle 1	AUF	4000280	2.025,00	EUR
300001301	2	720000	Aufw Roh	GE	HD00/P1	Produktionshalle 1	AUF	4000280	326,51	EUR
300001301	4	790200	Inst. Fremdleistunge	GE	HD00/P1	Produktionshalle 1	AUF	4000280	8.823,53	EUR

Abbildung 6.32 Abgerechnete Kosten auf einem Immobilienobjekt

6.2.10 Personalwesen

Die Applikation SAP S/4HANA Human Capital Management bietet Funktionen rund um den Bereich der Personalwirtschaft:

- Personalmanagement (Personalbeschaffung, Vergütung, Urlaub, Organisation, Personalentwicklung, Altersvorsorge usw.)
- Personalabrechnung (brutto, netto, Kurzarbeiter, DEÜV usw.)
- Personalzeitwirtschaft (Zeitpläne, Zeiterfassung, Leistungslohn usw.)
- Veranstaltungsmanagement (Veranstaltungen, Dozenten, Raumbelegung, Anmeldung usw.)
- Aus- und Weiterbildung

Die Integration von SAP S/4HANA HCM und SAP S/4HANA Asset Management ist immer dann aktiv, wenn Sie den Objekten oder den Geschäftsprozessen der Instandhaltung eine Personalnummer zuordnen.

Arbeitsplatz und Personalnummer

Den Ausgangspunkt für die Verwendung von Personen in den Geschäftsprozessen der Instandhaltung bildet die Zuordnung von Personen zum Arbeitsplatz. Dabei können Sie, wie in Abbildung 6.33 dargestellt, die Personen entweder direkt oder indirekt über Planstellen zuordnen. Die Verknüpfung kann über die Transaktionen der Arbeitsplatzpflege (IR01, IR02) oder über Transaktionen der Personalwirtschaft erfolgen.

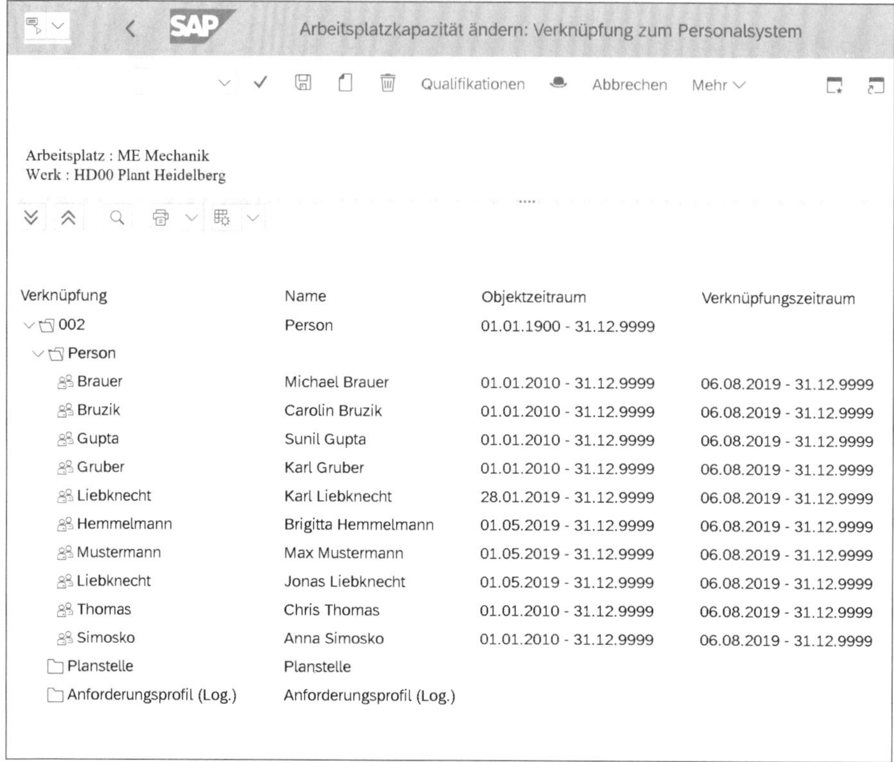

Abbildung 6.33 Arbeitsplatz und Personen

Technische Objekte und Personalnummer

Häufig möchten Anwenderfirmen schon in den Stammsätzen der technischen Objekte namentlich benannte Ansprechpartner hinterlegen (z. B. als Adressat bei Rückfragen).

[!]

> **Personenzuordnung im technischen Objekt über Partnerschema**
>
> Ihren Equipments und Technischen Plätzen können Sie immer dann Personen zuordnen, wenn Sie dem Equipmenttyp oder dem Technischen Platztyp ein Partnerschema zugeordnet haben, das eine Partnerrolle beinhaltet, die auf die Partnerart PE (Personalstamm) verweist.

Details zur Definition und Zuordnung von Partnern habe ich Ihnen in Abschnitt 4.2.10, »Spezielle Funktionen«, bereits erläutert.

In Abbildung 6.34 sehen Sie z. B. zwei Partnerrollen der Partnerart PE, die einem Equipment zugeordnet wurden.

Partnerübersicht

Rolle	Partner	Name
VW Verantwortlicher	10000	Karl Liebknecht
KO Koordinator (Pe	16000	Brigitta Hemmelmann

Abbildung 6.34 Equipment und Personen

Meldungen und Personalnummer

Wenn Sie einer Meldung einen namentlich benannten Ansprechpartner zuordnen möchten, gilt analog dasselbe wie bei den Stammsätzen.

> **Personenzuordnung in der Meldung über Partnerschema**
>
> Einer Meldung können Sie immer dann Personen zuordnen, wenn Sie der Meldungsart ein Partnerschema zugeordnet haben, das Partnerrollen beinhaltet, die wiederum auf die Partnerart PE (Personalstamm) verweisen. Wenn dieselbe Partnerrolle bereits im Typ des technischen Objekts vorhanden ist, wird die betreffende Person in die Meldung übernommen.

Auftrag und Personalnummer

In Abschnitt 5.2.2, »Planung«, habe ich Ihnen erläutert, dass Sie auf mehreren Ebenen des Auftrags eine Personalnummer zuordnen können.

Im Auftragskopf können Sie einen Verantwortlichen benennen. Dies ist in der Regel eine Person aus dem verantwortlichen Arbeitsplatz, die als zentraler Ansprechpartner bei der Durchführung des Auftrags, z. B. für Rückfragen, bestimmt wird (siehe Abbildung 6.35).

Abbildung 6.35 Auftragskopf und verantwortliche Person

Darüber hinaus können Sie einem Vorgang eine Person zuordnen, die den Vorgang bearbeiten soll. Dies ist in der Regel eine Person aus dem Arbeitsplatz (siehe Abbildung 6.36).

Erster Vorgang

Vorgang	Welle neu richten und Probelauf			BerSchl	1 Dauer berechnen		
ArbPl/Werk	ME	/ HD00	SteuSchl PM01	LeistArt	LABOR1		FHM
ArbAufw.	3,0	STD	Anzahl 1	VrgDauer	3,0	STD	Kmp
Personalnr	10000	Karl Liebknecht					

Abbildung 6.36 Vorgang und Person

Sie können einem Vorgang auch mehrere Personen zuordnen, wenn der Vorgang von mehreren Technikern bearbeitet wird. Hierzu tragen Sie die Anzahl der beteiligten Personen ein und geben dann bei den Bedarfszuordnungen die Personen an (siehe Abbildung 6.37).

Komponenten Bedarfszuordnungen Anordnungsbeziehungen

Kapazitätsart 002 Person

Spl	Eingep...	Person	Arbeit	Ar...	Dauer n...	D...	Datum	Zeit
1		Thomas	1,0	STD	1,0	STD	20.08.2019	08:00
2		Gruber	1,0	STD	1,0	STD	20.08.2019	08:00
3		Liebknecht	1,0	STD	1,0	STD	20.08.2019	08:00
4				STD		STD	20.08.2019	08:00

Abbildung 6.37 Vorgang mit mehreren Personen

Rückmeldung und Personalnummer

In allen Rückmeldetransaktionen steht Ihnen die Möglichkeit offen, eine Personalnummer bei der Rückmeldung mitzugeben; bei der Rückmeldung über die Instandhaltungstransaktionen IW41, IW42, IW44 und IW48 können Sie eine Personalnummer angeben, und bei der Rückmeldung über die SAP-Applikation CATS (Cross-Application Time Sheet, Transaktion CAT2) müssen Sie eine Personalnummer angeben.

[!]

Bei Rückmeldung mit Personalnummer Landesgesetze beachten

Wenn Sie eine Rückmeldung mit Personalnummer durchführen, beachten Sie bitte die jeweiligen Landesgesetze. In Deutschland dürfen Sie dies beispielsweise nur tun, wenn Sie mit den Arbeitnehmervertretern eine schriftliche Betriebsvereinbarung getroffen haben, aus der unter anderem hervorgeht, dass die Informationen nicht für einen Leistungsvergleich verwendet werden.

Was können Sie nun sinnvollerweise mit Rückmeldungen auf der Personalnummernebene anfangen? Sie könnten z. B. überprüfen, ob die kompletten Anwesenheitszeiten auf Aufträge verrechnet wurden. Abbildung 6.38 zeigt Ihnen ein Beispiel hierzu.

SAP Rückmeldungen anzeigen

Auftrag Mehr

A	Rückmel	Auftrag	Vorgang	BuchDatum	Name des Mitarbeiters	PersNr	Istarbeit	Eh.Arb/Ist
	4240	4000154	0010	31.07.2019	Brigitta Hemmelmann	16000	8,0	STD
	4241	4000154	0020	01.08.2019			5,0	STD
	4242	4000154	0030	02.08.2019			3,0	STD
	4247	4000154	0080	05.08.2019			5,0	STD
	4248	4000154	0090	05.08.2019			4,0	STD
	4249	4000154	0100	06.08.2019			4,0	STD
	5201	4000165	0010	06.08.2019			3,0	STD
						16000	**32,0**	**STD**
	4243	4000154	0040	31.07.2019	Karl Liebknecht	10000	6,0	STD
	4244	4000154	0050	01.08.2019			2,0	STD
	4245	4000154	0060	02.08.2019			4,0	STD
	4246	4000154	0070	02.08.2019			3,0	STD
	8326	4000200	0010	05.08.2019			2,5	STD
	8701	4000240	0010	05.08.2019			4,0	STD
	8717	4000243	0010	06.08.2019			5,0	STD
	8719	4000245	0010	06.08.2019			3,0	STD
						10000	**29,5**	**STD**
							61,5	**STD**

Abbildung 6.38 Transaktion IW47 – Rückmeldeliste pro Personalnummer

[!]

Achten Sie auf die Vollständigkeit der Rückmeldungen

Auf der Basis der personenbezogenen Zeiten können Sie auswerten, ob die betreffende Person ihre Zeiten auf den Aufträgen erfasst hat oder ob z. B. Rückmeldungen vergessen wurden. Denn wenn Sie nicht alle Anwesenheitszeiten in den Aufträgen erfassen, erhöht dies tendenziell den Verrechnungssatz der Werkstatt in der nächsten Periode.

Eine analoge Auswertung gibt es in der Personalzeitwirtschaft mithilfe des Zeitabgleichs (Transaktion PW61, siehe Abbildung 6.39).

Der Zeitabgleich zeigt die geplante Anwesenheitszeit und die auf Aufträgen verrechnete Zeit.

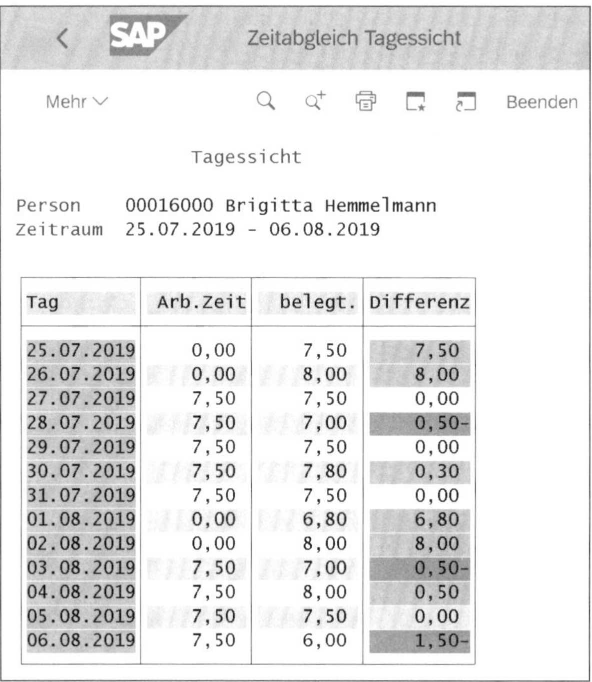

Tag	Arb.Zeit	belegt.	Differenz
25.07.2019	0,00	7,50	7,50
26.07.2019	0,00	8,00	8,00
27.07.2019	7,50	7,50	0,00
28.07.2019	7,50	7,00	0,50-
29.07.2019	7,50	7,50	0,00
30.07.2019	7,50	7,80	0,30
31.07.2019	7,50	7,50	0,00
01.08.2019	0,00	6,80	6,80
02.08.2019	0,00	8,00	8,00
03.08.2019	7,50	7,00	0,50-
04.08.2019	7,50	8,00	0,50
05.08.2019	7,50	7,50	0,00
06.08.2019	7,50	6,00	1,50-

Abbildung 6.39 Transaktion PW61 – Zeitabgleich

6.2.11 Service und Vertrieb

Ausgeprägter Kundenservice?

Wenn Sie einen ausgeprägten Kundenservice betreiben, empfehle ich Ihnen die Einführung der SAP-Komponente SAP S/4HANA Customer Service (CS). Dabei handelt es sich um eine Schwesterkomponente von SAP S/4HANA Asset Management, allerdings ergänzt um Funktionen und Geschäftsprozesse, die sich am Kundenservice orientieren. Dies sind insbesondere (siehe Abbildung 6.40):

- Strukturierung und Pflege der Serviceobjekte mithilfe von Technischen Plätzen, Equipments und Installationen
- Garantieverwaltung mit einer Garantieantragsabwicklung
- Verwaltung von Serviceverträgen und Service Level Agreements
- Angebotserstellung für Serviceleistungen
- Retourenabwicklung
- Vorabversand von Ersatzteilen
- Betrieb eines Customer Interaction Centers
- Serviceabwicklung mit Servicemeldungen, Serviceaufträgen und Kundenaufträgen

- Pflege einer Lösungsdatenbank
- Fakturierung der Serviceleistungen
- Meldungsüberwachung mit Reaktionszeiten und Bereitschaftszeiten
- Verbindung zwischen Serviceobjekten und Geschäftspartnern

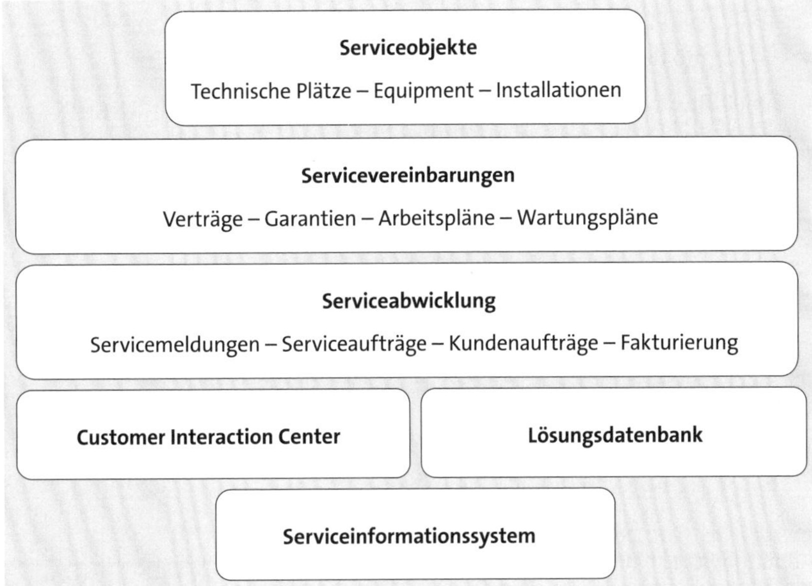

Abbildung 6.40 SAP S/4HANA Customer Service

Instandhaltung im Rahmen von Kundenaufträgen

Auch wenn Sie keinen ausgeprägten Kundenservice betreiben, aber trotzdem in unregelmäßigen Abständen Leistungen im Rahmen des Vertriebs erbringen, können Sie die Integration zum Vertrieb nutzen. Beispielsweise könnte es sich um die folgenden Leistungen handeln:

- Die Techniker führen eine Montage beim Kunden durch.
- Der Kunde reklamiert ein Gerät, das daraufhin in der Werkstatt instandgesetzt wird.
- Der Techniker repariert beim Kunden eine Maschine.
- Der Techniker weist im Rahmen eines Kundenauftrags die Kundenmitarbeiter ein.

Was müssen Sie tun, um diese Geschäftsprozesse in Ihrem System abbilden zu können, ohne ein komplettes CS-System einführen zu müssen?

- Ihnen liegt ein regulärer Kundenauftrag vor.
- Wenn einer der oben geschilderten Fälle eintritt, richten Sie einen Instandhaltungsauftrag ein.
- Den Instandhaltungsauftrag kontieren Sie auf die Kundenauftragsposition (siehe Abbildung 6.41). Voraussetzung ist, dass im Abrechnungsprofil im Feld **Erlaubte Empfänger** der Kundenauftrag eingetragen ist.
- Sie führen den Instandhaltungsauftrag ganz normal durch.
- Sie rechnen den Instandhaltungsauftrag an den Kundenauftrag ab.

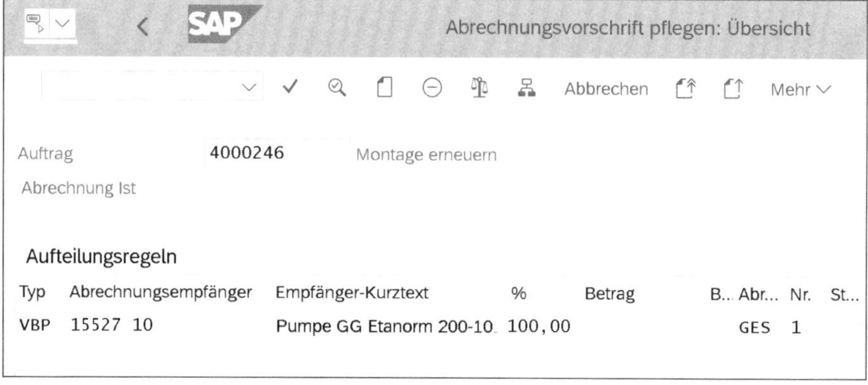

Abbildung 6.41 Kundenauftrag als Abrechnungsvorschrift

Im Kundenauftrag werden die abgerechneten Kosten ausgewiesen (siehe Abbildung 6.42) und können nun weiterfakturiert werden bzw. schmälern das zu erwartende Ergebnis des Kundenauftrags.

Vertriebsbeleg/ Pos. 15527/ 10
Material IPMP1000 Pumpe GG Etanorm 200-1000
Werk HD00 Plant Heidelberg

Istmenge 1 ST Stück

Kostenart	Kostenart (Text)	Σ	Istkosten gesamt	Währung
600001	Verkaufserlöse		2.300,00-	EUR
600001	**Verkaufserlöse**	▪	**2.300,00-**	**EUR**
800200	Auftragsabrechnung Innenaufträge		1.440,00	EUR
800200	**Auftragsabrechnung Innenaufträge**	▪	**1.440,00**	**EUR**
Belastung		▪ ▪	**860,00-**	**EUR**
		▪ ▪ ▪	**860,00-**	**EUR**

Abbildung 6.42 Kostenanalyse eines Kundenauftrags

[+]

Kontierter Instandhaltungsauftrag versus CS-Auftrag

Wenn Sie einen ausgeprägten Kundenservice betreiben, empfehle ich Ihnen die Einführung von CS (Customer Service). Wenn Sie in unregelmäßigen Abständen Leistungen im Rahmen des Vertriebs erbringen, könnten Sie die Integration zum Vertrieb nutzen und den Instandhaltungsauftrag an den Kundenauftrag abrechnen.

[!]

Planung für das Servicemanagement

SAP hat schon im Jahre 2012 angekündigt, dass die Wartung von SAP ERP zum 31.12.2025 ausläuft. Davon betroffen ist auch SAP S/4HANA CS. Die Wartung von CS läuft ebenfalls zu demselben Termin aus. SAP hat Ende 2018 SAP C/4HANA angekündigt. Im Moment ist noch unklar, welche Funktionen SAP C/4HANA zum technisch orientieren Kundenservice anbieten wird oder ob doch über den Wartungszeitraum hinaus Funktionen in SAP S/4HANA für den Kundenservice erhalten bleiben. Verfolgen Sie die Ankündigungen von SAP und von den großen Benutzervereinigungen (Deutschsprachige SAP-Anwendergruppe e. V., DSAG, und Americas' SAP Users' Group, ASUG), und halten Sie sich darüber auf dem Laufenden, wie es bei SAP mit dem Kundenservice weitergeht.

Dies dürften die wichtigsten Integrationsaspekte zwischen der Instandhaltung und den anderen Fachbereichen gewesen sein, wenn die anderen Fachbereiche Anwendungen aus dem SAP S/4HANA Core nutzen. Da SAP jedoch außerhalb von SAP S/4HANA noch andere Systeme anzubieten hat, die in den anderen Fachbereichen ebenfalls zum Einsatz kommen und von denen die Instandhaltung betroffen ist, bringe ich Ihnen diese Integrationsaspekte im nächsten Abschnitt etwas näher.

6.3 Die Integration mit anderen SAP-Systemen

Neben den in den vorangehenden Abschnitten beschriebenen Integrationspunkten innerhalb von SAP S/4HANA werden in der Instandhaltung im Wesentlichen Funktionen von SAP Master Data Governance (SAP MDG), SAP NetWeaver Master Data Management (SAP NetWeaver MDM) und von SAP Supplier Relationship Management (SAP SRM) genutzt.

6.3.1 SAP Master Data Management

Ausgangssituation und Zielsetzung

Da Stammdaten (engl. Master Data) die Grundlage für Geschäftsvorgänge im Unternehmen sind, ist deren Qualität von besonderer Bedeutung. Stammdaten stellen Informationen, die in Geschäftsprozessen, anderen Daten (z. B. Bewegungsdaten), Auswertungen oder in administrativen und dispositiven Anwendungen verwendet werden. Damit beeinflusst die *Stammdatenqualität* direkt Abläufe, Bestände, Erlöse, Kosten oder die Unternehmensberichtserstattung. Somit hat die Qualität der Stammdaten eine unmittelbare Auswirkung auf den Unternehmenserfolg und muss als zentraler Erfolgsfaktor betrachtet werden.[1]

Um Fehler und Probleme und die daraus entstehenden Beeinträchtigungen und Kosten möglichst gering zu halten, erkennen immer mehr Unternehmen ein geeignetes *Stammdatenmanagement* als wichtiges Instrument der Unternehmensführung an. Das Stammdatenmanagement ist eine unternehmensweite Aufgabe, die sich aus mehreren Komponenten zusammensetzt. Einerseits gehören dazu *strategische* Entscheidungen, wie die Entwicklung einer Stammdatenstrategie oder die Erarbeitung einer Wirtschaftlichkeitsanalyse. Darüber hinaus müssen *organisatorische* Entscheidungen getroffen werden: Prozesse müssen definiert sowie Rollen und Verantwortlichkeiten bestimmt werden. Schließlich sind *systemtechnische* Entscheidungen zu treffen. Das betrifft die zu verwendenden IT-Komponenten, speziell die Wahl der geeigneten Software zur Unterstützung des Stammdatenmanagements.[2]

In vielen Unternehmen ist nicht nur ein integriertes System wie SAP ERP oder SAP S/4HANA im Einsatz, sondern möglicherweise noch viele andere, in denen Geschäftsprozesse abgewickelt und Stammdaten verwaltet werden (z. B. CRM- oder SRM-Systeme). In der Folge sind Stammdaten auf verschiedene Systeme, Anwendungen und Tabellen verteilt, und dies führt fast zwangsweise zu Inkonsistenzen und Konflikten.

Zur Verdeutlichung ein Beispiel: Ein Ersatzteil wird in unterschiedlichen Werken von verschiedenen Anbietern bezogen. Jeder Anbieter verwendet eine andere Teilenummer, und jedes Werk hat für dieses Ersatzteil in seinem System unterschiedliche Materialnummern angelegt. Dieses Ersatzteil wird also niemals gemeinsam disponiert und in anderen Werken auch niemals als verfügbar erkannt, was unweigerlich zu erhöhten Lagerbestän-

1 Hildebrand, Knut; Gebauer, Marcus; Hinrichs, Holger; Mielke, Michael (Hrsg.): »Daten- und Informationsqualität: Auf dem Weg zur Information Excellence«, 4. Auflage, Wiesbaden 2018, S. 145.

2 Otto, Boris; Hüner, Kai M.; Österle, Hubert: »Unternehmensweite Stammdatenqualität«, in: ERP Management, Nr. 3/2009, S. 18f.

den führt. Mithilfe von SAP NetWeaver Master Data Management (SAP NetWeaver MDM) sollen nun Dubletten gefunden werden und Stammdatenobjekte aus verschiedenen IT-Systemen konsolidiert, synchronisiert, verteilt und zentral verwaltet werden.

Stufen von SAP NetWeaver MDM

Diese Ziele versucht SAP NetWeaver MDM über verschiedene Stufen zu erreichen (siehe Abbildung 6.43):

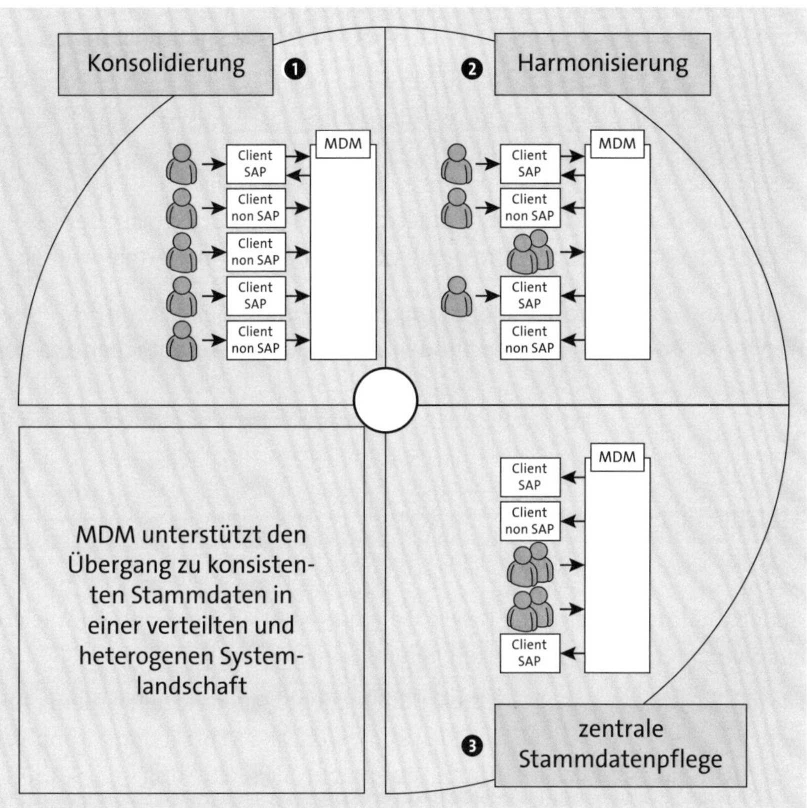

Abbildung 6.43 SAP NetWeaver Master Data Management

- **Stammdatenkonsolidierung**
  Die Stammdatenkonsolidierung ❶ zielt darauf ab, identische Stammdaten aus unterschiedlichen Systemen zu identifizieren, die Stammdatenobjekte zentral in SAP NetWeaver MDM zu vergleichen und die dezentralen Systeme mit den Mapping-Informationen zu versorgen. Hierzu werden die Daten in SAP NetWeaver MDM geladen und dort konsolidiert. Die mögliche Korrektur erfolgt dann in den dezentralen Systemen. Die dezentralen Systeme können dabei SAP-Systeme oder Nicht-SAP-Systeme sein.

- **Stammdatenharmonisierung**
  Auch bei der Stammdatenharmonisierung ❷ werden die Stammdaten in dezentralen SAP-Systemen und Nicht-SAP-Systemen gepflegt, in SAP NetWeaver MDM geladen und dort harmonisiert. Darüber hinaus werden die Stammdaten bei diesem Szenario auf SAP-Systeme und Nicht-SAP-Systeme verteilt und dort aktualisiert bzw. neu angelegt.
- **Zentrale Stammdatenpflege**
  Bei der zentralen Stammdatenpflege ❸ werden die Stammdaten im SAP-NetWeaver-MDM-Server zentral gepflegt und gespeichert. Von dort aus werden sie mithilfe von Verteilmechanismen auf die zu adressierenden SAP-Systeme und Nicht-SAP-Systeme verteilt. Der Unterschied zur Stammdatenharmonisierung besteht hier darin, dass die Daten nicht aus den dezentralen Systemen geladen und konsolidiert, sondern zentral in SAP NetWeaver MDM gepflegt und von dort aus verteilt werden.

Objekte

Welche aus Sicht der Instandhaltung relevanten Objekte kann SAP NetWeaver MDM verarbeiten? Es handelt sich dabei im Wesentlichen um die Objekte:

- Material
- Stücklisten
- Lieferanten
- Personal

Andere Stammdatenobjekte (wie z. B. Retail-Material oder Kunden) spielen aus Sicht der Instandhaltung keine Rolle.

Ich möchte diesen Aspekt an dieser Stelle nicht weiter vertiefen, denn aus Sicht von SAP ist nicht SAP NetWeaver Master Data Management, sondern SAP MDG die zukunftsorientierte Lösung zur Sicherstellung von Stammdatenqualitäten.

6.3.2 SAP Master Data Governance

SAP MDG ist die neuere und zukünftig ausschließliche Komponente, die Sie bei der Sicherstellung der Qualität Ihrer Stammdaten unterstützen soll. Diese können Sie in zwei unterschiedlichen Szenarien einsetzen (siehe Abbildung 6.44):

- Sie können SAP MDG als Stand-alone-System einsetzen, von dem aus die Stammdaten an die operativen Systeme verteilt werden – dies wäre ein sogenannter Master Data Hub.

- Sie können SAP MDG als integrierte Komponente innerhalb eines ERP-Systems verwenden. Die Stammdaten verbleiben dann nur innerhalb des ERP-Systems oder können auch auf andere operative Systeme verteilt werden.

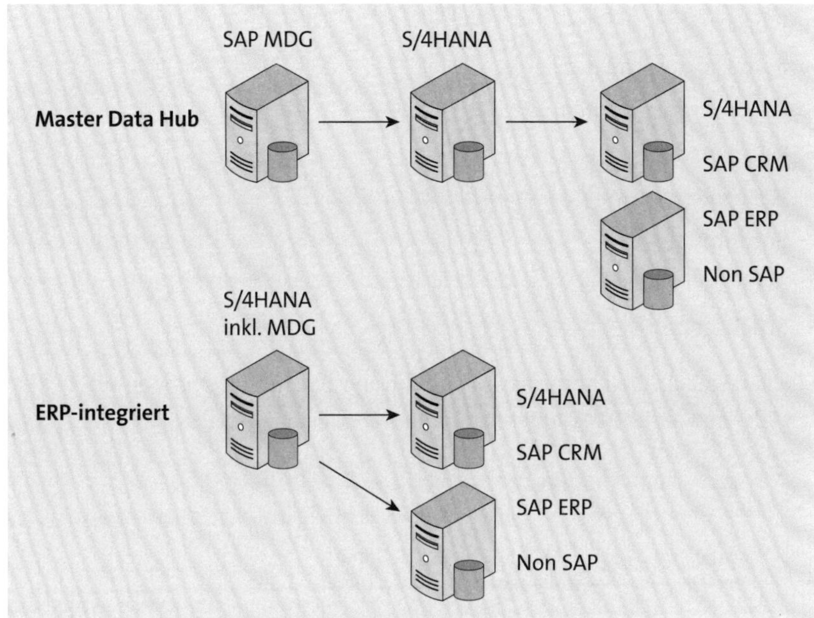

Abbildung 6.44 SAP Master Data Governance – Einsatzszenarien

Funktionsumfang

Die wichtigsten Funktionen von SAP MDG sind folgende:

- **Zentrales Stammdatenmanagement**
  Sie können Stammdaten zentral im MDG-System verwalten. Über einen Änderungsantrag können Sie Änderungen an vorhandenen Stammdaten oder das Anlegen von neuen Stammdaten beantragen. Angeschlossen ist dann ein Workflow, der Sie bei den weiteren Funktionen wie Genehmigung oder Weiterleitung unterstützt.
- **Replizieren von Stammdaten**
  Mit dem Data Replication Framework (DRF) können Sie Ihre Stammdaten in die einzelnen Zielsysteme replizieren. Über Filter können Sie genau einstellen, welche Daten an welches Zielsystem gesendet werden sollen.
- **Laden von Stammdaten**
  Sie können Daten von vorgelagerten Systemen in das MDG-System laden, um sie dann dort zu prüfen.

- **Konsolidieren von Stammdaten**
  Sie können Stammdaten konsolidieren, die aus verschiedenen Quellen stammen, und mögliche Dubletten erkennen.

Datenobjekte

Aktuell unterstützt SAP MDG folgende Datenobjekte:

- Finanzdaten
- Materialstammdaten
- Lieferantenstammdaten
- Kundenstammdaten
- Geschäftspartner
- Equipments
- Technische Plätze
- Stücklisten

Ablauf der Stammdatenpflege

Ein vereinfachter schematischer Ablauf der Stammdatenpflege unter Einbeziehung von SAP MDM ist in Abbildung 6.45 dargestellt.

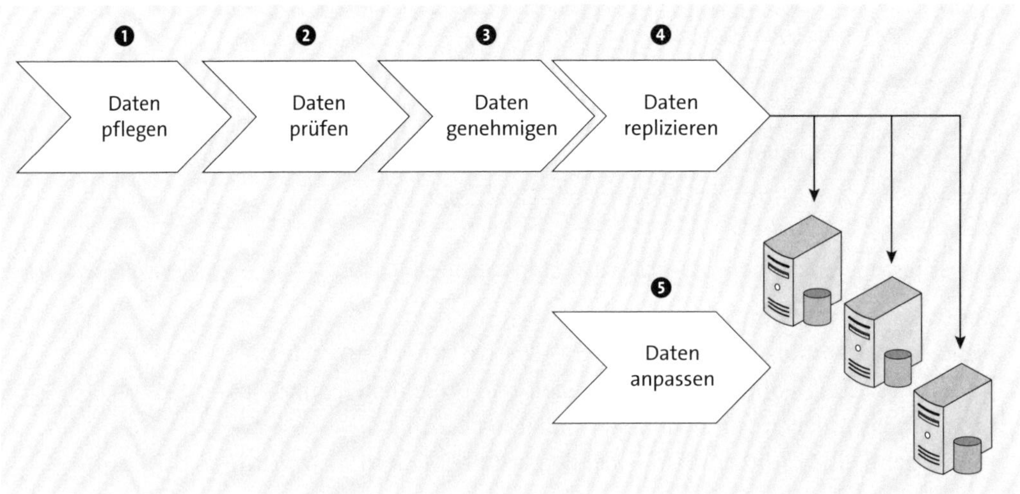

Abbildung 6.45 SAP Master Data Governance – Ablauf

1. In einem gesonderten Bereich (Staging Area) werden die Stammdaten zentral erfasst ❶. Da diese aber nicht gleich freigegeben oder verwendet, sondern einem Genehmigungsprozess unterzogen werden sollen, legen Sie hierzu einen *Änderungsantrag* an. Dies ist die zentrale Komponente der Stammdatenpflege mit SAP MDG. Nur über einen Änderungsantrag können Sie Stammdatenobjekte pflegen, d. h. anlegen oder ändern. Typischerweise bekommt jeder Stammdatenprozess im Unternehmen einen eigenen Änderungsantrag. So wird der Prozess *Material anlegen* über

einen Änderungsantrag gestartet, während den Prozessen *Material ändern* oder *Lieferant anlegen* jeweils ein eigener Änderungsantrag zugewiesen wird. Abbildung 6.46 zeigt exemplarisch einen solchen Antrag auf Änderung eines bestehenden Materialstammsatzes. Hier pflegen Sie beispielsweise solche Angaben wie Gültigkeitsdauer, Änderungsgrund oder Priorität.

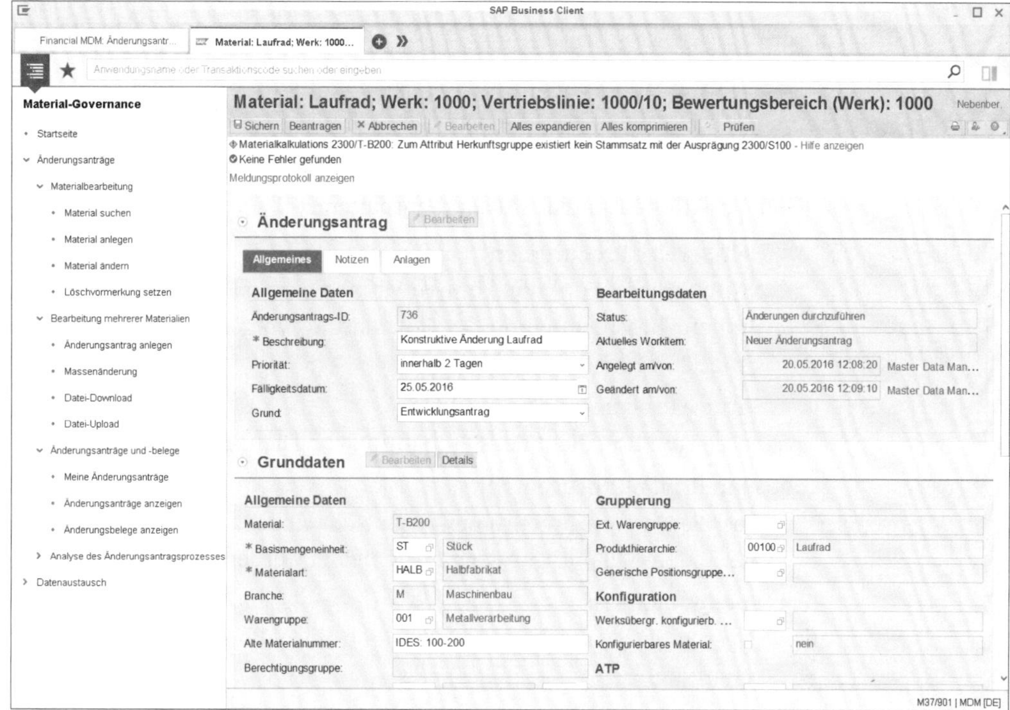

Abbildung 6.46 SAP Master Data Governance – Änderungsantrag

2. In einem optionalen zweiten Schritt ❷ könnten die Daten validiert werden – beispielsweise, indem Sie auf externe Services zurückgreifen, Adressbereinigungen vornehmen oder Duplikate suchen.
3. Bei einem Vier-Augen-Prinzip muss nun ein Genehmiger den Stammsatz zur weiteren Verwendung freigeben ❸. Bei einem Sechs-Augen-Prinzip sind ein Prüfer und ein Genehmiger zuständig. Erst nach der abschließenden Genehmigung werden die Daten in den aktiven Bereich, die sogenannte *Active Area*, transferiert und dort gespeichert. Um den Änderungsantrag den eigenen Bedürfnissen gemäß bearbeiten zu können, wird jedem Änderungsantrag ein Workflow zugeordnet. Durch diesen Workflow können einem Änderungsantrag beispielsweise Genehmigungsschritte mit Validierungsprüfungen zugeordnet werden.

4. Im vierten Schritt ❹ werden die Stammdaten auf die angeschlossenen SAP- und Nicht-SAP-Systeme verteilt.
5. In den SAP- und Nicht-SAP-Systemen können sie dann adaptiert und um lokale Daten erweitert werden ❺.

Für weitergehende Informationen würde ich Sie gerne auf die zur Verfügung stehende Literatur verweisen.[3]

6.3.3 SAP Supplier Relationship Management (SAP SRM)

Überblick

SAP SRM[4] ist ein alternatives Einkaufssystem von SAP, das anstelle oder parallel zum Einkauf mit SAP S/4HANA eingesetzt werden kann. Die folgenden Funktionen sind in SAP SRM enthalten:

- **Self-Service Procurement**
  Mithilfe dieser Funktion können Mitarbeiter zur Entlastung des Einkaufs und zur Beschleunigung der Beschaffungsvorgänge eigene Bestellvorgänge anlegen und verwalten.
- **Service Procurement**
  Diese Funktion dient der Beschaffung von Dienstleistungen.
- **Plan-driven Procurement**
  Das Plan-driven Procurement dient der Abdeckung von Bedarfen, die aus anderen Planungssystemen gemeldet werden.
- **Spend Analysis**
  Diese Funktion dient der Analyse der Unternehmensausgaben in der Beschaffung.
- **Strategic Sourcing**
  Das Strategic Sourcing wird zur Verwaltung von Bezugsquellen eingesetzt.
- **Catalog Content Management**
  Zur Verwaltung von Einkaufskatalogen wird das Catalog Content Management genutzt.
- **Contract Management**
  Diese Funktion dient der Verwaltung von Kontrakten und Lieferplänen.

3 Informationen zu SAP MDG finden Sie z. B. bei Lauffer, O., Rauscher, J., Zimmermann, R.: »Stammdatenmanagement mit SAP Master Data Governance«, Bonn: SAP PRESS 2016.

4 Informationen zu SAP SRM finden Sie z. B. bei Bradler, J.; Mödder, F.: SAP Supplier Relationship Management, 2. Auflage, Bonn: SAP PRESS 2013.

Plan-driven Procurement with Plant Maintenance

Aus Sicht der Instandhaltung ist vor allem die Komponente *Plan-driven Procurement* von Interesse, bei der es darum geht, Material- und Dienstleistungsbedarfe, die in externen Planungssystemen entstanden sind, zu beschaffen. Speziell für die Instandhaltung bietet SAP SRM das Szenario *Plan-driven Procurement with Plant Maintenance* an.

Dieses Szenario gibt es in zwei Varianten:

- klassisches Szenario (siehe Abbildung 6.47)
- erweitertes klassisches Szenario (siehe Abbildung 6.48)

Klassisches Szenario

Beim klassischen Szenario generiert SAP S/4HANA eine Bestellanforderung und schickt diese als externe Anforderung an SAP SRM über die offene XML-Schnittstelle.

SAP SRM führt zum angeforderten Produkt eine Bezugsquellenfindung durch. Hier stehen dem Einkäufer die Sourcing-Funktionen zur Verfügung, mit denen er z. B. Kontrakte zu Anforderungen anlegen oder einen Ausschreibungsprozess auslösen kann.

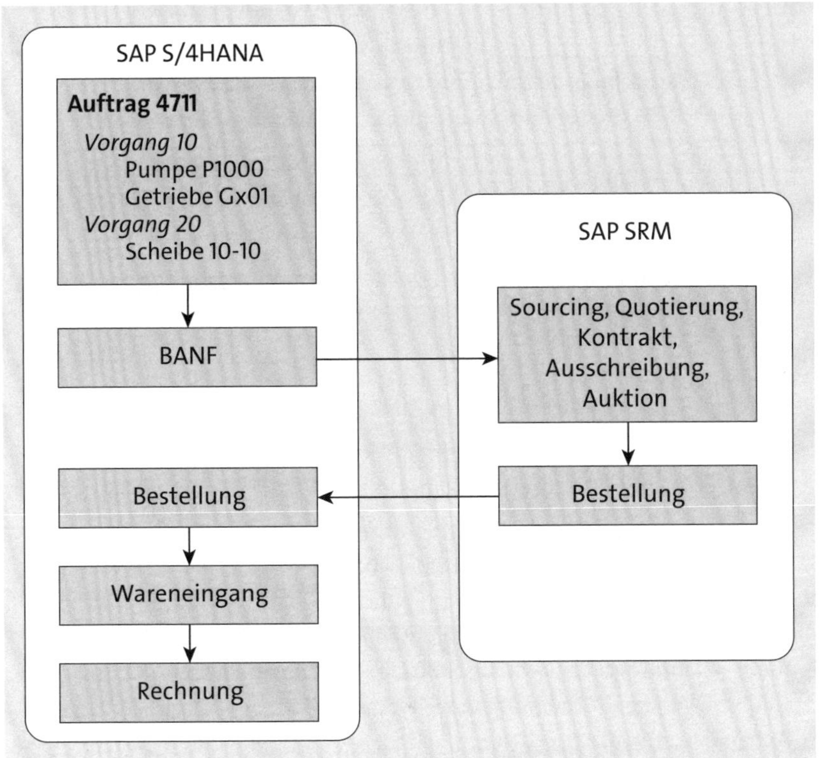

Abbildung 6.47 SRM-Integration – das klassische Szenario

SAP SRM erzeugt eine oder mehrere Bestellungen, die an SAP S/4HANA übergeben werden – die Folgeverarbeitung zur Bestellung.

Erweitertes klassisches Szenario

Beim erweiterten klassischen Szenario erfolgt auch die Folgeverarbeitung in SAP SRM, wobei die entstehenden Belege aus Wareneingang und Rechnungseingang in SAP S/4HANA nachgehalten werden.

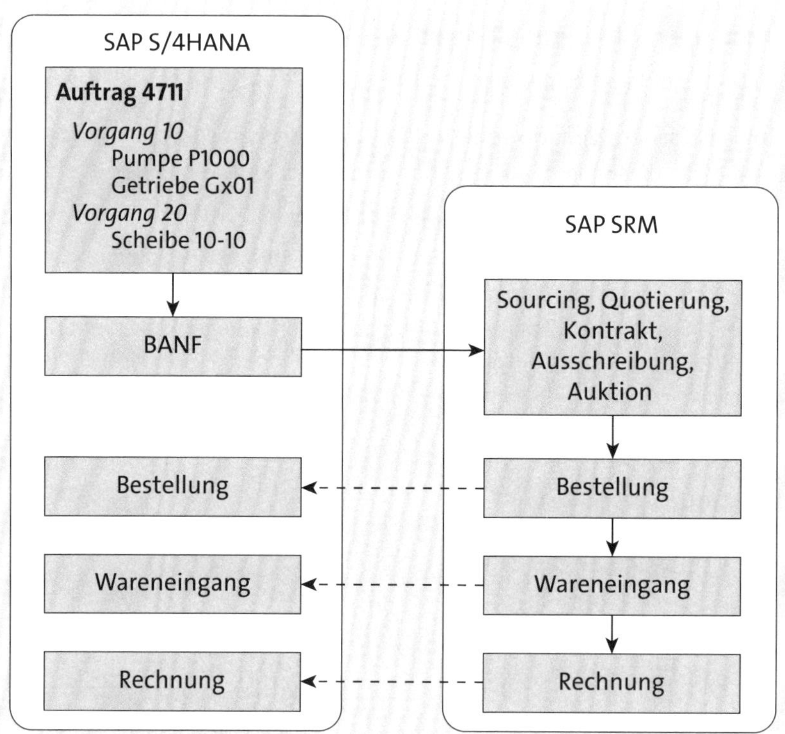

Abbildung 6.48 SRM-Integration – das erweiterte klassische Szenario

[!]

Klassisches oder erweitertes Szenario einstellen?

Die Entscheidung darüber, ob Materialien nach dem klassischen oder nach dem erweiterten klassischen Szenario abgewickelt werden, treffen Sie im Customizing von SAP S/4HANA mithilfe der Customizing-Funktion **Integration mit anderen SAP-Komponenten • Supplier Relationship Management • Planungsgesteuerte Beschaffung • Profile für die externe Beschaffung pflegen** bzw. **Steuerung externe Beschaffung**, mit deren Hilfe Sie in Abhängigkeit von Warengruppe und Einkäufergruppe den Beschaffungsprozess auf das SRM-System lenken können.

Dies waren die wichtigsten SAP-Systeme, die von anderen Fachabteilungen eingesetzt werden und in Interaktion mit SAP S/4HANA Asset Management stehen.

In der Regel trifft man jedoch bei der SAP-Einführung auf weitere Systeme, die von anderen Fachabteilungen genutzt werden und bei denen ebenfalls ein Datenaustausch gewünscht ist oder notwendig wird. Solche Fälle sind Gegenstand des nächsten Abschnitts.

6.4 Die Integration mit Nicht-SAP-Systemen

Bei der Einführung von SAP S/4HANA Asset Management begegnet man häufig der Situation, dass vorhandene Nicht-SAP-Systeme (z. B. aus dem Bereich der Betriebsdatenerfassung, der Konstruktion oder der Haustechnik) gekoppelt werden sollen. Bei diesen Nicht-SAP-Systemen kann es sich um unterschiedliche Kategorien von Systemen handeln. Diese habe ich in den weiteren Ausführungen folgendermaßen eingeteilt:

- **Betriebsüberwachungssysteme**
  wie Prozessleitsysteme, Netzüberwachungssysteme, Gebäudeleitsysteme und Diagnostiksysteme
- **Betriebsinformationssysteme**
  wie CAD-Systeme (Computer-Aided Design), GIS-Systeme (geografische Informationssysteme) und Netzinformationssysteme
- **Leistungserfassungssysteme**
  wie beispielsweise Systeme für die Aufmaßerfassung

6.4.1 Betriebsüberwachungssysteme

Definition

Betriebsüberwachungssysteme überwachen, steuern, regeln und optimieren online und sehr zeitnah das betriebliche Geschehen. Je nach Branche und Verwendungszweck kommen verschiedene Systeme zum Einsatz:

- **Prozessleitsysteme**
  Prozessleitsysteme kommen in der Prozessindustrie zum Einsatz, wie z. B. in der Chemie-, Pharma- und Nahrungsmittelindustrie. Sie dienen dazu, einen technischen Prozess zu überwachen, zu steuern, zu regeln und zu optimieren, wie z. B. die Kühlung in einer Eiscremeproduktionsanlage oder die Durchlaufgeschwindigkeit einer Pulvertrocknungsanlage.

- **MES-Systeme**
  MES-Systeme (Manufacturing Execution Systems) werden in der diskreten Fertigung eingesetzt und zeichnen sich gegenüber Systemen zur Produktionsplanung in SAP ERP durch die direkte Anbindung an die Automatisierung aus. Sie ermöglichen somit die Kontrolle der Produktion in Echtzeit. Hierzu gehören auch elektronische Leitstände und klassische Datenerfassungen wie Betriebsdatenerfassung (BDE), Maschinendatenerfassung (MDE) und Personaldatenerfassung (PDE).
- **Gebäudeleitsysteme**
  Gebäudeleitsysteme kommen in der Gebäudeverwaltung zum Einsatz. Sie werden genutzt, um einen technischen Prozess innerhalb eines Gebäudes zu überwachen, zu steuern, zu regeln und zu optimieren, wie z. B. die Klimatisierung oder Belüftung.
- **Netzüberwachungssysteme**
  Netzüberwachungssysteme werden in der Energiewirtschaft oder auch bei Energiegroßverbrauchern eingesetzt. Sie dienen dazu, die Produktion und Verteilung von Strom zu überwachen, zu steuern, zu regeln und zu optimieren. Eine andere Form von Netzüberwachungssystemen kommt in der Telekommunikation zur Überwachung, Regelung, Steuerung und Optimierung der Telekommunikationsnetze zum Einsatz.
- **Diagnostikbaugruppen**
  Neben diesen kompletten Systemen gibt es für viele einzelne Aggregate wie Roboter, flexible Fertigungszellen, Fahrzeuge oder Aufzüge sogenannte Diagnostikbaugruppen. Diese sind in der Lage, Fehler an den Aggregaten zu erkennen, Fehler zu diagnostizieren und gegebenenfalls auch automatisch zu melden – etwa wenn der Hydraulikdruck im Aufzug zu niedrig wird, die Drehgeschwindigkeit des Roboters nachlässt oder ein Druckabfall im Bremsleitungssystem eines Fahrzeugs festgestellt wird.

Die Betriebsüberwachungssysteme liefern eine Vielzahl von Daten, die in einem Prozess, einem Gebäude, an einem Aggregat oder einer Infrastruktur anfallen. Es gibt nun zwei verschiedene Möglichkeiten, wie die Betriebsüberwachungssysteme ihre Informationen an das SAP-System weitergeben:

- **RFC-Verbindung**
  Bei der ersten Möglichkeit gibt es eine direkte RFC-Verbindung (Remote Function Call) zwischen dem Betriebsüberwachungssystem und dem SAP-System (siehe Abbildung 6.49).

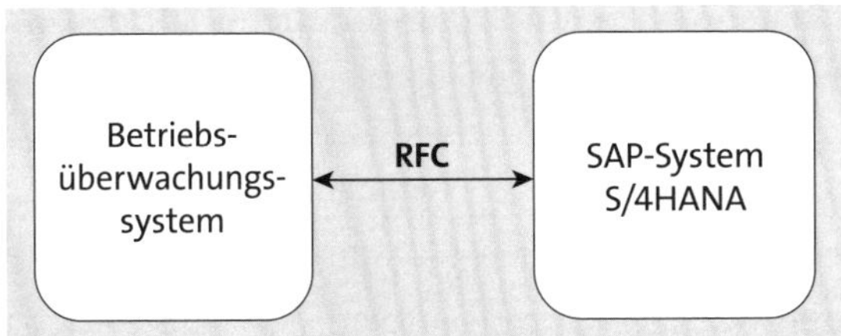

Abbildung 6.49 Direkte Anbindung an das SAP-System

- **SCADA-Systeme**
  Eine indirekte Anbindung erfolgt über sogenannte SCADA-Systeme (Supervisory Control and Data Acquisition). Diese erfüllen eine Filterfunktion. Sie filtern die instandhaltungsrelevanten Daten heraus und bewahren somit das SAP-System vor einer Überflutung mit Daten. Außerdem stellen SCADA-Systeme die Kommunikation zwischen einem oder mehreren Prozessleitsystemen und dem SAP-System her (siehe Abbildung 6.50).

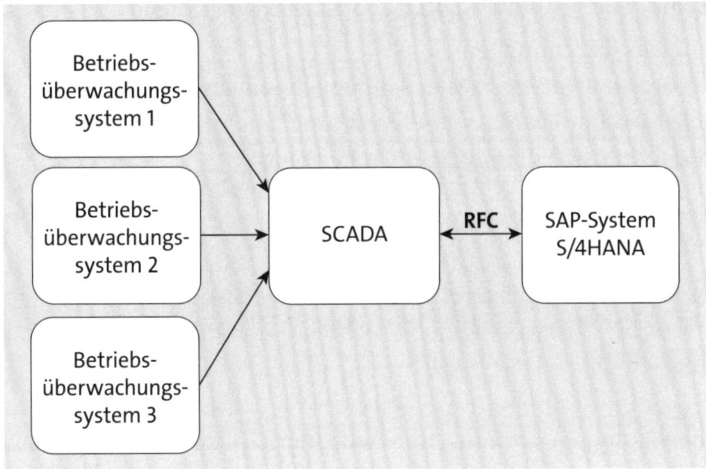

Abbildung 6.50 Indirekte Anbindung an das SAP-System

Die PM-PCS-Schnittstelle

Was ist die PM-PCS-Schnittstelle?

Die PM-PCS-Schnittstelle (PCS = Production Control System) ist fester Bestandteil von SAP S/4HANA zur Aufnahme von Daten aus Fremdsystemen. Neben Betriebsüberwachungssystemen gehören dazu auch Daten, die mit einem mobilen Gerät (Laptop, Barcode-Lesegerät) erfasst wurden. Über diese Schnittstelle können Sie Messwerte und Zählerstände aus vorgelagerten Systemen in das SAP-System übernehmen.

Welche Einsatzmöglichkeiten ergeben sich nun für Sie in SAP S/4HANA durch den Einsatz der PM-PCS-Schnittstelle?

- **Leistungsbasierte Wartungsplanung**
  Die PM-PCS-Schnittstelle unterstützt Ihre leistungsbasierte Wartungsplanung, bei der auf Basis der übergebenen Zählerstände eine Neuberechnung des nächsten Wartungstermins erfolgt (siehe Abschnitt 5.8.5, »Vorbeugende Instandhaltung, leistungsbasiert«, und Abschnitt 5.8.6, »Vorbeugende Instandhaltung, zeit- und leistungsbasiert«).
- **Zustandsabhängige Instandhaltung**
  Die PM-PCS-Schnittstelle ermöglicht Ihnen eine zustandsabhängige Instandhaltung, bei der auf der Basis der übergebenen Messwerte eine Störmeldung ausgelöst wird (siehe Abschnitt 5.9, »Der Geschäftsprozess ›Zustandsabhängige Instandhaltung‹«).
- **Dokumentation**
  Die erzeugten Messbelege bilden die Basis zur Dokumentation von Sachverhalten für die Bereiche Anlagensicherheit, Arbeitssicherheit und Umweltschutz (siehe Abschnitt 4.2.10, »Spezielle Funktionen«).
- **Verbrauchsabrechnungen**
  Die übergebenen Messbelege können Ihnen als Grundlage für Verbrauchsabrechnungen bei der Verwaltung von Immobilien dienen (siehe Abschnitt 6.2.9, »Immobilienmanagement«).

[!]

Datenübernahme mit der PM-PCS-Schnittstelle

Die PM-PCS-Schnittstelle ist ein flexibles Instrument, um aus vorgelagerten Systemen Messwerte und Zählerstände in SAP S/4HANA zu übernehmen und dort weiterzuverarbeiten.

Neben den Systemen, die einen direkten Eingriff in das Betriebsgeschehen vornehmen, sind aus Sicht der Instandhaltung noch Systeme relevant, die Sie bei der Konstruktion und beim Bau der betrieblichen Anlagen unterstützen.

6.4.2 Betriebsinformationssysteme

Im Wesentlichen handelt es sich bei den Betriebsinformationssystemen um CAD-Systeme und GIS-Systeme .

CAD-Systeme

CAD-Systeme werden z. B. in den folgenden Bereichen eingesetzt:

- im Anlagenbau als Rohrleitungs- und Instrumentenfließbilder (R&I-Zeichnungen, siehe Abbildung 6.51)

- im Facility Management als Gebäudepläne, Raumbücher oder Flächennachweise
- in der Konstruktion zur Entwicklung von komplexen Geräten (wie z. B. Industrieroboter, Flugzeuge)

Gängige CAD-Systeme wie AutoCAD, MicroStation oder CATIA beinhalten eine zertifizierte Schnittstelle zum SAP-System.

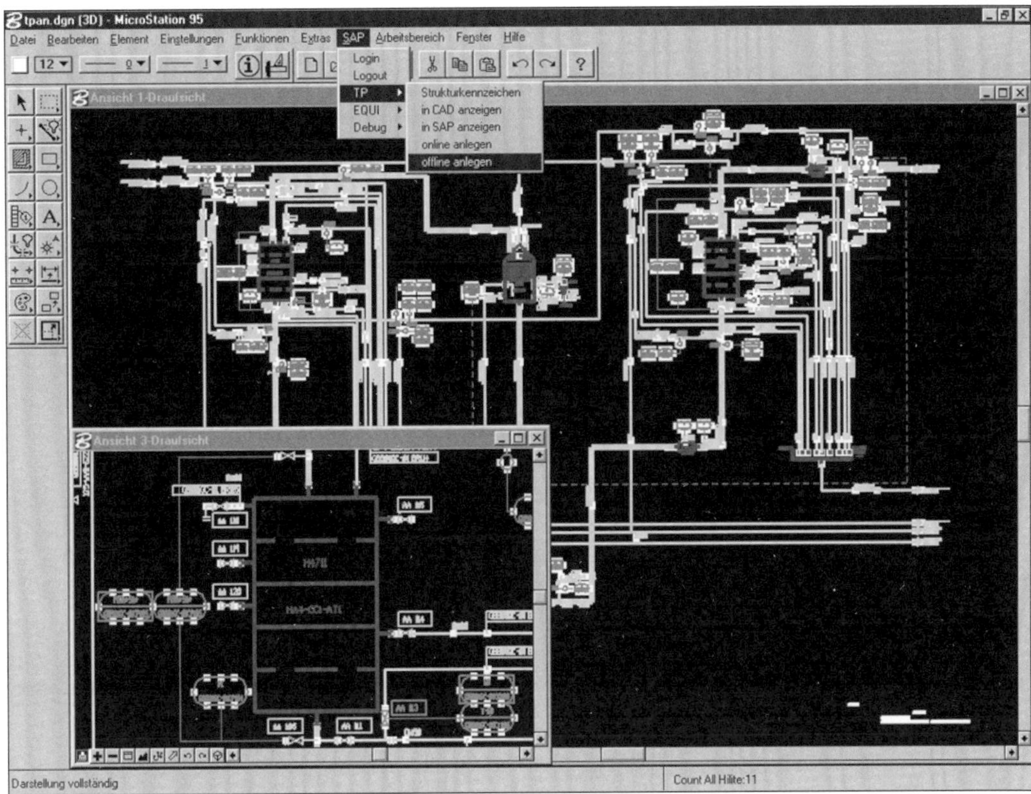

Abbildung 6.51 CAD-System

GIS-Systeme

GIS-Systeme gibt es in unterschiedlichen Ausprägungen: als Landinformationssysteme, Bodeninformationssysteme, Umweltinformationssysteme und andere Systeme. Die aus Sicht der Instandhaltung und in ihrer Verbindung zum SAP-System wichtigsten GIS-Systeme sind die Netzinformationssysteme (NIS = Network Information Service). Das NIS-System ist ein Instrument zur Erfassung, Verwaltung, Analyse und Präsentation von Betriebsmitteldaten aus dem Bereich der Netzwerktopologie. Mit dieser besonderen Ausprägung eines geografischen Informationssystems arbeiten Versorgungs- und Entsorgungsunternehmen. Hierbei steht in erster Linie die geometrische und grafische Dokumentation des Leitungsbestands im Vordergrund (siehe Abbildung 6.52).

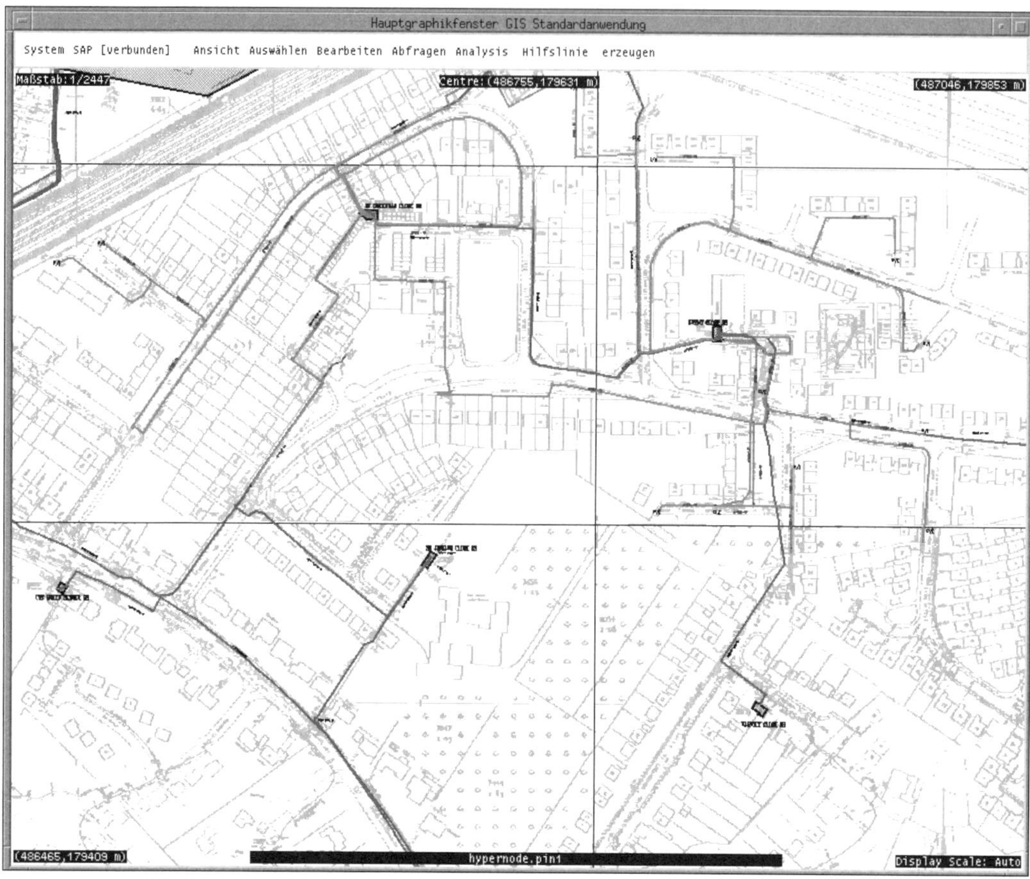

Abbildung 6.52 GIS-System

Namhafte GIS-Hersteller wie GE Smallworld, Bentley, Intergraph, Esri und andere haben sich ihre GIS-Schnittstelle von SAP zertifizieren lassen.

Funktionsumfang

Was leisten nun diese CAD- bzw. GIS-Schnittstellen? Der Funktionsumfang variiert von Hersteller zu Hersteller. Im Folgenden finden Sie einen Auszug aus den Möglichkeiten:

- Anlegen, Ändern, Suchen und Anzeigen von Equipments
- Anlegen, Ändern, Suchen und Anzeigen von Technischen Plätzen
- Anlegen, Ändern, Suchen und Anzeigen von Materialien
- Anlegen, Ändern, Suchen und Anzeigen von Stücklisten

- Synchronisation von Klassifizierungsdaten
- Anlegen, Ändern, Suchen und Anzeigen einer Meldung bzw. eines Auftrags und Visualisieren von Meldungs-/Auftragsstatus

Technische Realisierung

Bei der technischen Realisierung können die Schnittstellen unterschiedliche Ansätze verfolgen:

- Sie befinden sich in Ihrer CAD-/GIS-Anwendung und möchten zu einem selektierten grafischen Objekt im CAD-/GIS-System die damit verknüpften Daten aus dem SAP-System erhalten. Dazu starten Sie eine Anfrage an den SAP-Applikationsserver und erhalten das Ergebnis parallel zu seiner CAD-/GIS-Anwendung in einem SAP-Fenster.
- Sie erhalten das Ergebnis in einem CAD-/GIS-Fenster.
- Sie befinden sich in Ihrem SAP-System und möchten zu einem technischen Objekt (Equipment, Technischer Platz) die CAD-/GIS-Zeichnung erhalten, bei der das ausgewählte technische Objekt hervorgehoben ist. Hierzu starten Sie eine Anfrage an den SAP-Applikationsserver. Die CAD-/GIS-Anwendung lädt die Zeichnung.
- Als technische Implementierung können Sie entweder den Business Connector, den GIS Business Connector oder SAP Process Integration (PI) nutzen.

Die Funktionsumfänge sind extrem unterschiedlich

Da der Funktionsumfang der Schnittstelle Ihres CAD-/GIS-Systems und die technische Umsetzung sehr stark variieren können, erfragen Sie die Details am bestem bei Ihrem Hersteller.

6.4.3 Leistungsverzeichnisse und Leistungserfassungen

Wenn Sie Ihre Geschäftsprozesse auf der Basis von Leistungsverzeichnissen mit Lieferanten abwickeln (siehe Abschnitt 5.5.4, »Fremdleistungen mit Leistungsverzeichnissen«), haben Sie zwei Möglichkeiten, wie Sie einen Datenaustausch mit Ihren Lieferanten realisieren könnten.

Datenaustausch über Schnittstelle

SAP bietet Schnittstellen an, mit denen Sie zum einen Daten an Ihren Lieferanten übergeben bzw. vom Lieferanten in das SAP-System übernehmen können und zum anderen vorgefertigte Standardleistungsverzeichnisse auf Datenträgern in das SAP-System einspielen können.

Sie können die folgenden Daten mit dem Dienstleister austauschen (siehe Abbildung 6.53):

- Anfragen/Angebote
- Leistungsstammdaten, Kontrakte (Bestellungen) und Leistungserfassungsblätter

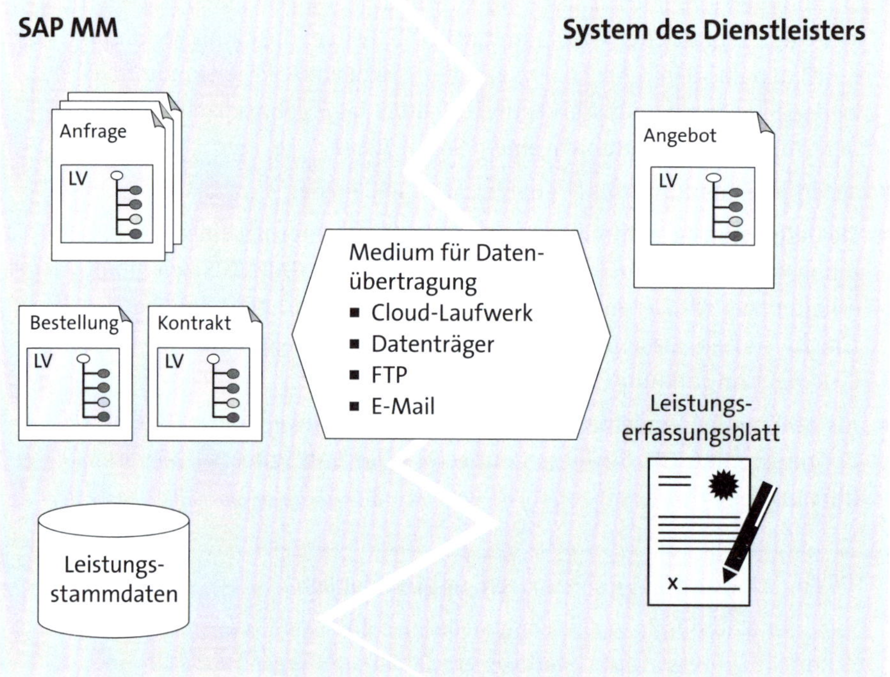

Abbildung 6.53 Datenaustausch mit Lieferanten

Die folgenden Medien stehen Ihnen für den Datenaustausch zur Verfügung:

- Cloud-Laufwerke
- File Transfer Protocol (FTP)
- SAPmail bzw. E-Mail
- Datenträger, z. B. CDs oder USB-Sticks

Der Datenaustausch mit dem Dienstleister bietet Ihnen die Möglichkeit, den Geschäftsprozess bei der Leistungserfassung erheblich zu vereinfachen und zu beschleunigen. Der Datenaustausch erfolgt in den folgenden Schritten:

1. Sie übermitteln dem Lieferanten die Leistungsspezifikationen in Form von Bestellungen, Kontrakten oder Leistungsstammsätzen, z. B. per E-Mail.
2. Nach der Leistungserbringung erstellt der Lieferant das Leistungserfassungsblatt und schickt es z. B. per FTP an Sie.
3. Sie übernehmen das Leistungserfassungsblatt in das SAP-System.
4. Sie führen eine Abnahme durch.

[+]

Wenig Aufwand bei der Leistungserfassung

Wenn Sie den Datenaustausch mit den Lieferanten verwenden, ergibt sich der wesentliche Vorteil für Sie, dass Ihnen keinerlei Aufwand für die Erfassung der erbrachten Leistungen entsteht.

Leistungserfassung über das Internet

Internet Application Component

Sie können Ihre Lieferanten auch über eine Webapplikation anbinden. Hierzu stellen Sie Ihren Dienstleistern eine Webapplikation zur Verfügung, die an Ihr SAP-S/4HANA-System angebunden ist (siehe Abbildung 6.54).

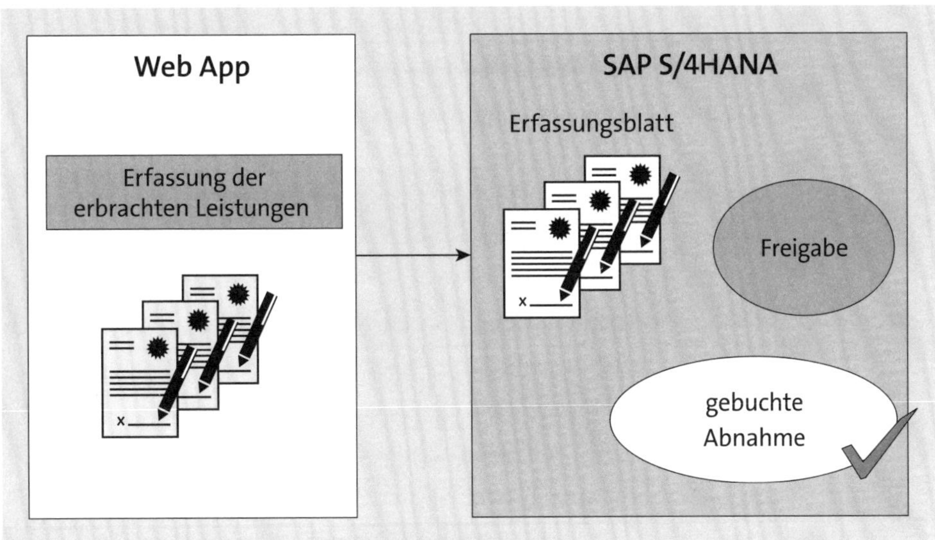

Abbildung 6.54 Webanbindung an das SAP-System

Die im Intranet/Internet erfassten Daten werden über das BAPI ENTRY SHEET.CREATE an SAP S/4HANA übergeben.

Wie eine solche Webapplikation aussehen könnte, können Sie sich in SAP S/4HANA über die Transaktion MEW10 ansehen (siehe Abbildung 6.55).

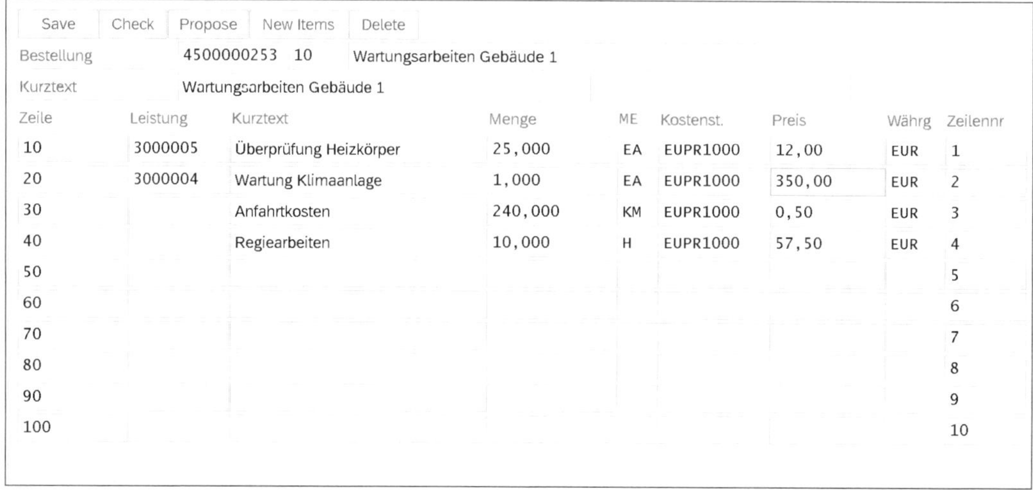

Abbildung 6.55 Transaktion MEW10 – Erfassung Leistungszeilen

Kapitel 7
Instandhaltungscontrolling

Controlling heißt eigentlich »steuern«. Das operative Controlling dient zur Steuerung der laufenden Geschäftsprozesse; das analytische Controlling soll hingegen die taktische und strategische Entscheidungsfindung unterstützen. Dieses Kapitel behandelt zum einen die aktive Steuerung von Instandhaltungsmaßnahmen, und zum anderen werden die Möglichkeiten und Grenzen der Hilfsmittel aufgezeigt, die SAP für Auswertungen zur Verfügung stellt.

Der englische Terminus *to control* wird im Deutschen häufig mit *kontrollieren* sehr eingeschränkt übersetzt, und dementsprechend steht das Controlling ungerechtfertigterweise im Verruf, eine reine Kontroll- und Überwachungsinstanz zu sein. Eigentlich ist jedoch der Begriff *to control* weitaus vielschichtiger: Je nach Einsatzgebiet und Verwendungszweck bedeutet er *steuern, lenken, beeinflussen, leiten, kontrollieren* oder *regeln*. In diesem Sinne soll im weiteren Verlauf der Begriff *Instandhaltungscontrolling* verstanden werden: Instrumente zur Lenkung und Überprüfung des Instandhaltungsgeschehens.

7.1 Was Instandhaltungscontrolling ist

Arten des Instandhaltungscontrollings

Je nach Fristigkeit und Tragweite können verschiede Ausprägungen des Instandhaltungscontrollings unterschieden werden (siehe Abbildung 7.1):[1]

- **Operatives Controlling ❸**
  Das operative Instandhaltungscontrolling ist kurzfristig ausgerichtet, es fokussiert sich also auf das Tagesgeschäft (z. B. Fremdvergabe von Instandhaltungsaufträgen, Schadensanalysen von Maschinen, Auslastung der Werkstätten).

1 Siehe zu den folgenden Ausführungen auch Liebstückel, K.: »Technisches Controlling liefert konkrete Entscheidungsgrundlagen«, in: Die Industrie – Fachzeitschrift für Wirtschaft und Technik, 48 (2002).

- **Dispositives Controlling ❷**
  Das dispositive Controlling hat einen mittelfristigen Horizont und bezieht sich auf Geschäftsabläufe (z. B. Änderung von Geschäftsprozessen, Aushandlung und Erstellung von Verträgen mit Servicefirmen).
- **Strategisches Controlling ❶**
  Gegenstand des strategischen Controllings sind die langfristigen Ziele; es dient der Überlebenssicherung des Unternehmens (z. B. Auslagerung der Serviceabteilung, Gewinnung neuer Absatzmärkte).

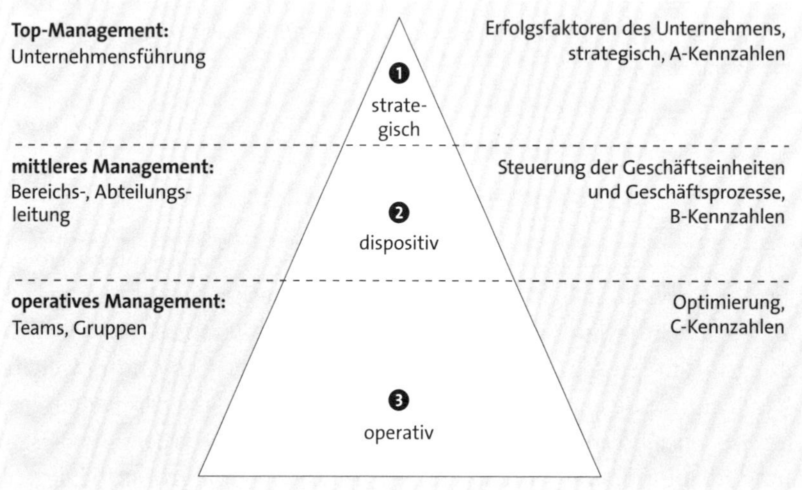

Abbildung 7.1 Arten des Controllings

Kaufmännisches und technisches Controlling

Den Begriff *Controlling* kennen Sie aus dem kaufmännischen Bereich. Dort bildet das Controlling eine zentrale Organisationseinheit mit entscheidender unternehmerischer Funktion. Im technischen Bereich ist das Controlling normalerweise in keiner eigenen Organisationseinheit angesiedelt, hat aber sehr wohl eine zentrale unternehmerische Funktion. Vergleicht man das kaufmännische mit dem technischen Controlling, ergeben sich einige wesentliche Unterschiede (siehe Tabelle 7.1).

Kaufmännisches Controlling	Technisches Controlling
Orientiert sich an kaufmännischen Organisationsstrukturen (z. B. Buchungskreis, Kostenrechnungskreis, Kostenstellen und Profit-Center)	Orientiert sich an technischen Organisationsstrukturen (z. B. Maschine, Arbeitsplatz, Werkzeuge und Material)

Tabelle 7.1 Vergleich von kaufmännischem und technischem Controlling

Kaufmännisches Controlling	Technisches Controlling
Wertet kaufmännische Buchungsobjekte aus (z. B. Sachkonten und Kostenarten)	Wertet technische Abwicklungsobjekte aus (z. B. Aufträge, Schadensmeldungen und Bestellungen)
Ermittelt ausschließlich kostenmäßige Werte/Kennzahlen	Ermittelt technische und kostenmäßige Werte/Kennzahlen

Tabelle 7.1 Vergleich von kaufmännischem und technischem Controlling (Forts.)

Das kaufmännische Controlling orientiert sich an kaufmännischen Organisationsstrukturen; dementsprechend stehen im Mittelpunkt der Betrachtungen Organisationseinheiten wie Buchungskreis, Kostenrechnungskreis, Kostenstelle und Profit-Center. Demgegenüber orientiert sich das technische Controlling an den technischen Gegebenheiten und wertet Einheiten wie Maschine, Anlage, Material und Arbeitsplatz aus.

Im kaufmännischen Controlling werden kaufmännische Buchungsobjekte wie Sachkonten und Kostenarten ausgewertet, während im technischen Controlling die technischen Abwicklungsobjekte wie Meldungen, Aufträge, Rückmeldungen, Bestellungen, Warenbewegungen und Lieferungen im Mittelpunkt stehen.

Schließlich werden im Rahmen des kaufmännischen Controllings ausschließlich Kosten, Aufwände, Erlöse, Erträge und andere kaufmännische Kennzahlen ermittelt, während im Rahmen des technischen Controllings kostenmäßige und technische Kennzahlen im Mittelpunkt stehen.

Betrachtungsebenen

Je nach Betrachtungsebene des Instandhaltungscontrollings können die folgenden Schwerpunkte unterschieden werden:

- **Maßnahmenbezogenes Controlling**
  Im Mittelpunkt steht hier entweder eine einzelne Maßnahme (z. B. Nachkalkulation eines Auftrags) oder einer Gruppe von Maßnahmen (z. B. Analyse einer Revision).
- **Objektbezogenes Controlling**
  Im Mittelpunkt steht hier ein technisches Objekt (z. B. Rangliste der Equipments nach Ist-Kosten oder Schadensanalyse von Technischen Plätzen).
- **Zeitraumbezogenes Controlling**
  Im Mittelpunkt stehen hier Betrachtungen über einen gewissen Zeitraum (z. B. Ersatzteilverbrauch pro Monat oder Plankosten pro Woche).

Verdichtungsstufen

Die Informationen, die im Rahmen des Instandhaltungscontrollings ermittelt und bereitgestellt werden, befinden sich auf unterschiedlichen Verdichtungsstufen:

- **Listen**
  z. B. Liste mit offenen Meldungen, Liste mit anstehenden Wartungsaufträgen, Liste mit gesperrten Equipments
- **Auswertungen**
  z. B. Summe der Instandhaltungskosten pro Technischem Platz, Anzahl der Störmeldungen pro Monat
- **Kennzahlen**
  z. B. Relation Plankosten/Ist-Kosten, MTBF (Mean Time Between Failures), durchschnittliche Durchlaufzeit pro Auftrag

Zyklus

Je nach Informationsbedürfnis müssen die Informationen in unterschiedlichen Zyklen zur Verfügung stehen bzw. zur Verfügung gestellt werden:

- täglich (z. B. Liste der offenen Störmeldungen)
- wöchentlich (z. B. Wochenprogramm der Wartungsaufträge)
- monatlich (z. B. Summe der aufgelaufenen Kosten)
- jährlich (z. B. Vergleich von Budget und Ist-Kosten)

Medium

Je nachdem, welche Rolle ein Mitarbeiter im Unternehmen innehat und über welche technischen Möglichkeiten er verfügt, müssen die Informationen über unterschiedliche Medien abrufbar sein bzw. verteilt werden:

- **Papier**
  Wenn ein Zugriff auf Online-Daten nicht gewünscht, nicht möglich oder nicht notwendig ist, müssen die Informationen als Ausdruck bereitgestellt werden.
- **SAP-System**
  Die Informationen können online in SAP S/4HANA oder SAP Business Warehouse (kurz: SAP BW) oder auch über SAP Enterprise Portal abgerufen werden, wenn sie zeitnah benötigt werden und ein direkter Zugriff darauf möglich sein soll.
- **E-Mail oder Workflow**
  Die Informationen werden per E-Mail oder durch einen Workflow verschickt, wenn Informationen online gewünscht sind, aber kein Zugriff auf das SAP-System besteht.
- **Mobile Endgeräte**
  Es müssen beispielsweise Außendiensttechniker über mobile Endgeräte auf die gewünschten Informationen zugreifen können.

Abbildung 7.2 zeigt einen Überblick über die Aufgaben des Instandhaltungscontrollings.

Datenbasis bereitstellen für Entscheidungen
- operative Entscheidungen (z. B. Ersatz einer Maschine)
- dispositive Entscheidungen (z. B. Änderung von Geschäftsprozessen)
- strategische Entscheidungen (z. B. Festlegung der Instandhaltungsstrategie)

... hinsichtlich der Betrachtungsebenen ...
- maßnahmenbezogenes Controlling (z. B. pro Auftrag)
- objektbezogenes Controlling (z. B. pro Technischem Platz)
- zeitraumbezogenes Controlling (z. B. pro Monat)

... in unterschiedlichen Verdichtungsstufen ...
- Listen → Auswertungen → Kennzahlen

... und in einem unterschiedlichem Turnus ...
- täglich → wöchentlich → monatlich → jährlich

... und mit Hilfe unterschiedlicher Medien
- Papier
- IT-Applikationen
- Mail/Workflow
- Portal/Mobil

Abbildung 7.2 Aufgaben des Instandhaltungscontrollings

Im Mittelpunkt der folgenden beiden Abschnitte steht deshalb jeweils die folgende Frage:

- Welche Hilfsmittel bietet SAP zur Informationsgewinnung, und wie sollten Sie sie einsetzen?
- Welche Hilfsmittel bietet SAP zur Budgetierung, und wie sollten Sie sie einsetzen?

7.2 SAP-Hilfsmittel zur Informationsgewinnung und wie Sie sie einsetzen sollten

Arten von Entscheidungen

Die in diesem Abschnitt genannten Hilfsmittel greifen nicht in die Geschäftsprozesse und deren Abbildung im SAP-System ein. Ihre Aufgabe besteht vielmehr darin, Sie mit den notwendigen Informationen zu versorgen, damit Sie auf deren Basis die organisatorischen Entscheidungen treffen können – und es sind Tag für Tag eine ganze Menge verschiedener Entscheidungen zu treffen, die sich wiederum auf einen unterschiedlichen Zeithorizont beziehen:

- **Operative Entscheidungen**
  Im operativen Instandhaltungscontrolling werden z. B. Entscheidungen über die Zusammensetzung eines Wochenprogramms, die Fremdvergabe eines Auftrags oder über Maßnahmen zum Kapazitätsabgleich getroffen.
- **Taktische Entscheidungen**
  Im dispositiven Instandhaltungscontrolling werden beispielsweise Entscheidungen über Maßnahmen wegen Garantieablaufs, über die Verschrottung einer Maschine oder über Maßnahmen zur Störungsvermeidung, über den Abschluss von Dienstleistungsverträgen und Entscheidungen für oder gegen einen bestimmten Maschinentyp getroffen.
- **Strategische Entscheidungen**
  Im Rahmen des operativen Instandhaltungscontrollings wird z. B. über die Auslagerung oder Wiedereingliederung eines Aufgabengebiets oder über Strukturänderungen entschieden.

[!]

Ein IT-System trifft keine Entscheidungen

Die richtigen Entscheidungen müssen Sie schon selbst treffen, aber das IT-System kann Ihnen die dazu notwendigen Informationen liefern.

Als Hilfsmittel zur Informationsgewinnung werde ich Ihnen im nun folgenden Abschnitt die Möglichkeiten und Grenzen des SAP List Viewers, von SAP Querys und QuickViews, des Logistikinformationssystems (LIS), von SAP Business Warehouse und von SAP Lumira näherbringen.

7.2.1 SAP List Viewer

Flexibilität

Der SAP List Viewer präsentiert Ihnen die Informationen nicht als starre Liste, sondern erlaubt es Ihnen, die Liste flexibel an Ihre eigenen Informationsbedürfnisse anzupassen. Sämtliche Listen des SAP S/4HANA Asset Managements sind mit dieser Technik verfügbar.

Die folgenden Listen stehen Ihnen zur Verfügung: **Listen**

- Liste *Technische Plätze* (Transaktion IL05, Transaktion IL06, Transaktion IH06)
- Liste *Referenzplätze* (Transaktion IL15, Transaktion IH07)
- Liste *Equipments* (Transaktion IE05, Transaktion IH08)
- Liste *Fahrzeuge* (Transaktion IE36, Transaktion IE37)
- Liste *Objektverbindungen und Objektnetz* (Transaktion IN15, Transaktion IN16, Transaktion IN18, Transaktion IN19)
- Liste *Messbelege* (Transaktion IK17, Transaktion IK18)
- Liste *Materialserialnummer* (Transaktion IQ08)
- Liste *Material* (Transaktion IH09)
- Liste *Messpunkte* (Transaktion IK07, Transaktion IK08)
- Liste *Referenzmesspunkte* (Transaktion IK07R, Transaktion IK08R)
- Liste *Meldungen* (Transaktion IW28, Transaktion IW29)
- Liste *Maßnahmen* (Transaktion IW66, Transaktion IW67)
- Liste *Aktionen* (Transaktion IW64, Transaktion IW65)
- Liste *Meldungspositionen* (Transaktion IW68, Transaktion IW69)
- Liste *Aufträge* (Transaktion IW38, Transaktion IW39)
- Liste *Auftragsvorgänge* (Transaktion IW37, Transaktion IW49)
- Kombinierte Auftrags-/Vorgangsliste (Transaktion IW37N, Transaktion IW49N)
- Liste *Komponenten* (Transaktion IW3K, Transaktion IW3L)
- Liste *Genehmigungen* (Transaktion IPM2, Transaktion IPM3)
- Liste *Rückmeldungen* (Transaktion IW47)
- Liste *Warenbewegungen* (Transaktion IW3M)
- Liste *Wartungspläne* (Transaktion IP15, Transaktion IP16)
- Liste *Wartungspositionen* (Transaktion IP17, Transaktion IP18)
- Liste *Wartungstermine* (Transaktion IP24)
- Liste *Arbeitspläne* (Transaktion IA08, Transaktion IA09)
- Liste *Schichtnotizen* (Transaktion SHN4 bzw. Transaktion ISHN4)
- Liste *Schichtberichte* (Transaktion SHR4 bzw. Transaktion ISHR4)

Ablauf Wenn Sie den SAP List Viewer nutzen, läuft die Verarbeitung immer in der folgenden Reihenfolge ab: Selektion → Grundliste → Weiterverarbeitung (siehe Abbildung 7.3).

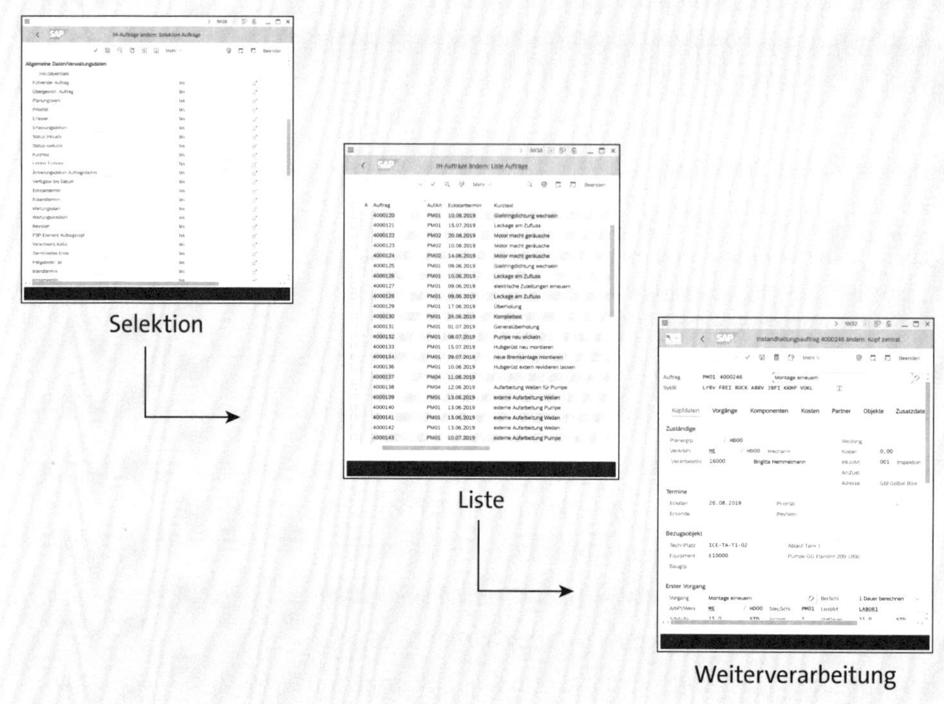

Abbildung 7.3 SAP List Viewer – Ablauf

Ich werde Ihnen im Folgenden den SAP List Viewer am Beispiel der Auftragsliste (Transaktion IW38) präsentieren. Diese Ausführungen gelten aber gleichermaßen für jede der zuvor genannten Listen.

Die Selektion

Wenn Sie eine Liste aufrufen, erhalten Sie einen Selektionsbildschirm, der alle Selektionsmöglichkeiten beinhaltet und sich deshalb je nach Liste und Bildschirmauflösung über zwei bis vier Seiten erstreckt. Erfahrungsgemäß wird recht selten auf der zweiten oder folgenden Seite gesucht. Deshalb sollten Sie als Erstes eine Selektionsvariante anlegen.

[!]

Selektionsvariante anlegen

Legen Sie eine Selektionsvariante an, deren Selektionsbedingungen sich maximal über eine Seite erstrecken. Auch bei Selektionsvarianten, die Sie in Zukunft noch anlegen werden, sollten Sie diesem Grundsatz folgen.

Selektionsvariante

Sie legen eine Selektionsvariante an, indem Sie die Selektionsmaske mit einem Klick auf den Button [Sichern] sichern und dann auf dem Folgebildschirm von der Möglichkeit, Selektionsbedingungen auszublenden, regen und zielgerichteten Gebrauch machen (siehe Abbildung 7.4).

Feldname	Typ	Feld schützen	Feld ausblenden
IH-Leistungsart	S	☐	☐
Arbeitsplatz	S	☐	☑
Kostenstelle	S	☐	☐
PSP-Element	S	☐	☐
Teilnetz zu	S	☐	☑
Übergeord. Vorg.	S	☐	☑
Bezugselement PM/PS	S	☐	☑
Kundenauftrag	S	☐	☑
Kundenauftrag-Pos	S	☐	☑
Verkaufsorganisation	S	☐	☑
Vertriebsweg	S	☐	☑

Abbildung 7.4 SAP List Viewer – Selektionsfelder ausblenden

Da Listvarianten einen nicht unerheblichen Beitrag zur Steigerung der Benutzerfreundlichkeit und Benutzerakzeptanz leisten können (Details hierzu folgen in Abschnitt 9.4, »Warum die Benutzerakzeptanz gerade in der Instandhaltung so wichtig ist«), werden Sie sicherlich in der Folge noch weitere Selektionsvarianten anlegen.

Ihre Listvarianten rufen Sie dann mit einem Klick auf den Button [Varianten] auf, den Sie auf dem Einstiegsbild jeder Liste finden. Auf diese Weise können Sie sich eine Liste der Selektionsvarianten anzeigen lassen und hieraus die gewünschte Variante auswählen. Da diese Liste allerdings im Laufe der Zeit recht umfangreich werden kann, folgt hier der nächste Praxistipp (siehe Abbildung 7.5):

Variantenname	U_LIEBSTUECKEL
Bedeutung	Karls Auftragsliste

Abbildung 7.5 SAP List Viewer – Default-Variante

[!]

Default-Variante U_BENUTZERNAME

Die von Ihnen am häufigsten benutzte Selektionsvariante sollten Sie mit U_, gefolgt von Ihrem SAP-Benutzernamen, benennen; diese Selektionsvariante wird nun beim Aufruf der Liste automatisch gezogen.

Selektionsoptionen

Pro Selektionsfeld können Sie die folgenden Selektionsoptionen nutzen:

- **Einzelwert**
  Sie können nach einem Einzelwert (z. B. Auftragsart PM01) oder nach mehreren Einzelwerten (z. B. Auftragsart PM01, PM05, PM10) suchen.
- **Intervall**
  Sie können nach einem Intervall (z. B. Auftragsart PM01 bis PM05) oder nach mehreren Intervallen suchen.
- **Maskierte Suche**
  Sie können maskiert suchen (z. B. Auftragsart PM*; selektiert alle Auftragsarten, die mit PM beginnen).
- **Ausschluss von Elementen**
  Sie können Werte und Intervalle ausschließen (z. B. nicht die Auftragsarten PM03 und PM05–08).
- **Zwischenablage**
  Sie können Suchwerte über die Windows-Zwischenablage einbinden.

Besonders hilfreich ist die Definition der Selektionsvariablen für die dynamische Datumsberechnung, bei der in Abhängigkeit vom jeweiligen Tagesdatum die Datumsselektion **von/bis** dynamisch in Abhängigkeit von der ausgewählten Selektionsoption (siehe Abbildung 7.6) berechnet wird.

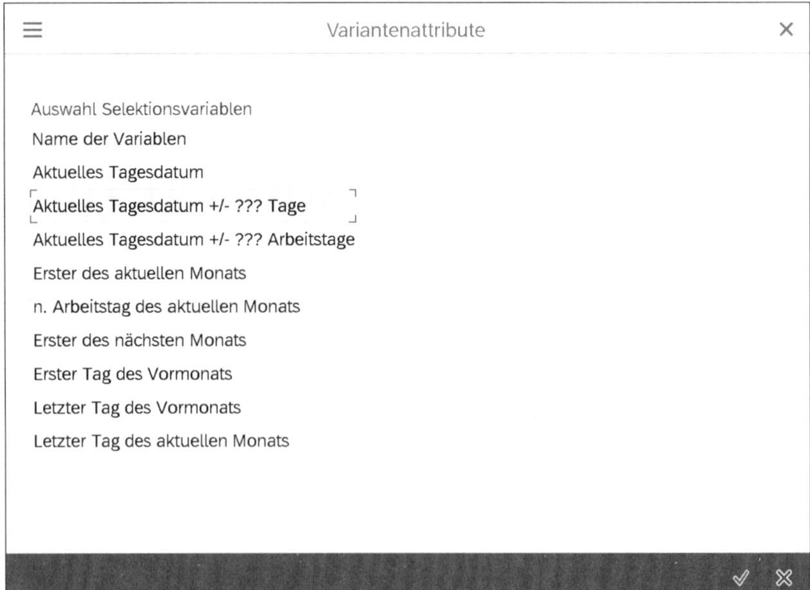

Abbildung 7.6 SAP List Viewer – Datumsvariable

Sehen Sie sich hierzu das folgende Beispiel an: Sie haben am 01.09. die Liste mit der Selektion *Startdatum gleich Tagesdatum 180 Tage und +60 Tage* eingestellt. Daher werden am 01.09. die Daten vom 04.03. bis zum 31.10 selektiert.

Beispiel

[!]

Dynamische Datumsberechnung

Durch den Einsatz der Selektionsvariablen **Dynamische Datumsberechnung** können Sie das Selektionsdatum der Liste dynamisch bestimmen lassen.

[!]

Wenn möglich, Monitor aktivieren

Manche Listen (nicht alle) erlauben die Aktivierung eines Monitors. Je nach gewähltem Parameter (z. B. Ecktermin) werden dann die Listeinträge rot, gelb oder grün markiert (z. B. rot für die überfälligen Aufträge, gelb, wenn der Beginntermin erreicht ist, aber der Endetermin noch nicht, und grün für die zukünftigen Aufträge).

Den Monitor aktivieren Sie durch die Auswahl **Bezugsfeld für Monitor** (siehe Abbildung 7.7).

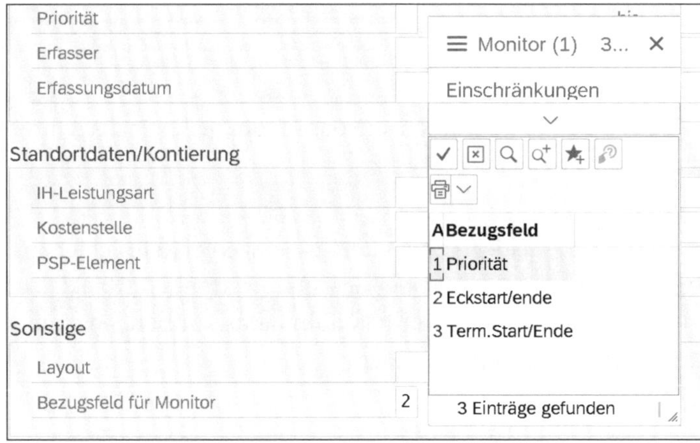

Abbildung 7.7 SAP List Viewer – Bezugsfeld für Monitor

Die Listdarstellung

Wenn Sie nun die Liste starten, erhalten Sie die anhand der vorgenommenen Selektionen und Einstellungen gebildete erste Grundliste (siehe Abbildung 7.8).

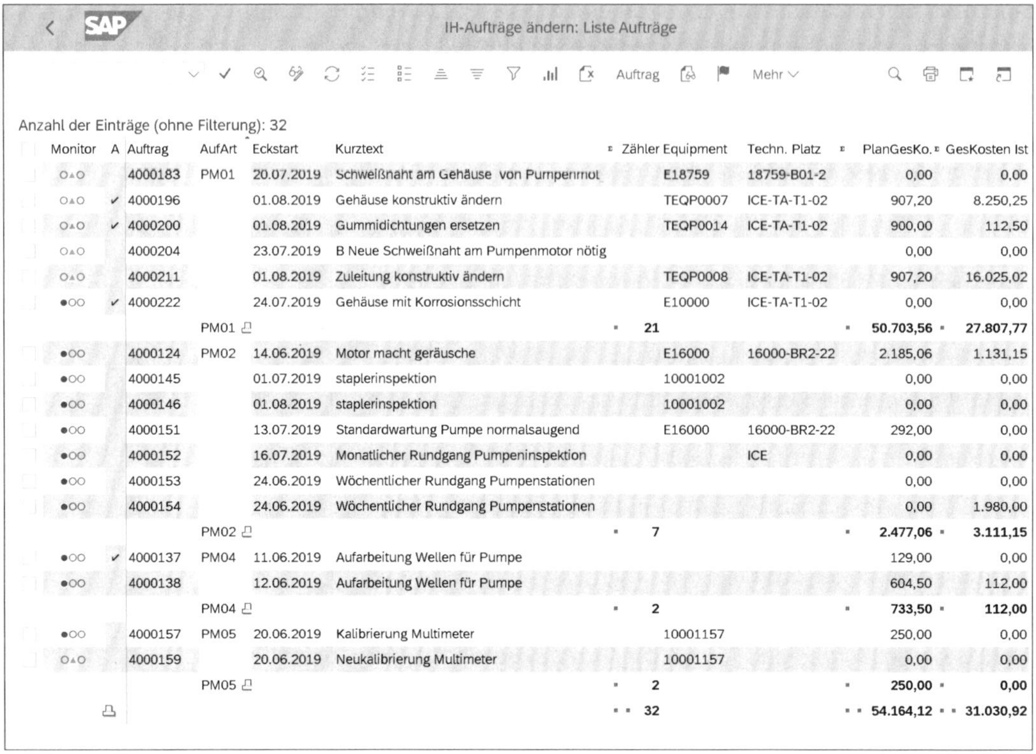

IH-Aufträge ändern: Liste Aufträge

Auftrag Mehr

Anzahl der Einträge (ohne Filterung): 32

Monitor	A	Auftrag	AufArt	Eckstart	Kurztext	Zähler	Equipment	Techn. Platz	PlanGesKo.	GesKosten Ist
O▲O		4000183	PM01	20.07.2019	Schweißnaht am Gehäuse von Pumpenmot		E18759	18759-B01-2	0,00	0,00
O▲O	✓	4000196		01.08.2019	Gehäuse konstruktiv ändern		TEQP0007	ICE-TA-T1-02	907,20	8.250,25
O▲O	✓	4000200		01.08.2019	Gummidichtungen ersetzen		TEQP0014	ICE-TA-T1-02	900,00	112,50
O▲O		4000204		23.07.2019	B Neue Schweißnaht am Pumpenmotor nötig				0,00	0,00
O▲O		4000211		01.08.2019	Zuleitung konstruktiv ändern		TEQP0008	ICE-TA-T1-02	907,20	16.025,02
●OO	✓	4000222		24.07.2019	Gehäuse mit Korrosionsschicht		E10000	ICE-TA-T1-02	0,00	0,00
			PM01			21			50.703,56	27.807,77
●OO		4000124	PM02	14.06.2019	Motor macht geräusche		E16000	16000-BR2-22	2.185,06	1.131,15
●OO		4000145		01.07.2019	staplerinspektion		10001002		0,00	0,00
●OO		4000146		01.08.2019	staplerinspektion		10001002		0,00	0,00
●OO		4000151		13.07.2019	Standardwartung Pumpe normalsaugend		E16000	16000-BR2-22	292,00	0,00
●OO		4000152		16.07.2019	Monatlicher Rundgang Pumpeninspektion			ICE	0,00	0,00
●OO		4000153		24.06.2019	Wöchentlicher Rundgang Pumpenstationen				0,00	0,00
●OO		4000154		24.06.2019	Wöchentlicher Rundgang Pumpenstationen				0,00	1.980,00
			PM02			7			2.477,06	3.111,15
●OO	✓	4000137	PM04	11.06.2019	Aufarbeitung Wellen für Pumpe				129,00	0,00
●OO		4000138		12.06.2019	Aufarbeitung Wellen für Pumpe				604,50	112,00
			PM04			2			733,50	112,00
●OO		4000157	PM05	20.06.2019	Kalibrierung Multimeter		10001157		250,00	0,00
O▲O		4000159		20.06.2019	Neukalibrierung Multimeter		10001157		0,00	0,00
			PM05			2			250,00	0,00
						32			54.164,12	31.030,92

Abbildung 7.8 SAP List Viewer – Liste

Listoptionen

Nun haben Sie die folgenden Optionen, um das Layout der Liste nach Ihren eigenen Bedürfnissen anzupassen:

- **Felder ein- und ausblenden**
  Sie können zusätzliche Felder einblenden bzw. eingeblendete Felder ausblenden; es stehen nahezu alle Felder des auszuwertenden Objekts zur Auswahl. Bei Technischen Plätzen und Equipments können Sie zudem Felder aus der Klassifizierung einbinden.
- **Sortieren**
  Sie können nach einem Kriterium (z. B. nach Datum) oder nach mehreren Kriterien (z. B. nach Kostenstelle und innerhalb der Kostenstelle nach Datum) sortieren.
- **Summen bilden**
  Sie können bei Wert- und Mengenfeldern (z. B. Ist-Kosten) Summen bilden und sich Zwischensummen (z. B. pro Auftragsart) ausweisen lassen.

- **Zähler einblenden**
  Eine von Anwendern lange gewünschte Neuerung hat SAP mit der Business Function LOG_EAM_CI7 ausgeliefert, haben Sie die Möglichkeit, das Feld **Zähler** auszuwählen. Dies hat zur Folge, dass zum einen die Gesamtanzahl der Listeinträge in der Überschrift ausgewiesen wird. Zum anderen können Sie zum Zähler Zwischensummen bilden, wenn Sie beispielsweise wissen möchten, wie viele Aufträge zu welcher Auftragsart gelistet sind (siehe in Abbildung 7.8 die Spalte **Zähler**).
- **Spaltenbreite ändern**
  Sie können die Spalten hinsichtlich ihrer Breite optimieren.
- **Suchen**
  Sie können innerhalb einer Liste nach einem bestimmten Begriff (z. B. »Undichtigkeit«) suchen. Dies ist vor allem bei großen Listen eine hilfreiche Möglichkeit.
- **Filtern**
  Sie können in einer angezeigten Liste filtern (z. B. nur Einträge mit dem Systemstatus **Frei** anzeigen lassen).
- **ABC-Analyse durchführen**
  Sie können eine ABC-Analyse anhand einer Kennzahl durchführen (z. B. ABC-Analyse der Aufträge in Bezug auf die Ist-Kosten).
- **Grafische Darstellung**
  Sie können sich eine grafische Darstellung generieren lassen (z. B. ein Balkendiagramm mit der Anzahl der Aufträge pro Auftragsart).
- **Anzeigevarianten nutzen**
  Sie können Ihre Einstellungen als Anzeigevariante sichern.

[!]

Voreinstellung für Anzeigevariante

Die am häufigsten genutzte Anzeigevariante sollten Sie sich als Voreinstellung markieren.

Die Weiterverarbeitung

Wenn Sie nun die Liste in der gewünschten Form vor sich haben, stehen Ihnen die folgenden Möglichkeiten der Weiterverarbeitung zur Verfügung:

- **Details**
  Sie markieren eine bestimmte Zeile und rufen das Datenbankobjekt auf (z. B. einen bestimmten Auftrag, um den Termin zu ändern).

- **Massenbearbeitung**
  Sie markieren mehrere Zeilen und führen für alle markierten Zeilen die gleiche Funktion aus (z. B. alle markierten Aufträge drucken oder alle markierten Aufträge mit dem gleichen Termin versehen).
- **Massenänderung**
  Im Zusammenhang mit der Listbearbeitung gibt es bei Aufträgen und Meldungen die Funktion **Massenänderung**, mit deren Hilfe Sie praktisch jedes Feld in allen selektierten Objekten in einem Zug ändern können.
- **Versenden**
  Sie verschicken die Liste per SAPmail.

[!]

Kein E-Mail-Button vorhanden?

Wenn Sie keinen Button zum Versenden einer Liste vorfinden (z. B. Senden o. ä.) verwenden Sie die Funktion **Mehr • Liste • Sichern • Office**.

- **Download**
  Sie können die Liste in allen gängigen Office-Formaten abspeichern und dort weiterbearbeiten (z. B. Download der Auftragsliste nach Microsoft Excel, um sie mit Pivot-Funktionen darzustellen).

[!]

Listen als periodischen Job einplanen

Sie können Listen auch als periodischen Job einplanen, der dann in periodischen Abständen automatisch läuft und gewisse Folgefunktionen ausführt (z. B. das Verschicken einer E-Mail an die Produktionsleiter, die die Wartungsaufträge der kommenden Woche beinhaltet).

Grenzen

Die Listen des SAP List Viewers sind für bestimmte Datenbankobjekte fest vordefiniert. Infolgedessen stößt der SAP List Viewer an seine Grenzen: zum einen in den Fällen, in denen Sie Informationen/Felder benötigen, die im SAP List Viewer nicht definiert sind. So gibt es zwar eine Liste *Material*, aber es ist nicht möglich, damit auszuweisen, auf welchem Lagerplatz welches Material liegt.

Zum anderen ist es nicht möglich, Informationen oder Felder zu verschiedenen Datenbankobjekten in einer einzigen Liste darzustellen. So können Sie in einer einstufigen Liste Meldungsinformationen (z. B. Schadenscode) und Auftragsinformationen nicht gemeinsam darstellen.

Hier setzt ein Hilfsmittel an, das einfach zu handhaben ist und das Ihnen mehr Flexibilität eröffnet: der QuickViewer.

7.2.2 QuickViewer

Einsatzfelder

Der QuickViewer (Transaktion SQVI oder der Menüpfad **System • Dienste • Quick Viewer**) setzt da an, wo der SAP List Viewer an seine Grenzen stößt, und bietet Möglichkeiten, um diese Grenzen zu überschreiten:

- Der QuickViewer versetzt Sie in die Lage, sich jedes beliebige Datenbankfeld in einer Liste anzeigen zu lassen. So könnten Sie beispielsweise eine Liste der Materialien mit ihrem Lagerplatz erstellen.
- Mithilfe des QuickViewers können Sie Datenbanktabellen verknüpfen. So könnten Sie z. B. Meldungs- und Auftragsinformationen in einer gemeinsamen Liste darstellen.
- Der QuickViewer ermöglicht es Ihnen, ad hoc Fragen zu beantworten, die Ihnen der SAP List Viewer nicht beantworten kann, z. B. welches Equipment keinen Wartungsplan beinhaltet oder welcher Technische Platz über den Bautyp auf welche Anleitung zugreifen kann.

Beispiel

Betrachten wir den QuickViewer anhand eines konkreten Beispiels: Einer meiner Kunden wollte wissen, wie viel Handwerkerzeit er in welcher Werkstatt für welchen Schadenscode verbraucht. Diese Anforderung lässt sich mit den Techniken des SAP List Viewers nicht realisieren, weil hierzu Informationen aus der Meldung, aus dem Auftrag und aus den Rückmeldungen verarbeitet werden müssen. Geholfen hat in diesem Falle die Erstellung eines QuickViews.

Datenbanktabelle

Wenn Sie einen QuickView anlegen, werden Sie nach dem Namen der Datenbanktabellen gefragt. Die Ermittlung der relevanten Datenbanktabellen ist der schwierigste Teil beim Erstellen eines QuickViews; für die Suche nach der gewünschten Tabelle gibt es mehrere Möglichkeiten:

- Sie gehen über die Anwendungshierarchie (F4-Hilfe auf dem Feld **Tabelle • SAP-Anwendungen**) und arbeiten sich hierarchisch bis zur gesuchten Datenbanktabelle vor.
- Sie gehen über das Infosystem (F4-Hilfe auf dem Feld **Tabelle • Infosystem**) des QuickViewers und suchen nach einem Stichwort.

[!]

Stichwortsuche im Infosystem

Die Stichwortsuche im Infosystem des QuickViewers ist *case sensitive*, d. h., sie unterscheidet Groß- und Kleinschreibung. Wenn Sie also z. B. nach der Tabelle der Zeitrückmeldungen in der Instandhaltung suchen und nicht exakt wissen, wie die Tabelle im Kurztext benannt ist, sollten Sie sicherheitshalber mit der *-Funktion suchen.

Abbildung 7.9 zeigt Ihnen eine solche Suche mit der *-Funktion vorne und hinten.

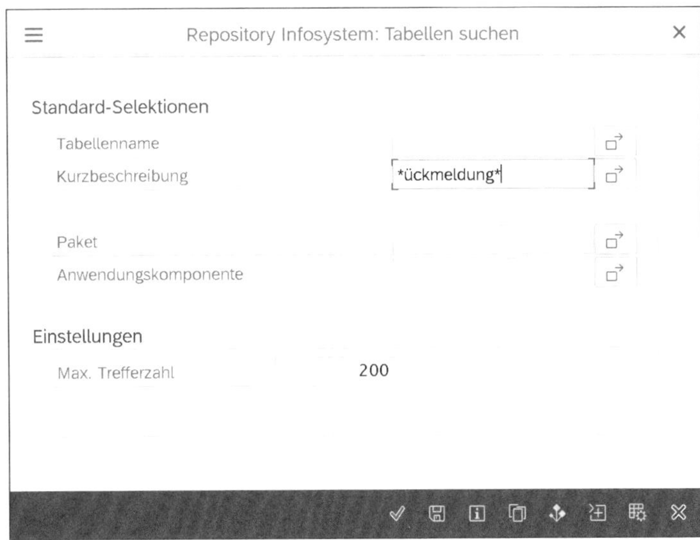

Abbildung 7.9 QuickViewer – Infosystem

Oder aber – und das erscheint mir der einfachste und sicherste Weg zu sein – Sie rufen die Originaltransaktion auf (z. B. Transaktion IW22 für die Meldungen) und verwenden die [F1]-Hilfe • **Technische Info** (siehe Abbildung 7.10).

Feld-Daten

Tabellenname	ILOA
Tabellenart	Transparente Tabelle
Feldname	KOSTL
Suchhilfe	KOST
Datenelement	KOSTL
Parameter-Id	KOS

Abbildung 7.10 Technische Information

In unserem konkreten Beispiel waren die Tabellen QMEL (Meldung), QMFE (Meldungspositionen) und AFRU (Auftragsrückmeldungen) relevant. Diese Tabellen werden nun über einen Tabellen-Join miteinander verknüpft (siehe Abbildung 7.11).

Der Bearbeitungsoberfläche des SAP QuickViewers (siehe Abbildung 7.12) bietet Ihnen nun diverse Möglichkeiten der Listengestaltung und Listenverarbeitung:

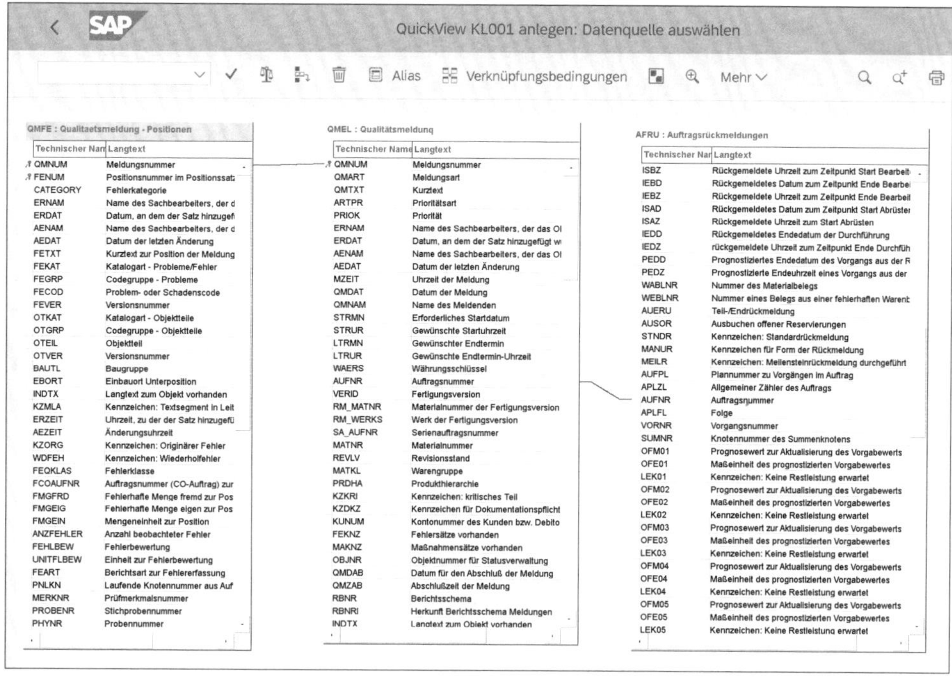

Abbildung 7.11 QuickViewer – Tabellen-Join

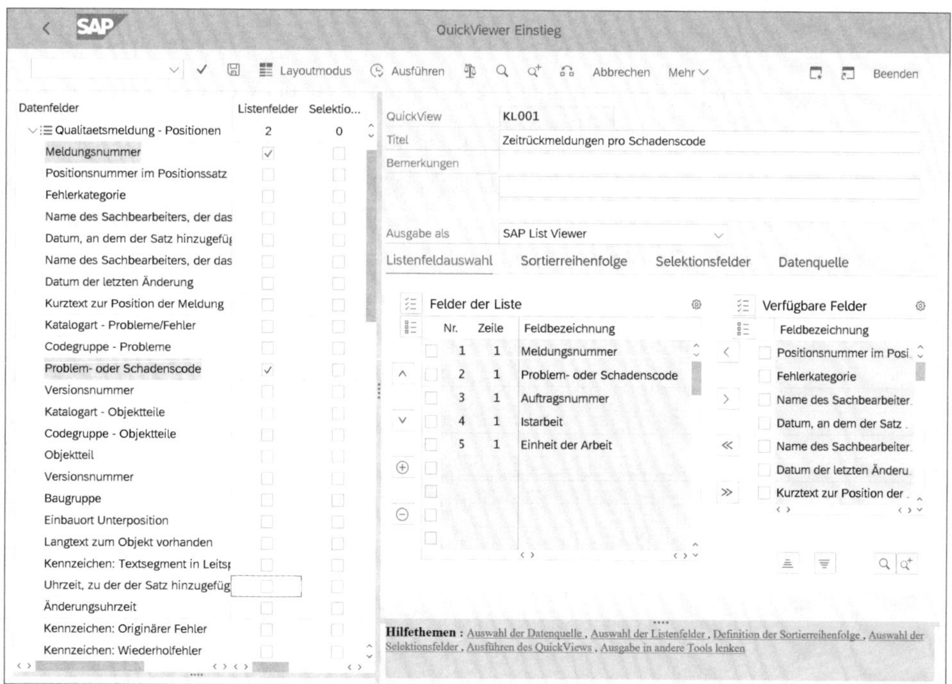

Abbildung 7.12 SAP List Viewer – Bearbeitungsoberfläche

- **Felder selektieren**
  Sie können nach beliebigen Feldern selektieren (z. B. nach Schadenscode oder Zeitraum).

  Dabei haben Sie dieselben Möglichkeiten wie beim SAP List Viewer (Einzel-, Mehrfach-, Intervallselektionen, Ausschlüsse).
- **Felder anzeigen**
  Sie können beliebige Felder anzeigen (z. B. Schadenscode, Meldungsnummer, Auftragsnummer, Arbeitsplatz, Datum, Ist-Zeit).
- **Summieren**
  Sie können Wert- und Mengenfelder summieren (z. B. Ist-Zeit).
- **Sortieren und Zwischensummen bilden**
  Sie können nach einem oder mehreren Kriterien sortieren und Zwischensummen bilden (z. B. nach Schadenscode und Arbeitsplatz) und dabei Einzelzeilen oder nur Summenzeilen ausweisen.
- **Ausgabeformate**
  Sie haben diverse Ausgabemöglichkeiten (z. B. Ausgabe als SAP List Viewer oder Download in einem Office-Format).
- **Grafische Darstellung**
  Sie können die Ergebnisse als Grafik aufbereiten lassen.
- **Versand der Liste**
  Sie können die Liste als SAPmail oder als E-Mail versenden.

Abbildung 7.13 zeigt mögliche Ergebnisse des QuickViewers.

Grenzen des QuickViewers

Der QuickViewer hat aber, wie bereits angedeutet, auch seine Grenzen:

- Sie können aus der Liste des QuickViewers heraus nicht das operative Datenbankobjekt aufrufen, sich also in unserem Beispiel nicht die einzelne Rückmeldung direkt ansehen.
- Der QuickViewer selbst ist userabhängig, d. h., nur der Benutzer, der ihn erstellt hat, kann ihn auch ausführen.
- Mit dem QuickViewer können Sie keine Rechenoperationen durchführen, z. B. das Bilden von Summen, Differenzen oder von Verhältniszahlen.
- Einen QuickView können Sie nicht an das SAP-Transportsystem anschließen. Das heißt, Sie können ihn z. B. nicht in einem Entwicklungssystem anlegen und ihn nicht nach erfolgreicher Testphase in Ihr Produktivsystem transportieren.

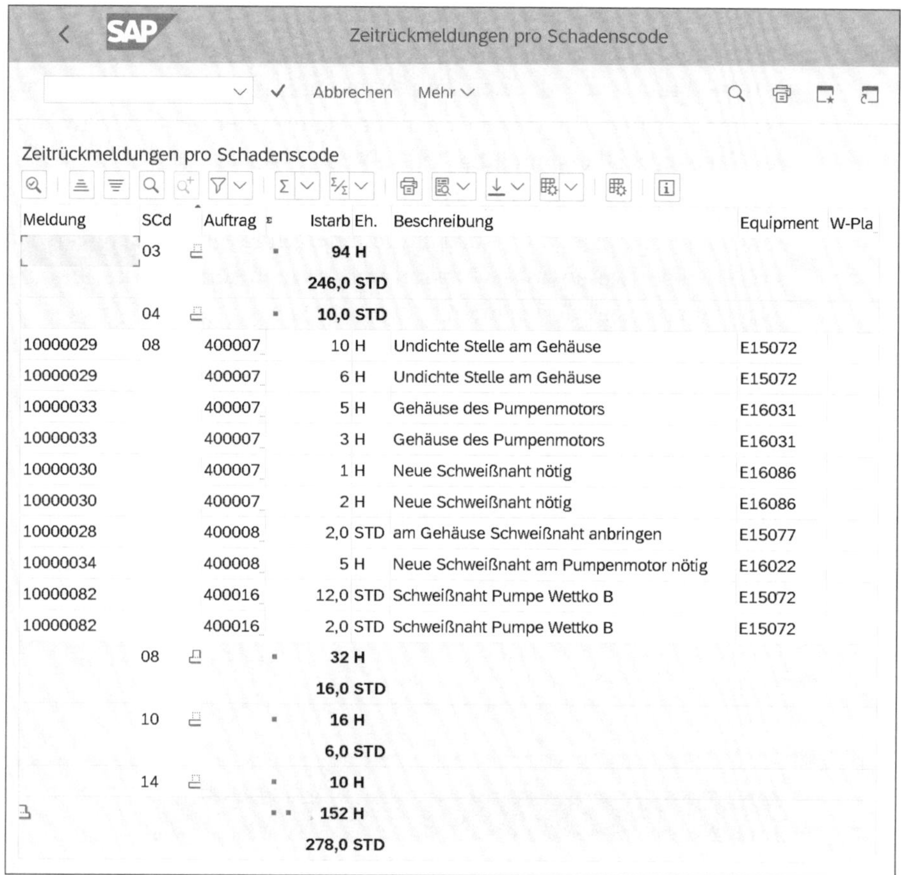

Meldung	SCd	Auftrag	Istarb Eh.	Beschreibung	Equipment	W-Pla
	03		**94 H**			
			246,0 STD			
	04		**10,0 STD**			
10000029	08	400007	10 H	Undichte Stelle am Gehäuse	E15072	
10000029		400007	6 H	Undichte Stelle am Gehäuse	E15072	
10000033		400007	5 H	Gehäuse des Pumpenmotors	E16031	
10000033		400007	3 H	Gehäuse des Pumpenmotors	E16031	
10000030		400007	1 H	Neue Schweißnaht nötig	E16086	
10000030		400007	2 H	Neue Schweißnaht nötig	E16086	
10000028		400008	2,0 STD	am Gehäuse Schweißnaht anbringen	E15077	
10000034		400008	5 H	Neue Schweißnaht am Pumpenmotor nötig	E16022	
10000082		400016	12,0 STD	Schweißnaht Pumpe Wettko B	E15072	
10000082		400016	2,0 STD	Schweißnaht Pumpe Wettko B	E15072	
	08		**32 H**			
			16,0 STD			
	10		**16 H**			
			6,0 STD			
	14		**10 H**			
			152 H			
			278,0 STD			

Abbildung 7.13 SAP List Viewer – Ergebnis

Überwindung der Grenzen

Diese Einschränkungen sollen jedoch nicht bedeuten, dass der SAP QuickViewer für Sie prinzipiell nicht geeignet ist. Es gibt verschiedene Möglichkeiten, um diese Grenzen zu überwinden:

- **ABAP-Programm**
  Der QuickViewer generiert im Hintergrund ein ABAP-Programm. Wenn Sie Berechtigungsprüfungen, mathematische Berechnungen oder sonstige Funktionen einfügen möchten, können Sie dies direkt in diesem Programm tun. Ebenso kann das ABAP-Programm in ein anderes System transportiert werden. Das generierte ABAP-Programm hat in etwa den folgenden Namen: AQTGSYSTQV000033QKL001=======. AQ ist fix, genauso wie SYSTQV; TG ist die Alpha-Darstellung des Mandanten, und 000033 steht für den 33. Benutzer, der einen QuickView angelegt hat. QKL001 ist der Name, den der Benutzer seinem QuickView gegeben hat, und ====== sind Füllzeichen.

- **Aufrufen durch verschiedene Benutzer**
  Um einen QuickView für mehrere Benutzer zugänglich zu machen, können Sie ihn in eine SAP Query konvertieren. Starten Sie dazu die Transaktion SQ01, und rufen Sie die Funktion **Mehr • Query • Quick View konvertieren** auf (siehe Abbildung 7.14).
- **Transport in das Produktivsystem**
  Sowohl die SAP Querys als auch die generierten Programme sind an das SAP-Transportwesen angeschlossen und können somit in das Produktivsystem transportiert werden.

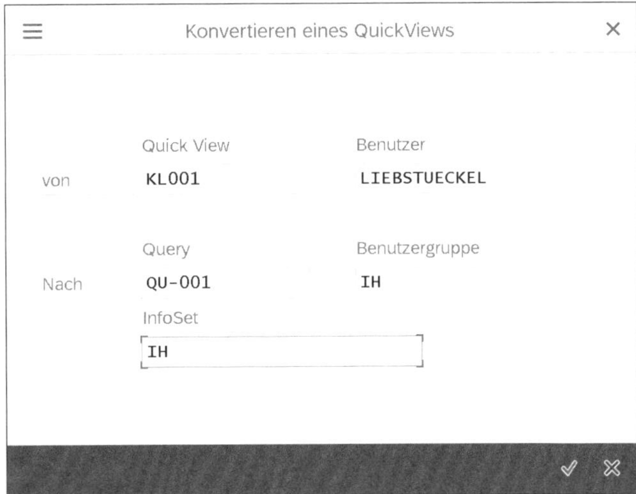

Abbildung 7.14 QuickView in Query konvertieren

- **Transaktion**
  Darüber hinaus können Sie zur SAP Query oder zum QuickViewer über die Transaktion SE93 eine Transaktion mit einer speziellen Berechtigungsprüfung anlegen. Auch diese ist an das Transportwesen angeschlossen.

Ich möchte Ihnen nun ein weiteres Hilfsmittel von SAP ERP zur Informationsgewinnung und -präsentation vorstellen: das Logistikinformationssystem (LIS).

7.2.3 Logistikinformationssystem

LIS wird in SAP S/4HANA für die Logistikapplikationen verwendet und trägt dann spezifische Ausprägungsnamen wie Einkaufsinformationssystem, Bestandscontrolling usw. In der Instandhaltung kommt das PM-IS-Instandhaltungsinformationssystem zum Einsatz. Alle Logistikinformationssysteme haben eine gemeinsame Struktur (siehe Abbildung 7.15).

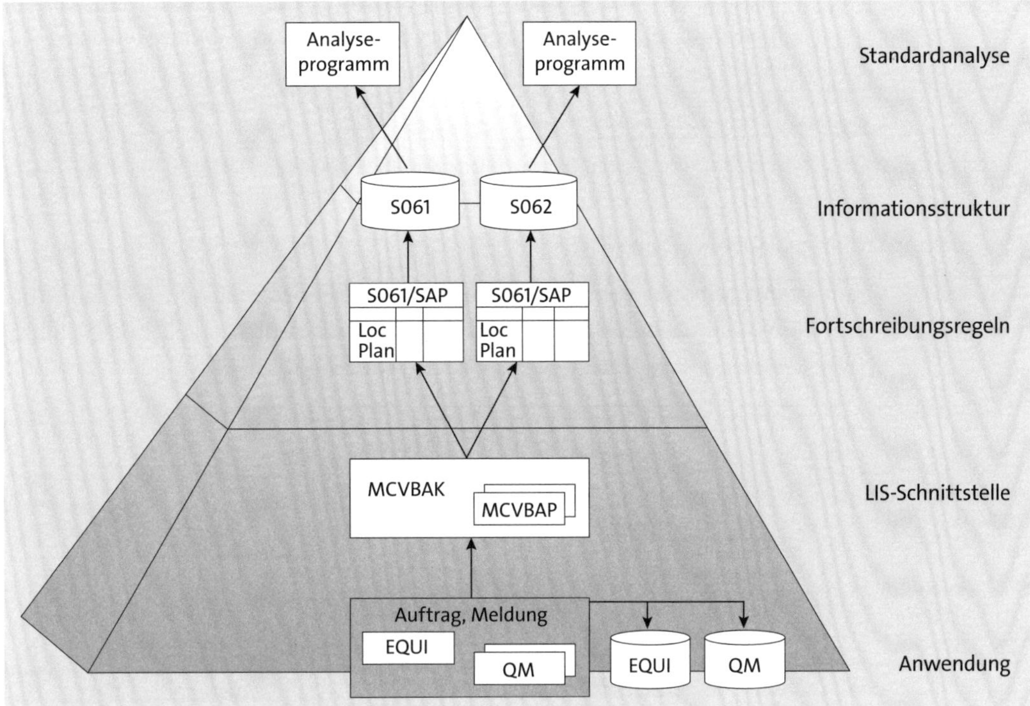

Abbildung 7.15 LIS – Struktur

Aus den Anwendungen heraus werden auf der Basis von Fortschreibungsregeln mithilfe von Transferprogrammen sogenannte Informationsstrukturen gefüllt. Diese Informationsstrukturen sind eigenständige Datenbanken, von den operativen Datenbanken losgelöst. Mit LIS wurde der Übergang von einem OLTP- zu einem OLAP-System geschaffen. Ein OLTP-System (OLTP = Online Transaction Processing) ist ein System, in dem die Geschäftsprozesse abgewickelt werden. OLAP-System (OLAP = Online Analytical Processing): System, in dem ausschließlich Auswertungen und Analysen vorgenommen werden.

[!]

LIS ist ein OLAP-System

Vom Charakter her ist das Logistikinformationssystem ein OLAP-System. In der Konsequenz sind Auswertungen aus LIS deutlich performanter als Auswertungen aus den operativen Datenbanken.

LIS wird über die LIS-Schnittstelle mit Informationen versorgt.

[!]

Synchron oder asynchron?

Über die Customizing-Funktion **Logistik-Informationssystem (LIS) • Logistics Data Warehouse • Fortschreibung • Fortschreibungssteuerung • Fortschreibung aktivieren • Instandhaltung** steuern Sie, ob die Versorgung einer Informationsstruktur synchron (d. h. parallel zur Verbuchung in der operativen Datenbank) oder asynchron erfolgen soll.

Die Informationsstruktur

Im Mittelpunkt von LIS stehen die Informationsstrukturen. Eine Informationsstruktur besteht aus den folgenden drei Elementen (siehe Abbildung 7.16):

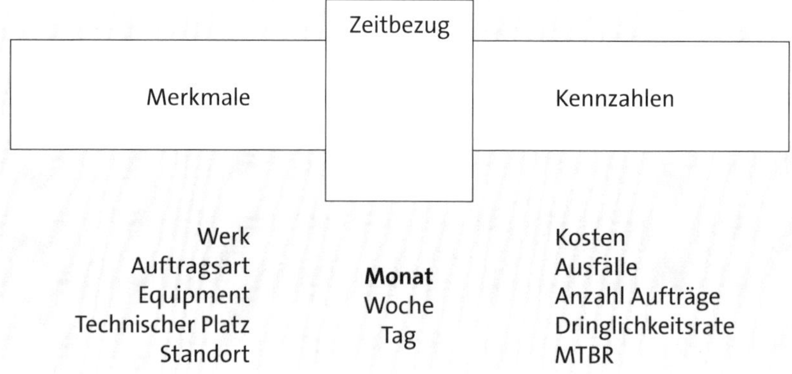

Abbildung 7.16 LIS – Informationsstruktur

- **Kennzahl**
  Eine Kennzahl ist der Wert, der verdichtet wird (z. B. Anzahl Aufträge, Ist-Kosten, Ausfalldauer oder Anzahl Meldungen).
- **Merkmal**
  Ein Merkmal ist ein Wert, auf den hin verdichtet wird (z. B. pro Werk, pro Equipment, pro Auftragsart oder pro Kostenstelle).
- **Periode**
  Eine Periode gibt an, in welchem Rhythmus verdichtet wird (der Normalfall ist hier monatlich, aber es sind z. B. auch tägliche oder wöchentliche Zeiträume denkbar).

Auf der Basis dieser drei Bausteine einer Informationsstruktur entsteht ein virtueller mehrdimensionaler Informationswürfel (siehe Abbildung 7.17).

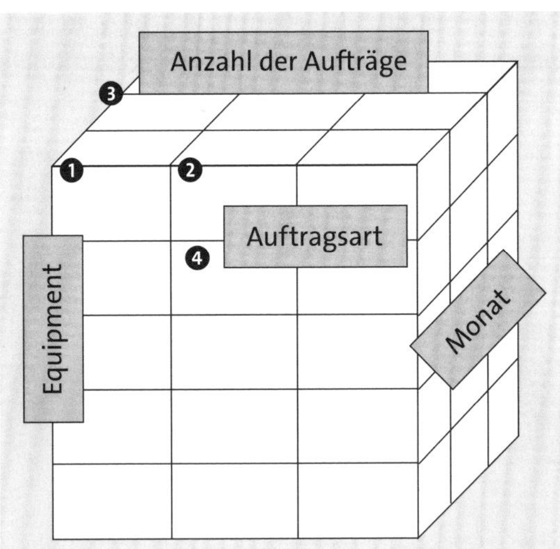

Abbildung 7.17 LIS – mehrdimensionaler Informationswürfel

- Schublade ❶ beinhaltet die Kennzahl **Anzahl Aufträge des Equipments 1.000 der Auftragsart PM01 im Monat Januar**.
- Schublade ❷ beinhaltet die Kennzahl **Anzahl Aufträge des Equipments 1.000 der Auftragsart PM02 im Monat Januar**.
- Schublade ❸ beinhaltet die Kennzahl **Anzahl Aufträge des Equipments 1.000 der Auftragsart PM01 im Monat Februar**.
- Schublade ❹ beinhaltet die Kennzahl **Anzahl Aufträge des Equipments 1.001 der Auftragsart PM01 im Monat Januar**.

Standardanalysen von PM-IS

Standardanalysen werden von SAP mit ausgeliefert. Für die Instandhaltung werden von SAP folgende Standardanalysen und Transaktionscodes ausgeliefert:

- MCI1 – Objektklassenanalyse
- MCI2 – Herstelleranalyse
- MCI3 – Standortanalyse
- MCI4 – Planergruppenanalyse
- MCI5 – Schadensanalyse
- MCI6 – Objektstatistik
- MCI7 – Ausfallanalyse
- MCI8 – Kostenanalyse
- MCIZ – Fahrzeugverbrauchsanalyse

In Abschnitt B.4 finden Sie weitere Details: Sie erfahren, welche Standardanalyse auf welcher Informationsstruktur basiert und welche Merkmale und Kennzahlen die jeweilige Informationsstruktur beinhaltet.

Funktionen

Nachfolgend möchte ich Ihnen anhand der Kostenanalyse (Infostruktur S115, Transaktion MCI8) die Arbeitsweise und Möglichkeiten von PM-IS aufzeigen.

Die Liste aus Abbildung 7.18 zeigt Ihnen für einen ausgewählten Zeitraum die Schätz-, Plan- und Ist-Kosten pro Auftragsart.

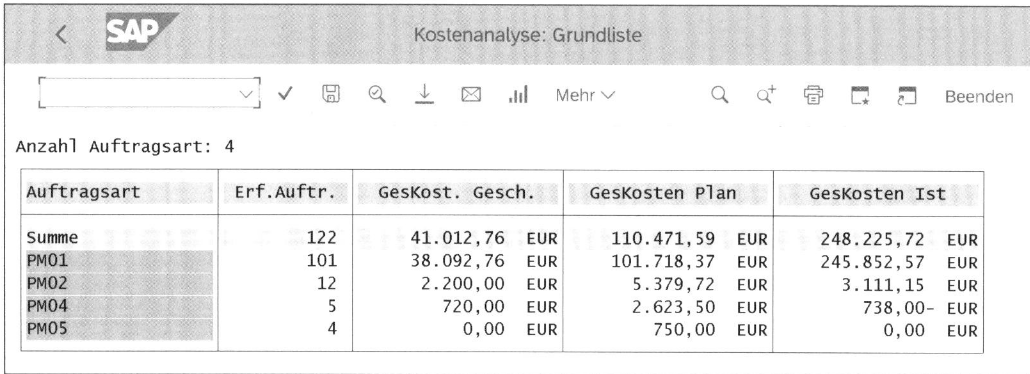

Auftragsart	Erf.Auftr.	GesKost. Gesch.	GesKosten Plan	GesKosten Ist
Summe	122	41.012,76 EUR	110.471,59 EUR	248.225,72 EUR
PM01	101	38.092,76 EUR	101.718,37 EUR	245.852,57 EUR
PM02	12	2.200,00 EUR	5.379,72 EUR	3.111,15 EUR
PM04	5	720,00 EUR	2.623,50 EUR	738,00- EUR
PM05	4	0,00 EUR	750,00 EUR	0,00 EUR

Abbildung 7.18 LIS – Transaktion MCI8 (Kostenanalyse)

Die angezeigte Grundliste können Sie online (d. h. ohne eine andere Auswertung zu starten und ohne die vorliegende Auswertung neu zu starten) mithilfe der folgenden Funktionen verändern:

- **Kennzahlen auswählen**
  Sie können weitere Kennzahlen aus einem vordefiniertem Kennzahlenvorrat zur Anzeige bringen (z. B. abgeschlossene Aufträge).
- **Aufriss wechseln**
  Sie können den Aufriss wechseln, d. h. die Liste nach einem anderen Merkmal darstellen (z. B. nicht nach der Auftragsart, sondern nach dem Equipment).
- **Sortieren**
  Sie können die Liste nach jeder Kennzahl sortieren (z. B. Equipment absteigend nach Ist-Kosten, um eine Hitliste zu erhalten).
- **Vergleichswerte einfügen**
  Sie können den Werten in der Liste Vergleichswerte (z. B. aus dem Vorjahr) gegenüberstellen und prozentuale Abweichungen ausweisen.

- **Als Zeitreihe darstellen**
  Sie können die Liste als tabellarische Zeitreihe darstellen (z. B. um zu sehen, in welchem Monat wie viele Aufträge getätigt wurden).
- **Statistische Funktionen nutzen**
  Sie können mithilfe der Liste statistische Funktionen wie ABC-Analyse, Korrelationen oder Segmentierungen vornehmen.
- **Nach neuen Merkmalen aufreißen**
  Sie können nach einem anderen Merkmal aufreißen (z. B. können Sie sich aus dem Summenwert zur Auftragsart anzeigen lassen, welche Equipments davon betroffen sind).
- **Liste weiterverarbeiten**
  Sie können die Liste drucken, speichern oder per E-Mail verschicken.

Grenzen von LIS

Die Standardanalysen von LIS haben ihre Grenzen:

- **Wenig ansprechendes Layout**
  Die Ergebnispräsentation hat kein zeitgemäßes Layout (z. B. wird die Technik des SAP List Viewers hier nicht angewendet).
- **Starre Informationsstrukturen**
  Die Informationsstrukturen sind starr und nicht veränderbar.
- **Defizite bei technischen Auswertungen**
  PM-IS hat Schwächen bei den technischen Auswertungen.
- **Kein Aufruf von operativen Datenbankobjekten**
  Aus den Summenwerten heraus können Sie die operativen Datenbankobjekte nicht aufrufen. Wenn Sie also z. B. einen auffälligen Kostenwert gefunden haben, können Sie sich nicht direkt anzeigen lassen, welche Aufträge dazu geführt haben.
- **Keine anwendungsübergreifenden Kennzahlen**
  Die Kennzahlen sind nicht applikationsübergreifend. So können Sie sich beispielsweise nicht die Instandhaltungsrate errechnen lassen, da die Ist-Kosten aus der Instandhaltung und Wiederbeschaffungswerte aus der Anlagenbuchhaltung stammen.
- **Keine Rechenoperationen**
  In LIS können Sie keine Rechenoperationen durchführen, beispielsweise das Bilden von Summen, Differenzen oder Verhältniszahlen.

Flexible Analysen

Die Einschränkung, keine Rechenoperationen durchführen zu können, können Sie umgehen, wenn Sie flexible Analysen definieren. Hier definieren Sie entweder auf der Basis einer operativen Datenbanktabelle (z. B. Aufträge) oder auf der Basis einer Informationsstruktur (z. B. Kostenanalyse) eine eigene Auswertestruktur (siehe Abbildung 7.19).

Auf der Basis der eigenen Auswertestruktur können Sie Auswertungen definieren, innerhalb derer wiederum eigene Kennzahlen definiert werden können. Beispiel: Vorgegeben sind die Kennzahlen **Ist-Kosten** und **Anzahl Aufträge**, auf deren Basis Sie dann die Kennzahl **Durchschnittliche Auftragskosten** als deren Verhältnis bilden können.

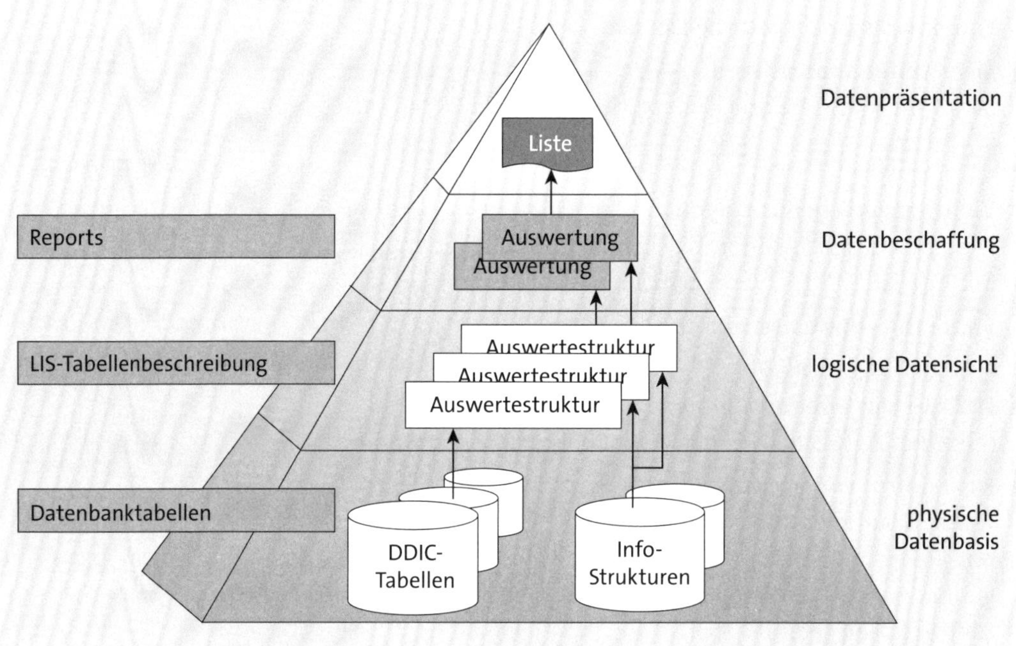

Abbildung 7.19 LIS – flexible Analysen, Überblick

[!]

Eigene Analysen definieren

Mit flexiblen Analysen können Sie beliebige DDIC-Tabellen und Informationsstrukturen auswerten. Dabei können Sie auch Kennzahlen selbst definieren und berechnen lassen.

Abbildung 7.20 zeigt Ihnen dieses Beispiel, ausgegeben als Excel-Tabelle.

Merkmale	Erf. Aufträge	durchschnitt	GesKosten Ist
** PM01..PM07	17.794	3,11	55.336,65 EUR
* Instandhaltungsauftrag	564	106,32	59.967,18 EUR
01.2012	29		
02.2012	22		
03.2012	24		
04.2012	45	31,81	1.431,27 EUR
05.2012	61	147,09	8.972,56 EUR
06.2012	51		
07.2012	83	494,64	41.055,03 EUR
08.2012	41	7,69	315,24 EUR
09.2012	52		
10.2012	49	10,43	510,84 EUR
11.2012	51		
12.2012	56	137,18	7.682,24 EUR
* Wartungsauftrag	17.126	0,06	1.000,00 EUR
* Vorbeugende Instandhaltun	73		
* Aufarbeitungsauftrag	7	810,04-	5.670,28- EUR
* Kalibrierauftrag	24	1,66	39,75 EUR

Abbildung 7.20 LIS – Beispiel einer flexiblen Analyse

Das Frühwarnsystem

Was ist SAP EarlyWatch?

In LIS ist das Frühwarnsystem SAP EarlyWatch integriert. LIS stellt die Daten bereit, die durch SAP EarlyWatch analysiert werden. SAP EarlyWatch kann in allen Informationssystemen der Logistik eingesetzt werden, so auch in PM-IS. Das Frühwarnsystem basiert auf den Informationsstrukturen; Informationen, die in die Strukturen fortgeschrieben werden, können mit SAP EarlyWatch analysiert werden. Sie können SAP EarlyWatch sowohl zur Anzeige definierter Alarmsituationen als auch zur Hervorhebung spezifischer Daten in einer Grundgesamtheit nutzen.

Interaktiv oder periodisch

Sie können das Frühwarnsystem interaktiv in den Standardanalysen nutzen oder periodisch im Hintergrund ablaufen lassen (siehe Abbildung 7.21). Bei der interaktiven Nutzung werden die Warnsituationen durch farbige Kennzeichnung in den Analysen hervorgehoben oder gefiltert, was Ihnen die frühzeitige Erkennung von Warnsituationen ermöglicht. Bei der periodischen Analyse wird eine Liste der Ausnahmedaten automatisch an die gewünschten Empfänger über Fax, E-Mail oder über einen Workflow geschickt.

[!]

Proaktiv statt reaktiv

Mithilfe des Frühwarnsystems können Sie PM-IS – gezielt eingesetzt – zu einem proaktiven System machen. Das Frühwarnsystem ermöglicht die Suche nach Ausnahmesituationen und hilft auf diese Weise, drohende Fehlentwicklungen frühzeitig zu erkennen und zu beheben.

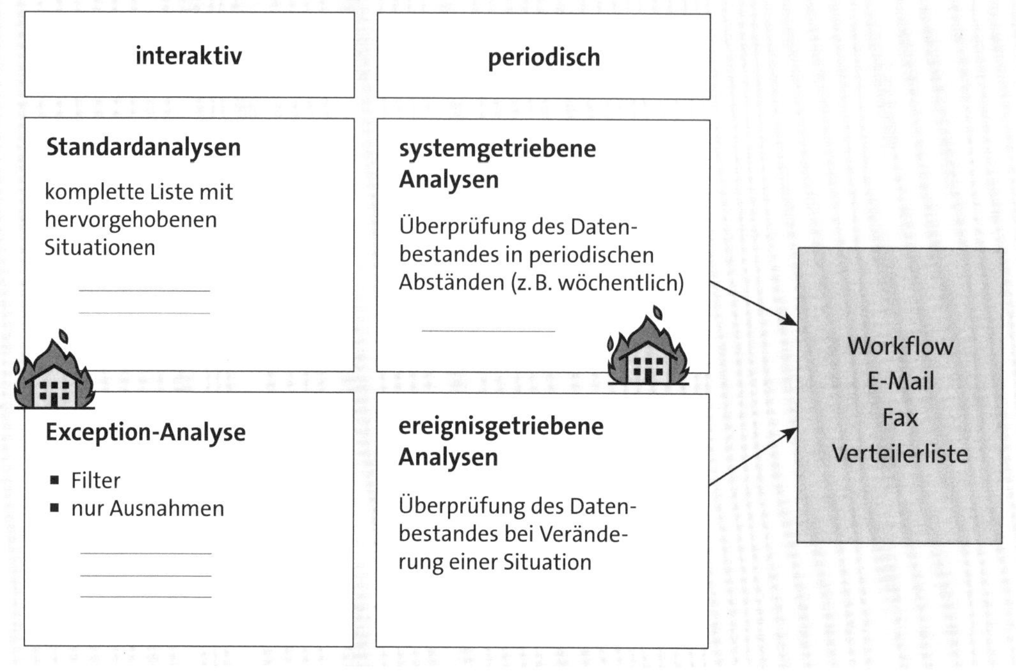

Abbildung 7.21 LIS – Frühwarnsystem

Beispiel

Sie möchten per E-Mail informiert werden, sobald bei einem Equipment die aufgelaufenen Ist-Kosten pro Monat den Schwellenwert von 10.000 EUR übersteigen. Hierzu legen Sie mithilfe der Transaktion MC=E eine *Exception* an, die die Merkmale *Equipment* und *Monat* beinhaltet. Ferner beinhaltet sie als Kennzahl die Ist-Gesamtkosten. Sie definieren nun noch einen Schwellenwert in Höhe von 10.000 EUR, und die Folgeverarbeitung ist eine E-Mail-Benachrichtigung, die Sie mithilfe der Transaktion MC=N als täglichen Job einplanen. Abbildung 7.21 zeigt das Ergebnis.

Zusammenfassung

PM-IS bietet eine ganze Reihe – häufig unterschätzter – Möglichkeiten, hat aber auch einige gravierende Nachteile. Die größten Nachteile von PM-IS sind seine Inflexibilität und die Tatsache, dass es von SAP nicht mehr weiterentwickelt wird. Eine detaillierte Auflistung der Stärken und Schwächen des Informationssystems finden Sie in Abschnitt 7.2.4, »SAP Business Warehouse«, und dort unter »Vergleich von LIS und SAP Business Warehouse« in einer vergleichenden Darstellung mit dem System, das SAP als strategisches System für den gesamten analytischen Bereich ausgebaut hat: SAP Business Warehouse (SAP BW).

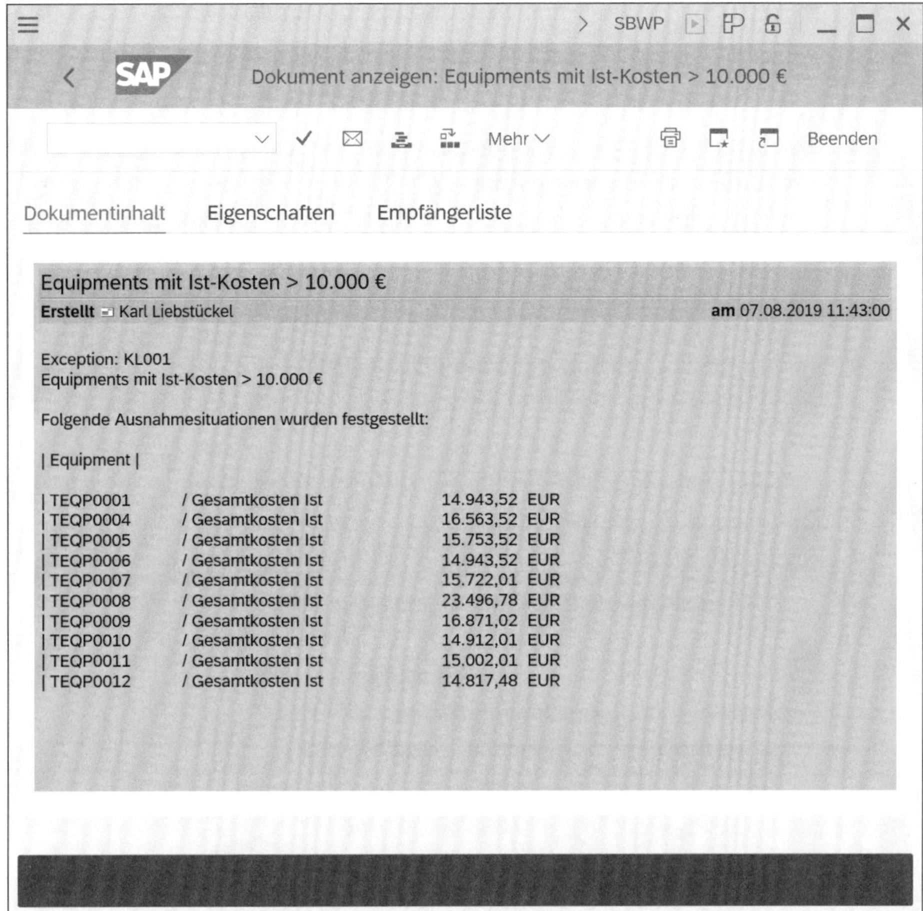

Abbildung 7.22 LIS – E-Mail mit einer Exception-Meldung

7.2.4 SAP Business Warehouse

In den ersten Abschnitten dieses Kapitels haben Sie einige Werkzeuge kennengelernt, die Sie nutzen können, um instandhaltungsspezifische Informationen bereitzustellen. Wozu brauchen wir dann noch SAP BW als eine weitere technische Plattform für die Informationsbereitstellung? Hierfür gibt es diverse Gründe:

- Reporting mit SAP BW entlastet SAP S/4HANA.
- Für unternehmensweite Daten stehen in SAP BW einheitliche Reporting-Werkzeuge zur Verfügung.
- SAP BW ist eng verzahnt mit Microsoft Excel.[2]

2 Siehe Brück, U.: »Praxishandbuch SAP-Controlling«, 5. Aufl., Bonn: SAP PRESS 2015.

- Sie können in SAP BW anwendungsübergreifend auswerten.
- SAP BW ist *ein* strategisches Analyseprodukt von SAP.

Weitere Vorteile von SAP BW gegenüber den Reporting-Werkzeugen von SAP S/4HANA werden Sie im Verlauf dieses Abschnitts kennenlernen. SAP BW kann und soll aber die »alte« SAP-ERP-Welt nicht ersetzen, sondern sie nur ergänzen. Dabei sind in SAP BW viele Grundgedanken und Konzepte aus LIS eingeflossen. Im Gegensatz zu LIS ermöglicht SAP BW aber die Auswertung von Daten nicht nur aus operativen SAP-S/4HANA-Applikationen, sondern auch aus anderen betriebswirtschaftlichen Anwendungen. Darüber hinaus können Daten aus externen Quellen (wie Datenbanken, Online-Diensten und dem Internet) extrahiert und analysiert werden.

Konzept und Grundbegriffe von SAP Business Warehouse

Die Bestandteile und Grundbegriffe von SAP Business Warehouse sehen Sie in Abbildung 7.23.

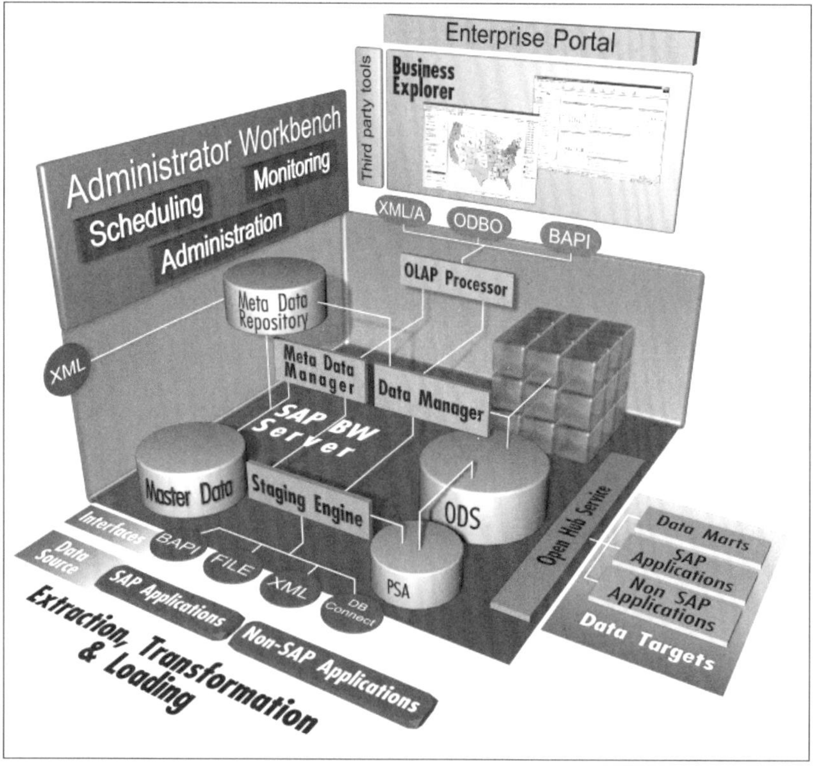

Abbildung 7.23 SAP BW – Grundstruktur

SAP BW bietet eine breite Palette an ETL-Funktionalitäten (ETL = Extraktion, Transformation und Laden), die Datenübertragungen auf dem Applikations- und File-Level unterstützen. Damit können Sie Daten aus praktisch jeder Quelle laden. Quellsysteme könnten sein:

- SAP-Systeme (auch andere BW-Systeme)
- Flat Files, bei denen die Metadaten manuell gepflegt und die Daten über eine Datenschnittstelle an SAP BW übertragen werden
- Datenbankmanagementsysteme, aus denen die Daten ohne Hilfe eines externen Extraktionsprogramms, sondern über DB Connect aus einer von SAP unterstützten Datenbank geladen werden
- Fremdsysteme, bei denen der Datentransfer über BAPIs erfolgt[3]

Die *Persistent Staging Area* (PSA) ist die physische Eingangsablage für Daten aus den Quellsystemen in SAP BW. Die übertragenen Daten werden zunächst unverändert zum Quellsystem abgelegt.

Ein *DataStore-Objekt* (DSO) ist ein Datenspeicher, in dem die Daten auf Belegebene abgespeichert werden. Dieser dient in der Regel zur Bereinigung und Konsolidierung von Datenbeständen, da die Datenbestände oftmals aus unterschiedlichen Quellsystemen stammen.

Die *Data Warehousing Workbench* ist die Arbeitsumgebung für den Administrator. Über die Funktionen der Data Warehousing Workbench wird SAP BW konfiguriert, gesteuert und administriert.

Die zentralen Datenbehälter, auf denen Berichte und Analysen in SAP BW basieren, heißen *InfoCubes*. Beispielsweise könnten in der Instandhaltung die folgenden InfoCubes definiert werden:

- Aufträge
- Meldungen
- Messergebnisse
- Equipment und Technische Plätze

Ebenso wie das Logistikinformationssystem arbeitet SAP BW mit *Kennzahlen* und *Merkmalen*. Typische Kennzahlen in der Instandhaltung sind z. B. die Anzahl der Aufträge, die Anzahl der Ausfälle, MTBF (Mean Time Between Failures) oder die Ist-Kosten. Typische Merkmale in der Instandhaltung sind z. B. Kostenstellen, Auftragsarten, Equipments oder die Planergruppe.

3 Vgl. Blum, S. et al.: »Reporting und Analyse mit SAP«, Bonn: SAP PRESS 2017.

Der *Business Explorer* (BEx) ist die Komponente in SAP BW, die Ihnen Reporting- und Analysewerkzeuge zur Verfügung stellt, um beispielsweise Querys zu definieren. BEx ermöglicht den Zugriff auf die Informationen in SAP BW über verschiedene Wege:

- über SAP Enterprise Portal (z. B. durch einen iView)
- über das Intranet bzw. Internet (Web Application Design)
- über mobile Endgeräte wie Smartphones oder Tablets

Business Content

Unter dem Begriff *Business Content* stellt SAP BW vorkonfigurierte Objekte bereit, die den Fachbereich unterstützen, da sie vorgefertigte Lösungen liefern.

Der Business Content erstreckt sich auf die folgenden Objekte:

- **Extraktoren**
  Extraktoren sind Bestandteil des SAP-Systems und ermitteln das an SAP BW zu liefernde Datenangebot.
- **InfoObjects**
  Die InfoObjects umfassen Merkmale und Kennzahlen.
- **InfoCubes**
  In den InfoCubes werden die ermittelten Merkmale und Kennzahlen abgelegt.
- **Querys**
  Querys erzeugen Auswertungen und Sichten auf den InfoCube.
- **Web Templates**
  In Web Templates werden die analysierten Daten für Webanwendungen zur Verfügung gestellt.
- **Rollen**
  Über Rollen werden genau die Berichte zur Verfügung gestellt, die der Anwender für seine Arbeit benötigt.

InfoCubes

Um Ihnen einen Eindruck davon zu vermitteln, was sich hinter einem Business Content verbirgt, folgt in Tabelle 7.2 auszugsweise eine Auflistung wichtiger InfoCubes mit den darin enthaltenen Merkmalen und Kennzahlen aus dem Business Content für SAP S/4HANA Asset Management.

InfoCube	Beispiele für Merkmale	Beispiele für Kennzahlen
Equipmenteinbau auf Technischen Plätzen	▪ Equipment ▪ Technischer Platz	▪ Einbaudauer ▪ Anzahl Einbauten
Meldungen	▪ Material ▪ Werk ▪ Technischer Platz ▪ Equipment usw.	▪ Anzahl Meldungen ▪ Anzahl Meldungen, termingerecht ▪ Anzahl Maßnahmen ▪ Durchlaufzeit ▪ Ausfallzeit ▪ Anzahl Ausfälle
Meldungen mit Linear-Asset-Management Daten	▪ Startpunkt ▪ Endpunkt	▪ Anzahl Meldungen ▪ Anzahl Meldungen, termingerecht ▪ Anzahl Maßnahmen ▪ Durchlaufzeit ▪ Ausfallzeit ▪ Anzahl Ausfälle
Meldungen Positionen	▪ Werk ▪ Technischer Platz ▪ Equipment ▪ Schadenscode ▪ Objektteile usw.	▪ Häufigkeit ▪ Summe
Meldungen Ursachen	▪ Equipment ▪ Technischer Platz ▪ Baugruppe	▪ Anzahl Ursachen
Aufträge	▪ Auftragsart ▪ Equipment ▪ Technischer Platz ▪ IH-Leistungsart ▪ Planergruppe ▪ Werk	▪ Durchlaufzeit ▪ Anzahl Aufträge ▪ abgeschlossene Aufträge ▪ geplante Aufträge ▪ ungeplante Aufträge usw.
Aufträge Kosten	▪ Auftrag ▪ Partnerobjekt ▪ Kostenart ▪ Kostenrechnungskreis usw.	▪ Betrag ▪ Menge ▪ Währung

Tabelle 7.2 Beispiele für InfoCubes mit Merkmalen und Kennzahlen

InfoCube	Beispiele für Merkmale	Beispiele für Kennzahlen
Aufträge Vorgänge	■ Auftragsart ■ Equipment ■ Technischer Platz ■ IH-Leistungsart ■ Planergruppe ■ Arbeitsplatz ■ Werk usw.	■ Planarbeit ■ Ist-Arbeit ■ Einheit
Aufträge Terminierung	■ Auftragsart ■ Kalenderjahr ■ Equipment ■ Technischer Platz	■ Planarbeit ■ Ist-Arbeit ■ Anzahl Aufträge, termingerecht abgeschlossen ■ Durchlaufzeit
Messergebnisse	■ Equipment ■ Technischer Platz ■ Baugruppe	■ Zählerstand ■ Messwert
Fahrzeugverbrauchsdaten	■ Fahrzeug ■ Kalenderjahr	■ zurückgelegte Distanz ■ Kraftstoffmenge ■ Ist-Kosten

Tabelle 7.2 Beispiele für InfoCubes mit Merkmalen und Kennzahlen (Forts.)

Weitere InfoCubes sind:

- Meldungen Aktionen
- Meldungen Maßnahmen
- Meldungen Reaktionszeit
- Meldungen Positionen mit Linear-Asset-Management-Daten
- Aufträge Kosten mit Linear-Asset-Management-Daten
- Aufträge mit Obligo-Einzelposten
- Rückstand/Fehlbestand
- Auftragsvorgänge Fertigstellungsgrad
- Aufträge und Meldungen Nacharbeit
- Arbeitsplan Simulierte Kosten
- Wartungspläne Simulierte Kosten
- Arbeitsplätze, Kapazitätsangebote und Kapazitätsnachfragen
- Budgetdaten (siehe Abschnitt 7.3.5, »Maintenance Cost Budgeting«)

[!]

InfoCubes aus dem Business Content als Vorlage für eigenen Content

SAP liefert als Business Content InfoCubes mit den wichtigsten Kennzahlen und Merkmalen aus. Darüber hinaus können Sie sich aber selbst eigene InfoCubes erstellen.

Querys

Auf der Basis der im Business Content enthaltenen InfoCubes werden die folgenden Querys mitausgeliefert:

- Equipmentein- und -ausbau
- Meldungsanalyse
- Schadensanalyse
- Ursachenanalyse
- Maßnahmenanalyse
- Aktionsanalyse
- Ausfallanalyse
- Objektfehler
- Aufträge
- Auftragsvorgänge
- Plan-Ist-Kostenabweichung
- MTTR (Mean Time To Repair)
- MTBR (Mean Time Between Repair)
- ausstehende Arbeit
- überfällige Arbeiten
- geplante Wartungsarbeiten
- Terminerfüllung
- Messergebnisse
- Fahrzeugkosten je Kilometer
- Anlagenverfügbarkeit
- Fehlbestand
- Kapazitätsauslastung
- Erledigungsgrad
- Nacharbeit
- Budgetvorschlag
- Budgetvergleich
- Budgetkontrolle
- Equipmentfehler

[!]

Querys aus dem Business Content als Vorlage für eigenen Content

SAP liefert als Business Content gängige Querys aus. Darüber hinaus können Sie sich aber selbst eigene Querys erstellen.

Weiterer Business Content

Weiterer Business Content wird ausgeliefert:

- für Rollen (z. B. Instandhaltungstechniker
- für Web Templates (z. B. spezielle Querys)
- für DataSources (z. B. Hierarchie und Technische Plätze)

Funktionen

Wenn Sie eine Query starten, erzeugt SAP BW Ihnen eine Grundliste (siehe Abbildung 7.24). Die angezeigte Grundliste können Sie, ohne eine andere Auswertung zu starten und ohne die vorliegende Auswertung neu zu starten, mithilfe der folgenden Funktionen verändern:

Auftragsart Werkstatt Notauftrag
TechnPlatz Kathalytische Nachverbrennungsanl.A2, Druckförderanlage A2, 422-M01..422-M69-SON-WDM, 422-EVK..422-EVK-VK2-\
PM techn. Platz E 2..5
PM Auftrag Storno]X[

PM TP 2.Ebene	Anzahl Störungen Jan-Dez 2004	Anz.Stör. Jan 2004	Anz.Stör. Feb 2004	Anz.Stör. Mär 2004	Anz.Stör. Apr 2004	Anz.Stör. Mai 2004	Anz.Stör. Jun 2004	Anz.Stör. Jul 2004	Anz.Stör. Aug 2004	Anz.Stör. Sep 2004
Gesamtergebnis	**1.005**	**111**	**67**	**103**	**75**	**73**	**77**	**93**	**82**	**86**
M27	137	18	10	9	6	11	10	19	20	7
M06		13	10	15	7	8	6	8	11	15
M05		6	9	13	10	6	14	12	4	11
M03		12	1	13	10	7	11	8	10	4
M02		15	9	2	4	6	4	6	6	17
M26					8	8	2	5	4	3
M01					1	8	5	8	5	7
M08					5	6	3	3	5	1
M07					6	5	9	5	7	5
M25		5	3	6	2	1	1	4	2	2

Zurück
Zurück zum Anfang
Filterwert festhalten
Filtern und Aufriß nach
Arbeitsplatz
Inst.Auftrag
PM techn. Platz Eben
Hinzufügen Aufriß nach
Austauschen PM TP 2.Ebene mit
Knoten aufreißen nach TechnPlatz
Sortieren
Springen
Bedingungen
PM TP 2.Ebene
Alle Merkmale
Eigenschaften ...

Abbildung 7.24 SAP BW – Störungsanalyse[4]

- **Weitere Kennzahlen hinzufügen**
  Sie können weitere Kennzahlen aus einem vordefinierten Kennzahlenvorrat zur Anzeige bringen (z. B. Anzahl Meldungen).
- **Aufriss wechseln**
  Sie können den Aufriss wechseln, d. h. die Liste nach einem anderen Merkmal darstellen (z. B. nicht nach Technischem Platz, sondern nach Arbeitsplatz).
- **Sortieren**
  Sie können die Liste nach jeder Kennzahl sortieren (z. B. Equipment, absteigend nach Störungsanzahl, um eine Hitliste zu erhalten).
- **Vergleichswerte aufnehmen**
  Sie können den Werten in der Liste Vergleichswerte (z. B. aus dem Vorjahr) gegenüberstellen und prozentuale Abweichungen ausweisen.
- **Grafische Zeitreihe erstellen**
  Sie können die Liste als grafische Zeitreihe darstellen (z. B. um zu sehen, in welchem Monat wie viele Störungen oder Aufträge angefallen sind, siehe Abbildung 7.25).

4 Entnommen aus Krämer, J.: »Vorbeugende Instandhaltung mit SAP R/3 PM«, in: Workshop Instandhaltung mit SAP, Berlin 2006.

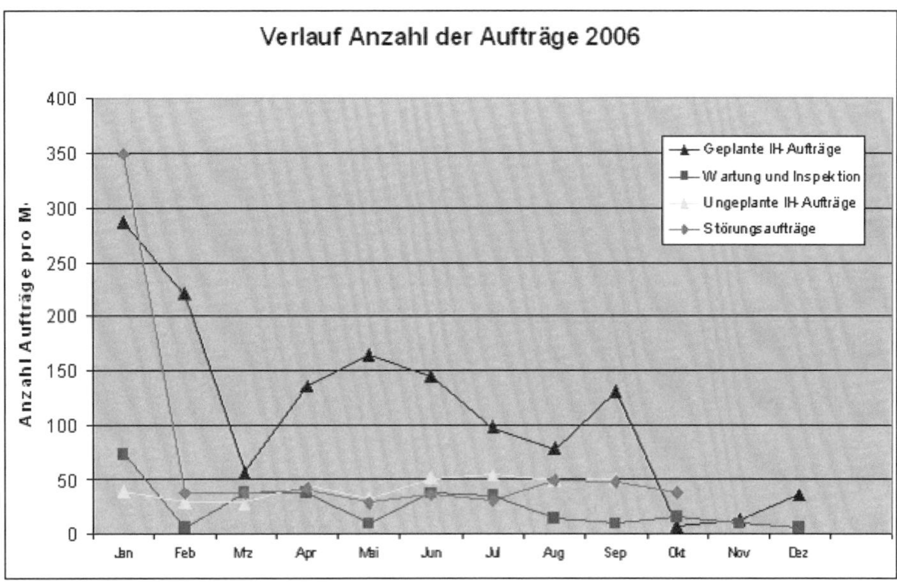

Abbildung 7.25 SAP BW – Zeitreihenanalyse[5]

- **Statistiken erstellen**
  Sie können mithilfe der Liste statistische Funktionen wie die ABC-Analyse, Korrelationen oder Segmentierungen vornehmen.
- **Drill-down durchführen**
  Sie können mithilfe der Drill-down-Technik nach einem anderen Merkmal aufreißen (z. B. können Sie sich aus dem Summenwert zum Technischen Platz anzeigen lassen, welche Equipments davon betroffen sind).
- **Geodaten**
  Über erweiterte Navigationsmöglichkeiten (geografischer Drill-down) können regionale Zusammenhänge verdeutlicht werden (z. B. bei einem Energieversorger die Informationen dazu, in welchem Landkreis oder Ort wie viele Störungen auftreten). Abbildung 7.26 zeigt ein Beispiel für eine solche BEx Map.
- **Zugriff auf EAM-Daten**
  Mithilfe eines RemoteCubes können Sie aus SAP BW auf die originären Daten in SAP S/4HANA Asset Management zugreifen.
- **Exceptions**
  Über die Definition von Exceptions können Sie SAP BW als Frühwarnsystem nutzen.

5 Entnommen aus Krämer, J.: »Vorbeugende Instandhaltung mit SAP R/3 PM«, in: Workshop Instandhaltung mit SAP, Berlin 2006.

- **Verschiedene Darstellungsmöglichkeiten**
  Sie können die Daten MS-Excel-basiert mithilfe des BEx Analyzers, webbasiert in BEx Web Applications oder auf mobilen Geräten über BEx Mobile Intelligence präsentieren.
- **Alert Monitor/Ticker**
  Im Web stehen Ihnen weitere Funktionen, wie z. B. der Alert Monitor oder der Ticker, zur Verfügung.

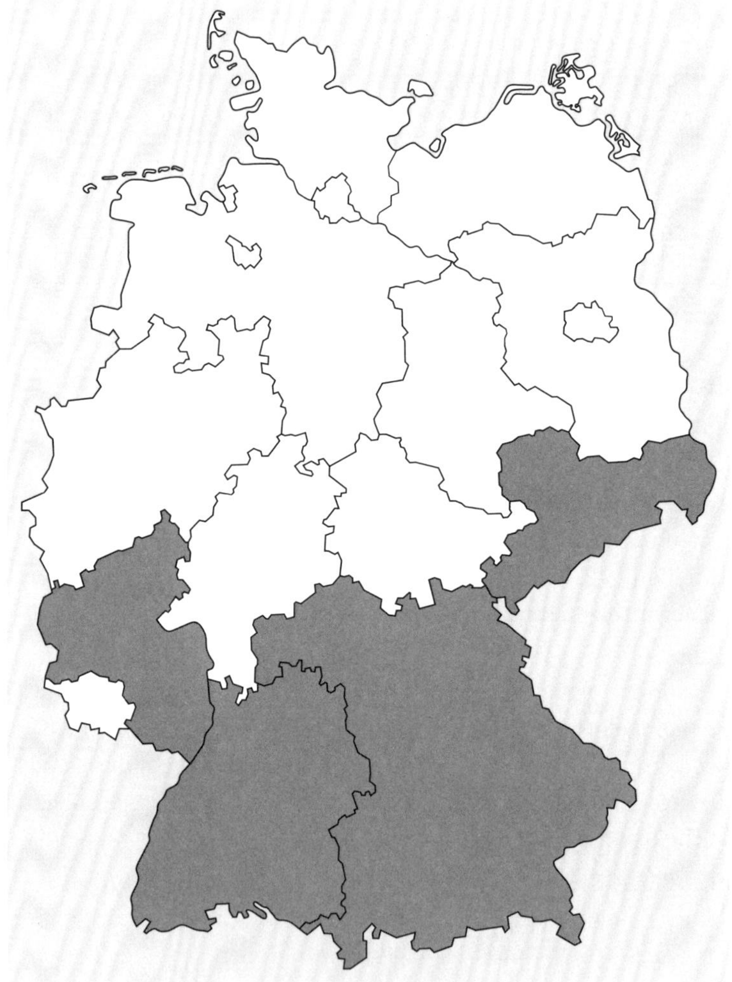

Abbildung 7.26 SAP BW – BEx Map[6]

6 Entnommen aus Schneider, H.-J.: »Visuelles Lifecycle Management«, in: DSAG-Arbeitskreis, Berlin: 2002.

Das sind bei Weitem noch nicht alle Möglichkeiten, die SAP BW zu bieten hat. Alle Möglichkeiten aufzuzeigen, würde jedoch den Rahmen dieses Buches sprengen.

Interessant ist nun die Frage, ob Sie SAP BW oder LIS einsetzen sollten. Eine Hilfestellung gebe ich Ihnen im nächsten Abschnitt in Form einer direkten Gegenüberstellung der beiden Hilfsmittel.

Vergleich von LIS und SAP Business Warehouse

Systemadministration

LIS ist in SAP S/4HANA integriert, während SAP BW ein eigenes System benötigt, das Sie selbstständig administrieren müssen.

Nicht-SAP-Systeme

In der Dokumentation und in Flyern ist zwar zu lesen, dass grundsätzlich auch in LIS Daten aus einem externen System importiert werden könnten; jedoch ist mir ein solches Unterfangen in der Praxis nie begegnet. Demgegenüber ist es bei SAP BW als unternehmensweitem Business-Intelligence-Produkt eine Notwendigkeit, dass Daten aus unterschiedlichen Systemen importiert und aggregiert werden können.

Preisliste

Beide Lösungen sind in der Preisliste enthalten und werden Ihnen ohne zusätzliche Lizenzkosten zur Verfügung gestellt.

Projekt

Die Einführung und Nutzung von PM-IS ist in der Regel eine Entscheidung der Fachabteilung. Deshalb können Sie die Nutzung von PM-IS innerhalb des normalen Einführungsprojekts konzipieren und ausprägen.

Demgegenüber sind die Einführung und Nutzung von SAP BW eine unternehmensweite Entscheidung. Deshalb muss ein Gesamtkonzept erstellt werden, das sich über den Systembetrieb und die Nutzung aller beteiligten Fachabteilungen erstreckt.

Weiterentwicklung

LIS und somit auch PM-IS werden nicht mehr weiterentwickelt, sondern SAP BW ist das strategische Produkt von SAP für den gesamten Analysebereich.

Oberfläche

PM-IS nutzt die normale SAP-GUI-Oberfläche. Die meisten Auswertungen sind tabellarisch und zeichenorientiert. Demgegenüber arbeiten Sie bei SAP BW entweder in einer Excel-Oberfläche oder in einer Webumgebung oder greifen mit mobilen Geräten zu. SAP BW bedient sich außerdem vieler grafischer Elemente (Tachometer, Kurven, Säulen, Landkarte usw.).

Funktionalität

Auch wenn die Nutzungsmöglichkeiten oft ein wenig unterschätzt werden, ist der Funktionsumfang von PM-IS doch sehr begrenzt, während die Möglichkeiten von SAP BW schier unbegrenzt erscheinen.

Business Content und Flexibilität

PM-IS ist in seiner Struktur sehr starr. Es bietet zwar gewisse Standardanalysen an, Erweiterungsmöglichkeiten sind jedoch nur sehr schwer realisierbar. So können z. B. nur Kennzahlen gewonnen werden, deren Daten auf Objekten von SAP S/4HANA Asset Management beruhen.

SAP BW bietet nicht nur einen sehr breit gefächerten Business Content an, der zudem noch permanent weiterentwickelt wird, sondern es ist auch sehr flexibel und erweiterungsfähig im Hinblick auf Ihre eigenen Auswertungswünsche. So können Sie beispielsweise applikationsübergreifende Kennzahlen ermitteln.

Drill-through

Aus den verdichteten Ergebnissen von PM-IS (z. B. Anzahl Aufträge) können Sie keine Funktionen aufrufen, die Ihnen Details liefern. Demgegenüber können Sie sich aus SAP BW die Detailliste direkt anzeigen lassen.

Tabelle 7.3 zeigt einen übersichtlichen Vergleich von LIS und SAP BW.

LIS	SAP Business Warehouse
(+) in SAP ERP integriert	(–) eigenes System, eigene Installation
(–) Daten nur aus SAP ERP	(+) Import von Daten aus externen Quellen
(+) Projekt der Fachabteilung	(–) unternehmensweites Projekt
(–) wird nicht mehr weiterentwickelt	(+) strategisches Business-Intelligence-Produkt von SAP
(–) SAP-GUI-Oberfläche	(+) Oberfläche: Excel, Web, mobil
(–) eingeschränkte Funktionalität	(+) breite und tiefe Funktionalität
(–) starre Struktur	(+) sehr flexibel (z. B. applikationsübergreifende Auswertungen)
(–) kein Absprung in das originäre Objekt	(+) Drill-through
(+) kostenlos	(+) in der SAP-S/4HANA-Lizenz enthalten

Tabelle 7.3 Vergleich von LIS und SAP BW

7.2.5 SAP Lumira

Was ist SAP Lumira?

SAP Lumira ist eine Applikation, mit der Sie Daten visualisieren und Ergebnispräsentationen erstellen können. Sie können Daten von externen Quellen importieren, bearbeiten, formatieren und mit Formeln anreichern, um neue Daten zu gewinnen. Sie können Visualisierungen erstellen, um die Daten grafisch aufzubereiten. Sie können die Visualisierungen schließlich entweder für eigene Zwecke verwenden (z. B. für Präsentationen oder zur Entscheidungsfindung) oder mit Kollegen und der Öffentlichkeit teilen.

SAP Lumira wird lokal installiert und kann lokale oder Remote-Daten aus einer oder mehreren Datenquellen verwenden. Von Ihnen erstellte Diagramme werden automatisch gesichert und können ausgedruckt oder als E-Mail-Anhang verteilt werden. Für Detailinformationen empfehle ich Ihnen weiterführende Spezialliteratur.[7]

Der Ablauf zur Erstellung und Bearbeitung von Auswertungen stellt sich in SAP Lumira immer gleich dar (siehe Abbildung 7.27):

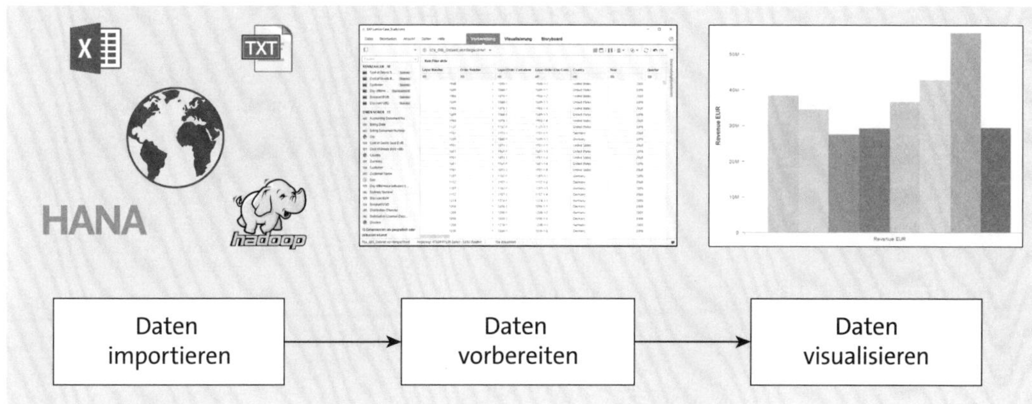

Abbildung 7.27 SAP Lumira – Ablauf

- Import von Daten als Datenset
- Vorbereitung und Anreicherung der Daten für die Visualisierung
- Visualisierung der Daten als Diagramme oder als Präsentationen

Fallbeispiel

Ich würde Ihnen den Ablauf und die Möglichkeiten von SAP Lumira gern anhand eines Beispiels aus der Instandhaltung erläutern: Die Kostenanalyse aus PM-IS (siehe Abschnitt 7.2.3, »Logistikinformationssystem«) soll mit verschiedenen Grafiken visualisiert, um weitere Kennzahlen erweitert und als Präsentation veröffentlicht werden.

Hierzu wird in SAP S/4HANA die Transaktion MCI8 gestartet. Es werden alle Kennzahlen ausgewählt und mit der Funktion **Mehr • Kostenanalyse • Ex-**

7 Wie z. B. Lauer, D. et al.: »SAP Lumira – Das Praxishandbuch«, 2. Aufl., Bonn: Rheinwerk Verlag 2018.

portieren • Übergabe an XXL (siehe Abbildung 7.28) als XLS-Datei exportiert und lokal abgespeichert.

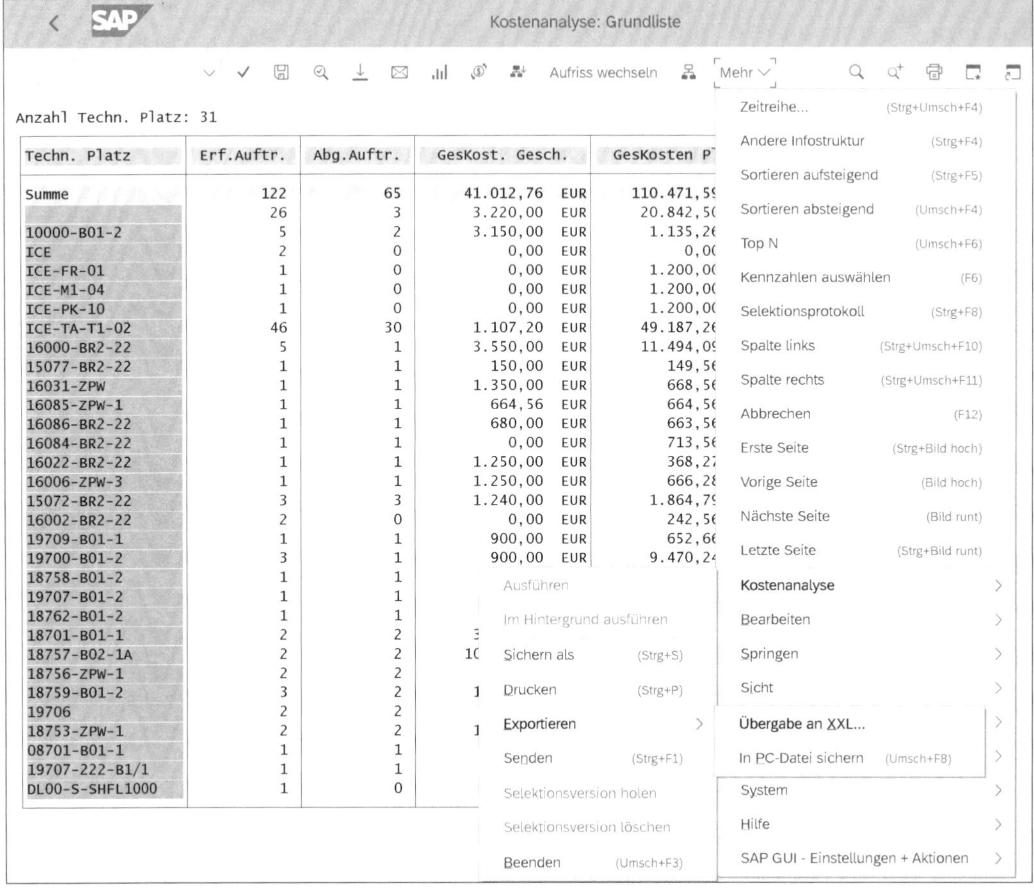

Abbildung 7.28 SAP Lumira – Datenexport

Daten importieren

SAP Lumira stellt Ihnen verschiedene Optionen für den Import der zu analysierenden Daten zur Verfügung (siehe Abbildung 7.29):

- **Microsoft Excel**
  Sie können Excel-Tabellen als Dataset laden. Für das Fallbeispiel wählen wir diese Funktion aus und geben dann den lokalen Ablageort der Datei an.
- **Textdatei**
  Dasselbe gilt für Textdateien. Als Dateiformate können Sie hier CSV-, TXT-, LOG-, PRN- und TSV-Dateien importieren.

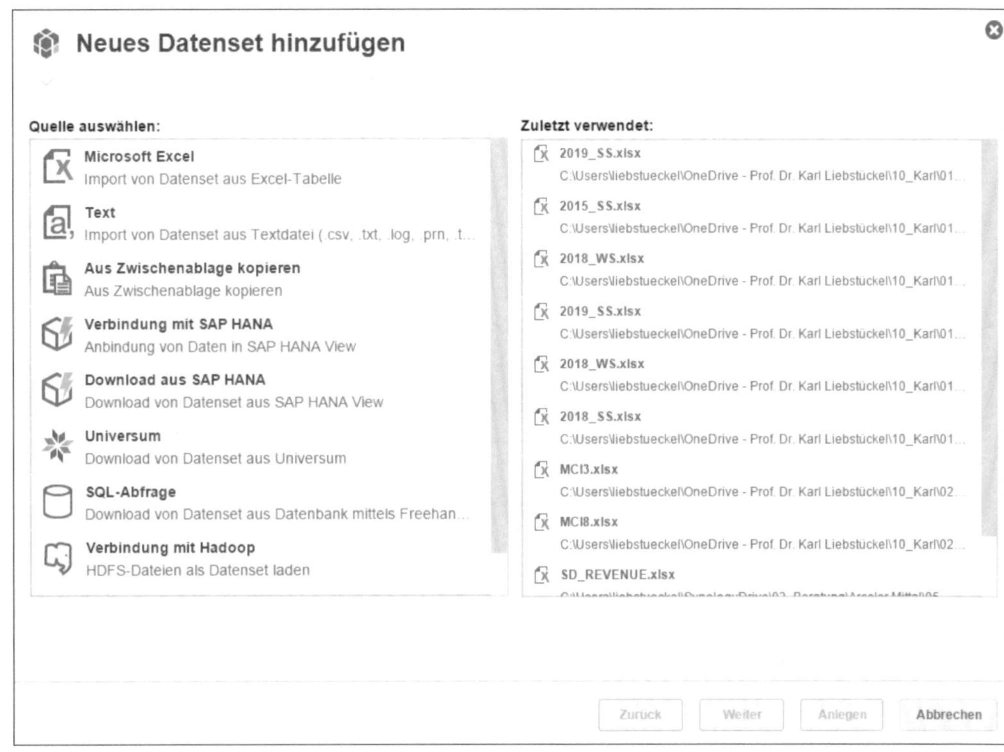

Abbildung 7.29 SAP Lumira – Importoptionen

- **SAP HANA**
  Sie können entweder von einer SAP-HANA-Instanz Analytic Views herunterladen und lokal bearbeiten. Ein *Analytic View* ist ein Cluster von miteinander verlinkten Datenbanktabellen. Oder Sie stellen eine Verbindung zu einer SAP-HANA-Instanz her und bearbeiten die Analytic Views online. Das heißt, Sie verwenden SAP Lumira als Frontend-Tool für die Visualisierung von SAP-HANA-Daten.
- **Universum**
  Sie können Daten aus SAP-BusinessObjects-Universumsdateien importieren. Universumsdateien haben die Formate UNS oder UNX
- **SQL-Abfrage**
  Sie können ein neues Dataset anlegen, indem Sie das SQL-Coding für eine Zieldatenquelle manuell eingeben. Als Quellen stehen Ihnen unter anderem Apache, Amazon, Salesforce oder aber auch SAP-S/4HANA-Systeme zur Verfügung.

- **Hadoop**
  Sie haben die Möglichkeit, Daten aus Apache-Hadoop-Datenquellen zu importieren. Organisationen, die sehr große Datenmengen (Big Data) generieren, hinterlegen diese gegebenenfalls in einem Apache-Hadoop-Distributed-File-System (HDFS).

Daten vorbereiten

Bevor Sie die Daten visualisieren, ist es eventuell notwendig, bestimmte Vorbereitungsmaßnahmen zu treffen. SAP Lumira hat beim Import eine automatische Zuordnung der Daten zu Kennzahlen und Dimensionen vorgenommen (siehe Abbildung 7.30).

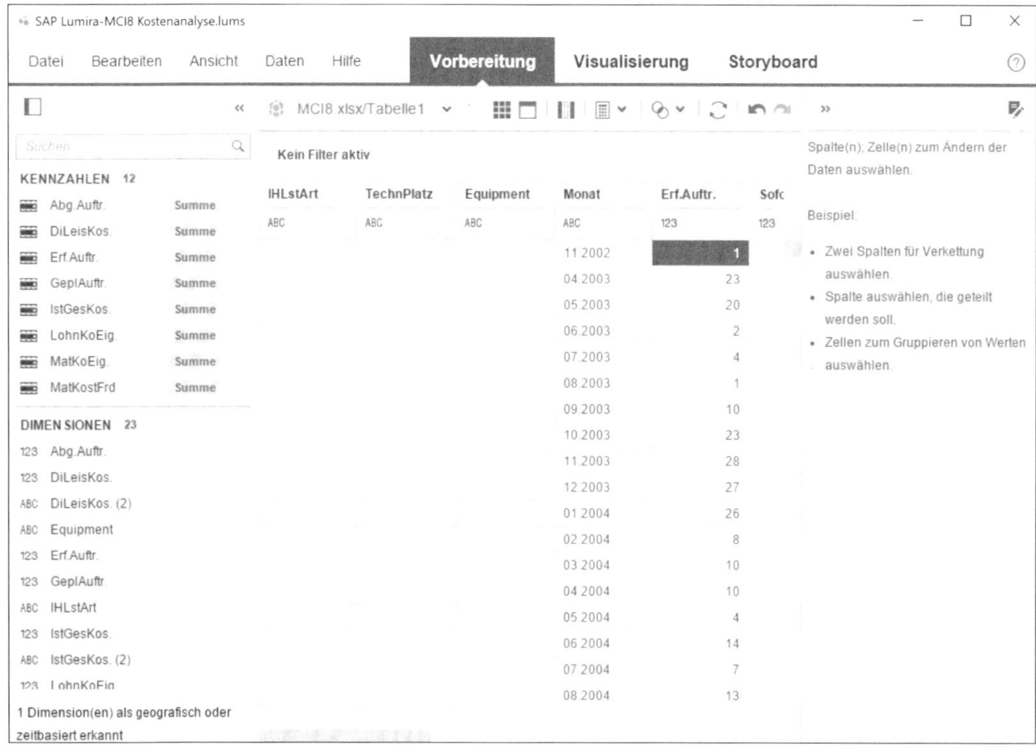

Abbildung 7.30 SAP Lumira – Datenvorbereitung

Unter anderem könnten folgende Vorbereitungsmaßnahmen notwendig sein:

- Sie können zu einer bestehenden Kennzahl eine *berechnete Kennzahl* hinzufügen. In unserem Fallbeispiel fügen wir eine neue Kennzahl DIFF hinzu, die die Abweichung zwischen Plankosten und Ist-Kosten ausweisen soll.

- Sie können für eine Kennzahl den *Aggregationstyp* ändern. Beispielsweise könnten Sie von **Summe** auf **Durchschnitt** oder **Maximum** wechseln.
- Falls SAP Lumira eine *Dimension* nicht automatisch als Kennzahl erkannt hat, können Sie die Dimension in eine Kennzahl umwandeln.
- Sie können einzelne Dimensionen mit *Geodaten* verknüpfen, wenn Sie später geografische Auswertungen durchführen möchten.
- Sie können einen festen *Filter* setzen, wenn Sie im Folgenden nur ganz bestimmte Daten auswerten möchten (z. B. nur Daten des Jahres 2019 oder nur Aufträge mit der Auftragsart PM01).

Daten visualisieren

Wenn Sie mit der Datenvorbereitung fertig sind, gehen Sie in das Tableau zur Visualisierung der Daten (siehe Abbildung 7.31). Dort haben Sie dann viele Möglichkeiten, um die gewünschte Grafik zu erstellen:

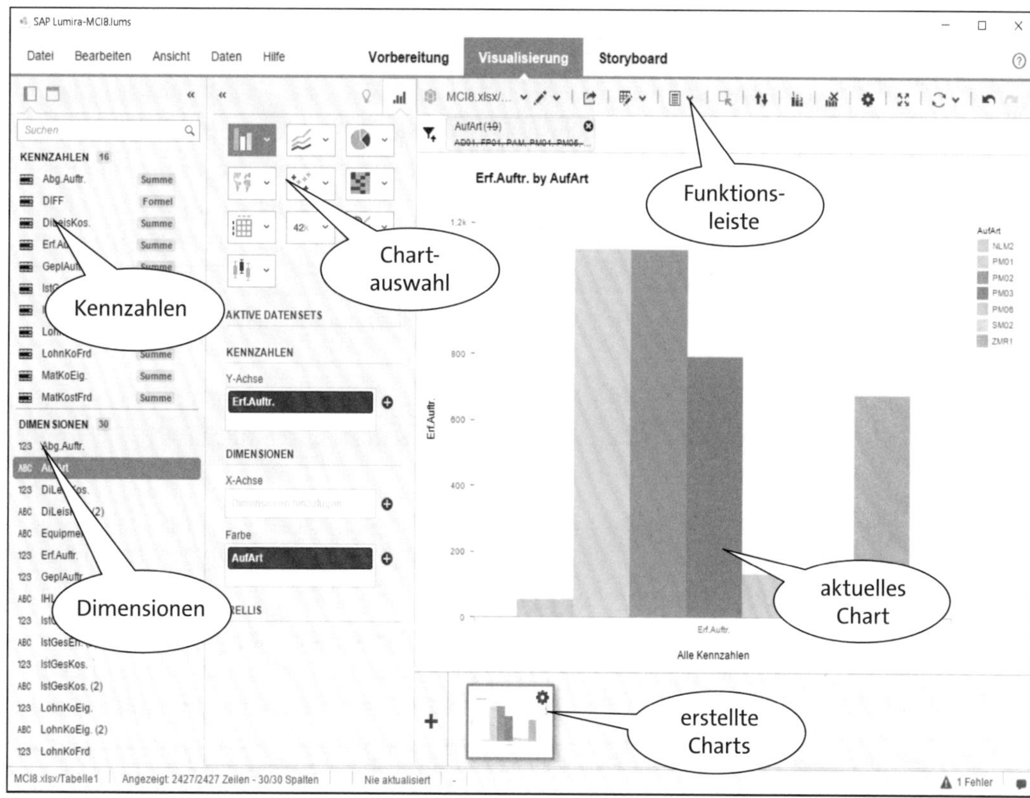

Abbildung 7.31 SAP Lumira – Datenvisualisierung

- **Charttypen**
  Zunächst einmal wählen Sie das für die gewünschte Darstellung geeignete Chart. Hier stehen Ihnen alle gängigen und bekannten Charttypen zur Verfügung: Balken-/Säulendiagramme, Liniendiagramme, Kreisdiagramme oder Tabellen. Aber auch weniger bekannte Charttypen unterstützen Ihre Visualisierung: Beispielsweise könnten Sie durch die unterschiedliche Farbintensität einer Heatmap oder durch die unterschiedlichen Größen der Felder einer Treemap die wichtigen Informationen auf Anhieb erkennen.
- **Kennzahlen**
  Dann wählen Sie mit Drag & Drop eine oder mehrere Kennzahlen aus, die dargestellt werden sollen.
- **Dimensionen**
  Ebenfalls mit Drag & Drop wählen Sie eine oder mehrere Dimensionen aus.
- **Filter**
  Über die Funktionsleiste können Sie Filter setzen, die dann bestimmte Selektionen inkludieren oder exkludieren. Dies tun Sie, wenn Sie beispielsweise bestimmte Auftragsarten ausschließen möchten oder die Auswertung nur auf bestimme Technische Plätze beschränken wollen.
- **Sortieren nach Dimensionen**
  Sie können nach Dimensionen sortieren, z. B. nach der Equipmentnummer.
- **Ranking nach Kennzahlen**
  Sie können ein Ranking nach Kennzahlen durchführen, z. B. die Top-10-Equipments nach den Ist-Kosten.
- **Chartübersicht**
  Sie können auch mehrere Charts anlegen, die dann in der Übersicht der erstellten Charts erscheinen.
- **Präsentationen zu Charts**
  Auf der Registerkarte **Storyboard** können Sie ein- oder mehrseitige Präsentationen zu den Charts erstellen. Dort können Sie die Grafiken einfügen und diese um erläuternden Text, Bilder, Piktogramme oder Formen anreichern (siehe Abbildung 7.32).

Im folgenden Abschnitt möchte ich Ihnen Instrumente des Instandhaltungscontrollings vorstellen, die Ihnen die Möglichkeit zur Budgetierung geben.

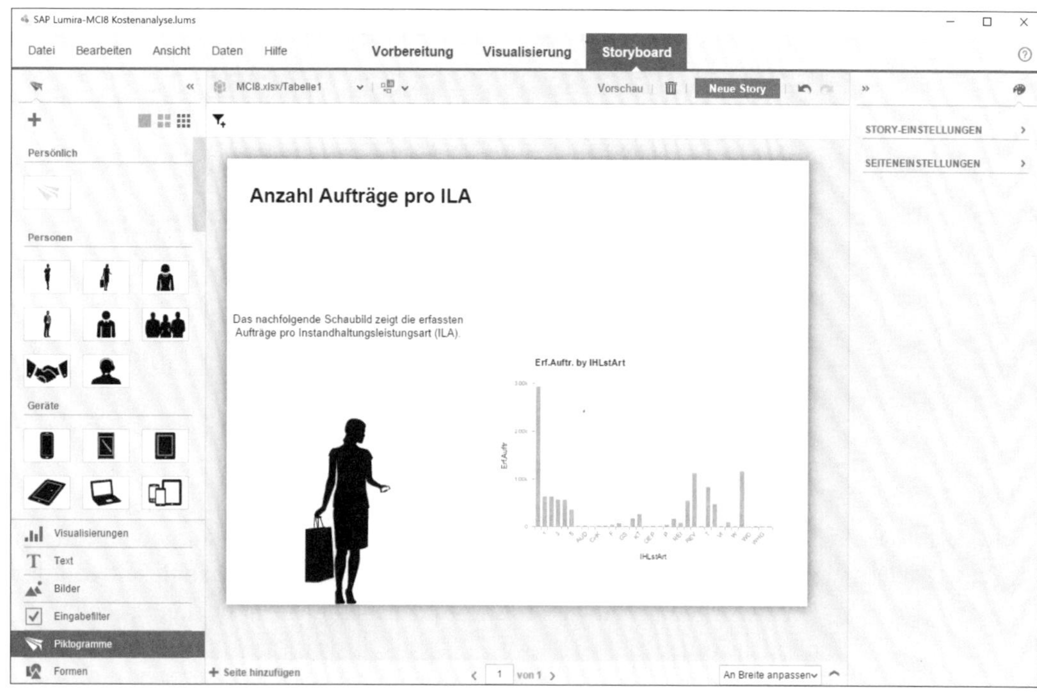

Abbildung 7.32 SAP Lumira – Storyboard

7.3 SAP-Hilfsmittel zur Budgetierung und wie Sie sie nutzen sollten

Je nachdem, welche Funktionen und Applikationen in Ihrem Hause aktiv sind, haben Sie mehrere Möglichkeiten, um Budgets für Ihre Instandhaltungsmaßnahmen zu verwalten. Im Einzelnen sind dies die Auftragsbudgetierung, die Kostenstellenbudgetierung, die Budgetierung über das Investitionsmanagement, die Budgetierung im Projektsystem und das Maintenance Cost Budgeting.

7.3.1 Auftragsbudgetierung

Funktionsweise

Die einfachste, aber gleichzeitig funktional am meisten eingeschränkte Art der Budgetierung ist die Auftragsbudgetierung, mit deren Hilfe Sie einem einzelnen Auftrag ein Budget zuordnen können. Ein Auftragsbudget vergeben Sie mithilfe der Transaktion KO22 entweder als Gesamtbudget oder verteilt auf mehrere Jahre (siehe Abbildung 7.33).

Abbildung 7.33 Transaktion KO22 – Auftragsbudget

Verfügbarkeitskontrolle

Bei jeder Ist-Buchung (z. B. Zeitrückmeldungen, Warenausgabe) prüft das System, ob das Auftragsbudget noch ausreicht. In Abhängigkeit von den Einstellungen im Budgetprofil wird dabei eine Warn- oder eine Fehlermeldung ausgegeben.

[!]

Aktive Verfügbarkeitskontrolle verhindert Budgetüberschreitungen

Die Aktivierung der Verfügbarkeitskontrolle verhindert die Überschreitung des Auftragsbudgets durch Ist-Buchungen. Die Plankosten haben keine Auswirkungen auf das Auftragsbudget, d. h., bei der Planung des Auftrags wird das Auftragsbudget nicht geprüft.

Anwendungsgebiete

Die Auftragsbudgetierung unterstützt Sie beim Controlling eines einzelnen Auftrags. Daher kommen aus meiner Sicht die folgenden Anwendungsgebiete infrage:

- größere Instandhaltungsmaßnahmen (wie Umzüge oder Umbauten)
- Daueraufträge

Eine Budgetierung aller Instandhaltungsaktivitäten würde bedeuten, dass Sie jedem einzelnen Auftrag ein Auftragsbudget zuordnen. Dies ist jedoch zu aufwendig und kommt deshalb normalerweise nicht infrage.

Voraussetzung

Voraussetzung für das Auftragsbudget ist die Zuordnung eines Budgetprofils zur Auftragsart mithilfe der Customizing-Funktion **Auftragsarten einrichten**. Das Budgetprofil selbst und die Steuerung der Verfügbarkeitskontrolle stellen Sie mithilfe der Customizing-Funktion des Controllings **Budgetprofile pflegen** bzw. **Toleranzgrenzen für Verfügbarkeitskontrolle festlegen** ein.

Die in Abbildung 7.34 gezeigte Einstellung würde im Kostenrechnungskreis EU00 beim Budgetprofil PM etwa Folgendes bewirken:

Verfügb.kontrolle Aufträge: Toleranzgrenzen

KKrs	Profil	Text	VrgngGr	Akt.	% Aus...	Absol. Abweich...	Währg
EU00	PM	Budgetprofil Instandhaltung	++	1	90,00		EUR
EU00	PM	Budgetprofil Instandhaltung	++	2	100,00		EUR
EU00	PM	Budgetprofil Instandhaltung	++	3	105,00		EUR

Abbildung 7.34 Budgetprofil zur Verfügbarkeitskontrolle

- Bei Überschreiten von 90 % des Auftragsbudgets würde eine Warnmeldung ausgegeben.
- Bei Überschreitung von 100 % ginge zusätzlich eine E-Mail an den Verantwortlichen heraus.
- Bei Überschreitung von 105 % würde eine Fehlermeldung ausgegeben. Das heißt, dass das Budget maximal um 5 % überschritten werden könnte.

[!]

Auftragsbudgetierung ist ein einfaches, aber begrenztes Hilfsmittel

Insgesamt ist die Auftragsbudgetierung ein einfaches, aber auch sehr begrenztes Instrument der Budgetierung. Die Budgetkontrolle für Aufträge kann nur aktiviert werden, wenn der Auftrag keinem budgetführenden PSP-Element oder IM-Programm zugeordnet ist.

7.3.2 Kostenstellenbudgetierung

Funktionsweise

Planwerte können Sie für Leistungsarten (Transaktion KP26), Kostenarten (Transaktion KP06) sowie für statistische Kennzahlen (Transaktion KP46) erstellen. Außerdem gibt es sogenannte Kostenstellenetats mit der Möglichkeit, ein Budget auf der Kostenstellenebene ohne Einschränkung auf bestimmte Kosten- oder Leistungsarten zu verteilen (Transaktion KPZ2).

[!]

Kostenstellenbudgetierung ist eigentlich Kostenstellenplanung

Um eines gleich vorwegzunehmen: Bei der Kostenstellenbudgetierung handelt es sich nicht um Budgets mit der Möglichkeit einer aktiven Verfügbarkeitskontrolle. Es handelt sich vielmehr um eine Kostenstellenplanung mit der Vergabe von Planwerten; die Prüfung auf Ausschöpfung bzw. Einhaltung des Budgets erfolgt mithilfe von Reporting-Mitteln.

Abbildung 7.35 zeigt Ihnen beispielhaft die Planung einer empfangenden Kostenstelle auf Kostenartenebene. Dargestellt sind die Kostenarten, mit denen die Kostenstelle durch die Abrechnung von Instandhaltungsaufträgen belastet wird.

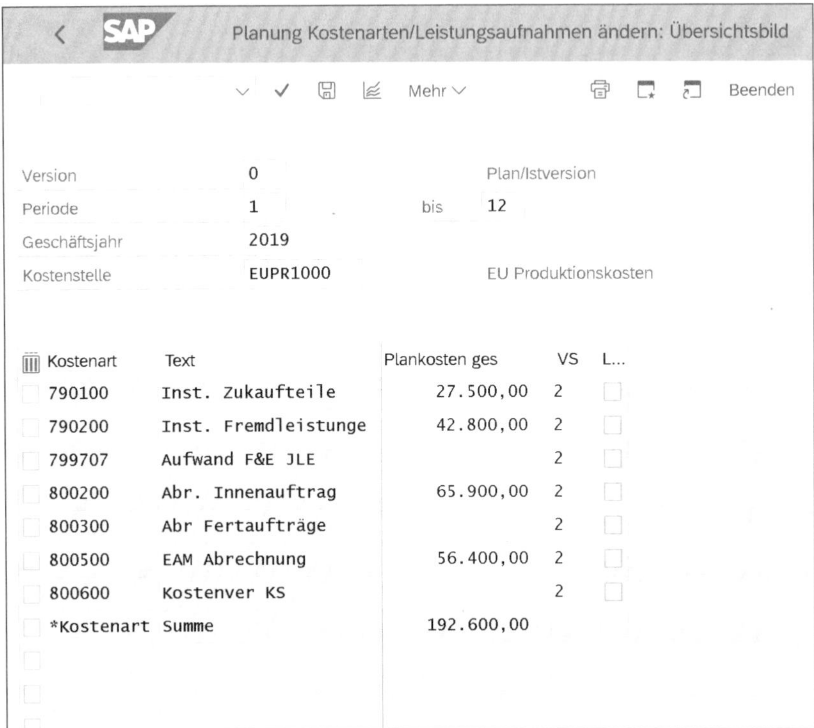

Abbildung 7.35 Transaktion KP06 – Planung einer empfangenden Kostenstelle

Die Überwachung auf Einhaltung dieser Plandaten erfolgt im Rahmen des normalen Reportings auf der Kostenstellenebene. Abbildung 7.36 (Transaktion S_ALR_87013611) zeigt Ihnen einen Ausschnitt aus einem solchen Kostenstellenbericht, insbesondere mit dem Ausweis, wie die Kostenstelle durch die Auftragsabrechnung aus der Instandhaltung bisher belastet wurde.

Anwendungsgebiete

Sie können Planwerte für die leistende Kostenstelle und Planwerte für die empfangende Kostenstelle erstellen. Somit können Sie Planwerte sowohl für die Leistungserbringung der leistenden (Instandhaltungs-) kostenstellen als auch für die Inanspruchnahme durch die empfangenden (Anlagen-) kostenstellen vorgeben. Die Vorgabe der Planwerte umfasst somit die gesamten Instandhaltungsaktivitäten.

```
1SIP                        Kostenstellen: Ist/Plan/Abweichung
Stand:                      07.08.2019
Angefordert von:            LIEBSTUECKEL
Kostenrechnungskreis        EU00          GBI Europe
Geschäftsjahr               2019
Von Periode                   1
Bis Periode                  12
Planversion                 0
Kostenstellengruppe         EUPR1000      Produktionskosten
Kostenartengruppe           790100..79    Kostenartengruppe
```

Kostenarten	Istkosten	Plankosten	Abw (abs)	Abw (%)
790100 Inst. Zukaufteile		27.500,00	27.500,00-	100,00-
790200 Inst. Fremdleistung		42.800,00	42.800,00-	100,00-
800001 ILV Engineering VTF	2.000,00		2.000,00	
800200 Abr. Innenauftrag	65.000,00	65.900,00	900,00-	1,37-
800500 EAM Abrechnung	184.397,30	56.400,00	127.997,30	226,95
* Belastung	251.397,30	192.600,00	58.797,30	30,53
** **Über-/Unterdeckung**	**251.397,30**	**192.600,00**	**58.797,30**	**30,53**

Abbildung 7.36 Kostenstellenbericht

Voraussetzung

Voraussetzung für die Möglichkeit zur Kostenstellenplanung sind sogenannte Planerprofile, die Sie im Customizing des Controllings mithilfe der Funktion **Eigene Planerprofile definieren** erstellen. Planerprofile sind Planungslayouts, die Erfassungsmasken für die verschiedenen Planungsmöglichkeiten enthalten. Dort legen Sie z. B. fest, ob Sie auf Jahres- oder Monatsebene planen möchten oder ob die Excel-Integration aktiv ist.

7.3.3 Budgetierung über IM-Programme

Investitionsmanagement

Das Investitionsmanagement (IM) ist eine Applikation innerhalb von SAP S/4HANA, die Sie bei der Durchführung von Investitionen im eigentlichen Sinne (Zugänge von Anlagen, Investitionen in Forschung und Entwicklung), aber auch bei Instandhaltungsprogrammen unterstützt. Der Begriff *Investition* ist also sowohl im Sinne einer buchhalterischen Abwicklung zu verstehen als auch im Sinne von beliebigen Maßnahmen, die Kosten verursachen und dabei überwacht werden sollen (z. B. Instandhaltungsprojekte).

Investitionsprogramm und Programmpositionen

Zur Budgetierung Ihrer Investitionen, Projekte und Maßnahmen stehen Ihnen Investitionsprogramme zur Verfügung (Transaktion IM01). Ein Investitionsprogramm stellt die geplanten oder budgetierten Kosten in Form einer hierarchischen Struktur als sogenannte Programmpositionen dar (Transaktion IM11). Diese Struktur ist beliebig definierbar und unabhängig von anderen Organisationsbegriffen des SAP-Systems (z. B. Geschäftsbereiche, Werke usw.). Innerhalb der Hierarchie des Investitionsprogramms ist es möglich, die Budgets bottom-up und top-down zu planen (Transaktion

IM32). Den hierarchisch untersten Programmpositionen können Sie schließlich einzelne Maßnahmen zuordnen: Innenaufträge, PSP-Elemente (siehe Abschnitt 7.3.4, »Budgetierung über PSP-Elemente«) und Instandhaltungsaufträge.

Verbindung mit Investitionsprogrammen

Abbildung 7.37 zeigt den Zusammenhang zwischen Investitionsprogrammen und Instandhaltungsaufträgen: Instandhaltungsaufträge können Sie ebenso wie PSP-Elemente oder CO-Innenaufträge einer IM-Programmposition und damit dem dort hinterlegten Budget zuordnen.

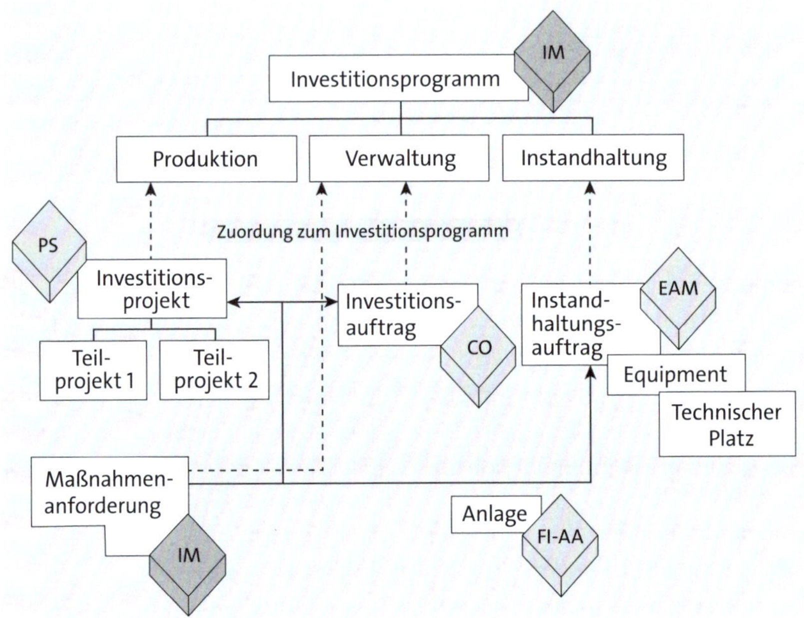

Abbildung 7.37 Zusammenhang von IM, CO, PS und SAP S/4HANA Asset Management

Die Zuordnung eines Instandhaltungsauftrags zu einer Position führen Sie manuell innerhalb eines Auftrags durch (Transaktion IW31, Menüpfad **Mehr • Springen • Investitionsprogramm**, siehe Abbildung 7.38).

Zuordnung zu Investitionsprogrammposition

Investitionsprogramm	IP16000
Positions-ID	1.1.1.3
Genehmigungs-GJ	2019

Mehrfachzuordnung

Abbildung 7.38 Auftrag und Programmposition

Sie kann aber auch automatisch mittels eines Zuordnungsschlüssels erfolgen. Den Zuordnungsschlüssel pflegen Sie im Customizing.

Budgetvergabe

Die Budgets der Investitionsprogramme vergeben Sie über die Transaktion IM32 – gesamthaft und jahresweise (siehe Abbildung 7.39).

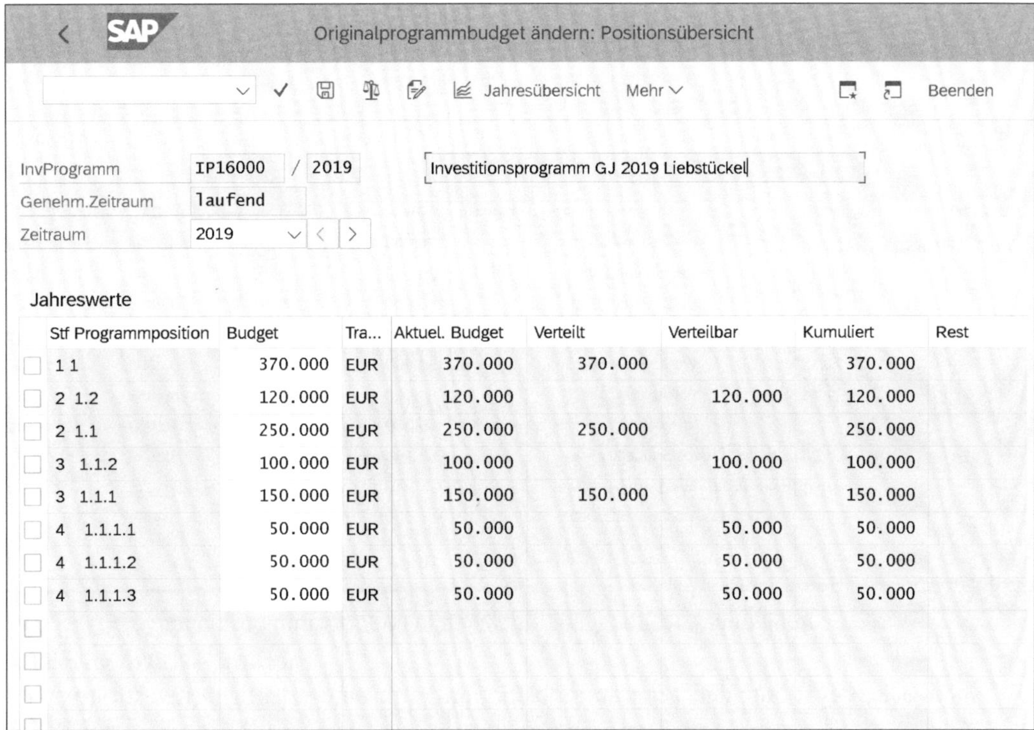

Stf	Programmposition	Budget	Tra...	Aktuel. Budget	Verteilt	Verteilbar	Kumuliert	Rest
1	1	370.000	EUR	370.000	370.000		370.000	
2	1.2	120.000	EUR	120.000		120.000	120.000	
2	1.1	250.000	EUR	250.000	250.000		250.000	
3	1.1.2	100.000	EUR	100.000		100.000	100.000	
3	1.1.1	150.000	EUR	150.000	150.000		150.000	
4	1.1.1.1	50.000	EUR	50.000		50.000	50.000	
4	1.1.1.2	50.000	EUR	50.000		50.000	50.000	
4	1.1.1.3	50.000	EUR	50.000		50.000	50.000	

Abbildung 7.39 Transaktion IM32 – Budgetvergabe IM-Programmpositionen

Verfügbarkeitskontrolle

Die im Auftrag auflaufenden Kosten werden dann in der Budgetübersicht der jeweiligen Programmposition sichtbar.

Abbildung 7.40 (Transaktion S_ALR_87012824) zeigt beispielhaft ein Investitionsprogramm mit drei Programmpositionen, denen Budgets zugeordnet wurden. Die laufenden Instandhaltungsmaßnahmen schlagen sich dann in den verfügten Mitteln bzw. in den Restverfügbarkeiten nieder.

Dies bedeutet, dass auch beim Budgetierungsverfahren mit IM-Budgets die Überwachung auf Einhaltung der Budgets im Rahmen des normalen Reportings auf Programmpositionsebene erfolgt. Es handelt sich nicht um eine aktive Verfügbarkeitskontrolle.

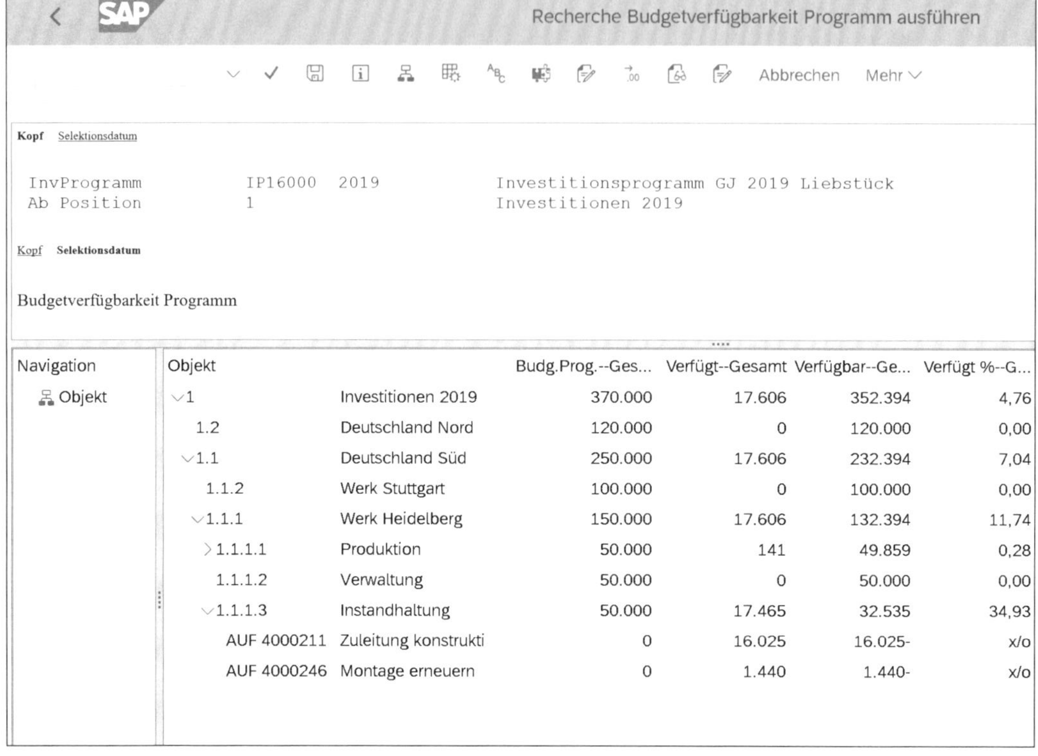

Abbildung 7.40 Budgetverfügbarkeit in IM-Programmpositionen

Anwendungsgebiete

Hinter den Programmpositionen kann eine »richtige« Investitionsmaßnahme stehen, die eine Anlage im Bau erzeugt. Dies muss aber nicht so sein. Denn Sie können die Programmpositionen auch nur zu statistischen Zwecken der Budgetierung anlegen. Insofern könnten Sie aus Sicht der Instandhaltung die Programmpositionen für echte Investitionsmaßnahmen nutzen, aber sie auch einrichten, um Ihre Instandhaltungsbudgets zu verwalten. Sie könnten also sämtliche Instandhaltungsaktivitäten darüber budgetieren.

Voraussetzungen

Damit Sie Ihre Instandhaltungsmaßnahmen über die IM-Programmpositionen budgetieren können, müssen Sie im Customizing die folgenden Funktionen ausführen:

- Mithilfe der Customizing-Funktion **Übernahme von Projekt oder Investitionsprogramm festlegen** steuern Sie pro Auftragsart, ob Sie über PSP-Elemente oder über Investitionsprogramme budgetieren möchten; beides gleichzeitig geht nicht.

- Mithilfe der Customizing-Funktionen **Relevante Felder für Zuordnung des IM-Programms definieren** und **IM-Zuordnungsschlüssel Auftragsarten zuordnen** legen Sie z. B. fest, ob die Kostenstelle des Bezugsobjekts oder des verantwortlichen Arbeitsplatzes für die automatische Ermittlung der Programmposition herangezogen werden soll.

[!]

Passive Verfügbarkeitskontrolle über Investmentprogramme

Programmpositionen können Sie als einfaches Werkzeug zur Budgetüberwachung nutzen. Dabei müssen Sie beachten, dass es sich lediglich um eine passive Budgetkontrolle handelt. Passive Budgetkontrolle bedeutet, dass Sie das System bei Überschreitung eines Budgets nicht warnt. Sie müssen also über das Reporting selbst die Einhaltung der Budgets kontrollieren.

Anders sieht es bei der nächsten Möglichkeit aus: der Budgetierung über Projektstrukturpositionen oder kurz PSP-Elemente.

7.3.4 Budgetierung über PSP-Elemente

PSP-Elemente habe ich Ihnen bereits im Rahmen der projektorientierten Instandhaltung (siehe Abschnitt 5.13.1, »SAP Projektsystem«) als Bestandteile des SAP S/4HANA Projektsystems (PS) vorgestellt. PSP-Elemente werden hier normalerweise genutzt, um die Aufbauplanung, Organisation und Steuerung eines Projekts festzulegen. Sie können die PSP-Elemente auch verwenden, um eine reine Budgetplanung und -kontrolle vorzunehmen; in diesem Sinne sollen sie hier vorgestellt werden.

Funktionsweise

Zu diesem Zweck definieren Sie mithilfe der Transaktion CJ01 ein Projekt (z. B. Instandhaltungsbudgetierung) und legen anschließend mithilfe der Transaktion CJ11 PSP-Elemente mehrstufig als Basis der Budgetstruktur an. Kriterien, anhand derer Sie sich orientieren könnten, sind z. B.:

- **anlagenbezogen**
  (z. B. erhält jeder oberste Technische Platz ein Budget)
- **gewerkbezogen**
  (z. B. mechanische Werkstatt, elektrische Werkstatt)
- **tätigkeitsbezogen**
  (z. B. für Wartung, Instandsetzung, Überholung)

Die Budgetplanung führen Sie dann normalerweise top-down durch und vergeben mithilfe der Transaktion CJ30 an die PSP-Elemente die jeweiligen Budgets auf Jahresbasis (siehe Abbildung 7.41).

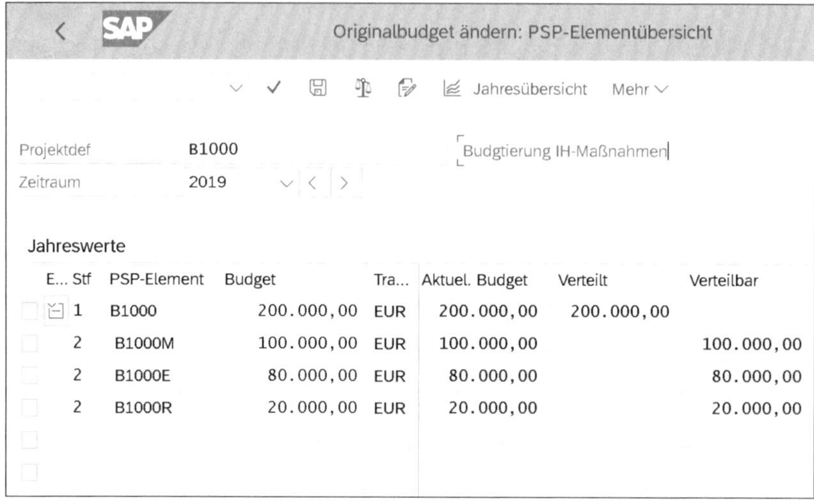

Abbildung 7.41 Transaktion CJ30 – Budgetierung von PSP-Elementen

Verbindung mit dem Projektsystem

Wenn Sie die Budgets anlagenbezogen verteilen, sollten Sie das für das Budget verantwortliche PSP-Element im Stammsatz der technischen Objekte eintragen (siehe Abbildung 7.42).

Abbildung 7.42 PSP-Element im Technischen Platz

Wenn Sie das erledigt und das Customizing entsprechend eingestellt haben, wird das PSP-Element automatisch in den Auftrag übernommen und damit der Auftrag dem PSP-Element zugeordnet. Die Zuordnung sehen Sie im Auftrag auf der Registerkarte **Zusatzdaten** (siehe Abbildung 7.43); dort können Sie auch eine manuelle Zuordnung vornehmen bzw. eine vorhandene Zuordnung abändern.

Organisation

Buchungskreis	DE00	Global Bike Germany GmbH
Geschäftsbereich	BI00	Fahrräder
Kostenrechnungskreis	EU00	GBI Europe
Verantwortl.KoStl	EUPM1000	Instandhaltung
Profitcenter	H4100	Betrieb
Objektklasse	GKOST Ge	
Verarbeitungsgruppe		
PSP-Element	B1000M	echanische Werkstatt
Projektdefinition	B1000	Budgtierung IH-Maßnahmen
Teilnetz zu / Vorg.	/	

Abbildung 7.43 Auftrag zum PSP-Element zuordnen

[!]

PSP-Zuordnungen automatisch verändern

Die Zuordnung von Aufträgen zu PSP-Elementen können Sie individuell automatisieren, indem Sie mittels des Customer-Exits IWO10010 eine eigene Zuordnungsroutine erstellen. Hier können Sie z. B. in Abhängigkeit des technischen Objekts, der Auftragsart und der IH-Leistungsart das richtige PSP-Element finden. Dies erspart den Anwendern das teilweise mühevolle manuelle Zuordnen und erhöht die Akzeptanz.

Verfügbarkeitskontrolle

Bei der Budgetverfügbarkeitskontrolle der PSP-Elemente handelt es sich sowohl um eine aktive als auch um eine passive Verfügbarkeitskontrolle:

- **Aktive Verfügbarkeitskontrolle**
  Aktive Verfügbarkeitskontrolle heißt, dass das System bei jeder Ist-Buchung (z. B. Zeitrückmeldung, Warenausgabe) prüft, ob das PSP-Budget noch ausreicht. In Abhängigkeit von den Einstellungen im Budgetprofil wird dabei eine Warn- oder eine Fehlermeldung ausgegeben.
- **Passive Verfügbarkeitskontrolle**
  Passive Verfügbarkeitskontrolle bedeutet, dass das System Ihnen ausreichend Reporting-Möglichkeiten zur Verfügung stellt, um Ihre Budgets zu überprüfen. Die auf dem Auftrag auflaufenden Kosten werden dann in der Budgetübersicht des jeweiligen PSP-Elements sichtbar.

Abbildung 7.44 (Transaktion S_ALR_87013557) zeigt beispielhaft eine PSP-Struktur mit drei PSP-Elementen, denen Budgets zugeordnet wurden. Die laufenden Instandhaltungsmaßnahmen werden dann in den Ist-Kosten ausgewiesen bzw. die Restverfügbarkeiten gezeigt.

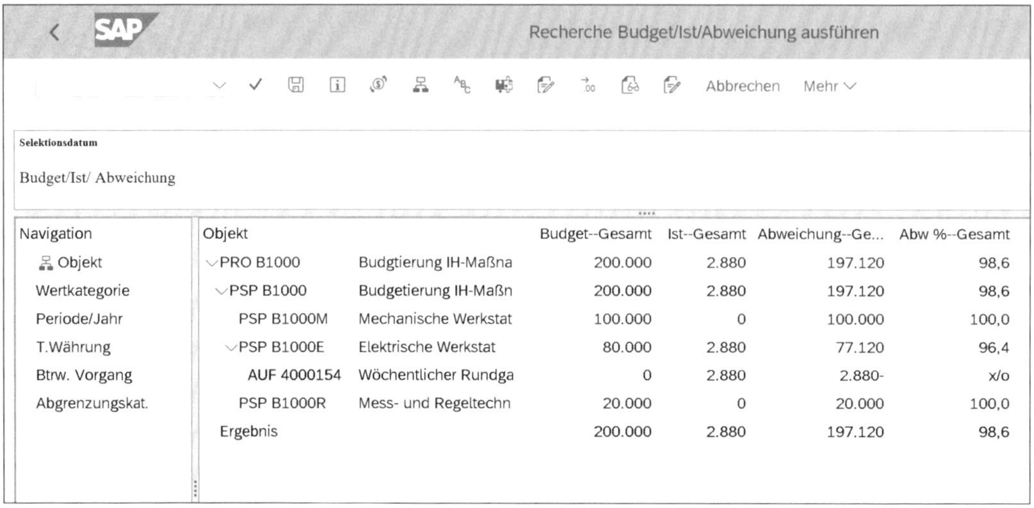

Recherche Budget/Ist/Abweichung ausführen

Abbrechen Mehr

Selektionsdatum

Budget/Ist/ Abweichung

Navigation	Objekt		Budget--Gesamt	Ist--Gesamt	Abweichung--Ge...	Abw %--Gesamt
Objekt	PRO B1000	Budgtierung IH-Maßna	200.000	2.880	197.120	98,6
Wertkategorie	PSP B1000	Budgetierung IH-Maßn	200.000	2.880	197.120	98,6
Periode/Jahr	PSP B1000M	Mechanische Werkstat	100.000	0	100.000	100,0
T.Währung	PSP B1000E	Elektrische Werkstat	80.000	2.880	77.120	96,4
Btrw. Vorgang	AUF 4000154	Wöchentlicher Rundga	0	2.880	2.880-	x/o
Abgrenzungskat.	PSP B1000R	Mess- und Regeltechn	20.000	0	20.000	100,0
	Ergebnis		200.000	2.880	197.120	98,6

Abbildung 7.44 Budgetverfügbarkeit auf den PSP-Elementen

Anwendungsgebiete

Im Hintergrund der PSP-Elemente steht entweder ein richtiges Instandhaltungsprojekt, oder Sie verwenden sie zu reinen Budgetierungszwecken, um die laufenden Budgets zu verwalten. Insofern könnten Sie aus Sicht der Instandhaltung sämtliche Instandhaltungsaktivitäten über PSP-Elemente budgetieren.

Voraussetzungen

Für eine Budgetierung mit PSP-Elementen müssen die folgenden Voraussetzungen geschaffen sein:

- Sie haben Ihren technischen Objekten (Equipments, Technischen Plätzen) ein PSP-Element im Stammsatz zugewiesen.
- Sie haben mithilfe der Customizing-Funktion **Übernahme von Projekt oder Investitionsprogramm festlegen** pro Auftragsart mit der Zuordnung über X dafür gesorgt, dass die PSP-Elemente aus dem Stammsatz in den Auftrag übernommen werden.
- Sie haben mithilfe der Customizing-Funktion des Projektsystems **Budgetprofil pflegen** ein Budgetprofil angelegt und Ihren PSP-Elementen zugewiesen.
- Sie haben mithilfe der Customizing-Funktion des Projektsystems **Toleranzgrenzen festlegen** für Ihren Kostenrechnungskreis und Ihr Budgetprofil die Grenzen definiert, bei deren Erreichung Warn- oder Fehlermeldungen erzeugt werden, und damit die aktive Verfügbarkeitskontrolle aktiviert.

[!]

Aktive Verfügbarkeitskontrolle mit PSP-Elementen

PSP-Elemente können Sie als Werkzeug zur Budgetüberwachung nutzen, denn Sie verfügen über eine aktive Verfügbarkeitskontrolle, deren Aktivierung die Überschreitung des Auftragsbudgets durch Ist-Buchungen verhindert.

Daneben haben Sie mithilfe von Reporting-Mitteln die Möglichkeit zu einer passiven Verfügbarkeitskontrolle.

Kommen wir nun zur letzten Möglichkeit, um Instandhaltungsbudgets zu verwalten: zum Maintenance Cost Budgeting (MCB), einem Verfahren, das speziell für die Instandhaltung entwickelt wurde.

7.3.5 Maintenance Cost Budgeting

Was ist MCB?

MCB ist ein Verfahren, das von SAP speziell für die Instandhaltung und deren Anforderungen an eine Budgetierung entwickelt wurde. Allerdings wurde es nicht in SAP S/4HANA integriert, als Plattform dient vielmehr BW-BPS (BPS = Business Planning and Simulation, siehe Abbildung 7.45).

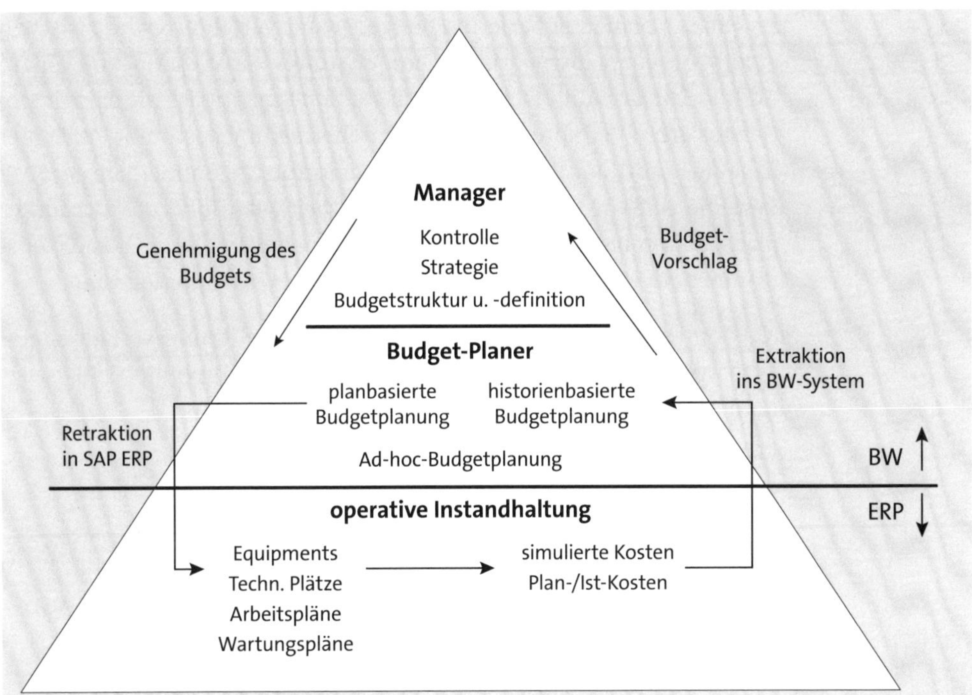

Abbildung 7.45 Struktur von Maintenance Cost Budgeting

[!]

MCB ist nicht in SAP S/4HANA integriert

MCB können Sie nur nutzen, wenn Sie SAP BW installiert und BW-BPS konfiguriert haben. Mit der reinen Core-Komponente SAP S/4HANA Asset Management können Sie es nicht nutzen.

Budgetierungsverfahren

MCB bietet zwei Verfahren zur Budgetplanung, nämlich ein historienbasiertes und ein plandatenbasiertes Budgetierungsverfahren. Innerhalb der beiden Verfahren gibt es wiederum verschiedene Planszenarien, die sich im Wesentlichen mit der Art der Datenbereitstellung beschäftigen.

- **Historienbasiertes Budgetierungsverfahren**
  Für das historienbasierte Budgetierungsverfahren gibt es zum einen das historienbasierte Szenario, bei dem Sie die historischen Ist-Kosten vergangener Perioden als Planungsgrundlage verwenden können, und zum anderen ein Ad-hoc-Szenario, bei dem Sie frei erfasste Daten in die Budgetierung einbeziehen können. Im letzteren Szenario liegt die Ermittlung der Daten als Planungsgrundlage außerhalb der SAP-Systeme (z. B. in Excel-Tabellen).
- **Plandatenbasiertes Budgetierungsverfahren**
  Im Fall des plandatenbasierten Budgetierungsverfahrens wird zwischen einem Arbeitsplanszenario, einem Wartungsplanszenario und einem Ad-hoc-Szenario unterschieden. Das Ad-hoc-Szenario ist wie beim historienbasierten Verfahren zur freien Datenerfassung bestimmt. Auch hier liegt die Ermittlung der Daten als Planungsgrundlage außerhalb der SAP-Systeme (z. B. in Excel-Tabellen). Das Arbeitsplan- und das Wartungsplanszenario basieren hingegen auf der Kostensimulation aus Arbeitsplänen bzw. Wartungsplänen, die in SAP S/4HANA hinterlegt sind.

Im Customizing lässt sich einstellen, welche Budgetierungsverfahren eingesetzt werden dürfen. Die Szenarien können auch kombiniert eingesetzt werden.

[!]

Ist-Kosten und simulierte Kosten könnten automatisch übernommen werden

MCB unterstützt Sie also in Ihrer Budgetplanung, indem Ihnen historienbasierte Ist-Kosten und simulierte Kosten aus Arbeitsplänen und Wartungsplänen zur Verfügung gestellt werden.

Top-down- und Bottom-up-Budgetierung

MCB unterstützt sowohl eine Top-down-Budgetierung als auch eine Bottom-up-Budgetierung (siehe Abbildung 7.46). Der Manager plant das strategische Budget für seinen Bereich und schickt eine Budgetvorgabe an die verantwortlichen Budgetplaner (Top-down-Budgetierungsprozess). Der Planer plant das Budget auf der Basis historischer oder simulierter Daten und schickt es zur Genehmigung an den Manager zurück (Bottom-up-Budgetierungsprozess). Die Definition erfolgt über sogenannte Berichts- und Budgetierungsgruppen, über die Sie eine Hierarchie innerhalb der Instandhaltungsbudgetierung schaffen, die es Ihnen erlaubt, den von Ihnen gewünschten Ablauf zur Budgetplanung und Genehmigung abzubilden.

[!]

Vordefinierte Berichts- und Budgetierungsgruppen vereinfachen die Budgetierung

Über die Definition von Berichts- und Budgetierungsgruppen unterstützt MCB Sie also beim Prozess der Budgetierung (z. B. Berichts- und Genehmigungswege).

Die eigentliche Budgetierung findet dann in einem speziellen Web-User-Interface (siehe Abbildung 7.46) statt. Je nach Berechtigung können hier Budgetplaner und Manager das Budget für ihren Bereich planen oder auch genehmigen.

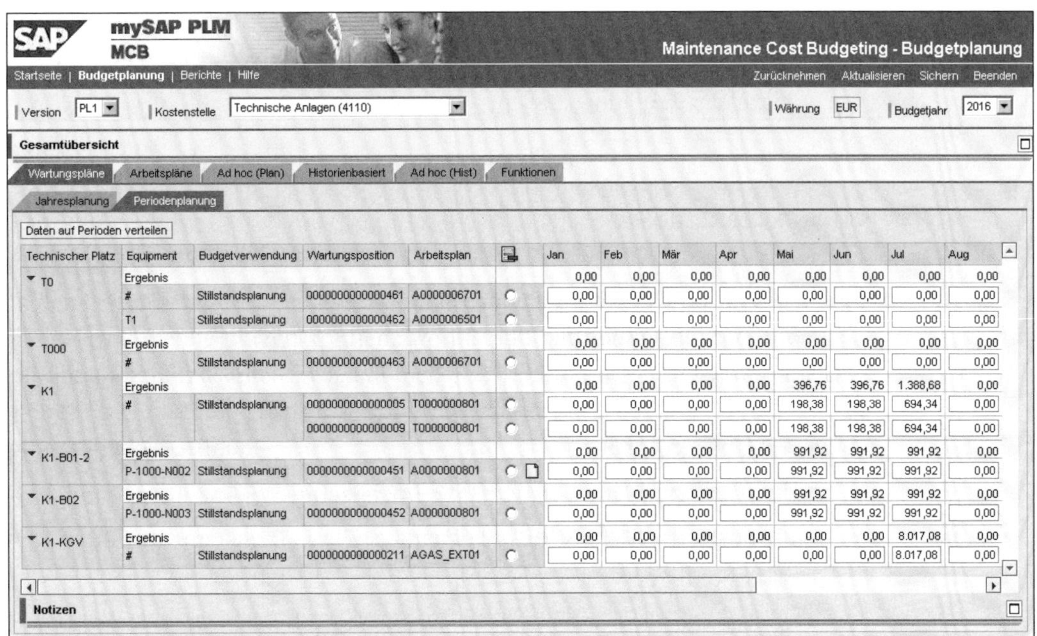

Abbildung 7.46 Maintenance Cost Budgeting – Planungstableau

Budget-kategorien

Außerdem bietet MCB die Möglichkeit, das Budget in Kategorien bzw. nach der Verwendung aufzuschlüsseln; unter einer Budgetkategorie versteht man die Unterscheidung des Etats in Bezug auf die Planung von Instandhaltungsmaßnahmen. In der Standardkonfiguration der Budgetplanung unterteilt sich ein Budgetvorschlag in drei Budgetkategorien, die getrennt voneinander dargestellt werden:

- **Vorbeugend**
  Kosten aus regelmäßig wiederkehrenden Instandhaltungsarbeiten, die anhand von Wartungsplänen geplant werden
- **Geplant**
  Kosten aus unregelmäßig wiederkehrenden Instandhaltungsarbeiten, die anhand von Arbeitsplänen oder individuell in Aufträgen geplant werden
- **Ungeplant**
  Kosten, die aus einer ungeplanten Instandhaltungsmaßnahme entstehen, z. B. durch Instandsetzungen bei einem schadensbedingten Maschinenstillstand

[!]

Budgets können nach Budgetkategorien dargestellt werden

Die Budgetkategorien können Sie im Customizing an die jeweiligen unternehmensspezifischen Bedürfnisse anpassen. Sie können sie dann je nach Einstellung automatisch auf der Basis gemeinsamer Eigenschaften (z. B. Instandhaltungsleistungsart oder Auftragsart) bei der Datenextraktion ermitteln und zuordnen lassen.

Budget-verwendung

Die Aufteilung nach der Budgetverwendung betrifft hingegen die betriebswirtschaftliche Seite einer Instandhaltungsmaßnahme. Bei der Unterscheidung nach der Budgetverwendung handelt es sich um die Klassifizierung eines Budgets in Bezug auf den betriebswirtschaftlichen Prozess, zu dem eine Instandhaltungsmaßnahme gehört. Dies ermöglicht Ihnen eine weitere Gruppierung des Budgetvorschlags über die Budgetkategorie hinaus, und zwar nach Art der Tätigkeit, wie z. B.:

- Instandsetzungen
- Reinigungsarbeiten
- Inspektions- oder Wartungsarbeiten
- Überholungen
- Stillstände

[!]

Budgets können nach der Budgetverwendung dargestellt werden

Die Budgetverwendungen können Sie im Customizing an die jeweiligen unternehmensspezifischen Bedürfnisse anpassen. Sie können sie dann je nach Einstellung automatisch auf der Basis gemeinsamer Eigenschaften (z. B. PSP-Elemente oder Kostenstelle) bei der Datenextraktion ermitteln und zuordnen lassen.

Business Content

Wie eingangs schon erwähnt, ist BW-BPS die technische Plattform für MCB. Wie ich in Abschnitt 7.2.4, »SAP Business Warehouse«, ausgeführt habe, werden hierzu InfoCubes und Querys benötigt. Wie auch bei allen anderen Funktionalitäten von SAP BW liefert SAP auch den für MCB benötigten Business Content mit aus.

Tabelle 7.4 nennt die InfoCubes, die von SAP ausgeliefert werden.

Name	Beschreibung
Simulierte Instandhaltungskosten 0PM_C05	Dieser InfoCube stellt die Daten für die simulierten Instandhaltungskosten bereit. Die Berechnung der Wartungspläne und Instandhaltungsarbeitspläne findet bei der Übernahme statt.
Budgetdaten für Instandhaltung 0PM_C06	Dieser InfoCube dient dazu, das Instandhaltungsbudget zu planen. Die Daten werden aus den InfoCubes Instandhaltungsaufträge: Kosten und Verrechnungen (0PM_C01) und Simulierte Instandhaltungskosten (0PM_C05) geladen.
Budgetdaten für Instandhaltung 0PM_MC01	Dieser MultiProvider vereinigt Daten aus den InfoCubes Instandhaltungsaufträge: Kosten und Verrechnungen (0PM_C01) und Budgetdaten für Instandhaltung (0PM_C06). Hierdurch ist es möglich, z. B. die aktuelle Budgetplanung mit historischen Ist-Kosten zu vergleichen.
Budget für Instandhaltung 0PM_C25	Dieser InfoCube dient als InfoProvider, um die Budgetdaten zu liefern.

Tabelle 7.4 InfoCubes für Maintenance Cost Budgeting

Auf der Basis dieser InfoCubes sind die in Tabelle 7.5 aufgelisteten Querys im Business Content für MCB enthalten.

Name	Beschreibung
Budgetvorschlag nach Budgetkategorie	Mithilfe dieser Query können Sie sich Ihren Budgetvorschlag nach Budgetkategorien unterteilt anzeigen lassen.
Budgetvorschlag (periodisch)	Mithilfe dieser Query können Sie sich Ihren Budgetvorschlag nach Perioden unterteilt anzeigen lassen.
Budgetvorschlag (Objekte)	Mithilfe dieser Query können Sie sich Ihren Budgetvorschlag für Ihre technischen Objekte anzeigen lassen.
Budgetvorschlag (simulierte Kosten)	Mithilfe dieser Query können Sie Ihren Budgetvorschlag mit den simulierten Kosten vergleichen.
Budgetvergleich (Ist-Kosten)	Mithilfe dieser Query können Sie Ihren Budgetvorschlag mit den historischen Ist-Kosten vergleichen.
Budgetvergleich (Plankosten)	Mithilfe dieser Query können Sie Ihren Budgetvorschlag mit den historischen Plankosten vergleichen.
Budgetkontrolle (Budget)	Mithilfe dieser Query können Sie eine Budgetkontrolle durchführen. Der Budgetvorschlag wird dabei mit den bis zur aktuellen Periode aufgelaufenen Ist-Kosten und dem verbleibenden Budget verglichen.
Budgetkontrolle (Plankosten)	Mithilfe dieser Query können Sie eine Budgetkontrolle durchführen. Der Budgetvorschlag wird dabei mit den bis zur aktuellen Periode aufgelaufenen Ist-Kosten und den verbleibenden Plankosten verglichen.
Ist-Kosten-Vergleich (plandatenbasiert)	Mithilfe dieser Query können Sie Ihren Budgetvorschlag für das plandatenbasierte Budgetierungsverfahren mit den historischen Ist-Kosten vergleichen.
Ist-Kosten-Vergleich (historienbasiert)	Mithilfe dieser Query können Sie Ihren Budgetvorschlag für das historienbasierte Budgetierungsverfahren mit den historischen Ist-Kosten vergleichen.

Tabelle 7.5 Querys für Maintenance Cost Budgeting

Verfügbarkeitskontrolle

Sie haben auch die Möglichkeit, eine quasi-aktive Verfügbarkeitskontrolle vorzunehmen. Im Auftrag finden Sie den Button [icon], mit dessen Hilfe Sie das zugeordnete Budget für Instandhaltungskosten online in MCB prüfen können. Ein Pop-up-Fenster zeigt Ihnen das Ergebnis der Prüfung (siehe Abbildung 7.47).

Abbildung 7.47 Maintenance Cost Budgeting – Budgetinformationen

Anwendungsgebiete

Aufgrund der flexiblen Möglichkeiten, Ihre Budgets über Budgetkategorien und Budgetverwendungen nach Ihren eigenen Vorstellungen zu klassifizieren, können Sie sämtliche Instandhaltungsaktivitäten über MCB budgetieren.

Voraussetzungen

Sie müssen die folgenden Voraussetzungen schaffen, um mit MCB arbeiten zu können:

- Sie haben mindestens die folgenden technischen Komponenten installiert: SAP ERP ECC 5.00, SAP R/3-Plug-in 2004.1_500 und BW-BPS 3.52.
- Sie haben im Customizing von BW-BPS mithilfe der Funktion **SAP NetWeaver • Business Intelligence • Einstellungen zum BI Content • Planning Content • Product Lifecycle Management • Budgetplanung für Instandhaltung und Kundenservice** Einstellungen für die zentralen Attribute der Budgetplanung, für die Budgetierungsverfahren und für die individuelle Planungsanwendung vorgenommen.
- Sie haben im Content von SAP BW die Berichts- und Budgetierungsgruppen angelegt.
- Sie haben die Variablen der Budgetplanung festgelegt (z. B. Planungsszenario, Budgetkategorie, Budgetverwendung).
- Sie haben eingestellt, ob Sie auf der Basis von Equipments und/oder Technischen Plätzen arbeiten möchten.
- Sie haben den Inhalt der Startseite festgelegt.
- Sie haben in SAP S/4HANA die Business Function LOG_EAM_CI_4 aktiviert.
- Sie haben mithilfe der Customizing-Funktion **Budgetprüfung für Auftragsarten definieren** pro Werk und Auftragsart festgelegt, dass eine Budgetprüfung über MCB zulässig ist.

Damit habe ich Ihnen die verschiedenen Möglichkeiten der Budgetierung vorgestellt. Tabelle 7.6 zeigt abschließend eine Zusammenfassung der Verfahren mit ihren wichtigsten Eigenschaften.

	Budgetierung über Auftrag	Budgetierung über Kostenstelle	Budgetierung über IM-Positionen	Budgetierung über PSP-Elemente	Budgetierung über MCB
In SAP S/4HANA integriert	ja	ja	ja	ja	nein
Anwendungsgebiet	einzelner Auftrag	Planung der Kostenstelle	Investitionen, laufende Instandhaltung	Instandhaltungsprojekte, laufende Instandhaltung	alle Instandhaltungsvorhaben
Aktive Verfügbarkeitskontrolle	ja	nein	nein	ja	ja
Flexibilität des Budgetierungsobjekts	keine	keine	bedingt	bedingt	flexibel einstellbar
Top-down und bottom-up	nein	nein	ja	ja	ja

Tabelle 7.6 Vergleich der Budgetierungsverfahren

Kapitel 8

Neue Informationstechnologien für die Instandhaltung

Moderne Technologien wie das Internet der Dinge oder mobile Lösungen haben mittlerweile auch die Instandhaltung erreicht. Dieses Kapitel zeigt die Voraussetzungen, Möglichkeiten und Grenzen dieser und weiterer Technologien bei ihrem Einsatz in der Instandhaltung auf.

Längst bestimmen das Internet und andere moderne Informations- und Kommunikationstechnologien die alltägliche Kommunikation in Unternehmen. Diese Entwicklung hat mittlerweile auch die Instandhaltung erreicht – auch wenn die neuen Technologien dort lange etwas stiefmütterlich betrachtet worden sind. Die Instandhaltung hat sich zu einem zentralen Baustein in vielen Industrie-4.0-Projekten entwickelt, wenn es darum geht, die Maschinenebene (Operation Level) mit der Verwaltungsebene (Administration Level) zu verknüpfen und Daten auszutauschen.

Ich möchte Ihnen deshalb im Folgenden einige der von SAP angebotenen neuen Technologien näherbringen. Dabei möchte ich Ihnen insbesondere aufzeigen, welche Möglichkeiten die SAP-Anwendungen Ihnen bieten, wozu Sie sie nutzen können, an welche Voraussetzungen sie gebunden sind und wie sich unter ihrem Einfluss die Prozesse ändern. Im Mittelpunkt der Betrachtungen werden mobilen Lösungen von SAP im Instandhaltungsumfeld und neue Technologien im User Interface stehen, aber ich gebe auch einen Überblick über das SAP Intelligent Asset Management: Hierzu zählen SAP Asset Central Foundation, SAP Predictive Maintenance and Service (SAP PdMS), SAP Asset Strategy and Performance Management (SAP ASPM) und SAP Asset Intelligence Network (SAP AIN).

8.1 Neue Technologien im User Interface

Auf den folgenden Seiten stelle ich Ihnen neue SAP-Technologien im Zusammenhang mit der Benutzeroberfläche vor. In Abschnitt 9.5, »Möglichkeiten des SAP-Systems zur Verbesserung der Benutzerfreundlichkeit«, stelle ich Ihnen außerdem weitere Möglichkeiten vor, wie Sie mit GuiXT und SAP Screen Personas eigene Benutzeroberflächen schaffen können.

8.1.1 SAP 3D Visual Enterprise Viewer

Mit dem SAP 3D Visual Enterprise Viewer stehen Ihnen im SAP Business Client und auf einem mobilen Gerät (z. B. einem Tablet) Visualisierungsfunktionen für technische Objekte, Ersatzteile und Arbeitsanleitungen zur Verfügung. 2D- und 3D-Modellansichten und animierte Szenen unterstützen Sie bei Aufgaben wie z. B. der Ersatzteilbestimmung und der Ausführung von Instandhaltungsarbeiten. Es stehen nur die 2D-Bilder und 3D-Szenen für die Anzeige zur Verfügung, die innerhalb eines Unternehmens veröffentlicht werden.

Funktionsumfang

Mit der Integration des SAP 3D Visual Enterprise Viewers in den SAP Business Client bieten sich Ihnen die folgenden Möglichkeiten:

- **Grafiken anzeigen**
  Sie können sich Equipments und Technische Plätze grafisch anzeigen lassen, indem Sie aus den Stammdaten des technischen Objekts heraus ein 2D-Bild oder eine 3D-Szene des technischen Objekts aufrufen (siehe Abbildung 8.1).

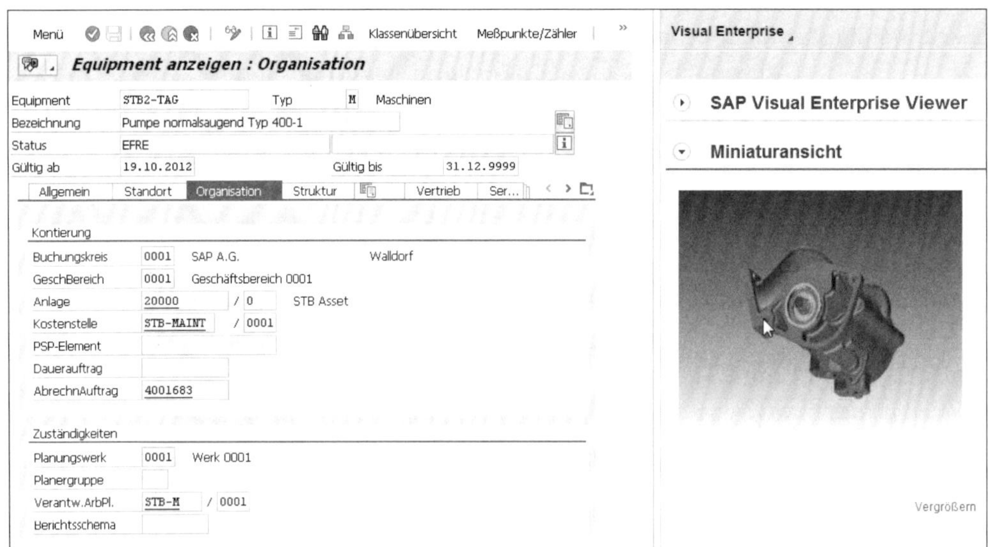

Abbildung 8.1 SAP Visual Enterprise Viewer – 3D-Grafik

- **Ersatzteile auswählen**
  Sie können zwei- oder dreidimensionale Bilder für die Auswahl und Bestimmung der erforderlichen Ersatzteile heranziehen. In einem Pop-up-

Fenster ruft das System ein 2D-Bild oder eine 3D-Szene der entsprechenden Ersatzteile auf. Sie haben nun die Möglichkeit, im Bild ein oder mehrere Ersatzteile zu markieren und diese in die Ersatzteilliste zu übernehmen. Die verschiedenen Anzeigefunktionen wie das Auseinanderbauen oder Drehen des Modells unterstützen Sie bei der Auswahl (siehe Abbildung 8.2).

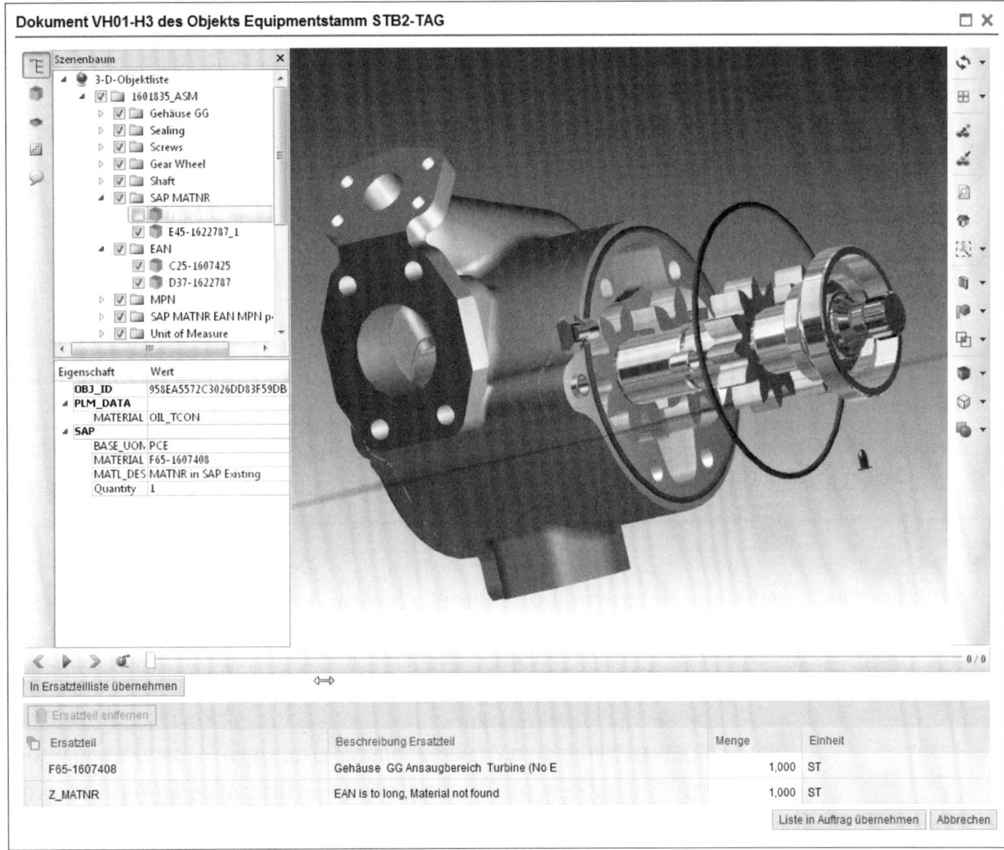

Abbildung 8.2 SAP Visual Enterprise Viewer – aktive 3D Grafik

- **Arbeitspläne animieren**
  Der SAP 3D Visual Enterprise Viewer unterstützt Sie bei der Durchführung von Instandhaltungsarbeiten mit visuellen Arbeitsanleitungen. Visuelle Arbeitsanleitungen können z. B. animierte 3D-Szenen sein, die die einzelnen Schritte der Instandhaltungsarbeit auf der Vorgangsebene visualisieren (siehe Abbildung 8.3).

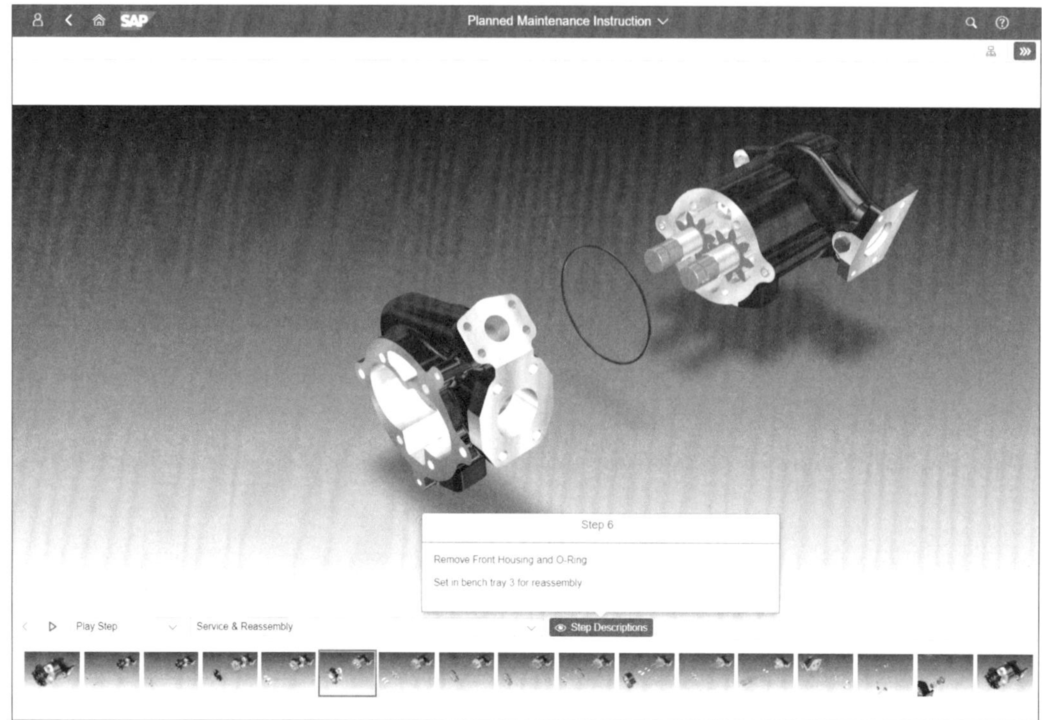

Abbildung 8.3 SAP Visual Enterprise Viewer – interaktiver Arbeitsplan

Voraussetzungen für die Nutzung

Damit Sie die hier beschriebenen Funktionen vollständig nutzen können, müssen zuvor die folgenden Voraussetzungen erfüllt sein:

- Sie haben den SAP Visual Enterprise Viewer lokal installiert.
- Sie haben die Business Functions LOG_EAM_SIMPLICITY, LOG_EAM_SIMPLICITY_2 und LOG_EAM_VE_INT aktiviert.

[!]

Visual Enterprise Viewer auf einem mobilen Gerät

Den größten Nutzen für einen Techniker stiftet der SAP 3D Visual Enterprise Viewer, wenn er auf einem mobilen Gerät installiert ist. Denn dann hat der Techniker vor Ort eine visuelle Unterstützung bei der Behebung eines Schadens oder bei der Durchführung einer Wartungsmaßnahme.

8.1.2 SAP-Fiori-Apps für die Instandhaltung

Die von SAP angebotenen SAP-Fiori-Apps unterliegen einem sehr schnellen Wachstum. Den jeweils aktuellen Stand finden Sie in der *SAP Fiori Apps Reference Library* (*https://fioriappslibrary.hana.ondemand.com*). Diese weist aktuell (Stand September 2019) mehr als 1.400 SAP-Fiori-Apps für SAP S/4HANA aus. Für den Bereich des Asset Managements sind es dabei 170, wobei hierbei auch viele Apps aus dem Projektmanagement, aus der Materialwirtschaft oder aus dem Qualitätsmanagement mit einberechnet werden, die Berührungspunkte zur Instandhaltung aufweisen (wie z. B. eine App zur Inventur im Extended Warehouse Management oder eine App für den Verwendungsentscheid eines Prüfloses). Zu den eigentlichen Instandhaltungsthemen werden im Moment ca. 50 SAP-Fiori-Apps angeboten. Einige typische und wichtige SAP-Fiori-Apps möchte ich Ihnen auf den folgenden Seiten vorstellen.

Report and Repair Malfunction

Störungen melden

Bei der App *Report and Repair Malfunction* handelt es sich um eine sehr umfangreiche SAP-Fiori-App mit vielen Detailfunktionen; diese App deckt quasi den kompletten Auftragszyklus ab. Mit ihr können Sie Störungen an einem technischen Objekt melden, die erforderlichen Instandsetzungsarbeiten planen sowie die durchgeführten Arbeiten dokumentieren und rückmelden. Für diese App stehen Ihnen drei Kacheln zur Verfügung (siehe Abbildung 8.4):

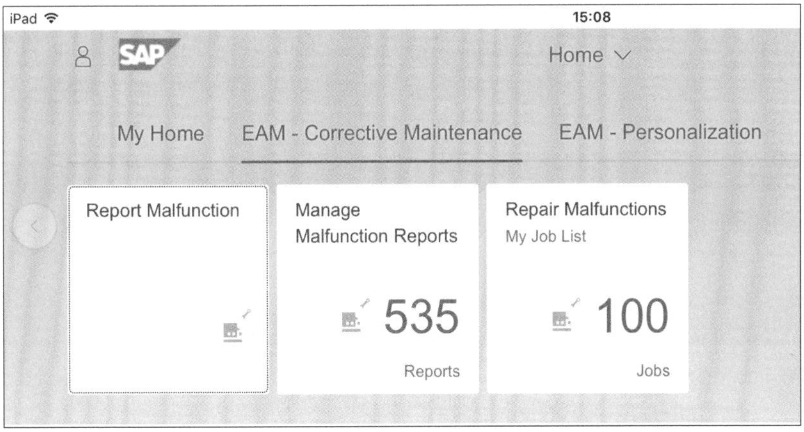

Abbildung 8.4 SAP-Fiori-App »Report and Repair Malfunction« – Kacheln

- die Kachel *Report Malfunction* zum Anlegen von Störungsmeldungen
- die Kachel *Manage Malfunction Reports* (Störungsmeldungen verwalten) mit einer Liste der bereits erstellten Störungsmeldungen
- die Kachel *Repair Malfunctions – My Job List* (Störungen reparieren – meine Auftragsliste) mit einer Liste aller Ihnen oder Ihrem Team zugewiesenen Arbeitsaufgaben.

Funktion »Report Malfunction«

Mit der Funktion *Report Malfunction* (Störmeldung erfassen), siehe Abbildung 8.5, können Sie eine komplette Meldungs- und Auftragsabwicklung abbilden:

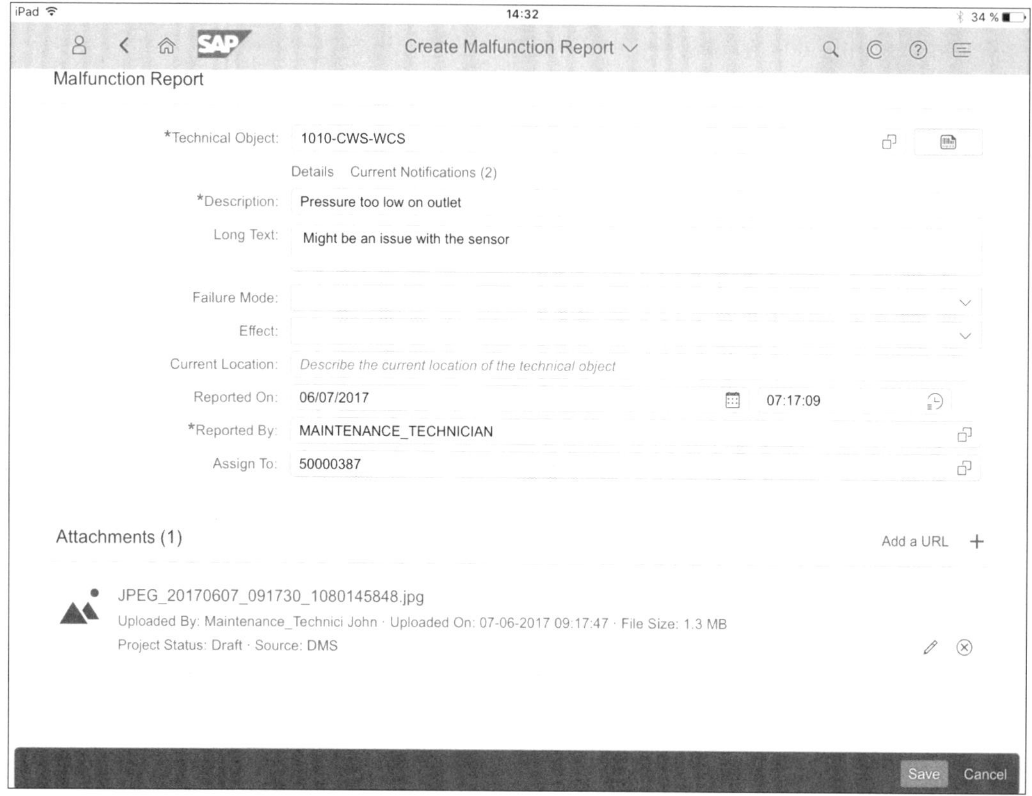

Abbildung 8.5 Störungsmeldung anlegen

- Ordnen Sie das betreffende technische Objekt mit der Type-Ahead-Suche zu.
- Lassen Sie sich Details zum technischen Objekt anzeigen, indem Sie zu verwandten Apps navigieren.
- Zeigen Sie eine Liste aller Störungsmeldungen an, die kürzlich für das betreffende technische Objekt erstellt wurden.
- Fügen Sie Bilder und/oder Langtexte zum Schaden hinzu.
- Sie können Vorgänge planen und diese einem Techniker zuweisen.
- Sie können Ersatzteile planen – entweder aus der Stückliste oder aus einer Liste der letzten verwendeten Materialien heraus (siehe Abbildung 8.6).

Abbildung 8.6 Planung von Ersatzteilen

- Sie können eine Materialverfügbarkeitsprüfung durchführen.
- Sie können den Auftrag freigeben.
- Sie können die Arbeit starten und pausieren (siehe Abbildung 8.7).

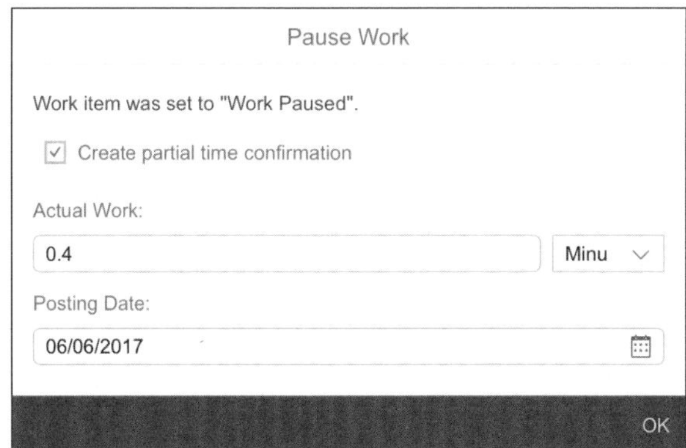

Abbildung 8.7 Arbeit pausieren

- Sie können Zeitrückmeldungen (Teil- und Endrückmeldung) erfassen.
- Sie können Warenentnahmen buchen.
- Sie können technische Rückmeldungen (wie z. B. Schadensursache oder Störungsdaten) erfassen.
- Sie können die Arbeit abschließen.

Mit der Kachel *Manage Malfunction Reports* (Störungsmeldungen verwalten) können Sie eine Liste der bereits erstellten Störungsmeldungen erzeugen und von dort aus dann z. B. die Störmeldung bearbeiten oder Rückmeldungen erfassen.

Eine ähnliche Funktionalität bietet Ihnen die Kachel *Repair Malfunctions – My Job List* (Störungen reparieren – meine Auftragsliste). Allerdings finden Sie dort lediglich die Ihnen oder Ihrem Team zugewiesenen Arbeitsaufgaben (siehe Abbildung 8.8).

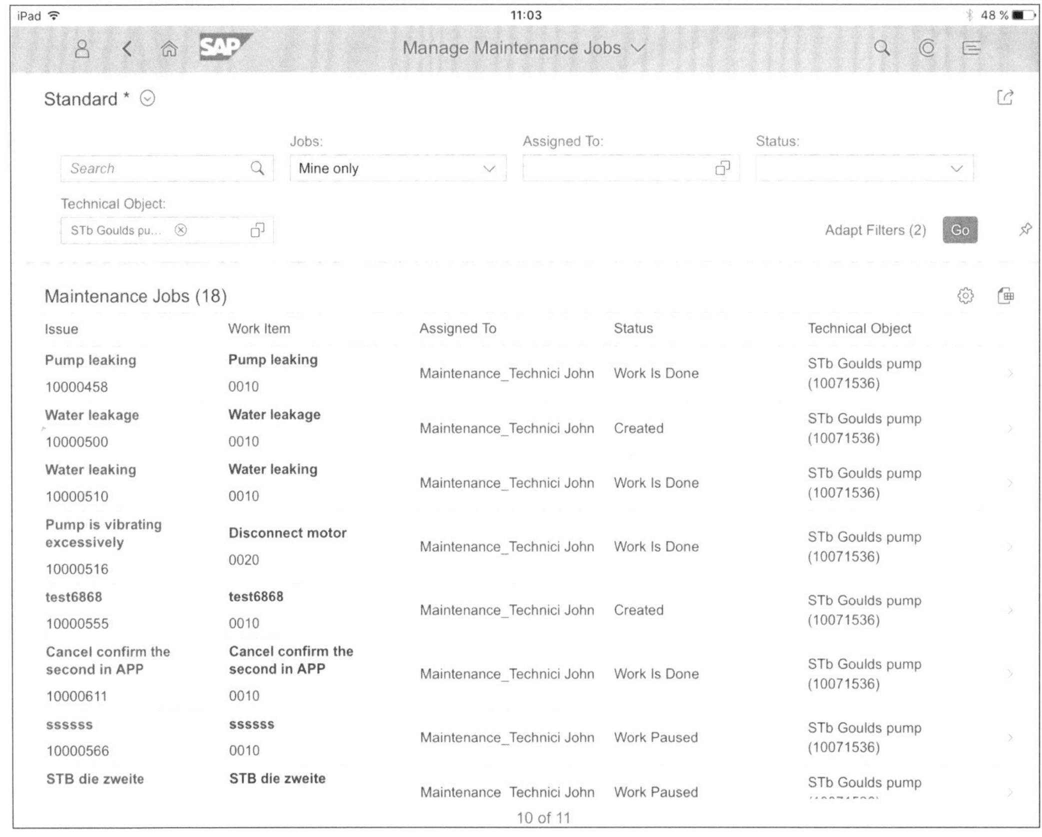

Abbildung 8.8 Meine Auftragsliste

Wenn Sie die App auf einem mobilen Gerät (Smartphone oder Tablet) ausführen, stehen die folgenden zusätzlichen Funktionen zur Verfügung:

- Verwenden Sie die Kamera, um ein Bild des Schadens aufzunehmen und dieses Bild direkt an die Meldung anzuhängen.

- Verwenden Sie einen Barcode-Scanner, um die Nummer des zu reparierenden technischen Objekts zu erfassen oder die Materialnummer eines erforderlichen Ersatzteils hinzuzufügen (siehe Abbildung 8.9).

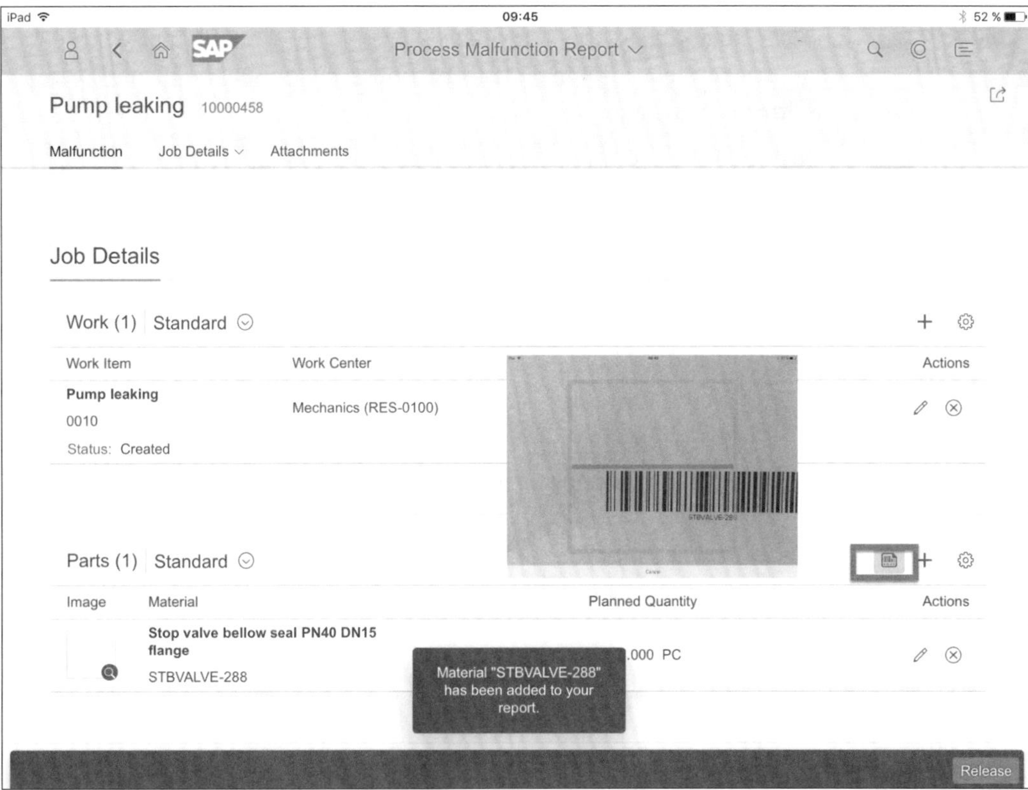

Abbildung 8.9 Barcodes

Request Maintenance

Instandhaltungsanforderung anlegen

Mit der App *Request Maintenance* können Sie eine Instandhaltungsanforderung anlegen. Sie ist somit eine Teilfunktion der umfangreichen App *Report an Repair Malfunction*. Auch die Erfassungsmaske ist identisch (siehe Abbildung 8.5).

Auch hier können Sie Bilder oder andere Dokumente anfügen, die automatisch als DMS-Dokumente (DMS = Dokumenten-Management-System) gespeichert werden. Sie können sich über den Fortschritt der Instandhaltungsarbeiten informieren lassen, indem Sie das Kontrollkästchen **Benachrichtigen** aktivieren.

Maintenance Planning Overview

Instandhaltungsaufgaben planen

Die SAP-Fiori-App *Maintenance Planning Overview* unterstützt Sie bei der Planung und Durchführung Ihrer Instandhaltungsarbeiten und ermöglicht die Überwachung wichtiger, zeitkritischer Prozessschritte, wie z. B. noch nicht zugeordnete Arbeiten, fehlende Ersatzteile oder überfällige Bestellungen. Dabei stehen Ihnen die Informationen in grafischer und tabellarischer Form zur Verfügung.

In Abbildung 8.10 finden Sie die folgenden Informationen:

- ausstehende Meldungen, die noch nicht zu einem Auftrag wurden
- noch freizugebende Bestellanforderungen oder Bestellungen für Nicht-Lagermaterialien, die als Ersatzteile in Instandhaltungsaufträgen benötigt werden
- genehmigte Bestellanforderungen für Nicht-Lagermaterialien, für die keine Bestellung angelegt wurde
- Nicht-Lagermaterialien, die bestellt wurden, aber möglicherweise zum Bedarfsdatum nicht verfügbar sind

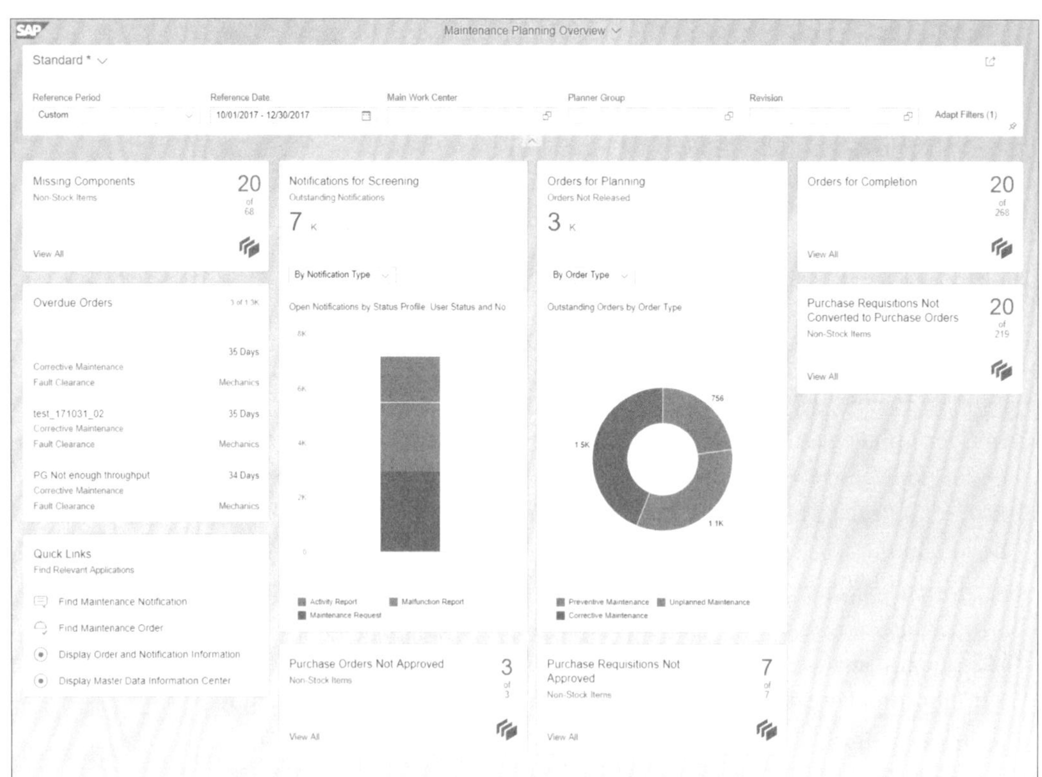

Abbildung 8.10 SAP-Fiori-App »Maintenance Planning Overview«

- freigegebene Instandhaltungsaufträge, deren Endetermin in der Vergangenheit liegt und die noch nicht endrückgemeldet wurden
- endrückgemeldete Instandhaltungsaufträge, die weder technisch noch kaufmännisch abgeschlossen wurden

Maintenance Scheduling Board

Instandhaltungsplantafel

Mit der SAP-Fiori-App *Maintenance Scheduling Board* (Instandhaltungsplantafel) können Sie die Instandhaltungsaufträge, Auftragsvorgänge und Untervorgänge in Ihren Arbeitsplätzen auf einer Zeitleiste visualisieren. Sie können dort auch Vorgänge einem anderen Arbeitsplatz oder einer Person zuordnen, oder Sie können die Vorgänge zeitlich verschieben.

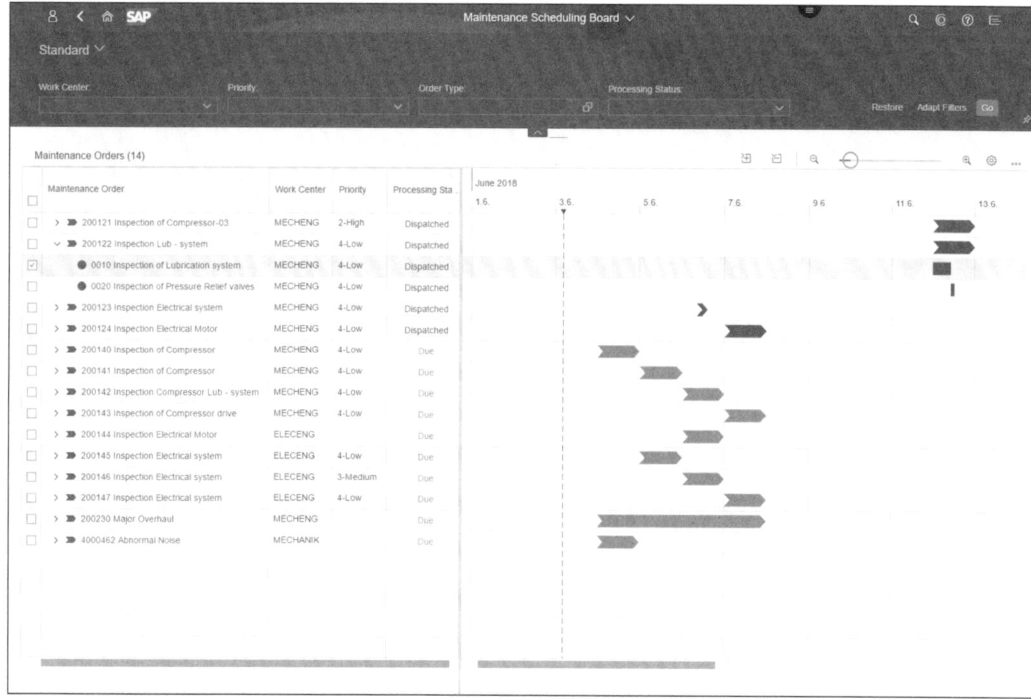

Abbildung 8.11 SAP-Fiori-App »Maintenance Scheduling Board«

Manage Work Center Utilization

Arbeitsplatzauslastung analysieren

Als Instandhaltungsplaner können Sie mit dieser SAP-Fiori-App die Arbeitsplatzauslastung analysieren. Die Auslastung basiert auf den Vorgängen, die Ihren Arbeitsplätzen zugeordnet sind und für die in den nächsten vier Kalenderwochen Kapazitätsbedarf besteht.

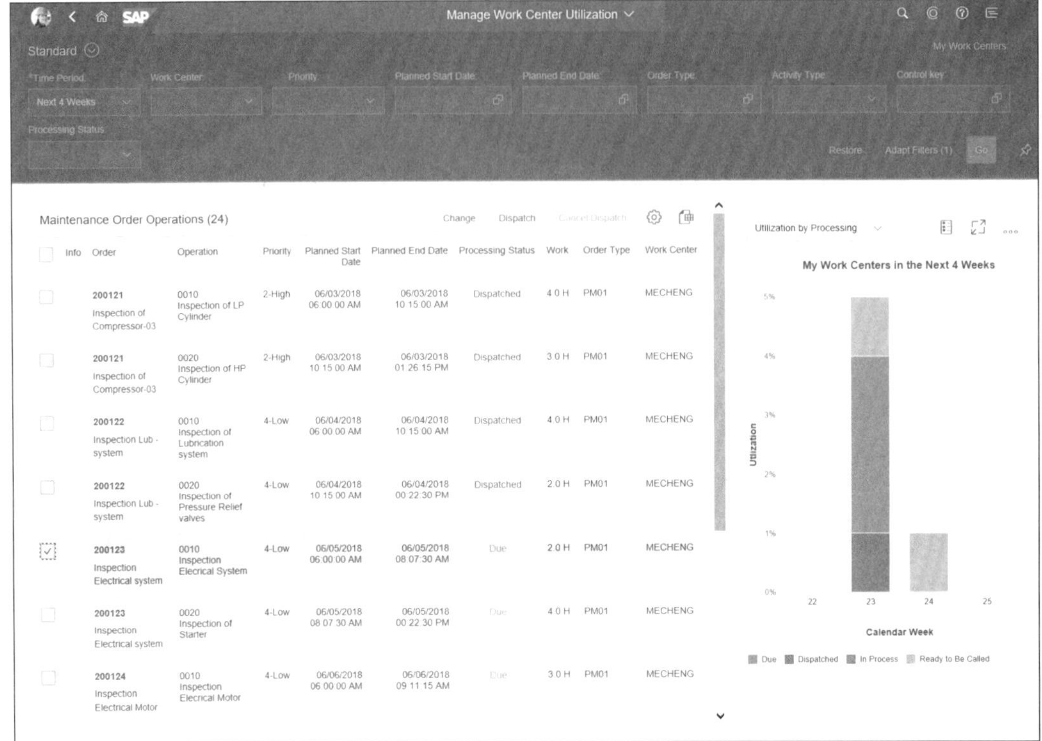

Abbildung 8.12 SAP-Fiori-App »Manage Work Center Utilization«

Sie können sich eine Liste aller Vorgänge anzeigen lassen, die derzeit Ihren Arbeitsplätzen zugeordnet sind, einschließlich der wichtigsten Informationen wie dem zugehörigen Instandhaltungsauftrag, der Priorität oder dem geplanten Start- und Enddatum.

Technical Object Damages

Schadenshäufigkeit analysieren

Mit der SAP-Fiori-App *Technical Object Damages* können Sie sehen, welche Schäden wie häufig auftreten und welche Objektteile die Schäden verursachen. Die Aufbereitung erfolgt in Tabellenform oder grafisch (siehe Abbildung 8.13).

Sie können die Schäden anhand verschiedener Kriterien, z. B. Standortwerk, Objekttyp, Bautyp und Katalog, filtern, und Sie können sich die Schäden, basierend auf den Codegruppen der Objektteile, anzeigen lassen (siehe Abbildung 8.14).

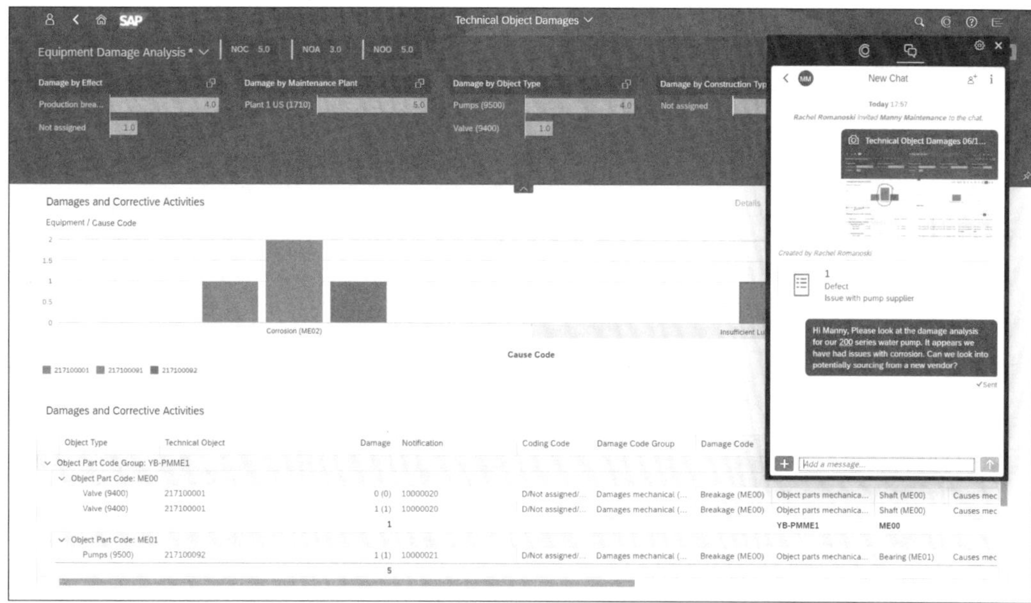

Abbildung 8.13 SAP-Fiori-App »Technical Object Damages« – Überblick

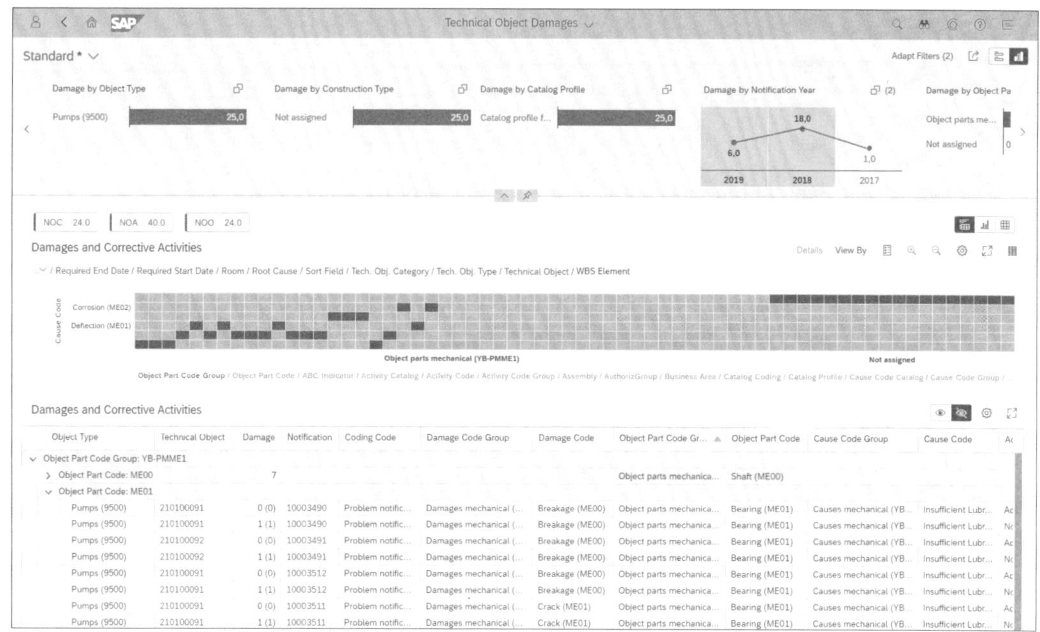

Abbildung 8.14 SAP-Fiori-App »Technical Object Damages« – Objektteile

Analytical List Page for Technical Object Breakdown Analysis

Ausfallursachen analysieren

Mit der SAP-Fiori-App *Analytical List Page for Technical Object Breakdown Analysis* können Sie die Ursachen eines bestimmten Ausfalls genauer analysieren und die Verteilung der Dauer der verschiedenen Ausfälle berechnen. Sie können auch den Zeitraum zwischen zwei aufeinander folgenden Ausfällen ermitteln.

Maintenance Plant	Object Type	Leading Notification	Breakdowns Repor...	Notification	Order	Effecti...	Eff.	Time To Repair	Time Between Repair	Mean Time To Repair	Mean Time Between Repa
Maintenance Plant: 1010											
Object Type: 8000	8000		4					48,000 H	45.272,000 H	12,000 H	11.318,000 H
Object Type: 9500											
Leading Notification: 10000169											
Werk 1 - DE (...	Pumps (9500)	10000169	1 (1)	10000169	200280	05.09....	05	3,000 H	15.798,000 H	3,000 H	15.798,000 H
Leading Notification: 10000180		10000180	1					13,000 H	16.151,000 H	13,000 H	16.151,000 H
Leading Notification: 10003740		10003740	1					3,000 H	10.160,000 H	3,000 H	10.160,000 H
Leading Notification: 10003741		10003741	1					0,000 H	3,000 H	0,000 H	3,000 H
Leading Notification: 10003748		10003748	1					16,000 H	1,000 H	16,000 H	1,000 H
Leading Notification: 10003859		10003859	1					1,000 H	3,000 H	1,000 H	3,000 H
1010	9500		6					36,000 H	42.116,000 H	6,000 H	7.019,000 H
Object Type			1					24,000 H	418,000 H	24,000 H	418,000 H
1010			1					24,000 H	418,000 H	24,000 H	418,000 H
			11					108,000 H	87.806,000 H	10,000 H	7.982,000 H

Abbildung 8.15 SAP-Fiori-App »Analytical List Page for Technical Object Breakdown Analysis«

Folgenden Informationen können Sie mit dieser SAP-Fiori-App ermitteln (siehe Abbildung 8.15):

- Anzahl der Ausfälle
- absolute Zeit zwischen zwei Reparaturen
- absolute Zeit für die Reparaturen
- durchschnittliche Zeit zwischen zwei Reparaturen (MTBR)
- durchschnittliche Zeit für die Reparaturen (MTTR)
- technische Plätze, an denen Equipments ausgefallen sind

Actual Maintenance Cost Analysis

Ist-Kosten überwachen

Die SAP-Fiori-App *Ist-Kosten* unterstützt Sie bei der Überwachung und Auswertung der Ist-Kosten aus laufenden Instandhaltungsaufträgen (siehe Abbildung 8.16).

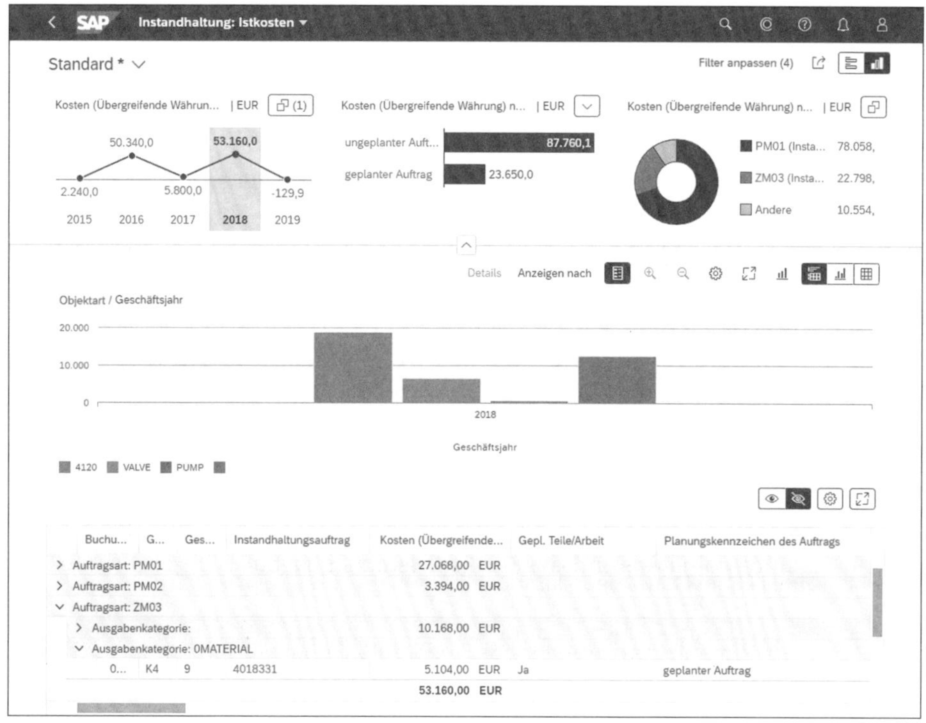

Abbildung 8.16 SAP-Fiori-App »Ist-Kosten«

So können Sie die Kosten für Material, Eigenleistung und Fremdleistung analysieren oder die gesamten Kosten für die Instandsetzung und die vorbeugende Instandhaltung in einem ausgewählten Zeitraum vergleichen. Darüber hinaus können Sie die Instandhaltungsarbeiten identifizieren, die die höchsten Kosten verursacht haben, oder die Anlagenteile, die bei Instandhaltung besonders kostspielig waren. Insgesamt bietet Ihnen diese SAP-Fiori-App mehrere Möglichkeiten, um die im Universal Journal gespeicherten tatsächlichen Instandhaltungskosten zu analysieren.

Mithilfe von Filtern können Sie kritische Kosten in einem Geschäftsjahr aus verschiedenen Perspektiven analysieren, z. B. aus der Perspektive der Auftragsart, des Bautyps, des Standorts, der Planergruppe oder des Herstellers.

Find

Objekte suchen

Es gibt mehrere SAP-Fiori-Apps, mit denen Sie nach Objekten der Instandhaltung suchen und sich zu den gefundenen Objekten weitere Details anzeigen lassen können. Im Einzelnen sind dies:

- *Find Technical Object* (Suche nach Technischen Plätzen und Equipments)
- *Find Maintenance Notification* (Suche nach Meldungen)

- *Find Maintenance Order* (Suche nach Aufträgen)
- *Find Order and Operation* (Suche nach Aufträgen mit ihren Vorgängen)
- *Find Maintenance Order Confirmation* (Suche nach Auftragsrückmeldungen)
- *Find Maintenance Task List* (Suche nach Anleitungen, Equipmentplänen und Arbeitsplänen für Technische Plätze)
- *Find Maintenance Task List and Operation* (Suche nach Anleitungen, Equipmentplänen und Arbeitsplänen für Technische Plätze mit ihren Vorgängen)

Es handelt sich dabei durchweg um dynamische Apps, d. h., Sie haben eine Selektionsleiste, und je nach den eingetragenen Selektionskriterien passt sich die Liste der angezeigten Objekte dynamisch an.

Abbildung 8.17 zeigt exemplarisch eine Liste von Rückmeldungen auf Instandhaltungsaufträge. Aus der Liste heraus können Sie sich die Details eines Objekts anzeigen lassen.

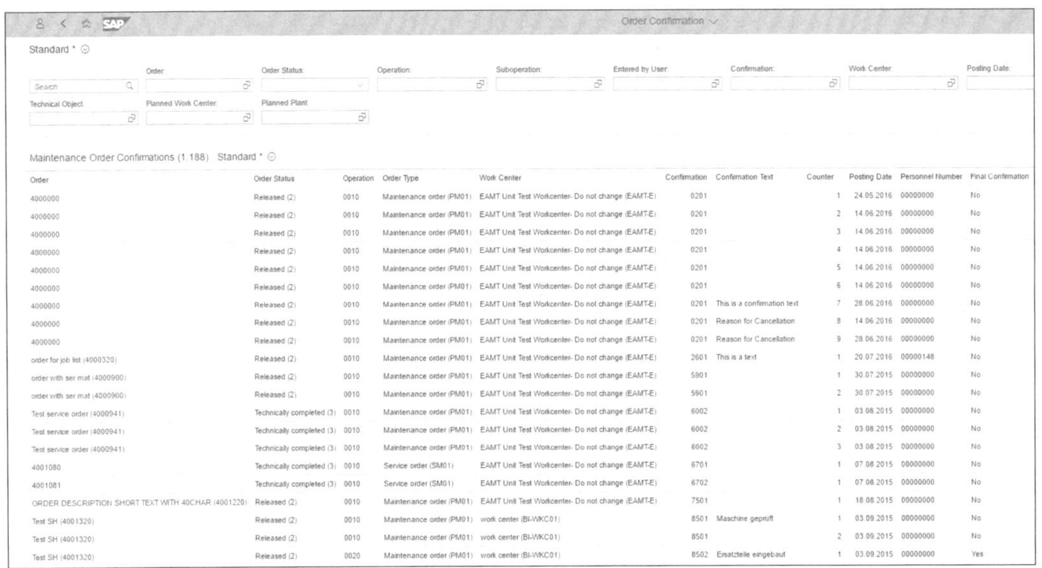

Order	Order Status	Operation	Order Type	Work Center	Confirmation	Confirmation Text	Counter	Posting Date	Personnel Number	Final Confirmation
4000000	Released (2)	0010	Maintenance order (PM01)	EAMT Unit Test Workcenter- Do not change (EAMT-E)	0201		1	24.05.2016	00000000	No
4000000	Released (2)	0010	Maintenance order (PM01)	EAMT Unit Test Workcenter- Do not change (EAMT-E)	0201		2	14.06.2016	00000000	No
4000000	Released (2)	0010	Maintenance order (PM01)	EAMT Unit Test Workcenter- Do not change (EAMT-E)	0201		3	14.06.2016	00000000	No
4000000	Released (2)	0010	Maintenance order (PM01)	EAMT Unit Test Workcenter- Do not change (EAMT-E)	0201		4	14.06.2016	00000000	No
4000000	Released (2)	0010	Maintenance order (PM01)	EAMT Unit Test Workcenter- Do not change (EAMT-E)	0201		5	14.06.2016	00000000	No
4000000	Released (2)	0010	Maintenance order (PM01)	EAMT Unit Test Workcenter- Do not change (EAMT-E)	0201		6	14.06.2016	00000000	No
4000000	Released (2)	0010	Maintenance order (PM01)	EAMT Unit Test Workcenter- Do not change (EAMT-E)	0201	This is a confirmation text	7	28.06.2016	00000000	No
4000000	Released (2)	0010	Maintenance order (PM01)	EAMT Unit Test Workcenter- Do not change (EAMT-E)	0201	Reason for Cancellation	8	14.06.2016	00000000	No
4000000	Released (2)	0010	Maintenance order (PM01)	EAMT Unit Test Workcenter- Do not change (EAMT-E)	0201	Reason for Cancellation	9	28.06.2016	00000000	No
order for job list (4000320)	Released (2)	0010	Maintenance order (PM01)	EAMT Unit Test Workcenter- Do not change (EAMT-E)	2601	This is a text	1	20.07.2016	00000148	No
order with ser mat (4000900)	Released (2)	0010	Maintenance order (PM01)	EAMT Unit Test Workcenter- Do not change (EAMT-E)	5901		1	30.07.2015	00000000	No
order with ser mat (4000900)	Released (2)	0010	Maintenance order (PM01)	EAMT Unit Test Workcenter- Do not change (EAMT-E)	5901		2	30.07.2015	00000000	No
Test service order (4000941)	Technically completed (3)	0010	Maintenance order (PM01)	EAMT Unit Test Workcenter- Do not change (EAMT-E)	6002		1	03.08.2015	00000000	No
Test service order (4000941)	Technically completed (3)	0010	Maintenance order (PM01)	EAMT Unit Test Workcenter- Do not change (EAMT-E)	6002		2	03.08.2015	00000000	No
Test service order (4000941)	Technically completed (3)	0010	Maintenance order (PM01)	EAMT Unit Test Workcenter- Do not change (EAMT-E)	6002		3	03.08.2015	00000000	No
4001080	Technically completed (3)	0010	Service order (SM01)	EAMT Unit Test Workcenter- Do not change (EAMT-E)	6701		1	07.08.2015	00000000	No
4001081	Technically completed (3)	0010	Service order (SM01)	EAMT Unit Test Workcenter- Do not change (EAMT-E)	6702		1	07.08.2015	00000000	No
ORDER DESCRIPTION SHORT TEXT WITH 40CHAR (4001220)	Released (2)	0010	Maintenance order (PM01)	EAMT Unit Test Workcenter- Do not change (EAMT-E)	7501		1	18.08.2015	00000000	No
Test SH (4001320)	Released (2)	0010	Maintenance order (PM01)	work center (BI-WKC01)	8501	Maschine geprüft	1	03.09.2015	00000000	No
Test SH (4001320)	Released (2)	0010	Maintenance order (PM01)	work center (BI-WKC01)	8501		2	03.09.2015	00000000	No
Test SH (4001320)	Released (2)	0020	Maintenance order (PM01)	work center (BI-WKC01)	8502	Ersatzteile eingebaut	1	03.09.2015	00000000	Yes

Abbildung 8.17 Find Maintenance Order Confirmation – Liste (Ausschnitt)

Abbildung 8.18 zeigt Ihnen exemplarisch die Details zu einem Equipmentstammsatz: Dort können Sie sich nicht nur Stammdatendetails zum betreffenden Equipment anzeigen lassen, sondern auch korrespondierende andere Objekte wie Dokumente, Messpunkte, Messbelege, Meldungen, Aufträge, Arbeitspläne oder Wartungspläne.

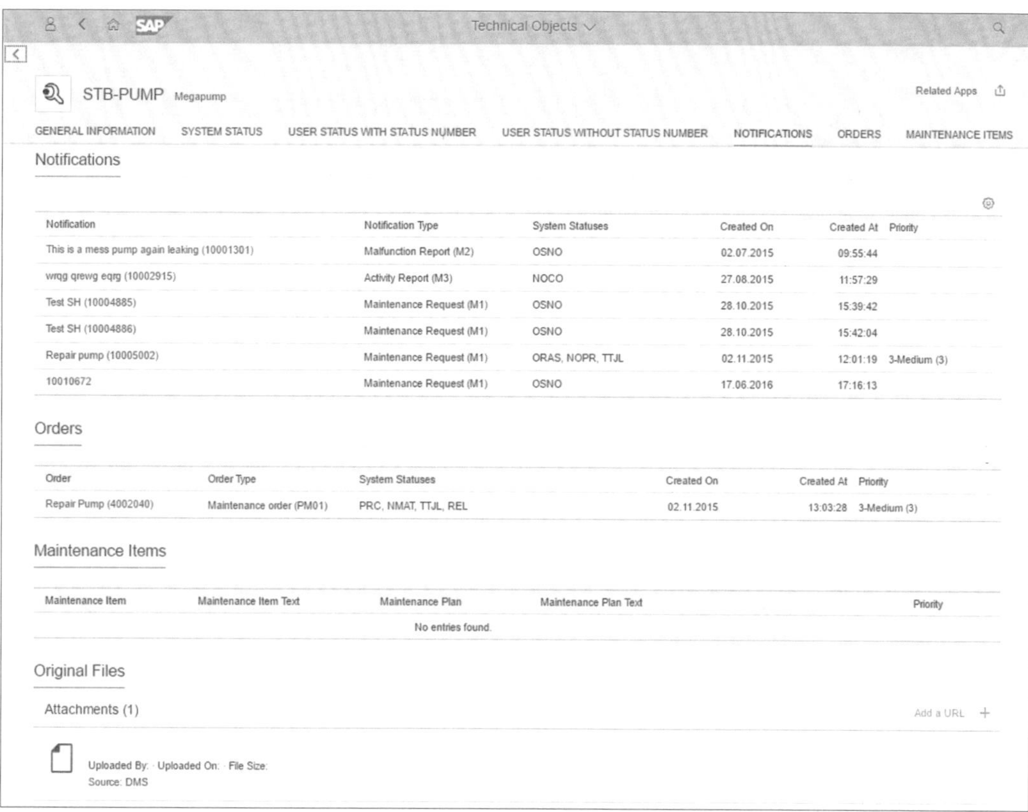

Abbildung 8.18 Find Maintenance Order Confirmation – Equipment

Analog verhält es sich bei den anderen Find-Apps.

Monitor Material Coverage

Ersatzteile ermitteln

Die SAP-Fiori-App *Monitor Material Coverage* gehört zwar zum Bereich der Materialbedarfsplanung, lässt sich aber auch sehr gut für die Materialdeckung von Ersatzteilen einsetzen. Mit dieser App können Sie innerhalb eines ausgewählten Zuständigkeitsbereichs alle Ersatzteile vom System ermitteln und in einer Übersicht darstellen lassen. Das System weist dabei insbesondere die Materialien auf, die laut Unterdeckungsdefinition nicht ausreichend gedeckt sind (siehe Abbildung 8.19). Die von Ihnen gewählte Unterdeckungsdefinition enthält die spezifischen Regeln zum Berechnen der Materialunterdeckung. Sie können sich die Zeit bis zur Unterdeckung anzeigen lassen und aus der Materialliste zur SAP-Fiori-App *Manage Material Coverage* navigieren, um verschiedene Lösungen für die Unterdeckungen zu prüfen. Mit einem Quick View können Sie sich die potenziellen Lieferanten eines Materials anzeigen lassen.

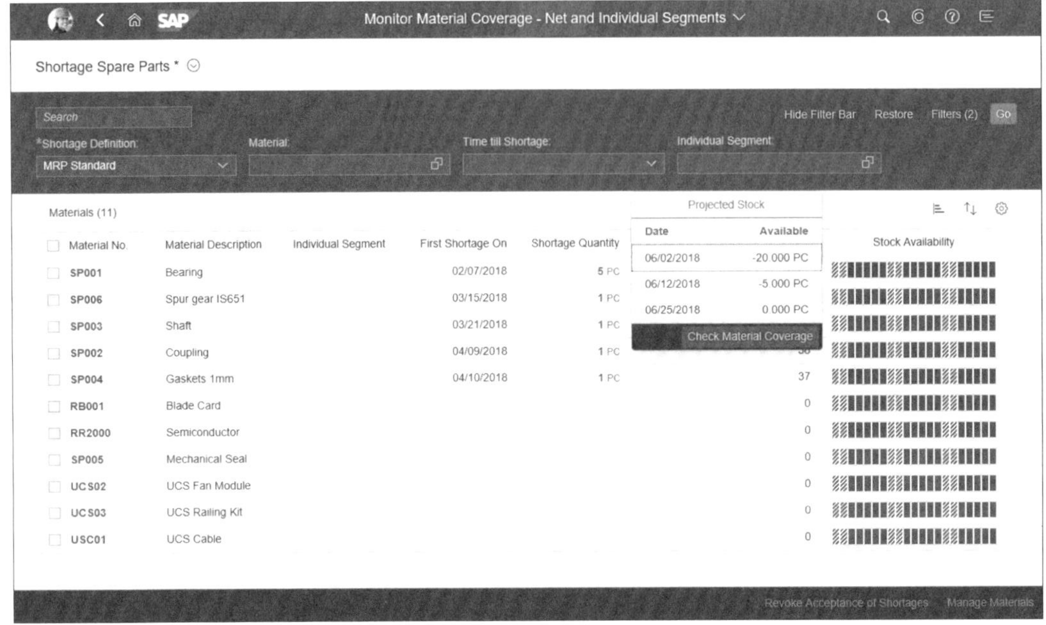

Abbildung 8.19 Monitor Material Coverage

8.1.3 Quick Views

Was sind Quick Views?

Mit Quick Views können Sie auf der Web-Benutzeroberfläche von SAP (z. B. dem SAP Business Client) in Aufträgen, Meldungen, Arbeitsplänen und Wartungsplänen wichtige Informationen zu zugeordneten Equipments, Technischen Plätzen, Materialien und Langtexten anzeigen, ohne dahin verzweigen zu müssen. Quick Views bieten Ihnen eine Vorschau auf ein Objekt und blenden die wesentlichen Informationen zum Objekt ein, wenn Sie den Mauszeiger über das Objekt führen. Darüber hinaus stehen Ihnen in Quick Views auch Links zur Verfügung, mit denen Sie direkt weiternavigieren können.

[!]

Quick View vs. QuickView

Um einem naheliegenden Missverständnis vorzubeugen: Die hier angesprochenen Quick Views haben nichts mit den in Abschnitt 7.2.2, »QuickViewer«, beschriebenen QuickViews zu tun, mit denen Sie eigene Listen erzeugen können. Unglücklicherweise hat sich SAP hier für Begriffe entschieden, die sich sehr ähnlich anhören, jedoch etwas völlig anderes meinen.

Abbildung 8.20 zeigt Ihnen einen Quick View innerhalb eines Auftrags mit Informationen zum betreffenden technischen Objekt wie Equipmenttyp, Objektart, Hersteller oder Typenbezeichnung.

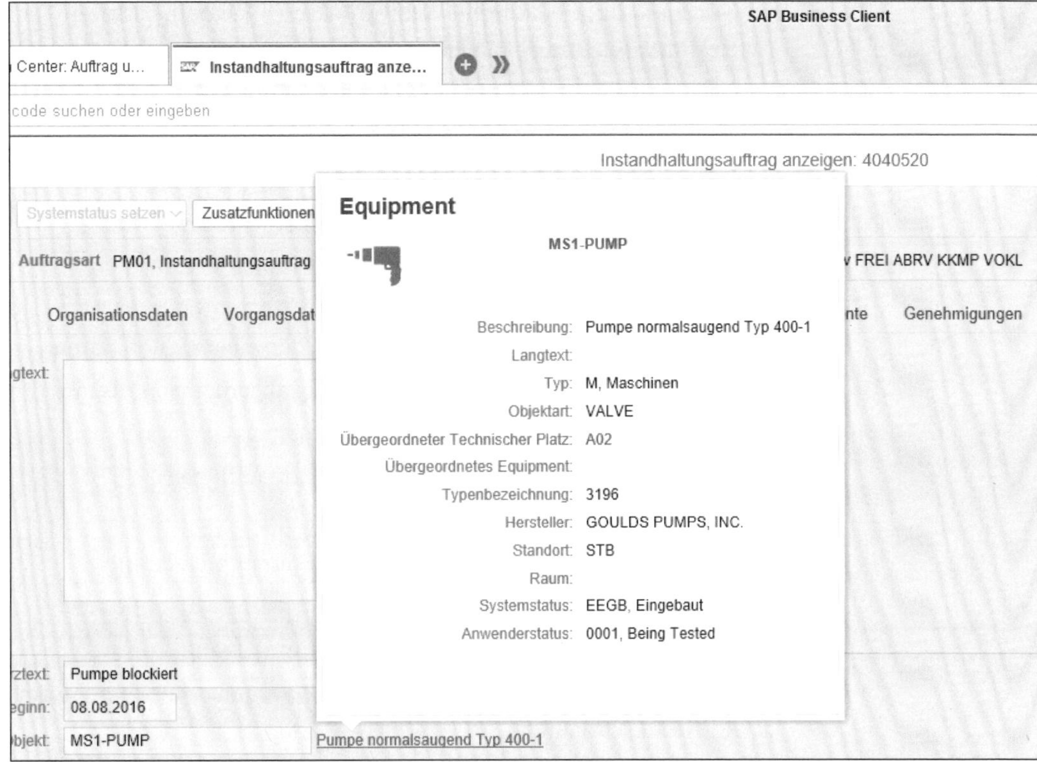

Abbildung 8.20 Quick View – Equipment im Auftrag

Welche Informationen für die Anwender in den Quick Views verfügbar sein sollen, können Sie individuell konfigurieren. Außerdem können Sie das Einblenden von Quick Views unterdrücken.

Welche Quick Views gibt es?

Folgende Quick Views stehen Ihnen im Bereich der Instandhaltung insgesamt zur Verfügung:

- **Technisches Objekt**
  - Quick View zum übergeordneten technischen Objekt auf der Registerkarte **Struktur**
  - Quick View zum eingebauten Equipment auf der Registerkarte **Struktur**

- **Auftrag**
  - Quick View zur zugeordneten Meldung in den allgemeinen Daten, den Vorgangsdaten und der Objektliste
  - Quick View zum technischen Objekt in den allgemeinen Daten, den Vorgangsdaten und der Objektliste
  - Quick View zum Arbeitsplan in den allgemeinen Daten
  - Quick View zum Material in den Details zum Vorgang
  - Quick View zu erfassten Langtexten in den Vorgangsdaten und in den Details zum Vorgang (Registerkarte **Material**)
  - Quick View zum Anwenderstatus in den Vorgangsdaten
- **Meldung**
  - Quick View zum zugeordneten Auftrag in den allgemeinen Daten
  - Quick View zum technischen Objekt in den allgemeinen Daten
  - Quick View zum Arbeitsplan in den allgemeinen Daten
  - Quick View zu Aktionen auf der Registerkarte **Aktionen**
  - Quick View zu erfassten Langtexten
  - Quick View zum Anwenderstatus in den Maßnahmendaten
- **Arbeitsplan**
  - Quick View zum Material in den Details zum Vorgang
  - Quick View zum technischen Objekt in den Vorgangsdaten und in den Details zum Vorgang
  - Quick View zu erfassten Langtexten
  - Quick View zum technischen Objekt in den allgemeinen Daten im Arbeitsplan mit dem Typ *Arbeitsplan zum technischen Objekt*
- **Wartungsplan**
  - Quick View zum Wartungsplan in den allgemeinen Daten der Wartungsposition
  - Quick View zum technischen Objekt in den allgemeinen Daten der Wartungsposition
  - Quick View zum zugeordneten Arbeitsplan in den allgemeinen Daten der Wartungsposition
  - Quick View zum technischen Objekt in den Positionsdetails

Voraussetzung

Damit Sie die Quick Views in der Instandhaltung nutzen können, müssen Sie die Business Functions LOG_EAM_SIMPLICITY_3 ff. (Vereinfachte EAM-Anwendungen) aktivieren.

8.2 Mobile Instandhaltung

Bevor ich Ihnen die technologische Ausprägung der mobilen Instandhaltung bei SAP vorstelle, ist es zunächst wichtig, ein Grundverständnis für den Themenbereich *Mobile Instandhaltung* zu haben. Im Folgenden erläutere ich, was eigentlich einen Prozess mit mobiler Instandhaltung von einem Prozess ohne mobile Instandhaltung unterscheidet oder welche Szenarien Sie implementieren können, und ich stelle noch einige andere Aspekte vor.[1]

8.2.1 Grundlagen der mobilen Instandhaltung

In diesem Abschnitt möchte ich Sie mit ein paar Grundlagen der mobilen Instandhaltung vertraut machen: Was bedeutet mobile Instandhaltung, und wie sieht der so unterstützte Geschäftsprozess aus? Darüber hinaus gehe ich auf die Anwendungsfälle und Vorteile ein.

Was ist mobile Instandhaltung?

SAP versteht unter einer mobilen Instandhaltung Folgendes:

- dass dem Techniker die Informationen, die im SAP-S/4HANA-System vorliegen und die er zur Durchführung der Maßnahme benötigt, vor Ort auf einem mobilen Endgerät bereitgestellt werden
- dass anfallende Ist-Daten am Ort des Geschehens direkt erfasst und an das SAP-S/4HANA-System übermittelt werden

[!]

Mobility ist eine Ergänzung von SAP S/4HANA, kein Ersatz

Es war und ist nicht die Strategie von SAP, SAP S/4HANA Asset Management durch eine mobile Version zu ersetzen. Denn Sie können mit der mobilen Instandhaltung von SAP keine kompletten Geschäftsprozesse abwickeln. SAP betrachtet die mobile Instandhaltung vielmehr als Teil eines Gesamtprozesses und als Technik zur Unterstützung der Instandhaltungsabwicklung.

1 In dem Buch »Mobile Geschäftsprozesse mit SAP« von Jens Beier, Alexander Wassiltschenko, Wolfgang Röckelein (SAP PRESS 2016) finden Sie auch einige Beispiele für eine mobile Instandhaltung mit SAP.

Wie sieht ein Geschäftsprozess aus?

Die mobile Instandhaltung von SAP bildet also keinen Gesamtprozess ab, sondern lediglich einen Teilprozess. Wenn Sie sich einen typischen Instandhaltungsprozess mit und ohne mobile Unterstützung ansehen, erkennen Sie einige gravierende Unterschiede (siehe Abbildung 8.21).

traditionell	mobil
▪ **Planer** – Auftrag erstellen – Auftragspapiere ausdrucken	▪ **Planer** – Auftrag erstellen – Auftrag auf mobiles Gerät übertragen
▪ **Techniker** – Auftragspapiere entgegennehmen – Maßnahme durchführen – Auftragspapiere ausfüllen – Auftragspapiere zurückbringen	▪ **Techniker** – Maßnahme durchführen – Ist-Daten erfassen – Auftrag an SAP S/4HANA übertragen
▪ **Planer** – Ist-Daten erfassen – Auftrag abschließen	▪ **Planer** – Auftrag abschließen

Abbildung 8.21 Ablauf der mobilen Instandhaltung

Der mobile Instandhaltungsprozess unterscheidet sich von dem traditionellen Prozess in den folgenden Punkten:

- Sie drucken keine Papiere.
- Sie transportieren keine Papiere zum Instandhaltungsort und wieder zurück.
- Sie müssen keine physischen Belege archivieren.
- Sie erfassen die Daten nicht losgelöst vom Prozess.
- Stattdessen stehen Ihnen die Auftragsdaten am Ort des Geschehens in elektronischer Form zur Verfügung.
- Sie erfassen die Ist-Daten zeitnah zur Ausführung gleich in elektronischer Form.
- Die Daten werden an das Backend-System (SAP S/4HANA) übergeben.

[!]

Elektronischer Datenaustausch statt Medienbrüche

Der wesentliche Unterschied in den Geschäftsprozessen mit mobiler Unterstützung ist – im Vergleich zur konventionellen Abwicklung – die Durchgängigkeit des elektronischen Datenaustausches während der Planungs- und Ausführungsphase: Es kommt zu keinen Medienbrüchen mehr.

Welche Vorteile ergeben sich daraus?

Ganz egal, wie sich in Ihrem Hause die Details darstellen, die grundsätzlichen Vorteile einer solchen Arbeitsweise liegen auf der Hand:

- Es entsteht weniger manueller Aufwand für die Datenerfassung (nicht erst handschriftlich und dann elektronisch, sondern gleich elektronisch).
- Die direkte elektronische Erfassung vor Ort und die elektronische Übertragung an das SAP-S/4HANA-Systems reduzieren die Gefahr von Übertragungsfehlern und somit die Fehlerquote.
- Es entsteht eine insgesamt höhere Datenqualität.
- In der Folge dürfte es auch weniger Reklamationen der Auftraggeber wegen falscher Auftragsabrechnungen geben.
- Der Wegfall von manuellen Papiertransporten reduziert die Durchlaufzeit (der Techniker muss seine Auftragspapiere nicht abholen oder zurückbringen).
- Ein weiterer wichtiger Vorteil ergibt sich aus dem Zugriff auf elektronische Dokumente: Von seinem Tablet aus hat der Techniker vor Ort bei der Durchführung der Instandhaltungsmaßnahme jederzeit Zugriff auf elektronische Dokumente (wie z. B. Zeichnungen oder Verfahrensanleitungen), die ihn bei seiner Arbeit unterstützen können. Dies können Dokumente aus dem SAP 3D Visual Enterprise Viewer (siehe Abschnitt 8.1.1, »SAP 3D Visual Enterprise Viewer«), von einem File-Server oder von einem DMS-System sein. Er kann die Dokumente fallweise und bei Bedarf zurate ziehen, ohne wieder zurück ins Planungsbüro zu müssen, um sich dort aus Ordnern die entsprechenden Unterlagen zu holen.

Welche Varianten gibt es?

Bei den mobilen Lösungen von SAP ist grundsätzlich zwischen Offline- und Online-Szenarien zu unterscheiden (siehe Abbildung 8.22, hier dargestellt im Rahmen der SAP-NetWeaver-Plattform).

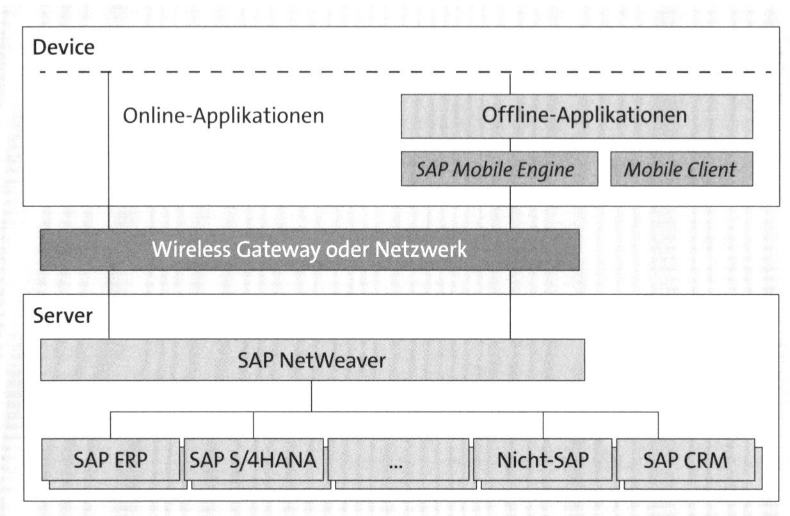

Abbildung 8.22 Mobile Instandhaltung – Online- und Offline-Applikationen

Online-Szenarien Bei den Online-Szenarien nehmen Sie mit dem mobilen Gerät direkten Kontakt zu SAP NetWeaver auf und übertragen die Daten unmittelbar in das Backend-System (z. B. SAP S/4HANA) – oder auch umgekehrt: Sie schicken von SAP S/4HANA aus Daten online auf ein mobiles Gerät; ein typisches Szenario hierfür ist das Paging oder auch die ganzen SAP-Fiori-Apps. Letztere können ja ebenfalls für eine mobile Instandhaltung genutzt werden, basieren aber weitestgehend auf einer Online-Verbindung zum Server.

Offline-Szenarien Bei den Offline-Szenarien übertragen Sie die Daten vom Backend-System auf ein mobiles Gerät. Die Daten stehen dort offline und lokal zur weiteren Bearbeitung zur Verfügung. Nach Beendigung der Datenerfassung übertragen Sie die Daten wieder zurück an das Backend-System. Typische Fälle hierfür sind der SAP Asset Manager und der SAP Work Manager.

Welche Anwendungsfälle gibt es?

Aus der Praxis ist mittlerweile eine ganze Reihe von unterschiedlichen Anwendungsfällen bekannt, bei denen mobile Szenarien implementiert wurden. Hierzu gehören z. B.:

- der Frankfurter Flughafen, der seine nachweispflichtigen Brandschutzklappen inspiziert, den Zustand der Parkraumanlagen überprüft, die Fluchtwege kontrolliert und die Reinigungsarbeiten der Fremdfirmen abnimmt

- RheinEnergie, die ihren Messstellenbetrieb und den Netzbetrieb unterstützt, inklusive De-/Installation von Messstellen und periodische Ablesungen von Zählerständen
- die Firma KUKA, die ihre Servicemitarbeiter bei der Erstinbetriebnahme, bei der Störungsbehebung und bei Wartungstätigkeiten an den Robotern unterstützt
- Roche Diagnostics, bei denen es vor allem um Sicherheitsaspekte geht, wobei GMP-relevante Wartungsaufträge abgewickelt werden
- die Firma DB Railion Deutschland, die die mobile Technologie für die Instandhaltungsbeauftragung und Schadenvorerfassung bei ihren Güterwagen nutzt
- die Firma E.ON, die die mobile Technologie bei der Auftragsbearbeitung und Inspektion sowie beim Zählerwesen (Einbau, Ausbau, Ablesung, Inkasso) einsetzt
- der amerikanische Energieversorger National Grid, der seine komplette Auftragsabwicklung mobil abwickelt
- die Firma Infraserv, die ihre Techniker bei den Wartungs- und Servicearbeiten in den Bereichen Heizung, Klima, Lüftung und Sanitär unterstützt
- die GWG Wuppertal (Gemeinnützige Wohnungsbaugesellschaft mbH Wuppertal), die eine mobile Objektbetreuung und eine mobile Wohnungsabnahme implementiert hat
- die Firma voestalpine, die ihre Anlagenkontrolle und Störungserfassung mit der mobilen Technologie durchführt

Die Liste bestehender und möglicher Anwendungsfälle ließe sich noch beliebig fortsetzen, aber ich hoffe, ich konnte Ihnen hiermit einen ersten Eindruck von den Einsatzmöglichkeiten vermitteln.

[!]

Projekte zur mobilen Instandhaltung sind sehr individuell

Jedes Praxisprojekt zur mobilen Instandhaltung läuft anders – viel individueller als »normale« SAP-Projekte. Insbesondere werden dabei die Funktionalität und die Oberflächengestaltung der Frontends in der Regel individuell an die Bedürfnisse des jeweiligen Unternehmens angepasst.

Welche Geräte kommen infrage?

Gerätetypen

Eine weitere Frage, die Sie im Laufe eines Projekts zur mobilen Instandhaltung klären müssen, ist, welche mobilen Geräte eingesetzt werden sollen. Der Markt von infrage kommenden Geräten ist sehr groß, sehr heterogen und vor allem sehr intransparent. Es haben sich aber drei Gerätetypen im Laufe der Zeit durchgesetzt:

- Notebook (für umfangreiche mobile Anwendungen)
- Tablets (z. B. iPad oder Galaxy Note)
- Smartphone (z. B. iPhone oder Android-Geräte)

Auswahlkriterien

Welches Gerät oder welcher Gerätetyp bei Ihnen zum Einsatz kommt, hängt von einer Reihe unterschiedlicher Einflussfaktoren ab. Bei der Auswahl eines bestimmten Gerätetyps sollten Sie vor allem die folgenden Fragen beantworten:

- Welche Prozesse möchten Sie unterstützen, und welche Funktionen benötigen Sie dazu?
- Welche Informationsmengen möchten Sie lokal verarbeiten (Hauptspeicher)?
- Benötigen Sie einen Online-Zugriff? Ist das Gerät mit Mobilfunk oder WLAN auszustatten?
- Welche Bildschirmgröße benötigen Sie (von Smartphone- bis Notebook-Format)?
- Muss das Gerät grafikfähig sein (weil Sie z. B. Dokumente ansehen möchten oder ein GIS-System angebunden werden soll)?
- Über welche Ausstattung muss das Gerät verfügen (Tastatur, Touchscreen, Barcodeleser, RFID-Scan, Schreibstift usw.)
- Wie sind die Umgebungsanforderungen ans Endgerät (staub-, stoß-, feuchtigkeits-, explosionsgeschützt)?
- Welches Gerätegewicht können oder wollen Sie Ihren Technikern zumuten?
- Welches Budget steht Ihnen zur Verfügung?

[!]

Augen auf bei der Gerätewahl

Es gibt eine Reihe von Gerätetypen (insbesondere Tablets, Smartphones, Notebooks und Tablet PCs), bei deren Auswahl mehrere Kriterien eine Rolle spielen (z. B. Funktionen, Speicherplatz, Zusatzausstattung).

Mobile Apps von SAP

SAP stellt mittlerweile ein breites Spektrum an mobilen Lösungen zur Verfügung (siehe Abbildung 8.23) – angefangen von SAP Sales Cloud für die Verwaltung von Kundeninformationen wie Leads oder Opportunitys über SAP Inventory Management zur Erfassung von Warenein- und Warenausgängen bis hin zu SAP-Manager-Apps für Genehmigungen.

Abbildung 8.23 Mobile Lösungen von SAP – Auswahl

Für die Instandhaltung werden zwei Apps angeboten:

- SAP Work Manager
- SAP Asset Manager

8.2.2 SAP Work Manager

Layouts für unterschiedliche Gerätetypen

Je nachdem, ob Sie als lokales Gerät ein Tablet oder ein Smartphone nutzen, stehen Ihnen unterschiedliche Layouts zur Verfügung, die an die jeweiligen hardwaretechnischen Gegebenheiten angepasst sind.

Abbildung 8.24 zeigt Ihnen als Beispiel drei Screenshots aus dem SAP Work Manager auf einem Android-Smartphone:

- Links sehen Sie das Einstiegsmenü mit den zur Verfügung stehenden Funktionen.
- In der Mitte ist eine Auftragsliste abgebildet.
- Rechts sehen Sie die Vorgangsliste des Auftrags.

Im Vergleich dazu zeigt Abbildung 8.25 Ihnen das Layout des SAP Work Managers auf einem Tablet.

Aufgrund der Größe können Sie sich hier natürlich mehr Informationen anzeigen lassen. In diesem Fall sehen Sie auf der linken Seite eine Auftragsliste und auf der rechten Seite einen kompletten Auftrag mit Details zum Auftragskopf und zur Meldung.

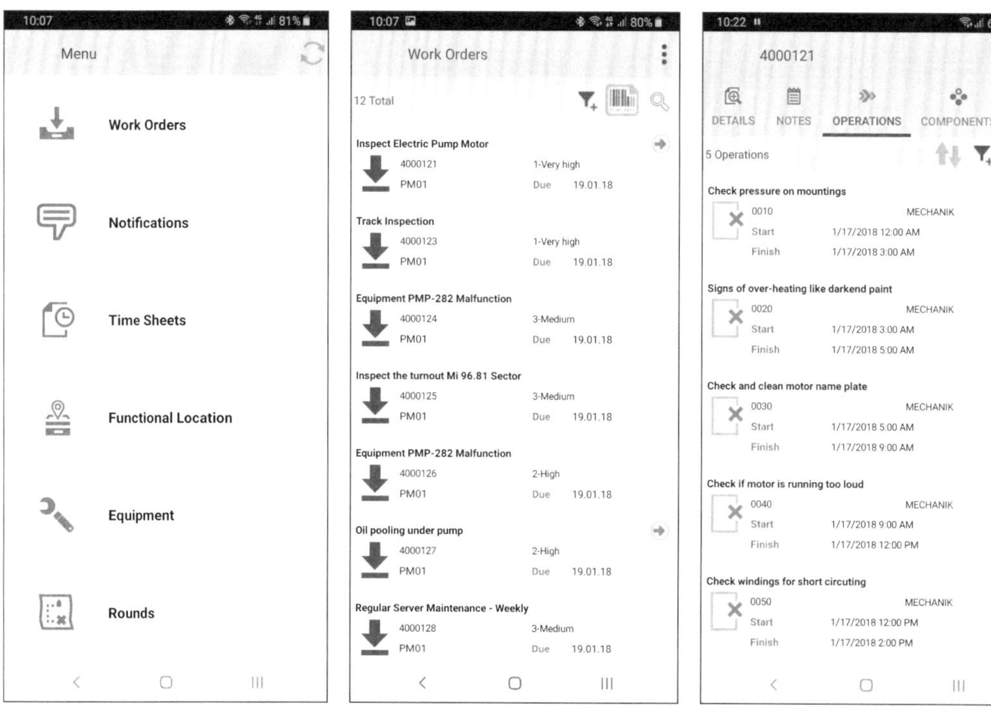

Abbildung 8.24 SAP Work Manager auf einem Smartphone

Abbildung 8.25 SAP Work Manager auf einem Tablet

Wenn Sie die technischen Voraussetzungen erfüllt haben, stehen Ihnen folgende Grundfunktionen zur Verfügung:

Grundfunktionen

- **Auftragsabwicklung**
  - Auftragsliste anzeigen
  - Vorgänge zum Auftrag anzeigen
  - neue Vorgänge zum Auftrag erfassen
  - Objektliste zum Auftrag anzeigen
  - Materialliste zum Auftrag
  - Meldung zum Auftrag anzeigen
  - neue Komponenten hinzufügen
  - Materialentnahme erfassen
  - Auftrag technisch abschließen
  - Aufträge anlegen
  - Aufträge ändern
  - Aufträge löschen, die noch nicht übertragen worden sind
- **Meldungsabwicklung**
  - Meldungsliste anzeigen
  - Meldung anzeigen
  - Meldung anlegen
  - Meldung ändern
  - Meldungen löschen, die noch nicht übertragen worden sind
  - Meldung abschließen
  - Maßnahmen anzeigen, ändern, erfassen
  - Aktionen anzeigen, ändern, erfassen
- **Zeiterfassung**
  - Zeitrückmeldung hinzufügen
- **Equipments und Technische Plätze**
  - anzeigen
  - Klassifizierung anzeigen
  - Dokumente anzeigen

Darüber hinaus verfügt der SAP Work Manager über einige sehr nützliche Sonderfunktionen:

Sonderfunktionen

- **Mobile Push Alert**
  Sie können den SAP Work Manager so konfigurieren, dass Meldungen und Aufträge mit Priorität 1 automatisch an das Gerät oder die Geräte gepusht werden und dort eine Sondernachricht erscheint.
- **Bestandsabwicklung mit Verfügbarkeitsprüfung**
  In den SAP Work Manager ist zwar eine Materialentnahme integriert, aber keine komplette Bestandsführung. Sollte diese notwendig sein, müssten Sie zusätzlich den SAP Inventory Manager installieren. Dort stehen Ihnen sowohl eine komplette Bestandsführung als auch diverse Verfügbarkeitsprüfungen zur Verfügung.
- **Geografische Informationen**
  Der SAP Work Manager verfügt über die Möglichkeit, technische Objekte oder Aufträge anhand von geografischen Informationen in einem GIS-System zu lokalisieren und zu visualisieren (siehe Abbildung 8.26).

Abbildung 8.26 SAP Work Manager – GIS-Integration

  Eine Funktion zur elektronischen Unterschrift gibt es beim SAP Work Manager (noch) nicht.
- **Start-/Stopp-Funktion**
  Neben der Verwendung der »normalen« Zeitrückmeldung haben Sie auch die Möglichkeit, die Start-/Stopp-Funktion einzusetzen, d. h., dass Sie bei Auftragsbeginn die Start-Taste betätigen, um die Zeit laufen zu lassen. Mithilfe der Hold-Funktion (siehe Abbildung 8.27) können Sie

einen Auftrag unterbrechen und ihn über die TECO-Funktion abschließen. Der SAP Work Manager errechnet nun die benötigte Zeit und erzeugt eine entsprechende Zeitrückmeldung.

Abbildung 8.27 SAP Work Manager – Start, Stopp, Transfer, erledigt

- **Transfer-Funktion**
  In demselben Fenster steht Ihnen die Transfer-Funktion zur Verfügung, mit deren Hilfe Sie einen Auftrag, der Ihnen vom Backend zugeteilt wurde, an einen Kollegen weiterleiten können, z. B. weil Sie diesen Auftrag derzeit wegen Zeitmangels nicht bearbeiten können.
- **Notes-Funktion**
  Die Notes-Funktion gibt es für den Auftrag (siehe Abbildung 8.28), für jeden Vorgang, für jede Materialkomponente und für die Meldung. Darin wird zum einen die Statushistorie gezeigt, und zum anderen können Sie dort Notizen erfassen. Im Backend werden diese dann entweder in den Langtext oder als Objektdienst angelegt.

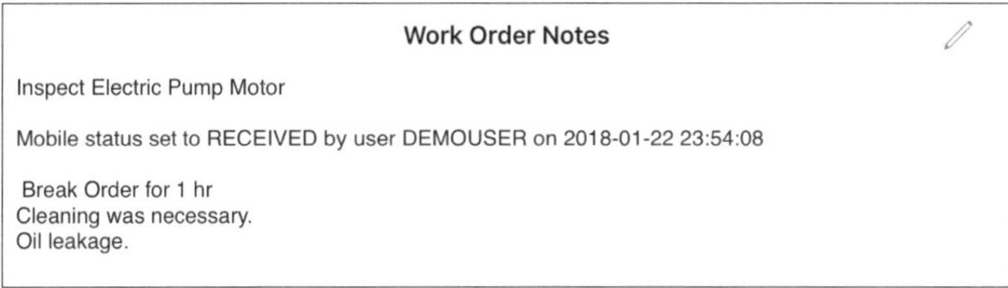

Abbildung 8.28 SAP Work Manager – Notes

- **Timesheet**
  Sie können im Timesheet nicht nur Zeiten erfassen, sondern Sie können sich auch nach diversen Selektionskriterien anzeigen lassen, welche Zeiten Sie in welchen Zeiträumen gebucht haben. Abbildung 8.29 zeigt Ihnen ein solches Timesheet mit einer Tagesübersicht und einer Rückmeldung des SAP Work Managers auf dem Tablet.
- **Spracherkennung mit Siri**
  Eine hervorragende Möglichkeit, um die Daten und hier insbesondere die Texte (z. B. Rückmeldetexte oder Schadensbeschreibungen für neu anzulegende Aufträge) nicht manuell eingeben zu müssen – insbesondere beim iPhone ist die Texteingabe etwas mühsam –, ist die Spracherkennung über Siri. Sie können Ihre Daten im SAP Work Manager per Sprache eingeben. Ich habe es ausprobiert: Es funktioniert!

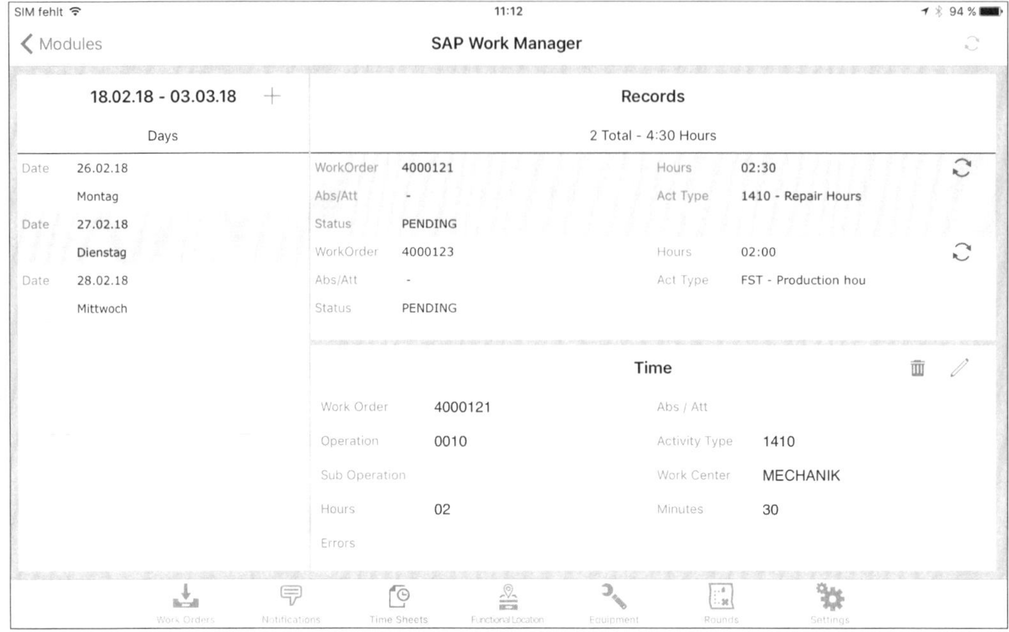

Abbildung 8.29 SAP Work Manager – Timesheet

- **Barcode**
  Der SAP Work Manager verfügt über eine Barcode-Funktionalität (Button), mit der Sie beispielsweise den Barcode des Equipments einlesen können, zu dem Sie einen neuen Auftrag anlegen möchten (siehe Abschnitt 8.2.4, »RFID«).
- **Grafische Darstellung**
  Ebenso wie in den SAP Business Client ist der SAP 3D Visual Enterprise Viewer in den SAP Work Manager integriert. Die Möglichkeiten sind hier genau dieselben, wie ich sie Ihnen bereits in Abschnitt 8.1.1, »SAP 3D Visual Enterprise Viewer«, vorgestellt habe:
- **Grafiken anzeigen**
  Sie können sich zu Equipments und Technischen Plätzen 2D-Bilder oder 3D-Szenen anzeigen lassen.
- **Ersatzteile auswählen**
  Sie können zwei- oder dreidimensionale Bilder für die Auswahl und Bestimmung der erforderlichen Ersatzteile heranziehen. Sie haben die Möglichkeit, im Bild ein oder mehrere Ersatzteile zu markieren und diese in die Ersatzteilliste zu übernehmen. Die verschiedenen Anzeigefunktionen wie das Auseinanderbauen oder Drehen des Modells unterstützen Sie bei der Auswahl (siehe Abbildung 8.30).

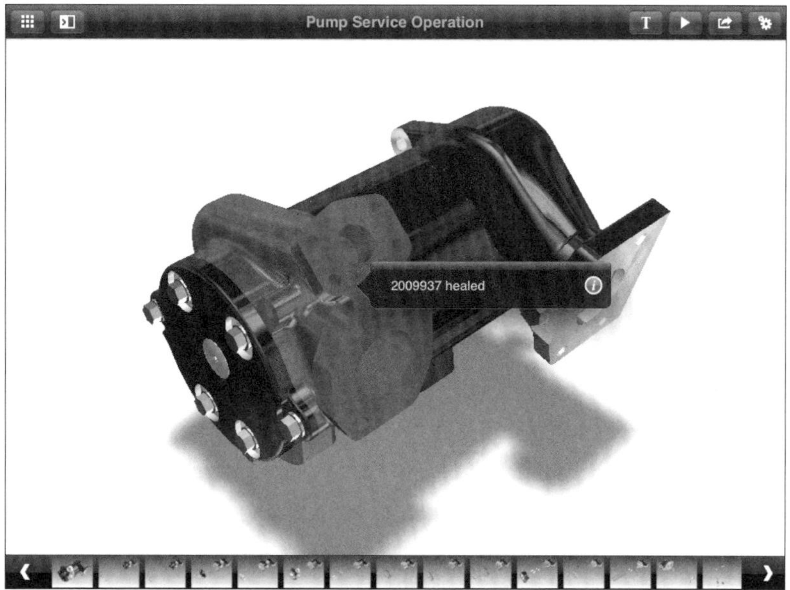

Abbildung 8.30 SAP Work Manager – 3D-Modell

- **Arbeitspläne animieren**
  Sie können sich Arbeitsanleitungen visualisieren lassen, z. B. als 3D-Szenen, die die einzelnen Schritte der Instandhaltungsarbeit visualisieren (siehe Abbildung 8.31).

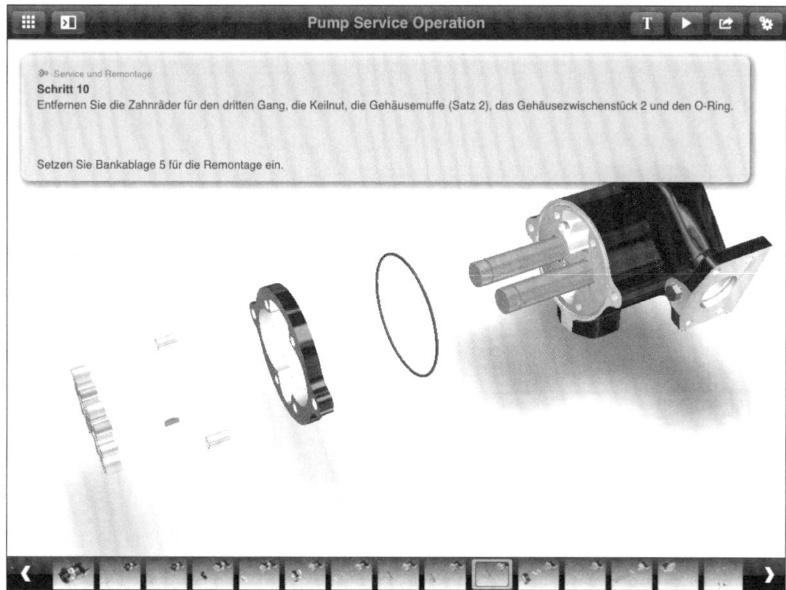

Abbildung 8.31 SAP Work Manager – animierte Anleitung

8

Rounds

In Vorgängerversionen gab es neben dem SAP Work Manager eine weitere App, die auf die Belange der Instandhaltung ausgerichtet ist: den *SAP Rounds Manager*. Dessen Funktionalitäten wurden jedoch in der aktuellen Version in den SAP Work Manager als Komponente *Rounds* integriert.

Rounds wendet sich an Anwenderfirmen, die eine leistungsabhängige und zustandsabhängige Instandhaltung betreiben (siehe Abschnitt 5.8., »Der Geschäftsprozess ›Vorbeugende Instandhaltung‹« und Abschnitt 5.9, »Der Geschäftsprozess ›Zustandsabhängige Instandhaltung‹«) und zu diesem Zweck die benötigten Zählerstände und Messwerte aufnehmen möchten. Die Werte können dabei in Listform oder einzeln erfasst werden. Danach werden sie auf dem mobilen Gerät zwischengespeichert, bis die nächste Synchronisation erfolgt.

Im Detail hat Rounds den folgenden Funktionsumfang:

- Messwerterfassungsliste anzeigen (siehe Abbildung 8.32 links)

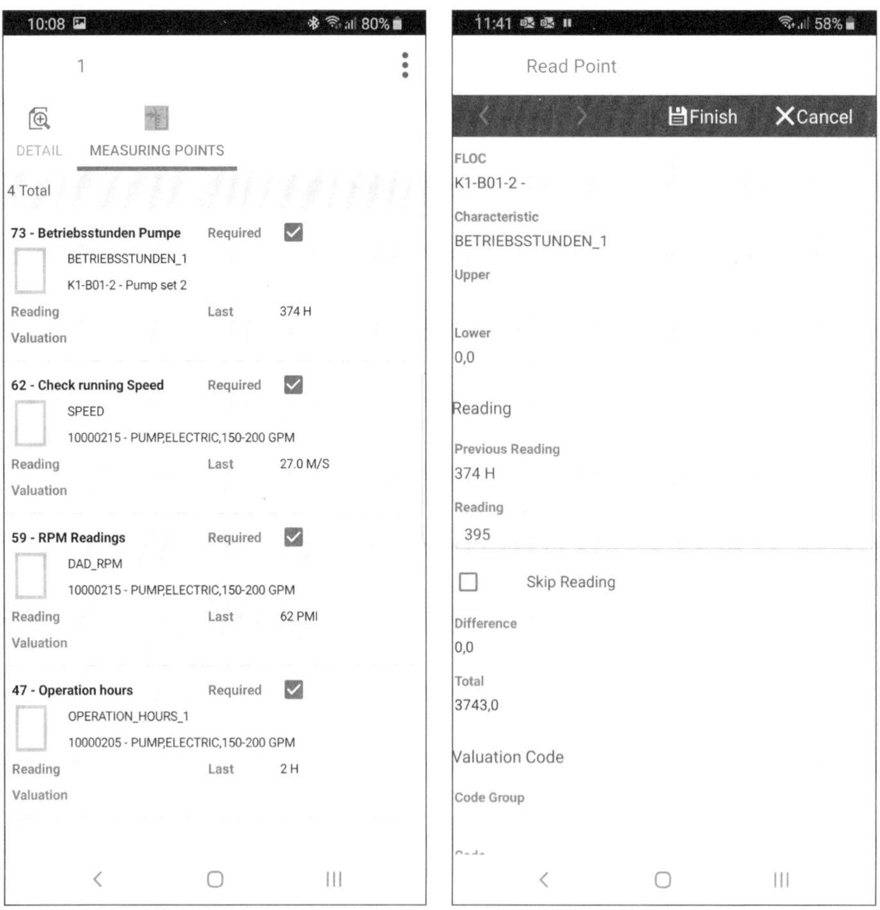

Abbildung 8.32 SAP Work Manager – Rounds auf dem Smartphone

- neue Messwerterfassungsliste anlegen
- Messwerterfassungsliste löschen
- neuen Messpunkt anlegen (Equipment, Technischer Platz, neutral)
- Messpunkt anzeigen
- Messwerte und Zählerstände aufnehmen (siehe Abbildung 8.32 rechts)

Aufgrund ihrer Größe können Tablets die Erfassungslisten natürlich übersichtlicher darstellen. Abbildung 8.33 zeigt Ihnen die Rounds auf einem iPad mit der Erfassungsliste auf der linken Seite und die Erfassung eines Zählerstands auf der rechten Seite.

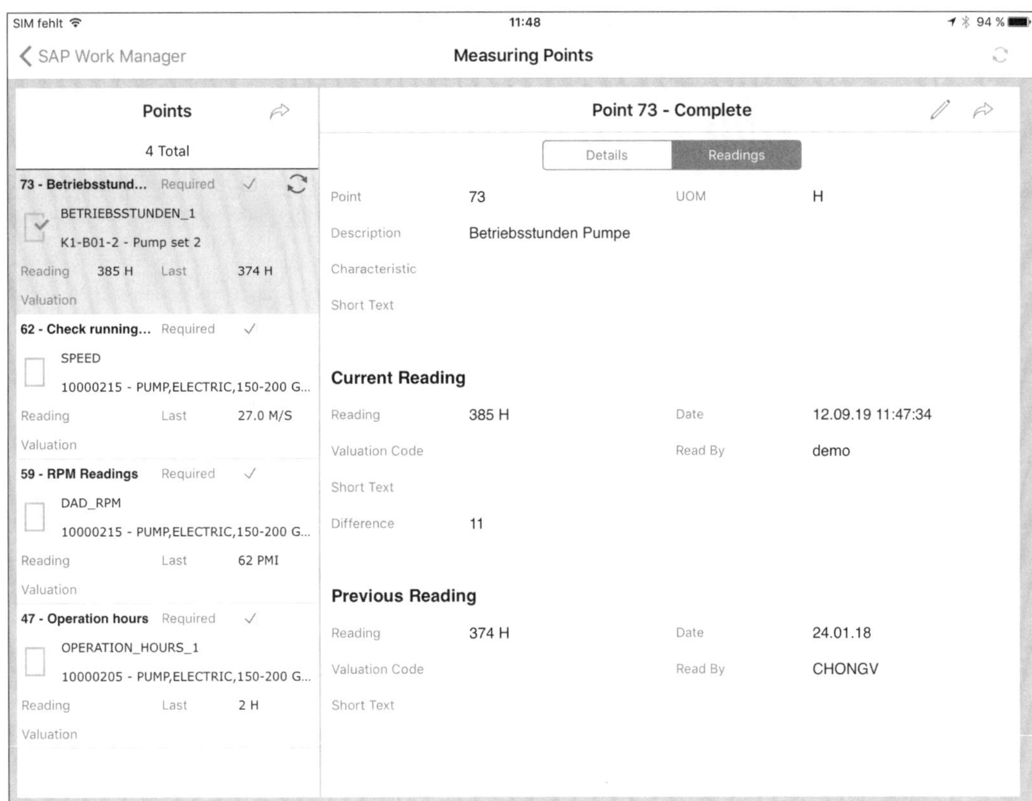

Abbildung 8.33 SAP Work Manager – Rounds auf einem Tablet

Der SAP Work Manager ist die ältere mobile SAP-Lösung für die Instandhaltung. Diese wurde auch nicht von SAP selbst entwickelt, sondern kam in die SAP-Familie, als 2011 die Firma Syclo zugekauft wurde. Außerdem ist das Wartungsende abzusehen.

8.2.3 SAP Asset Manager

Demgegenüber ist der *SAP Asset Manager* die neuere SAP Lösung für eine mobile Instandhaltung. Diese wurde zunächst speziell für IOS-Geräte entwickelt, um eine benutzerfreundlichere native Schnittstelle für das Frontend zu implementieren und damit der Endanwender die App einfacher einrichten und nutzen kann. Der SAP Asset Manager wurde auch von vornherein auf die Integration von modernen Technologien wie Internet of Things (IoT) und Predictive Analytics ausgerichtet.

Bevor ich zum Funktionsumfang des SAP Asset Managers komme, erhalten Sie in Tabelle 8.1 zunächst eine Aufstellung, wie sich die beiden mobilen Lösungen in Bezug auf Technik und Verteilung unterscheiden:

	SAP Asset Manager	SAP Work Manager
Backend	SAP ERP, SAP S/4HANA	SAP ERP, SAP S/4HANA
Geräte	IOS, Android	IOS, Android, Windows
Funktionsumfang	im Moment noch limitiert erhebliche Funktionserweiterungen in nachfolgenden Releases geplant Integration von IoT und Predictive Analytics benutzerfreundlicheres, modernes Frontend	ausgereiftes und ausentwickeltes Produkt nur noch wenige Weiterentwicklungen in nachfolgenden Releases
Deployment	Cloud	Cloud und On-Premise
Verbindung	online und offline	online und offline
Lizenzmodell	Abonnement	Abonnement und Kauf
Plattform	Mobile Development Kit auf der SAP Cloud Platform	Agentry auf der SAP Mobile Platform oder SAP Cloud Platform

Tabelle 8.1 SAP Asset Manager vs. SAP Work Manager

Layouts für unterschiedliche Gerätetypen

Je nachdem, ob Sie als lokales Gerät ein Tablet oder ein Smartphone nutzen, stehen Ihnen unterschiedliche Layouts zur Verfügung, die an die jeweiligen hardwaretechnischen Gegebenheiten angepasst sind.

Abbildung 8.34 zeigt Ihnen als Beispiel drei Screenshots aus dem SAP Asset Manager auf einem Android-Smartphone:

- Links sehen Sie das Einstiegsmenü mit den zur Verfügung stehenden Funktionen.
- In der Mitte ist eine Auftragsliste abgebildet.
- Rechts sehen Sie die Auftragsdetails.

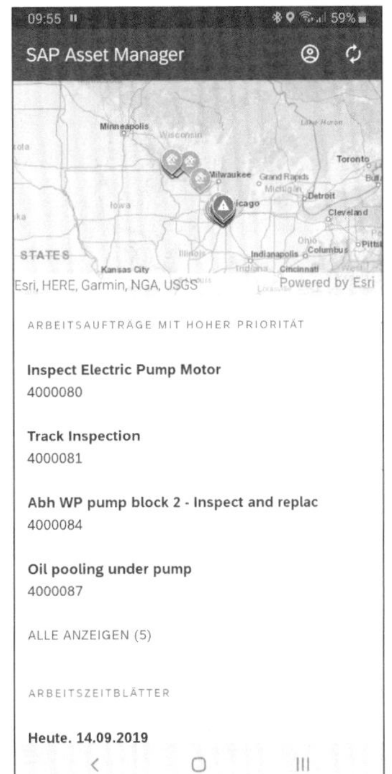

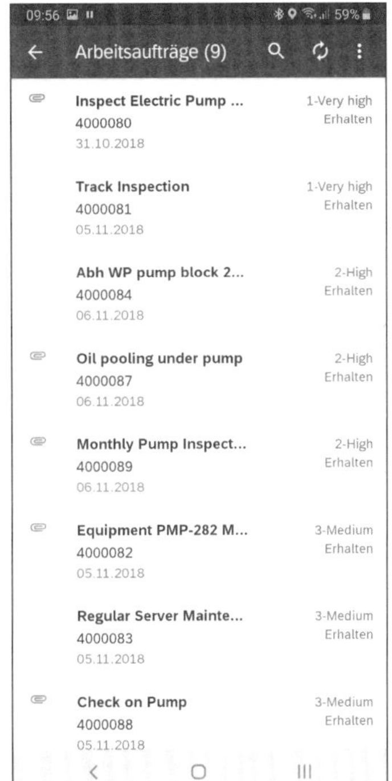

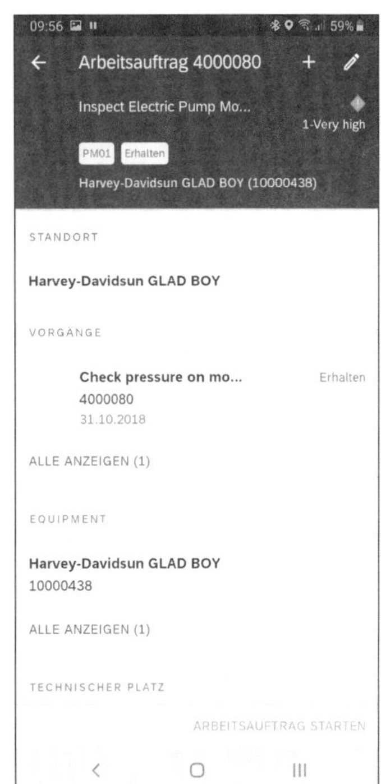

Abbildung 8.34 SAP Asset Manager auf einem Smartphone

Im Vergleich dazu zeigt Ihnen Abbildung 8.35 das Layout des SAP Asset Managers auf einem Tablet.

Aufgrund der Größe können Sie sich hier natürlich mehr Informationen anzeigen lassen. Aber leider können Sie sich im Unterschied zum SAP Work Manager nicht eine Auftragsliste auf der linken und Details eines Auftrags auf der rechten Seite gemeinsam anzeigen lassen, sondern Sie müssen auf der Auftragsliste in das Auftragsdetail springen, sodass die Liste verloren geht.

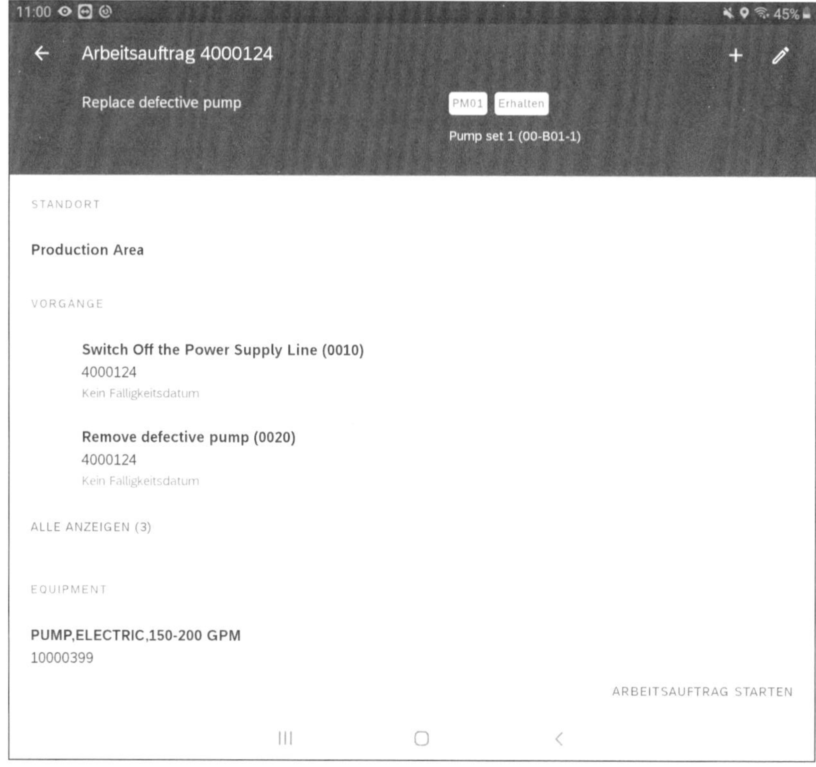

Abbildung 8.35 SAP Asset Manager auf einem Tablet

Grundfunktionen

Über welchen Funktionsumfang verfügt der SAP Asset Manager aktuell (Version 4.0.2 von September 2019)?

- **Auftragsabwicklung**
  - Arbeitsaufträge mit hoher Priorität anzeigen
  - Auftragsliste anzeigen
  - Auftragsdetails anzeigen
  - Aufträge ändern
  - Auftragsstatus ändern
  - Folgeauftrag anlegen
  - Neuen Auftrag anlegen
  - Vorgänge zum Auftrag anzeigen
  - Neue Vorgänge zum Auftrag erfassen
  - Teile zum Auftrag anzeigen
  - Neue Teile zum Auftrag anlegen

- Meldung zum Auftrag anzeigen
- Materialentnahme erfassen
- Dokumente zum Auftrag anzeigen
- Aufträge löschen, die noch nicht übertragen worden sind

- **Meldungsabwicklung**
  - Meldungsliste anzeigen
  - Meldung anzeigen
  - Meldung anlegen
  - Meldung ändern
  - Position hinzufügen
  - Maßnahme hinzufügen
  - Tätigkeit (Aktion) hinzufügen
  - Auftrag anlegen zur Meldung
  - Meldungen löschen, die noch nicht übertragen worden sind
  - Meldung abschließen
  - Maßnahmen anzeigen, ändern, erfassen
  - Aktionen anzeigen, ändern, erfassen
- **Arbeitszeitblätter**
  - Vorhandene Arbeitszeitblätter anzeigen
  - Zeitrückmeldung zu einem Arbeitszeitblatt hinzufügen
- **Messpunkte und Zähler**
  - Liste anzeigen
  - Zähler ein- und ausbauen
  - Zähler wechseln
  - Zählerstand erfassen
- **Equipments und Technische Plätze**
  - Liste anzeigen
  - Details anzeigen
  - Equipment auf Technischen Plätzen ein- und ausbauen
  - Klassifizierung anzeigen
  - Dokumente anzeigen
  - Messpunkte und Messwerte anzeigen
  - Garantie anzeigen
  - Geschäftspartner anzeigen

Sonderfunktionen

Darüber hinaus verfügt der SAP Asset Manager über einige nützliche Sonderfunktionen:

- **Karte**
  Sie können sich jederzeit auf einer Land- bzw. Straßenkarte die örtliche Lage der Objekte anzeigen lassen (siehe Abbildung 8.36). Dabei wird farblich unterschieden, ob es sich um ein Equipment (gelb), um einen Technischen Platz (rot), um eine Meldung (grün) oder um einen Auftrag (grau) handelt.

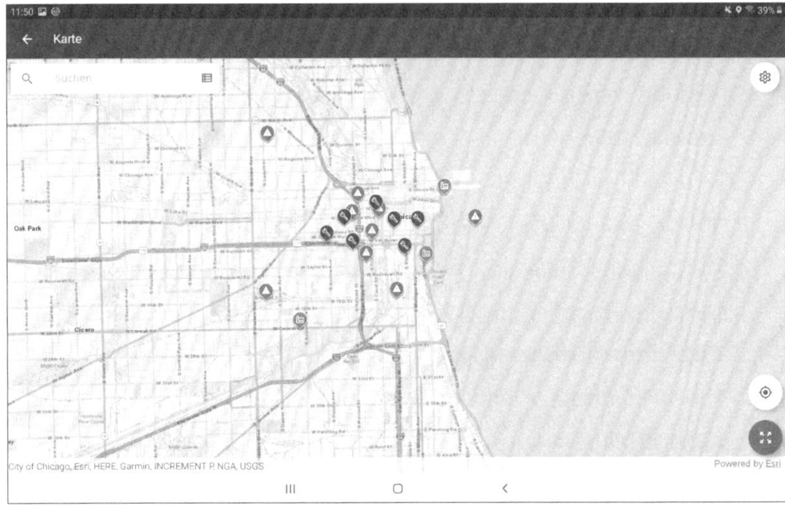

Abbildung 8.36 SAP Asset Manager – Karte

- **Urgent Job Request**
  Sie können den SAP Asset Manager so konfigurieren, dass auf dem Gerät des Technikers eine Push-Nachricht erscheint, wenn ein dringender Auftrag zu erledigen ist. Der Techniker hat die Möglichkeit, diesen Auftrag anzunehmen oder abzulehnen. Dabei wird auch gleich die örtliche Lage des Auftrags, inklusive zeitliche und räumliche Entfernung, angezeigt (siehe Abbildung 8.37).
- **Crew Management**
  Mit dem Crew Management können Sie Ihre Teams und Fahrzeuge verwalten. Das Crew Management erweitert die Kernanwendung des SAP Asset Managers unter anderem um folgende Funktionen: das Hinzufügen, Entfernen und Auswählen von Technikern und Fahrzeugen, das Erfassen von Kilometerzählerständen sowie das Melden, Prüfen und Genehmigen der Zeit für die Besatzung. Voraussetzung ist, dass die Add-on-Komponente für das Crew Management installiert ist.

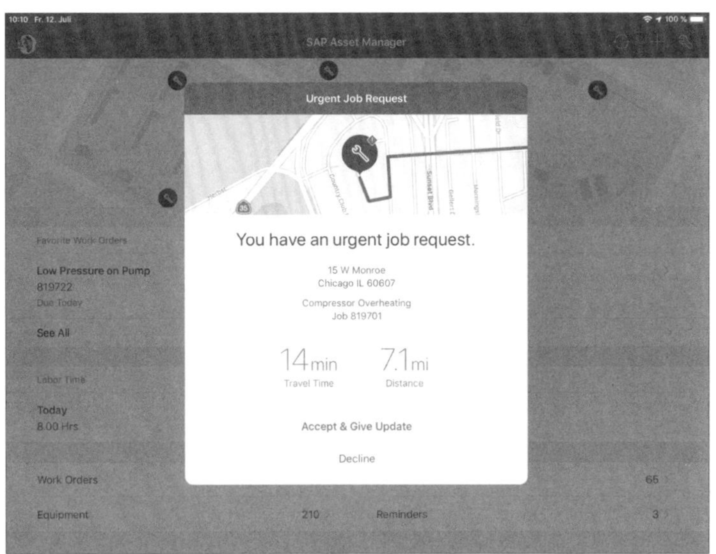

Abbildung 8.37 SAP Asset Manager – dringender Auftrag

- **Business Partner**
  Aufträge, Equipments oder Technische Plätze können mit einem Business Partner verknüpft sein. Ein Business Partner könnte dabei die Rolle eines Kunden, eines Lieferanten oder eines Mitarbeiters haben. Wenn Business Partner zugeordnet sind, werden diese auf einem Übersichts- und einem Detailbild dargestellt.
- **Routen**
  Wenn die Add-on-Komponente *Field Operations Worker* installiert ist, können Sie sich die Routen, die einem Techniker zugewiesen sind, anzeigen lassen (siehe Abbildung 8.38). Dabei können Sie sich auch die Daten der Route wie Länge und Zeitdauer anzeigen lassen. Sie sehen die Stopps der Route und welche technischen Objekte bei welchem Stopp zu bearbeiten sind.
- **Hinweise und Erinnerungen**
  Die Hinweis-Funktion gibt es für die Meldung und den Auftrag (siehe Abbildung 8.39). Darin können Sie Freitexte erfassen. Im Backend werden diese dann entweder in den Langtext oder als Objektdienst angelegt. Eine ähnliche Funktion erfüllen die Erinnerungen, die sich der Techniker selbst schreiben kann. Diese sind dann allerdings unabhängig von Meldung oder Auftrag und können direkt aus dem Hauptmenü aufgerufen werden, während die Hinweise immer direkt einer Meldung oder einem Auftrag zugeordnet und auch nur von dort aus aufgerufen werden können.

Abbildung 8.38 SAP Asset Manager – Routen

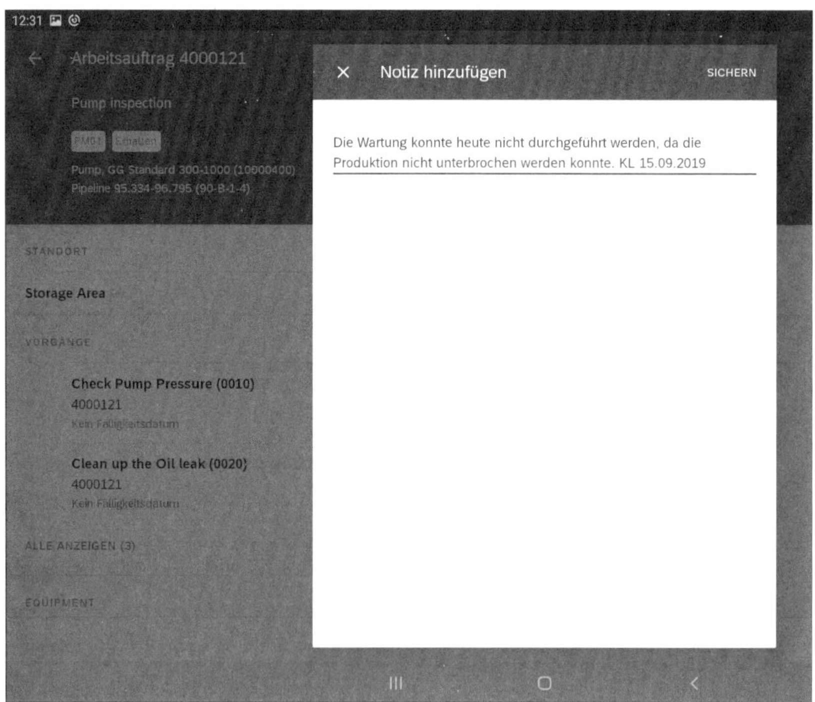

Abbildung 8.39 SAP Asset Manager – Notiz

Zukünftige Funktionen

Der SAP Asset Manager hat in der Version 4.0.2 noch nicht den Funktionsumfang des SAP Work Managers erreicht, jedoch stehen viele Entwicklungspunkte auf der Roadmap (Auszug):[2]

- Unterstützung von Stücklisten
- Warenbewegungen (auch von serialisiertem Material)
- Push-Unterstützung für Meldungen
- Anbindung an SAP Geographical Enablement
- Anbindung an SAP PdMS (siehe Abschnitt 8.3.2)
- Anbindung an SAP ASPM (siehe Abschnitt 8.3.3)
- Objektliste
- OCR- und RFID-Anbindung (siehe Abschnitt 8.2.4, »RFID«)
- Linear Asset Management
- Unterstützung von SAP Visual Enterprise
- Anlegen von Reservierungen und Bestellanforderungen
- Verwaltung von Nicht-Lagermaterialien

Es ist davon auszugehen, dass der SAP Asset Manager mit einem der nächsten Releasestände den SAP Work Manager erreichen bzw. überholen wird.

Eine weitere Spezialfunktion von mobilen Lösungen ist ebenfalls von zukunftsweisender und herausragender Bedeutung: die RFID-Technologie, die alle mobilen Lösungen unterstützen kann.

8.2.4 RFID

Was ist RFID?

Der englische Begriff *Radio Frequency Identification* (RFID) bedeutet im Deutschen »Identifizierung über Radiowellen«. RFID ist ein Verfahren zur automatischen Identifizierung von Gegenständen und Lebewesen. Neben der berührungslosen Identifizierung von Gegenständen steht RFID auch für die automatische Erfassung und Speicherung von Daten:

- **Komponenten von RFID**
  Ein RFID-System besteht aus einem Transponder, der sich am oder im Gegenstand befindet (das sogenannte RFID-Tag, siehe Abbildung 8.40), und einem Lesegerät zum Auslesen der Transponder-Kennung. Letzteres wäre in unserem Fall die RFID-Funktion des mobilen Gerätes.

2 SAP SE (Hrsg.): »SAP Mobile Apps for Asset Management – Road Map«, Walldorf 2019.

Abbildung 8.40 RFID-Tag

- **Speicherkapazität**
  Die Speicherkapazität eines RFID-Chips reicht von einem Bit bis zu mehreren Kilobytes. Je nachdem, wie viele Daten auf dem Tag benötigt werden (z. B. Equipmentnummer, Wartungstermin, Uhrzeit) werden Sie sich für eine entsprechende Variante entscheiden.
- **Reichweite**
  Je nach technischer Ausstattung haben Transponder eine Reichweite von wenigen Zentimetern bis hin zu 10 Metern.

[!]

Sicherheit durch kurze Reichweiten

Wenn Sie RFID-Tags von geringer Reichweite einsetzen, können die Daten nur aus kurzer Entfernung ausgelesen werden. Sie können dann einigermaßen sicher sein, dass der Techniker seine Arbeit auch durchgeführt hat (siehe Abbildung 8.41).

Abbildung 8.41 RFID-Tag auslesen[3]

3 Entnommen aus Psion (Hrsg.): »Radio Frequency Identification (RFID) Solutions«, London 2012.

- **Beschreibbarkeit**
  Es gibt nicht beschreibbare und beschreibbare Transponder. Bei den beschreibbaren Transpondern ist zu unterscheiden zwischen nichtflüchtigen Speichern, d. h., dass die Daten auch ohne Stromversorgung erhalten bleiben, und flüchtigen Speichern, die zur Datenerhaltung einer permanenten Stromversorgung bedürfen.

An dieser Stelle möchte ich nicht weiter auf die RFID-Technik eingehen. Wenn Sie mehr zur Technik und zum allgemeinen Einsatz der RFID-Technologie wissen möchten, sei an dieser Stelle auf die mittlerweile recht umfangreiche Literatur zu diesem Thema verwiesen.[4] Stattdessen möchte ich lieber konkret auf die Anwendung in der Instandhaltung mit SAP eingehen.

Einsatzszenarien

Die folgenden Szenarien sind bei mobilen Szenarien in Verbindung mit RFID vorstellbar:

- **Szenario 1 (Auftragsbearbeitung)**
  Bei diesem Szenario können Sie zunächst keine Aufträge auf dem mobilen Gerät ändern. Erst nach dem Lesen des RFID-Tags des Referenzobjekts können Sie die Aufträge bearbeiten und Rückmeldungen erfassen. Sind mehrere Aufträge demselben Referenzobjekt zugeordnet, können Sie aus der Liste einen Auftrag auswählen.
- **Szenario 2 (Wartungshistorie)**
  In einem solchen Szenario können Sie die Daten aus einer Rückmeldung auf den RFID-Tag eines technischen Objekts schreiben. Die Rückmeldedaten sind damit bei der nächsten Bearbeitung des technischen Objekts verfügbar.
- **Szenario 3 (Referenzdatenübernahme)**
  Bei einem solchen Szenario können Sie die Daten, die vom RFID-Tag eines technischen Objekts gelesen wurden, beim Anlegen einer Meldung oder eines Auftrags verwenden.

Ein typischer Geschäftsprozess mit dem Einsatz einer mobilen Lösung und der RFID-Technologie könnte dann wie in Abbildung 8.42 aussehen.

4 Zum Beispiel Götz, T.: »SAP-Logistikprozesse mit RFID und Barcodes«, Bonn: SAP PRESS 2010, oder Franke, W.; Dangelmaier. W.: »RFID-Leitfaden für die Logistik«, Wiesbaden 2006, oder Gillert, F.; Hansen, W.: »RFID für die Optimierung von Geschäftsprozessen«, München 2006

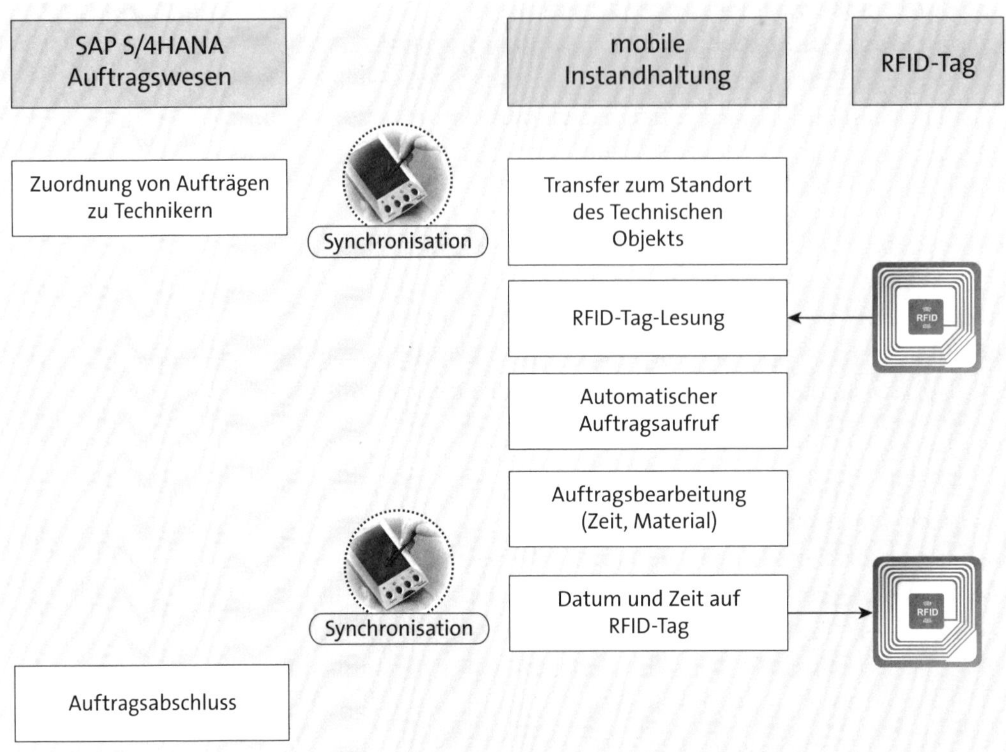

Abbildung 8.42 Auftragsbearbeitung mit RFID-Tag

[!]

RFID einsetzen, wo es sinnvoll ist

Was bringt die RFID-Funktionalität in der mobilen Instandhaltung?

- Sie dient zur eindeutigen Identifizierung des Objekts.
- Beim Lesen des RFID-Tags zum technischen Objekt werden die abgelegten Daten angezeigt.
- Die dazugehörigen Aufträge werden freigeschaltet und angezeigt, d. h., der Techniker kann erst mit der Arbeit beginnen, wenn er sich am technischen Objekt »angemeldet« hat.
- Beim Anlegen einer Meldung oder eines Auftrags lesen Sie die Daten vom RFID-Tag des technischen Objekts, und der neue Beleg erhält eine fehlerfreie Zuordnung zum betreffenden technischen Objekt.
- Beim Rückmelden werden die Daten auf den RFID-Tag geschrieben und gelten somit als Nachweis für die Durchführung der Arbeit.

8.3 SAP Intelligent Asset Management

Unter der Überschrift *SAP Intelligent Asset Management* bietet SAP verschiedene Cloud-Lösungen für die Instandhaltung an, und diese sind nur als Cloud-Version und nicht als On-Premise-Version verfügbar (siehe Abbildung 8.43).

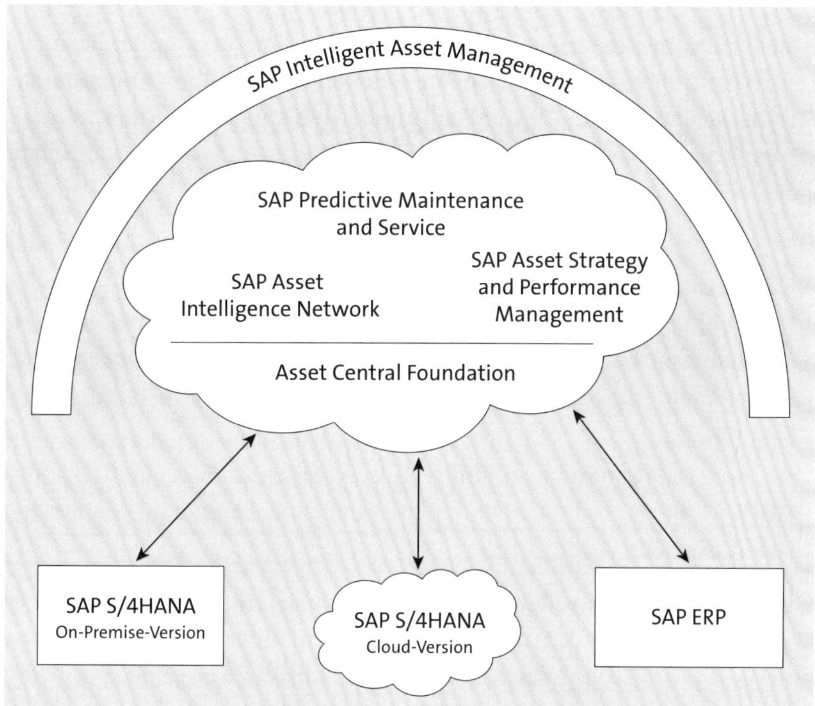

Abbildung 8.43 SAP Intelligent Asset Management – Überblick

8

Dazu zählen:

- **SAP Asset Intelligence Network**
  zum Austausch von Anlageninformationen und Dokumenten mit Herstellern, Lieferanten und Dienstleistern
- **SAP Predictive Maintenance and Service**
  zur Visualisierung von Maschinendaten, um damit geeignete Instandhaltungsmaßnahmen abzuleiten
- **SAP Asset and Strategy Performance Management**
  zur Segmentierung der technischen Anlagen nach Risiko, Kritikalität, Auswirkungen und Umweltfaktoren, um damit eine individuelle Wartungsstrategie für das jeweilige Objekt oder den Objekttyp abzuleiten

- **Asset Central Foundation**
  bildet die gemeinsame Datenbasis für alle Anwendungen, wobei die Datenobjekte aus verschiedenen SAP-Systemen zusammengeführt und Schnittstellen zu diversen IoT-Lösungen angeboten werden.

8.3.1 Asset Central Foundation

Asset Central Foundation[5] bietet eine gemeinsame und einheitliche Datenbasis für die SAP-Anwendungen, eine Reihe von Integrationen in das SAP-Backend (SAP S/4HANA, SAP ERP) und IoT-Lösungen sowie grundlegende Funktionen für die Strukturierung und Verwaltung von technischen Anlagen.

Arten von Schnittstellen

Dabei gibt es zwei Arten von Schnittstellen:

- **Synchronisation**
  d. h. bidirektionale Schnittstellen, die die verteilte Pflege von Daten erlauben und die Konsistenz zwischen den verschiedenen Systemen sicherstellen.
- **Replikation**
  d. h. die Daten werden vom führenden System nach Asset Central Foundation kopiert Nachfolgende Änderungen an den Originaldaten werden ebenfalls übertragen.

Objekte

Folgende Instandhaltungsobjekte haben eine Schnittstelle zwischen SAP S/4HANA und Asset Central Foundation (siehe Abbildung 8.44). Dabei ist auch jeweils angegeben, ob es sich bei der Schnittstelle um eine Synchronisation (⟷) oder um eine Replikation (⟶) handelt:

- Equipments (⟷)
- Technische Plätze (⟷)
- Equipmentklassen (⟶)
- Dokumente (⟷)
- Materialklassen (⟶)
- Meldungen (⟷)
- Aufträge (⟷)
- Business Partner (⟶)
- Arbeitspläne (⟶)
- Wartungspläne (⟶)

5 Siehe auch SAP SE (Hrsg.): »Asset Central Foundation«, Walldorf 2019; sowie Seidl, M.: »Intelligent Asset Management«, Walldorf 2019.

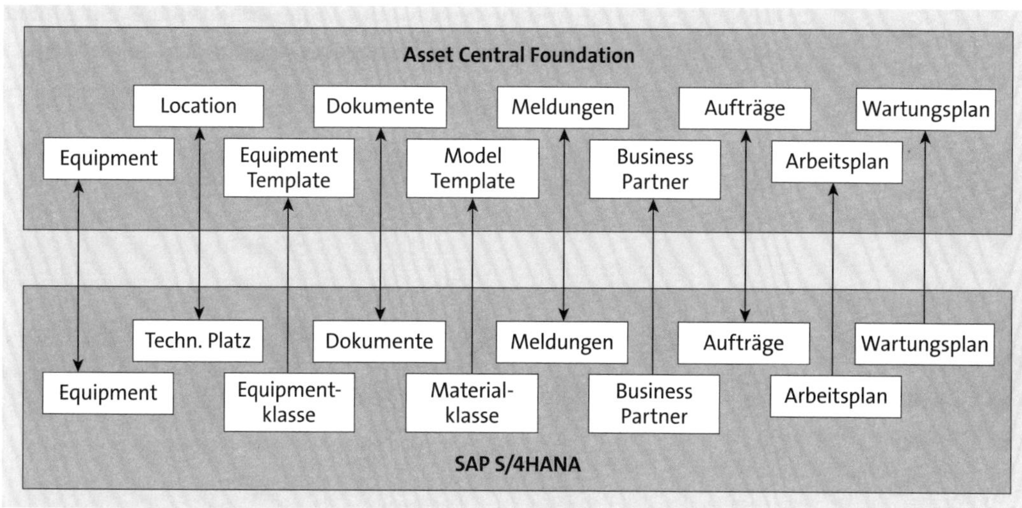

Abbildung 8.44 Asset Central Foundation – Schnittstellen

Abbildung 8.45 zeigt exemplarisch einen Equipmentstammsatz in SAP S/4HANA, der mit Asset Central Foundation synchronisiert wurde. Die Daten werden in einer eigenen Registerkarte dargestellt.

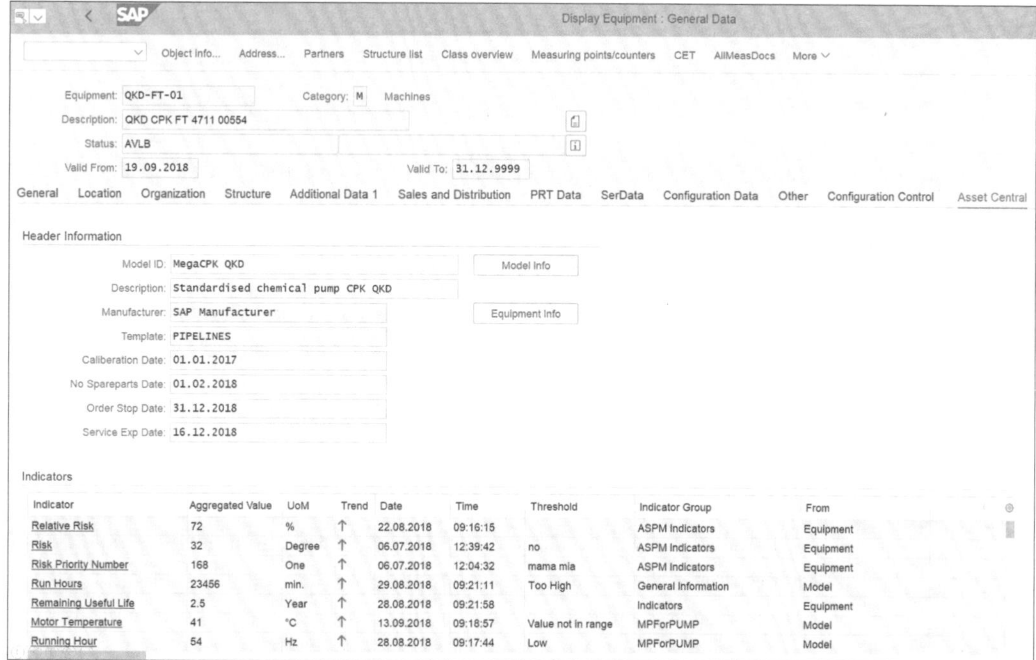

Abbildung 8.45 Equipmentstamm mit Asset-Central-Foundation-Daten

Demgegenüber zeigt Abbildung 8.46 eine Anlagenhierarchie mit einem Equipmentstammsatz in Asset Central Foundation.

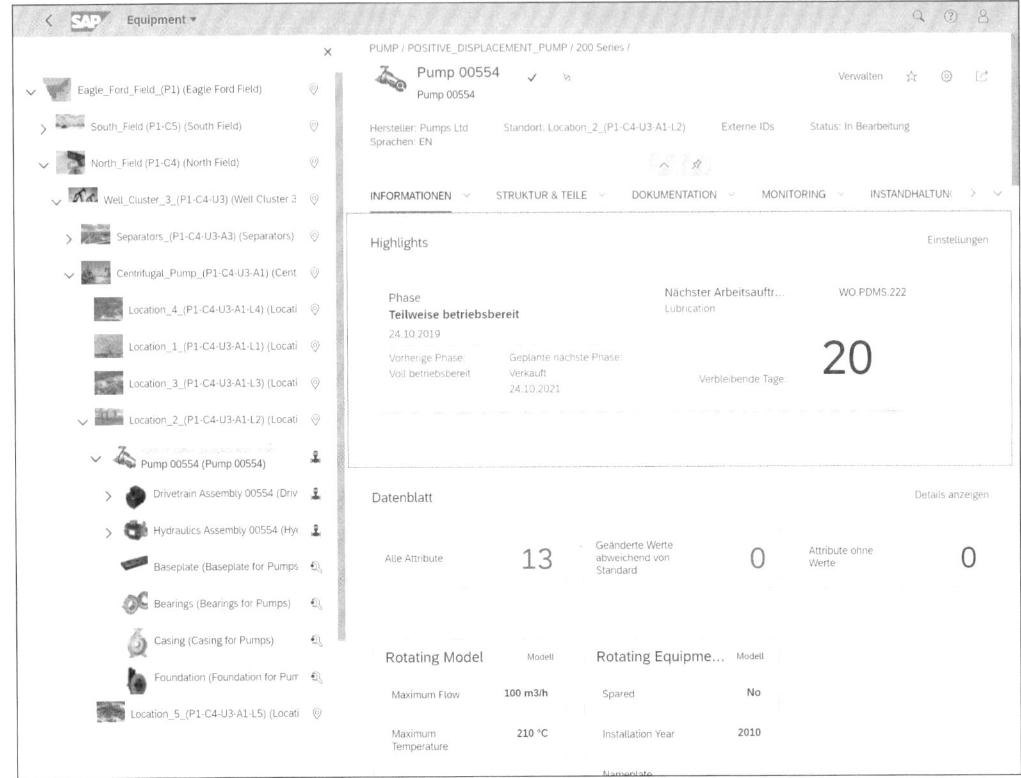

Abbildung 8.46 Equipment in Asset Central Foundation

8.3.2 SAP Asset Intelligence Network

Was ist SAP AIN?

SAP Asset Intelligence Network[6] ist ebenfalls eine IoT-Anwendung, die in die SAP Cloud Platform integriert ist. Das Ziel von SAP AIN ist es, den Informationsaustausch zwischen Herstellern, Dienstleistern und Betreibern von Anlagen zu unterstützen und dabei ein globales Verzeichnis von Anlagendaten aufzubauen, das allgemeine Definitionen enthält (siehe Abbildung 8.47).

Informationen, die ein Hersteller oder ein Servicedienstleister für seine Betreiber dort einstellt, könnten unter anderem Modellinformationen, Stücklisten, Arbeitspläne oder Zeichnungen sein. Umgekehrt könnte ein Betreiber für seine Hersteller oder Dienstleister aktuelle Informationen wie

6 Siehe auch SAP SE (Hrsg.): »Anwendungshilfe für SAP Asset Intelligence Network«, Walldorf 2019; sowie Seidl, M.: »Intelligent Asset Management«, Walldorf 2019.

Standortdaten, Einsatzzeiten, Zählerstände, Fehlerdaten oder Meldungen zur Verfügung stellen.

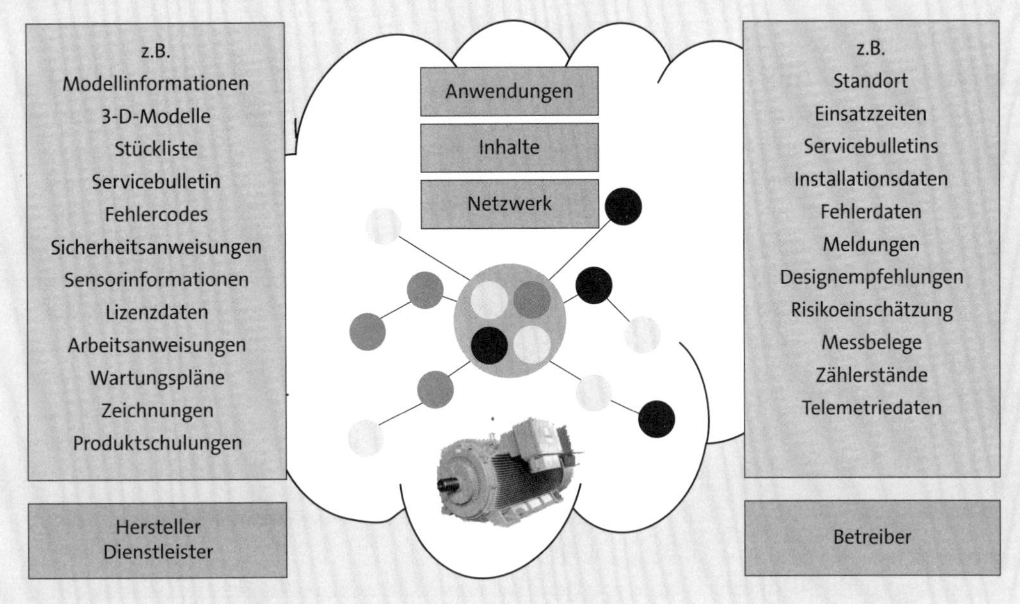

Abbildung 8.47 SAP Asset Intelligence Network – Überblick

[!]

Zentrale Informationsplattform für viele Beteiligte

Die Hersteller und Dienstleister erreichen über eine zentrale Informationsplattform viele Betreiberunternehmen und müssen die Informationen nicht bilateral einzelnen Betreibern zur Verfügung stellen. Auf der anderen Seite erhält der Betreiber über eine zentrale Plattform Informationen von vielen Herstellern und Dienstleistern und muss sie nicht einzeln beschaffen.

In der umgekehrten Richtung erreichen die Betreiberunternehmen mit ihren rückgemeldeten Ist-Daten alle ihre Hersteller und Dienstleister. Diese wiederum müssen die Informationen nicht einzeln von ihren Kunden beschaffen.

Bausteine

Dabei besteht SAP Asset Intelligence Network aus drei Bausteinen:

- Es werden *Anwendungen* (Apps) für die gemeinsame Bearbeitung von Stammdaten (Modelle, Equipments, Ersatzteile) und zum Ausführen von bestimmten Funktionen (wie beispielsweise Verbesserungsanforderungen oder Obsoleszenz-Management zur Verfügung gestellt).

- Es werden standardisierte *Inhalte* (Content) angeboten, die von den Geschäftspartnern gemeinsam genutzt werden können. Es werden gemeinsam genutzte Equipments und Modelle dokumentiert und so eine einheitliche Definition zwischen Geschäftspartnern ermöglicht.
- Ein *Netzwerk* dient zur Verbindung mehrerer Geschäftspartner für die unternehmensübergreifende und unternehmensinterne Zusammenarbeit.

Der zentrale Einstieg in SAP Asset Intelligence Network erfolgt über ein SAP Fiori Launchpad (siehe Abbildung 8.48, hier aus Sicht einer Betreiberfirma). Dieser Einstieg gibt einen Überblick über den aktuellen Funktionsumfang und zeigt gleichzeitig die dazugehörigen Kennzahlen (z. B. Anzahl der Equipments).

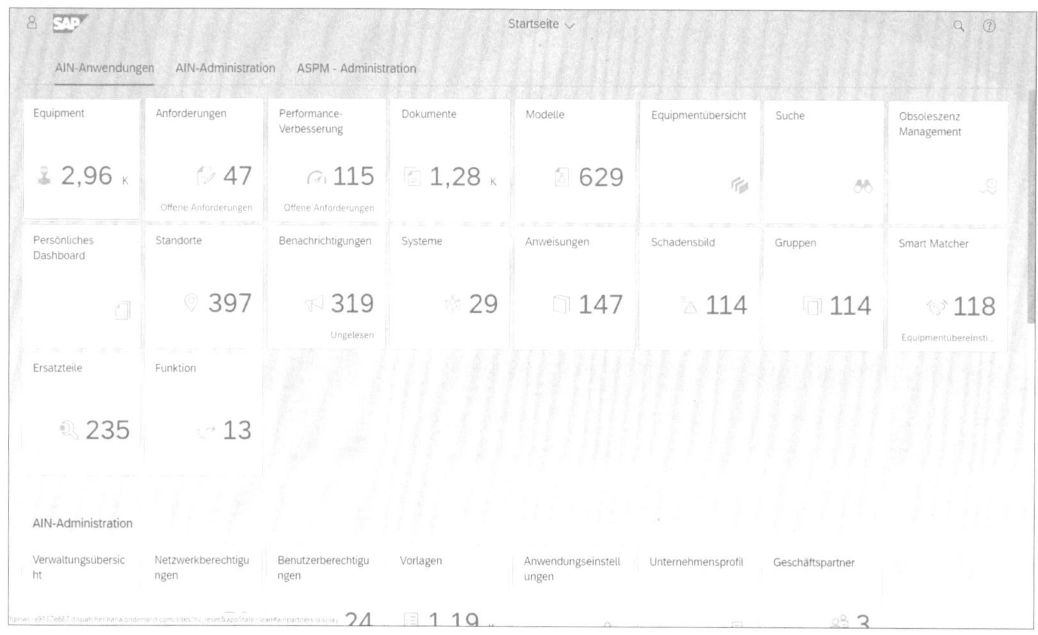

Abbildung 8.48 SAP Asset Intelligence Network – Einstieg

Aministration

Zunächst stehen allgemeine Funktionen zur Administration zur Verfügung (wie Berechtigungen, Benutzerverwaltung, Unternehmensprofile oder Standorte), mit denen Sie den grundsätzlichen Zugang zu SAP AIN definieren.

Stammdaten

Folgende Stammdaten können Sie hinterlegen, bzw. auf folgende Stammdaten haben Sie Zugriff:

- *Vorlagen*, um Metadaten zu pflegen, d. h. Attribute und Attributgruppen in Bezug auf ein Modell, ein Equipment, einen Standort, ein System oder ein Ersatzteil

- *Modelle*, d. h. ein Verzeichnis der Modelle/Bautypen der Hersteller
- *Equipments*, d. h. Einzelobjekte der Betreiber
- *Standorte*, d. h. virtuelle Einbauorte (vereinfachte Technische Plätze), an denen Equipments eingebaut sind bzw. eingebaut werden können
- *Systeme*, d. h. Equipments, die logisch oder technisch zusammenhängen (z. B. Steuersysteme, Übertragungssysteme, Bremssysteme usw.)
- *Templates*, d. h. Vorlagen für Modelle
- *Geschäftspartner*, d. h. Kontakte zu Herstellern, Dienstleistern oder anderen Betreibern
- *Anhänge* (Attachements), d. h. Dokumente wie Zeichnungen oder Bilder
- *Anweisungen* (Instructions), d. h. Arbeitspläne und Wartungspläne
- *Benachrichtigungen* (Announcements), d. h. Ankündigungen von Herstellern und Dienstleistern an die Betreiber
- *Ersatzteile*, die für den Einbau bei Equipments infrage kommen
- *Schadensbilder*; dabei kann der Hersteller Schadensbilder für die Betreiber freigeben oder die Betreiber definieren sich ihre eigenen Schadensbilder
- *Gruppen* (wie z. B. Flotte, Training, FMEA (Failure Mode and Effects Analysis), Organisation, Ersatzteil-Kit), um einzelne Objekte zu gruppieren

Prozesse

Neben den Stammdaten stehen Ihnen auch Anwendungen zur Verfügung, mit denen Sie Geschäftsprozesse initiieren und durchführen können:

- *Performanceverbesserungen* (Performance Improvement), d. h. Verbesserungsanforderungen von den Betreibern an die Hersteller und Verbesserungsvorschläge oder Problemlösungen von den Herstellern an die Betreiber.
- Mit der App *Suche* können Sie Fehlercodes und Informationen zu Equipment oder Modellen suchen.
- *Obsoleszenz-Management*, d. h. grafische Darstellung der Ablauffristen des Hersteller-Supports für ein Modell oder für ein Equipment
- *Anforderungen*, d. h. Modellanforderungen, die ein Betreiber an den Hersteller richtet, um Empfehlungen für Modelle oder Equipments zu erhalten

Nachfolgend möchte ich Ihnen nun ein paar ausgewählte Apps näher vorstellen.

Geschäftspartner Mit der App *Geschäftspartner* können Sie die Liste Ihrer Kontakte zu Herstellern, Dienstleistern oder anderen Betreibern anzeigen (siehe Abbildung 8.49). Des Weiteren können Sie Kontaktanfragen an Geschäftspartner senden sowie eingehende Kontaktanfragen bestätigen.

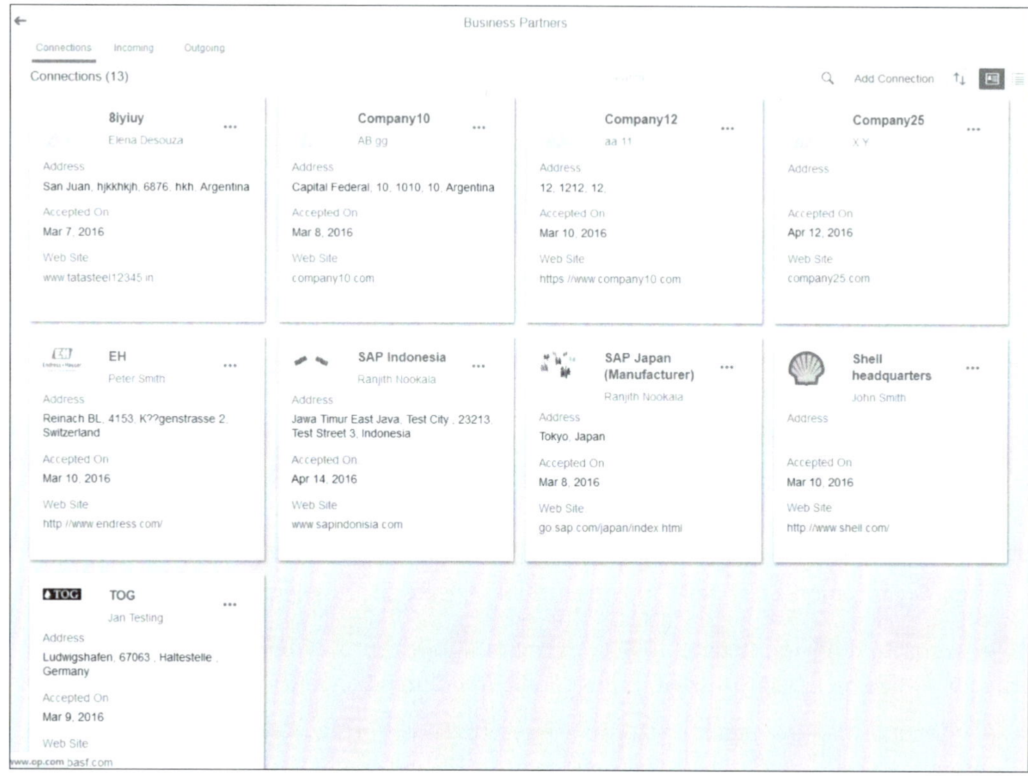

Abbildung 8.49 SAP Asset Intelligence Network – Geschäftspartner

Modelle Ein Modell ist eine vom Hersteller bereitgestellte neutrale Definition eines technischen Objekts, das alle Wartungs- und Spezifikationsdaten hinsichtlich eines neuen oder vorhandenen Produktes definiert. Wenn man die Begrifflichkeiten von SAP S/4HANA dem gegenüberstellt, lässt sich ein Modell mit einem Bautyp vergleichen. Die Modellübersicht (siehe Abbildung 8.50) beinhaltet alle von allen Herstellern und Dienstleistern eingestellten Modelle.

Zu jedem Modell können Sie sich dann die dazugehörigen Detailinformationen – wie Modelldaten, Anweisungen, Ersatzteile, Anhänge, Ankündigungen oder Messpunkte – anzeigen lassen (siehe Abbildung 8.51).

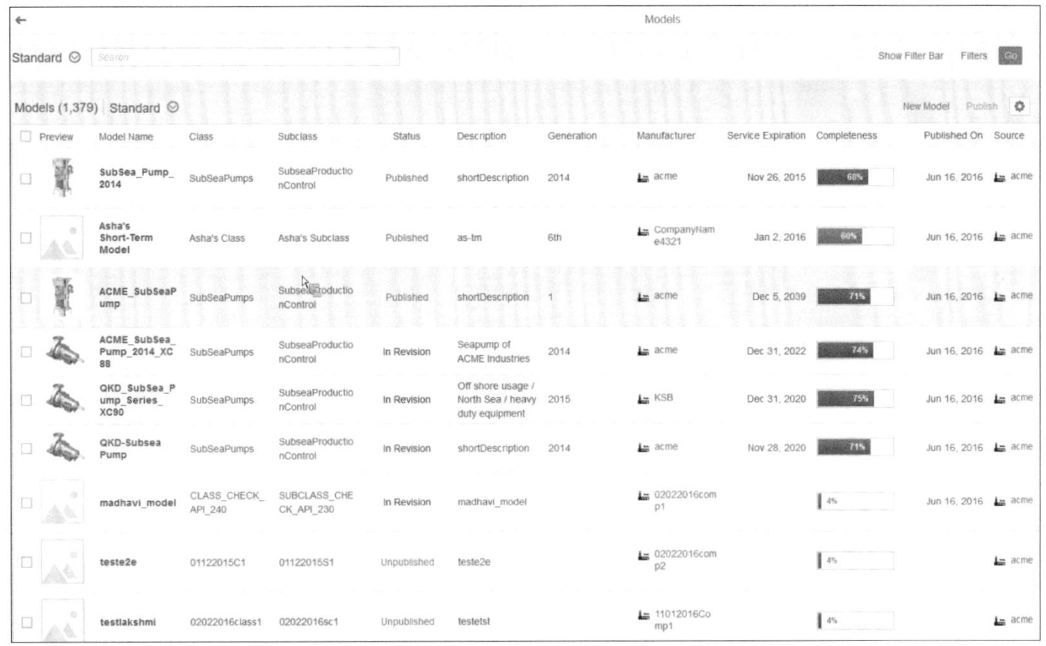

Preview	Model Name	Class	Subclass	Status	Description	Generation	Manufacturer	Service Expiration	Completeness	Published On	Source
	SubSea_Pump_2014	SubSeaPumps	SubseaProductionControl	Published	shortDescription	2014	acme	Nov 26, 2015	68%	Jun 16, 2016	acme
	Asha's Short-Term Model	Asha's Class	Asha's Subclass	Published	as-tm	6th	CompanyName4321	Jan 2, 2016	60%	Jun 16, 2016	acme
	ACME_SubSeaPump	SubSeaPumps	SubseaProductionControl	Published	shortDescription	1	acme	Dec 5, 2039	71%	Jun 16, 2016	acme
	ACME_SubSea_Pump_2014_XC88	SubSeaPumps	SubseaProductionControl	In Revision	Seapump of ACME Industries	2014	acme	Dec 31, 2022	74%	Jun 16, 2016	acme
	QKD_SubSea_Pump_Series_XC90	SubSeaPumps	SubseaProductionControl	In Revision	Off shore usage / North Sea / heavy duty equipment	2015	KSB	Dec 31, 2020	75%	Jun 16, 2016	acme
	QKD-Subsea Pump	SubSeaPumps	SubseaProductionControl	In Revision	shortDescription	2014	acme	Nov 28, 2020	71%	Jun 16, 2016	acme
	madhavi_model	CLASS_CHECK_API_240	SUBCLASS_CHECK_API_230	In Revision	madhavi_model		02022016comp1		4%	Jun 16, 2016	acme
	teste2e	01122015C1	01122015S1	Unpublished	teste2e		02022016comp2		4%		acme
	testlakshmi	02022016class1	02022016sc1	Unpublished	testetst		11012016Comp1		4%		acme

Abbildung 8.50 SAP Asset Intelligence Network – Modellübersicht

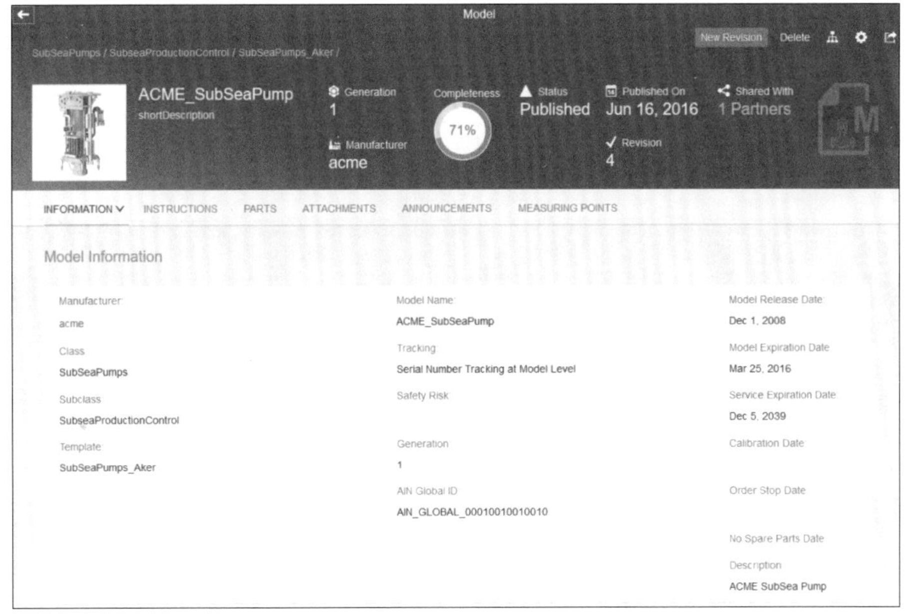

Abbildung 8.51 SAP Asset Intelligence Network – Modell

Genauso wie in SAP S/4HANA verwalten Sie als Betreiber Ihre individuellen Objekte als Equipments. Dabei können Sie Ihre Equipments mit Vorlage

Equipment

eines Modells anlegen. Die Modelldaten ergänzen Sie dann um Ihre individuellen Angaben, z. B. Standort, Installationsdaten oder Einsatzdaten (siehe Abbildung 8.52).

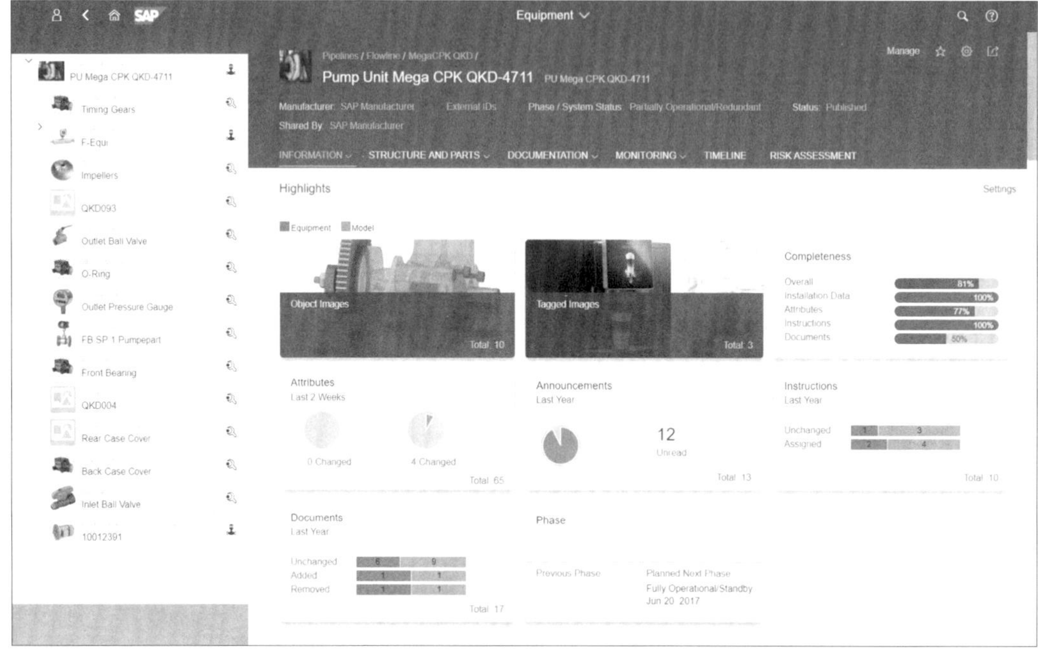

Abbildung 8.52 SAP Asset Intelligence Network – Equipment

Ersatzteile Zu jedem Equipment können Sie auch eine Liste von potenziellen Ersatzteilen hinterlegen – inklusive Hersteller und Lieferant (siehe Abbildung 8.53).

Equipment

Pipelines / Flowline / MegaCPK QKD /

Pump Unit Mega CPK QKD-4711 PU Mega CPK QKD-4711

INFORMATION STRUCTURE AND PARTS DOCUMENTATION MONITORING TIMELINE RISK ASSESSMENT

Visual Parts Spare Parts

Search Spare Parts

Spare Part ID	Description	Unit of Measure	Default Delivered Quantity	Advised Stock Quantity	Number Of Instructions	Source	Manufacturer
O-Ring	Buna-N	Gram/kilogram	10	20		SAP Manufacturer	
Outlet Pressure Gauge	Measures outlet pressure	Pound-force per square inch	1	2		SAP Manufacturer	
Outlet Ball Valve	Controls outlet gas flow	Cubic meter per hour	1	2		SAP Manufacturer	
Inlet Ball Valve	Controls inlet gas flow	Cubic meter per hour	3	10		SAP Manufacturer	

Abbildung 8.53 SAP Asset Intelligence Network – Ersatzteile

Anweisungen

Eine Anweisung ist eine Sammlung von Schritten, die Sie bei der Erledigung bestimmter Aufgaben unterstützen. Der Hersteller oder der Dienstleister stellt dem Betreiber Anweisungen zur Verfügung. Solche Anweisungen beinhalten Vorgehensweisen bei der Installation, bei planmäßiger Wartung oder Inspektion, beim Ausfall oder bei der Entsorgung. Die Anweisungen in SAP Asset Intelligence Network entsprechen somit den Anleitungen in SAP S/4HANA.

In einer Anweisung sind folgende Informationen hinterlegt (siehe Abbildung 8.54):

- die durchzuführenden Schritte
- die benötigten Ersatzteile und Fertigungshilfsmittel (FHM)
- die betroffenen Modelle
- die vom Hersteller veröffentlichten Meldungen
- die Kritikalität (niedrig, mittel, hoch)

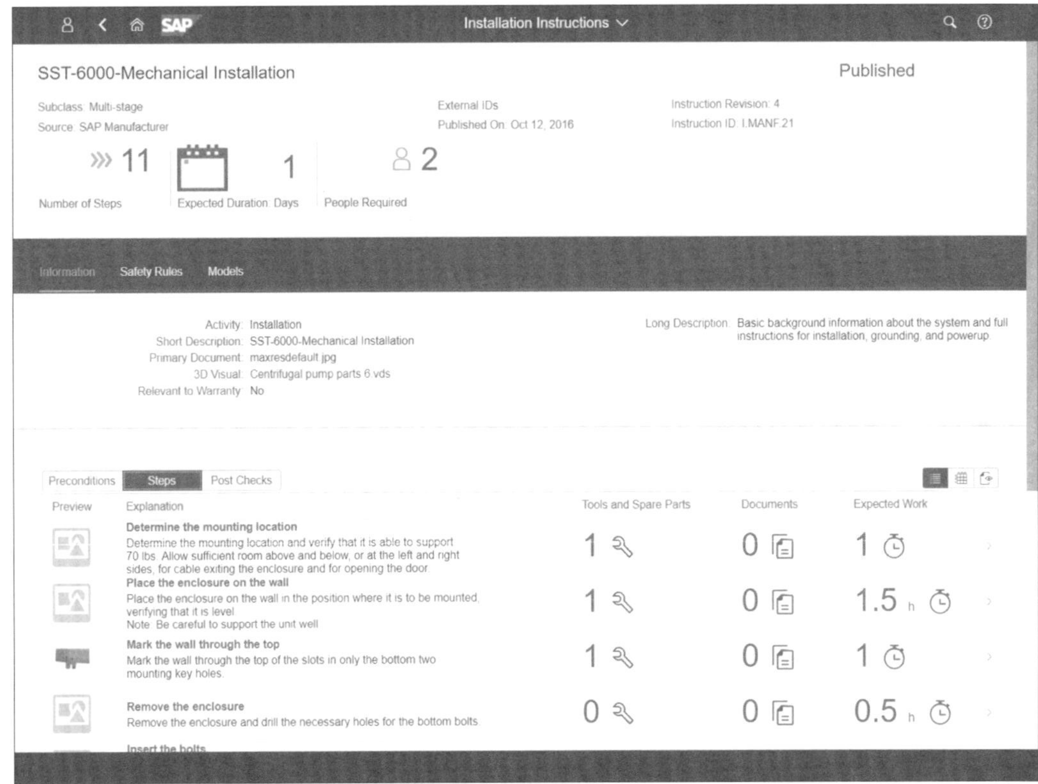

Abbildung 8.54 SAP Asset Intelligence Network – Anweisung

Anhänge Als Anhänge (Attachements) verwalten Sie alle Dateien, die zu einem Modell, einem Equipment oder einer Anweisung gehören. Dazu zählen:

- Bilddateien (z. B. Bilder aus dem SAP Visual Enterprise Viewer, siehe Abschnitt 8.1.1, »SAP 3D Visual Enterprise Viewer«)
- Zeichnungen (z. B. CAD-Konstruktionszeichnungen)
- Dokumente (z. B. Urkunden oder Verfahrensanweisungen)

Mit der App *Anhänge* (siehe Abbildung 8.55) können Sie sich bestehende Dokumente anzeigen, neue Dokumente hochladen oder bestehende Dokumente lokal herunterladen.

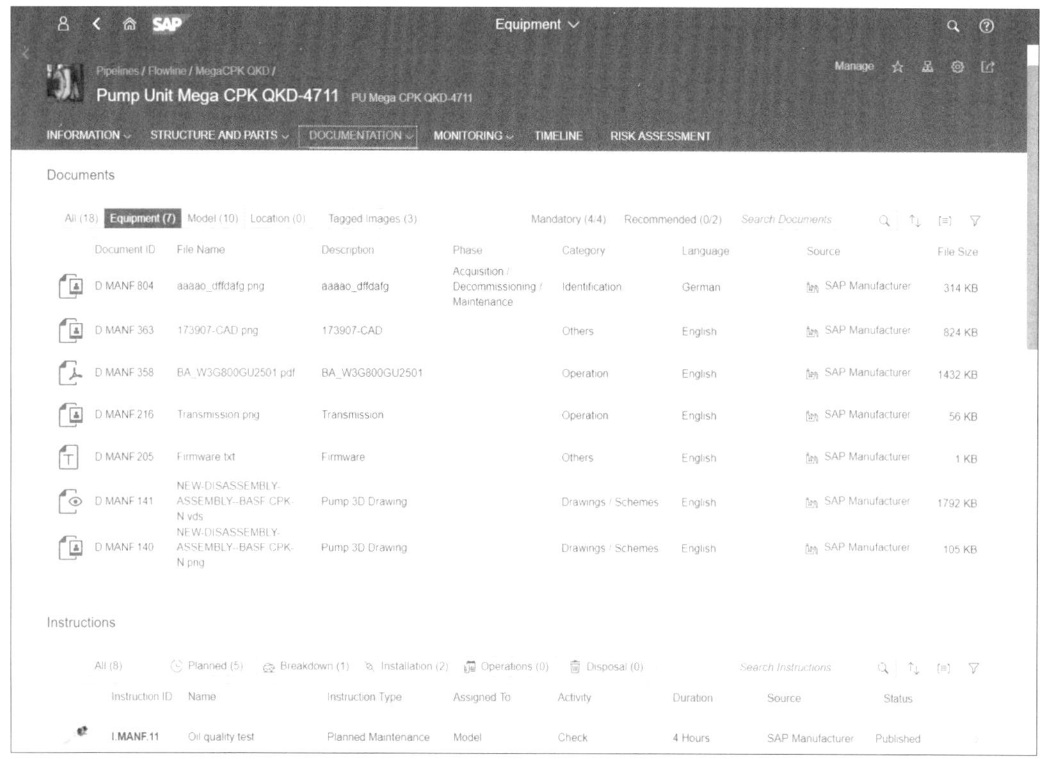

Abbildung 8.55 SAP Asset Intelligence Network – Anhänge

Meldungen Bei Meldungen handelt es sich um Informationen, die ein Hersteller an die Betreiberfirmen sendet. In SAP Asset Intelligence Network kann eine Meldung einen der folgenden Typen aufweisen:

- *Anweisungsänderung* – wenn sich eine Anweisung geändert hat
- *Service Bulletin* – wenn wiederholt Probleme mit einem Modell auftreten

- *Rückruf* – wenn ein Betreiber gebeten wird, das Equipment aufgrund von festgestellten Sicherheitsproblemen zurückzuschicken
- *neue Richtlinien* – wenn neue Richtlinien für die Nutzung von Modellen veröffentlicht werden
- *neues Modell* – wenn ein neues Modell verfügbar ist
- *Anhangsänderung* – wenn zu einem Modell ein Anhang geändert wurde
- *Änderung der Ersatzteile* – wenn es eine Änderung bei den Ersatzteilen gab
- *Änderung der Modellinformation* – wenn es eine Änderung bei den Informationen zur Modellspezifikation gab

Verbesserung der Performance

Wenn Sie beim Betrieb Ihres Equipments Probleme haben, können Sie einen Verbesserungsfall anlegen, um Vorschläge oder Problemlösungen zu erhalten. Mithilfe eines Verbesserungsfalls können Sie die entsprechenden Beteiligten einbeziehen, um gemeinsam an einem Vorschlag oder an einer Lösung zu arbeiten. Dies können sowohl interne Beteiligte (z. B. Konstruktion) als auch externe Beteiligte (z. B. Betreiber oder Dienstleister) sein.

Die folgenden Parteien sind an diesem Workflow beteiligt:

- **Anforderer**
  der Anforderer, der eine Anfrage für einen Lösungsvorschlag stellt
- **Prüfer**
  der Prüfer, der den vom Anforderer gesendeten Verbesserungsfall prüft
- **Anbieter eines Lösungsvorschlags**
  der Anbieter eines Lösungsvorschlags, der einen Lösungsvorschlag für den Verbesserungsfall anbietet

Integration in SAP S/4HANA

Wenn Sie ein Anwender sind, der sich lediglich Informationen zu seinen Equipments aus SAP Asset Intelligence Network anzeigen lassen möchte, aber keine Unterlagen dort einstellen will, reicht Ihnen die Schnittstelle von SAP Asset Intelligence Network zu SAP S/4HANA.

Mit dieser Schnittstelle ist es möglich, die aktuellen Informationen zu einem Equipment aus SAP Asset Intelligence Network als Side Panel anzeigen lassen (siehe Abbildung 8.56).

Integration mit SAP Ariba

Mittlerweile wurde auch die Schnittstelle zwischen SAP Asset Intelligence Network und SAP Ariba realisiert: Sie können nun aus der Ersatzteilliste von SAP Asset Intelligence Network heraus Materialien an den Einkaufskorb in SAP Ariba übergeben (siehe Abbildung 8.57) und dort den weiteren Beschaffungsprozess durchführen.

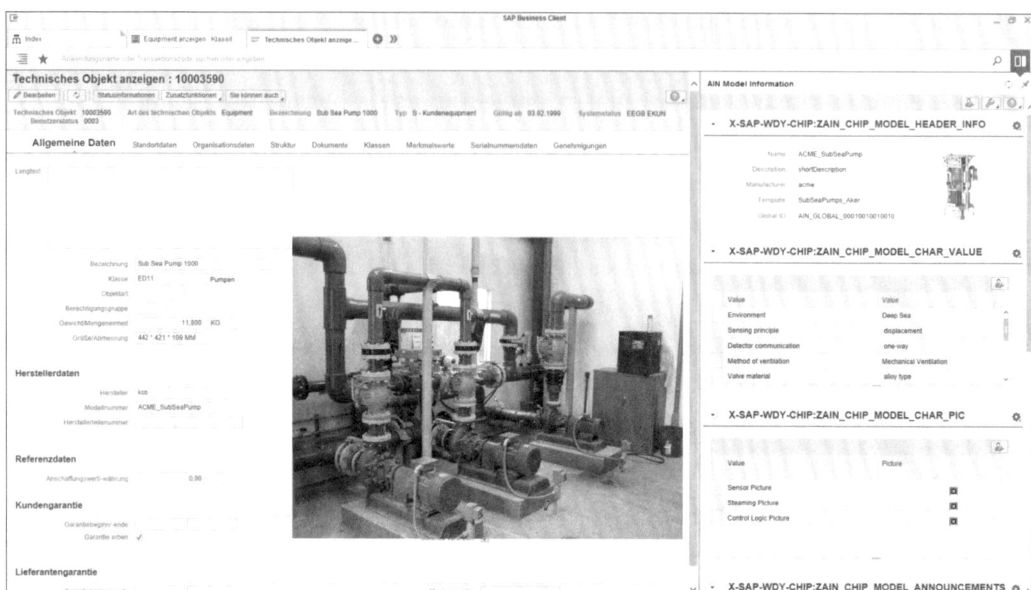

Abbildung 8.56 SAP Asset Intelligence Network – Integration mit SAP S/4HANA

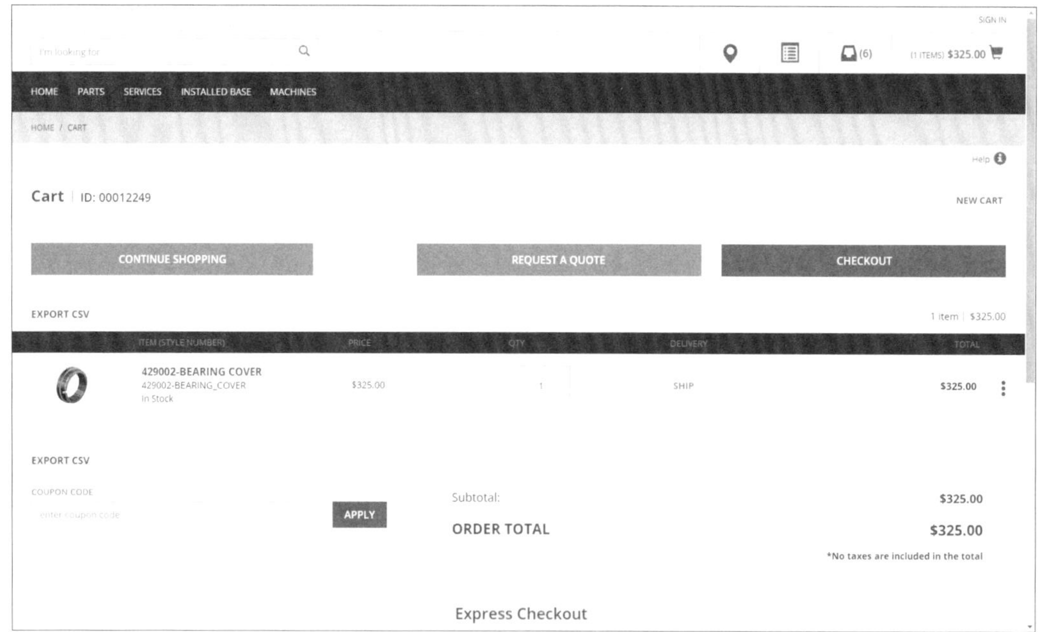

Abbildung 8.57 Integration von SAP Asset Intelligence Network und SAP Ariba

8.3.3 SAP Asset Strategy and Performance Management

SAP Asset Strategy and Performance Management[7] (ASPM) ist eine Cloud-Lösung, die Sie dabei unterstützen soll, die Zuverlässigkeit ihrer Anlagen zu beurteilen und die Anlagen unter Zuhilfenahme von Beurteilungsmethoden wie FMEA einer Kategorie in der Risiko- und Kritikalitätsmatrix zuzuordnen. Ziel ist es, jedem Objekt oder Objektgruppe die richtige Instandhaltungsstrategie zuzuordnen (siehe Abschnitt 2.3, »Instandhaltungsstrategien im Wandel der Zeit«, mit Abbildung 2.2):

- Ausfallbedingte Instandhaltung (Run-to-Failure)
- Vorbeugende Instandhaltung, zeitbasiert oder leistungsbasiert (Preventive Maintenance)
- Vorausschauende Instandhaltung (Predictive Maintenance)
- Zustandsorientierte Instandhaltung (Condition-based Maintenance, CBM)
- Zuverlässigkeitsorientierte Instandhaltung (Reliability-based Maintenance, RBM)

Der SAP-ASPM-Kreislauf

Der Kreislauf von SAP ASPM lässt sich folgendermaßen beschreiben (siehe Abbildung 8.58):

- Definition der Stammdaten
- Identifizieren von kritischen Anlagen
- Durchführen von FMEA-Analysen

Abbildung 8.58 SAP ASPM – Kreislauf

7 Siehe auch SAP SE (Hrsg.): »Anwendungshilfe für SAP Asset Strategy and Performance Management«, Walldorf 2019; sowie Seidl, M.: »Intelligent Asset Management«, Walldorf 2019.

- Ableiten von geeigneten Folgeaktionen
- Entscheidung über die geeignete Instandhaltungsstrategie
- Monitoring und Überwachung der Entscheidungen

Stammdaten definieren

Die Stammdaten, die für SAP ASPM benötigt werden, sind zunächst dieselben wie bei SAP Asset Intelligence Network:

- *Vorlagen*, um Metadaten zu pflegen, d. h. Attribute und Attributgruppen in Bezug auf ein Modell, ein Equipment, einen Standort, ein System oder ein Ersatzteil.
- *Modelle*, d. h. ein Verzeichnis der Modelle/Bautypen der Hersteller
- *Equipments*, d. h. Einzelobjekte der Betreiber
- *Standorte*, d. h. virtuelle Einbauorte (vereinfachte Technische Plätze), an denen Equipments eingebaut sind bzw. eingebaut werden können
- *Systeme*, d. h. Equipments, die logisch oder technisch zusammenhängen (z. B. Steuersysteme, Übertragungssysteme, Bremssysteme usw.)
- *Templates*, d. h. Vorlagen für Modelle
- *Geschäftspartner*, d. h. Kontakte zu Herstellern, Dienstleistern oder anderen Betreibern
- *Anhänge* (Attachements), d. h. Dokumente wie Zeichnungen oder Bilder
- *Anweisungen* (Instructions), d. h. Arbeitspläne und Wartungspläne. Diese gewinnen in SAP AS besondere Bedeutung (siehe Abbildung 8.59).
- *Benachrichtigungen* (Announcements), d. h. Ankündigungen von Herstellern und Dienstleistern an die Betreiber
- *Ersatzteile*, die für den Einbau bei Equipments infrage kommen
- *Schadensbilder*; dabei kann der Hersteller Schadensbilder für die Betreiber freigeben, oder die Betreiber definieren ihre eigenen Schadensbilder.
- *Gruppen* (wie z. B. Flotte, Training, FMEA, Organisation, Ersatzteil-Kit), um einzelne Objekte zu gruppieren

Darüber hinaus gibt es jedoch zusätzliche Stammdaten, die für den ASPM-Kreislauf benötigt werden:

- *Bewertungsvorlagen*: Bewertungsvorlagen werden bei der Bewertung von Equipment, Standorten und Gruppen verwendet. Es gibt die folgenden Bewertungsvorlagentypen: Risiko und Kritikalität, Vorlage für Fragebogen, Vorlage für FMEA-Analyse, Vorlage für Checklisten und RCM-Bewertungsvorlage.

- *Schadenskategorien*, wie z. B. Sicherheit von Personen, Umweltschutzauflagen, Betriebsstörung, finanzielle Konsequenzen usw.
- *Skalen* und *Antworten* als Basis für die Bewertung
- *Dimension* und *Fragen* als Basis für die Bewertung

Kritische Anlagen identifizieren

Grundlage für eine Kritikalitäts- und Risikobewertung sind Bewertungs- und Checklistenvorlagen. Bewertungen können Sie dann durchführen für Equipments, Standorte, Gruppen und Systeme. Risiko- und Kritikalitätsbewertungen basieren auf Auswirkungen, Dimensionen und Skalen (siehe Abbildung 8.59).

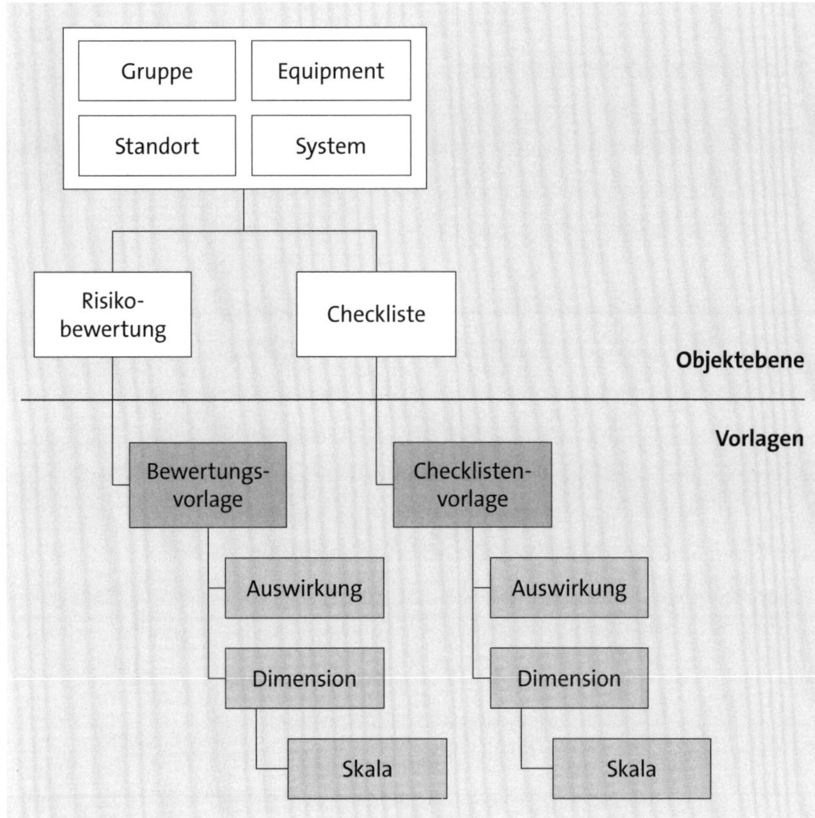

Abbildung 8.59 SAP ASPM – Struktur von Bewertungen

Abbildung 8.60 zeigt eine solche durchgeführte Bewertung mit Bezugsobjekt (Equipment), Fragen, Antworten und Skalen der Antworten.

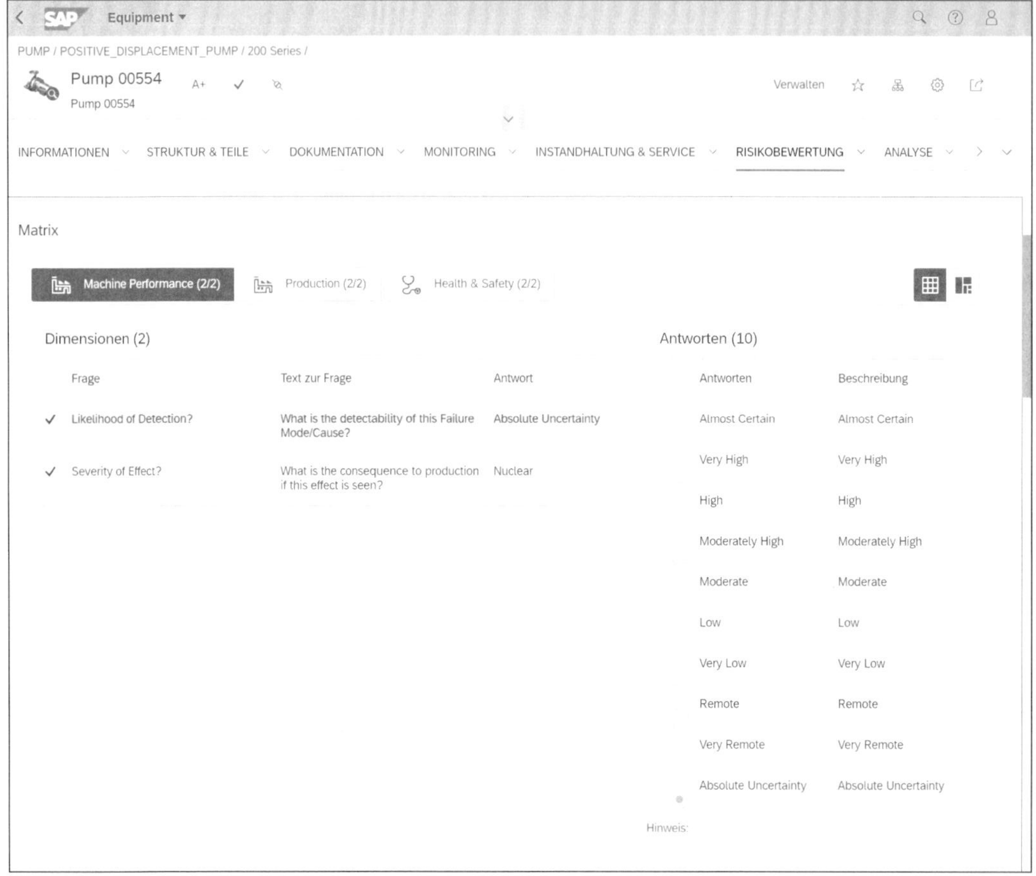

Abbildung 8.60 SAP ASPM – durchgeführte Bewertung

Im Ergebnis wird dann das Bezugsobjekt, für die die Befragung durchgeführt wurde, der Kritikalitätsmatrix zugeordnet (siehe Abbildung 8.61), also das Bezugsobjekt in Bezug auf die beiden Fragen eingeordnet:

- Wie stark ist die Auswirkung des Fehlers (z. B. auf Umwelt, Personen, Produktion, Finanzen)?
- Wie hoch ist das Risiko des Ausfalls einzuschätzen (aktuelles, bestehendes, anfängliches, vermindertes Risiko)?

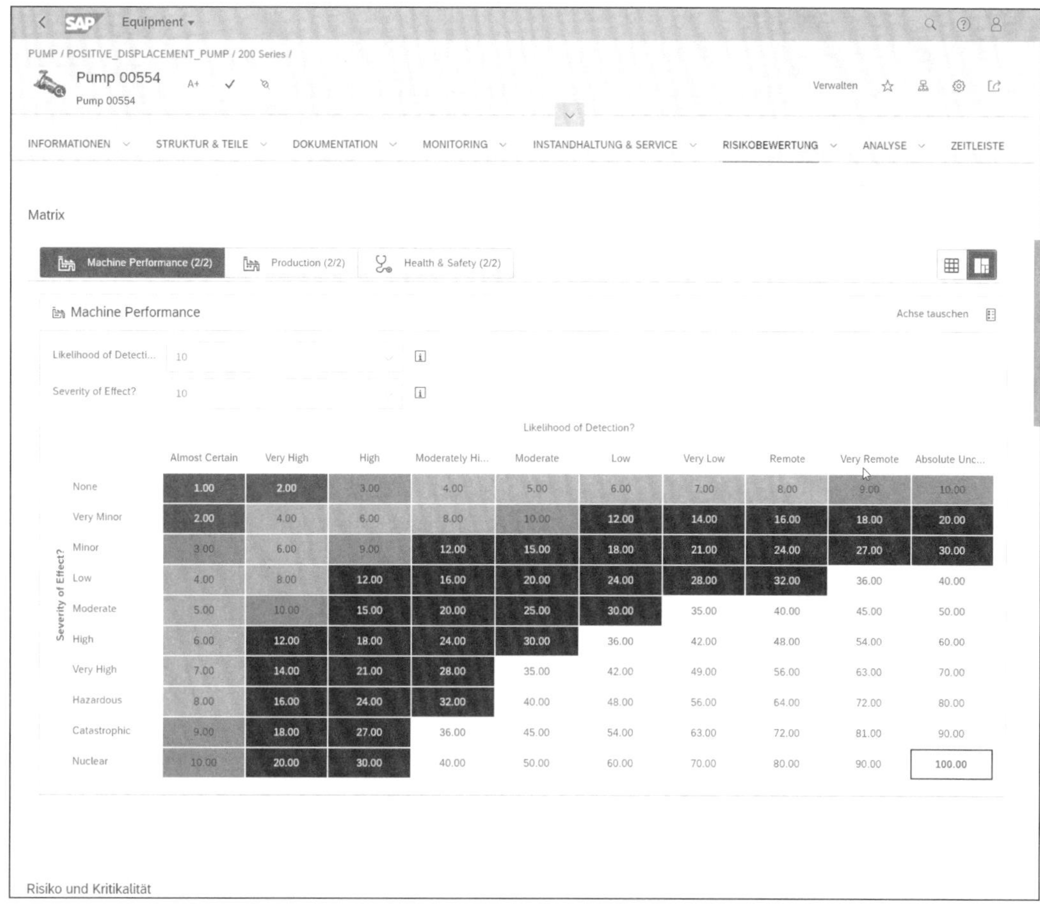

Abbildung 8.61 SAP ASPM – Kritikalitätsmatrix

Wie berechnet sich die Kritikalität? Kritikalität ist eine Funktion des Risikos. Das Risiko wird normalerweise berechnet als »Wahrscheinlichkeit eines Ausfalls x Konsequenz des Ausfalls«. Je höher das Risiko ist, desto kritischer ist das Equipment. Die Kritikalität wird anhand der Schwellenwertdefinition bestimmt, die in der Bewertungsvorlage definiert ist.

Ergebnis ist dann eine Objektliste, aus der Folgendes hervorgeht (siehe Abbildung 8.62):

- welches Objekt welche Kritikalität hat
- wie hoch das Ausfallrisiko eingeschätzt wird
- welche Folgeaktion empfohlen wird

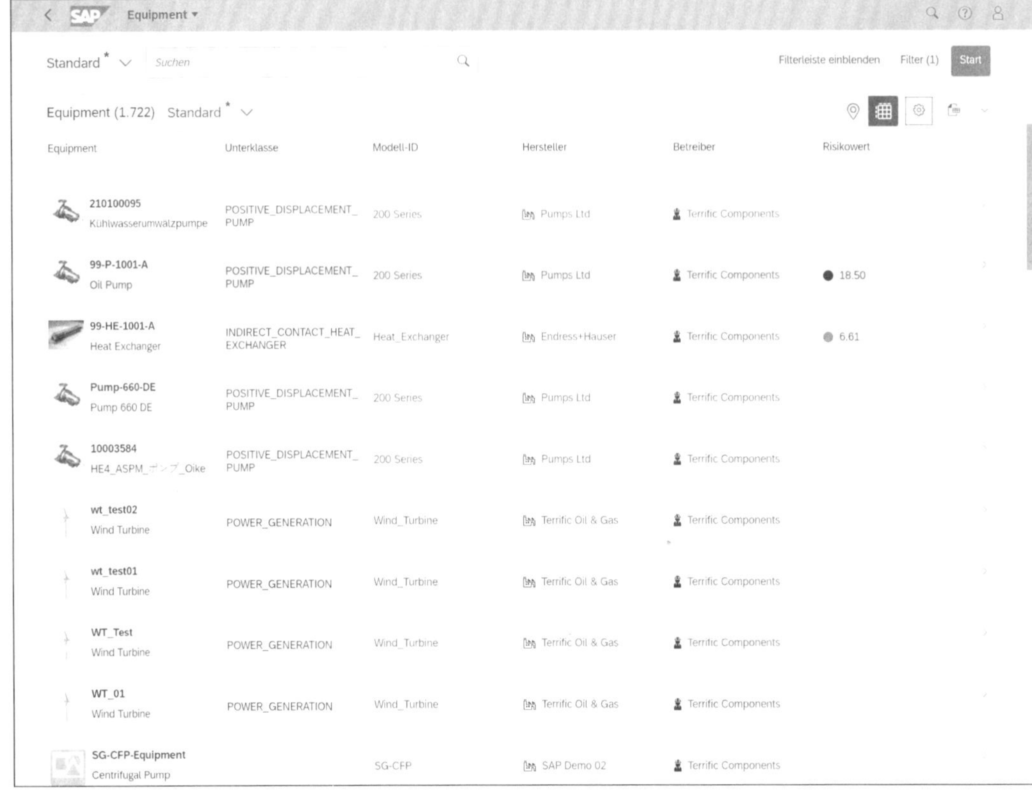

Abbildung 8.62 SAP ASPM – Kritikalitätsliste

FMEA-Analysen durchführen

Fehlermöglichkeits- und -einflussanalyse

Die Fehlermöglichkeits- und -einflussanalyse (FMEA) ist eine der anerkannten Methoden, um potenzielle Zuverlässigkeitsprobleme zu analysieren, damit Sie Maßnahmen ergreifen und Fehler mindern können. FMEA wird verwendet, um Ausfallarten, ihre Ursachen und Auswirkungen auf technische Objekte zu identifizieren.

- Identifizieren und erkennen Sie potenzielle Fehler, einschließlich Ursachen und Auswirkungen.
- Beurteilen und priorisieren Sie identifizierte Fehler.
- Schlagen Sie Maßnahmen vor, um potenzielle Fehler zu beseitigen oder zu reduzieren.

Eine Instandhaltungsstrategie können Sie auf der Ebene des einzelnen Schadensbildes bestimmen. Schadensbilder können zu Modellen, Equipment, Standorten, Ersatzteilen und Gruppen zugeordnet werden. Sie basieren auf einer Unterklasse und haben verschiedene Kategorien und Typen.

Eine Instandhaltungsstrategie ist für jedes Schadensbild und Kombination aus Ursache und Auswirkung für ein Objekt relevant. Daher kann ein Schadensbild mehrere Instandhalttungsstrategien haben, je nach zugeordneten Ursachen und Auswirkungen.

Sie können sich für jedes technische Objekt Folgendes anzeigen lassen (siehe Abbildung 8.63):

- RAMS-Kennzahlen (RAMS = Reliability, Availability, Maintainability, Security)
- klassische Kennzahlen der Instandhaltung (MTTF, MTTR, MTBF)

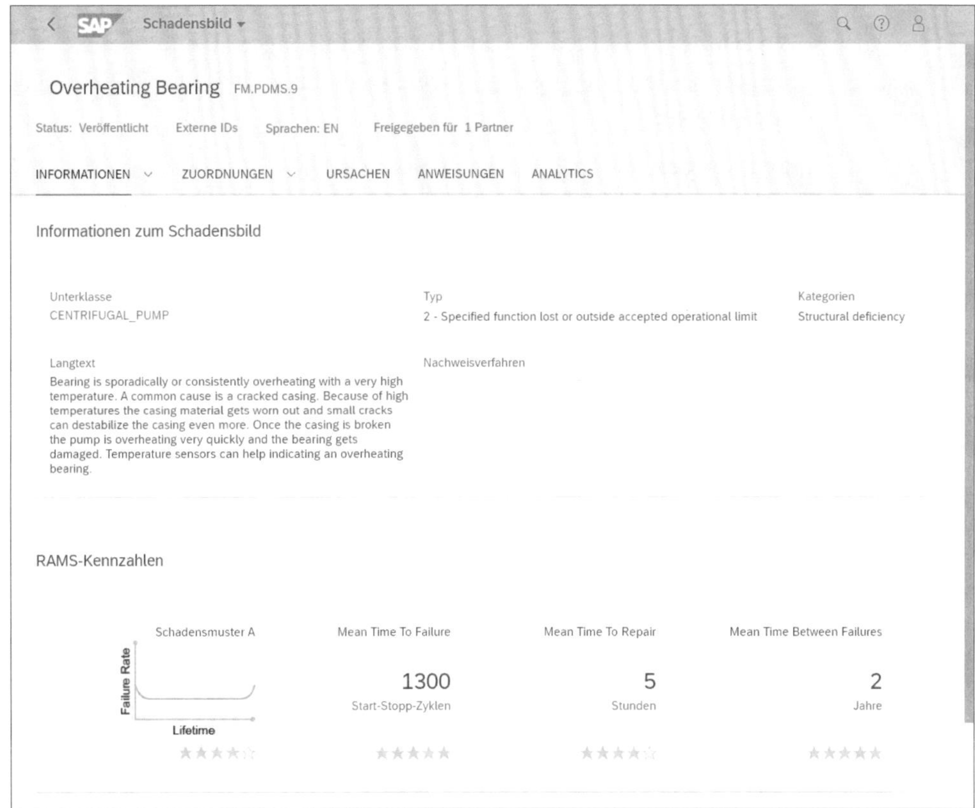

Abbildung 8.63 SAP ASPM – FMEA-Analyse

Folgeaktionen entwickeln

Im Mittelpunkt der Folgeaktionen stehen die Anweisungen. Eine Anweisung ist eine Sammlung von Schritten, die den Benutzer bei der Erledigung bestimmter Aufgaben unterstützen. In SAP ASPM gibt der Hersteller die Anweisungen für den Betreiber frei. Anweisungen unterstützen den Betreiber bei der Instandhaltung von Equipments.

- Anweisungen beschreiben, wie die Wartung ausgeführt wird.
- Es gibt verschiedene Arten von Anweisungen, z. B. Störungsbehebung, Installation, Betrieb, geplante Wartung.
- Anweisungen können Modellen, Equipments und Gruppen zugewiesen werden.
- Fehlermodi können Störungsanweisungen zugewiesen werden.
- Sie können die Anzahl der Schritte, die Dauer, die Kritikalität, die Sicherheitsregeln, das FHM und die erforderlichen Ersatzteile festlegen.
- Zusätzlich können Sie Vorbedingungen, die Schritte selbst und Nachprüfungen definieren.
- Sie können verschiedene Dokumente hinzufügen. Wenn Sie eine animierte 3D-Datei hinzugefügt haben, kann der Endbenutzer die Sequenzen anzeigen.

Abbildung 8.64 zeigt Ihnen eine solche Anweisung, in diesem Falle eine Wartungsanweisung mit einem animierten 3D-Modell.

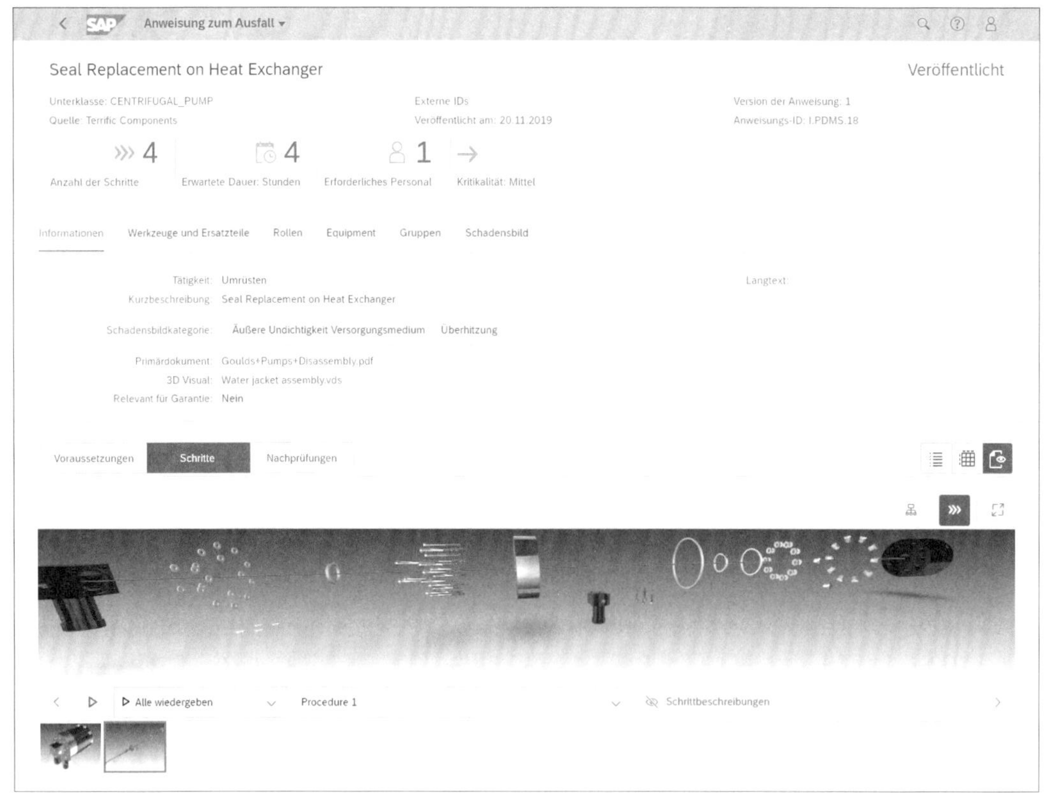

Abbildung 8.64 SAP ASPM – Anweisung

Abbildung 8.65 zeigt Ihnen ein risikobewertetes Equipment der Risiko- und Kritikalitätseinschätzung sowie das Ergebnis der FMEA-Analyse, ausgefüllte Checklisten, das RCM-Ergebnis und Anweisungen.

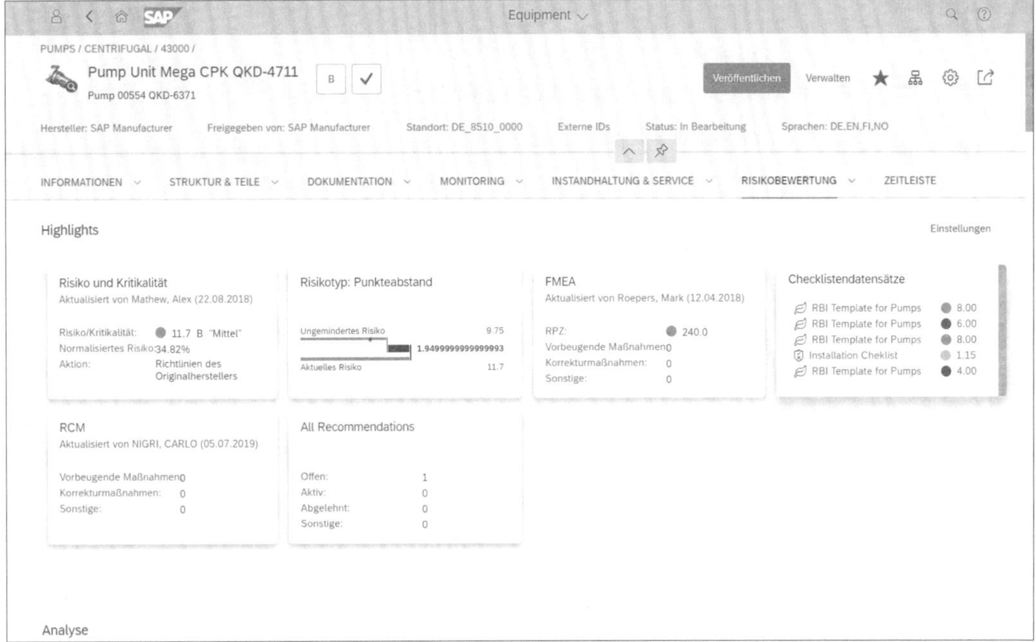

Abbildung 8.65 SAP ASPM – risikobewertetes Equipment

Instandhaltungsstrategie implementieren

Einem technischen Objekt die richtige Instandhaltungsstrategie zuzuordnen und zu entscheiden, ob man mit dem Equipment beispielsweise eine ausfallbedingte Strategie (Run-to-Failure) fährt oder ob es sich lohnt, den Aufwand zu betreiben und zu einer vorausschauenden Strategie (Predictive Maintenance) überzugehen, ist heute noch ein manueller Prozess, d. h. Sie müssen anhand der zur Verfügung gestellten Informationen die Entscheidung manuell treffen und die Änderungen im SAP-System manuell durchführen.

Doch auf der SAP-Roadmap steht eine sogenannte Maintenance Strategy Workbench; diese soll Sie dann nicht nur bei der Entscheidungsfindung unterstützen, sondern auch die Änderungen im SAP-System (z. B. Änderungen an den Arbeits- und Wartungsplänen) automatisch oder halbautomatisch herbeiführen.

Monitoring und Evaluation

Analytische Fiori-Apps

Um die Auswirkungen Ihrer Entscheidungen und Maßnahmen zu überprüfen, stehen Ihnen unter anderem die analytischen SAP-Fiori-Apps zur Verfügung (siehe Abschnitt 8.1.2, »SAP-Fiori-Apps für die Instandhaltung«):

- Maintenance Planning Overview
- Maintenance Scheduling Board
- Technical Object Damages
- Analytical List Page for Technical Objects Breakdown
- Actual Maintenance Cost Analysis

Des Weiteren können Sie die Controllinginstrumente nutzen, die in Abschnitt 7.2, »SAP-Hilfsmittel zur Informationsgewinnung und wie Sie sie einsetzen sollten« dargestellt werden.

8.3.4 SAP Predictive Maintenance and Service[8]

Was ist SAP Predictive Maintenance and Service?

SAP PdMS rechnet man zu den IoT-Anwendungen (Internet of Things, Internet der Dinge) in der SAP Cloud; SAP PdMS wird allerdings auch als On-Premise-Version angeboten. Im Folgenden wird die Cloud-Version beschrieben.

Mit der Anwendung werden folgende Ziele verfolgt:

- Visualisierung von aktuellen Maschineninformationen durch eine direkte Anbindung und damit eine Verbesserung der Sichtbarkeit von Maschinen
- Unterstützung der Zustandsüberwachung durch erweiterte Analysefunktionen, Engineering-Modelle und maschinelles Lernen (Machine Learning)
- Vorhersage und Simulation des Anlageverhaltens auf Basis dieser Modelle.

Der Einstieg erfolgt wie immer über ein SAP Fiori Launchpad, auf dem die Funktionen von SAP PdMS als Kacheln angeboten werden (siehe Abbildung 8.66).

8 Siehe auch SAP SE (Hrsg.): »Anwendungshilfe für SAP Predicitve Maintenance and Service – Cloud Edition«, Walldorf 2019; sowie Seidl, M.: »Intelligent Asset Management«, Walldorf 2019.

Abbildung 8.66 SAP PdMS – SAP Fiori Launchpad

Stammdaten

Die Stammdaten, die für SAP PdMS benötigt werden, sind zunächst dieselben, wie sie in den anderen Anwendungen von SAP Intelligent Asset Management verwendet werden:

- *Vorlagen*, um Metadaten zu pflegen, d. h. Attribute und Attributgruppen in Bezug auf ein Modell, ein Equipment, einen Standort, ein System oder ein Ersatzteil
- *Modelle*, d. h. ein Verzeichnis der Modelle/Bautypen der Hersteller
- *Equipments*, d. h. Einzelobjekte der Betreiber
- *Standorte*, d. h. virtuelle Einbauorte (vereinfachte Technische Plätze), an denen Equipments eingebaut sind bzw. eingebaut werden können
- *Systeme*, d. h. Equipments, die logisch oder technisch zusammenhängen (z. B. Steuersysteme, Übertragungssysteme, Bremssysteme usw.)
- *Templates*, d. h. Vorlagen für Modelle
- *Geschäftspartner*, d. h. Kontakte zu Herstellern, Dienstleistern oder anderen Betreibern
- *Anhänge* (Attachements), d. h. Dokumente wie Zeichnungen oder Bilder
- *Anweisungen* (Instructions), d. h. Arbeitspläne und Wartungspläne
- *Benachrichtigungen* (Announcements), d. h. Ankündigungen von Herstellern und Dienstleistern an die Betreiber
- *Ersatzteile*, die für den Einbau bei Equipments infrage kommen
- *Schadensbilder*; dabei kann der Hersteller Schadensbilder für die Betreiber freigeben, oder die Betreiber definieren sich ihre eigenen Schadensbilder
- *Gruppen* (wie z. B. Flotte, Training, FMEA, Organisation, Ersatzteil-Kit), um einzelne Objekte zu gruppieren

Neu sind hier Fingerprint und Regeln (Rules).

- Ein *Fingerprint* ist eine Sammlung von Momentaufnahmen (Typ, Datum & Uhrzeit, Beschreibung, Equipmentzustand, Dokumente) für einen bestimmten Zeitraum. Er beschreibt den Referenzstatus eines einzelnen Equipments, das für weitere Prozessschritte verwendet werden kann, wie beispielsweise für die Equipmentdokumentation. Fingerprints unterstützen Betreiber und Hersteller bei der Definition von Normal-, Referenz- und Fehlerstatus für Equipment. Diese Status können zu einem späteren Zeitpunkt verwendet werden, um Abweichungen vom Normalzustand zu erkennen und entsprechende Maßnahmen zu planen, um den Normalzustand wiederherzustellen.
- *Regeln* werden entweder für ein Modell oder ein Equipment definiert. Anhand dieser Regeln werden Ereignisse eines bestimmten Typs ausgelöst. Zum Beispiel können Sie E-Mails mit bestimmten Aufgaben an ausgewählte Benutzer senden.

Indikatordiagramm

Mit einem Indikatordiagramm können Sie zu einem Equipment einen oder mehrere Indikatoren grafisch im Zeitablauf anzeigen lassen. Dabei können Sie die Indikatoren, das Zeitintervall und andere Optionen festlegen.

Abbildung 8.67 zeigt Ihnen z. B. für einen Zeitraum von vier Wochen für eine bestimmte Pumpe die Entwicklung der Eingangstemperatur, den Ölzustand und die Temperatur des Lagers.

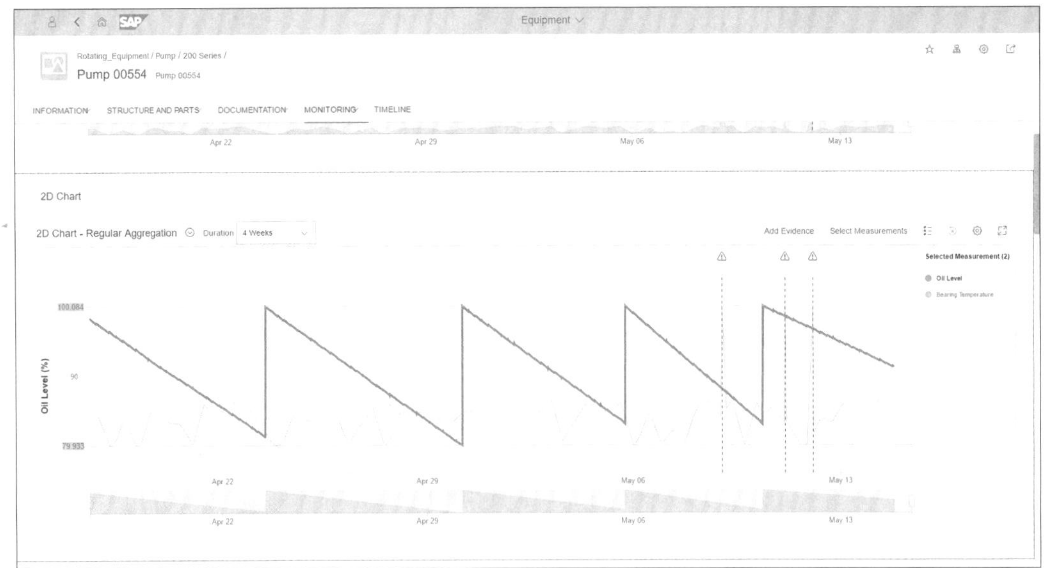

Abbildung 8.67 SAP PdMS – Indikatordiagramm

Eine solche Konnektivität können Sie übrigens auch mit dem SAP Asset Manager herstellen und sich dort die Indikatorenentwicklung anzeigen lassen (siehe Abbildung 8.68).

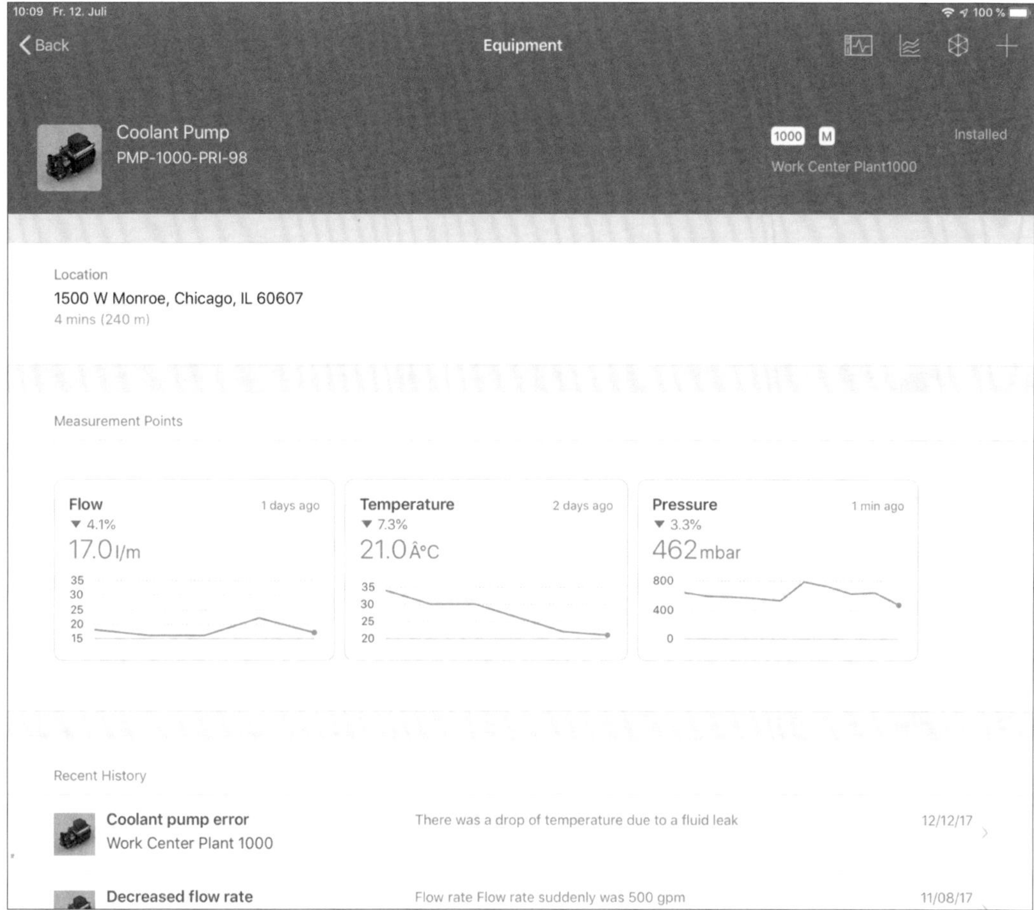

Abbildung 8.68 SAP Asset Manager – Indikatoren

Explorer

Mit der Funktionalität des Explorers können Sie sich einen Überblick über den aktuellen Zustand aller Equipments verschaffen und die letzten Messwerte der Indikatoren anzeigen lassen (siehe Abbildung 8.69). Dabei wird insbesondere ersichtlich, ob sich der Indikator auf Basis der definierten Regel im grünen, gelben oder roten Bereich befindet.

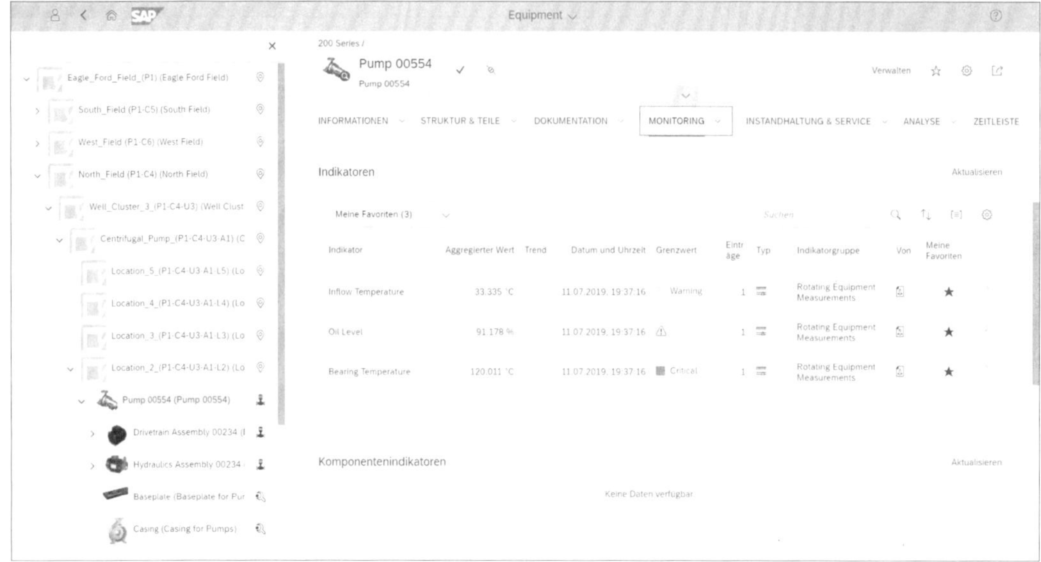

Abbildung 8.69 SAP PdMS – Explorer mit Indikatoren

Schadensbildanalysen

Die Schadensbildanalyse verwendet maschinelles Lernen, um das im Meldungstext enthaltene menschliche Wissen in Kenntnisse über die Art der Fehler umzuwandeln, d. h. daraus automatisch einen Schadenscode zuzuordnen.

Die Schadensbildanalyse extrahiert Themen mit häufig verwendeten Wörtern aus Meldungstexten, die den Standardschadensbildern und den Equipments bzw. den Modellen zugeordnet sind.

Sie können sich dann in SAP PdMS die daraus resultierenden Schadensbildanalysen anzeigen lassen:

- Schadensbildanalysen zum Equipment mit den Kennzahlen MTTR, MTBF und MTTF
- Schadensbildanalysen zu Modellen mit den Kennzahlen MTTR, MTBF und MTTF

Abbildung 8.70 zeigt Ihnen beispielsweise eine Schadensbildanalyse zu einem Equipment mit den dort im Laufe eines Jahres am häufigsten vorkommenden Schadensbildern. Diese werden mit dem Durchschnitt des Equipmentmodells verglichen, und es werden die klassischen Kennzahlen (MTTR, MTBF und MTTF) dargestellt.

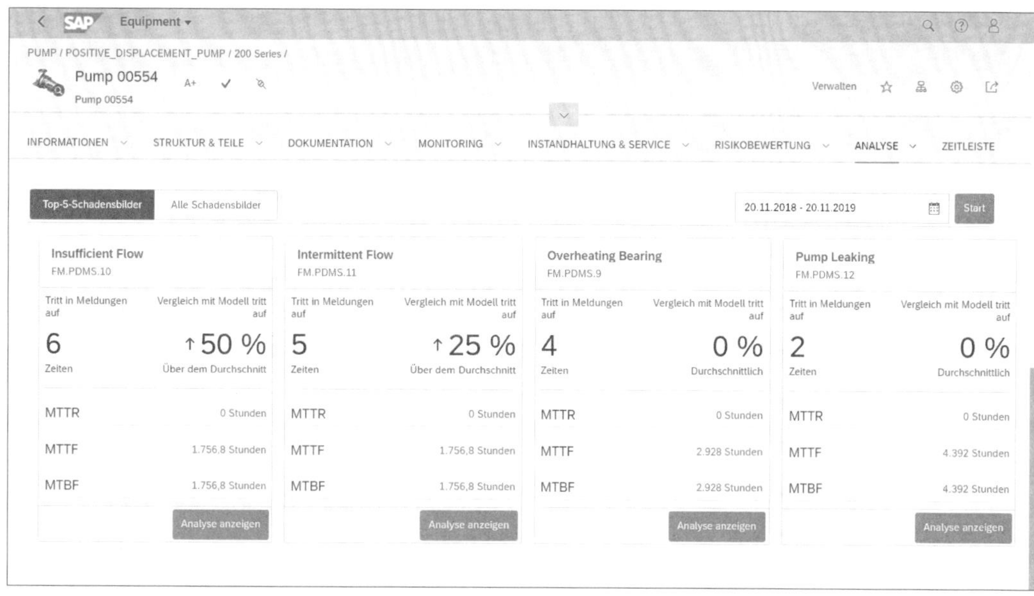

Abbildung 8.70 SAP PdMS – Schadensbildanalyse

Sie können auch jederzeit aus den entsprechenden Anwendungen eine neue Work Activity (vergleichbar mit einer Meldung) anlegen (siehe Abbildung 8.71) und sich in einer Liste einen Überblick über die angelegten Work Activitys verschaffen (siehe Abbildung 8.72).

Work Activitys

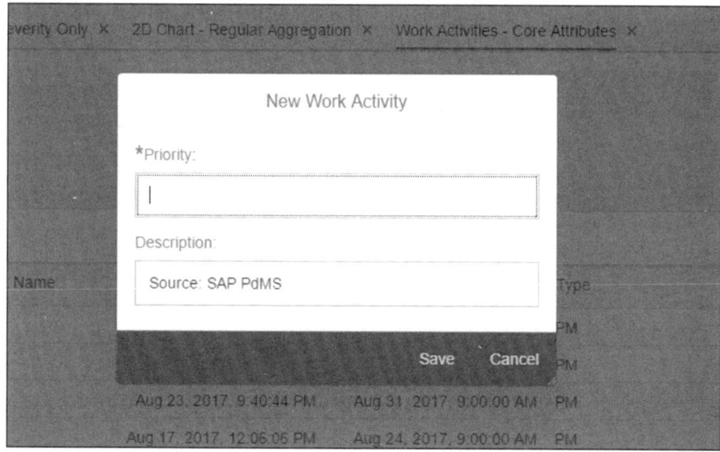

Abbildung 8.71 SAP PdMS – Work Activity anlegen

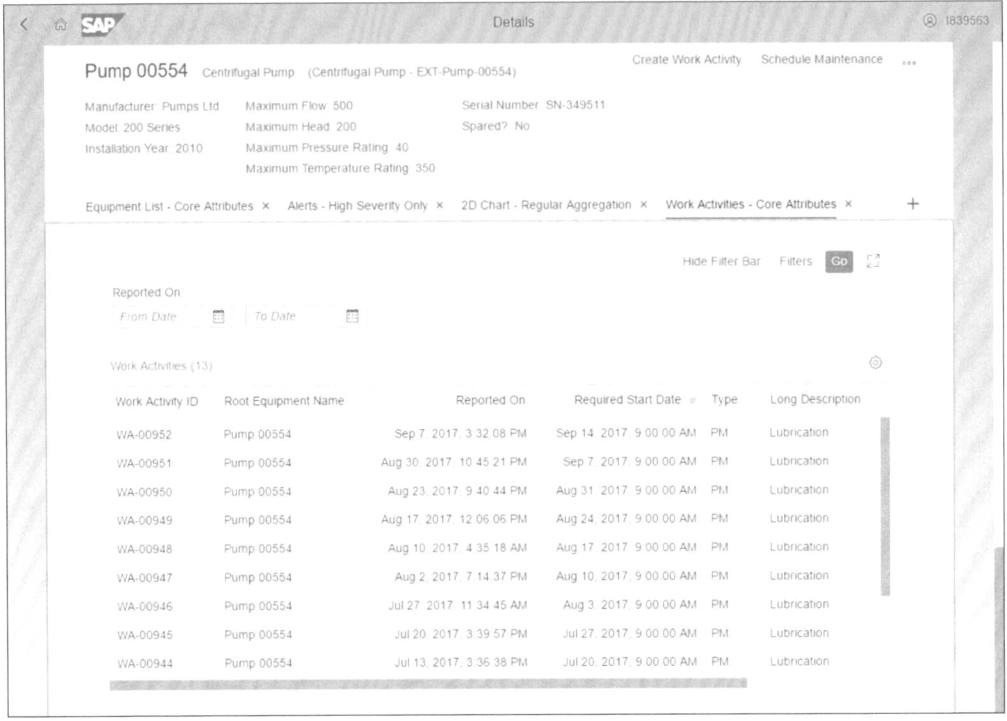

Abbildung 8.72 SAP PdMS – Work-Activity-Liste

Maschinelles Lernen

Abschließend noch ein Ausblick auf den Einsatz des maschinellen Lernens und dessen Einsatz im Rahmen von SAP PdMS.

Schadensbildanalyse

Der eine Ansatz betrifft die Schadensbildanalyse:

- Zunächst müssen für ein Equipmentmodell potenzielle Schadensbilder zugeordnet und die Meldungssprache konfiguriert werden.
- Dann werden verschiedene Algorithmen eingesetzt (wie die latente Dirichlet-Allokation oder Ensembletechnik), um Merkmale der Meldungstexte zu analysieren.
- Die Machine Learning Engine ordnet dann die Meldungstexte den Merkmalen zu, die in den Standardschadensbildern gefunden wurden, und schlägt für jede Meldung das passende Schadensbild vor.

Gesundheit und Prognose

Der andere Ansatz betrifft die Vorhersage: Hier geht es darum, dass der Zustand eines Equipments berechnet wird (Gesundheit) und daraus abgeleitet das Eintreten von Fehlern für das Equipment prognostiziert wird.

Zunächst müssen Sie sogenannte *Datensets* definieren, d. h., Sie müssen unter anderem festlegen, bei welchen Equipmentmodellen welche Indikatoren über welchen Zeitraum in welcher Form aggregiert werden sollen. Dann kommen mathematisch-statistische Modelle zum Einsatz, um die Gesundheit zu berechnen und Prognosen zu erstellen:

- Anomalie-Erkennung mit der Hauptkomponentenanalyse (Principal Component Analysis, PCA)
- entfernungsbasierte Fehleranalyse mithilfe der Wasserstein-Metrik (Earth Mover's Distance, EMD)
- Anomalie-Erkennung mithilfe multivariater Autoregression (Multivariate Autoregression, MAR)
- Fehlerprognose mit Tree Ensemble Classifier (TEC)
- Anomalie-Erkennung mithilfe der One Class Support Vector Machine (SVM)
- logistische Regression für Fehlerprognose (LOR)
- Anomalie-Erkennung mithilfe des Interquartilbereichs (IQR)
- Fehlerprognose mithilfe der automatischen Fehlerprognose (AFP)
- Anomalie-Erkennung mithilfe der automatischen Anomalie-Erkennung (AAD)

Mögliche Ergebnisse sind dann beispielsweise Health Scores (siehe Abbildung 8.73) oder Prognoseklassen.

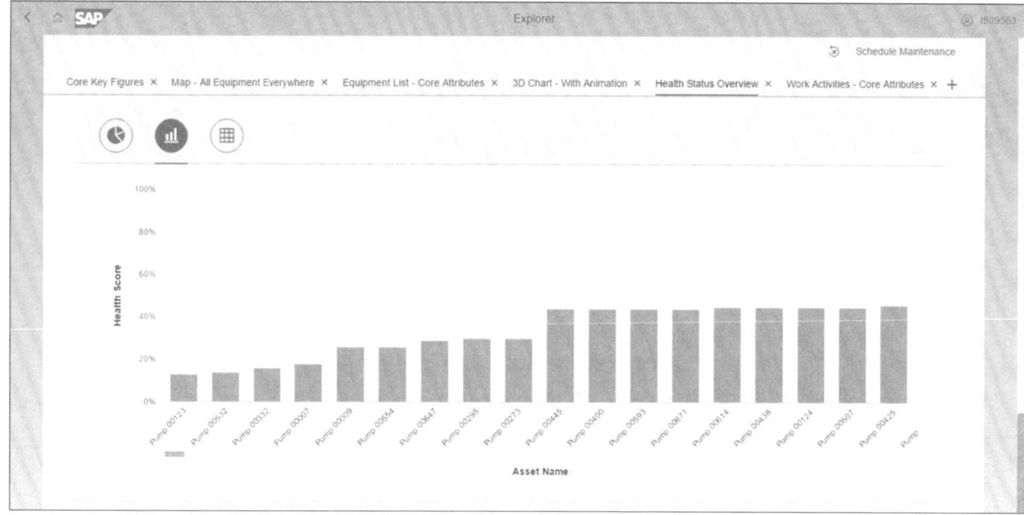

Abbildung 8.73 SAP PdMS – Health Scores

Die Nutzung des Machine Learnings steht jedoch noch ziemlich am Anfang. Es bleibt abzuwarten, ob es in der Praxis genügend Anwendungsfälle geben wird, und wie es genutzt wird.

Kapitel 9
Die Benutzerfreundlichkeit

Es ist ein weit verbreitetes Vorurteil, dass das SAP-System benutzerunfreundlich wäre. In diesem Kapitel soll daher aufgezeigt werden, welche Möglichkeiten das SAP-System bietet, um die Benutzerfreundlichkeit zu verbessern. In einem empirischen Labortest wurde unter praxisnahen Bedingungen überprüft, ob – und wenn ja wie – sich durch eine verbesserte Benutzerfreundlichkeit die Bearbeitungszeit von Geschäftsprozessen verkürzen lässt.

Nicht ohne Grund habe ich mir für dieses Kapitel eine exponierte Stelle ausgesucht und es an das Ende meines Buches gestellt. Ich möchte dadurch die Wichtigkeit dieses Themas unterstreichen und ihm die Bedeutung zuteilwerden lassen, die es in vielen Firmen nicht genießt.

Es ist ein weit verbreitetes Urteil von selbst ernannten Experten und ein noch weiter verbreitetes Vorurteil von denjenigen, die das SAP-System nur vom Hörensagen kennen, dass

- es mit der Benutzerfreundlichkeit nicht weit her sei,
- die Bearbeitung der Geschäftsvorfälle viel zu lange dauere,
- die Masken viel zu überfrachtet seien und
- man mit SAP sowie so nicht arbeiten könne.

Ich kann nur sagen: Das stimmt!

- Es stimmt insofern, als dass viele Firmen bei der SAP-Einführung die Standardeinstellungen, die Standardmasken und Standardabläufe einsetzen und dies ihren Endanwendern zumuten.
- Es stimmt insofern, als dass viele Firmen meiner Erfahrung nach diesem Aspekt bei der SAP-Einführung viel zu wenig Aufmerksamkeit schenken.
- Es stimmt insofern, als dass viele Firmen zu wenig von den Tuningmöglichkeiten Gebrauch machen, die das SAP-System standardmäßig bereitstellt – falls sie sie überhaupt kennen.

Es ist mir deshalb ein ganz besonderes Anliegen, Sie in diesem Abschlusskapitel über die Möglichkeiten zur Steigerung der Benutzerfreundlichkeit aufzuklären und Sie mit den Ergebnissen vertraut zu machen, die wir in mehreren Labortests erzielt haben. Diese haben wir an unserer Hochschule unter praxisnahen Bedingungen durchgeführt.

Vielleicht gelingt es mir ja mit diesem Beitrag, ein wenig mit dem (Vor-)Urteil aufzuräumen, ein SAP-System sei benutzerunfreundlich.

Hierzu müssen wir zunächst den folgenden vier Fragen nachgehen:

- Was ist eigentlich Benutzerfreundlichkeit?
- Wie kann Benutzerfreundlichkeit gemessen werden?
- Ist Benutzerfreundlichkeit gleichzustellen mit Benutzerakzeptanz?
- Und warum ist das gerade in der Instandhaltung ein so wichtiges Thema?

Anschließend werde ich Ihnen die Tuningmaßnahmen im Einzelnen vorstellen und klären, an welcher Stelle und warum sie eine Verbesserung bringen. Schließlich werde ich Ihnen den Labortest und seine Ergebnisse vorstellen, in deren Mittelpunkt folgende Frage steht: Wie stark reduziert sich die Bearbeitungszeit eines Geschäftsprozesses, wenn Tuningmaßnahmen eingesetzt werden?

9.1 Was ist eigentlich Benutzerfreundlichkeit?

Begriffe und Normen

Benutzerfreundlichkeit bezeichnet die vom Anwender erlebte Nutzungsqualität bei der Interaktion mit einem System. Eine besonders einfache, zum Anwender und seinen Aufgaben passende Bedienung wird dabei als benutzerfreundlich angesehen.[1]

In Normungszusammenhängen wird normalerweise von der *Usability* oder *Ergonomie* eines Softwareproduktes gesprochen. Diese wiederum ist in der Normenreihe DIN EN ISO 9241 in Teil 110 (Grundsätze der Dialoggestaltung) als das Produkt aus *Effektivität*, *Effizienz* und *Zufriedenheit* definiert. Während unter Hardwareergonomie die Anpassung der Werkzeuge an den Bewegungs- und Wahrnehmungsapparat des Menschen verstanden wird (z. B. Körperkräfte und Bewegungsräume), befasst sich die Softwareergonomie mit der Anpassung an die kognitiven und physischen Fähigkeiten bzw. Eigenschaften des Menschen, also mit seinen Möglichkeiten zur Verarbeitung von Informationen (z. B. Komplexität), aber auch mit softwaregesteuerten Merkmalen der Darstellung (z. B. Farben und Schriftgrößen).

Konkret wurden in der DIN EN ISO 9241-110 sieben Grundsätze definiert (siehe Kästen). Da die reinen Normentexte zunächst einmal wenig aussage-

1 Siehe DIN EN ISO 9241 in Teil 110 (Grundsätze der Dialoggestaltung).

fähig sind, habe ich jeweils Beispiele dazu angeführt, wie sich der jeweilige Grundsatz in einem SAP-System niederschlagen könnte.

[!]

Grundsatz 1: Aufgabenangemessenheit

»Ein Dialog ist aufgabenangemessen, wenn er den Benutzer dabei unterstützt, seine Arbeitsaufgabe effektiv und effizient zu erledigen.«

Beispiele für die Aufgabenangemessenheit im SAP-System sind:

- Es sollten in einer Transaktion keine Pflichtangaben verlangt werden, die mit dem Abwickeln des relevanten Geschäftsprozesses nichts zu tun haben.
- Auf einer Erfassungsmaske soll der Cursor gleich auf das zuerst auszufüllende oder das zu korrigierende Feld gesetzt werden.
- Die Abfolge der Masken und Felder sollte so gestaltet sein bzw. gestaltet werden können, wie es für die Abarbeitung eines Geschäftsprozesses notwendig ist.

[!]

Grundsatz 2: Selbstbeschreibungsfähigkeit

»Ein Dialog ist selbstbeschreibungsfähig, wenn jeder einzelne Dialogschritt durch Rückmeldung des Dialogsystems unmittelbar verständlich ist oder dem Benutzer auf Anfrage erklärt wird.«

Beispiele für die Selbstbeschreibungsfähigkeit des SAP-Systems sind:

- Links sind so formuliert, dass man sicher vorhersagen kann, wohin sie führen.
- Eine Applikation hat eine Online-Hilfe, die kontextspezifische Bedienhinweise gibt.
- Bei Fehleingaben werden verständliche Fehlermeldungen ausgegeben – mit erläuterndem Langtext, wie der Fehler zu beheben ist oder umgangen werden kann.

[!]

Grundsatz 3: Steuerbarkeit

»Ein Dialog ist steuerbar, wenn der Benutzer in der Lage ist, den Dialogablauf zu starten sowie seine Richtung und Geschwindigkeit zu beeinflussen, bis das Ziel erreicht ist.«

Beispiele für die Steuerbarkeit des SAP-Systems sind:

- In einer Transaktion gibt es Buttons oder Menüfunktionen, um jedes beliebige Bildschirmbild des Prozesses direkt anspringen zu können.
- Eine Liste beinhaltet Buttons, mit deren Hilfe die Informationen in einer beliebigen Spalte nach verschiedenen Kriterien (z. B. Datum oder Menge) sortiert werden können.
- Wenn eine Anfrage an die Datenbank zu lange dauert, kann sie unterbrochen werden.

[!]

Grundsatz 4: Erwartungskonformität

»Ein Dialog ist erwartungskonform, wenn er konsistent ist und den Merkmalen des Benutzers entspricht, z. B. seinen Kenntnissen aus dem Arbeitsgebiet, seiner Ausbildung und seiner Erfahrung sowie den allgemein anerkannten Konventionen.«

Beispiele für die Erwartungskonformität des SAP-Systems sind:

- Für dieselben Informationen werden immer dieselben Begriffe verwendet (ein Sachkonto heißt z. B. immer Sachkonto).
- Für dieselben Funktionen werden immer dieselben Buttons verwendet (z. B. wird immer dasselbe Symbol verwendet, um einen Eintrag zu löschen).
- Beim Drücken der [Tab]-Taste springt der Cursor auf das nächste Eingabefeld.

[!]

Grundsatz 5: Fehlertoleranz

»Ein Dialog ist fehlertolerant, wenn das beabsichtigte Arbeitsergebnis trotz erkennbar fehlerhafter Eingaben entweder ohne oder mit minimalem Korrekturaufwand seitens des Benutzers erreicht werden kann.«

Beispiele für die Fehlertoleranz des SAP-Systems sind:

- Die Daten werden vor dem Sichern automatisch auf Plausibilität, fehlende oder unvollständige Eingaben geprüft.
- Bei Fehleingaben springt der Cursor direkt auf das fehlerhafte Feld, und das fehlerhafte Feld ist farblich markiert.
- Fehlermeldungen werden nicht technisch verklausuliert oder als Nummer angezeigt, sondern in der Sprache der Benutzer formuliert.

[!]

Grundsatz 6: Individualisierbarkeit

»Ein Dialog ist individualisierbar, wenn das Dialogsystem Anpassungen an die Erfordernisse der Arbeitsaufgabe sowie an die individuellen Fähigkeiten und Vorlieben des Benutzers zulässt.«

Beispiele für die Individualisierbarkeit des SAP-Systems sind:

- In einer personalisierten Liste kann der Benutzer festlegen, welche Informationen er sehen möchte, wie diese sortiert sind usw.
- Der Benutzer kann persönliche Vorschlagswerte hinterlegen, damit er Standardinformationen wie Werk, Buchungskreis o. Ä. nicht immer manuell ausfüllen muss.
- Der Benutzer kann selbst einstellen, welche Pop-up-Fenster ihn bei der Bearbeitung seiner Geschäftsprozesse unterstützen sollen (z. B. Warnmeldungen vor dem Sichern).

[!]

Grundsatz 7: Lernförderlichkeit

»Ein Dialog ist lernförderlich, wenn er den Benutzer beim Erlernen des Dialogsystems unterstützt und anleitet.«

Beispiele für die Lernförderlichkeit des SAP-Systems sind:

- In einer »Guided Tour« werden die Benutzer durch den Geschäftsprozess geführt.
- Es werden alternativ externe Tools zur Verfügung gestellt, die dem Benutzer die Bearbeitung eines Geschäftsprozesses vorführen.
- Es werden vor dem Sichern Simulationsmöglichkeiten oder Probebuchungen angeboten.

Bei alldem gilt der folgende Grundsatz: Benutzerfreundlichkeit zeichnet sich durch Unauffälligkeit aus, weil sie der zu erfüllenden Funktion dient und keinem anderen Nebenzweck. Man bemerkt sie nur, wenn sie fehlt.

Oberflächlich betrachtet könnte man sagen, dass das SAP-System doch sämtliche Kriterien der Softwareergonomie erfüllt. Neben den von mir aufgeführten Beispielen gibt es für jeden der sieben Grundsätze eine Vielzahl weiterer Beispiele, die die Softwareergonomie des SAP-Systems bestätigen können.

Gegenbeispiele im SAP-System

Warum also steht das SAP-System im Ruf, benutzerunfreundlich zu sein? Warum haben die SAP-Anwender oft das subjektive Gefühl, alles ist zu umständlich und zu kompliziert? Ganz einfach: weil es in der Standardauslieferung auch eine ganze Menge Gegenbeispiele gibt:

- Die Abfolge der Bildschirmbilder (Masken, Registerkarten) entspricht nicht dem Arbeitsablauf des Anwenders.
- Die für einen Geschäftsprozess notwendigen Daten befinden sich verteilt auf verschiedenen Bildschirmbildern.
- Dieselben Felder haben unterschiedliche Feldbezeichner (z. B. »Kreditor« und »Lieferant«, »Sachkonto« und »Kostenart«).
- Die Bildschirmbilder sind mit unnötigen Informationen überfrachtet.
- Es gibt im SAP-System noch eine große Anzahl von Listen, die fest programmiert sind und bei denen der Benutzer keine Einflussmöglichkeit hat.
- Listen weisen ein überholtes Design auf.
- Listen bieten seitenweise Selektionsmöglichkeiten an, obwohl der Anwender aber z. B. immer nur die Aufträge seiner Kostenstelle sehen möchte.
- Der Benutzer muss Informationen eingeben, die für seinen Nutzungszweck unnötig sind (wie z. B. Werk, Einkaufsorganisation, Geschäftsbereich, Kostenart).
- Der Benutzer muss sich seine Informationen selbst aus dem SAP-System holen, anstatt vom System informiert zu werden.
- Der Benutzer muss für einen Geschäftsprozess teilweise mehr als fünf verschiedene Transaktionen hintereinander aufrufen.
- So gut wie nie kann ein Benutzer vor dem Sichern seine Eingaben simulieren oder merken, bevor er die Daten auf der Datenbank sichert.
- Der Benutzer muss immer lästige Pop-up-Fenster wegklicken.
- Für dieselbe Funktion (z. B. das Löschen von Einträgen) gibt es im SAP-System drei bis vier unterschiedliche Symbole.
- Manchmal befindet sich die Button-Leiste oben im Bildschirm und manchmal unten, ohne dass ein Muster erkennbar ist.
- Das vielstufige SAP-Menü ist dem Benutzer sowieso ein Gräuel.

Solche und ähnliche Klagen sind bekannt und lassen sich auch nicht einfach wegdiskutieren, sondern sollten ernst genommen werden.

Gehen Sie den Vorwurf der Benutzerunfreundlichkeit offensiv an

Setzen Sie sich in der Einführungsphase offensiv mit den Befürchtungen Ihrer Mitarbeiter in Bezug auf die Benutzerfreundlichkeit des SAP-Systems auseinander. Schweigen Sie das Thema nicht tot, sondern nehmen Sie die Befürchtungen Ihrer Mitarbeiter auf, und versuchen Sie, durch nachvollziehbare Maßnahmen Abhilfe zu schaffen.

9.2 Wie Benutzerfreundlichkeit beurteilt werden kann

Wenn man die Benutzerfreundlichkeit eines IT-Systems beurteilen möchte, kann man es der qualitativen Einschätzung von Anwendern unterziehen und/oder die Benutzerfreundlichkeit anhand quantitativer Kriterien messen.

Qualitative Beurteilung

Um die Benutzerfreundlichkeit einer qualitativen Beurteilung zu unterziehen, ermittelt man die subjektive Einschätzung der Anwender durch bestimmte Techniken wie Befragung, Beobachtung, Fragebogen o. Ä. Wie Sie im vorangehenden Abschnitt erfahren haben, hat Benutzerfreundlichkeit (Usability, Ergonomie) sehr viele subjektive Seiten. Demzufolge sind auch die Einschätzungen der Anwender subjektiv und variieren je nach Benutzer und Situation stark.

Quantitative Messung

Zuverlässiger, objektiver und stabiler sind auf jeden Fall Aussagen, die auf quantitativen Methoden basieren und zu denen Messreihen erhoben werden können.

Kennzahl »Bearbeitungsdauer«

Letztendlich mündet alles in einer einzigen Kennzahl: in der Kennzahl **Bearbeitungsdauer** – das ist die Zeit, die ein Anwender benötigt, um einen Geschäftsvorfall im System zu bearbeiten.

Deshalb werde ich die Möglichkeiten zur Verbesserung der Benutzerfreundlichkeit (siehe Abschnitt 9.5, »Möglichkeiten des SAP-Systems zur Verbesserung der Benutzerfreundlichkeit«) hauptsächlich im Hinblick auf die Bearbeitungsdauer betrachten, und deshalb werden wir diese Kennzahl im Labortest (siehe Abschnitt 9.6, »Die Usability-Studie« verwenden.

Kennzahl »Steuerungseingaben«

Neben der Bearbeitungszeit gibt es noch eine weitere Kennzahl, die als Maßstab der Benutzerfreundlichkeit bezeichnet werden kann: die Kennzahl **Anzahl der Steuerungseingaben**. Als Steuerungseingaben sollen Interaktionen verstanden werden, die zur Steuerung des IT-Systems notwendig sind, aber nicht zu Dateneingaben führen. Hierzu zählen das Drücken von Buttons, [Tab]- und [Enter]-Tasten.

Weitere Kennzahlen

Weitere Werte, die erhoben werden könnten, um die Benutzerfreundlichkeit zu messen, sind:

- Anzahl der Bildschirmbilder
- Anzahl der Mausklicks
- Augenverweildauer
- Länge der Mausspur

Entscheiden Sie selbst, ob die Erhebung solcher Kennzahlen für Ihr Unternehmen einen Mehrwert bei der Bewertung der Benutzerfreundlichkeit bringt.

9.3 Warum Benutzerfreundlichkeit nicht gleich Benutzerakzeptanz ist

Vor allem in der IT-Branche und in den IT-Abteilungen ist man häufig der Meinung, dass eine verbesserte Benutzerfreundlichkeit automatisch zu einer gesteigerten Benutzerakzeptanz führt. Eine weitere Annahme ist, dass die Benutzerfreundlichkeit das einzige Hilfsmittel ist, um bei den Benutzern die notwendige Akzeptanz zu erreichen.

Meiner Meinung nach ist beides weit gefehlt und ein gravierender Irrtum. Denn aus meiner Sicht müssen sich die Maßnahmen zur Steigerung der Benutzerakzeptanz aus Maßnahmen zur Verbesserung der Benutzerfreundlichkeit *und* organisatorischen Maßnahmen zusammensetzen (siehe Abbildung 9.1).

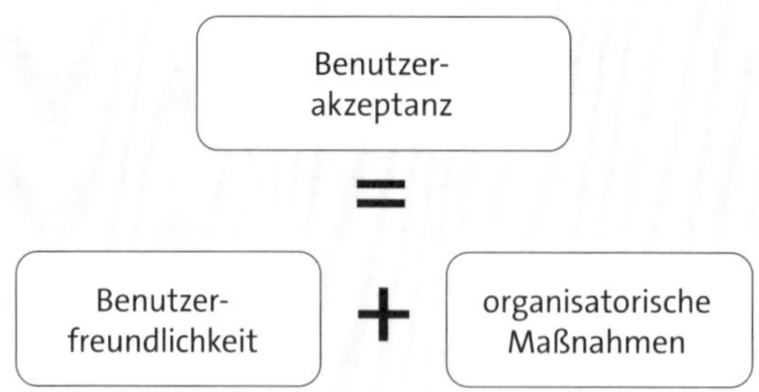

Abbildung 9.1 Benutzerakzeptanz

Organisatorische Maßnahmen

Was sind dies nun für organisatorische Maßnahmen, mit deren Hilfe Sie einen Beitrag zur Steigerung der Benutzerakzeptanz leisten können? Ich habe mittlerweile viele Workshops zu den Themen *Benutzerfreundlichkeit* und *Benutzerakzeptanz* geleitet, und in jedem dieser Workshops erarbeiteten wir organisatorische Maßnahmen, um die Benutzerakzeptanz zu verbessern. Im Folgenden finden Sie einen Auszug aus diesen Maßnahmen:

- Es wurden große Bildschirme aufgestellt.
- Auf jedem PC wurde SAP Logon verfügbar gemacht.
- Es wurde eine Intranet-Hilfeseite eingerichtet.
- Es wurde ein kleines Wiki gebaut.
- Es wurden bewusst nur wenige Auswahlmöglichkeiten gelassen (z. B. bei den Schadenscodes).
- Es wurden Key-User aus dem Kreis der Mitarbeiter ausgewählt.
- Mitarbeiter haben Mitarbeiter geschult. (Das ist der »Ei-Manni-guck-mal-Effekt«, im englischsprachigen Raum »Hey-Joe-Effekt« genannt).
- Es wurde eine Hotline-Nummer eingerichtet, bei der die Mitarbeiter, vor allem in der Anlaufzeit, jederzeit (d. h. 24 Stunden am Tag) anrufen konnten.
- Alternativ könnte man auch eine zentrale E-Mail-Adresse einrichten, verbunden mit dem Versprechen, innerhalb einer zu definierenden Toleranzzeit (z. B. maximal 30 Minuten) zurückzurufen.
- Während der Einführungsphase wurde das Feedback der Mitarbeiter eingeholt und so weit wie möglich umgesetzt.
- Während der Einführungsphase wurde den Mitarbeitern immer wieder der aktuelle Stand des Systems gezeigt.
- Die Mitarbeiter wurden eingehend darüber informiert, was mit den von ihnen eingegebenen Daten geschieht.
- Es wurden die Notwendigkeit der jeweiligen Dateneingaben und insbesondere die Anforderungen an die Korrektheit der Daten hervorgehoben.
- Es wurden offizielle Anerkennungen ausgesprochen, wenn im abgelaufenen Jahr die Anzahl von korrekten Meldungen eine gewisse Anzahl überschritten hat.
- Es wurde und wird ständig Überzeugungsarbeit geleistet, insbesondere werden die Vorteile und die Notwendigkeit des SAP-Systems aufgezeigt.
- Die Endanwender wurden intensiv in die Testphase eingebunden.
- Die Unternehmensvertreter sind Mitglieder in Benutzergruppen (beispielsweise in der DSAG im Arbeitskreis »Instandhaltung und Servicemanagement« oder im Arbeitskreis »User Interface«).

- Direkt nach den Schulungsmaßnahmen hatten die Mitarbeiter die Möglichkeit, das Gelernte noch einmal in Ruhe durchzugehen. Zu diesem Zweck wurde ihnen sowohl ein Zeitkontingent als auch ein Testsystem zur Verfügung gestellt. Denn ohne diese Möglichkeit zur Wissensfestigung ist das Gelernte schnell vergessen.
- Es wurden Handouts in der Sprache der Handwerker erstellt.
- Der Geschäftsprozess wurde mit einer einfachen ereignisgesteuerten Prozesskette (EPK) visualisiert und die SAP-Transaktionen wurden eingetragen.
- Es wurden einfache Bedienungsanleitungen entworfen und laminiert, die unter jeder Tastatur platziert werden konnten.
- Die Prozesse wurden mit einem entsprechenden Tool (z. B. Datango) aufgezeichnet und den Handwerkern zur Verfügung gestellt.
- Und immer wieder: Schulung, Schulung, Schulung. Vor allem diese Maßnahme wurde in allen Diskussionsbeiträgen als sehr wichtig herausgestellt.

Schulen Sie Ihre Mitarbeiter richtig

Beachten Sie bei der Planung und Durchführung von Schulungen die folgenden Grundsätze:

- Modularisieren Sie die Schulungen. Die Schulungen der einzelnen Module sollten nicht länger als einen halben Tag, allerhöchstens aber einen ganzen Tag dauern.
- Die Endanwenderschulungen sollten von Mitarbeitern Ihres Hauses durchgeführt werden, am besten durch die Vertreter des Fachbereichs im Projektteam.
- Verwenden Sie für die Schulung die Systemumgebung und beispielhaft die technischen Objekte, auf die die Endanwender später auch treffen.
- Führen Sie die Endanwenderschulungen in zeitlicher Nähe zum Produktivstart durch, denn sonst haben die Anwender bis zum Produktivstart vieles wieder vergessen.

Die Liste der Maßnahmen zur Erhöhung der Benutzerakzeptanz ließe sich noch beliebig fortsetzen – und jede der organisatorischen Maßnahmen ist firmenindividuell. Beherzigen Sie daher den folgenden Tipp:

[+]

Organisatorisches ist genauso wichtig wie die Benutzerfreundlichkeit

Setzen Sie sich intensiv damit auseinander, mit welchen organisatorischen Maßnahmen Sie in Ihrem Unternehmen die Benutzerakzeptanz verbessern können.

9.4 Warum die Benutzerakzeptanz gerade in der Instandhaltung so wichtig ist

Die Themen *Benutzerfreundlichkeit* und *Benutzerakzeptanz* spielen in allen Unternehmensbereichen eine wichtige Rolle. In den technischen Bereichen eines Unternehmens, zu denen die Instandhaltung gehört, haben diese Themen jedoch einen besonders entscheidenden Stellenwert.

Weshalb in der Regel die Benutzerfreundlichkeit und die Benutzerakzeptanz des SAP-Systems in der Instandhaltung als wichtiger anzusehen sind als in Buchhaltung, Controlling oder Einkauf, kann folgendermaßen begründet werden:

- **Anzahl der Anwender**
  Der erste Grund betrifft die Anzahl der Anwender, auf die Sie bei der Einführung treffen. Denn bei der Einführung der kaufmännischen Applikationen ist die Anzahl der beteiligten Anwender relativ klein, während Sie bei der Einführung von SAP S/4HANA Asset Management, insbesondere wenn die Handwerker ihre Aufträge selbst erzeugen oder rückmelden sollen, viel tiefer in den Betrieb hineingehen und auf eine viel größere Anwendergruppe treffen.
- **Ausbildung und Erfahrung**
  Der zweite Grund betrifft die Ausbildung und Erfahrung im Umgang mit IT-Systemen. Während die Anwender im kaufmännischen Bereich im Umgang mit der IT bereits Erfahrungen gesammelt haben, gut ausgebildet sind und in der Vergangenheit schon mit anderen IT-Systemen gearbeitet haben, trifft man bei der Einführung von SAP S/4HANA Asset Management auf Anwender, die im Extremfall zum ersten Mal vor einem Computer sitzen und deshalb schon Schwierigkeiten im Umgang mit Maus und Tastatur haben. Wenn die Anwender in der Instandhaltung etwas erfahrener sind, kennen sie vielleicht Office-Applikationen oder PC-gestützte Instandhaltungssysteme, aber in der Regel haben sie keine Erfahrung im Umgang mit integrierter Business-Software wie beispielsweise dem SAP-ERP-System.

- **Philosophie im Umgang mit Aufträgen**
  Auch trifft man in der Instandhaltung auf eine andere Philosophie im Umgang mit Aufträgen als z. B. im Controlling (CO). Während im Controlling der Innenauftrag eher als Kostensammler, Dauerauftrag, Jahresauftrag, Lebenszyklusauftrag o. Ä. betrachtet wird, ist man in der Instandhaltung aus Gründen der Zuordnung und Schwachstellenanalyse bestrebt, möglichst viele Aktivitäten als maßnahmenbezogene Einzelaufträge abzuwickeln. Die Konsequenz ist, dass die Anzahl der in der Instandhaltung im Laufe eines Jahres abgewickelten Instandhaltungsaufträge deutlich über der Anzahl der Innenaufträge liegt und dass diese Aufträge deshalb einfacher zu bedienen sein müssen als CO-Innenaufträge.
- **Ausstattung des Arbeitsplatzes**
  Im Gegensatz zu vielen anderen Fachbereichen (z. B. Controlling oder Einkauf) haben die Mitarbeiter der Instandhaltung oft keinen eigenen Arbeitsplatz, der ihnen für Arbeiten am SAP-System zur Verfügung steht, um sich z. B. Auftragspapiere auszudrucken oder offene Meldungslisten anzeigen zu lassen; die Mitarbeiter der Instandhaltung teilen sich vielmehr den Arbeitsplatz mit Kollegen. Und gerade gegen Schichtende, wenn jeder Mitarbeiter seine Rückmeldungen erfassen möchte, muss eine hohe Anwenderfreundlichkeit dafür sorgen, dass Anwenderwechsel schnell durchgeführt werden können.
- **Fokussierung auf die eigentliche Aufgabe**
  Und schließlich geht es auch um die eigentlichen Aufgaben, die der Mitarbeiter im Unternehmen hat: Ein Controller bucht auf seine Innenaufträge oder Kostenstellen und wertet diese aus; ein Buchhalter erfasst Eingangsrechnungen und prüft seine Saldenlisten; ein Einkäufer wickelt seine Bestellungen ab und überprüft seine Rahmenverträge – und alle benötigen zur Erfüllung ihrer Aufgaben ein IT-System. Denn alle Mitarbeiter geben Daten in das System ein und holen Informationen aus dem System heraus. Allerdings umfasst der Aufgabenbereich eines Instandhalters grundsätzlich das Instandsetzen, Warten und Inspizieren – und nicht die Bedienung eines IT-Systems; zur Durchführung seiner eigentlichen Aufgabe benötigt er im Grunde kein IT-System.

Die genannten Gründe unterstreichen die Notwendigkeit, bei der SAP-Einführung in der Instandhaltung wirklich alle Register zu ziehen, um das System so benutzerfreundlich wie möglich auszuprägen. Auch bietet SAP S/4HANA standardmäßig eine Reihe von Tools, um die Benutzerfreundlichkeit zu verbessern. Diese möchte ich Ihnen im Folgenden aus dem Blickwinkel der Instandhaltung vorstellen.

[+]

Benutzerakzeptanz ist in der Instandhaltung besonders wichtig

Die Themen *Benutzerakzeptanz* und *Benutzerfreundlichkeit* spielen aus den folgenden Gründen in der Instandhaltung eine so überaus wichtige Rolle:

- Sie treffen in der Instandhaltung auf eine breite Anwenderbasis.
- Viele Anwender sind in der IT unerfahren und nicht darin ausgebildet.
- Die Instandhaltung hat eine andere Auftragsphilosophie als das Controlling.
- Die eigentliche Aufgabe des Instandhalters ist die Instandhaltung, für die er im Prinzip kein IT-System braucht.

9

Grundsätze für mehr Benutzerfreundlichkeit

Es gibt keine Garantie, dass das System von den Anwendern akzeptiert bzw. als benutzerfreundlich angesehen wird. Sie können jedoch die Wahrscheinlichkeit erhöhen, wenn Sie die folgenden Grundsätze immer im Hinterkopf behalten und sie bei allen Entscheidungen hinsichtlich der Ausprägung des Systems in den Mittelpunkt stellen:

- **Gestalten Sie alles so einfach wie möglich!**
  Dies liest sich jetzt wie eine alte Binsenweisheit, jedoch nutzen erfahrungsgemäß die Anwenderfirmen nicht alle Möglichkeiten, um das SAP-System möglichst benutzerfreundlich zu gestalten – entweder weil sie diese Möglichkeiten nicht kennen oder weil sie sie aus anderen Gründen nicht einsetzen.
- **Ziehen Sie alle Register zur Verbesserung der Benutzerfreundlichkeit!**
  Um dies zu erreichen, müssen Sie jedoch Zeit und Aufwand in die Gestaltung Ihres SAP-Systems investieren.
- **Es ist schwierig und aufwendig, ein einfaches System bereitzustellen. Es ist leicht und wenig aufwendig, ein schwieriges System bereitzustellen.**
  Gestatten Sie mir hierzu einen Vergleich: Ist es Ihnen in der Schule auch leichter gefallen, ein buntes, abwechslungsreiches und farbenfrohes Gemälde von van Gogh zu beschreiben als ein leeres Tintenfass? Genauso verhält es sich mit dem SAP-System: Ein scheinbar perfektes System, das alle Probleme auf einmal zu lösen versucht, ein System, das alle Eventualitäten abzufangen versucht, ist wahrscheinlich so umfangreich und kompliziert, dass die Bereitschaft zur Akzeptanz rapide nachlässt. Es ist besser, auf den einen oder anderen Schnörkel zu verzichten und die Funktionen einfach zu customizen, sie vielleicht sogar ganz wegzulassen, um es den Anwendern im Tagesgeschäft möglichst leicht zu machen.

- **Setzen Sie Prioritäten!**
  Den folgenden Satz hat ein Referent an das Ende seines Vortrags gesetzt (und ich kann dem nur vorbehaltlos zustimmen):

Die 80:20 Regel neu interpretiert

Es besser, ein 80%iges System zu haben, das von 100 % der Anwender akzeptiert wird, als ein 100%iges System, das von 20 % akzeptiert wird.

9.5 Möglichkeiten des SAP-Systems zur Verbesserung der Benutzerfreundlichkeit

Dieser Abschnitt zeigt Ihnen die Möglichkeiten auf, mit deren Hilfe die Bearbeitung der Geschäftsvorfälle in der Instandhaltung vereinfacht und beschleunigt werden können.

Diese Möglichkeiten lassen sich in drei Kategorien einteilen – und in der Reihenfolge, in der die Kategorien genannt sind, sollten Sie deren Einsatz in Ihrem Unternehmen prüfen:

- *Kategorie 1*: die Möglichkeiten, die der Benutzer selbst hat
- *Kategorie 2*: die Möglichkeiten, die die IT-Abteilung ohne Programmierung hat
- *Kategorie 3*: die Möglichkeiten, die die IT-Abteilung mit Programmierung hat

Tabelle 9.1 gibt Ihnen einen Überblick über die Maßnahmen, die in die einzelnen Kategorien fallen.

Kategorie	Wer?	Was?
1	Benutzer	■ allgemeine Benutzerparameter ■ instandhaltungsspezifische Benutzerparameter ■ Rollen- und Favoritenmenüs ■ Listvarianten ■ personalisierte Eingabehilfen ■ Table Controls ■ Buttons und Tastenkombinationen

Tabelle 9.1 Möglichkeiten zur Verbesserung der Benutzerfreundlichkeit

Kategorie	Wer?	Was?
2	IT-Abteilung (ohne Programmierung)	■ Transaktionsvarianten ■ Customizing ■ Aktivitätenleiste ■ SAP Business Client ■ SAP Work Manager ■ SAP Asset Manager ■ SAP Fiori ■ GuiXT ■ SAP Screen Personas
3	IT-Abteilung (mit Programmierung)	■ Vorschalttransaktionen ■ Weboberfläche ■ Easy-Web-Transaktionen ■ Customer-Exits ■ Business Application Programming Interfaces (BAPIs) ■ klassische Business Add-ins (BAdIs) ■ Enhancement Points ■ Workflows

Tabelle 9.1 Möglichkeiten zur Verbesserung der Benutzerfreundlichkeit (Forts.)

Die Möglichkeiten von Kategorie 1 möchte ich Ihnen im Folgenden im Detail vorstellen. Sie erfahren nicht nur, *was* Sie machen können, sondern auch, *wie* Sie es machen sollten. Da die Möglichkeiten der Kategorien 2 und 3 Customizing und sogar Programmierung erfordern, werden sie im vorliegenden Buch nur funktional beschrieben (also das *Was*). *Wie* Sie mit diesen Möglichkeiten arbeiten sollten, finden Sie im Buch »Instandhaltung mit SAP – Customizing«.

9.5.1 Allgemeine Benutzerparameter

Viele Eingaben, die das SAP-System benötigt, bleiben aus der Sicht des Anwenders über eine gewisse Zeit konstant, wie beispielsweise die folgenden Informationen:

- Der Benutzer gehört zu einem bestimmten Arbeitsplatz.
- Der Arbeitsplatz ist wiederum einer bestimmten Kostenstelle zugeordnet.

- Der Benutzer arbeitet in einem bestimmten Werk.
- Der Benutzer ist für einen bestimmten Technischen Platz verantwortlich.

Eine Unterstützung des Anwenders im Sinne der Individualisierbarkeit stellt die Vorbelegung von Feldern mithilfe von sogenannten Benutzerparametern dar. Zu erreichen ist diese Vorbelegung entweder über die Transaktion SU3 oder über den Menüpfad **Mehr • System • Benutzervorgaben • Benutzerdaten**. Einmal festgelegt, werden diese Felder bei der Bearbeitung von Geschäftsprozessen mit den zugeordneten Werten automatisch vorbelegt.

Abbildung 9.2 zeigt Ihnen Parameter-IDs, die aus Instandhaltungssicht häufig benötigt werden.

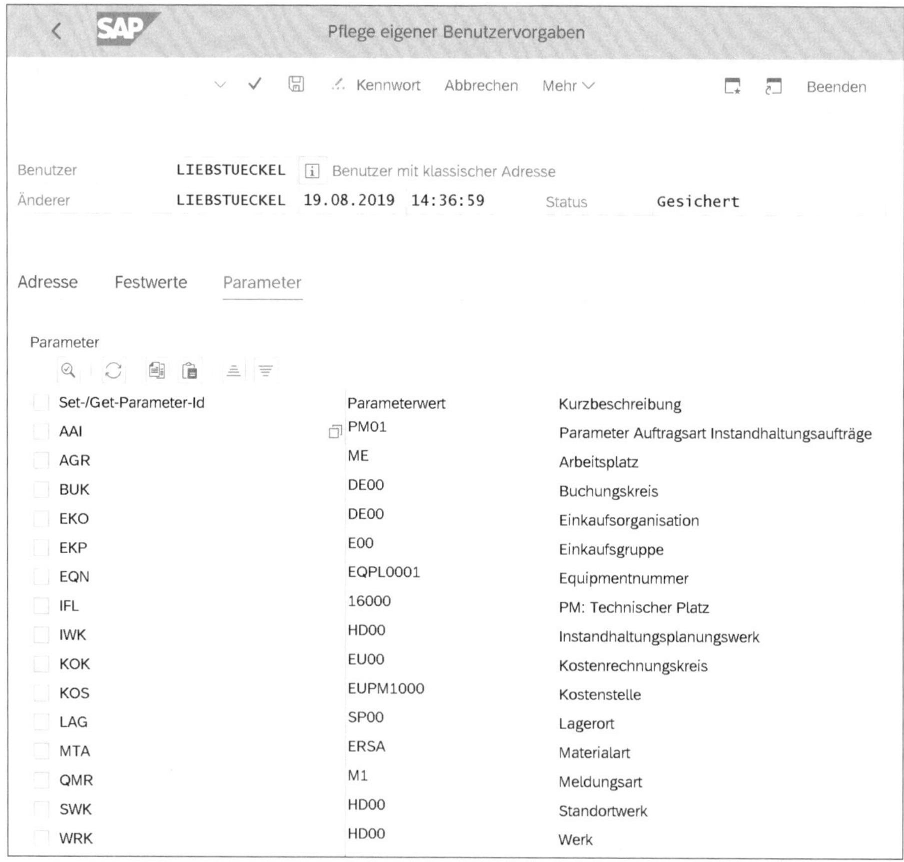

Abbildung 9.2 Allgemeine Benutzerparameter

Die F1-Hilfe unterstützt Sie beim Finden der Parameter-ID

Die Vorbelegung von Feldern über Parameter erspart Ihnen Bearbeitungszeit. Die jeweilige Parameter-ID finden Sie in der technischen Info der F1-Hilfe.

9.5.2 Instandhaltungsspezifische Benutzerparameter

Neben den allgemeinen Benutzerparametern gibt es auch instandhaltungsspezifische Benutzerparameter. Diese rufen Sie innerhalb der Meldung über **Mehr • Zusätze • Einstellung • Strg/Vorschlagswerte** und innerhalb des Auftrags über **Mehr • Zusätze • Einstellungen • Vorschlagswerte** auf.

Die instandhaltungsspezifischen Benutzerparameter haben den folgenden Inhalt:

- **Allgemeine Vorschlagswerte**
  Auftragsart, Meldungsart, Planungswerk, Geschäftsbereich usw. (siehe Abbildung 9.3)

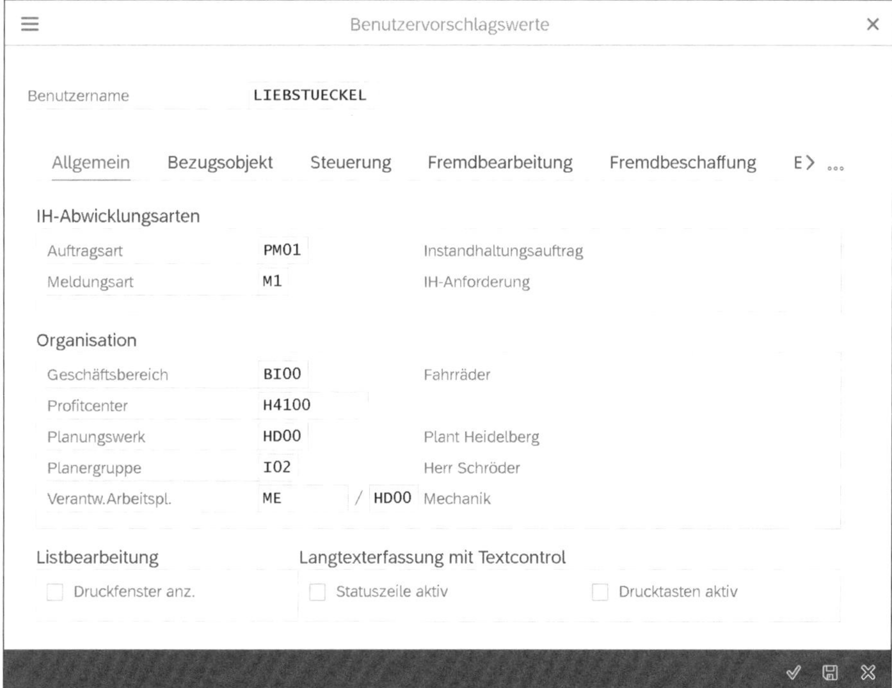

Abbildung 9.3 Instandhaltungsspezifische Vorschlagswerte

- **Bezugsobjekt**
  Vorschlagswerte für Technischen Platz, Equipment oder Baugruppe
- **Fremdbearbeitung**
  Vorschlagswerte für die Beauftragung von Fremdleistungen, wie z. B. Mengeneinheit, Kostenart, Warengruppe, Einkäufergruppe oder Einkaufsorganisation
- **Fremdbeschaffung**
  Vorschlagswerte für die Beschaffung von Nicht-Lagermaterial, wie z. B. Sachkonto, Warengruppe, Abladestelle oder Warenempfänger
- **Steuerungsmöglichkeiten**
  Unterdrückung von Pop-up-Fenstern, Einbindung von Arbeitsplänen usw. (siehe Abbildung 9.4).

Abbildung 9.4 Persönliche Steuerungsmöglichkeiten

Das SAP-System leistet hiermit sowohl einen Beitrag im Sinne der Individualisierbarkeit als auch im Sinne der Steuerbarkeit.

Nutzen Sie instandhaltungsspezifische Parameter

Die Vorbelegung von Feldern über die instandhaltungsspezifischen Parameter erspart Ihnen Bearbeitungszeit und gibt Ihnen die Möglichkeit, Bearbeitungsschritte zu steuern.

9.5.3 Rollen und Favoriten

Rollenmenü

Mithilfe der Transaktion PFCG können Sie rollenbasierte Menüs aufbauen. Diese haben eine viel einfachere Struktur als das SAP-Standardmenü, das in der Instandhaltung bis zu sieben Stufen aufweist. Insofern ist der Start einer Transaktion aus einem Rollenmenü heraus schneller als aus einem SAP-Standardmenü. Wenn Ihnen ein Rollenmenü zugeordnet ist, erscheint dieses Menü automatisch im SAP-Einstiegsbild (siehe Abbildung 9.5).

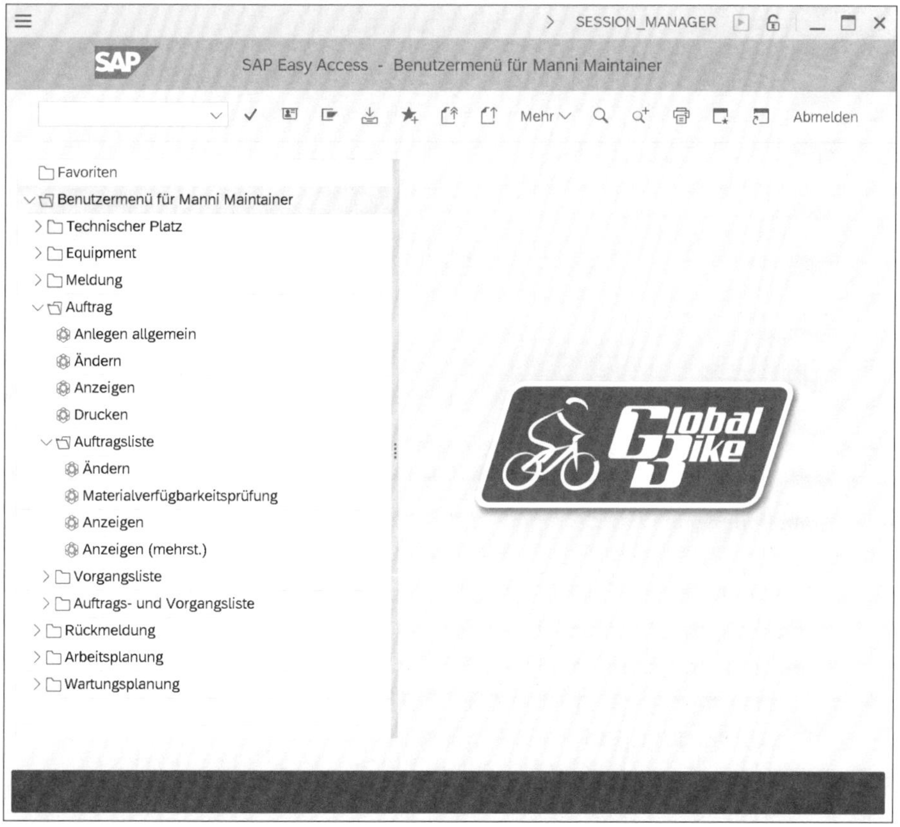

SESSION_MANAGER
SAP Easy Access - Benutzermenü für Manni Maintainer
Mehr
Abmelden
Favoriten
Benutzermenü für Manni Maintainer
Technischer Platz
Equipment
Meldung
Auftrag
Anlegen allgemein
Ändern
Anzeigen
Drucken
Auftragsliste
Ändern
Materialverfügbarkeitsprüfung
Anzeigen
Anzeigen (mehrst.)
Vorgangsliste
Auftrags- und Vorgangsliste
Rückmeldung
Arbeitsplanung
Wartungsplanung
Global Bike

Abbildung 9.5 Rollenmenü

Favoritenmenü

Eine weitere Vereinfachung stellen die Favoriten dar, bei denen der Anwender nur die von ihm benötigten Transaktionen einfügt (siehe Abbildung 9.6). Favoritenmenüs können einstufig oder mehrstufig sein. Der Start einer Transaktion erfolgt in der Regel deutlich schneller als aus dem SAP-Standardmenü.

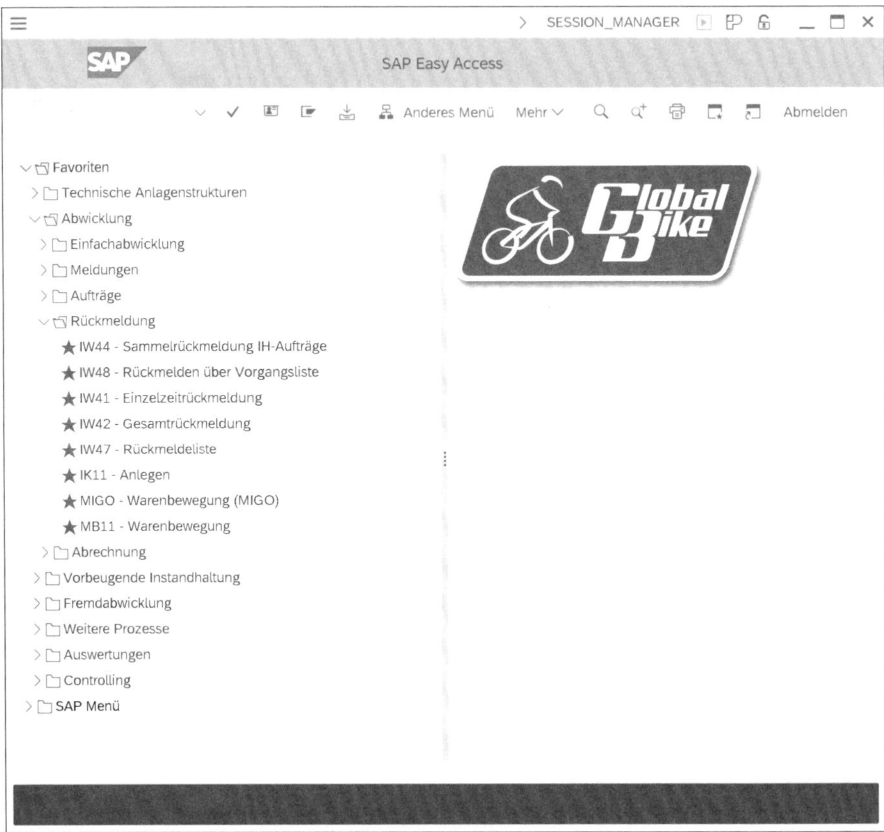

Abbildung 9.6 Favoritenmenü

Beachten Sie die folgende Einschränkung: Favoritenmenüs legt jeder Benutzer individuell für sich an. Das heißt, dass ein anderer Benutzer das Favoritenmenü seines Kollegen erst einmal nicht nutzen kann. Allerdings können Sie Favoritenmenüs über **Mehr • Favoriten • Download auf PC** bzw. **Upload von PC** auf andere Benutzer kopieren.

Nutzen Sie Rollen- und Favoritenmenüs

Rollenbasierte Menüs und Favoriten verkürzen die Startzeit einer Transaktion. Favoritenmenüs können per Download bzw. Upload auf andere Benutzer kopiert werden.

9.5.4 Listvarianten

Sie können Ihren Anwendern viel Zeit ersparen, wenn Sie ihnen die passenden Selektions- und Anzeigevarianten zur Verfügung stellen. In Abschnitt 7.2.1, »SAP List Viewer«, habe ich Sie bereits mit den Möglichkeiten des SAP List Viewers vertraut gemacht.

[+]

Richtlinien für Listvarianten

Beachten Sie beim Einrichten von Listvarianten die folgenden Richtlinien:

- Erheben Sie den Informationsbedarf Ihrer Anwender. Legen Sie auf dieser Basis Selektionsvarianten und die dazu passenden Anzeigevarianten fest.
- Die Selektionsvarianten sollten maximal eine Seite Selektionskriterien umfassen.
- Ihre Anwender sollten die am häufigsten genutzte Selektionsvariante für sich mit U_USERNAME abspeichern und die am häufigsten genutzte Anzeigevariante als Voreinstellung markieren.

9.5.5 Eingabehilfen personalisieren

Lange F4-Hilfen

[F4]-Hilfen zeigen normalerweise alle Einträge. Diese Liste aller Einträge ist oft sehr lang, obwohl der einzelne Anwender aus dieser Liste normalerweise immer nur ganz bestimmte Einträge benötigt. Dies betrifft sowohl einfache Tabellen, wie z. B. Warengruppen, Objektart, Schadensbild – als auch die erweiterte Hilfe wie z. B. die Suche nach Material, Lieferanten oder Kostenarten.

Werteliste

Hier besteht nun die Möglichkeit, eine sogenannte persönliche Werteliste festzulegen. Rufen Sie hierzu auf dem entsprechenden Feld (z. B. Warengruppe oder Material) die [F4]-Hilfe auf, markieren Sie die gewünschten Einträge, und ordnen Sie sie mithilfe des Buttons der persönlichen Werteliste zu.

Wenn Sie nun die [F4]-Hilfe zu diesem Feld aufrufen, erscheint automatisch die persönliche Werteliste anstelle der vollständigen Liste (siehe Abbildung 9.7). Über den Button können Sie jederzeit wieder die komplette Werteliste aufrufen.

Abbildung 9.7 Persönliche Werteliste

Nutzen Sie die persönlichen Wertelisten

Die persönliche Werteliste spart Ihnen bei [F4]-Hilfen Zeit bei der Suche nach dem richtigen Eintrag.

9.5.6 Buttons und Tastenkombinationen

Schon seitdem die Maus als Bedienelement am Rechner etabliert worden ist, scheiden sich die Geister an der Frage, ob die Bedienung mit oder ohne Maus schneller ist. Diese Frage muss jeder Benutzer für sich selbst beantworten. Falls Sie die Eingaben lieber über die Tastatur vornehmen, möchte ich Ihnen die Verwendung von Tastenkombinationen und Buttons ans Herz legen.

Richten Sie Tastenkombinationen ein

Stellen Sie den Anwendern, die gern mit der Tastatur arbeiten, wichtige und allgemeingültige Tastenkombinationen zur Verfügung.

Als Beispiele – nicht nur für die Instandhaltung – seien genannt:

- Mithilfe der [F11]-Taste können Sie das Sichern eines Beleges durchführen. Diese Funktion entspricht dem Diskettensymbol in der Systemfunktionsleiste.

- Ein weiterer und beliebter Trick ist die Verwendung der Tastenkombination [F4] + [↵] in Datums- und Uhrzeitfeldern. Damit wird das aktuelle Datum bzw. die aktuelle Uhrzeit in die jeweiligen Felder übernommen.
- Die [F4]-Taste kann ganz allgemein für das Aufrufen einer Werteliste verwendet werden.
- Die Befehle [Strg] + [C] und [Strg] + [V] kennen und nutzen wahrscheinlich die meisten Anwender zum Kopieren der letzten Eingaben. Man kann aber auch über [⊞] + [V] den kompletten Zwischenablageverlauf aufrufen und daraus den gewünschten Eintrag auswählen.

Zwischenablageverlauf

- Wenn Sie den Desktop vor lauter geöffneten Fenstern nicht mehr sehen, müssen Sie sie nicht einzeln minimieren, um den Blick auf die Oberfläche freizugeben. Mit dem Tastenkürzel [⊞] + [D] minimiert man sie mit einem Schlag in die Taskleiste. Wollen Sie den alten Zustand wiederherstellen, drücken Sie die Kombination erneut, und alle Fenster werden wieder vergrößert.

Desktop freigeben

- Verkleinerte Fenster sind eine Möglichkeit, um auf einem kleinen Display den Überblick nicht zu verlieren. Wenn aber sehr viele Programme oder Fenster gleichzeitig geöffnet sein sollen, sind virtuelle Desktops die bessere Option. Das heißt, man nutzt gleichzeitig mehrere Arbeitsoberflächen, zwischen denen man problemlos hin- und herwechseln kann. Die Übersicht öffnen Sie mit [⊞] + [⇆]. Dort ist es dann möglich, über das Pluszeichen weitere Desktops hinzuzufügen. Sie können aber auch gleich [⊞] + [Strg] + [D] drücken, um einen neuen virtuellen Desktop zu erzeugen und direkt dorthin zu wechseln. Programme ordnen Sie in der Taskansicht einfach zu, indem Sie sie auf die Miniatur eines Desktops ziehen. Möchten Sie einen Desktop entfernen, drücken Sie [⊞] + [Strg] + [F4], während er angezeigt wird.

Virtuelle Desktops

9.5.7 Table Controls

Die sogenannten Table Controls bieten eine weithin unbekannte und ungenutzte Möglichkeit für den Endanwender, das SAP-System an seine Bedürfnisse anzupassen. Waren früher die SAP-Bildschirmbilder fest programmiert (d. h., alle Felder waren an einer unveränderlichen Position platziert), sind mittlerweile viele Bildschirmbilder auf die Table-Control-Technik umgestellt, mit deren Hilfe Sie das Layout und die Reihenfolge der Felder selbst festlegen können.

Beispiele für Table Controls in der Instandhaltung und in angrenzenden Gebieten sind unter anderem:

- Vorgangsliste (siehe Abbildung 9.8), Komponentenliste, Leistungsverzeichnis und Objektliste im Auftrag
- alle Partnerübersichten
- Positions-, Ursachen-, Maßnahmen- und Aktionenübersicht in der Meldung
- Zeitrückmeldung, Messwerterfassung, Warenbewegungen und Aktionen in der Gesamtrückmeldung
- Positionsübersicht im Wartungsplan
- Vorgangsübersicht, Komponentenübersicht, Wartungspakete und Leistungsverzeichnis im Arbeitsplan
- Sammelrückmeldung
- Positionsübersicht bei Materialentnahmen
- Positionsübersicht in Bestellanforderungen
- Positionsübersicht in Bestellungen

Vrg	ArbPlatz	Werk	Ste...	A...	Kurztext Vorgang	Arbeit	EH	Dauer	EH	LstArt	La...	VA
0010	ME	HD00	PM01		Pumpe ausser Betrieb setzen;	0,5	STD	30	MIN	MLABOR		
0020	ME	HD00	PM01		Sichtprüfung außen: Rost, Risse, Deform.	0,5	STD	30	MIN	MLABOR		
0030	ME	HD00	PM01		Allg. Sichtprüfung innen: Rost, Abrieb	0,5	STD	30	MIN	MLABOR		
0040	ME	HD00	PM01		Getriebezähne auf Abrieb überprüfen	2,0	STD	100	MIN	MLABOR		
0050	ME	HD00	PM01		Abdeckung entfernen u. Bohrungen prüfen	1,0	STD	60	MIN	MLABOR		
0060	ME	HD00	PM01		Abdeckung anbringen	0,5	STD	30	MIN	MLABOR		
0070	MANT100	HD00	PM01		Pumpe in Betrieb nehmen	0,5	STD	0,5	STD	MLABOR		

Abbildung 9.8 Table Control

Bei all diesen Table Controls und bei vielen anderen mehr haben Sie die folgenden Einstellungsmöglichkeiten:

- Sie können mit Drag & Drop die Spalten in der Reihenfolge anordnen, die Sie am häufigsten benötigen.
- Sie können jede Spalte so verbreitern oder verschmälern, dass sie Ihren üblichen Eingaben entspricht.

- Sie können Felder ausblenden, die Sie nicht benötigen, und zwar dadurch, dass Sie die Spalte komplett zusammenschieben.

Das Wichtigste bei all diesen Möglichkeiten ist, dass Sie diese Einstellungen als benutzerspezifische Variante abspeichern können. An der rechten oberen Ecke jedes Table Controls befindet sich hierzu der Button [⚙], mit dessen Hilfe Sie auf ein Detailbild gelangen, auf dem Sie Ihre Einstellungen als Variante anlegen und damit die Standardeinstellungen übersteuern können (siehe Abbildung 9.9).

Abbildung 9.9 Table Control – Einstellungen

[+]

Machen Sie regen Gebrauch von den Table Controls

Über individualisierte und als Variante abgespeicherte Table Controls können Sie die Erfassungs- und Suchzeiten auf den Bildschirmmasken erheblich verringern und damit einen wesentlichen Beitrag zur Steigerung der Benutzerfreundlichkeit leisten.

Einkaufsdaten

Lange Zeit beinhalteten die Table Controls zur Vorgangsübersicht und zur Komponentenübersicht nur eine von SAP vordefinierte Auswahl von Feldern. Schmerzlich vermisst wurden insbesondere die Einkaufsdaten. Wenn Sie die Business Function LOG_EAM_CI_5 aktivieren, können Sie in den beiden genannten Table Controls alle Einkaufsdaten pflegen (wie z. B. Lieferant, Warengruppe, Warenempfänger, Abladestelle oder Einkäufergruppe, siehe Abbildung 9.10).

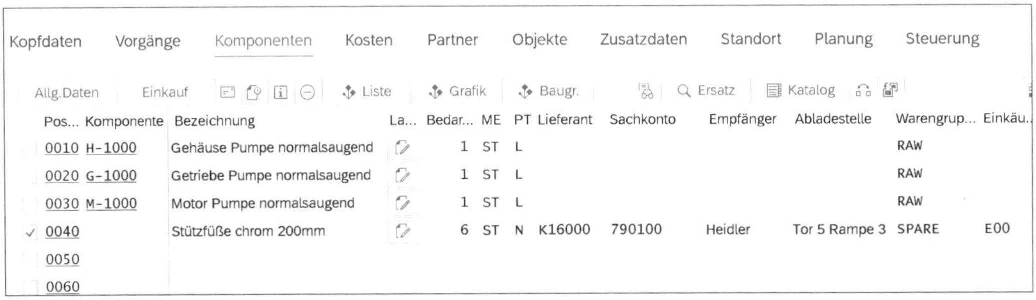

Kopfdaten Vorgänge Komponenten Kosten Partner Objekte Zusatzdaten Standort Planung Steuerung

Allg.Daten Einkauf Liste Grafik Baugr. Ersatz Katalog

Pos...	Komponente	Bezeichnung	La...	Bedar...	ME	PT	Lieferant	Sachkonto	Empfänger	Abladestelle	Warengrup...	Einkäu...
0010	H-1000	Gehäuse Pumpe normalsaugend		1	ST	L					RAW	
0020	G-1000	Getriebe Pumpe normalsaugend		1	ST	L					RAW	
0030	M-1000	Motor Pumpe normalsaugend		1	ST	L					RAW	
0040		Stützfüße chrom 200mm		6	ST	N	K16000	790100	Heidler	Tor 5 Rampe 3	SPARE	E00
0050												
0060												

Abbildung 9.10 Table Control – Einkaufsdaten

Damit verlassen wir die Möglichkeiten der Kategorie 1, in denen jeder Benutzer seine individuellen Einstellungen vornehmen kann, und kommen zu den Möglichkeiten der Kategorie 2. Diese liegen in den meisten Unternehmen in der Verantwortung der IT-Abteilung, die jedoch keine Programmierungen vornehmen muss. Diese – und auch die Möglichkeiten der Kategorie 3 (IT mit Programmierung) – werden im Folgenden funktional beschrieben (*was*), aber *wie* Sie damit arbeiten sollten, erkläre ich in dem Buch »Instandhaltung mit SAP – Customizing«.

Als Erstes möchte ich Ihnen nun die Möglichkeit vorstellen, dass Sie zu einer Originaltransaktion beliebig viele angepasste Varianten anlegen können, die sogenannten Transaktionsvarianten.

9.5.8 Transaktionsvarianten

Wird eine Transaktion – typischer Fall: Transaktion IW31 (Anlegen Auftrag) – zur Abwicklung von unterschiedlichen betriebswirtschaftlichen Geschäftsvorfällen und von verschiedenen Benutzergruppen verwendet, ist es häufig sinnvoll, den Ablauf der Transaktion dem jeweiligen Geschäftsvorfall bzw. der jeweiligen Benutzergruppe anzupassen. Zum Beispiel müsste das Anlegen eines Auftrags anders aussehen, je nachdem, welche der folgenden Anwendergruppen einen Auftrag anlegt:

- Auftraggeber oder Auftragnehmer
- Elektriker oder Mechaniker
- Planer oder Techniker

Hierzu eignen sich die Transaktionsvarianten.

[+]

Mithilfe der Transaktionsvarianten können Sie jede Transaktion anpassen

Zu einer originalen Transaktion können Sie beliebig viele Transaktionsvarianten anlegen. In einer Transaktionsvariante können Sie:

- ganze Masken ausblenden
- einzelne Registerkarten ausblenden
- Menüfunktionen deaktivieren
- Drucktasten deaktivieren
- die Feldauswahlsteuerung einzelner Felder setzen (Anzeige, Muss, Ausblenden)
- den Feldinhalt vorbelegen
- bei Table Controls die Spaltenreihenfolge verändern, die Spaltenbreite ändern und die Spalten ausblenden
- der Transaktion einen eigenen Namen geben

Abbildung 9.11 zeigt Ihnen ein Beispiel für die Transaktion IW31, zu der eine Transaktionsvariante angelegt wurde.

Die folgenden Maßnahmen wurden hier zur Vereinfachung ergriffen:

- Das Einstiegsbild der Transaktion IW31 wurde übersprungen.
- Es wurden bestimmte Feldinhalte vorbelegt (z. B. Auftragsart und Priorität).
- Es wurden alle Registerkarten bis auf eine ausgeblendet (z. B. **Vorgänge**, **Material**).
- Es wurden Menüfunktionen und Drucktasten deaktiviert (z. B. Abrechnungsvorschrift, Terminieren, Paging).
- Es wurden Subscreens ausgeblendet (z. B. das Vorgangsdetail im Auftragskopf).
- Es wurden Felder ausgeblendet (z. B. **Verantwortlicher**).
- Es wurde ein eigener Transaktionsname (hier Transaktion ZW31) vergeben, über den die Transaktionsvariante aufgerufen werden kann.

Das Ergebnis ist eine gegenüber dem Original deutlich reduzierte Transaktion, die nur die Masken, Felder und Funktionen enthält, die der Anwender benötigt.

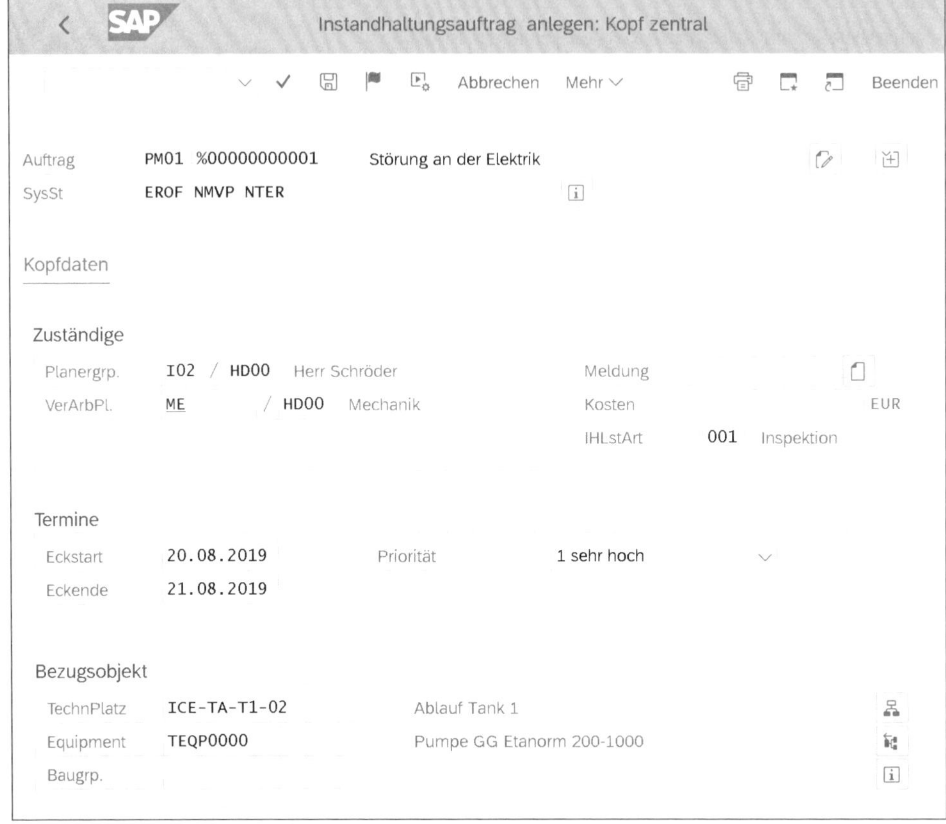

Abbildung 9.11 Transaktionsvariante zu IW31

9.5.9 Customizing

Auch das Customizing bietet im Hinblick auf die Verbesserung der Benutzerfreundlichkeit viele Möglichkeiten. Die wichtigsten dieser Customizing-Funktionen sind im Folgenden aufgeführt – mit ihrer Wirkungsweise, sofern die Funktionen nicht selbsterklärend sind. Die Reihenfolge der Customizing-Funktionen in dieser Liste entspricht der Reihenfolge der Customizing-Funktionen im SAP-Referenz-IMG:

- **Sichtenprofile für technische Objekte einstellen**
  Bildschirmlayout für Equipments und Technische Plätze
- **Feldauswahl für Technische Plätze festlegen**
  Muss-Felder festlegen und Felder ausblenden
- **Feldauswahl für den Equipmentstammsatz festlegen**
  Muss-Felder festlegen und Felder ausblenden

- **Vorschlagswerte für Objekttypen transaktionsbezogen festlegen**
  Vorbelegung des Equipmenttyps bzw. Typ des Technischen Platzes
- **Abrechnungsprofile pflegen**
  Vorschlagswerte zur Kontierung
- **Überblick zur Meldungsart • Bildbereiche im Meldungskopf**
  Bezugsobjekt der Meldung
- **Bildschirmmasken zur Meldungsart einstellen**
- **Feldauswahl Meldungen einstellen**
  Muss-Felder festlegen und Felder ausblenden
- **Transaktionsstartwerte festlegen**
  Vorbelegung der Meldungsart und Überspringen des Einstiegsbildes
- **Meldungsarten Auftragsarten zuordnen**
  Vorbelegung der Auftragsart zur Meldungsart
- **Auftragsarten einrichten**
  Bezugsobjekt des Auftrags
- **Vorschlagswertprofile für Fremdbeschaffung anlegen**
  Vorschlagswerte für Material- und Dienstleistungsbeschaffungen
- **Meldungs- und Auftragsintegration definieren**
  Meldungs- und Auftragsdaten auf einem Bild erfassen, automatische Übernahme des Langtextes aus der Meldung in den Auftrag
- **Einfache Auftragssicht • Sichtenprofile definieren**
  Bildschirmlayout der Aufträge festlegen
- **Vorschlagswerte der Komponentenpositionstypen festlegen**
  Vorschlagswert für den Positionstyp pro Materialart
- **Nachrichtensteuerung**
  Steuerung, ob eine Warn-, Fehler- oder keine Meldung ausgegeben werden soll
- **Feldauswahl für Auftragskopfdaten (PM) festlegen**
  Muss-Felder festlegen und Felder ausblenden
- **Feldauswahl für Auftragsvorgang (PM und CS) festlegen**
  Muss-Felder festlegen und Felder ausblenden
- **Feldauswahl für Komponenten (PM und CS) festlegen**
  Muss-Felder festlegen und Felder ausblenden
- **Bildschirmmasken für die Rückmeldung einstellen**
  Bildschirmlayout für Gesamtrückmeldung

- **Feldauswahl Rückmeldung einstellen**
  Muss-Felder festlegen und Felder ausblenden

Zielgerichtetes Customizing verbessert die Benutzerfreundlichkeit

Das Customizing bietet viele Möglichkeiten, um die Benutzerfreundlichkeit von SAP S/4HANA Asset Management zu verbessern. Hervorzuheben sind hier zum einen die Möglichkeiten zur Gestaltung der Bildschirmlayouts in Meldung, Auftrag und Gesamtrückmeldung.

Zum anderen sollten Sie von der Feldauswahlsteuerung gezielten Gebrauch machen, insbesondere von der Möglichkeit des Ausblendens.

9.5.10 Aktivitätenleiste

Wenn Sie Meldungen bearbeiten, können Sie die Aktivitätenleiste verwenden, um Folgeaktivitäten auszuführen, die Ihnen die Meldungsbearbeitung erleichtern können. Diese werden, nachdem sie ausgeführt worden sind, als Aktionen oder Maßnahmen dokumentiert.

Die Funktionen können Sie direkt aus der Meldung heraus aufrufen, zu der Sie nach Beendigung der Funktion wieder automatisch zurückgelangen. Abbildung 9.12 zeigt Ihnen Beispiele für Aktivitäten in der Aktivitätenleiste:

- einen internen Hinweis hinterlegen
- einen Telefonanruf dokumentieren
- einen Telefonanruf über SAPphone anstoßen
- eine SAPmail oder E-Mail senden
- eine Warenbewegung buchen
- einen Reparaturauftrag anlegen
- in der Lösungsdatenbank nach einem Problem oder einer Lösung suchen
- eine Qualitätsmeldung anlegen
- einen 8-D-Report generieren
- einen Wartungsplan anlegen
- eine Stückliste zuordnen

Wie Sie sehen, handelt es sich dabei um Funktionen, bei denen Sie ansonsten die Bearbeitung der Meldung verlassen müssten und die damit einen Beitrag zur Vereinfachung eines Geschäftsprozesses leisten können.

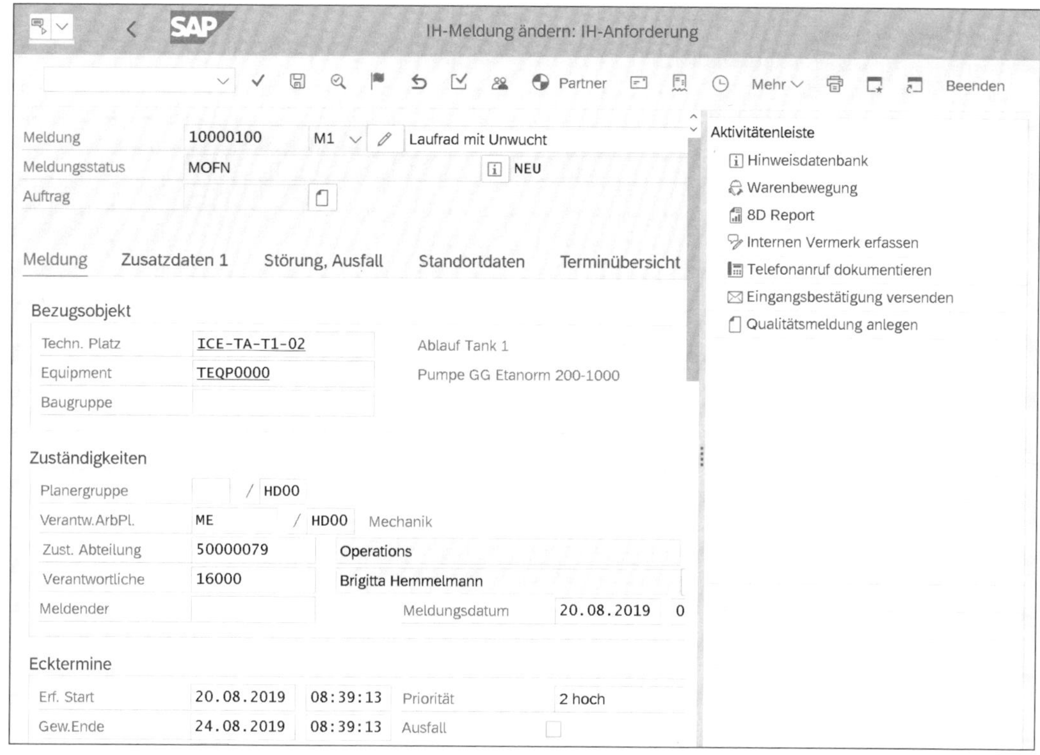

Abbildung 9.12 Aktivitätenleiste in der Meldung

Voraussetzung

Mithilfe der Customizing-Funktion **Aktivitätenleiste definieren** können Sie über die in Abbildung 9.12 gezeigten Funktionen hinaus noch weitere Funktionen hinterlegen.

9.5.11 GuiXT

GuiXT ist eine SAP-GUI-Komponente, die es Ihnen ermöglicht, Ihre SAP-Transaktionen entsprechend Ihren täglichen Anforderungen individuell zu gestalten. Im Einzelnen stehen Ihnen hierzu die folgenden Möglichkeiten zur Verfügung:

- Vorbelegen von Feldern mit Werten
- Ausblenden von Feldern und Feldgruppen
- Verschieben von Feldern
- Hinzufügen und Ändern von Texten
- Hinzufügen von Feldhilfen
- Hinzufügen neuer Screen-Elemente (z. B. Ankreuzfelder, Drucktasten, Grafiken und Dokumentationen)

- Tabellen anpassen
- Feldbezeichner systemweit ändern

Abbildung 9.13 zeigt Ihnen einen mit den Hilfsmitteln von GuiXT angepassten Einstiegsbildschirm zum Anlegen eines Auftrags (Transaktion IW31).

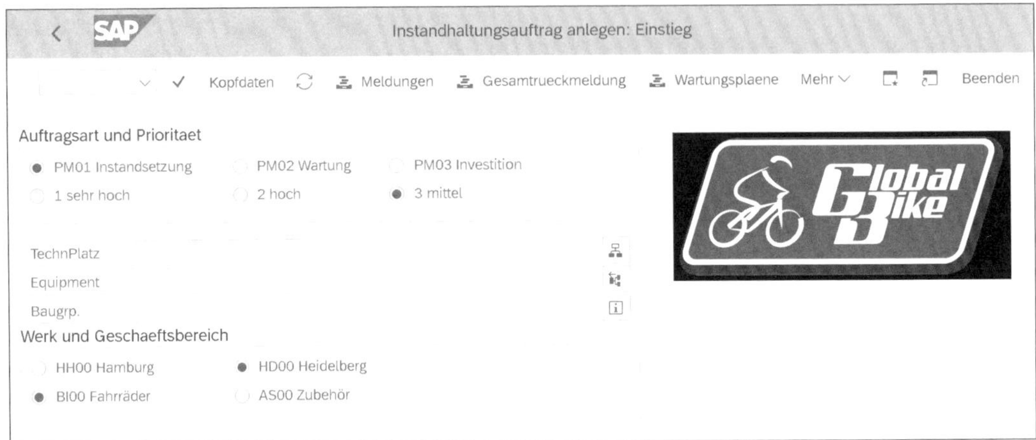

Abbildung 9.13 Mit GuiXT angepasste Transaktion IW31

- Es werden nur zulässige Prioritäten, Auftragsarten, Werke und Geschäftsbereiche als Radiobuttons angeboten, d. h., man hat keine Möglichkeit, falsche Werte auszuwählen.
- Es wird ein kontextsensitives Bild zum technischen Objekt eingeblendet.
- Es wurden Buttons zu umliegenden Funktionen angeboten (z. B. um sich die Wartungspläne des technischen Objekts anzeigen zu lassen)
- Überflüssige Felder wurden entfernt.

Mit GuiXT können Sie Bildschirmbilder anpassen

Auch GuiXT könnte für Sie ein Hilfsmittel sein, um die Bearbeitung der Geschäftsvorfälle in der Instandhaltung Ihren Bedürfnissen anzupassen bzw. zu vereinfachen und zu beschleunigen.

9.5.12 SAP Screen Personas

SAP Screen Personas bietet Ihnen, ähnlich wie GuiXT, die Möglichkeit, die SAP-Standard-Bildschirmmasken an Ihre eigenen Anforderungen anzupassen und umzugestalten. Dabei steht Ihnen eine Reihe von Funktionen zur Verfügung, um Bildschirmbilder zu verändern. Durch die Nutzung dieser

Funktionen können Sie eine größere Benutzerfreundlichkeit erreichen und die Benutzerakzeptanz steigern.

Ein angepasster Einstiegsbildschirm zur Meldungserfassung, auf dem der Anwender sein Firmenlogo und nur die von ihm benötigten Funktionen auf großen Buttons und mit Bildern unterlegt vorfindet (siehe Abbildung 9.14), wird z. B. besser angenommen als der Standard-Einstiegsbildschirm des SAP-Easy-Access-Menüs.

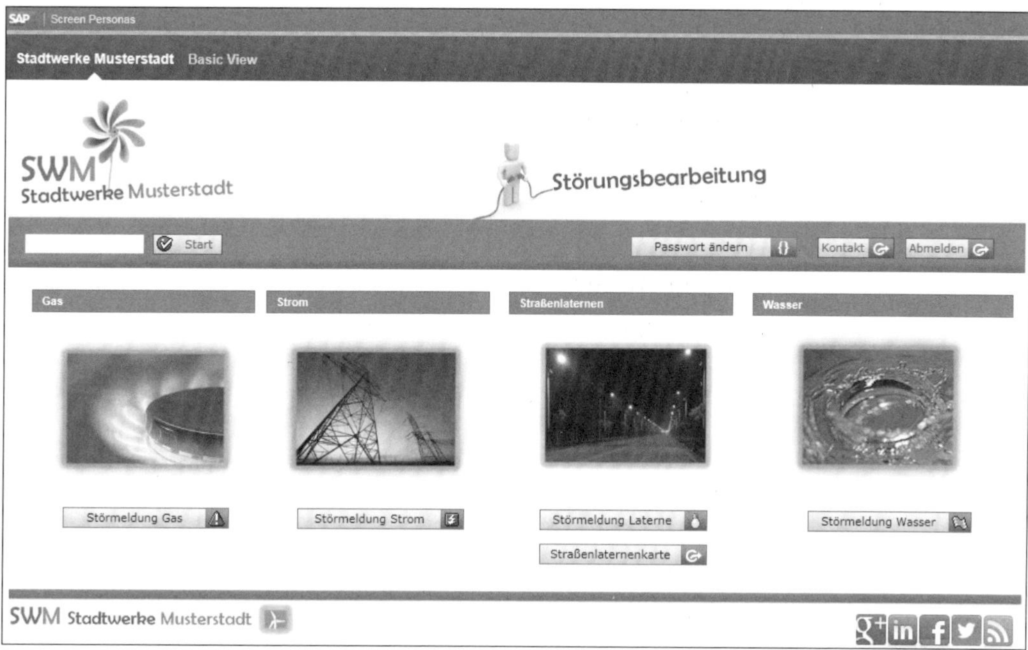

Abbildung 9.14 SAP Screen Personas – Meldungserfassung

Flavors

Die spezifische Personalisierung einer bestimmten SAP-Transaktion nennt sich *Flavor*. Ein Flavor ist immer mit einer SAP-Transaktion verknüpft (z. B. Transaktion IW31). Zu einer Transaktion können Sie beliebig viele Flavors anlegen. Nach Fertigstellung eines Flavors können Sie diesen für ausgewählte oder für alle Benutzer des SAP-Systems freigeben.

User Interface Editor

Die Bildschirmbilder selbst bearbeiten Sie mit einem *User Interface Editor* (kurz: UI Editor). Im UI Editor können Sie alle Steuerelemente eines Bildschirmbildes bearbeiten:

- Beschriftungen
- Radiobuttons (Auswahlknöpfe)
- Checkboxen (Kennzeichen)

- Buttons
- Eingabefelder
- Drop-down-Listen
- Feldgruppen
- Texte

Möglichkeiten, um Steuerelemente anzupassen

Je nachdem, um welches Steuerelement es sich handelt, haben Sie dann folgende Möglichkeiten (nicht alle Möglichkeiten greifen bei allen Steuerelementen):

- Sie können einzelne Steuerelemente und auch eine ganze Gruppe von Steuerelementen komplett aus- oder einblenden.
- Dabei können Sie auch neue Steuerelemente definieren (z. B. eine URL auf eine Drucktaste legen).
- Per Drag & Drop können Sie einzelne Steuerelemente an die von Ihnen gewünschte Position verschieben.
- Sie können die Größe von Steuerelementen verändern.
- Sie können dem Steuerelement eine neue QuickInfo geben.
- Sie können den Standardwert eines Steuerelementes verändern (z. B. bei einem Eingabefeld einen Wert vorbelegen).
- Sie können den Titel und den Text eines Steuerelementes anpassen.
- Mithilfe von Haftnotizen können Sie dem gewünschten Steuerelement Zusatzinformationen hinzufügen. Anders als QuickInfos werden Haftnotizen nur dann angezeigt, wenn das Steuerelement ausgewählt wird.

Abbildung 9.15 zeigt Ihnen ein auf diese Weise angepasstes Rückmeldecockpit. Dieses Rückmeldecockpit umfasst die folgenden Funktionen:

- Einzelrückmeldung (Transaktion IW41)
- Gesamtrückmeldung (Transaktion IW42)
- Rückmeldung anzeigen (Transaktion IW43)
- Liste Rückmeldungen (Transaktion IW47)
- Zählerstände und Messbelege (Transaktion IK11)
- Warenentnahme auf Auftrag (Transaktion MIGO)
- Erfassung technischer Daten zur Meldung (Transaktion IW22)
- Liste Meldungspositionen (Transaktion IW69)
- Liste Warenbewegungen (Transaktion MB51)
- Auftrag technisch abschließen (Transaktion IW32)

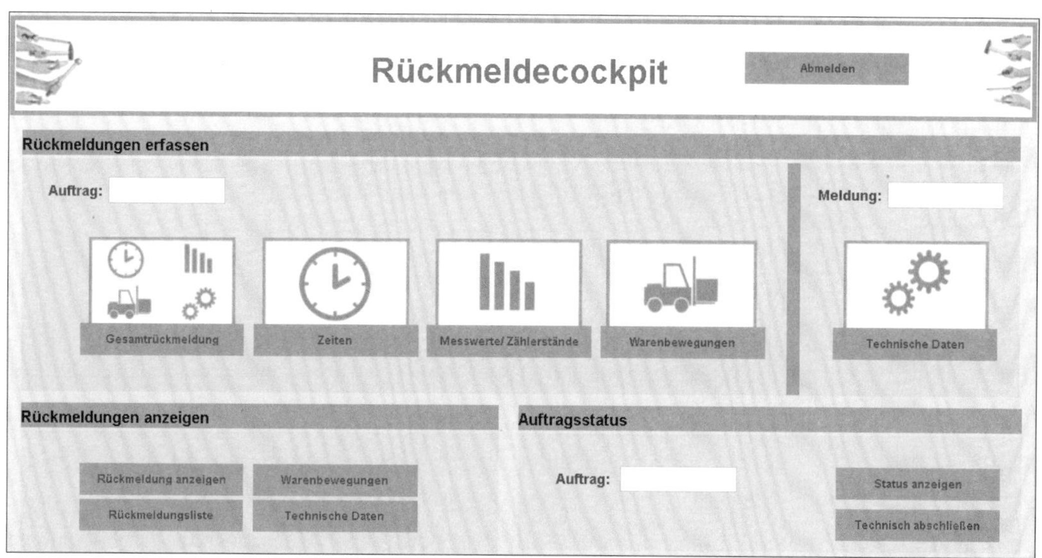

Abbildung 9.15 SAP Screen Personas – Rückmeldecockpit[2]

Lagercockpit

Einen ähnlichen Ansatz verfolgt das Lagercockpit (siehe Abbildung 9.16). In seiner Cockpit-Funktion bietet es den Einstieg in die Durchführung verschiedener Detailaufgaben.

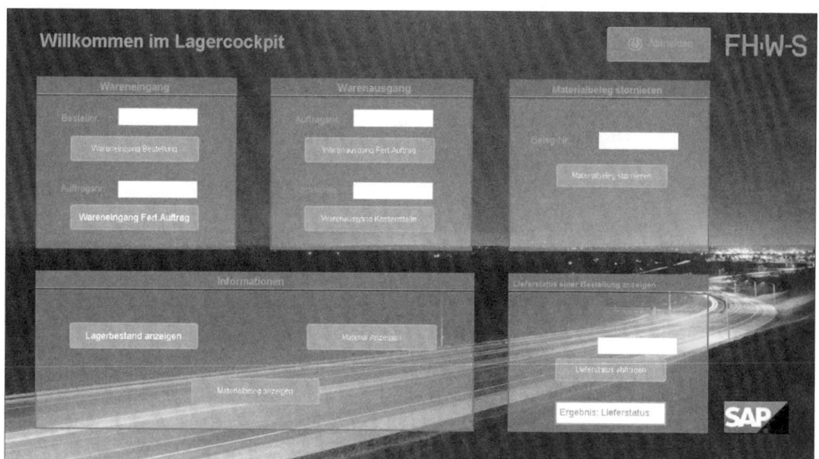

Abbildung 9.16 SAP Screen Personas – Lagercockpit[3]

2 Erstellt von Charlotte Papenburg im Rahmen ihrer Bachelorarbeit »Konzeption und Umsetzung eines Rückmeldecockpits für die Instandhaltung mit SAP Screen Personas«, Würzburg 2016.

3 Erstellt von Daniela Loos im Rahmen ihrer Bachelorarbeit »Konzeption und Umsetzung eines Lagercockpits mit SAP Screen Personas«, Würzburg 2016.

Dazu gehören:

- Wareneingang zur Bestellung oder Fertigungsauftrag
- Warenausgabe auf Auftrag oder Kostenstelle
- Anzeige der Materialbestände
- Anzeige des Lieferstatus
- Materialstammsatz anzeigen
- Materialbeleg stornieren

Neben den einzelnen Steuerelementen können Sie auch das komplette *Theme* des Flavors verändern:

- Sie können eigene Hintergrundbilder definieren (z. B. Logos einfügen, kontextabhängige Bilder anzeigen lassen, Rahmen und Farbschema definieren).
- Sie können die SAP-Standard-Themes *Corbu*, *Tradeshow*, *High Contrast Black* und *Blue Crystal* anpassen.
- Für die Themes *Corbu* und *Blue Crystal* können Sie auch das Farbschema ändern.
- Sie können auch Google Maps einbinden, um die Lokation der technischen Objekte oder Aufträge zu zeigen, falls diese über Geo-Daten verfügen (siehe Abbildung 9.17).

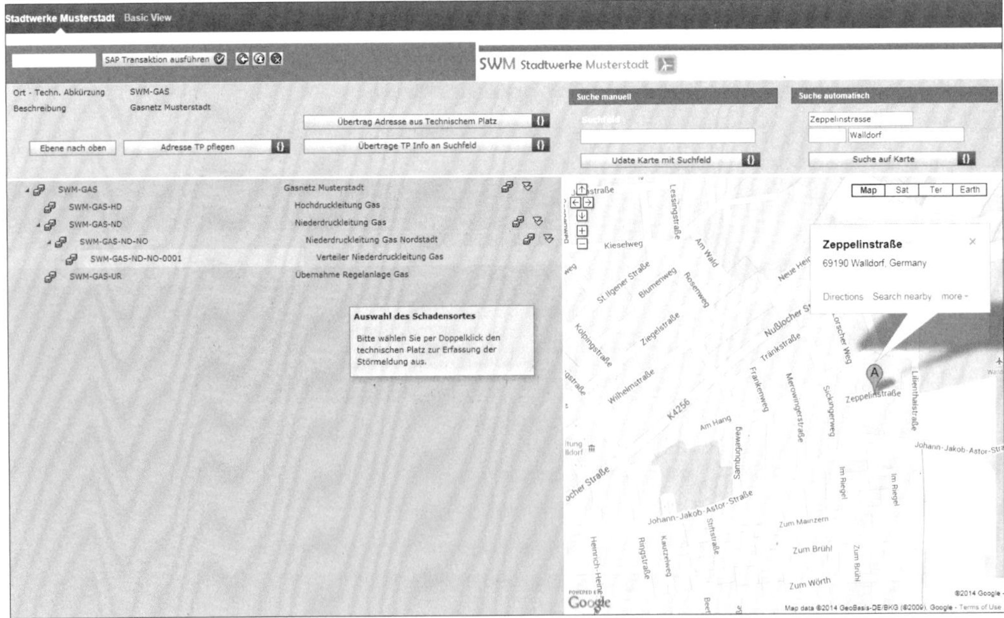

Abbildung 9.17 SAP Screen Personas – Geo-Daten

[+]

Mit SAP Screen Personas Web-Feeling erzeugen

SAP Screen Personas bietet Ihnen viele Möglichkeiten, um die Oberfläche des SAP-Systems zu vereinfachen und dem Anwender das Gefühl zu geben, er arbeite gar nicht in einem SAP-System, sondern auf einer Weboberfläche.

Unter *www.sapscreenpersonas.com* finden Sie weitere Informationen.

Kommen wir nun zu den Möglichkeiten der Kategorie 3 (IT mit Programmierung); auch diese werden nur funktional beschrieben (*was*). *Wie* Sie damit arbeiten sollten, erkläre ich in dem Buch »Instandhaltung mit SAP – Customizing«.

9.5.13 Vorschalttransaktionen

Bei der Bearbeitung von Geschäftsvorfällen müssen in der Regel mehrere Transaktionen hintereinander aufgerufen werden, und innerhalb der einzelnen Transaktionen sind die einzugebenden Felder auf mehrere Bildschirmbilder verteilt. Der Grundgedanke von Vorschalttransaktionen ist es nun, eine eigene Transaktion mit einem oder wenigen Bildschirmbildern zu entwickeln. Diese Transaktion ruft im Hintergrund die originalen SAP-Transaktionen auf und übergibt die Daten, oder die eigene Transaktion wird genutzt, um den Ablauf der originalen SAP-Transaktionen zu vereinfachen.

Beispiel

Die Kalibrierung von Prüf- und Messmitteln ist ein sehr komplexer Prozess, bei dem mehrere SAP-Transaktionen hintereinander angesprochen werden (siehe Abschnitt 5.10, »Der Geschäftsprozess ›Kalibrierung von Prüf- und Messmitteln‹«). Im Falle eines Automobilzulieferers, der pro Werk über 20.000 Messmittel zu verwalten hatte, wären die Standardabläufe nicht handhabbar gewesen. Deshalb wurde eine Vorschalttransaktion ZMV01 (siehe Abbildung 9.18) geschaffen, aus der heraus

- die Messmittel aus dem Lager ausgegeben und auf einem Technischen Platz eingebaut werden,
- die Messmittel aus dem Technischen Platz ausgebaut und ins Lager zurückgenommen werden,
- der Prüfauftrag aus dem Wartungsplan erzeugt wird,
- die Messergebnisse erfasst werden,
- der Verwendungsentscheid getroffen wird und
- der Prüfauftrag zurückgemeldet wird.

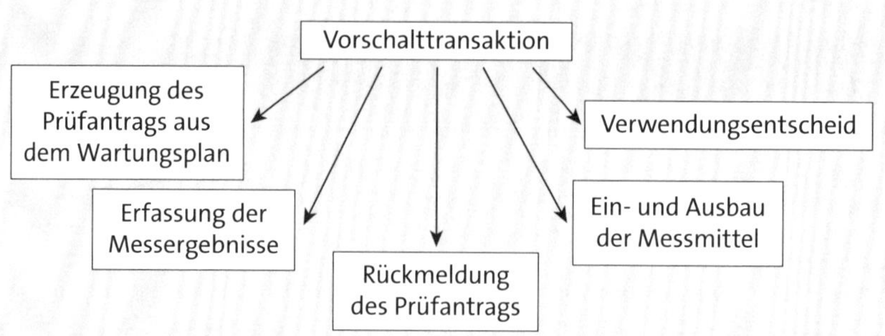

Abbildung 9.18 Vorschalttransaktion

Programmieraufwand für eine Vorschalttransaktion lohnt sich normalerweise

Eine Vorschalttransaktion wird die Bearbeitung eines Geschäftsvorfalls mit Sicherheit erheblich beschleunigen, ansonsten hat sie ihren Sinn verfehlt.

BAPI

Um Ihnen den Entwicklungsaufwand für Vorschalttransaktionen zu vereinfachen, stellt SAP Ihnen eine Reihe von sogenannten BAPIs (Business Application Programming Interfaces) zur Verfügung.

BAPIs können für die folgenden Zwecke eingesetzt werden:

- Anbindung von SAP-Systemen an das Internet
- Schaffung der Möglichkeit, SAP-Komponenten untereinander kommunizieren zu lassen
- Anbindung von Fremdsoftware und Legacy-Systemen an SAP-Systeme
- Schaffung der Möglichkeit, PC-Programme als »Frontend« für SAP-Systeme nutzen zu können
- Schaffung der Möglichkeit, Workflow-Anwendungen über Systemgrenzen hinweg kommunizieren zu lassen
- Schaffung der Möglichkeit, Webflow-Anwendungen über das Internet kommunizieren zu lassen

Im Bereich der Instandhaltung bietet SAP BAPIs für die folgenden Objekte an:

- Meldungen
- Aufträge

- Rückmeldungen
- Equipments
- Technische Plätze
- Material
- Stücklisten
- Arbeitspläne

Sie rufen den BAPI Explorer über die Transaktion BAPI auf (siehe Abbildung 9.19). Sie können sich relativ leicht einen Überblick über die insgesamt verfügbaren BAPIs verschaffen, indem Sie in der Hierarchie navigieren.

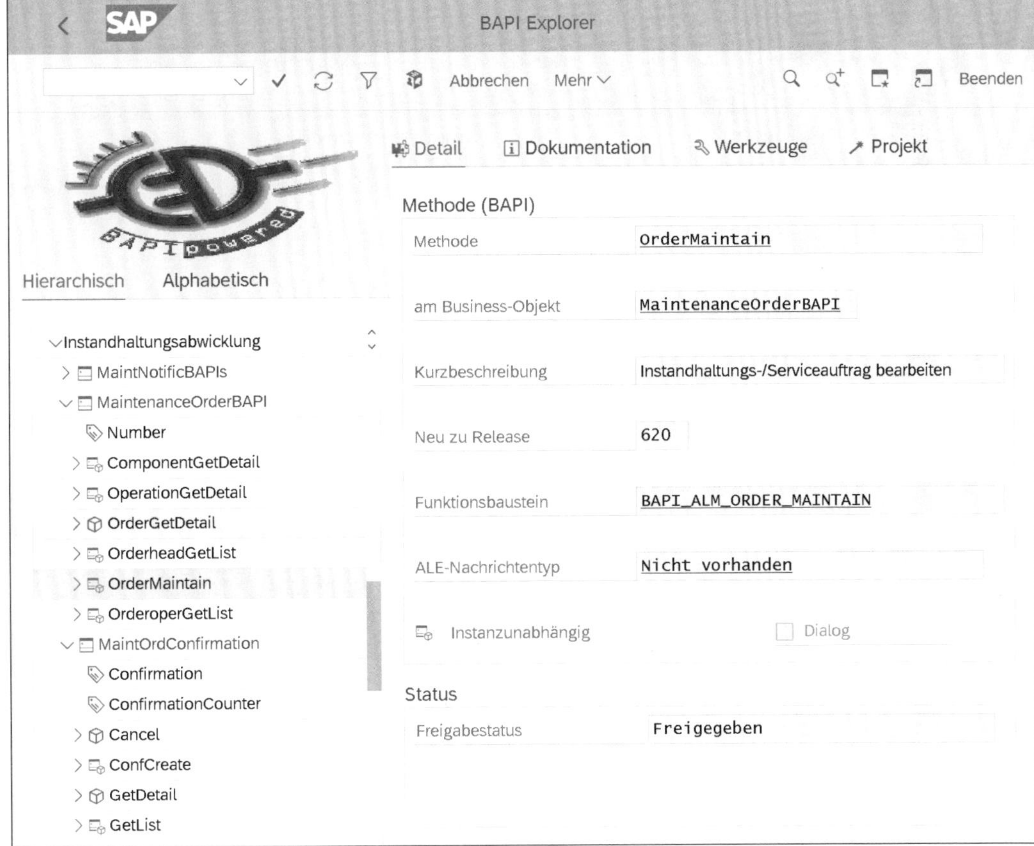

Abbildung 9.19 BAPI Explorer

9.5.14 Weboberfläche

Eine analoge Verfahrensweise können Sie auch außerhalb des SAP-Systems für eine Webumgebung anwenden.

App für iPad und iPhone

Abbildung 9.20 zeigt ein Beispiel für eine Nacherfassung. Die App wurde für HTML5 entwickelt und kann deshalb nicht nur auf Tablets oder Smartphones, sondern sogar auch auf Desktop-PCs oder Touch Screens genutzt werden:

- Es können alle Daten erfasst werden, die bei der Abarbeitung eines Schadens angefallen sind (Personalnummer, Arbeitsplatz, benötigte Zeit, Equipment, Technischer Platz, Ersatzteile usw.).
- Mithilfe von BAPIs wird die Gültigkeit der erfassten Daten überprüft (z. B. ob die Equipmentnummer gültig ist).
- Mithilfe von BAPIs werden die Daten an das SAP-System übergeben und dort verbucht.

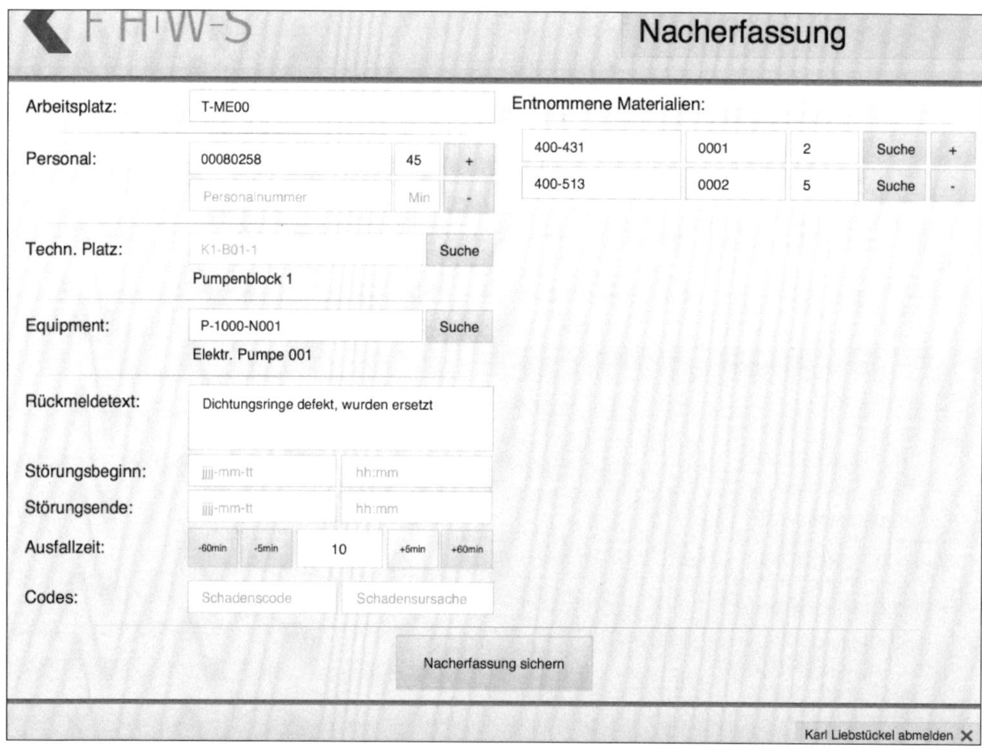

Abbildung 9.20 Weboberfläche für die Nacherfassung[4]

Im SAP-System ergibt sich dann der folgende Ablauf: Meldung wird eröffnet → Auftrag wird eröffnet → Auftrag wird freigegeben → Materialentnah-

4 Mein Dank gilt den drei wissenschaftlichen Mitarbeitern am Institut für Gestaltung und Design IDIS (Florian Wolf, Tobias Schlereth und Daniel Schwarz) für die Entwicklung dieser App.

me wird gebucht → Zeitrückmeldung wird gebucht → Auftrag und Meldung werden abgeschlossen.

Webanwendungen genießen hohe Benutzerakzeptanz

Fast alle Benutzer kennen Webanwendungen oder Apps, Tablets oder Smartphones aus dem privaten Umfeld. Deshalb sind Webanwendungen bzw. Apps auch im professionellen Einsatz leicht zu erlernen und genießen eine hohe Benutzerakzeptanz.

9.5.15 Customer-Exits

Mithilfe von Customer-Exits können Sie den SAP-Standardanwendungen Ihre eigene Funktionalität hinzufügen, ohne die SAP-Originalprogramme zu modifizieren. SAP legt innerhalb der Standardanwendungen Customer-Exits für bestimmte Programme, Bildschirmbilder und Menüs an. Diese Exits haben zunächst keine Funktionalität, sondern sie dienen vielmehr als vorgedachter Ein- und Ausgang, bei dem Sie eine eigene zusätzliche Funktionalität in das SAP-System hineinbringen können.

Customer-Exits rufen Sie über die Transaktion SMOD auf. Für die Instandhaltung gibt es mehr als 100 Customer-Exits. Über die folgende Eingabe können Sie sich diese ansehen:

- technische Objekte: ITOB*, IEQM*, ILOM*, IHCL*, CCM*
- Messpunkte/Zähler : IMRC*
- Garantien: BG*
- Arbeitspläne: IAIH*
- Wartungspläne: IPRM*, CI*
- Meldungen: QQMA*
- Aufträge: IWO*, CNEX*, COZF*, IREV*
- Kapazitätsplanung: COI*, CYPP*
- Rückmeldungen: CMFU*, CONFPM*
- CATS: CATS*
- Informationssystem: MCI*
- Datenübernahmen: IBIP*
- Grafikmodule: IMSM*

Beispiele

Als Beispiele führe ich hier fünf Anwendungen auf, mit denen Eingaben vereinfacht werden konnten, wodurch die Benutzerakzeptanz deutlich wuchs.

Merkmale übernehmen

Mit dem Customer-Exit IHCL0001 können Sie die Merkmalsbewertung aus einem Materialstammsatz in die Merkmalsbewertung eines Equipments übernehmen. Falls Sie häufig neue Equipments mit Bezug zu einer Materialnummer hinzufügen, vereinfachen Sie die erforderliche Nachpflege der Klassifizierungsdaten, indem Sie Angaben, wie z. B. Leistung, Typbezeichnung oder andere technische Angaben, einmalig als Klassifizierung zum Materialstammsatz, hinterlegen und diese Merkmale als Vorschlag in Ihr neues Equipment übernehmen. Im Idealfall müssen Sie die Klassifizierung nicht mehr nachpflegen.

Richtiges Werk, richtiger Lagerort

Der Customer-Exit CNEX0027, der eigentlich zu SAP Projektsystem gehört, aber auch von der Instandhaltung genutzt werden kann, unterstützt Sie bei der Angabe des richtigen Werkes und des richtigen Lagerortes bei der Materialplanung. Dies kann z. B. hilfreich sein, wenn Sie ein Ersatzteil nur in einem Werk vorhalten, auf das alle anderen Werke zugreifen können. Wenn Sie innerhalb des Customer-Exits eine geschickte Suchstrategie individuell für Ihr Unternehmen programmieren, müssen Sie sich bei der Materialplanung des Auftrags keine Gedanken über das richtige Werk machen.

Richtiger Arbeitsplan

Eine enorme Verbesserung versprechen auch die beiden Customer-Exits IWO10021 und IWO20001. Die Kombination aus beiden Customer-Exits sorgt z. B. dafür, dass aus dem Schadens- oder Ursachencode einer Störmeldung der richtige Arbeitsplan abgeleitet wird. Bei der Auftragseröffnung aus der Störmeldung heraus stehen schon gleich die richtigen Arbeitsvorgänge im Auftrag. Das Heraussuchen des richtigen Arbeitsplans und das Einbinden des Arbeitsplans in den Auftrag entfallen – die Auftragsbearbeitung wird gerade bei standardisierten Vorgängen beschleunigt.

Richtige Daten in Meldung und Auftrag

Keine Beschleunigung der Datenerfassung, sondern vielmehr eine Vermeidung von Datenkorrekturen bewirken die Customer-Exits, die beim Sichern von Aufträgen (Customer-Exit IWO10009) bzw. von Meldungen (Customer-Exit QQMA0014) selbst definierte Datenprüfungen vornehmen können. In der Meldung können Sie z. B. von vornherein überprüfen, ob bestimmte Kombinationen von Störungs- und Ursachencodes überhaupt plausibel sind. Diese Prüfungen nehmen ungeübten Anwendern auch ein wenig die Angst vor der Bedienung des Systems.

Richtige Daten in der Banf

Mit den Customer-Exits COZF0001 und COZF0002 können Sie bestimmte Felder zu Bestellanforderungen (Banf), die aus dem Auftrag heraus generiert werden, nach eigenen Vorgaben automatisch vorbelegen. So können Sie z. B. das Feld **Anforderer** mit dem Namen des angemeldeten Benutzers füllen oder in das Feld **Bedarfsnummer** automatisch Ihr Abteilungskurzzeichen hineinsetzen. Dies klingt im ersten Moment nicht gerade nach großen Fortschritten – aber wenn ein Anwender bei 35 Nicht-Lagerpositionen 35-mal dasselbe Abteilungskurzzeichen hineinschreiben muss, kommt schnell der Wunsch nach Optimierung auf.

Sie sehen anhand dieser Beispiele, dass die Möglichkeiten von Customer-Exits sehr vielfältig sind und Ihrer Fantasie wenig Grenzen setzen.

Customer-Exits machen den Standard einfacher und sicherer

Über Customer-Exits können Sie die Bearbeitung der Geschäftsvorfälle in der Instandhaltung Ihren Bedürfnissen anpassen bzw. sie vereinfachen und beschleunigen. Aber: Wägen Sie genau ab, ob Ihre individuelle Programmierung wirklich einen großen Effekt bringt und die Benutzerakzeptanz steigt.

9.5.16 Weitere Techniken der Programmierung

Der Vollständigkeit halber sollen an dieser Stelle noch die weiteren Techniken genannt werden, wie Sie mit Programmierung den SAP-Standard erweitern oder verändern können, ohne ihn modifizieren zu müssen. Weitere Details und Informationen darüber, wie genau Sie diese Werkzeuge nutzen können, finden Sie im Buch »Instandhaltung mit SAP – Customizing«.

BAdIs

BAdI steht für Business Add-in. BAdIs dienen dazu, vordefinierte Erweiterungsoptionen in den SAP-Komponenten anzulegen. Im Unterschied zu Customer-Exits basieren BAdIs auf ABAP Objects.

Im Gegensatz zu Customer-Exits wird bei Business Add-ins nicht von einer zweistufigen (SAP, Kunde), sondern von einer mehrstufigen Systemlandschaft (SAP, Länderversionen, Branchenlösungen, Partner, Kunde usw.) ausgegangen. Definitionen und Implementierungen von Business Add-ins können in jeder Stufe der Systemlandschaft angelegt werden. Demzufolge können BAdIs mehrfach implementiert werden, während Customer-Exits nur ein einziges Mal ausgeprägt werden können.

BAdIs werden über die Transaktion SE19, den BAdI Builder, angelegt.

BAdIs gibt es in zwei Ausprägungen:

- klassische BAdIs
- Enhancement Points

Enhancement Points

Im Folgenden finden Sie einige Beispiele für Enhancement Points aus Sicht der Instandhaltung:

- EAM_EHP4_CI_SFWS_SC_LIST_ENH zur Erweiterung der Listen in der Instandhaltung (z. B. um Wartungspläne, Wartungspositionen und Wartungspakete in mehrstufigen Listen anzuzeigen)
- EAM_EHP4_CI_SFWS_SC_INSP_ROUND zur Erweiterung der Rundgangsplanung (z. B. um die Fertigungshilfsmittel (FHM) als Messpunkt zu aktivieren)
- EAM_WS_ORDER_RELEASE_IMPL für sicherheitsrelevante Erweiterungen bei der Auftragsfreigabe
- COCF_ES_SN_LIST, um eigene Selektionsoptionen bei der Liste *Schichtnotizen* definieren zu können

Workflow

Mit dem SAP Business Workflow können Sie betriebswirtschaftliche Geschäftsprozesse definieren, die noch nicht im System abgebildet sind. Dies können einfache Freigabe- oder Genehmigungsverfahren sein oder auch komplexere Geschäftsprozesse, wie die Anlage eines Materialstamms und die damit zusammenhängende Koordination der beteiligten Abteilungen. Der SAP Business Workflow ist umso effizienter, je häufiger Arbeitsabläufe wiederholt durchlaufen werden müssen, oder wenn der Geschäftsprozess eine Vielzahl von Bearbeitern in einer genau definierten Reihenfolge benötigt.

Aus Sicht der Instandhaltung sind insbesondere zwei Workflows relevant:

- **Bearbeiten einer Instandhaltungsmeldung**
  Das Szenario *Bearbeiten einer Instandhaltungsmeldung* soll die Anwender dabei unterstützen, neu angelegte Meldungen zu bearbeiten, zu überwachen und abzuschließen. Beispielsweise können Sie bestimmte Personen oder eine Personengruppe informieren, wenn eine neue Meldung angelegt wurde oder wenn eine Meldung technisch abgeschlossen ist.
- **Bearbeiten eines Instandhaltungsauftrags**
  Das Szenario *Bearbeiten eines Instandhaltungsauftrags* soll die Anwender dabei unterstützen, neu angelegte Meldungen zu bearbeiten, zu überwachen und abzuschließen. Beispielsweise können Sie den Auftragserfasser informieren, wenn sein Auftrag freigegeben oder technisch abgeschlossen worden ist.

Aufgerufen und konfiguriert werden die Workflows im SAP-Menü über **Werkzeuge • Business Workflow**. Abbildung 9.21 zeigt beispielsweise die Transaktion SWDD, den Workflow Builder.

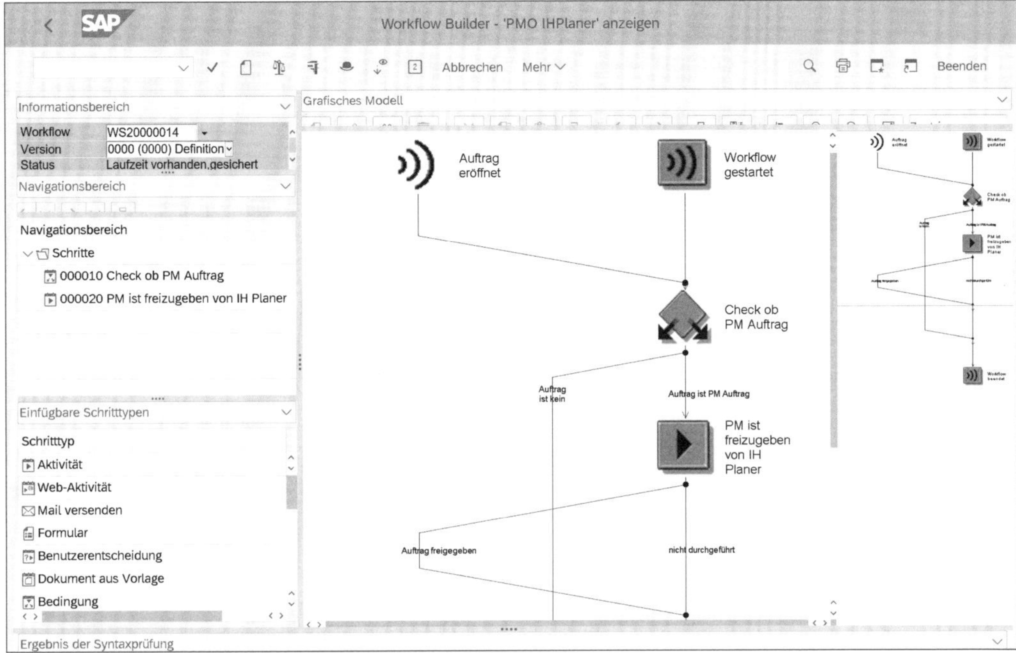

Abbildung 9.21 Transaktion SWDD – Workflow Builder

Kommen wir nun zur Überprüfung, ob Tuningmaßnahmen zur Steigerung der Benutzerfreundlichkeit etwas bringen und, wenn ja, in welchem Ausmaß: Dazu wurde ein Usability-Test durchgeführt.

9.6 Die Usability-Studie

Um einen quantifizierten Nachweis zu den Auswirkungen von Tuningmaßnahmen zu bekommen, wurde an der Hochschule für angewandte Wissenschaften Würzburg-Schweinfurt ein Labortest mit über 40 Testpersonen unter praxisnahen Bedingungen durchgeführt, der folgende Frage beantworten sollte: »Wie unterscheidet sich die Bearbeitungszeit in einem getunten System von der Bearbeitungszeit in einem nicht getunten System?«

Dieser Test soll nun im Folgenden vorgestellt werden. Dabei gehe ich insbesondere auf die folgenden Fragestellungen ein:

- Welche Vorbereitungsmaßnahmen wurden getroffen?
- Wie wurde der Test durchgeführt?

- Welche Ergebnisse brachte der Usability-Test?
- Welche Schlussfolgerungen können daraus gezogen werden und welche nicht?

9.6.1 Vorbereitung und Durchführung

Dieser Abschnitt soll Ihnen die Vorbereitung der Studie – die Auswahl der Geschäftsprozesse und die Tuningmaßnahmen – vorstellen.

Auswahl der Geschäftsprozesse

Zunächst mussten Geschäftsprozesse ausgewählt werden, die das Instandhaltungsgeschehen eines Unternehmens repräsentativ widerspiegeln. Hierbei wurde darauf geachtet, dass sowohl Geschäftsprozesse aus dem Bereich der Instandhaltungsabwicklung als auch aus dem Bereich der Stammdaten ausgewählt wurden. Die Geschäftsprozesse der Instandhaltungsabwicklung finden im Tagesgeschäft häufig Anwendung, weswegen ihnen eine höhere Aufmerksamkeit in Bezug auf mögliche Optimierungsmaßnahmen zuteilwerden sollte. Sie sind deshalb mit drei Prozessen vertreten.

Die Geschäftsprozesse zu den Stammdaten finden im Tagesgeschäft weniger Anwendung und sind daher nur durch einen Geschäftsprozess vertreten. Auf der Grundlage dieser Kriterien wurden die folgenden Geschäftsprozesse ausgewählt:

- Geschäftsprozess01 (Anlegen eines Equipments)
- Geschäftsprozess02 (Störungsbedingte Instandsetzung)
- Geschäftsprozess03 (Fremdbeauftragung)
- Geschäftsprozess04 (Geplante Instandsetzung)

Tuningmaßnahmen

Nach der Auswahl der Geschäftsprozesse wurden für jeden Geschäftsprozess die entsprechenden Tuningmaßnahmen durchgeführt. Hierzu wurden zwei Benutzer im System angelegt, die als exemplarische Benutzer für die getunten und für die nicht getunten Geschäftsprozesse dienten.

Für Benutzer01 wurden die Standardeinstellungen des SAP-Systems, wie SAP-Standardmenü oder Parameter, nicht hinterlegt. Ferner hat dieser Benutzer bei der Abwicklung seiner Geschäftsprozesse die SAP-Standardeinstellungen in einem nicht getunten Zustand verwendet.

Für Benutzer02 wurde hingegen eine Reihe von Tuningmaßnahmen durchgeführt – diese entsprechen der Kategorie 1 aus Abschnitt 9.5, »Möglichkeiten des SAP-Systems zur Verbesserung der Benutzerfreundlichkeit«:

Tuningmaßnahmen am Benutzer

- Für jeden Geschäftsprozess wurden Favoriten angelegt.
- Allgemeine Parameter (wie Kostenstelle, Buchungskreis, Werk, Standortwerk, Planungswerk, Kostenrechnungskreis, Lagerort usw.) wurden definiert.
- Instandhaltungsspezifische Parameter für Fremdbearbeitung, Fremdbeschaffung sowie auch Auftragsart, Meldungsart, Organisation sowie Bezugsobjekt wurden gepflegt.
- Pop-up-Fenster wurden an den entsprechenden Stellen unterdrückt.
- Die Historie wurde zugelassen.

Ferner wurden für die Geschäftsprozesse dieses Benutzers Tuningmaßnahmen ergriffen – diese entsprechen der Kategorie 2 aus Abschnitt 9.5, »Möglichkeiten des SAP-Systems zur Verbesserung der Benutzerfreundlichkeit«:

Tuningmaßnahmen an den Geschäftsprozessen

- Bildschirmlayouts wurden im Customizing vereinfacht (unter anderem Registerkarten, Feldauswahl bei Meldung, Auftrag und Equipment).
- Die Option **Integration Auftrag und Meldung** wurde im Customizing aktiviert.
- Die Transaktionsvariante für die Auftragserfassung wurde geschaffen.
- Fremdbearbeitungsprofile wurden im Customizing eingestellt.
- Eine benutzerspezifische Selektionsvariante für die Selektion von Meldungen wurde eingestellt.
- Vorschlagswerte für die Rückmeldung wurden aktiviert (Leistungen, retrograde Entnahme).

Den kompletten Abschlussbericht inklusive einer detaillierten Aufstellung dazu, welche Tuningmaßnahmen für die einzelnen Geschäftsprozesse Anwendung fanden, finden Sie unter *www.sap-press.de/4967* zum Download.

Auf Maßnahmen der Kategorie 3, also Programmierung, wurde verzichtet.

[+]

Keine Programmierung, gleiches Ergebnis

Es galt der Grundsatz »Es wird keine Programmierung durchgeführt.« Die Tuningmaßnahmen beschränkten sich auf Customizing, Customizing-ähnliche Funktionen und Benutzereinstellungen.

Es galt ferner der Grundsatz: Die Ergebnisse eines getunten Geschäftsprozesses und die Ergebnisse eines nicht getunten Geschäftsprozesses müssen absolut identisch sein.

Auswahl der Probanden

Damit die Ergebnisse später als repräsentativ gewertet werden können, mussten Teilnehmer in ausreichender Anzahl und mit der passenden Qualifikation gefunden werden:

- Wir sind davon ausgegangen, dass fünf Probanden pro Geschäftsprozess ausreichen sollten.
- Um es statistisch haltbar zu machen, mussten die Probanden pro Geschäftsprozess und pro Benutzertyp unabhängig voneinander arbeiten können, sodass wir insgesamt 40 Probanden rekrutiert haben, und zwar aus dem Kreis von Studenten der Wirtschaftsinformatik.
- Damit die Ergebnisse nicht verfälscht wurden, mussten die Probanden homogene Vorkenntnisse aufweisen. Diese Voraussetzung ist am ehesten erfüllt, wenn keinerlei SAP-Vorkenntnisse vorliegen.

Geeignete Probanden

Um qualitative und quantitative Repräsentanz zu gewährleisten, sollten am Usability-Test 40 Probanden teilnehmen, die keinerlei SAP-Vorkenntnisse mitbrachten.

Beschreibung der Geschäftsprozesse

Da die Probanden keine SAP-Vorkenntnisse mitbringen sollten, mussten natürlich die von ihnen durchzuführenden Geschäftsprozesse exakt beschrieben werden.

Prozesse nur anhand von Unterlagen

Die Probanden sollten die Geschäftsprozesse selbstständig und nur anhand der Beschreibung durchführen.

Die Beschreibung eines Geschäftsprozesses sah etwa wie folgt aus (hier ein Ausschnitt aus dem Geschäftsprozess02 *Störungsbedingte Instandsetzung* für Benutzer01):

Beispiel

- Wählen Sie im SAP-Menü den Menüpfad **Logistik • Instandhaltung • Instandhaltungsabwicklung • Meldung • Anlegen allgemein** per Doppelklick aus.

- Im nun folgenden Bildschirm klicken Sie in das Eingabefeld **Meldungsart**. Drücken Sie anschließend auf den Button [F4]-Hilfe, um einen gültigen Wert auszuwählen. In der nun erscheinenden Liste klicken Sie doppelt auf **M1 IH-Anforderung**. Drücken Sie anschließend die [↵]-Taste, um die Auswahl zu bestätigen.
- Sie gelangen auf den Bildschirm zum Anlegen einer IH-Meldung.
- Geben Sie in das gelb hinterlegte Feld neben der Meldungsnummer den Text: »Pumpe defekt« ein.
- Auf der Registerkarte **Meldung** in der Feldgruppe **Bezugsobjekt** tragen Sie im Feld **Equipment** den Wert P-1000-N003 ein. Danach drücken Sie die [↵]-Taste zur Bestätigung. Das System füllt nun automatisch das Feld für den Technischen Platz.
- In der Feldgruppe **Zuständigkeiten** geben Sie im Feld **Planergruppe** den Wert I01 und im Feld **Verantw.ArbPL.** den Wert A-01 ein. Drücken Sie anschließend die [↵]-Taste.

So sollte der Proband Schritt für Schritt durch den Geschäftsprozess geführt werden. Die Beschreibung aller Geschäftsprozesse ist ebenfalls Bestandteil der Studie, die Sie sich unter *www.sap-press.de/4967* herunterladen können.

Aufzeichnungs-Tool

Mit der Stoppuhr die Bearbeitungszeit zu messen erschien uns zu ungenau und zu fehleranfällig. Es musste also ein Tool gefunden werden, das die Aktivitäten der Probanden aufzeichnet und aus dem zweifelsfrei die für die Durchführung eines Geschäftsprozesses benötigte Bearbeitungszeit abgelesen werden kann.

Nach einem Auswahlverfahren und internen Tests haben wir uns für das Keylogger-Tool *PC Agent* von blue-series entschieden.

Bei der Software handelt es sich um ein Programm, das im Hintergrund die Aktivitäten eines Benutzers mit einem Zeitstempel aufzeichnet. Die Aufzeichnungsdateien werden in einem proprietären Format in einem zuvor definierten Ordner benutzerabhängig gespeichert. Sie können in zahlreiche Formate, darunter auch in ein für Tabellenkalkulationsprogramme lesbares Format, konvertiert werden.

Nur ein Tool ist sicher und objektiv

Durch den Einsatz eines Keylogger-Tools wird Folgendes gewährleistet:

- dass die Daten auch nach Beendigung der Testdurchläufe dauerhaft zur Verfügung stehen.
- dass die Auswertung im Nachhinein jederzeit mit den gewonnenen Rohdaten belegt werden kann.
- dass die Ergebnisse sicher und genau sind.

Durchführung

Die Tests fanden an zwei aufeinanderfolgenden Tagen im SAP-Labor der Hochschule für angewandte Wissenschaften Würzburg-Schweinfurt statt. Am ersten Tag wurden die Geschäftsprozesse *Geplante Instandsetzung* und *Störungsbedingte Instandsetzung* durchgeführt und am zweiten Tag die Geschäftsprozesse *Fremdbeauftragung* und *Anlage Equipment*.

Die im Vorfeld angelegten Benutzer wurden auf die Geschäftsprozesse verteilt, sodass klar festgelegt und nachvollziehbar war, welcher Benutzer welchen Geschäftsprozess ausführen wird. Dies diente der gezielten Auswertung und besseren Dokumentation des Tests.

Die entsprechenden User wurden vom Projektteam kurz vor den Tests sowohl am Terminalserver als auch am SAP-System angemeldet, damit die Teilnehmer direkt mit den vor ihnen liegenden Geschäftsprozessen beginnen konnten. Bei der Anmeldung wurde ebenfalls sichergestellt, dass die Überwachungssoftware im Hintergrund aktiv ist, und die Zeiten und Aktivitäten der Benutzer wurden für die spätere Auswertung protokolliert.

Die Probanden erhielten eine Kurzeinführung in das SAP-System zur Navigation im System, zu Elementen wie Titelleiste, Menüleiste, benutzerdefinierte Favoriten, SAP-Menü, Systemfunktionsleiste, Statusleiste sowie zum direkten Transaktionsaufruf. Mit diesem Wissen und den Beschreibungen der Geschäftsprozesse ausgerüstet, führte jeder Proband seinen Geschäftsprozess zehnmal durch, und PC Agent tat im Hintergrund seine Arbeit.

9.6.2 Ergebnisse

Aus den aufgezeichneten Rohdaten wurde nun die mittlere Bearbeitungszeit der fünf Probanden ermittelt, die einen Geschäftsprozess bearbeitet haben. Im Folgenden sehen Sie diese Ergebnisse, und zwar im direkten Vergleich von Benutzer01 (nicht getunt) und Benutzer02 (getunt).

Geschäftsprozess01 (Anlegen Equipment, siehe Abbildung 9.22): Was Sie bei diesem Geschäftsprozess – ebenso wie bei den anderen Geschäftsprozessen – erkennen können, ist eine aufgrund des eintretenden Lerneffekts stark abfallende Zeitkurve, die sich beim 5. bis 6. Durchlauf stabilisiert.

Anlegen eines Equipments

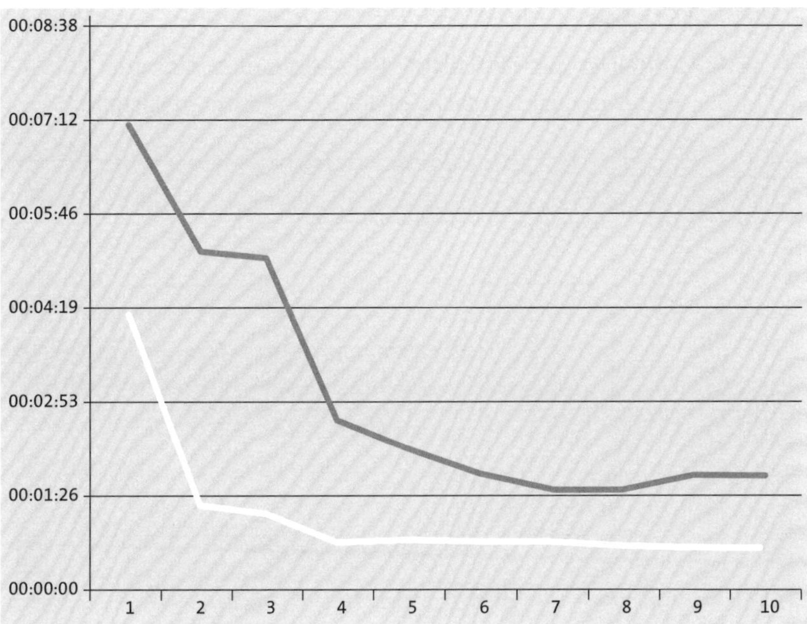

Abbildung 9.22 Geschäftsprozess01 – Anlegen Equipmentstammsatz

Deswegen sollen die Durchschnittswerte der Durchläufe 6 bis 10 ermittelt werden. Der durchschnittliche Zeitbedarf der Durchläufe 6 bis 10 liegt beim Benutzer01 bei 1:35 min und beim Benutzer02 bei 0:45 min. Daraus ergibt sich die folgende Relation:

$$M(U) / M(G) = 2{,}11$$

mit M(U) = Mittelwert der Durchläufe 6 bis 10 im nicht getunten Zustand und M(G) = Mittelwert der Durchläufe 6 bis 10 im getunten Zustand.

[!]

Ergebnis beim Anlegen eines Equipments

Beim Geschäftsprozess01 (Anlegen Equipment) braucht Benutzer01 etwa doppelt so lange wie Benutzer02.

Störungsbedingte Instandsetzung

Geschäftsprozess02 (Störungsbedingte Instandsetzung, siehe Abbildung 9.23):
Der durchschnittliche Zeitbedarf der Durchläufe 6 bis 10 liegt bei Benutzer01 bei 6:28 min und bei Benutzer02 bei 1:40 min. Daraus ergibt sich die folgende Relation:

M(U) / M(G) = 3,88

mit M(U) = Mittelwert der Durchläufe 6 bis 10 im nicht getunten Zustand und M(G) = Mittelwert der Durchläufe 6 bis 10 im getunten Zustand.

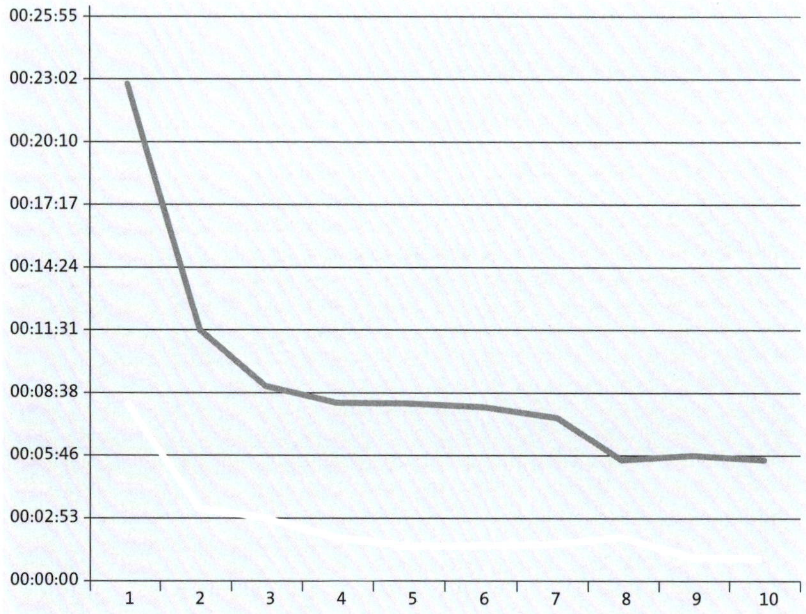

Abbildung 9.23 Geschäftsprozess 2 – Störungsbedingte Instandsetzung

[!]

Ergebnis bei der störungsbedingten Instandsetzung

Beim Geschäftsprozess02 (Störungsbedingte Instandsetzung) benötigt Benutzer01 beinahe viermal so viel Zeit wie Benutzer02.

Fremdbeauftragung

Geschäftsprozess03 (Fremdbeauftragung, siehe Abbildung 9.24):
Der durchschnittliche Zeitbedarf der Durchläufe 6 bis 10 liegt bei Benutzer01 bei 1:42 min und bei Benutzer02 bei 0:26 min. Daraus ergibt sich die folgende Relation:

M(U) / M(G) = 3,92

mit M(U) = Mittelwert der Durchläufe 6 bis 10 im nicht getunten Zustand und M(G) = Mittelwert der Durchläufe 6 bis 10 im getunten Zustand.

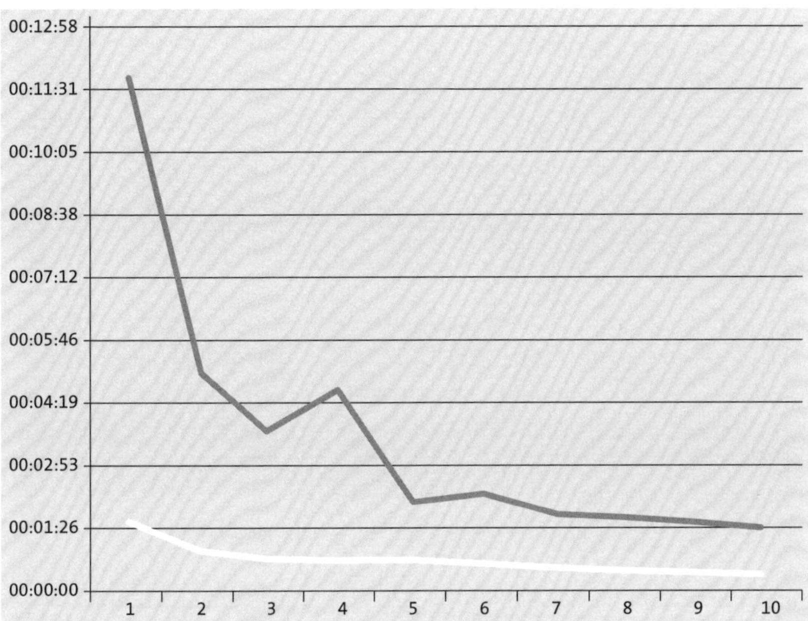

Abbildung 9.24 Geschäftsprozess 3 – Fremdbeauftragung

[!]

Ergebnis bei der Fremdbeauftragung

Beim Geschäftsprozess03 (Fremdbeauftragung) benötigt Benutzer01 beinahe viermal so viel Zeit wie Benutzer02.

Geplante Instandsetzung

Geschäftsprozess04 (Geplante Instandsetzung, siehe Abbildung 9.25): Der durchschnittliche Zeitbedarf der Durchläufe 6 bis 10 liegt bei Benutzer01 bei 5:53 min und bei Benutzer02 bei 2:22 min. Daraus ergibt sich die folgende Relation:

M(U) / M(G) = 2,49

mit M(U) = Mittelwert der Durchläufe 6 bis 10 im nicht getunten Zustand und M(G) = Mittelwert der Durchläufe 6 bis 10 im getunten Zustand.

[!]

Ergebnis bei der geplanten Instandsetzung

Beim Geschäftsprozess04 (Geplante Instandsetzung) benötigt Benutzer01 beinahe 2,5-mal so viel Zeit wie Benutzer02.

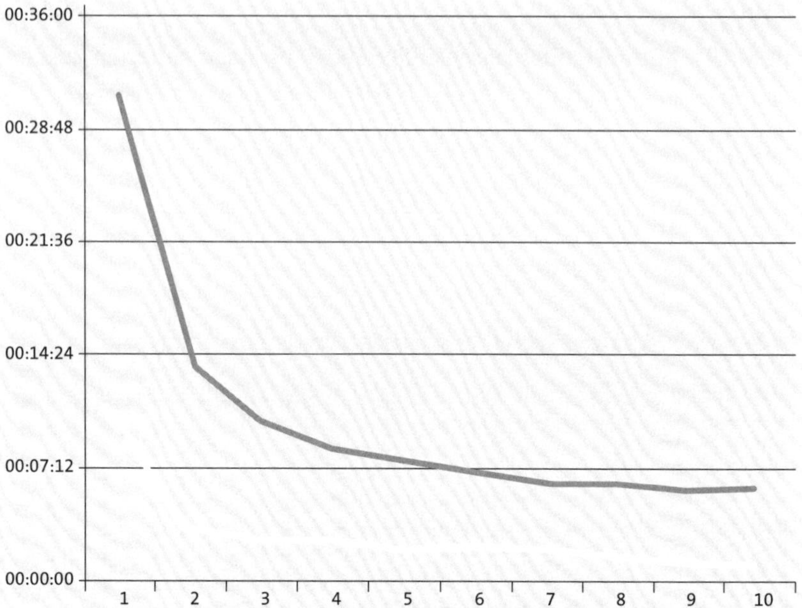

Abbildung 9.25 Geschäftsprozess 4 – Geplante Instandsetzung

Zusammenfassend zeigt Abbildung 9.26 die dargelegten Ergebnisse.

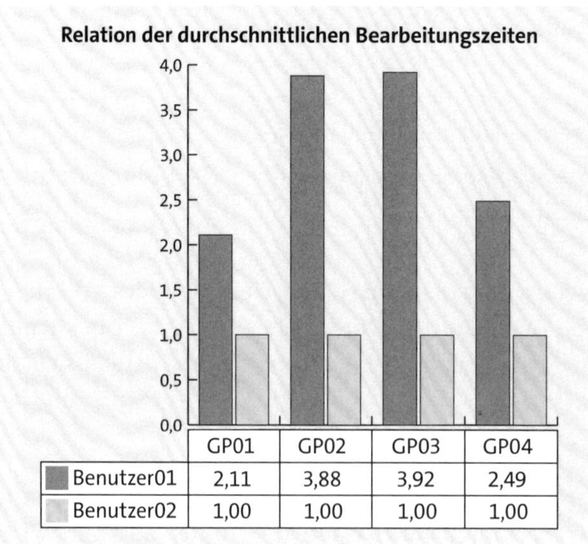

	GP01	GP02	GP03	GP04
Benutzer01	2,11	3,88	3,92	2,49
Benutzer02	1,00	1,00	1,00	1,00

Abbildung 9.26 Durchschnittliche Bearbeitungszeit

Neben der Bearbeitungszeit wurden als weitere Kennzahl die Steuerungseingaben (Mausklicks, Buttons, [⭾]- und [↵]-Tasten) aufgezeichnet und ausgewertet. Abbildung 9.27 zeigt die Zusammenfassung dieser Ergebnisse. Auch hier handelt es sich wieder um die Durchschnittswerte der Durchläufe 6 bis 10.

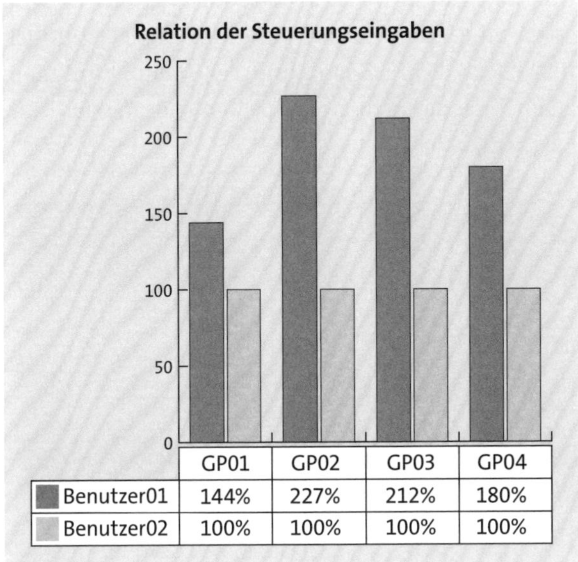

	GP01	GP02	GP03	GP04
Benutzer01	144%	227%	212%	180%
Benutzer02	100%	100%	100%	100%

Abbildung 9.27 Steuerungseingaben

Bei den Steuerungseingaben ist der Unterschied zwischen einem getunten und einem nicht getunten System fast ebenso eklatant wie bei der Bearbeitungszeit.

[!]

Ergebnis bei den Steuerungseingaben

Das nicht getunte System benötigt 1,5- bis 2,5-mal so viele Steuerungseingaben wie das getunte System.

Labortest mit SAP Screen Personas

Ein ähnlicher Versuch wurde durchgeführt, um die Auswirkungen von SAP Screen Personas auf die Bearbeitungszeit zu ermitteln. Die Probanden sollten verschiedene Buchungsvorgänge ausführen (Wareneingang zu einer Bestellung, Wareneingang zu einem Auftrag, Warenausgang zum Auftrag, Warenausgangs an eine Kostenstelle) und andere Lagerfunktionen ausführen (Lieferstatus zu einer Bestellung, Materialbeleg anzeigen). Die fünf Probanden sollten die Aufgaben jeweils sechsmal mit dem SAP-Easy-Access-Menü und mit dem Lagercockpit in SAP Screen Personas durchführen.

Die Abbildung 9.28 zeigt die Lernkurven dieser Versuchsreihe in SAP Easy Access sowie im Lagercockpit. Dabei ist ersichtlich, dass die Durchführungszeit im Lagercockpit bereits im ersten Versuch unter sieben Minuten liegt. Im Vergleich dazu dauerte der erste Versuch im SAP-Easy-Access-Menü 13 Minuten und 26 Sekunden. Das heißt, mit dem Einsatz des Lagercockpits kann die Bearbeitungszeit um fast 50 % reduziert werden. Beim letzten Versuch zeigt sich eine noch bessere Relation: durchschnittlich 6:46 Minuten mit dem SAP-Easy-Access-Menü und 2:34 Minuten mit dem Lagercockpit in SAP Screen Personas bedeuten eine Reduzierung der Bearbeitungszeit um mehr als 60 %.

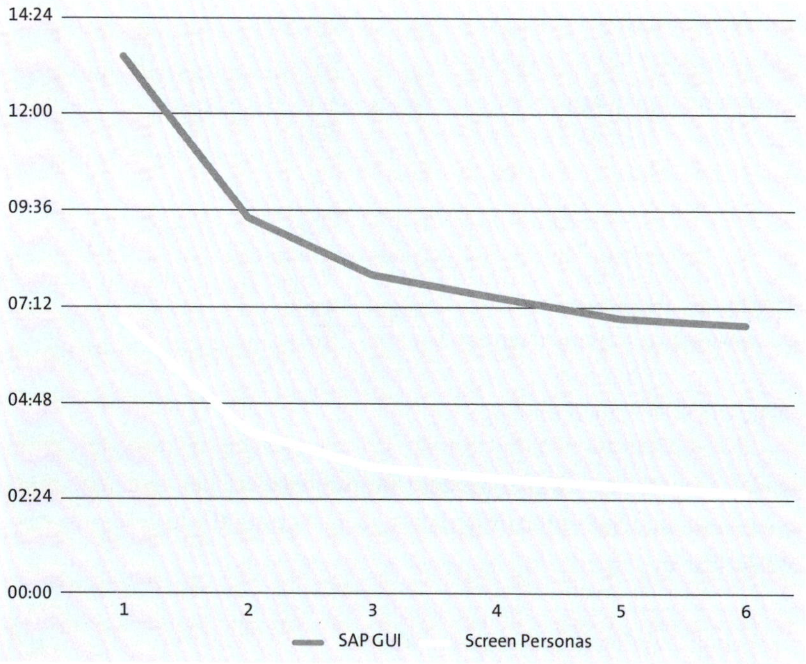

Abbildung 9.28 Bearbeitungszeit im Lagercockpit von SAP Screen Personas

9.6.3 Schlussfolgerungen

Nach der Durchführung des Usability-Tests und der Auswertung der Ergebnisse können meines Erachtens die folgenden Behauptungen als bewiesen angesehen und einige Schlussfolgerungen gezogen werden.

[!]

Behauptung 1

Es tritt ein schneller Lerneffekt bei der Bearbeitung der SAP-Geschäftsprozesse ein.

Dies zeigen alle Lernkurven. Bereits beim 6. Durchlauf wird eine Bearbeitungszeit erreicht, die bei weiteren Durchläufen kaum noch verbessert werden kann.

[!]

Schlussfolgerung 1.1

Durch ein Mindestmaß an Ausbildung lässt sich vieles erreichen.

[!]

Schlussfolgerung 1.2

Ihre Anwender sollten sich nicht durch erste Fehlversuche entmutigen lassen und mit dem Schimpfen auf das SAP-System etwas warten.

[!]

Behauptung 2

Durch Tuningmaßnahmen können Sie die Steuerungseingaben bei den SAP-Geschäftsprozessen reduzieren.

Dies zeigen alle Statistiken. Egal, ob beim 1. oder beim 10. Durchlauf, egal, bei welchem Geschäftsprozess: Der Benutzer01 hatte gegenüber dem Benutzer02 immer um den Faktor 1,5 bis 2,5 häufiger mit der Maus zu klicken sowie Buttons, [Tab]- und [Enter]-Tasten zu drücken.

[!]

Schlussfolgerung 2

Überprüfen Sie, ob Sie zumindest alle Tuningmaßnahmen ergriffen haben, die keine Programmierung erfordern. Hierdurch lässt sich schon vieles erreichen.

[!]

Behauptung 3

Durch Tuningmaßnahmen können Sie die Bearbeitungszeit der SAP-Geschäftsprozesse verkürzen.

Dies zeigen alle Statistiken – egal, ob beim 1. oder beim 10. Durchlauf, und gleichgültig bei welchem Geschäftsprozess: Benutzer02 war gegenüber Benutzer01 immer um den Faktor 2 bis 4 schneller.

[!]

Schlussfolgerung 3

Überprüfen Sie, ob Sie zumindest alle Tuningmaßnahmen ergriffen haben, die keine Programmierung erfordern. Hierdurch lässt sich schon vieles erreichen.

[!]

Behauptung 4

Das Ausmaß der Verbesserung hängt zum einen davon ab, in welchem Zustand sich Ihr System vor den Tuningmaßnahmen befunden hat, und zum anderen, welche Tuningmaßnahmen Sie einsetzen.

Grundlage unseres Labortests war die Standardauslieferung von SAP, und es wurden Tuningmaßnahmen eingesetzt, die keine Programmierung erforderlich machten. Damit haben wir ein Verbesserungspotenzial von 222 % bis 396 % ausgeschöpft. Wenn Sie also in Ihrem Unternehmen bereits gewisse Tuningmaßnahmen zum Einsatz gebracht haben, kann es sein, dass Ihr Verbesserungspotenzial niedriger ist. Auf der anderen Seite kann es aber auch sein, dass Sie durch den Einsatz von weiteren Maßnahmen und/oder Programmierungen mehr als wir in unserem Labortest erreichen.

[!]

Schlussfolgerung 4

Geben Sie sich nicht mit dem Erreichten zufrieden. Verbesserungspotenzial schlummert überall.

Wie zu jedem Kapitel habe ich Ihnen zusammenfassend noch einmal die wichtigsten Aussagen und alle Tipps und Tricks zusammengestellt, die ich Ihnen im Hinblick auf die Themen *Benutzerakzeptanz* und *Benutzerfreundlichkeit* mit auf den Weg geben möchte. Diese finden Sie unter *https://www.rheinwerk-verlag.de/4099* zum Download.

Anhang

A Literaturverzeichnis 697

B Übersichten 703

C Der Autor 717

D Danksagung 719

Anhang A
Literaturverzeichnis

Anschütz, O.; Junior, J.: *Die Fremdleistungsbeschaffung beim Großkraftwerk Mannheim*, DSAG-Arbeitskreis, Frankfurt 2003.

Beier, J.; Wassiltschenko, A.; Röckelein, W.: *Mobile Geschäftsprozesse mit SAP*, Bonn: SAP PRESS 2016.

Blum, S. et al.: *Reporting und Analyse mit SAP*, Bonn: SAP PRESS 2017.

Bock, W.: *SAP EHSM und SAP EAM Integrations-/Prozessszenarien*, DSAG-Arbeitskreis am 29.11.2012 in Mannheim.

Bradler, J.; Mödder, F.: *SAP Supplier Relationship Management*, 2. Auflage, Bonn: SAP PRESS 2013.

Brück, U.: *Praxishandbuch SAP-Controlling*, 5. Auflage, Bonn: SAP PRESS 2015.

Brumby, L.: *Optimierte Instandhaltungsbeauftragung durch den Einsatz mobiler IT*, in: 11. SAP-Kongress Instandhaltung, Berlin 2006.

Buck, M.: *Einsatz mobiler Szenarien mit SAP am Flughafen Frankfurt*, in: Effiziente Instandhaltung mit SAP, Frankfurt 2006.

Buck, M.: *RFID at Fraport AG*, in: Effiziente Instandhaltung mit SAP, Frankfurt 2005.

Deppe, B.: *Verknüpfung von PM-Aufträgen mit der Katalogbeschaffung*, in: 9. Kongress Instandhaltung und Servicemanagement mit SAP, Berlin 2004.

DIN Deutsches Institut für Normung (Hrsg.): DIN31051:1985-01: *Grundlagen der Instandhaltung*, 1985.

DIN Deutsches Institut für Normung (Hrsg.): DIN31051:2019-06: *Grundlagen der Instandhaltung*, 2019.

Eisenacher, S.; Kammerer, K.; Riepe, A.; Schuur, J.: *SAP Environment, Health, and Safety Management*, Bonn: SAP PRESS 2012.

Forum Vision Instandhaltung (FVI): Pressemitteilung vom 24.08.2007.

Franke, W.; Dangelmaier, W.: *RFID – Leitfaden für die Logistik*, Wiesbaden 2006.

Franz, M.: *Projektmanagement mit SAP Projektsystem*, 5. Auflage, Bonn: SAP PRESS 2017.

Gertz, W.: *E-Commerce*, in: Maintenance 2010, Berlin 2000.

Gillert, F.; Hansen, W.: *RFID – für die Optimierung von Geschäftsprozessen*, München 2006.

Gorecky, D.; Schmitt, M.; Loskyll, M.: *Mensch-Maschine-Interaktion im Industrie 4.0-Zeitalter*, in: *Industrie 4.0 in Produktion, Automatisierung und Logistik*, Wiesbaden: Springer Fachmedien 2014.

Götz, T.: *SAP Logistikprozesse mit RFID und Barcodes*, 2.Auflage, Bonn: SAP PRESS 2010.

Hanhart, D.; Jinschek, R.; Kipper, U.; Österle, H.: *Mobile und Ubiquitous Computing in der Instandhaltung der Fraport AG*, in: Mobile Anwendungen, Heidelberg: dpunkt Verlag 2004.

Heck, Rinaldo: *Geschäftsprozessorientiertes Dokumentenmanagement mit SAP*, Bonn: SAP PRESS 2009.

Heilig, L.; Karch, S.; Böttcher, O.; Hofmann, C.; Pfennig, R.: *SAP NetWeaver Master Data Management*, Bonn: SAP PRESS 2006.

Henneboel, G.: *Mobile Lösungen für das technische Anlagenmanagement*, in: 7. mySAP.com-Instandhaltungs- und Servicemanagement-Kongress, Potsdam 2002.

Hildebrand, K.; Gebauer, M.; Hinrichs, H.; Mielke, M. (Hrsg.): *Daten- und Informationsqualität: Auf dem Weg zur Information Excellence*, 4. Auflage, Wiesbaden: Springer Verlag 2018.

IKB-Report *Automobilindustrie – Neue Chancen, zunehmender Investitions- und Finanzierungsbedarf*, Düsseldorf 2003.

Institut für Wirtschaftsforschung (IFO): Pressemitteilung vom 21.11.2005.

ISO International Organization for Standardization: *ISO 9241-110: Ergonomics of human-system-interaction*, Genf 2007.

ISO International Organization for Standardization: *ISO 55000, Overview, Concepts and Terminology in Asset Management*, Genf 2014.

ISO International Organization for Standardization: *ISO 55001, Overview, Management System for Asset Management*, Genf 2014.

ISO International Organization for Standardization: *ISO 55002, Implementation of Asset Management System*, Genf 2014.

Jakowski, J.; Binder, C.: *SAP NetWeaver Business Client – Einsetzen und Nutzen*, DSAG-Webinar am 26.10.2011.

Janssen, M.; Seidl, M.: *Asset Intelligence Network*, Informationsveranstaltung für den DSAG-Arbeitskreis Instandhaltung und Servicemanagement am 17.06.2016.

Kaudewitz, R.; Theis, S.: *Mobile Instandhaltung und Service Provider Portal*, in: 11. SAP-Kongress Instandhaltung, Potsdam 2006.

Kempchen, M.: *Praxisbericht Abwicklung von Instandhaltungsmaßnahmen*, in: SAP R/3 PM in der Instandhaltung, München 2007.

Klauer, A.: *Mobile Instandhaltung bei Roche Diagnostics GmbH*, DSAG-Arbeitskreis am 29.11.2012 in Mannheim.

Kleinhempel, K.; Satzer, A.; Steinberger, V.: *Industrie 4.0 im Aufbruch? Ein beispielhafter Ausschnitt aus dem betrieblichen Stand*, Mitbestimmungsförderung Report, No. 5, 2015.

Krämer, J.: *Vorbeugende Instandhaltung mit SAP R/3 PM*, in: Workshop Instandhaltung mit SAP, Berlin 2006.

Krüger, A.: *SAP HANA und die Instandhaltung*, DSAG-Arbeitskreis am 29.11.2012 in Mannheim.

Lauffer, O.; Rauscher, J., Zimmermann, R.: *Stammdatenmanagement mit SAP Master Data Governance*, Bonn: SAP PRESS 2016.

Lehnert, V.; Stelzner, K.; John, P.; Otto, A.: *SAP-Berechtigungswesen*, 3. Auflage, Bonn: SAP PRESS 2016.

Liebstückel, K.: *Anwendungssysteme in Produktentstehung und Logistik*, Modul: Beschaffung und Lagerhaltung, Stuttgart: AKAD-Verlag 2005.

Liebstückel, K.: *Anwendungssysteme in Produktentstehung und Logistik*, Modul: Produktion und Fertigung, Stuttgart: AKAD-Verlag 2005.

Liebstückel, K.: *Instandhaltung mit SAP – Customizing*, Bonn: SAP PRESS 2014.

Liebstückel, K.: *Technisches Controlling liefert konkrete Entscheidungsunterlagen*, in: Die Industrie – Fachzeitschrift für Wirtschaft und Technik (48) 2002.

Litzinger, J.; Naumann, K.: *Höhere Flexibilität und Produktivität in der Instandhaltung mit Mobile Asset Management 2.0*, in: 9. Kongress Instandhaltungs- und Servicemanagement mit SAP, Berlin 2004.

Matyas, K.: *Instandhaltungslogistik: Qualität und Produktivität steigern*, 7. Auflage, München/Wien: Hanser Verlag 2018.

Morrison, A. (2012). *The art and science of new analytics technology*. PwC Technology Forecast, 1, 31–43.

Müller, F.: *Mobile Instandhaltungsabwicklung bei Solvay*, in: 11. SAP-Kongress Instandhaltung, Potsdam 2006.

Nettlenbusch, M.: *Mobile Lösungen*, in: Effiziente Instandhaltung mit SAP R/3, Wiesbaden 2004.

Neumann, A: *SAP liefert Appliance für In-Memory Computing aus*, heise.de, 1.12.2010.

Nicolescu, V.; Klappert, K.; Krcmar, H.: *SAP NetWeaver Portal*, 2. Auflage, Bonn: SAP PRESS 2012.

Oswald, G.: *Innovationen von heute für die Welt von morgen*, Keynote auf dem DSAG-Jahreskongress am 26.09.2012.

Otto, B.; Hüner, K. M.; Österle, H.: *Unternehmensweite Stammdatenqualität*, in: ERP-Management, Nr. 3/2009.

Pfeiffer, S.; Suphan, A.: *Der AV-Index: Lebendiges Arbeitsvermögen und Erfahrung als Ressourcen auf dem Weg zu Industrie 4.0*, Working Paper 2015.

Psion (Hrsg.): *Radio Frequency Identification (RFID) Solutions*, London 2012.

Canuto, E.; Daum, B.; Rödel, M.: *SAP Product Lifecycle Management. Prozesse, Funktionen, Customizing*, Bonn: SAP PRESS 2016.

Rabeder, H.: *Mobile Asset Management bei voestalpine*, in: 10. Instandhaltungs- und Servicemanagement-Kongress mit SAP, Berlin 2005.

Rölleke, D.: *IH-Optimierung mit Mobile Service und Add-ons*, in: 11. SAP-Kongress Instandhaltung, Berlin 2006.

SAP SE (Hrsg.): *SAP Business Suite powered by SAP HANA ermöglicht Unternehmensführung in Echtzeit*, Pressemitteilung vom 10.01.2013.

SAP SE (Hrsg.): *SAP Enhancement Package 8 für SAP ERP 6.0, Version für SAP HANA*, Walldorf 2015.

SAP SE (Hrsg.): *SAP ERP 6.0 mit Enhancement Package 8*, Walldorf 2016.

SAP SE (Hrsg.): *SAP S/4HANA, on-premise edition 1511 Feature Package Stack 02*, Walldorf 2016.

SAP SE (Hrsg.): *SAP S/4HANA, SAP S/4HANA Cloud Edition1605*, Walldorf 2016.

SAP SE (Hrsg.): *SAP NetWeaver Business Warehouse 7.5*, Walldorf 2016.

SAP SE (Hrsg.): *SAP NetWeaver Master Data Management (MDM) 7.1 mit Support Package 6*, Walldorf 2016.

SAP SE (Hrsg.): *SAP Supplier Relationship Management 7.0 mit Enhancement Package 4*, Walldorf 20162.

SAP SE (Hrsg.): *SAP S/4HANA – Fragen und Antworten (FAQ)*, Walldorf 2015

SAP SE (Hrsg.): *SAP Fiori for SAP Business Suite*, Walldorf 2016.

SAP SE (Hrsg.): *SAP Screen Personas 3.0*, Walldorf 2016.

SAP SE (Hrsg.): *SAP Lumira User Guide 1.31*, Walldorf 2016.

SAP SE (Hrsg.): *SAP Asset Intelligence Network*, Walldorf 2016.

SAP SE (Hrsg.): *SAP Preditive Maintenance and Service, Cloud Edition*, Walldorf 2016.

Scheer, A.W.: *Industrie 4.0 – Wie sehen Produktionsprozesse 2020 aus?* 2016, erschienen unter *https://www.researchgate.net/publication/277717764*.

Scheller, U.: *Mobile Lösung für die Instandhaltung*, in: 2. ETP-Fachkonferenz: Optimierung der Instandhaltung mit SAP PM für Energieversorger, Düsseldorf 2005.

Schenk, M.: *Industrie 4.0 – Wege und Lösungsbeispiele*, 2016, erschienen unter *http://publica.fraunhofer.de/documents/N-332888.html*.

Schneider, H.-J.: *Visuelles Lifecycle Management*, DSAG-Arbeitskreis, Berlin 2002.

Stengele, H.: *mySAP Product Lifecycle Management*, DSAG-Arbeitskreis, Frankfurt 2004.

Toman, S.; Köppe, A.: *SAP Real Estate Management. Verträge und Immobilien mit SAP verwalten*, Bonn: SAP PRESS 2018.

Vieweg, N.: *Mobile Szenarien in der Instandhaltung*, in: DSAG-Arbeitskreis, Berlin 2003.

Weber, S.: *Praxishandbuch Kundenservice mit SAP*, Bonn: SAP PRESS 2012.

Wessendorf, M.: *Die Einbindung von Technikern in den SAP-Prozess*, in: 10. Kongress Instandhaltungs- und Servicemanagement mit SAP, Berlin 2005.

Wessendorf, M.: *Die mobile Plattform muss her*, in: SAP.info vom 6.11.2012.

Westermayr, S.: *Mobile Instandhaltung mit SAP Work Manager by Syclo*, Walldorf 2012.

Anhang B
Übersichten

Anhang B beinhaltet nützliche Zusatzinformationen: Hier finden Sie Übersichten über die Strukturierungshilfsmittel, die Funktionen von Meldungen und Aufträgen, Integrationsmöglichkeiten der SAP-Instandhaltung und PMIS-Analysen.

B.1 Funktionsvergleich der Strukturierungshilfsmittel

	Technischer Platz	Equipment	Baugruppe
Messpunkte und Zähler	+	+	–
Klassen und Merkmale	+	+	+
Partner	+	+	–
Adressverwaltung	+	+	–
Genehmigungen	+	+	–
Garantien	+	+	–
mehrsprachige Kurztexte	+	+	+
mehrsprachige Langtexte	+	+	+
Objektinformation	+	+	–
externe Nummernvergabe	+	+	+
interne Nummernvergabe	–	+	+
alternative Kennzeichnung	+	–	–
Dokumentenverknüpfungen	+	+	+
Herstellerdaten	+	+	–
Kontierung	+	+	–
Zuständigkeiten	+	+	–

	Technischer Platz	Equipment	Baugruppe
Einsatzhistorie	–	+	–
Lagerfähigkeit	–	+	+
Änderungsbelege	+	+	+

B.2 Funktionen von Meldung und Auftrag

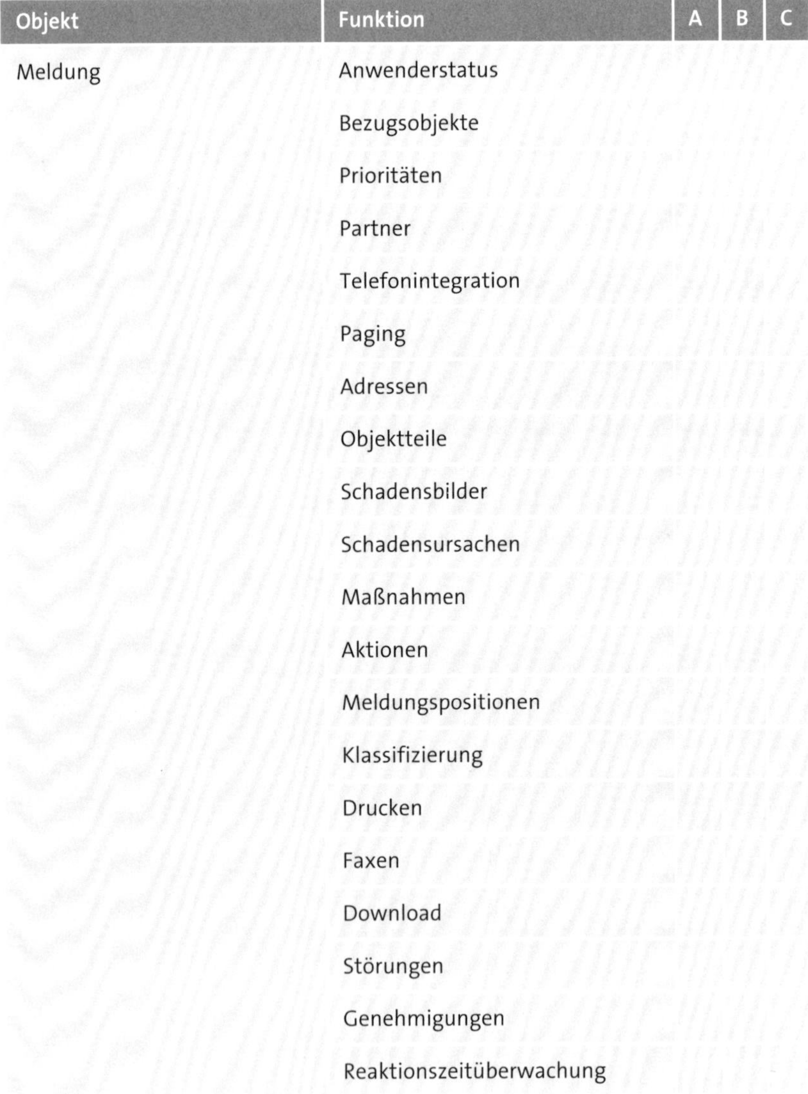

Objekt	Funktion	A	B	C
Meldung	Anwenderstatus			
	Bezugsobjekte			
	Prioritäten			
	Partner			
	Telefonintegration			
	Paging			
	Adressen			
	Objektteile			
	Schadensbilder			
	Schadensursachen			
	Maßnahmen			
	Aktionen			
	Meldungspositionen			
	Klassifizierung			
	Drucken			
	Faxen			
	Download			
	Störungen			
	Genehmigungen			
	Reaktionszeitüberwachung			

Objekt	Funktion	A	B	C
Meldung (Forts.)	Revisionen			
	Lösungsdatenbank			
Auftrag	Bezugsobjekte			
	Anwenderstatus			
	Prioritäten			
	Partner			
	Telefonintegration			
	Paging			
	Adressen			
	Drucken			
	Faxen			
	Download			
	Genehmigungen			
Vorgänge				
Terminierung				
Anordnungsbeziehungen				
Kapazitätsplanung				
Verfügbarkeitsprüfung Kapazitäten				
Reservierung von Lagermaterialien				
Verfügbarkeitsprüfung von Lagermaterial				
Bestellung von Nichtlagermaterial				
Kataloganbindung (Internet-/Intranetkataloge, Herstellerkataloge)				
Schätzkosten				

Objekt	Funktion	A	B	C
Plan- und Ist-Kalkulation				
Auftragsbudgets				
Objektliste				
Fertigungshilfsmittel				
Verfügbarkeitsprüfung Fertigungshilfsmittel				
Unteraufträge				
Belastung der Produktionskapazitäten				
Rückmeldung	Zeitrückmeldungen			
	technische Rückmeldungen			
	Wareneingänge			
	Warenentnahmen			
	Zuschlagskalkulation Gemeinkosten			
	Auftragsabrechnung			
Sofortinstandsetzung	historische Aufträge			
	Nacherfassung in SAP Enterprise Portal			
	Rückmeldung ungeplanter Arbeiten im SAP Business Client			
Schichtnotizen und Schichtberichte	Schichtnotizen für Arbeitsplätze			
	Schichtnotizen für technische Objekte			
	Schichtberichte			
Fremdleistungen	Fremdleistung über Leistungsverzeichnisse			
	Fremdleistung als Bestellung			
	Fremdleistung über Arbeitsplätze			

Objekt	Funktion	A	B	C
Fremdleistungen (Forts.)	Revisionen			
vorbeugende Instandhaltung	Anleitungen			
	Arbeitspläne für Equipments			
	Arbeitspläne für Technische Plätze			
	Wartungsstrategien			
	zeitbasierte Wartungspläne			
	leistungsbasierte Wartungspläne			
	Einzelzykluspläne			
	Strategiepläne			
	einfache Mehrfachzählerpläne			
	erweiterte Mehrfachzählerpläne			
	Abrufobjekt Auftrag			
	Abrufobjekt Meldung			
	Abrufobjekt Prüflos			
	Abrufobjekt Leistungserfassungsblatt			
	Simulation der Kapazitätsbelastung			
	Simulation der Plankosten			
	automatische Terminüberwachung			
zustandsabhängige Instandhaltung	PM-PCS-Schnittstelle			
Aufarbeitung	Aufarbeitung von Serialnummern			
	Aufarbeitung von Material			
	Anfertigung von Ersatzteilen			
	Abrechnung nach Standardpreis			

Objekt	Funktion	A	B	C
Aufarbeitung (Forts.)	Abrechnung nach gleitendem Durchschnittspreis			
	Subcontracting			
Fertigung	Ersatzteilfertigung über Aufarbeitungsauftrag			
	Ersatzteilfertigung über Fertigungsauftrag			
Kalibrierung von Prüf- und Messmitteln	Prüf- und Messmittel als Equipment			
	Prüfpläne			
	Wartungspläne für Prüfungen			
	Ergebniserfassung			
	Rückmeldung			
	Verwendungsentscheid			
Pool Asset Management	PAM-Anforderungen			
	PAM-Plantafel			
projektorientierte Instandhaltung	PSP-Elemente			
	Netzpläne			
	manuelle Zuordnung			
	automatische Zuordnung			
	Maintenance Event Builder			

B.3 Integrationsaspekte

Die Tabelle ist folgendermaßen aufgebaut:

- Spalte 1: Welcher Fachbereich ist betroffen?
- Spalte 2: Welcher Informationsaustausch wird gewünscht?
- Spalte 3: Fließt diese Information von der Instandhaltung in den Fachbereich (→), fließt diese Information aus dem Fachbereich in die Instandhaltung (←), oder ist es eine bidirektionale Interaktion (←→)?

- Spalten 4–6: Handelt es sich um eine Integration innerhalb von SAP (E), ist ein anderes SAP-System betroffen (S), oder wird ein Nicht-SAP-System benötigt (N)?
- Spalte 7: Um welche Applikation bzw. welches System handelt es sich?

1	2	3	4	5	6	7
Fachbereich	**Information**	**Fluss**	**E**	**S**	**N**	**System**
Bestands-führung, Lager	Verwaltung der Ersatzteile	⟷	✓			MM
	Vereinheitlichung der Ersatzteilstammdaten (z. B. Vermeidung von Dopplungen, Verteilung der Stammdaten)	⟷		✓		SAP NetWeaver MDM
	Bestandsführung von Equipments	⟷	✓			MM
	Auslösen von Reservierungen für Lagermaterial	→	✓			MM
	Verfügbarkeitsprüfung für Lagermaterial	←	✓			MM
	Warenausgabe, geplant oder ungeplant	←	✓			MM
	Disposition der Ersatzteile mit Auslösen von Beschaffungen	←	✓			MM
	Serialnummer im Warehouse Management	→	✓			WM
	Serialnummer in den Handling Units	→	✓			MM
	Aufarbeitung von Reserveteilen	⟷	✓			MM
	Verwaltung von Material als Fertigungshilfsmittel (Werkzeuge)	⟷	✓			MM
Einkauf	Auslösen von Bestellanforderungen für Material	→	✓	✓		MM, SAP SRM
	Wareneingang von Fremdmaterial	←	✓	✓		MM, SAP SRM

1	2	3	4	5	6	7
Fachbereich	**Information**	**Fluss**	**E**	**S**	**N**	**System**
Einkauf (Forts.)	Auslösen von Bestellanforderungen für Leistungen	→	✓	✓		MM
	periodische Generierung von Leistungserfassungsblättern	→	✓			MM
	Leistungserfassung und -abnahme	←	✓	✓	✓	MM, SAP SRM
	Anbindung von Ersatzteilkatalogen	←		✓		OCI-Schnittstelle
	wareneingangsbezogene Rechnungsprüfung	←	✓			MM
Produktion	Zuordnung Produktionsressource zu Instandhaltungsobjekt	←	✓			PP
	Verständigung der Produktion bei anstehenden Instandhaltungsmaßnahmen	→	✓			PP
	Datenübernahme aus Produktionssystemen zur Auslösung von Störmeldungen oder zur Fortschreibung von Messwerten und Zählerständen usw.	←			✓	Prozessleitsysteme, Diagnostik, Netzüberwachungssysteme usw., PM-PCS-Schnittstelle
	Eigenfertigung von Ersatzteilen	←	✓			PP
	Servicemaßnahmen (wie z. B. Umbauten) im Rahmen von Fertigungsaufträgen	→	✓			PP
	Nutzung der Betriebsdatenerfassung zur Rückmeldung auf Instandhaltungsaufträge	←	✓			BDE-Systeme
Qualitätsmanagement	Verwaltung von Prüf- und Messmitteln	↔	✓			QM
	periodische Generierung von Prüfaufträgen bzw. Prüflosen	→	✓			QM

1	2	3	4	5	6	7
Fachbereich	**Information**	**Fluss**	**E**	**S**	**N**	**System**
Qualitätsmanagement (Forts.)	Ergebniserfassung und Verwendungsentscheid für Prüf- und Messmittel	←	✓			QM
EH&S	Sicherheitsmittel als FHM	←	✓			SAP EHS Management
	Sicherheitsplan	←	✓			SAP EHS Management
Controlling	Zuordnung der Instandhaltung als Leistungserbringer in die Kostenstellenstruktur	←	✓			CO
	Zuordnung der Instandhaltungsobjekte als Leistungsempfänger in die Kostenstellenstruktur	←	✓			CO
	Innenaufträge als Kontierungsobjekte	←	✓			CO
	Definition der benötigten Kostenarten	←	✓			CO
	Definition der Leistungsarten	←	✓			CO
	Planung der Tarife	←	✓			CO
	Festlegung der Kalkulationsverfahren	←	✓			CO
	Abrechnung der Instandhaltungsaufträge	→	✓			CO
	Verrechnung der Gemeinkostenzuschläge	→	✓			CO
Buchhaltung	Zuordnung der Instandhaltungsobjekte zu den Anlagenstammsätzen	←	✓			FI-AA
	Generierung bzw. Änderung von Anlagenstammsätzen beim Anlegen bzw. Ändern von Equipmentstammsätzen	→	✓			FI-AA

1	2	3	4	5	6	7
Fachbereich	**Information**	**Fluss**	**E**	**S**	**N**	**System**
Buchhaltung (Forts.)	Zuordnung von Aufträgen zu Investitionsprogrammen	→	✓			IM
	Generierung von Anlagen im Bau	→	✓			FI-AA
	Generierung bzw. Änderung von Equipmentstammsätzen beim Anlegen bzw. Ändern von Anlagenstammsätzen	←	✓			FI-AA
	Aktivierung von Instandhaltungsleistungen im Anlagevermögen	→	✓			FI-AA
	Definition der benötigten Sachkonten	←	✓			FI
	Rechnungseingang (ohne Wareneingang)	←	✓			FI
Personal	Zuordnung von Personalnummern oder Stellen zum Arbeitsplatz der Instandhaltung	←	✓			HCM
	Zuordnung von Personalnummer oder Stellen zu technischen Objekten	←	✓			HCM
	Planung von Personalnummern in der Meldung, im Auftrag und auf Auftragsvorgängen	←	✓			HCM
	Rückmeldung mit Personalnummer	←	✓			HCM
	Planung von Qualifikationen in Auftrags- und Arbeitsplanvorgängen	←	✓			HCM
	Fortschreibung des Mitarbeiterzeitkontos	→	✓			HCM

1	2	3	4	5	6	7
Fachbereich	**Information**	**Fluss**	**E**	**S**	**N**	**System**
Immobilien-management	Zuordnung von Technischen Plätzen zu Immobilien-objekten	→	✓			RE-FX
	Datenübernahme aus der Gebäudeleittechnik zur Auslösung von Störmeldungen oder zur Fortschreibung von Messwerten und Zählerständen usw.	←			✓	Systeme zur Gebäudeleit-technik, PM-PCS-Schnittstelle
	Abrechnung der Instandhaltungsaufträge (etwa zur Weiterverrechnung in der Nebenkostenabrechnung)	→	✓			RE-FX
Konstruktion, Netzbau o.Ä.	Generierung von Technischen Plätzen, Equipments und Stücklisten aus vorgelagerten Systemen	←			✓	CAD-, GIS-, Netzüber-wachungs-systeme o. Ä.
	Auslösen von Meldungen oder Aufträgen aus vorgelagerten Systemen heraus	←			✓	CAD-, GIS-, NIS-Systeme o. Ä., PM-PCS-Schnitt-stelle
	Zuordnung von Projektstrukturplan und/oder Netzplan	↔	✓			PS
	Terminierung von Instandhaltungsaufträgen zu Projekten	←	✓			PS
Service und Vertrieb	Angebote, Verkaufsaufträge und Fakturen zu Instandhaltungsdienstleistungen für Dritte	↔	✓			CS bzw. SD
	Pflege von Kundendaten in Technischen Plätzen, Equipments	←	✓			CS

B.4 Standardanalysen von PM-IS

Standard-analyse	Info-struktur	Merkmale	Kennzahlen
Objekt-klasse Hersteller	S062	■ Objektklasse ■ Material ■ Hersteller ■ Baujahr ■ Baugruppe	■ abgeschlossene Meldungen ■ abgeschlossene Aufträge ■ Anzahl der Aktionen ■ Bearbeitungstage ■ Dienstleitungskosten
Standort	S061	■ Standortwerk ■ Betriebsbereich ■ Standort ■ IH-Planungswerk ■ IH-Planergruppe ■ Technischer Platz ■ Equipment ■ Baugruppe	■ Dienstleistungsrate ■ Dringlichkeitsrate ■ Eigenlohnkosten ■ Eigenmaterialkosten ■ Eigenmaterialrate ■ Eigenpersonalrate ■ erfasste Ausfalldauer ■ erfasste Aufträge
Planer-gruppe	S061	■ Planungswerk ■ Planergruppe ■ Standortwerk ■ Betriebsbereich ■ Standort ■ Technischer Platz ■ Equipment ■ Baugruppe	■ erfasste Ausfälle ■ erfasste Meldungen ■ Fremdlohnkosten ■ Fremdmaterialkosten ■ Fremdmaterialrate ■ Fremdpersonalrate ■ geplante Aufträge ■ Gesamterlöse, Ist ■ Gesamtkosten, Ist ■ Gesamtkosten, Plan ■ Planungsgrad ■ Anzahl der Schadensbilder ■ Anzahl der Schadensursachen und Aktionen ■ Sofortaufträge ■ sonstige Kosten ■ ungeplante Aufträge
Schadens-analyse	S063	■ Meldungsart ■ Technischer Platz ■ Equipment	■ Anzahl der Aktionen ■ Anzahl der Schadensbilder ■ Anzahl der Schadensursachen

Standard-analyse	Info-struktur	Merkmale	Kennzahlen
Objekt-statistik	S065	■ Objektklasse ■ Material ■ Hersteller ■ Baujahr	■ Anschaffungswert ■ Anzahl Equipments ■ Anzahl der Technischen Plätze mit Einzeleinbau ■ Anzahl der Technischen Plätze ohne Equipment-einbau ■ Anzahl der Technischen Plätze mit Sammel-einbau ■ Anzahl Technische Plätze
Ausfall-statistik	S070	■ Objektklasse ■ Technischer Platz ■ Equipment	■ effektive Ausfälle ■ Meantime between Repair ■ Meantime to Repair ■ Time between Repair ■ Time to Repair
Kostenaus-wertung	S115	■ Auftragsart ■ Instandhaltungs-leistungsart ■ Technischer Platz ■ Equipment	■ Dienstleistungskosten ■ Eigenlohnkosten ■ Eigenmaterialkosten ■ Fremdlohnkosten ■ Fremdmaterialkosten ■ geplante Aufträge ■ Gesamterlöse, Ist ■ Gesamtkosten, Ist ■ Gesamtkosten, Plan ■ Gesamtkosten, geschätzt ■ sonstige Kosten
Fahrzeug-verbrauchs-analyse	S114	■ Standortwerk ■ Equipmenttyp ■ Hersteller ■ Baujahr ■ Equipment	■ zurückgelegte Weg-strecke ■ Betriebsstunden ■ Treibstoffmasse ■ Treibstoffvolumen

Anhang C
Der Autor

Dr. Karl Liebstückel ist Professor für Wirtschaftsinformatik und Business Software an der Hochschule für angewandte Wissenschaften Würzburg-Schweinfurt. Daneben war er von 2003 bis 2012 im Vorstand der Deutschsprachigen SAP-Anwendergruppe (DSAG), von 2007 bis 2012 deren Vorstandsvorsitzender und hat dort von 2001 bis 2008 den Arbeitskreis *Instandhaltung und Servicemanagement* geleitet. Er besitzt ein eigenes Beratungsunternehmen und ist Autor mehrerer Bücher im Logistikbereich. Davor war er 13 Jahre Mitarbeiter der SAP AG in den Bereichen Entwicklung, Beratung und Training für Instandhaltung und Servicemanagement. Während dieser Zeit sammelte Karl Liebstückel als Platinum Consultant umfangreiche Praxiserfahrung in über 80 Instandhaltungsprojekten und war zuletzt als Global Product Manager für die Instandhaltungs- und Servicemanagement-Applikationen verantwortlich. Sie können gerne mit dem Autor per E-Mail Kontakt aufnehmen (*karl@liebstueckel.com*).

Anhang D
Danksagung

Zu guter Letzt möchte ich mich bei einigen Personen bedanken, die ihren Beitrag zum Gelingen dieses Buches geleistet haben:

- bei meiner Lektorin im Rheinwerk Verlag, Frau *Eva Tripp* möchte ich mich dafür bedanken, dass sie viel Geduld mit mir hatte und mir jederzeit mit Rat und Tat zur Seite stand
- bei meinem ehemaligen SAP-Kollegen *Markus Seidl* dafür, dass er mich mit viel Zeitaufwand und Akribie mit Informationen und Bildmaterial versorgt hat
- meinem Nachfolger als SAP-Produktmanager, Herrn *Boris Mohr* danke ich für das Geleitwort zu diesem Buch
- und schließlich möchte ich mich bei meiner Frau *Brigitta* dafür bedanken, dass sie bereit war, während der Zeit der Manuskripterstellung ein Stück auf mich zu verzichten, und für ihre liebevolle moralische Unterstützung

Index

3D-Modell ... 560, 590

A

ABC-Analyse ... 505
Abrechnung ... 408
  Ergebnis ... 460
  Festpreis ... 460
  Gesamtabrechnung ... 459
  periodische ... 459
Abrechnungsart ... 459
Abrechnungskostenart ... 457
Abrechnungsprofil ... 457
Abrechnungsregel ... 459
Abrechnungsvorschrift ... 174, 452, 458
Abrufintervall ... 335, 352
Abrufobjekt ... 342
Abschluss
  kaufmännischer ... 258
  technischer ... 256
  zurücknehmen ... 257
Action-Log ... 260
Actual Maintenance Cost Analysis ... 572
Adresse ... 77, 92, 156, 185, 193, 198
Adressverwaltung ... 156
Aktion ... 255, 704
Aktivitätenleiste ... 666
Analytical List Page for Technical Object Breakdown Analysis ... 572
analytische App ... 52, 53
Anfangsfolge ... 208
Anlage im Bau ... 449, 546
Anlage, lineare ... 75, 112
Anlagenbuchhaltung ... 448, 711
Anlagenliste ... 154
Anlagennummer ... 449
Anlagenstammsatz ... 448
Anlagenstruktur
  feine ... 77
  grobe ... 77
  lineare ... 117
Anlagenstrukturierung ... 73
  Hilfsmittel ... 88
  Kriterium ... 79
  Tiefe ... 76
Anlagenverfügbarkeit ... 26, 184, 255
Anleitung ... 323, 440
Anordnungsbeziehung ... 208
Anweisung ... 625
Anzeigevariante ... 505
App für iPhone und iPad ... 51
Arbeit pausieren ... 565
Arbeitspaket definieren ... 419
Arbeitsplan ... 213, 318, 321, 331, 350, 351, 366, 373, 390, 561, 677
Arbeitspläne animieren ... 591
Arbeitsplantyp ... 322
Arbeitsplatz ... 61, 65, 94, 160, 204, 287, 331, 432, 434, 465, 706
  anlegen ... 66
  ausführender ... 65
  Grunddaten ... 66
  Nummer ... 66
  verantwortlicher ... 65, 94, 433
  Vorschlagswert ... 67
Arbeitsplatzauslastung analysieren ... 569
Asset Central Foundation ... 606
Asset Lifecycle Management ... 35
Asset Viewer ... 139
ATP ... 237
Aufarbeitung ... 294, 307, 425, 707
  Ablauf ... 295
  Abrechnung ... 306
  Auftrag ... 440, 443
  Auftragsart ... 297
  Material ... 303
  Meldung ... 297
Aufgabenangemessenheit ... 639
Auftrag ... 171, 263, 320, 364, 394, 417, 467, 525, 677, 705
  Abrechnung ... 439, 456
  Abrechnungsvorschrift ... 174
  Abschluss ... 250, 264
  Adresse ... 198
  anlegen ... 419
  Anwenderstatus ... 197
  Auftragsabrechnung ... 201
  Auftragsart ... 201, 245, 281, 296, 331, 394
  Auftragsbudget ... 539
  Auftragshierarchie ... 227
  Auftragsinhalt ... 202
  Auftragsvorgang ... 203
  Balkendiagramm ... 209

Auftrag (Forts.)
Bezugsobjekt 197
Dokument 219
drucken 195, 243
eröffnen 198
Fertigungshilfsmittel 174, 219
Freigabe 241
Genehmigung 225
Kalkulation 221
Kapazitätsplanung 232
kaufmännischer Abschluss 258
Kosten 174
Massenänderung 231, 345
Materialliste 173
Materialplanung 210
Materialverfügbarkeitsprüfung 237
Nacherfassung 265
Netzgrafik 209
Netzplan zuordnen 413
Objektinformation 197
Objektliste 173, 220
Partner 198
PSP-Element zuordnen 412
Rückmeldung 251, 469
Schätzkosten 221
Systemstatus 197
technischer Abschluss 256
Verantwortlichkeit 203
Verfügbarkeitsliste 239
Verfügbarkeitsprüfung 236
Vorgang 173
Auftragsbeleg 243
Auftragsbudgetierung 539
Auftragsfreigabe 241
Auftragshierarchie 227, 228
Auftragslayout 263
Auftragsvorgang 203
Ausfallanalyse 515
ausfallbedingte Instandhaltung 619
Ausgabemedien drucken 195
Ausgabemedium 244
Available-to-Promise → ATP

B

BAdI 679
Balkendiagramm 209
BAPI 491, 674
BAPI Explorer 675
Barcode 590
Barcode-Scanner 567
Bautyp 95, 128, 322
BCS 386
BDE 386, 484, 710
Bearbeitungsdauer 643
Bearbeitungszeit 690
Bedarf der Eigenbearbeitung 69
Belegfluss 259
Benutzerakzeptanz 644, 647
Benutzerfreundlichkeit 637, 643, 647, 650
Benutzeroberfläche 559
Benutzerparameter 651, 653
Berichtsschema 187, 190, 191
Bestandsführung 105
von Equipments 425
Bestandsübersicht 105
Bestellanforderung 212, 257, 259, 280, 282, 293, 308, 309, 423, 426, 481
Bestellpunktverfahren 427
Bestellung 259, 280, 308, 311, 426, 482
Betragsabrechnung 459
Betriebsbereich 61, 714
Betriebsdatenerfassung → BDE
Betriebsinformationssystem 483, 486
Betriebsstundenzähler 147
Betriebsüberwachungssystem 483
Betriebszustandskennzeichen 434
Bewertungsart 440
BEx 524
Bezugsobjekt 185, 197
Bild des Schadens 566
Bildschirmlayout 201
Bildschirmmaske 175
Bildsteuerung 93
Bottom-up-Budgetierung 553
Buchungsbestätigung 406
Buchungskreis 62
Budgetierung 539, 547
Budgetierungsgruppe 553
Budgetkategorie 554
geplante 554
ungeplante 554
vorbeugende 554
Budgetverwendung 554
Building Control System → BCS
Business Add-in → BAdI
Business Application Programming Interface → BAPI
Business Content 524
für MCB 555
Business Explorer → BEx

Business Function
- */EAMPLM/LOG_EAM_WS* 444, 446
- */PLMU/WEB_UI* 446
- *LOG_EAM_CI7* 505
- *LOG_EAM_CI* 41
- *LOG_EAM_CI_3* 214, 229, 328, 384
- *LOG_EAM_CI_4* 384, 557
- *LOG_EAM_CI_5* 215, 661
- *LOG_EAM_CI_6* 220, 260, 338
- *LOG_EAM_CI_7* 346, 401
- *LOG_EAM_CI_9_ORD_OPER_COMP* 215
- *LOG_EAM_PAM* 410
- *LOG_EAM_POM* 420
- *LOG_EAM_POM_2* 420
- *LOG_EAM_ROTSUB* 300, 301, 313
- *LOG_EAM_ROTSUB_02* 301
- *LOG_EAM_ROTSUB_2* 300, 313
- *LOG_EAM_SHIFTFACTORS* 376
- *LOG_EAM_SIMP* 50, 139, 144, 175
- *LOG_EAM_SIMPLICITY* 50, 139, 562
- *LOG_EAM_SIMPLICITY_2* 446, 562
- *LOG_EAM_VE_INT* 562
- *LOG_MM_SERNO* 300, 301, 313
- *LOG_PP_SRN_02* 277
- *LOG_PP_SRN_CONF* 277

Business Partner 599
Business, LOG_EAM_SIMPLICITY_2 139
BW-BPS 551

C

CAD 483, 486, 713
CATS 253, 468
CBM 34
CO 202, 452, 711
Codegruppe 189
Computer-Aided Design → CAD
Condition-based Maintenance → CBM
Controlling 452, 711
- *dispositives* 494
- *kaufmännisches* 494
- *maßnahmenbezogenes* 495
- *objektbezogenes* 495
- *operatives* 493
- *strategisches* 494
- *taktisches* 494
- *technisches* 494
- *zeitraumbezogenes* 495

Controllinginformationssystem 461
Crew Management 598
Cross-Application Time Sheet → CATS
CS 713
CS-Auftrag 473
Customer Interaction Center 470
Customer-Exit 387, 677
Customizing (Benutzerfreundlichkeit) 664

D

Data Warehousing Workbench 523
DataStore-Objekt 523
Daten, lineare 115
Datenarchivierung 86
Datenaustausch 490
Datenbanktabelle 507
Datenerfassungssystem, mobiles 34
Datenherkunft 143
Datenset 634
Datenübernahme-Workbench 86
Datenweitergabe
- *hierarchische* 141
- *horizontale* 141

Datumsberechnung, dynamische 502, 503
Dauer der Eigenbearbeitung 68
DDIC-Tabelle 518
Desktop-Suche 49
Diagnostikbaugruppe 484
Diagnostiksystem 180, 483
DIN 31051 28
DIN EN ISO 9241-110 638
Dispositionsmerkmal 428
Dokument 194, 219, 267, 703
Dokumentenstammsatz 151, 152
drucken 195, 704
DSO → DataStore-Objekt
Durchlaufterminierung 68, 206
dynamische App 52, 53

E

EAM 35
EAM-Auftrag 434
Easy Web Transaction 180
eCl@ss 134
Eigenbearbeitung 69
Eigenfertigung von Ersatzteilen 436, 437
Eingabehilfe 657

Einkauf ... 423, 709
Einkaufsbeleg ... 426
Einsatzhistorie ... 103
Einzelbestellung ... 279, 423
Einzelzeitrückmeldung ... 252
Einzelzyklusplan ... 319, 378, 707
leistungsbasierter ... 358
zeitbasierter ... 330
Endfolge ... 209
Enhancement Package ... 38
EN-Norm 13306 ... 28
Enterprise Asset Management → EAM
Enterprise Business Function ... 39
Enterprise Extension ... 39
Enterprise Search ... 49
Entscheidung
operative ... 498
strategische ... 498
taktische ... 498
Equipment ... 74, 79, 82, 100, 109, 185, 190, 219, 389, 425, 448, 488, 520, 525, 703, 714
Bestandsübersicht ... 106
ein-/ausbauen ... 101
ein-/auslagern ... 103, 105
Einsatzliste ... 103
Hierarchie ... 107
löschen ... 86
Massenänderung ... 143
Serialdaten ... 103
Verbund ... 108
vs. Technischer Platz ... 109
Equipmentstammsatz ... 448
Ergebniserfassung ... 397, 443
Ergonomie ... 638
Eröffnungshorizont ... 336, 352, 361, 363
Ersatzteil ... 436, 560
Ersatzteile planen ... 565
Ersatzteilfertigung
Aufarbeitungsauftrag ... 440
Fertigungsauftrag ... 438
Ersatzteilverwaltung ... 426
Erwartungskonformität ... 640
ETL ... 523
Explorer ... 631
Extraktion, Transformation und Laden → ETL
Extraktor ... 524

F

F4-Hilfe ... 657
Fachbereich
Integration ... 421
Fact-Sheet ... 52
Fahrzeugverbrauchsanalyse ... 515
Favorit ... 655
Favoritenmenü ... 656
Fehlermöglichkeits- und Einflussanalyse → FMEA
Fehlertoleranz ... 640
Feldauswahl ... 86, 175, 427
Fertigungsauftrag ... 436, 438, 442
Fertigungshilfsmittel ... 174, 219, 227, 324
FI ... 446
FI-AA ... 448, 711
Field Operations Worker ... 599
Find Maintenance Notification ... 573
Find Maintenance Order ... 574
Find Maintenance Task List ... 574
Find Maintenance Task List and Operation ... 574
Find Order and Operation ... 574
Find Technical Object ... 573
First Line Maintenance ... 27
Flavor ... 669
FMEA ... 34
FMEA-Analysen durchführen ... 624
Folgeaktion ... 399
Folgeauftrag ... 400
Freigabe, automatische ... 242
Fremdarbeitsplatz, Auftragspapier ... 287
Fremdleistung
Einzelbestellung ... 424
Leistungsverzeichnis ... 289, 423
Rechnungseingang ... 425
Wareneingang ... 425
Fremdvergabe ... 277
Auftragsart ... 281
Einzelbestellung ... 280
Fremdarbeitsplatz ... 285
Grund ... 277
Steuerschlüssel ... 279
Frühwarnsystem ... 519

G

Garantie ... 158, 703
Herstellergarantie ... 158
Kundengarantie ... 158

Garantie (Forts.)
Lieferantengarantie ... 158
Mustergarantie ... 159
zählerabhängige ... 159
zeitabhängige ... 158
Garantieverwaltung ... 470
Gebäudeleitsystem ... 34, 386, 483, 484, 713
Gemeinkostenzuschlag ... 456
Genehmigung ... 162, 225, 254, 703, 704
Geodaten ... 529
Gesamtrückmeldung ... 254
Geschäftspartner ... 612
Geschäftspartner → Partner
Geschäftsprozess
Projektorientierte Instandhaltung ... 410
Geschäftsprozessmodellierung ... 176
GIS ... 180, 483, 486, 487, 713
GPM ... 176
GuiXT ... 667

H

Handling Unit ... 430
HCM ... 712
Health Score ... 635
Herstelleranalyse ... 515
Herstellerdaten ... 703
Herstellervorschrift ... 27
HTML5 ... 52

I

IAC ... 294
IH-Baugruppe ... 75, 120, 185, 703, 714
IM ... 543
Immobilienmanagement ... 462, 713
Immobilienobjekt ... 462
IM-Programm ... 543
Indikatordiagramm ... 630
Individualisierbarkeit ... 641
InfoCube ... 524
InfoObject ... 524
Informationsstruktur ... 514
Informationssystem, geografisches → GIS
Initialmessbeleg ... 360
In-Memory-Technologie ... 41
Inspektion ... 29
Instandhaltung
betriebswirtschaftliche Einflussgröße ... 25
leistungsabhängige ... 33, 317, 592
mobile ... 34, 579, 581, 583
präventive ... 33
projektorientierte ... 410
reaktive ... 33
SAP-Releases ... 35
technologische Einflussgröße ... 25
volkswirtschaftliche Einflussgröße ... 25
vorbeugende ... 178, 262, 314, 358, 368
werksbezogene ... 63
werksübergreifende ... 63
zeitabhängige ... 33, 317
zustandsabhängige ... 34, 317, 384, 486, 592
zuverlässigkeitsorientierte ... 34
Instandhaltungsanforderung anlegen ... 567
Instandhaltungscontrolling → Controlling
Instandhaltungsinformationssystem → PM-IS
Instandhaltungsplantafel ... 569
Instandhaltungsstrategie ... 32
Instandhaltungsstrategie implementieren ... 627
Instandsetzung ... 30
geplante ... 177
Instandsetzungsvermeidung ... 27
Integration ... 708
innerhalb von SAP S/4HANA ... 422
Nicht-SAP-System ... 483
SAP-System ... 473
Internet of Things (IoT) ... 594, 628
Internetkatalog ... 217
Inventar ... 74, 100
Investitionsmanagement → IM
iPad ... 584
iPhone ... 584
IPS-System ... 86
ISO 55000 ff. ... 31
Ist-Kalkulation ... 456

J

Jahresleistung 359

K

Kalibrierung 388
Kalkulation 70, 221, 287, 328, 455
Kapazität 236
Kapazitätsabgleich 233, 235
Kapazitätsangebot 68, 234, 433
Kapazitätsbedarf 233
Kapazitätsplanung 68, 232
Kapazitätsübersicht 234
Karte anzeigen 598
Katalog 187
Kataloggruppe 189
Kennzahl 514, 525
Kennzeichnung, alternative 703
Klasse 191, 703
  Standardklasse 136
Klassenart 132
Klassenname 132
Klassensystem 131
  Nutzen 134
  Vorlage 134
Klassifizierung 131, 135, 191, 489, 704
  Equipment 135
  Meldung 191
  Merkmal 131
  Suchfunktion 136
Kombinierte Auftrags-/ Vorgangsliste 499
Komponenteninstandhaltung 27
Komponentenübersicht 215
Kontierung 703
Kostenanalyse 515
Kostenart 224, 452, 461
Kostendarstellung 224
Kostenrechnungskreis 62, 64, 525
Kostenstelle 452, 453, 461
Kostenstellenbudget 541
Kreditorenrechnung 447
Kundenauftrag 471, 472
Kurztext, mehrsprachiger 703

L

Lagercockpit 671
Lagerfähigkeit 704
Lagerzugang 439, 441
Langtext, mehrsprachiger 703
leistungsabhängige Instandhaltung 592
Leistungsabnahme 294, 425
Leistungsart 452, 453
Leistungserfassung 294, 489, 491
Leistungserfassungsblatt 293, 321
Leistungserfassungssystem 483
Leistungsverrechnung
  interne 453
Leistungsverzeichnis 279, 293, 424, 489, 706
Lernförderlichkeit 641
Lieferant
  Anbindung 491
  Datenaustausch 480
Lieferantenbeziehung 480
Linear Asset Management 75, 112
lineare Anlagenstruktur 117
lineare Daten 115
lineares Merkmal 117
lineares Objekt anlegen 115
LIS 532
  flexible Analyse 517
  Grenze 517
  Informationsstruktur 514
  Rechenoperation 517
Liste
  Aktionen 499
  Arbeitspläne 499
  Aufträge 499
  Auftragsvorgänge 499
  Equipments 499
  Fahrzeuge 499
  Genehmigungen 499
  Komponenten 499
  Maßnahmen 499
  Material 499
  Materialserialnummer 499
  Meldungen 499
  Meldungspositionen 499
  Messbelege 499
  Messpunkte 499
  Objektverbindungen und Objektnetz 499
  Referenzmesspunkte 499
  Referenzplätze 499
  Rückmeldungen 499
  Schichtberichte 499
  Schichtnotizen 499
  Technische Plätze 499

Liste (Forts.)
Warenbewegungen ... 499
Wartungspläne ... 499
Wartungspositionen ... 499
Wartungstermine ... 499
Listen-App ... 52
Listvariante ... 657
Lohnbearbeitung ... 307
Lösungsdatenbank ... 471

M

Maintenance Cost Budgeting → MCB
Maintenance Event Builder ... 411, 417, 708
Ressourcensicht ... 420
Maintenance Planning Overview ... 568
Maintenance Scheduling Board ... 569
Manage Malfunction Reports ... 563, 566
Manage Material Coverage ... 575
maschinelles Lernen ... 634
Maschinendatenerfassung → MDE
Massenänderung ... 143, 231, 329, 345
Maßnahme ... 255, 704
Material ... 75, 120, 173, 219, 227, 426, 488, 525
Fachbereich, Sicht und Daten ... 124
Lagermaterial ... 210
Materialreservierung ... 210
Materialverwendungsnachweis ... 213
Nichtlagermaterial ... 211
Materialart ... 122
für Ersatzteile ... 426
Materialbedarfsplanung ... 301
Materialdisposition ... 427
Materialentnahme
geplante ... 248
ungeplante ... 249
Materialnummer ... 122
Materialplanung ... 212
Materialstamm ... 120, 124, 426
Materialstückliste ... 438, 440
Materialverfügbarkeitsprüfung ... 237
Materialverwendung ... 130
Materialwirtschaft ... 423, 709
MCB ... 551
MDE ... 386, 484
Meantime between Failures → MTBF
Meantime between Repair ... 50
Meantime to Repair ... 50
MEB Workbench ... 419
Mehrfachzählerplan ... 320, 707
einfacher ... 369
erweiterter ... 373
Meine Auftragsliste ... 566
Meldung ... 171, 172, 179, 259, 263, 320, 417, 467, 525, 677, 704
Aktion ... 172, 188
Anwenderstatus ... 196
Aufarbeitung ... 297
Berichtsschema ... 187
Bildschirmlayout ... 181
drucken ... 195
Katalog ... 187
Klassifizierung ... 191
Maßnahme ... 172, 184, 188
Meldungsart ... 181, 190, 404
Papier ... 195
Position ... 172, 187
Systemstatus ... 196
technische Rückmeldung ... 255
Meldungsüberwachung ... 471
Merkmal ... 131, 514, 525, 703
lineares ... 117
MES ... 484
Messbeleg ... 147
Messbelegweitergabe ... 149
Messpunkt ... 145, 147, 385, 677, 703
Messwert ... 147, 267
MM ... 709
mobile Instandhaltung ... 34, 579
Gerät ... 583
Offline-Szenario ... 582
Online-Szenario ... 582
Mobile Push Alert ... 588
Monitor Material Coverage ... 575
Monitoring und Evaluation ... 628
MTBF ... 496, 523
MTBR ... 527
MTTR ... 527
Mustergarantie ... 159
Musterleistungsverzeichnis ... 291, 292

N

Nacherfassung ... 265
Nachkalkulation ... 305
Nachlaufpuffer ... 355
Netzinformationssystem → NIS
Netzplan ... 412, 708
Netzterminierung ... 206
Netzüberwachungssystem ... 483, 484

Neustart 356
NIS 487
Normalarbeitsplan 438
Normalfolge 208
Notebook 584
Nummernvergabe
  extern 703
  externe 83, 85
  intern 703
  interne 83, 85
Nutzungsgrad 69

O

Objekt
  Klasse zuordnen 135
  klassifizieren 132
  lineares 115
Objektdienst 154, 228
Objektinformation 186, 197, 201, 703
Objektklassenanalyse 515
Objektliste 173, 220
Objektnetz 110
Objektstatistik 515
Objektverbindung 75, 110
Objektverknüpfung 151
OCI-Schnittstelle 710
Offset 355
OLAP 513
OLTP 513
Online Analytical Processing → OLAP
Online Transaction Processing → OLTP
Organisationsstruktur 59

P

Packmittel 430
Paging 246, 704
Parameter
  Erledigungspflicht 335
Partner 160, 185, 192, 198, 525, 703, 704
  externer 161
  interner 161
  übernehmen 193
Partnerart 161
Partnerrolle 65, 162, 193, 466
Partnerschema 162, 466, 467
PCS 34, 386, 485
PDE 484
Periodenabgrenzung 459
Persistent Staging Area → PSA
Person 204, 465, 467, 468
  als Arbeitsplatz 65
  Gruppe 65
Personaldatenerfassung → PDE
Personalnummer 466–468
  Rückmeldeliste 468
Personalwesen 465, 712
Plan-driven Procurement 481
Planergruppe 61, 160, 204, 331, 525, 714
Planergruppenanalyse 515
Plantafel 434
Planung 197
Planungswerk 60
Planverwendung 67
PM-IS 513, 515, 517, 519, 714
PM-PCS-Schnittstelle 387, 485, 707, 710, 713
Pool Asset Management 403
  Abrechnung 409
Pool-Kategorie 409
Portalrolle 49
Positionsnummer 94
PP 432, 710
PP-Plantafel 434
Predictive Maintenance
  → vorausschauende Instandhaltung
Preventive Maintenance
  → vorbeugende Instandhaltung
Priorität 201, 704
Process Control System → PCS
Produktionsplanung und -steuerung → PP
Produktstrukturbrowser 137
Programmierung 679
Projektsystem → PS
Projekt-Tool, externes 417
Prozessleitsystem 34, 180, 386, 483
Prüf- und Messmittel 388, 443, 673, 708
Prüflos 321, 395, 443, 707
Prüfplan 391
Prüfpunkt 391
PS 411, 547, 713
PSA 523
PSP-Element 411, 544, 547, 708

Q

Qualitätsmanagement 443, 710
Query 524

Quick View ... 576
Arbeitsplan ... 578
Auftrag ... 578
Meldung ... 578
Technisches Objekt ... 577
Wartungsplan ... 578
QuickViewer ... 507
Grenze ... 510
Stichwortsuche ... 507
Tabellenermittlung ... 507

R

Radio Frequency Identification → RFID
RAMS-Kennzahlen ... 625
RBM ... 34
Rechnung ohne Bestellung ... 447
Rechnungseingang ... 284, 288, 425, 447, 482
Rechnungsprüfung ... 294
Referenzmuster, lineares ... 120
Referenzplatz ... 74, 88, 96
RE-FX ... 713
Registerkartentechnik ... 48
Reliability-based Maintenance → RBM
Reliability-based Maintenance, RBM → zuverlässigkeitsorientierte Instandhaltung
Remote Function Call → RFC
Repair Malfunctions – My Job List ... 563, 566
Report and Repair Malfunction ... 563
Report Malfunction ... 563
Request Maintenance ... 567
Reserveteil ... 295, 297
Reservierung ... 210, 242, 248, 257, 423
Retourenabwicklung ... 470
RFC ... 484
RFID ... 601
RM-INST ... 35
Rolle ... 524, 655
Rollenmenü ... 655
Rounds ... 592
Route ... 599
Routen planen ... 599
Rückmeldecockpit ... 670
Rückmeldung ... 242, 251, 260, 397, 439, 441, 468, 677, 706
Einzelzeitrückmeldung ... 252
Gesamtrückmeldung ... 254
Sammelzeitrückmeldung ... 252
Rückmeldung (Forts.)
technische ... 255
Rundgangsplanung ... 376
erweiterte ... 379
über Arbeitsplan ... 377, 379
über Objektliste ... 377
Run-to-Failure ... 619
Run-to-Failure → ausfallbedingte Instandhaltung

S

Sachkontenrahmen ... 447
Sammelzeitrückmeldung ... 252
SAP ... 709
SAP 3D Visual Enterprise ... 50
SAP 3D Visual Enterprise Viewer ... 560, 562
SAP Ariba ... 38
SAP Asset and Strategy Performance Management ... 605
SAP Asset Intelligence Network (AIN) ... 605, 608
SAP Asset Manager ... 585, 594
lokales Layout ... 595
SAP Asset Strategy and Performance Management (ASPM) ... 619
SAP Business Client ... 46, 139, 266, 590
SAP Business Warehouse ... 521
SAP BW ... 521, 532, 552
SAP C/4HANA ... 38
SAP EarlyWatch ... 519
SAP Easy Document Management ... 152
SAP EHS Management ... 443, 711
SAP Environment, Health, and Safety Management → SAP EHS Management
SAP Fiori ... 51
SAP Fiori Apps Reference Library ... 562
SAP Geographical Enablement ... 601
SAP GUI ... 45
SAP GUI 7.50 ... 45
SAP GUI 7.60 ... 46
SAP HANA ... 41
SAP Intelligent Asset Management ... 605
SAP Inventory Manager ... 588
SAP List Viewer ... 498
Listdarstellung ... 503
Monitor ... 503
Selektionsoption ... 502
Selektionsvariante ... 500
Weiterverarbeitung ... 505

SAP Lumira 532
SAP Master Data Governance 476
SAP NetWeaver MDM 473, 476
SAP Predictive Maintenance and Service 605, 628
SAP Rounds Manager → Rounds
SAP S/4HANA
Benutzeroberflächen 43
Betriebsmodelle 36
Cloud-Version 36
Hybrid-Cloud 36
On-Premise-Version 36
Releasezyklen 36
Überblick 36
SAP S/4HANA Asset Management 37
SAP S/4HANA Core 38
SAP S/4HANA Finance 37
SAP S/4HANA Human Resources 37
SAP S/4HANA Manufacturing 37
SAP S/4HANA Marketing 37
SAP S/4HANA Research & Development 37
SAP S/4HANA Sales 37
SAP S/4HANA Service 37
SAP S/4HANA Sourcing & Procurement 37
SAP S/4HANA Suite 38
SAP S/4HANA Supply Chain 37
SAP Screen Personas 668
SAP SRM 473, 480, 709
SAP SuccessFactors 38
SAP Work Manager 582, 585
3D-Modell 590
GIS-Integration 588
iPhone 589
lokales Layout 585
Timesheet 589
SAP-Business-Client-Verbindung 46
SAP-Fiori-App 562
SAP-Logon-Verbindung 46
SCADA 34, 386, 485
Schadensanalyse 515
Schadensbildanalyse 632
Schätzkosten 221, 224
Schichtbericht 270, 274
Schichtnotiz 270
Schnittstelle 489
Schrottplatz 91
Schulung 646
SD 713
Segmentierung, dynamische 117, 131
Selbstbeschreibungsfähigkeit 639
Selektionsvariante 500
Serialnummer 60, 75, 100, 295, 297, 431, 707
Serialnummernhistorie 432
Serialnummernprofil 103, 312
Service 470, 713
Service Level Agreement 470
Serviceabwicklung 470
Serviceobjekt 470
Sicherheitsmittel 444
Sicherheitsplan 445
Side Panel 50
Smartphone 584
Sofortinstandsetzung 178, 261, 265
Spaltenorientierung 41
Spare Part Class Code 300
Stammdaten 85, 475
Erfassung 87
Funktion 87
Layout 86
Stammdatenharmonisierung 476
Stammdatenkonsolidierung 475
Stammdatenmanagement 474
Stammdatenpflege 476
Stammprüfmerkmal 390
Stammsatz 100
hinterlegte Informationen 85
löschen 87
Standardanalyse 515, 714
Standardklasse 136
Standort 61
Standortanalyse 515
Standortwerk 60
Start im Zyklus 357, 366
statische App 52, 53
Statistik 529
Status 224, 229, 237, 241, 242, 256, 258, 396, 399, 420, 432, 458
Anwenderstatus 164, 165, 196, 197, 704
automatische Vergabe 168
mehrere 167
Statusschema 165, 181, 201
Systemstatus 164, 196, 197
Steuerbarkeit 639
Steuerschlüssel 67, 203, 207, 234, 279, 281, 392
Steuerung 230
Steuerungseingabe 643, 690

Störungen reparieren – meine Auftragsliste ... 563
Störungsmeldung ... 563
Störungsmeldung anlegen ... 564
Störungsmeldungen verwalten ... 563, 566
Strategieplan ... 320, 350, 365, 707
anlegen ... 366
Streckungsfaktor ... 353, 354
Strukturierungshilfsmittel ... 74, 76
Strukturkennzeichen ... 83
Strukturstufe ... 79
Stückliste ... 75, 81, 82, 126, 488
Equipmentstückliste ... 75, 128
Ersatzteilstückliste ... 127
Materialstückliste ... 76, 128
Mehrfachstückliste ... 129
Technische Platzstückliste ... 76, 128
Variantenstückliste ... 129
Verwendung ... 128
Stücklistenposition ... 82
Stücklistenstruktur ... 129
Stücklistentyp ... 127
Subcontracting ... 307, 425
Supervisory Control and Data Acquisition Systems → SCADA
Switch Framework ... 216
Switch Framework → Transaktion SFW5

T

Table Control ... 659
Tarif ... 453
fixer ... 223
variabler ... 223
Tastenkombination ... 658
Technical Object Damages ... 570
Technischer Platz ... 74, 79, 81, 88, 109, 185, 190, 488, 525, 703, 714
alternative Kennzeichnung ... 97
Einzelerfassung ... 90
Immobilienobjekt ... 462
löschen ... 86
Massenänderung ... 143
Nummer ... 84
Nummernvergabe ... 83
Sammelerfassung ... 95
Schrottplatz ... 91
übergeordneter ... 91
umbenennen ... 98
vs. Equipment ... 109
Termin, terminierter ... 207
Terminierung ... 68, 201, 205, 227, 361, 374
Durchlaufterminierung ... 206
Ecktermin ... 207, 214
Kennzeichen ... 333, 352, 365
Netzterminierung ... 206
Parameter ... 333, 351, 352, 371
Protokoll ... 342
Terminierungsart ... 207
Terminierungsparameter ... 361
Terminübersicht ... 347
Terminüberwachung ... 319, 341, 343
Theme Belize ... 45
Timesheet ... 589
Toleranz ... 334, 352
Top-down-Budgetierung ... 553
Transaktion
AC03 ... 290
ADPMPS ... 413, 415–417
ADSUBCON ... 310
AS01 ... 450
AS03 ... 449
BAPI ... 675
BGM1 ... 159
BGM3 ... 159
CA01 ... 438
CA77 ... 329
CA87 ... 329
CAT2 ... 253, 468
CAT9 ... 254
CC04 ... 137
CJ01 ... 547
CJ06 ... 411
CJ11 ... 411, 547
CJ30 ... 548
CL02 ... 132
CL20 ... 136
CL20N ... 135
CL30N ... 136
CL6B ... 136
CM01 ... 234
CM21 ... 94, 434
CN21 ... 412
CO01 ... 436, 438
CO11 ... 442
CO15 ... 439
CO1F ... 439
CS01 ... 128, 438, 440
CS15 ... 129
CT04 ... 131, 359
CV01N ... 151

Transaktion (Forts.)
CV04N ... 151
F-43 ... 447
FB60 ... 447
IA01 ... 322, 390
IA05 ... 322, 390
IA06 ... 440
IA08 ... 499
IA09 ... 499
IA11 ... 322
IA16 ... 328
IA21 ... 328
IB01 ... 128
IB11 ... 128
IBIP ... 86
IBIPA ... 343
IE01 ... 115
IE02 ... 102, 103, 135, 359
IE03 ... 103
IE05 ... 119, 136, 143, 499
IE20 ... 136
IE36 ... 499
IE37 ... 499
IE4N ... 104
IH01 ... 89, 97, 117, 137
IH03 ... 137
IH04 ... 129
IH06 ... 136
IH07 ... 499
IH08 ... 136, 499
IH09 ... 499
IK07 ... 499
IK07R ... 499
IK08 ... 499
IK08R ... 499
IK11 ... 360, 670
IK17 ... 499
IK18 ... 499
IK81 ... 120
IK82 ... 120
IK83 ... 120
IL01 ... 90, 91, 115
IL02 ... 102, 135, 359
IL03 ... 463
IL04 ... 96
IL05 ... 97, 119, 136, 143, 499
IL06 ... 499
IL07 ... 103, 117
IL15 ... 499
IM01 ... 543
IM11 ... 543

Transaktion (Forts.)
IM32 ... 544, 545
IN04 ... 110
IN07 ... 110
IN15 ... 111, 499
IN16 ... 111, 499
IN18 ... 111, 499
IN19 ... 111, 499
IP10 ... 332, 356, 366, 371, 375
IP11 ... 351, 365
IP11Z ... 369, 373
IP15 ... 345, 499
IP16 ... 499
IP17 ... 345, 499
IP18 ... 499
IP19 ... 347
IP24 ... 499
IP30 ... 337, 341, 343
IP31 ... 346
IP41 ... 330, 361
IP42 ... 352, 366
IP43 ... 369, 374
IPM2 ... 499
IPM3 ... 499
IPMD ... 163
IQ08 ... 136, 499
IR01 ... 66, 465
IR02 ... 465
ISHN1 ... 271
ISHN4 ... 272, 499
ISHR1 ... 274
ISHR4 ... 276, 499
IW21 ... 180, 404
IW22 ... 256, 508, 670
IW24 ... 180
IW26 ... 180
IW28 ... 199, 499
IW29 ... 499
IW31 ... 200, 217, 308, 325, 380, 464, 544, 662, 663, 668, 669
IW32 ... 48, 217, 229, 239, 242, 256, 257, 259, 325, 412, 413, 670
IW36 ... 227
IW37 ... 231, 499
IW37N ... 499
IW38 ... 229, 231, 239, 242, 246, 257, 499, 500
IW39 ... 499
IW3D ... 245
IW3K ... 217, 499
IW3L ... 499

Transaktion (Forts.)
IW3M 499
IW41 252, 287, 442, 468, 670
IW42 254, 256, 257, 287, 378, 383, 441, 468, 670
IW43 670
IW44 252, 287, 468
IW47 499, 670
IW48 252, 287, 468
IW49 499
IW49N 499
IW64 499
IW65 499
IW66 499
IW67 499
IW68 499
IW69 499, 670
IW81 302, 440
IW8W 441, 442
KGI2 456, 458
KGI4 456, 458
KLO1 453
KO22 539
KO88 436, 439, 441, 451, 460
KO8G 460
KP06 541
KP26 223, 287, 409, 454, 541
KP46 541
KPZ2 541
LSMW 86, 135
MB51 670
MC=E 520
MC18 533
MCI1 515
MCI2 515
MCI3 515
MCI4 515
MCI5 515
MCI6 515
MCI7 515
MCI8 515, 516
MCIZ 515
MD04 300
ME21N 426
ME51N 55, 426
MEW10 492
MIGO 104, 249, 283, 303, 439, 441, 442, 670
MIRO 55, 284
ML10 291
ML12 291

Transaktion (Forts.)
ML33 291
ML39 291
ML45 291
ML81N 293
MM02 135
MMBE 105
OLI5N 223
PAM01 409
PAM02 409
PAM03 405
PFCG 655
PW61 469
QDV1 393
QE17 397
QE51N 397
QS21 390
QS41 189
REISCOLIBD 464
S_ALR_87012824 545
S_ALR_87013557 549
S_ALR_87013611 461, 542
SE93 512
SFP 276
SFW5 39, 216
SHN1 271
SHN4 272, 499
SHN5 272
SHR1 274
SHR4 276, 499
SQ01 512
SQVI 507
SU01 247
SU3 652
SWDD 681
SXDA 135
WPS1 417
ZW31 663
Transaktion QA11 397
Transaktion QS23 390
Transaktion SFW5 39
transaktionale App 52
Transaktionsvariante 662
Transfer 589
Tuningmaßnahme 682

U

UI Editor 669
Umwelt, Gesundheit und Sicherheit 443

Unterdeckung ... 575
Urgent Job Request ... 598
Usability-Studie ... 643, 681
User Interface Editor → UI Editor

V

Verbesserung ... 30
Verbindungsoptionen ... 46
Verbrauchsabrechnung ... 486
Verdichtungsstufe ... 496
Verfügbarkeit ... 545
Verfügbarkeitskontrolle ... 540, 545, 556
aktive ... 549
passive ... 549
Verfügbarkeitsprüfung ... 201, 236, 424
dynamische ... 237
Fertigungshilfsmittel ... 237
globale ... 238
Material ... 237
statische ... 237
Status ... 241
Verknüpfung mit Dokument ... 150
Verknüpfungsart ... 371
Verschiebungsfaktor ... 334, 352
Vertrieb ... 470, 713
Verwendungsentscheid ... 399, 443
Voice-Picking-System ... 584
Vorabversand von Ersatzteilen ... 470
vorausschauende Instandhaltung ... 619
vorbeugende Instandhaltung ... 314, 619, 707
Vorgang ... 227, 323
Vorgangsselektion ... 327
Vorgangsübersicht ... 215
Vorlauf- und Nachlaufpuffer ... 371
Vorlaufpuffer ... 355
Vorschalttransaktion ... 673
Vorschlagswert ... 653

W

Warenausgang ... 249, 432
Wareneingang ... 283, 304, 312, 425, 432, 482
Warenentnahme ... 259, 425, 439, 441
Wartung ... 29
Wartungspaket ... 354
Wartungspakethierarchie ... 354
Wartungsplan ... 319, 332, 394, 443, 677
Einzelzyklusplan ... 319, 358
Mehrfachzählerplan ... 320, 369, 373
Strategieplan ... 320, 350, 365
Wartungsplankalkulation ... 346
Wartungsplantyp ... 320, 381
Wartungsplanung, leistungsbasierte ... 486
Wartungsposition ... 319, 345
Wartungsstrategie ... 318, 351, 365, 707
Web Template ... 524
Weboberfläche ... 675
Werk ... 60, 525
des Ersatzteillagers ... 63
Planungswerk ... 60, 61
Standortwerk ... 60, 61
Werkstatt ... 65
Werteliste, persönliche ... 658
Wertkategorie ... 224
Wiederanlaufkosten ... 27
Wiederholfaktor ... 375
WM ... 709
Work Activity ... 633
Workflow ... 680
Workflow Builder ... 681

Z

Zähler ... 145, 147, 359, 385, 677, 703
geschätzte Jahresleistung ... 148
Zählersprungmarke ... 148, 359
Zählerstand ... 148, 267
Zählerstandserfassung ... 362, 365
Zeilenorientierung ... 41
Zeit angeben ... 397
Zeitabgleich ... 469
Zeiterfassung ... 253
Zeitrückmeldung → Rückmeldung
Zuordnung von Dokumenten ... 194, 219
zustandsabhängige Instandhaltung ... 592
zuverlässigkeitsorientierte Instandhaltung ... 619
Zyklusset ... 369, 373